D0832779
LA NOUVELLE
ENCYCLOPÉDIE

LA NOUVELLE ENCYCLOPÉDIE

GÉOGRAPHIE

HISTOIRE & RELIGIONS

SCIENCES

ARTS & LETTRES

TECHNIQUES

SCIENCES NATURELLES

SCIENCES HUMAINES

VIE PRATIQUE

LA NOUVELLE ENCYCLOPÉDIE

de Pollen à Sous-marin

Nouvelle édition
revue et mise à jour
1989

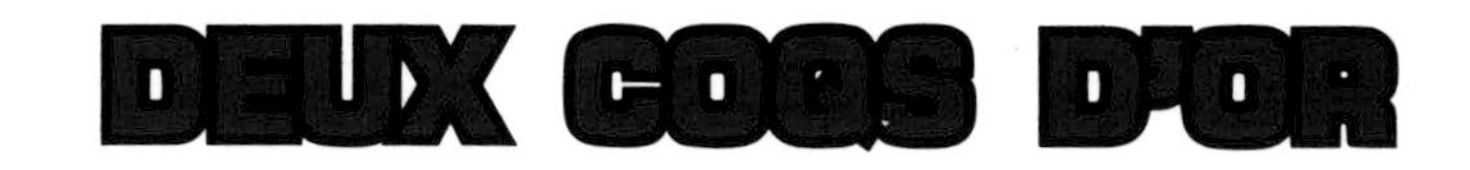

LA NOUVELLE ENCYCLOPÉDIE DES DEUX COQS D'OR

a été conçue par

FRANÇOIS MARTINEAU
Directeur de la publication

et

SERGE PIGEAU
Rédacteur en chef

avec la collaboration, notamment, de Paul Barrat, Claire Biétry, Gilles Cantagrel, Jacques Chesneau, Jean-Paul Crémieu, Alain Dagnaud, André Deloro, Jean-François Deneux, Bernard Domeyrat, Michel Doussy, Aline Dubois-Dugrenot, Georges Duolé, Gilbert Elkaim, Marie-Odile Fargier, Bernard Fournier, Colette Girard, Marie-Claude Guerrini, Henri Guimiot, Christine Guiral, Madeleine de Guillermié, René Hartveg, Marcel Hauriac, Gérard Hug, Jean Irigaray, Natalène Isnard, André Jouette, Evelyne Kamenchikoff, Raymonde Ladefroux, Martine Lamy, Agnès Lafont, Hélène Lassale, Christine-Claire Lemaître, Léon Lucas, Jean Malignon, Pierre Malinverni, Jean-Claude Marandon, Gilbert Marcilhacy, Claude Marin, Agnès Mathieu, Marc Mazerczak, Jean-Paul Morel, Georges Mounin, Yves Paccalet, Jean Parel, Jean-Louis Parmentier, Hélène Pasquier, Alain Penot, Annie Perrier-Robert, Charles Perussaux, Odile Pinson, Charles Rambert, Jean Randier, Pierre Roger, André Roumanet, Chantal Roux de Bezieux, Pierre Rozier, Colette Save, Jacques Soppelsa, Philippe Tilloy, René Turlin, Annie Vagogne, Henriette Vallot, Serge Van Nieuvenhove, Alain Vannefh, Annie Wibaux, et des services de Arnoldo Mondadori Editore, dirigés par Giorgio Marcolungo.

Secrétariat de rédaction et iconographie : Janine Casevecchie, Michel Carrière, Mireille de Monts, André Noël – Mise en pages : Lucile Rozier.

Éditions nouvelles revues et mises à jour par Paul de Roujoux et Marie-Hélène Moullahem avec la collaboration de Micheline Benoit, Ginette Bléry, Jacques Binsztok, Geneviève Bot-Gartner, Yves de Bouard, Jocelyne Galland, Claude Georges, Marie-Louise Hurpy, Isabelle Jacomy, Michael Jaeger, Jimmy Jallot, François Lambel, Yannick Le Bourdonnec, Mariam Loussignan, Luc Ogier, Jean-Claude Piquion, Jean Rénald, Anne Rigade, Irène de Saint-Aubin.

Nouvelle édition mise à jour en 1989

POLLEN

● Produit par les étamines, le pollen se présente sous la forme d'une poudre jaune et constitue le gamète mâle chargé d'assurer la fécondation du gamète femelle.

● Le grain de pollen est constitué d'une cellule sphérique recouverte de deux membranes. La membrane extérieure, l'exine, est dure, imperméable, et présente des « sculptures » dans sa surface, ou bien est hérissée de pointes. Au-dessous se trouve la membrane interne, l'intène, riche en pectine, blanchâtre et élastique.

● Ces deux membranes entourent le cytoplasme contenant les substances de réserve, très peu d'eau et deux noyaux. Le plus gros, le noyau végétatif, se résorbera par la suite; le plus petit, le noyau reproducteur, réalisera la fécondation.

● Celle-ci a lieu, quand il y a contact entre un grain de pollen et un ovule. Pour ce faire, le pollen doit être transporté sur le stigmate. Cette opération est dénommée pollinisation.

● La pollinisation se fait automatiquement chez les fleurs hermaphrodites, sauf cas particuliers. Chez les fleurs unisexuées, le transport du pollen est obligatoire. Il peut avoir lieu de différentes façons. En général, la dissémination est produite par le vent (on parle des fleurs anémophiles), plus rarement par les animaux (fleurs zoophiles).

● Enfin, chez certaines plantes aquatiques, elle est assurée par l'eau. C'est le cas chez *Vallisneria spiralis* qui vit au fond des eaux stagnantes. Ses fleurs sont très petites et rougeâtres. Les fleurs mâles forment un petit épi. A maturité, elles se détachent et s'élèvent dans l'eau, comme des bulles, et viennent flotter à la surface. Les fleurs femelles sont solitaires, portées par un long pédicelle enroulé en spirale. Au moment de la floraison, le pédicelle s'allonge, se déroule et la fleur atteint la surface de l'eau. Ainsi les gamètes mâles et femelles portés par l'eau peuvent se rencontrer.

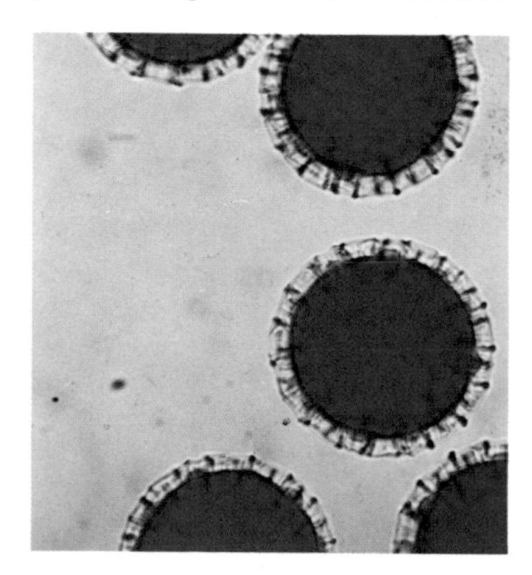

La fleur fécondée est ensuite ramenée sous l'eau par enroulement du pédicelle. ■

▸ *REPRODUCTION*

POLLUTION

● Depuis quelques années, le terme de pollution a pris une résonance particulière, propre à sensibiliser l'opinion publique, en particulier chez les jeunes qui se sentent davantage concernés. Il ne s'agit pas là d'une simple mode et, bien au contraire, les problèmes de la pollution, ainsi que les thèmes de l'environnement et de l'écologie qui leur sont liés, sont l'objet d'un intérêt croissant. Sans verser dans le « catastrophisme », on peut dire, en effet, que la Terre est mise en danger par le développement de la civilisation industrielle occidentale et par une croissance économique et démographique sauvage. Ainsi, les océans sont pollués, les terres stérilisées, l'atmosphère est empoisonnée, l'équilibre démographique détruit et les aspirations au bien-être s'en trouvent écrasées.

● La pollution est un phénomène multiple et varié, dont les effets vont de la simple gêne aux conséquences les plus désastreuses. A côté de la pollution de l'air et de l'eau, dont les effets peuvent

De la mort des forêts brûlées par les pluies acides, aux oiseaux de mer victimes des marées noires, les diverses pollutions menacent très dangereusement les qualités de vie des années à venir.

Grains de pollen d'une liane du Mexique, *Cobaea scandens*. L'étude des pollens fossiles (palynologie) permet de reconstituer la flore;

A la surface de la mer, une tonne de pétrole peut couvrir environ 1,2 km. Le naufrage d'un seul *supertanker* (300 000 t) pourrait polluer toute la mer Caspienne !

être catastrophiques, le bruit, l'amoncellement de déchets solides, qui pourtant ne polluent pas le milieu à proprement parler, doivent tout de même être considérés comme des pollutions. On retiendra donc quatre aspects de la pollution : celle de l'eau, celle de l'atmosphère, celle causée par le bruit et celle due aux déchets solides.

● La pollution de l'eau pose des problèmes d'hygiène, d'économie et d'esthétique. Elle est singulièrement importante dans les pays développés où le volume des eaux « usées » par une population urbaine croissante s'ajoute à celui des « eaux industrielles », particulièrement polluées. Sur 44 industries représentatives, 12 sont responsables de 91 % de la pollution industrielle de l'ensemble des fleuves et des rivières; et plus particulièrement la papeterie, le tannage, l'industrie chimique et les centrales électriques.

● Chaque année, 3 millions de tonnes de produits pétroliers sont rejetées à la mer, polluant les océans, les estuaires et les ports, souillant les plages, les parcs à coquillages, et empêchant la réoxygénation de l'eau indispensable à la vie aquatique. L'épandage massif d'insecticides et d'engrais chimiques qui, sous l'effet des précipitations, retournent dans les fleuves et les rivières, détruit progressivement les équilibres et les cycles naturels. Ainsi, l'engrais azoté inorganique entrave le travail des micro-organismes du sol, provoque leur régression ou leur mutation, et détruit le cycle naturel de l'azote, stérilisant à la longue le sol. Certains insecticides déversés dans les eaux peuvent provoquer des intoxications aiguës ou attaquer d'une façon chronique les organismes aquatiques. Les détergents synthétiques à usage domestique ou industriel contribuent à détruire toute vie aquatique en abaissant la capacité de réoxygénation des cours d'eau, et en produisant des mousses. La pollution par déchets radioactifs est, quant à elle, encore mal mesurée mais, de toute façon, la multiplication des centrales nucléaires, obligatoirement situées près des rivières qui leur fournissent l'eau nécessaire au refroidissement, élève la température de l'eau, et met de la sorte en danger l'équilibre aquatique.

● La pollution chimique de l'atmosphère est apparue avec le développement de l'industrie et la généralisation de l'automobile. A la différence de l'eau, il est difficile d'épurer l'air. Ici, on distingue trois causes principales : les foyers domestiques, les moteurs des véhicules à combustion interne, les fumées des usines. Les polluants de l'air sont nombreux. L'anhydride sulfureux (SO_2), émis principalement lors de la combustion du fuel, du charbon, du gas-oil, du raffinage des pétroles. 54 % de l'anhydride sulfureux provient de l'industrie ou de l'agriculture, 13 % des chauffages domestiques, les véhicules de transport n'en produisant que 6 %.

● L'oxyde de carbone (CO), est le gaz polluant le plus répandu. Il se produit dans toute combustion incomplète, quel que soit le combustible. Incolore, inodore, il est difficile à déceler, d'autant plus qu'il se diffuse très facilement car sa densité est voisine de celle de l'air, 68 % viennent des véhicules de transport, 12 % des appareils et chauffages domestiques, 20 % de l'agriculture et de l'industrie.

● L'oxyde d'azote (NO_2), qui se dégage dans les combustions à haute température, est produit à 72 % par les véhicules de transport.

● A cette liste s'ajoutent d'autres polluants gazeux d'origine industrielle : le chlore, les vapeurs nitreuses, le fluor, et des polluants solides en suspension dans l'air : poussières, suies, cendres, oxyde de fer, silicates, bombes aérosols aussi qui modifient la couche d'ozone de l'atmosphère. Leur fabrication est d'ailleurs plafonnée depuis 1981. L'action de ces polluants peut se trouver aggravée par des facteurs climatiques tels que l'absence de vent, la stagnation dans les dépressions de masses d'air froid privées de leur mouvement ascensionnel, la fréquence des brouillards. Los Angeles et Londres en fournissent des

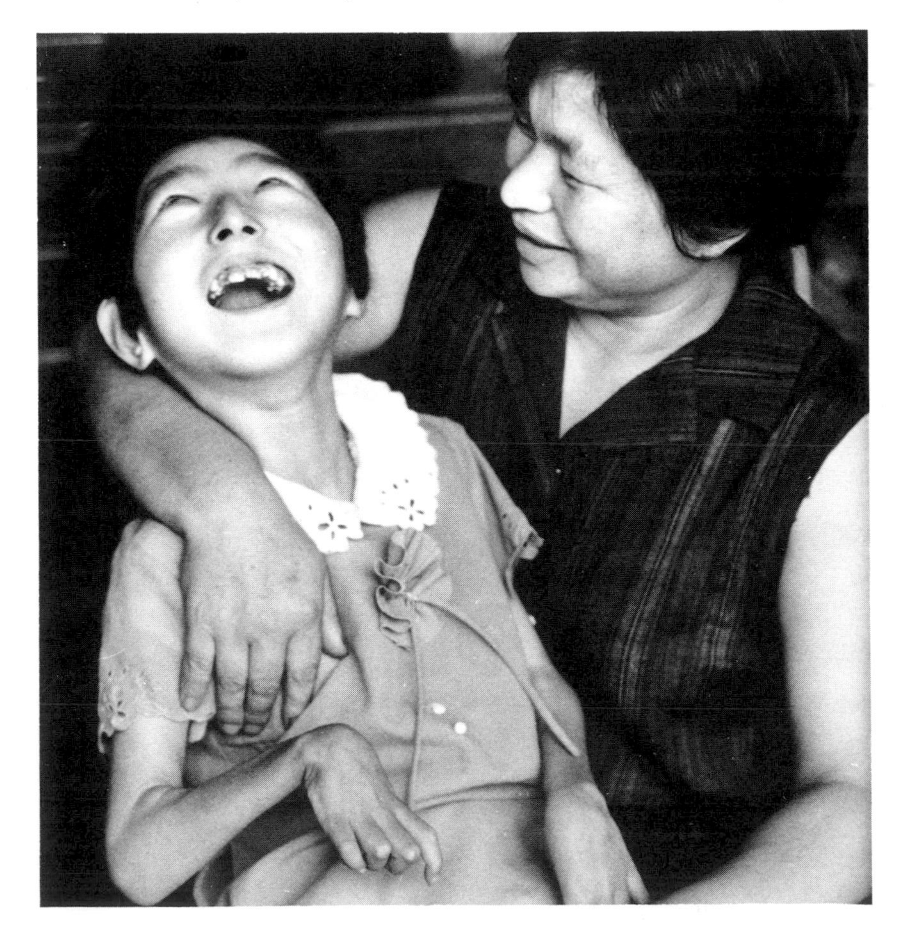

Au dossier des maladies contemporaines, celles de la pollution. Ici, une victime de la *maladie de Minamata* : dans l'île Kyu Shu, au sud du Japon, une usine produisant du polychlorure de vinyle utilisait des composés du mercure pour accélérer les réactions chimiques. Rejeté à la mer, le mercure, par l'intermédiaire des poissons pêchés, intoxiqua près de 500 personnes, provoquant des atteintes irréversibles au système nerveux.

Une rivière polluée par les eaux usées industrielles et domestiques. Privés d'oxygène en dessous de la pellicule imperméable de détersifs qui recouvre la surface du cours d'eau, les poissons ne peuvent survivre.

exemples bien connus. A Los Angeles, la présence simultanée d'oxyde d'azote, d'ozone et de peroxydes provoque chez les habitants une irritation des muqueuses et des yeux, diminue la visibilité, et attaque la végétation. A Londres, c'est l'anhydride sulfureux qui, mêlé au brouillard tenace, donne le fameux smog acide.

● En effet, l'anhydride sulfureux (SO_2) est oxydé en anhydride sulfurique (SO_3) qui est hydraté par le brouillard en acide sulfurique (H_2SO_4). Ce smog acide a été à l'origine d'accidents très graves : en 1952, on a pu lui attribuer 4 000 décès à Londres entre le 5 et le 9 décembre. Sans provoquer systématiquement de pareilles hécatombes, la pollution chronique des grandes villes est la cause de maladies telles que trachéite, bronchite, conjonctivite, asthme; elle affecte la croissance des enfants, diminue la résistance à la fatigue. Les animaux et la végétation ne sont pas épargnés, et elle attaque même les monuments, comme à Venise.

● Les conséquences de la pollution sont de mieux en mieux connues, et surtout de plus en plus dénoncés. Les moyens de lutter contre ses nuisances ont été d'abord assez ponctuels : construction de hautes cheminées, réglage des carburateurs de moteurs. Mais la dernière décennie du XXe siècle s'oriente vers une lutte plus généralisée et plus concertée : conventions internationales luttant contre la pollution des mers; création de puissantes stations d'épuration des eaux (les plus impressionnantes sont celles de Chicago et de Paris); certains pays ont déjà adopté l'utilisation de l'essence sans plomb, adaptant progressivement les moteurs des véhicules à cette formule de carburant peu polluante qui sera inévitablement généralisée, à plus ou moins long terme.

● La pollution atmosphérique la plus dangereuse est toutefois celle due aux conséquences des explosions nucléaires effectuées dans l'atmosphère. Les corps radioactifs projetés dans la haute atmosphère font le tour du globe en quinze jours environ, et retombent progressivement à la surface de la Terre. Le strontium-90, un des éléments radio-actifs les plus dangereux, qui met 28 ans pour ne perdre que la moitié de sa radioactivité, serait à l'origine de l'augmentation de la mortalité infantile, des leucémies, des malformations congénitales, des cancers.

● Autre forme de pollution, le bruit, forme, certes, moins nocive que les précédentes; mais il ne faut pas y voir qu'une question de bien-être car, au-delà de 120 décibels, le bruit peut entraîner la perte des facultés auditives. Ce sont les villes qui sont le plus touchées. Aux États-Unis, on estime que le bruit augmente dans les villes de 1 décibel par an. L'atterrissage et le décollage des avions, la circulation des automobiles et surtout des engins à deux roues, les travaux de construction sont les principales sources de bruit. Dans certains secteurs très bruyants de l'industrie, la surdité est fréquente. Les progrès techniques de l'insonorisation permettent de lutter, dans une certaine mesure, contre cette forme de pollution sonore.

● La pollution par les déchets solides est l'un des grands problèmes de l'environnement. La multiplication des biens de consommation et des emballages non récupérés a engendré le gaspillage et augmenté le volume des déchets. L'emploi généralisé de la matière plastique encourage ce penchant et l'élimination de ces déchets devient de plus en plus difficile. De véritables usines de retraitement des déchets ménagers sont construites

Lutte contre la pollution : essai d'un solvant, sur une plage souillée par des hydrocarbures.

Les *dispersants* sont utilisés en mer, où les substances nocives rejetées par les pétroliers polluent chaque année près du centième de la surface des océans. Ils ont la propriété d'attaquer la couche superficielle de pétrole et de la « disperser » en fines particules assimilables par les bactéries.

Dans *le Livre des Merveilles,* Marco Polo décrit la splendeur de la cour de Chine : « 100 000 chevaux blancs encadrant 5 000 éléphants porteurs de cadeaux ». A Hang-Tchéou il admire 12 000 ponts, et à Cambaluc, 12 000 ateliers. Son évocation chiffrée lui valut le surnom de « Messire Million » ici vêtu à la mongole.

un peu partout; certaines permettent même la récupération des gaz pour le chauffage urbain; de même l'élimination des déchets toxiques s'effectue depuis peu dans des usines construites à cet effet, mais encore trop rares. Il arrive que navires ou camions chargés de ces déchets errent sans succès d'un pays à l'autre, cherchant un territoire d'accueil attiré par les revenus substantiels que procure ce genre d'hébergement.

● Si la gravité du problème de la pollution n'a pas réussi à remettre en cause les objectifs des économies mondiales, de grands courants de pensée ont convaincu les individus isolés d'abord, puis, par voie de conséquence, des gouvernements de plus en plus nombreux, que l'objectif de produire davantage ne peut éclipser le désir de vivre mieux, que les progrès techniques, si étonnants soient-ils, ne sont rien s'ils ne concourent pas à la qualité de la vie.

● La lutte contre la pollution se heurte avant tout à des problèmes économiques. Elle a coûté près de 700 francs à chaque contribuable français en 1985, et ce prix ne peut qu'aller en augmentant. La qualité de notre environnement en dépend. ■

De ces deux cuves, celle de droite présente le pétrole brut aggloméré à la surface. Son effet polluant est avant tout d'empêcher tout échange biologique entre l'air et l'eau. Dans la cuve de gauche, un produit dispersant répartit le pétrole en particules fines, assimilables par les bactéries.

▸ *ATMOSPHÈRE / BRUIT / NATURE, CONSERVATION DE LA*

POLO, Marco (1254-1324)

● Issu d'une famille de marchands vénitiens, Marco Polo devait connaître cette Chine mystérieuse, dont on vantait les richesses, grâce à l'esprit aventureux de son père Nicolo et de son oncle Matteo.

● Ces deux négociants, un peu par hasard, beaucoup par curiosité, s'étaient aventurés, lors d'un voyage d' « affaires » à Constantinople, jusqu'à Cambalue (Pékin), capitale de Cathay (Chine) et du grand empire dominé par Qubilai khan. Porteurs d'une lettre pour le pape, les deux voyageurs regagnèrent Venise trois années plus tard.

● La lettre du grand Qubilai fut remise au nouveau pape Grégoire X, dans la ville de Saint-Jean d'Acre; l'empereur mongol désirait recevoir à sa cour « cent docteurs, savants dans les sept arts ». Les Vénitiens reprirent la route, en 1271, emmenant cette fois le jeune Marco, âgé alors de 17 ans, jeté ainsi dans la plus fabuleuse des aventures. Ils étaient porteurs d'une lettre du pape et d'une fiole contenant l'huile du Saint-Sépulcre.

● Après avoir atteint Ormuz, sur le golfe Persique, les intrépides voyageurs traversèrent les vastes plaines asiatiques, mettant quarante jours pour traverser le Pamir; séjournant dans différentes villes de Chine, ils y jetèrent les bases d'une activité commerciale future avec Venise, avant d'arriver à Pékin, à la cour de Qubilai.

● L'empereur de Chine se prit d'une grande affection pour Marco Polo et garda les Vénitiens auprès de lui pendant seize années. Marco fut chargé par Qubilai de missions et envoyé à travers l'empire, parcourant ainsi ce vaste pays, apprenant sa langue, ses coutumes, ses traditions. Il visita ainsi le Yu nam, le Tibet, la Cochinchine, la Birmanie, et fut, pendant trois ans, souverain du Yang Tcheou.

● Marco Polo fut émerveillé par la richesse des villes chinoises et leur activité commerciale. Les jonques qui descendaient le Yang-Tse-Kiang étaient chargées d'épices, de riz, de tissus de soie damassée et de brocarts d'or. L'organisation économique était alors beaucoup plus élaborée en Chine que dans les pays occidentaux (l'utilisation du papier-monnaie était connue depuis longtemps).

● Mais, en 1292, désireux de regagner leur terre natale, les trois Vénitiens quittèrent la Chine, en compagnie de la fille du grand Khan, qui partait en Perse épouser le prince mongol Argoun. Quatorze navires partirent du port de Fou tcheou, et après des escales en Cochinchine, à Sumatra, aux Indes, arrivèrent en Perse à Ormuz. Après un séjour de plusieurs mois, les navigateurs regagnèrent Venise où ils firent une entrée triomphale.

● Prisonnier des Gênois lors de la défaite des Vénitiens (1296), Marco Polo profita de sa captivité pour faire le récit de ses souvenirs à un écrivain Rusticello, prisonnier comme lui. Parus sous le titre *le Livre des Merveilles de Marco Polo,* les récits du grand navigateur, malgré les légendes, les erreurs et les événements fictifs dont ils sont truffés, ont permis aux Occidentaux de l'époque de découvrir une civilisation chinoise raffinée et bien plus évoluée dans de nombreux domaines. ■

▶ *EXPLORATIONS, HISTOIRE DES*

POLOGNE

● Pays meurtri, enjeu des grandes puissances au XIXe siècle, théâtre de batailles sanglantes, de révoltes héroïques pour la liberté et la patrie, la Pologne annonce les vastes horizons soviétiques, tout en s'appuyant aux remparts montagneux tchécoslovaques. Sur le plan politique, la Pologne cherche à concilier la solidarité socialiste et l'originalité nationale. Les nouvelles frontières, issues de la conférence de Yalta, en font un pays jeune; la démocratie populaire, née de la résistance, rallie actuellement la Pologne au glacis soviétique, tandis que la religion catholique la rattache toujours aux pays latins.

● Arc-boutée, au sud-est, au versant nord des Carpates occidentales (Beskides), la Pologne représenterait la terre d'origine des Slaves avant la « diaspora » des IIe et Ier millénaires. L'unification du premier royaume polonais se dessina pourtant à partir de l'ouest de la vaste Plaine, dans cette grande Pologne où Poznan et Gniezno se partagèrent la fonction de capitale de la dynastie paysanne des Piast dont Mieszko Ier assura la puissance en se faisant baptiser.

● Peuplé d'un million d'habitants au Xe siècle, le pays possédait alors les frontières qui le limitent actuellement, depuis le massif ancien de Bohême, la chaîne tertiaire des Beskides et les plateaux méridionaux, jusqu'aux croupes baltiques, œuvre désordonnée de la glaciation quaternaire.

● Peu à peu, les Slaves tournèrent le dos à la mer, bordée de côtes basses, à lagunes peu favorables à la prospérité portuaire. Dès 1226, les chevaliers Teutoniques vinrent au secours du duc Conrad de Mazurie, inaugurant une durable colonisation allemande à l'est de la Vistule. L'expansion germanique fut provisoirement bloquée par la victoire de Grunwald (1410). Celle-ci se trouva confirmée par la « paix perpétuelle » de Torun (1466), où l'ordre teutonique se reconnaissait vassal de la suzeraineté polonaise, qui s'étendait vers l'est et le sud-est.

● Dès le XIVe siècle, Casimir III le Grand, dernier de la dynastie des Piast, avait conquis Ruthénie et Volhynie; en outre le mariage d'Hedwige avec le grand duc de Lituanie fondait l'État des Jagellons, s'étendant depuis la moyenne Vistule et le Niemen jusqu'aux bouches du Dniestr et du Bug, sur la mer Noire.

● A cette apogée de la puissance politique polonaise, marquée par l'installation de Bénédictins et de Cisterciens, puis de Dominicains et de Franciscains, correspondit la servitude croissante des paysans à l'égard d'une noblesse de plus en plus fermée, soucieuse d'augmenter le pouvoir de la Diète. Dès l'extinction des Jagellons, la monarchie héréditaire fut remplacée par l'élection de rois étrangers, au moment où l'essor économique du XVIe siècle reposait sur le trafic maritime contrôlé, à Gdansk, par les Hollandais, les Britanniques ou les Scandinaves.

● Même si la langue nationale se répandait grâce à la présence d'un millier d'écoles, une longue décadence commença au XVIIe siècle, à la suite des défaites militaires, face aux Turcs, malgré Jean Sobieski, et aux Cosaques ukrainiens. Tandis que le commerce déclinait, Russes et Suédois parvinrent, au XVIIIe siècle, à installer leurs « clients » sur le trône, qu'il s'agisse de Stanislas Leszczynski en 1704 ou de Stanislas Auguste Poniatowski en 1764.

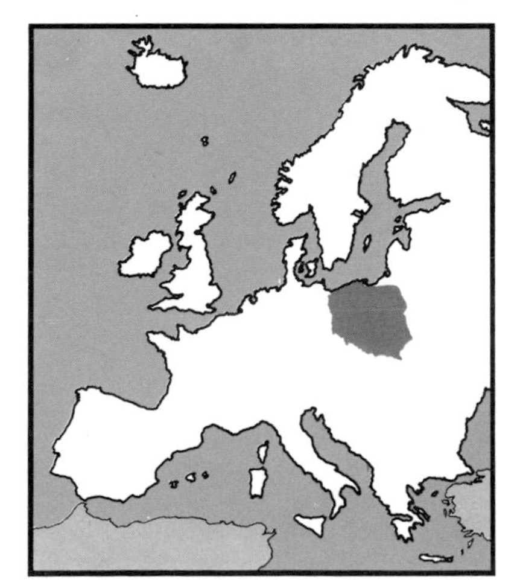

Varsovie qui fut entièrement détruite par les Allemands en 1944, a été en partie reconstruite selon des plans d'urbanisation très moderne. Les vieux quartiers et les monuments ont été, cependant, minutieusement reconstitués d'après des documents anciens.

● Alors commença le dépècement de la Pologne, qui disparaît de la carte européenne en 1795, au bénéfice de la Russie, de l'Autriche et de la Prusse, malgré l'insurrection menée par Tadeusz Kosciuszko. Confirmée au Congrès de Vienne après la création éphémère du grand duché de Varsovie par Napoléon Ier, la disparition politique de la Pologne développa le sentiment national polonais, exalté en 1830, 1848 et 1863 par des révoltes réprimées dans le sang.

● Pourtant, les premières mines de charbon de Silésie étaient mises en exploitation depuis la fin du XVIIIe siècle; la métallurgie se développait au XIXe siècle sous l'impulsion de capitaux belges; la tradition textile de Lodz s'affirmait grâce à des tisserands allemands. Alors qu'étaient posées les bases économiques de la Pologne contemporaine, le développement d'un prolétariat favorisait la naissance des partis socialiste et ouvrier.

Superficie : 312 680 km^2.
Population : 38 000 000 hab.
Capitale : Varsovie (1 650 000 hab.)
Religion : catholicisme.
Régime politique : République démocratique populaire.
Unité monétaire : le *zloty.*

Les plaines fertiles des environs de Myslenice, près de Cracovie. Ces régions méridionales sont souvent les plus pittoresques. Elles attirent les touristes par leurs magnifiques forêts, leurs paysages vallonnés, les villages où subsistent de nombreuses traditions populaires et les stations de sport d'hiver établies près de la frontière tchécoslovaque

● Du principe des nationalités, cher au président Wilson, et des cendres d'une Première Guerre mondiale se muant en guerre contre le bolchévisme jusqu'en 1921, un État polonais ressurgit sous les traits d'une république proclamée par Pilsudski..., auteur en 1926 d'un coup d'État militaire réduisant l'opposition au silence. Vigoureusement anti-soviétiques, le nouveau régime et ses centurions furent écrasés par l'armée hitlérienne envahissant la Pologne le 1er septembre 1939.

● Le tragique destin polonais s'écrivit alors à Auschwitz, Majdanek, Treblinka; les Juifs de Varsovie devaient être exterminés en mai 1943. Dès 1942, le parti ouvrier polonais s'était clandestinement reconstitué et, en 1944, Staline transforma le comité polonais de libération nationale en gouvernement provisoire : l' « ennemi héréditaire » était devenu le sauveur !

● Malgré sa longue histoire, la Pologne apparaît à l'heure actuelle comme un jeune État dont les frontières se trouvent décalées vers l'ouest au profit de la Biélorussie et de l'Ukraine, aux dépens de l'Allemagne vaincue. A l'embouchure de la Vistule, s'est ajoutée celle de l'Oder avec le port de Szczecin tandis que les populations allemandes étaient remplacées dans cette région par les Polonais venant d'U.R.S.S. Les plaies du pays étaient béantes : 6 millions de morts, les transports désorganisés, des villes comme Varsovie ou Wroclaw entièrement rasées.

● L'intense effort de reconstruction s'inscrivit dans les cadres contraignants d'une planification rigide développant la sidérurgie fondée sur le charbon de haute Silésie et le fer de Czestochowa; peu profondes (300 à 1000 m) et assez épaisses, les veines de houille, d'exploitation facile, expliquent la prolifération de villes industrielles articulées autour de Katowice, Chrózow et Bytom cependant que l'extraction s'étend désormais vers le sud.

● De même, la métallurgie du zinc, du plomb et des métaux nonferreux repose sur les nombreux filons truffant montagne et piémont des Carpates. De plus, les bases énergétiques sont complétées par l'anthracite de Walbrzych, le lignite des bassins de l'Oder et de la Warna et le gaz naturel de la région de Sandomierz.

● Grâce à ces ressources et à l'aide soviétique, la reconstruction associa le « relèvement » des villes à l'industrialisation liée à la priorité accordée à l'industrie lourde. Ancienne capitale, ville universitaire depuis 1364, Cracovie fut dotée d'une ville nouvelle, Nowa Huta, où la carbochimie s'ajoute à une sidérurgie fondée sur l'importation du fer soviétique. Quant à la construction navale, elle se développe dans les ports de la Baltique.

● Négligeant les biens de consommation, sacrifiant le pouvoir d'achat, la planification polonaise déboucha, en juin 1956, sur la révolte ouvrière de Poznan et le retour au pouvoir de W. Gomulka, partisan d'une libéralisation. Pourtant, en décembre 1970, des émeutes éclataient dans les ports de la Baltique devant la hausse des prix alimentaire. Une succession de grèves, d'émeutes, suivies de périodes d'un calme apparent,c aractérise les années 70-80, marquées par des changements à la tête du pays. En 1980, l'abcès éclata; des grèves dures se généralisèrent dans tout le pays. Un syndicat libre, « Solidarité », se fit le porte-parole du peuple qui demandait plus de liberté. Le général Jaruzelski reprit non sans mal les rênes du gouvernement, après des promesses fallacieuses qui contraignirent le syndicat libre à retourner dans la clandestinité. L'état déplorable de l'économie polonaise galvanisa la population qui manifesta par des grèves généralisées sont désir de changement.

● L'agriculture polonaise, qui occupe 24 % de la population active, n'est pas socialisée au plan de la propriété des sols. La réforme de 1944 a en effet maintenu la propriété privée, souvent trop exi-

Cet orchestre d'enfants en tenue traditionnelle défile dans les rues des villes à l'occasion des fêtes populaires polonaises.

Cracovie : la Halle aux draps située sur la grande place du Rynek Glowny (40 000 m²). Cracovie, capitale de la Pologne du XIVe au XVe siècle, a aujourd'hui deux rôles : c'est une cité historique car ses monuments ont échappé à la destruction ; c'est surtout un pôle industriel qui a permis la naissance d'une ville satellite, Nowa Huta, centre de sidérurgie et de métallurgie.

guë. Mais l'approvisionnement en engrais se fait mal, les prix agricoles sont fixés par le pouvoir, l'utilisation de matériel moderne est exclue en raison du morcellement des terres. Les principales productions sont les pommes de terre et le seigle, puis viennent le blé, la betterave à sucre, l'avoine. L'élevage est important (bovins et surtout porcins) mais le faible rendement en lait des vaches explique la pénurie alimentaire en ce domaine. La balance agricole du pays est déficitaire.

● La Pologne possède des richesses minières importantes; le charbon, dont la Pologne est le quatrième exportateur mondial, est d'exploitation facile; le pays a aussi des mines de cuivre, d'argent et des gisements de gaz naturel. L'industrie couvre un très large éventail : carbochimie, raffineries, industries des métaux, électronique, industrie agro-alimentaire. Mais l'outil de production est obsolète, la production elle-même est vieillotte et de qualité médiocre. C'est surtout dans le secteur industriel, qui occupe 37 % de la population active, que se recrutent les partisans du syndicat « Solidarité » *(Solidarnosc)* animé par Lech Walesa.

● Certains secteurs industriels sont libéralisés et laissés à l'entreprise privée qui procure aux Polonais quelques biens de consommation. En fait l'économie polonaise est dans une impasse et le gouvernement est donc contraint de composer en ouvrant le pays à l'économie de marché; les 500 entreprises privées autorisées offrent des salaires bien supérieurs au secteur étatique, ce qui contribue à accroître le malaise social. Le plan quinquennal 1986-90 prône l'augmentation de la consommation individuelle, la modernisation de l'industrie, l'accroissement des exportations, la recherche de nouveaux investissements, tout ceci malgré une dette extérieure très lourde. Il n'est donc pas étonnant que « Solidarité » cherche à peser de tout son poids dans l'évolution du pays. ■

POLYNÉSIE

● De l'île de Pâques aux îles Tonga, des îles Australes aux îles Hawaii, la Polynésie s'étend entre les deux tropiques et regroupe, en multiples archipels, les innombrables atolls et volcans essaimés sur l'océan Pacifique, à l'est de la Mélanésie et de la Micronésie. Cocotiers et vahinés, immortalisés par Gauguin, hantent les berges coralliennes, que les grandes puissances se sont partagées.

● Malgré ce que pouvait laisser supposer l'exploit réalisé, en 1947, par Thor Heyerdahl et ses compagnons, qui, embarqués au Pérou sur le Kon-Tiki, un radeau de balsa, échouèrent trois mois plus tard sur un atoll des Tuamotu, l'origine américaine des Polynésiens est exclue. Ce peuple se serait formé en Chine du Sud par croisement d'éléments mongoloïdes, négroïdes et caucasoïdes. Ils voguèrent, d'île en île, sur leurs catamarans, depuis les Philippines jusqu'aux îles Marquises, centre de dispersion vers Hawaii ou la Nouvelle-Zélande, qui furent atteintes au Ier millénaire ap. J.-C. Leur teint plus clair que celui des Mélanésiens, des yeux légèrement bridés et, surtout, l'usage d'une langue unique marquent la spécificité polynésienne.

● La mise en valeur traditionnelle de ces archipels est limitée aux étroites bandes côtières, situées entre les lagons et les volcans : cocotiers, pandanus et arbres à pain y abritent les cases, entre lesquelles paissent porcs et bovins. Lorsque la lave est basaltique, les abondantes ressources en eau qu'elle recèle permettent l'entretien de taraudières, tandis que les plongeurs dans les lagons cherchent huîtres perlières et troques.

● Cette économie paradisiaque est en complète décadence. Trop serrés, atteints par les rats, décimés par le rhinocéros (l'insecte) et par les cyclones, les cocotiers fournissent de moins en moins de coprah; surexploités, les lagons renferment peu d'huîtres perlières, et la pêche s'est transformée en hécatombe, depuis que les obus de la guerre du Pacifique ont été utilisés à la place des filets, des harpons et des hameçons, que les habiles Polynésiens maniaient depuis toujours. Aussi, 750 tonnes de conserves de poisson sont-elles importées, chaque année, à Papeete!

● La prospérité économique est due parfois à une judicieuse propagation des cultures de plantation : les Samoa Occidentales, sous contrôle allemand de 1878 à 1914, firent l'expérience des caféiers, des cacaoyers, des bananiers et des hévéas, et les Néo-Zélandais y transformèrent les biens germaniques confisqués en entreprises pilotes diffusant les méthodes modernes d'exploitation.

● Ainsi s'est développée une

Les îles de la Polynésie française : 4 200 km² de territoire dispersés sur 4 millions de km² d'océan. Population : 160 000 hab. Chef-lieu : Papeete.

Des pêcheurs tahitiens et leurs pirogues à balancier. Les multicoques actuellement utilisés pour la navigation de plaisance (Pen Duick, par exemple) ont été inspirés par ce type d'embarcation.

société rurale jadis prospère, dont l'essentiel des revenus provenait de l'exportation du cacao. Ce sont les plantations de canne à sucre et d'ananas qui ont été à l'origine des premières fortunes des îles Hawaï, le 50ᵉ État des États-Unis.

● Aujourd'hui les ressources de l'archipel reposent surtout sur le tourisme qui commence à se développer, surtout dans l'île d'Oahu et à Honolulu. Les touristes viennent en majorité d'Amérique du Nord. De plus Oahu renferme, avec Pearl Harbour, le cœur des bases américaines dans le Pacifique.

● La Polynésie française possède pour toute ressource minière des gisements de phosphate qui sont toujours inexploités. A part quelques huileries, l'activité industrielle du pays gravite autour du centre d'expérimentation du Pacifique (C.E.P.) situé à Mururoa, dans les îles Gambier, et responsable de l'équipement du port de Papeete. Malgré sa baisse d'activité il soutient encore de nombreux secteurs économiques. A elle seule la capitale, Papeete (165 000 hab.) regroupe près du tiers de la population de ce Territoire d'Outre-Mer.

● Le C.E.P. ne saurait, à lui seul, sauver du déclin la Polynésie française. Si le tourisme se développe à Moorea, Huahiné, Raïatéa, Bora-Bora et surtout Tahiti, il se limite à 175 000 personnes par an, et aux seules îles de la Société. Au nord-est, les îles Marquises, dépourvues de lagons et de plaines littorales, ne peuvent pas plus retenir leurs populations que les îles Gambier ou les îles Australes (I. Tubuaï).

Baie de Papeete à Tahiti. Au loin, l'atoll, récif de corail séparé du rivage par une étendue d'eau (le lagon) et qui entoure l'île. Cette construction coralienne est caractéristique du relief insulaire des mers tropicales.

● Malgré l'action de la station de recherche de Rangiroa (Tuamotu), destinée à améliorer qualité et rendement des cocotiers, de nombreux Polynésiens français ont émigré vers la Nouvelle-Calédonie (et son nickel), qui accueille plus de 8 000 natifs de Wallis-et-Futuna.

● Pourtant, quelques îles émergent de cette lente décadence : les Tonga, protectorat britannique, où s'est maintenue une sorte de théocratie, fondée sur l'alliance de la monarchie et des missionnaires de l'Église méthodiste, ont conservé le système « api » où la Couronne, propriétaire des terres, concède à chaque Tongien un lot cultivable. Sans connaître les richesses hawaiiennes, cette société rurale a su éviter les tentations du tourisme et la prospérité factice des bases militaires. ■

POLYPHONIE

● A s'en tenir à l'étymologie, le terme de polyphonie évoque la pluralité des sons. De là l'emploi qui en est fait pour désigner la superposition de deux ou de plusieurs parties musicales différentes, et donc chantées simultanément, par opposition à la monophonie (chant monodique). Enfin, et c'est ce qui nous retiendra ici, polyphonie désigne plus particulièrement une période complexe de l'histoire de la musique occidentale; on parle d'âge ou de style polyphonique (xᵉ-xviiᵉ siècle), notamment par opposition à l'âge ou au style concertant qui naît avec la mélodie accompagnée. Une conception « horizontale » de l'écriture diffère d'une conception « verticale »; l'une renvoie au contrepoint, l'autre à l'harmonie.

● La polyphonie apparaît en Europe avec l'*organum* ou diaphonie (ixᵉ siècle), où les voix progressent par mouvement parallèle, en quartes ou quintes. Avec le *déchant*, naît le mouvement contraire : quand une voix monte, l'autre descend. Ce genre d'écriture est dit contrapuntique, c'est-à-dire né de la friction de note contre note, « point *(punctum)* contre point ».

● Au xiiᵉ siècle, le déchant devient le conduit où la teneur (la voix qui représente le chant donné sur lequel on construit les autres voix par contrepoint) n'est pas obligatoirement empruntée à un motif grégorien. Avec l'École de Paris (Notre-Dame), — Léonin, Pérotin —, apparaît l'organum à vocalises, puis le motet à 3 et parfois à 4 voix. C'est la première époque de la polyphonie vocale *(ars antiqua)*.

● L'*ars nova* innove principalement en matière de rythme et d'harmonie. Philippe de Vitry et Guillaume de Machaut conduisent l'écriture polyphonique à un de ses sommets. Tous les rythmes possibles sont théoriquement permis par les progrès de la notation. Les essais d'Adam de La Halle laissent prévoir la transformation de la partie vocale inférieure en basse harmonique. L'évolution de cette tendance tout au long de deux siècles aboutit à un équilibre étonnant entre ce qu'on pourrait appeler la tendance « horizontale » (contrapuntique) et la tendance « verticale » (harmonique) de la polyphonie. Josquin des Prés illustre bien ce genre d'écriture.

● Il convient aussi de citer quelques-uns des principaux représentants des écoles franco-flamandes s'inspirant de cette même conception musicale, qui furent précédés par des compositeurs dont on redécouvre aujourd'hui l'importance : Francesco Landini, Johannes Ciconia, John Dunstable, Leonel Power. Au XVe siècle, dominent les noms de Guillaume Dufay et Gilles Binchois, ensuite ceux de Jacob Obrecht, Johannes Ockeghem, enfin au XVIe, ceux de Josquin des Prés, Roland de Lassus, Palestrina, Andrea Gabrieli, Tomas Luis Vittoria; mais ces deux derniers ne sont pas rattachables aux franco-flamands, bien qu'ils aient subi l'influence de ce vaste courant.

● La polyphonie se caractérise alors par la mise au point et le développement du style *a cappella* en imitations (vers 1460); aujourd'hui cependant on tente de retrouver ce qui a pu être, à cette époque, une exécution avec instruments; de toute manière, ces derniers se contentent de doubler une ou plusieurs parties vocales.

● De même que le grégorien avait correspondu à l'épanouissement des monastères bénédictins du Moyen Age, de même la polyphonie sacrée de cette époque (les vastes Messes polyphoniques) se fait entendre dans la nef des cathédrales, encouragée par certains princes ou grands dignitaires ecclésiastiques. Il serait normal d'appeler cette période (XVe et surtout XVIe siècle) *les débuts de la Renaissance*, vu que d'une part, elle jette réellement les fondements de la révolution harmonique dont la suite de l'histoire musicale dépend directement, et que, d'autre part, les historiens s'entendent pour y découvrir les caractères essentiels de la musique de l'avenir : harmonie, cadence, prédominance de la voix supérieure, imitation.

● Ce qu'on a parfois appelé la polyphonie palestrinienne, surtout au moment où on la redécouvrait (à la fin du XIXe siècle), ne représente que l'un des aboutissements d'une évolution longue de plusieurs siècles. Palestrina est loin d'en être l'inventeur; on pourrait même dire qu'il en fut l'un des derniers représentants. Toute cette époque de la polyphonie a donné naissance à de puissantes constructions vocales; songeons aux madrigaux à deux chœurs et à dix voix de Roland de Lassus! Surtout, les Messes cycliques sont là pour en témoigner.

L'origine de la mélodie polyphonique est très contreversée. Certains pensant qu'elle est née de la liturgie judaïque. D'autres suggèrent l'influence des mélopées musulmanes, adaptées par des marins italiens et transmises jusqu'en Flandres par les musiciens italiens.

● Plusieurs historiens rangent dans l'époque et le style polyphoniques certains compositeurs de la Réforme (XVIe et XVIIe siècles). Certes, catholiques et réformés ont rivalisé d'ardeur pour donner à la musique religieuse le plus brillant essor qu'elle ait jamais connu. Toutefois, et en schématisant quelque peu, on pourrait avancer que, dans la mesure où la forme du choral a pris de plus en plus d'importance chez les protestants, l'écriture de type polyphonique a peu à peu cédé le pas chez eux à l'écriture harmonique.

● Enfin, chaque fois qu'un compositeur a utilisé l'écriture contrapuntique ou fuguée, on a pu parler de polyphonie. Dans la musique religieuse surtout, une tendance quelque peu conservatrice a identifié polyphonie et expression du sentiment religieux; mais cette tendance de la fin du XIXe siècle semble bien morte aujourd'hui.

● Dans la mesure où l'écriture polyphonique a été l'une des étapes majeures de l'histoire musicale occidentale, et où elle a permis l'éclosion de très nombreux chefs-d'œuvre, on comprend que nos contemporains s'y intéressent toujours davantage, et qu'ils exhument par dizaines des œuvres qu'on n'entendait plus, pour les graver sur disque. ■

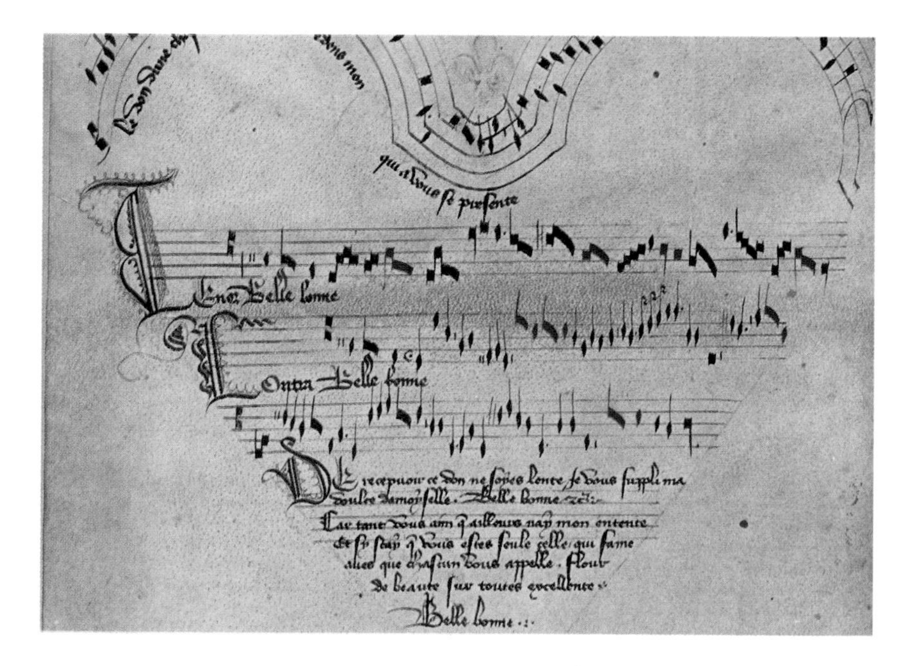

Dans la tradition du XVe siècle, Baude Cordier, compositeur originaire de Reims, écrivit une dizaine de chansons destinées à des chœurs polyphoniques. Son célèbre rondeau *Belle, bonne, sage,* est transcrit, sur un manuscrit de Chantilly, d'une d'une façon originale en forme de cœur.

POMMES DE TERRE

● La pomme de terre *(Solanum tuberosum)* est cultivée un peu partout en Europe, car les tubercules qu'elle fournit constituent un des légumes parmi les plus ré-

Fleurs et tubercules de pomme de terre blanche ou *Solanum tuberosum.* En France, la culture de la pomme de terre est en régression : 372 000 ha cultivés en 1972 contre 1 510 000 ha en 1900. La production mondiale est d'environ 292 millions de tonnes par an, dont 9 millions pour notre pays, qui en consomme une moyenne annuelle de 118 kg par habitant.

pandus. Cette plante de la famille des solanacées n'est pourtant cultivée que depuis peu en Europe.

● La pomme de terre est originaire des montagnes du Pérou et du nord du Chili : on a retrouvé des tubercules desséchés dans des tombes précolombiennes, ce qui montre l'importance vivrière de la plante pour les Indiens. C'est du Chili que les navigateurs, à la découverte du nouveau monde, ont ramené la pomme de terre en Europe, dans la deuxième moitié du XVIe siècle. La plante devint alors une plante exotique cultivée dans un but décoratif.

● C'est Parmentier qui, à la fin du XVIIe siècle, se renseignant auprès d'un collègue allemand sur l'utilisation de cette plante, offrit à Louis XVI un repas uniquement à base de pomme de terre (tubercules entiers ou fécule servant à fabriquer des gâteaux). Pour combattre la méfiance de la population à l'égard de cette plante exotique, Parmentier en fit planter dans la plaine des Sablons à Neuilly, et fit garder la plantation par des gendarmes; croyant qu'il s'agissait d'un bien très précieux, les habitants dérobèrent les végétaux pendant la nuit, les firent cuire et s'aperçurent qu'il s'agissait d'un excellent légume.

● La pomme de terre, comme toutes celles de la famille des solanacées, est une plante vénéneuse, car riche en alcaloïdes. Ceux-ci sont spécialement abondants dans les parties aériennes de la plante et leur production semble être liée à la présence de chlorophylle. En effet, le tubercule conservé dans l'obscurité en contient très peu, alors qu'exposé à la lumière, il peut devenir toxique.

● La pomme de terre est une plante herbacée de 40 à 60 cm de haut, à tiges robustes, ramifiées, anguleuses. Les feuilles sont découpées en plusieurs éléments : les plus grands possèdent un pétiole. Les fleurs, assez grandes, sont disposées du même côté de l'axe, avec un long pétiole. La corolle est blanche, rosée ou violacée. Les fruits sont des baies de la grosseur d'une cerise, de couleur rose, violacée ou vert jaunâtre.

● Les tubercules se développent sur des tiges axillaires souterraines; ils ont une structure interne semblable à celle des tiges, une peau qui est un périderme, une écorce très riche en amidon, une moelle à l'intérieur. Les tubercules portent des feuilles réduites à l'état de petites bosses, à l'aisselle desquelles se trouve un bourgeon un peu enfoncé dans le tubercule, et que l'on appelle communément « œil ».

Grains d'amidon de la fécule de pomme de terre, agrandis 100 fois. A la lumière, les sucres produits par la photosynthèse se transforment en amidon dans les feuilles ; pendant la nuit, cet amidon se concentre dans les tubercules.

● Les tubercules sont utilisés comme mode de reproduction de la pomme de terre; ce sont les « yeux » qui se développent et donnent naissance à des tiges. Le semis de graines ne se fait que pour de nouvelles races, qui sont obtenues par sélection et croisement génétique entre variétés différentes. Il existe des pommes de terre à tubercules jaunes et ronds, d'autres jaunes et longs, des tubercules rouges et ronds ou rouges et longs, ou violets.

● Les différentes variétés de pommes de terre sont cultivées suivant leur adaptation au climat et au sol et suivant leurs propriétés gustatives et culinaires. Les tubercules sont en effet plus ou moins riches en amidon et « se tiennent bien » ou éclatent à la cuisson. Ils peuvent avoir, après cuisson, un goût plus ou moins farineux, et donner après écrasement une purée fluide ou pâteuse.

● On consomme les pommes de terre de façons très différentes. Cuites avec leur peau, sous la cendre, ou dans l'eau bouillante, après les avoir réduites en purée ou bien après les avoir coupées en tranches et fait frire. On utilise aussi la fécule, sorte de farine obtenue après râpage de la pulpe, pour faire des bouillies, des gâteaux. La pulpe fermentée sert à faire de l'alcool, comme les vodkas ou les whiskies de basse qualité. ■

▸ *SOLANACÉES*

POMPÉE, Cneius Pompeius (106-48 av. J.-C.)

● « Avec Pompée disparu du monde, aujourd'hui l'image même de la liberté n'existe plus ». Cet éloge, adressé par Caton d'Utique à celui qui fut surnommé « le Grand », marque la fin paradoxale d'un général richissime, conservateur et ambitieux qui, lancé à la conquête du pouvoir, fut contraint par la réussite de son rival, Jules César, à mourir en défenseur des institutions de la République romaine.

● En effet, ce riche chevalier posa les bases de sa fortune en enrôlant à ses propres frais une armée, à son retour d'Orient, en 83; il la mit à la disposition de Sylla, contribuant ainsi à la défaite, à Rome, du parti démocratique. Lors de la dictature de Sylla, Pompée reçut le commandement des opérations contre les partisans survivants de Marius, en Sicile et en Afrique. Il déposa Gauda, roi de Numidie, et rendit son royaume à Hiempsal II.

● Sa popularité était très grande auprès des soldats, si bien que Sylla en prit ombrage et le rappela à Rome, tout en lui accordant le triomphe, pour apaiser sa vanité. Sylla mort, Pompée se distingua dans la répression de la révolte de Lépide, qui s'opposait à l'ordre établi par Sylla et, en Espagne, contre Sertorius; — celui-ci, cependant, ne fut vaincu qu'à la suite d'une rébellion fomentée au sein de son armée, rébellion qui, en 72, lui coûta la vie.

● Mais, en Orient, Mithridate, tenant sa revanche, se heurtait à Lucullus, tandis qu'en Italie éclatait la révolte désespérée des gladiateurs, conduits par Spartacus (73-71). Défaits par Crassus, ceux qui échappèrent à la déroute tombèrent dans les mains des soldats de Pompée, qui revenait d'Espagne. Celui-ci les captura, et jalonna de croix le chemin de son retour à Rome.

● Pompée et Crassus, réunis dans le triomphe, furent élus consuls. Ils abrogèrent les lois établies par Sylla et jetèrent les bases d'un pouvoir reposant sur la force de leur armée. La *lex Gabinia* confia à Pompée le commandement des opérations contre les pirates, qui infestaient alors la Méditerranée (67). Il partagea celle-ci en treize parties, dont il confia la surveillance à des lieutenants, alors que lui, avec le gros de la flotte, poursuivait les pirates, les obligeant à livrer bataille sur les côtes de Cilicie, les battant à Coracesio (67), dans le golfe d'Adalia.

● Simultanément, arrivaient à Rome des bruits alarmants concernant la guerre contre Mithridate. Lucullus fut destitué, et le commandement confié à Pompée. Habile diplomate, il réussit à isoler le roi de Pont de ses alliés (particulièrement de Tigrane, roi d'Arménie), l'obligeant à se retirer en Crimée.

● Renonçant à le poursuivre, Pompée se tourna vers les royaumes instables de Syrie et de Judée, y étendant la conquête romaine. Sous les murs de Jérusalem, il apprit le suicide de Mithridate (63), à la suite de la rébellion de son fils Pharnace qui, pour conserver son trône, s'était proclamé l'allié de Rome.

● Pompée revint à Rome en triomphateur. Mais, dans la ville, la situation avait changé. Au firmament de la politique, de nouvelles étoiles s'étaient imposées (Cicéron), d'autres, César, Catilina, montaient. Au Sénat, Crassus et Caton d'Utique jouissaient d'une grande autorité. La course au pouvoir était ouverte et l'une de ses manifestations fut, justement, peu après le retour de Pompée, la conjuration de Catilina.

● Le Sénat, se méfiant de la puissance de Pompée, chercha à diminuer la valeur de ses entreprises. Il tarda à ratifier les engagements qu'il prenait, l'obligeant pratiquement à s'entendre avec la partie adverse, les démocrates Crassus et César. Ce fut le premier triumvirat (60), reconduit quatre ans après à Lucques. La Gaule était donnée à César, l'Orient à Crassus, Rome et l'Espagne à Pompée.

● Demeuré seul à Rome, consul unique en 52, immensément populaire, Pompée se réconcilia avec le Sénat et en devint le défenseur, face aux mesures révolutionnaires prises par les deux autres triumvirs. A la mort de Crassus, tué en 50 par les Parthes, l'opposition entre le conservateur Pompée et le démocrate César conduisit à la guerre civile.

● Pompée tenta d'arrêter l'ambition de son ancien collègue en faisant révoquer son mandat en Gaule, mais César répondit en franchissant, en 50, le Rubicon, frontière entre la Cisalpine et l'Italie. Pompée s'enfuit, se retrancha en Thessalie. Battu à Pharsale, en 48, il se réfugia alors en Égypte, où le roi Ptolémée XIV, croyant faire plaisir à César, le fit assassiner. ■

▸ *ROME*

Combat entre l'armée de Sertorius et les légions romaines pendant la campagne de Pompée en Espagne (76-72 avant J.-C.). Certains partisans de Marius, échappés aux persécutions, s'étaient réfugiés en Espagne et s'étaient unis à Quintus Sertorius. Celui-ci leva ainsi 8 000 hommes et cherchait à créer un nouvel État indépendant, avec le secret espoir de marcher un jour sur Rome.

POMPÉI

● C'est le plus grand centre urbain frappé par l'éruption du Vésuve en 79 après J.C.; la ville était construite à proximité de l'embouchure du Sarno, non loin de la mer.

● Dans cette fertile bande de terre, se succédèrent les Osques, les Grecs, les Samnites, jusqu'à

Lors de l'éruption du 24 août 79, Pompéi comptait 20 000 hab. Avec les localités d'Herculanum et de Stabies, la ville disparut en 36 heures.

La Villa des Mystères, aux environs immédiats de Pompéi, est célèbre pour les fresques magnifiques qui ornent ses murs; ces peintures murales, qui remontent au siècle d'Auguste, représentent probablement les cérémonies d'initiation aux rites de Bacchus dont la propriétaire aurait été prêtresse.

ce que le pays tombât entre les mains de Sylla en 89 av. J.C. En 80 av. J.C., elle devint colonie romaine sous le nom de colonia Veneria Cornelia. Le premier noyau d'habitation s'installa dans la zone la plus proche de la mer, là où fut édifiée plus tard la place du Forum.

● On y trouve un des plus anciens temples consacré à Apollon (VIe siècle av. J.C.). Sur la place à arcades du forum, à côté des édifices caractéristiques, on remarque une construction grandiose : « le bâtiment d'Eumachia », siège des corporations des *fullones* (lavandiers et teinturiers) qui s'étaient placés sous la protection de la prêtresse Eumachie. Le temple de Vénus, patronne de la ville, s'éleva sur une terrasse, près de la Porta Marina à l'ouest.

● Un autre temple, datant du VIe siècle av. J.C. et consacré à Hercule, était construit à proximité du Forum triangulaire, fermé sur deux côtés par des arcades et sur le troisième par les bastions des fortifications de la ville. Ce forum donnait accès au théâtre, à un petit gymnase de l'époque samnite jouxtant le temple de la déesse égyptienne Isis et à la caserne des gladiateurs.

● La passion pour les combats de gladiateurs amena les Pompéiens à bâtir en 80 av. J.C., dans la périphérie sud-ouest, un édifice plus adapté au déroulement des jeux : un amphithéâtre de 13 000 places assises. C'est le plus ancien amphithéâtre romain que l'on connaisse; il se distingue des amphithéâtres de l'époque impériale par l'absence de souterrain sous le premier étage de l'arène. Auguste fit construire non loin de là une immense palestre canée, bordée d'arcades (140 m de large), avec au centre une piscine à gradins.

● La ville était divisée en quartiers par des rues rectilignes, se croisant à angle droit, la plupart du temps pavées, bordées de hauts trottoirs et traversées de grosses pierres. Les maisons copient en général le plan de la maison samnite. Du portail, un étroit couloir menait à l'*atrium* sur lequel donnaient une « salle de séjour » *(tablinum)* et les chambres *(cubicula)*, tandis qu'un passage conduisait à l'*hortus*, petit jardin de la famille. Avec le temps, ce genre d'habitation fut complété d'un jardin à portique (péristyle) qui prit souvent un aspect luxueux à cause des vastes dimensions de l'ensemble, de la décoration des sols à mosaïque et des peintures murales.

● L'abondance de ces peintures permet de remarquer l'évolution de la technique et des styles. Dans le *triclinium* (salle à manger) de la maison des frères Vettii une remarquable peinture se détache sur le mur rouge : elle représente sur fond noir de petits amours exerçant divers métiers (orfèvres, teinturiers), vendangeant ou se livrant à des courses de chars. Dans une somptueuse villa légèrement à l'écart de la ville (la villa des Mystères), on peut voir une salle décorée de fresques où figurent des personnages humains ou mythologiques participant à un rite d'initiation aux « mystères dionysiaques ».

● La ville devait avoir atteint un haut degré de richesse grâce aux industries et au commerce lorsqu'elle fut gravement endommagée par le tremblement de terre de 62 ap. J.C.; de nombreux bâtiments publics et privés s'écroulèrent, qui furent par la suite reconstruits ou restaurés.

● Pline le Jeune a décrit l'éruption de 79 : Pompéi ne fut pas envahie par le fleuve de boue qui submergea Herculanum, mais par une pluie de cendres et de lapilli.

● Les habitants s'abritèrent dans leur maison en attendant que le phénomène cessât, perdant ainsi un temps précieux; quand ils commencèrent à s'échapper en direction de la porte Herculanum ou de la porte Marina, il était déjà tard et leurs manteaux ne suffirent plus à les protéger des vapeurs toxiques. La plupart périrent asphyxiés ou écrasés par l'effondrement des bâtiments.

● La cendre, tombant sur leur corps et se durcissant immédiatement, a conservé intacte la forme des cadavres même après leur décomposition. En coulant du plâtre dans les cavités, on a obtenu la copie exacte de ces hommes et de ces femmes figés dans les derniers instants de leur vie. ■

La voie de Stabies traverse Pompéi de la « porte de Stabies » à la « porte du Vésuve », que l'on aperçoit au loin. Les plus anciens thermes de Pompéi, les thermes de Stabies, sont situés en bordure de cette voie; ils possédaient de grandes pièces voûtées, qui furent, plus tard, agrandies et décorées de stucs et de peintures.

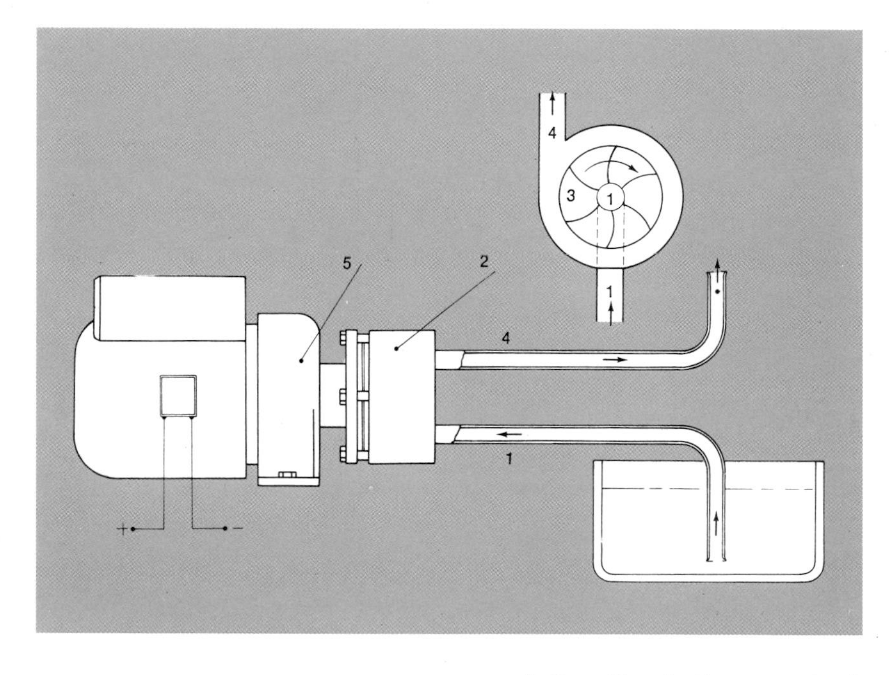

Principe de la pompe centrifuge : 1. conduite d'arrivée de l'eau ; 2. chambre dans laquelle tourne la roue à palettes ; 3. palettes ; 4. conduite de sortie de l'eau ; 5. moteur électrique qui fait tourner la roue.

POMPES

● Les pompes sont des appareils destinés à provoquer le déplacement d'un liquide ou à modifier la pression d'un fluide à l'état gazeux. A partir de cette définition générale, on étudiera d'abord les principaux types de pompes utilisés pour faire circuler les liquides, puis on traitera des modèles employés pour comprimer l'air ou certains gaz, et encore, pour « faire le vide ».

● Les pompes utilisées pour faire circuler les liquides sont innombrables. Elles servent à puiser l'eau dans les puits ou dans les rivières, à transporter le pétrole dans les pipe-lines, à faire circuler l'eau dans les installations de chauffage central, à extraire l'essence des citernes pour remplir les réservoirs des voitures ou des avions,... Aussi existe-t-il d'énormes pompes, dont le fonctionnement est assuré par des moteurs de grande puissance, et des micro-pompes, dont le moteur ne consomme que quelques watts.

● Le système le plus ancien est celui des *pompes à mouvement alternatif*. La pompe est composée d'un cylindre, dans lequel un piston se déplace alternativement dans un sens et dans l'autre. Le cylindre est raccordé à la conduite d'aspiration et à la conduite de refoulement par l'intermédiaire de deux boîtes à soupapes. Quand le piston s'éloigne de la base du cylindre, il aspire le liquide, qui pénètre dans le cylindre, et le remplit.

● Quand il se rapproche de la base, il exerce une pression, qui provoque la fermeture de la soupape d'aspiration, ouvre la soupape de refoulement, et repousse l'eau dans la conduite correspondante. La quantité d'eau déplacée à chaque fois est égale au volume du cylindre, et le débit de la pompe (volume transporté par minute) s'obtient en multipliant ce volume par le nombre de coups de piston à la minute.

● Lorsqu'on veut obtenir un débit important, on utilise parfois des *pompes à double effet*, dont le principe est identique au précédent, mais qui comportent un deuxième jeu de soupapes, à l'autre extrémité du cylindre. Ainsi, dans une même course, le piston travaille en aspiration sur une de ses faces, tandis que l'autre refoule le liquide.

● On emploie également des *pompes à pistons rotatifs*, composées d'une paire de roues dentées tournant dans un caisson, et disposées de telle façon que, pour assurer une bonne étanchéité, l'extrémité de leurs dents frotte contre les parois. Les deux roues entraînent le liquide contenu dans les sillons creusés entre les dents, et le repoussent dans la conduite de refoulement. Ce mouvement crée une dépression, qui fait monter le liquide dans la conduite d'aspiration. Une soupape ou un clapet retient l'eau dans le caisson quand la pompe est arrêtée, pour permettre le réamorçage automatique du fonctionnement au moment du démarrage.

● On utilise aussi, fréquemment, un autre type de pompes rotatives, *les pompes centrifuges*. Elles sont constituées par une coquille, dont le tracé a la forme d'une spirale; dans celle-ci tourne une roue, munie d'ailettes, dont le tracé est étudié de telle façon qu'elles projettent, en lui donnant une grande vitesse, le liquide vers les parois de la coquille. Ce mouvement assure le refoulement du liquide, et provoque ce qu'il faut de pression pour obtenir une aspiration efficace.

● Les trois types de pompes que nous venons d'étudier peuvent aspirer l'eau ou tout autre liquide à une profondeur d'environ 7 mètres. Lorsqu'on doit puiser le li-

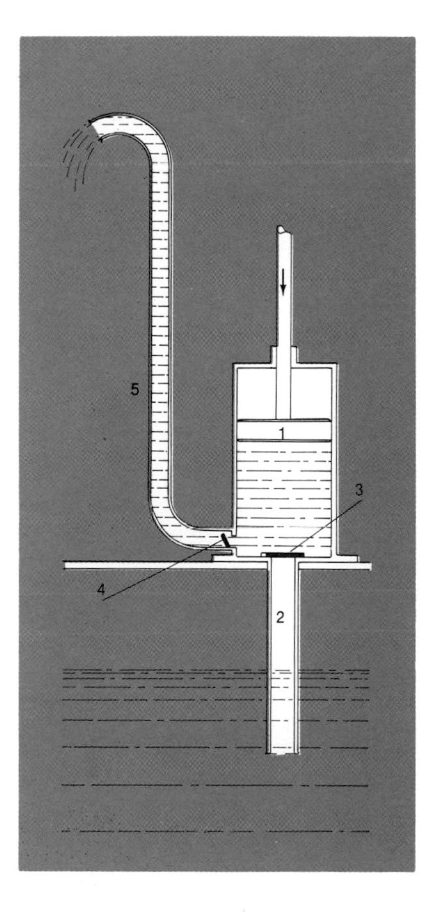

Pompe mécanique à piston : le piston (1), en se déplaçant vers le haut, aspire l'eau de la nappe dans laquelle est plongé le tuyau (2) ; la valve (3) est alors ouverte. Quand le cylindre est plein, on le vide en repoussant le piston ; la valve (3) se ferme, la valve (4) s'ouvre, et l'eau est éjectée par le tuyau d'évacuation (5).

Le viaduc le plus long du monde est celui du lac Pontchartrain en Louisiane : 38 422 mètres ; il est doublé d'un pont parallèle de 38 352 m ; le plus long d'Europe - 6070 m - relie la côte de Suède à l'île d'Oland ; le plus long de France, qui mesure 2 862 m entre les culées, est celui de l'île d'Oléron, inauguré en 1966.

quide à une plus grande profondeur, il faut installer la pompe dans le puits, ou utiliser des pompes centrifuges construites spécialement pour être immergées.

● Le modèle de compresseur d'air le plus élémentaire est la pompe à vélo. Mais, sur les chantiers de travaux publics, on utilise l'air comprimé pour actionner les marteaux piqueurs, et de nombreux outils pneumatiques, qui rendent de grands services dans l'industrie, notamment pour le sablage des métaux, la peinture et l'émaillage.

● L'air comprimé est alors fourni par des compresseurs, qui ne sont pas autre chose que des pompes à air. Nous retrouvons là des *compresseurs à pistons*, dont le principe est identique à celui des pompes à liquide de même type. Cependant, pour obtenir un débit et une pression suffisants, on est amené à employer des compresseurs à plusieurs cylindres. D'autre part, la compression de l'air provoque un échauffement important des cylindres, de sorte qu'il faut les refroidir au moyen d'une circulation d'eau, analogue à celle qui est couramment utilisée sur les moteurs des voitures automobiles.

● Les *compresseurs centrifuges* servent principalement à comprimer les gaz réfrigérants, qui assurent le refroidissement des appareils frigorifiques. Ce sont aussi des appareils de ce type, mais de grandes dimensions, qu'on emploie pour maintenir la pression au long des pipe-lines qui assurent le transport du gaz naturel à grande distance.

● Le terme « faire le vide » désigne, d'une façon générale, toute opération ayant pour effet de réduire la pression, qui règne dans une enceinte, à un niveau inférieur à la pression atmosphérique. Les techniques modernes sont nombreuses, en métallurgie, en astronautique et dans les recherches des laboratoires, qui ne peuvent être réalisées que dans la mesure où on peut travailler *sans aucune pression*, dans une situation aussi proche que possible du *vide absolu*.

● Cette condition implique l'emploi de *pompes rotatives à pistons excentriques*, dont l'étanchéité est assurée par une pellicule d'huile. Ce sont des machines dont la construction requiert une très grande précision.

● On est d'ailleurs amené parfois, lorsqu'on a besoin d'obtenir un vide très poussé, à utiliser plusieurs pompes montées en série, ou encore, à compléter l'action des pompes par la mise en œuvre de procédés faisant appel à la dynamique des fluides. ■

PONTS

● Le pont se définit techniquement comme une structure portante permettant d'assurer la continuité des axes de circulation — ponts routiers et ferroviaires —, ou d'écoulement du matériel comme les ponts-canaux pour les voies fluviales, les ponts-tuyaux pour les oléoducs et les gazoducs, les ponts-convoyeurs au point d'intersection d'autres axes de circulation ou d'écoulement, de plans d'eau ou de dépressions du sol. Les premiers ponts furent, sans doute, constitués par un tronc d'arbre jeté par-dessus un petit cours d'eau. Plus tard, au fur et à mesure de l'évolution de l'homme, on vit apparaître, à côté du simple tronc d'arbre, des ponts de bois avec des superstructures de pierre, pour arriver enfin aujourd'hui à des œuvres colossales, inconcevables il y a seulement quelques années. Les premiers ponts de pierre, en forme d'arc, nous ramènent dans l'Orient ancien, sur l'Euphrate, à Babylone. Aujourd'hui, les principaux matériaux utilisés sont le bois, la brique ou la pierre, l'acier, le conglomérat de ciment armé.

● Les formes de pont les plus courantes sont l'arche, qu'elle soit simple ou multiple, la travée rectiligne simple ou continue posée sur des soutènements avec, éventuellement, des rotules intercalées (charnières). Il existe également des ponts suspendus dont les câbles paraboliques sont soutenus par des antennes ou suspendus à des câbles obliques directement rattachés au sommet des antennes. La tendance actuelle est aux ponts en conglomérat précontraint ou en acier, ou encore à ceux faits d'un mélange d'acier et de conglomérat.

● Dans un pont on distingue les soutènements et la superstructure. Les soutènements, qu'il s'agisse des culées, des piles, ou des antennes de soutien et d'ancrage, ont pour fonction d'absorber le poids spécifique et le poids accidentel de la structure tout entière et de répartir équitablement cet ensemble de forces sur le sol de manière à ce qu'elles soient supportées sans aucun fléchissement. La superstructure, en revanche, a pour fonction d'étaler son poids et de soutenir, pour répartir ensuite entre

Pont reliant les rives du canyon creusé par le Rio Grande au Nouveau-Mexique. Cet ouvrage audacieux est presque aussi haut que long.

A Lisbonne, on passe le Tage en empruntant un des plus longs ponts d'Europe (1 013 m). La première passerelle suspendue a été construite dès 1884, sur le Rhône, entre Tain et Tournon, par son inventeur Marc Seguin. Le plus long pont suspendu par câbles est celui de Humber en Angleterre (1 410 m).

les soutènements, les charges qui la traversent.

● Parmi les réalisations les plus modernes et les plus intéressantes de la technique, à travers le monde, citons en particulier :

le pont en arc fait de conglomérat de ciment armé de plus de 500 mètres de portée, Gladesville à Sidney, sur le Paramatta;

le pont en conglomérat précontraint à poutres simples de 200 mètres de portée, Bendorf à Cologne;

le pont en conglomérat précontraint avec poutres suspendues à des câbles obliques d'environ 250 mètres de portée, à Wadi Kuf en Libye;

le pont en acier à poutres réticulées d'environ 550 mètres de portée, à Québec, sur l'estuaire du Saint-Laurent;

● Pont de Brotonne, Seine-Mal ritime, à haubans disposés en harpe en béton précontraint, dont la travée centrale à une portée de 320 m;

le pont d'acier à poutres suspendues à des câbles paraboliques portants, d'environ 1300 mètres de portée, sur le détroit d'Akasi au Japon. ■

POP ART

● La contamination progressive du champ culturel par le Pop Art dans les années 1960 souligne la réalité du déplacement des centres de création artistique de l'Europe vers les États-Unis depuis la fin de la Seconde Guerre mondiale, alors que l'Europe tentait de s'aligner sur les standards de vie américains. Car le Pop Art est bien un phénomène américain, quoiqu'on ait voulu lui trouver des origines anglaises.

● Si l'expression « Pop Art » apparaît à Londres vers 1954-1957 avec les travaux de l'Institute of Contemporary Art sur les problèmes de la culture populaire et l'Independant Group qui adopte les images issues du milieu urbain, de la technologie et des mass media, il s'agit bien, là encore, de produits acclimatés de la culture américaine.

● Le Pop Art se présente comme une réaction contre le lyrisme individualiste et romantique de l'expressionnisme abstrait qui domine la scène artistique entre 1945 et 1960. Rejetant toute sensibilité picturale, toute imagination créatrice, il se propose d'explorer les possibilités expressives et esthétiques du banal, du quotidien. Il se démarque en cela du mouvement dada qui se voulait avant tout anti-art, et ces deux courants ont produit des œuvres parfois apparemment similaires.

● Bien qu'il s'approprie à la fois les techniques et les images de la publicité commerciale et de l'illustration, le Pop Art, malgré un certain côté sarcastique de sa démarche, se veut une manifestation, un moment de l'art américain, saisissant la réalité environnante, mais se refusant à la transformer ou à l'embellir. Il se borne à transcrire directement la vulgarité agressive du « rêve américain », mais, du moins en ce qui concerne les artistes d'Outre-Atlantique, sans la contester ou la remettre en question. Il s'agit plutôt pour eux d'un constat impersonnel, alors qu'en Europe, le Pop Art adopte un ton plus incisif, proche de la critique politique du système capitaliste.

Construit de 1955 à 1959, le pont de Tancarville réduit de 102 km l'itinéraire Caen-Le Havre. La travée principale - un tablier métallique de 608 m - se prolonge par deux travées de 176 m. Les pylônes en béton armé atteignent 123 et 121 m de haut.

Robert Rauschenberg : *Marché noir* (1961), galerie Sonnabed, Paris. L'artiste se définit un moment « New Dada », aux côtés de Jasper Jones, autre peintre américain, puis expose des œuvres bannissant tout lyrisme.

● Cette idée que le banal, le vulgaire, recèlent des possibilités esthétiques, fut introduite vers 1952 aux États-Unis par le compositeur John Cage qui exploitait le pouvoir musical des bruits de la rue. Elle fut reprise par deux précurseurs du mouvement Pop : Robert Rauschenberg, qui réalisa une série de collages à partir d'objets tels que des clous rouillés, des lambeaux de tissus, des morceaux de cordes, de journaux, des cartes postales, et Jasper Johns, qui prit pour thèmes principaux le drapeau américain et des cibles, avant de présenter en 1960 son fameux *Bronze Peint* : deux boîtes de bière.

● Ainsi l'intérêt pour l'objet ordinaire se trouvait-il dépasser celui qu'éprouve le peintre de nature morte. L'œuvre devenait une constatation, un rapport neutre sur un certain état social, en ce qu'elle fixait un moment précis de l'histoire d'une société par la représentation — et non plus la simple présentation comme le faisaient les dadaïstes —, de ce qu'elle produit de plus ordinaire. Dans le Pop américain, ce qui triomphe c'est l'objet de consommation.

● Cette conception apparaît clairement à partir de 1960 avec Claes Oldenburg, Roy Lichtenstein, James Rosenquist, Andy Warhol, Tom Wesselmann, Robert Indiana; leur matériel de base est l'imagerie publicitaire, simple et directe, dont ils reprennent toutes les conventions, les naïvetés et le goût du gigantisme, ainsi que les héros populaires des « comics » : Mickey Mouse, Donald Duck, Superman etc., et les stars hollywoodiennes : Marylin Monroe, Elisabeth Taylor.

● La vogue des « environnements » et des « happenings » amène certains artistes comme Oldenburg, Jim Dine et George Segal à exposer des moments recomposés de la vie quotidienne, où les acteurs sont soit des personnages vivants, soit des mannequins de plâtre.

● Malgré les réticences de la critique et du public, le Pop Art se diffusa rapidement en Europe, notamment sous l'action de la Galerie Illéana Sonnabend à Paris. Le Pop Art européen se caractérise par une tournure plus intellectuelle et le rejet de thèmes trop spécifiques de la culture et de la vie américaine.

● Toutefois il est difficile de regrouper sous l'unique bannière du Pop Art des artistes comme Arman, Martial Raysse, Mimmo Rotella, Monory, Rancillac, Recalcati ou le groupe de la Jeune Peinture, car s'ils se sont appropriés certaines techniques ou certains motifs pop, ils leur assignent souvent une vocation critique plutôt qu'esthétique. ■

POPULATION

En traitant par la statistique les expériences conduites sur des groupements d'animaux ou de végétaux, la génétique des populations a renouvelé le problème de l'évolution. Selon cette nouvelle discipline, les facteurs d'évolution sont : la faculté de mutation des caractères héréditaires, la fluctuation de l'effectif reproducteur, la colonisation, l'isolement et la sélection.

● On entend par population, un ensemble d'êtres vivants, plus particulièrement d'hommes ou animaux, qui se reproduisent selon certaines lois. Une population peut être étudiée soit d'une point de vue qualitatif, c'est-à-dire biologique et génétique, soit d'un point de vue quantitatif, en tenant compte du nombre des individus (démographie) ou de leur répartition et des densités (géographie de la population).

● La reproduction et la génétique d'une population permettent de l'aborder en tant que phénomène biologique. L'exemple des populations animales ou végétales autorise à préciser la signification biologique du taux de reproduction. Ainsi, chez les animaux ovipares, la production d'œufs est très variable dans un même groupe selon les espèces; chez les crustacés, l'écrevisse porte environ 250 œufs, le crabe, 100 000; les oiseaux sauvages, quant à eux, ont de très faibles pontes; chez les mammifères, les portées vont de un petit (primates, cétacés, chauve-souris) à une vingtaine (rat, surmulot); cependant le nombre des portées peut être très élevé. Mais l'extraordinaire fécondité de nombreuses espèces est compensée par des destructions équivalentes, dues à un milieu physique hostile, à des malformations, aux parasites, aux prédateurs, ce qui assure finalement à cette population une relative stabilité numérique.

● Des quelque 100 millions d'œufs pondus par une reine de termites, peu deviendront adultes et féconds; un œuf de hareng sur mille, quatre œufs de maquereau sur un million donneront un alevin; les arbres de nos forêts, conifères, chênes, hêtres, transmettent un nombre important de semences viables les seules années où la production est trop importante pour être détruite par les oiseaux et les rongeurs. Chez les animaux comme chez les végétaux, il est peu d'individus dont l'existence se déroule normalement, de la naissance à la vieillesse.

● Qu'il s'agisse d'êtres humains, ou des espèces animales et végétales, la génétique des populations intervient à deux niveaux : l'individu et le groupe. Cette discipline biologique, science toute jeune et pleine d'avenir, qui étudie la transmission des caractères d'une génération à une autre, montre que chaque être vivant présente à la fois un aspect général, caractéristique de l'espèce à laquelle il appartient, et des traits particuliers qui assurent son individualité. Les caractères de l'individu proviennent des parents par le biais de l'hérédité, qui maintient le type spécifique tout en donnant la diversité des types individuels. Si les découvertes de la génétique moderne ont enlevé de sa valeur à la classification de l'humanité en races, celle-ci rend toutefois compte de la distinction de certains caractères somatiques, apparents quoique instables, qui servent de critères pour déterminer les groupes humains : la couleur de la peau, la forme du crâne, les proportions du squelette, la stature, la forme du nez et des lèvres, la pilosité. Les migrations et les mélanges ont donné lieu à de nombreux croisements qui rendent difficile une classification absolue. Cependant, on peut distinguer plusieurs grands groupes humains divisés en sous-groupes. Ainsi le groupe leucoderme ou blanc, composé d'Européens, de Sémites d'Afrique du Nord et du Proche-Orient, d'Indo-Européens aussi. Le deuxième groupe est le groupe xanthoderme, ou jaune, auquel on intègre en général le groupe très métissé des Indonésiens. Le troisième groupe est le groupe mélanoderme, ou noir, formé des noirs d'Afrique, d'Asie (Dravidiens), d'Océanie (Négritos). Enfin le groupe indien américain, encore important en Amérique Centrale et du Sud, et qui a beaucoup souffert de la colonisation européenne.

● Un recensement précis de chaque groupe est impossible à faire aujourd'hui. En effet les échanges entre continents, les migrations, ont favorisé le brassage des races et la grande caractéristique du monde moderne est le métissage qui changera sans doute beaucoup les caractéristiques physiques de la population du globe au XXIe siècle.

Une rue de Tokyo, la capitale du Japon. D'après une estimation de 1983, la zone urbaine de Tokyo comptait 11 670 000 habitants et la « vieille ville », 8 700 000.

● L'analyse démographique aborde la population sous l'aspect quantitatif. La croissance démographique du globe est vertigineuse : 250 millions d'hommes à l'époque de l'Antiquité, 500 millions au milieu du XVIIe siècle, un milliard en 1850, deux milliards en 1940, plus de quatre milliards en 1975... sans doute huit milliards avant la fin du siècle. Mais la simple arithmétique ne traduit pas la signification que prend une naissance pour chaque pays, car, de toutes les inégalités entre hommes, la plus inéluctable reste celle du lieu de leur naissance, lorsqu'on sait que l'espérance moyenne de vie est de 36 ans en Guinée et de 73 ans aux Pays-Bas et en Islande.

● L'évolution géographique de la population s'est faite de deux manières opposées. Au XIXe siècle, les progrès de la médecine et de l'hygiène, en abaissant la mortalité, entraînent tout d'abord une croissance démographique rapide dans les pays ouverts à la civilisation occidentale : Europe, Amérique du Nord, puis Japon. Mais, dès la fin du XIXe siècle, la natalité diminue dans ces pays, si bien que la « fourchette », entre natalité et mortalité n'y est pas restée longtemps très ouverte. Actuellement, en dépit des mouvements de reprise de la natalité et d'un léger

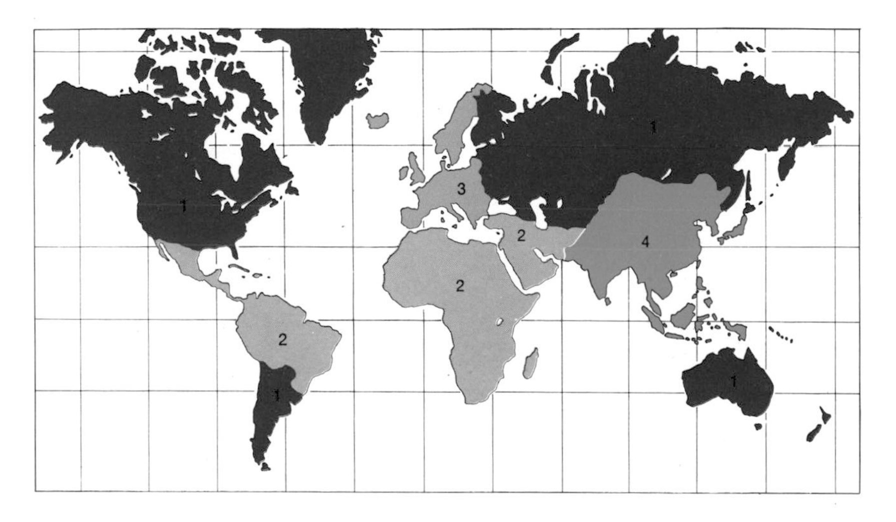

La population mondiale dépasse 4 milliards d'êtres humains, et augmente chaque année de 2 % mais sa répartition à la surface de la Terre est très inégale.
1. Régions à faible densité et à accroissement modéré.
2. Régions à faible densité et à accroissement rapide.
3. Régions à forte densité et à accroissement modéré.
4. Régions à forte densité et à accroissement rapide.

La Chine, pays le plus peuplé du monde, avait plus de 1 milliard d'habitants en 1985.

abaissement du taux de mortalité, les populations européennes et nord-américaines, ou plus généralement celles des pays industriels, ont un accroissement lent, de 0,3 à 1,5 % par an, d'où un vieillissement relatif de la population.

● La croissance démographique est au contraire très forte depuis 1945 dans les pays dits sous-développés ou en voie de développement. Au XIXe siècle, la population y était restée stationnaire, le taux de natalité très fort (40 %) étant alors compensé par une mortalité également très élevée. Aujourd'hui, la mortalité a considérablement diminué dans ces régions, en raison de l'amélioration de l'état sanitaire, mais la natalité y est restée forte. Aussi, une telle croissance démographique, tout en assurant à ces pays une population jeune, leur pose-t-elle de graves problèmes économiques, du fait de leur sous-développement.

● On retrouve cette opposition dans la répartition par âges, que l'on représente par le procédé dit de la « pyramide des âges. » On porte en ordonnée les âges de 0 à la limite supérieure (100 ans ou plus), et en abcisse les effectifs de chaque classe d'âge, le sexe masculin d'un côté, le sexe féminin de l'autre. Pour une population jeune, la pyramide est large à la base et mince au sommet : c'est le cas des populations à forte natalité. Une population âgée présente au contraire une base moins large et une partie élevée plus importante; c'est le cas lorsque la natalité est faible ou que l'émigration porte sur les jeunes. Sur une pyramide par année d'âge, se lit l'histoire d'une population au cours du siècle précédent : les guerres, les épidémies, les vagues d'émigration ou d'immigration, les reprises de natalité.

● L'évolution de la population du globe a été l'objet de nombreuses études et de maintes prévisions. Ces dernières ont été révisées à la baisse dans les derniers pronostics. Certaines données restent claires : alors que de 1945 à 1965, les taux de mortalité s'effondraient dans les pays du tiers monde tandis que les taux de natalité allaient en s'amplifiant, on a assisté, à partir de 1965, à une baisse de la fécondité dans la plupart de ces pays (baisse de 10 à 20 % au Brésil, en Égypte, en Inde, en Indonésie, de 34 % en Chine, de 47 % à Cuba). En conséquence, le pourcentage des personnes âgées augmente, et il augmente considérablement dans les pays d'Europe occidentale, où les taux de natalité sont bas. Mais aussi lac roissance démographique mondiale est moins importante que prévue. Elle est passée de 1,76 % en 1950 à 1,72 en 1980. On prévoit qu'il sera environ de 1,5 % en l'an 2000.

● La politique démographique d'un pays est très importante car ses effets se font sentir plusieurs générations plus tard. Deux théories s'opposent. L'une, anti-nataliste, dite *malthusienne* : à la fin du XVIIIe siècle, à une époque où les famines disparaissaient et le progrès technique s'accélérait, l'économiste anglais Malthus préconisait paradoxalement la limitation des naissances, en prévision de la diminution des ressources. L'autre, défendue par Marx et les marxistes est au contraire nataliste. En fait, il est vain de chercher un raisonnement prouvant que tout accroissement démographique est favorable ou défavorable, enrichit ou appauvrit. Il s'agit surtout de trouver la variation de population optimale pour un pays donné. Ainsi, on peut estimer que dans les pays d'Europe occidentale, le rythme optimal de croissance s'élève entre 0,5 et 1 % par an. La croissance très rapide de la population mondiale demande que les pays sous-développés réduisent de leur côté leur taux de natalité trop élevé, ce qui répondrait du reste aux nécessités de leur économie.

● La gravité, la complexité, du problème de la population vient de ce qu'il touche à de nombreux domaines : la biologie, l'agronomie, l'économie, la sociologie, la politique, et que les phénomènes démographiques se manifestent lentement mais inéluctablement. ■

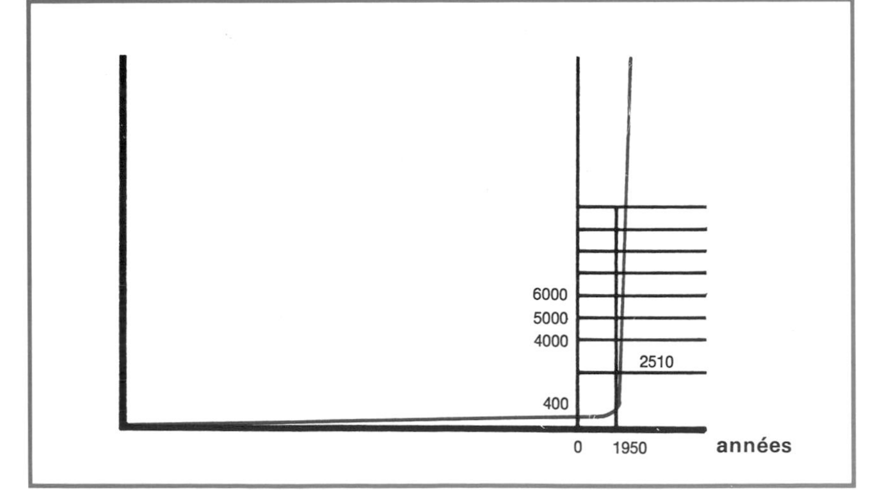

Accroissement de la population mondiale depuis l'origine de l'homme - en milliers d'êtres humains. Cette population a augmenté très lentement jusqu'au XVIIe siècle ; depuis, elle subit un accroissement vertigineux. Selon les prévisions de la démographie, le nombre d'hommes en l'an 2000 dépassera les 6 milliards.

PORCS

● Les porcs, animaux domestiques, sont issus des sangliers. A l'origine des races actuellement élevées dans le monde, on trouve le sanglier eurasiatique *(Sus scrofa)*. Les porcs sont par conséquent des artiodactyles, mammifères ainsi nommés parce que l'axe de leurs membres passe entre les doigts III et IV, plus développés que les autres. Tout comme le sanglier, le phacochère, le potamochère, l'hylochère ou le babiroussa, ils appartiennent à la famille des suidés.

● Le porc *(Sus scrofa domestica)* est pourvu d'un corps trapu, reposant sur de courtes pattes terminées par des sabots, et atteignant facilement un poids de 150 kg. Par la domestication et la sélection, les éleveurs ont abouti à de considérables modifications dans la répartition du poids entre les parties antérieures et postérieures du corps. Il existe actuellement des races, chez lesquelles la partie antérieure est approximativement équivalente

Truie allaitant ses porcelets. Le troupeau mondial de porcs s'élevait, en 1986 à 819 millions de têtes, dont 11 millions pour la France qui doit cependant en importer. En raison du prix relativement faible de sa viande et de la possibilité de consommer toutes les parties de son corps, c'est un animal de choix pour l'industrie alimentaire.

en poids à la partie postérieure.

● La tête, au museau allongé, se termine par un groin, ou boutoir, massif ou charnu, toujours humide et pratiquement dépourvu de poils, sur lequel débouchent les narines. Il est supporté par deux os, propres aux représentants de la famille des suidés. L'animal se sert de son groin pour chercher sa nourriture dans les amas de déchets ou la terre meuble. Chez les races les plus sélectionnées, le profil de la tête tend de plus en plus à s'aplatir dans le sens antéro-postérieur.

● Les yeux sont petits et enfoncés, les oreilles pointues, portées droites ou retombant vers l'avant ou les côtés. Les porcs ont en moyenne 44 dents, peu spécialisées et adaptées à leur régime omnivore. Leur cou est petit, et ne permet que des mouvements limités de la tête. Le squelette présente la particularité de compter des vertèbres présacrales en nombre variable, entre 20 et 23, ce qui entraîne des modifications dans la longueur du tronc. L'estomac est simple, d'une capacité de 7 à 8 litres.

● La peau n'est couverte que de rares soies rigides, généralement droites, qui se répartissent surtout le long du dos et dans la région lombaire. Elle recouvre un hypoderme épais, ou lard, qui correspond à des réserves. La peau et les poils du porc sont parfois dépigmentés, colorés en noir ou, plus rarement, brun-roux. Certaines races ont une bande blanche au niveau des membres antérieurs (races à ceinture), d'autres, obtenues par croisement, sont tachetées (races dites *spotted*). Les glandes sudoripares et sébacées sont très nombreuses.

● Les porcs sont des animaux très prolifiques : ils mettent au monde, en moyenne, 8 à 10 petits, après une gestation de 4 à 5 mois. Le nombre de petits par portée varie en fonction de la race, 5-6 chez certaines, mais jusqu'à 16-18 chez d'autres. Le taux élevé de reproduction vient du fait que plusieurs ovules arrivent à maturité en même temps, parfois jusqu'à 20 ou 25, dont une proportion plus ou moins grande sera fécondée. Tous les embryons n'arriveront pas à maturité, car une partie est résorbée au cours de la première phase du développement. Ce phénomène est appelé « atrophie fœtale ».

● Bien développés à leur naissance, les jeunes sont allaités pendant 2 à 3 mois, mais leur régime lacté est complété très tôt par d'autres aliments. Les mâles, ou verrats, sont en mesure de se reproduire dès l'âge de 9 mois, alors que les femelles, ou truies, sont souvent plus précoces. Les mamelles, disposées sur deux lignes parallèles, entre le thorax et l'aine, sont en nombre variable, entre 10 et 18.

● L'élevage des porcs, pour leur viande et leur graisse, est largement répandu en Europe, en Amérique et en Extrême-Orient. On estime actuellement à quelque 800 millions de têtes leur nombre total, de par le monde.

● L'animal n'a pas, chez nous, bonne réputation. Il est pourtant considéré comme un porte-bonheur en Allemagne et, dans l'astrologie chinoise, où il est tenu pour scrupuleux et chevaleresque, il est le symbole de la pureté. Pour nous, le porc est un animal sale, qui se vautre avec délice dans sa fange. Chez les Égyptiens, quiconque touchait cet animal devait immédiatement se purifier en se plongeant dans l'eau. Ceux qui le gardaient n'avaient pas accès au temple, et devaient se marier entre eux.

● Pour bien des peuples, même encore de nos jours, sa chair est un tabou alimentaire. On retrouve surtout cette coutume dans les régions méditerranéennes. Elle correspond

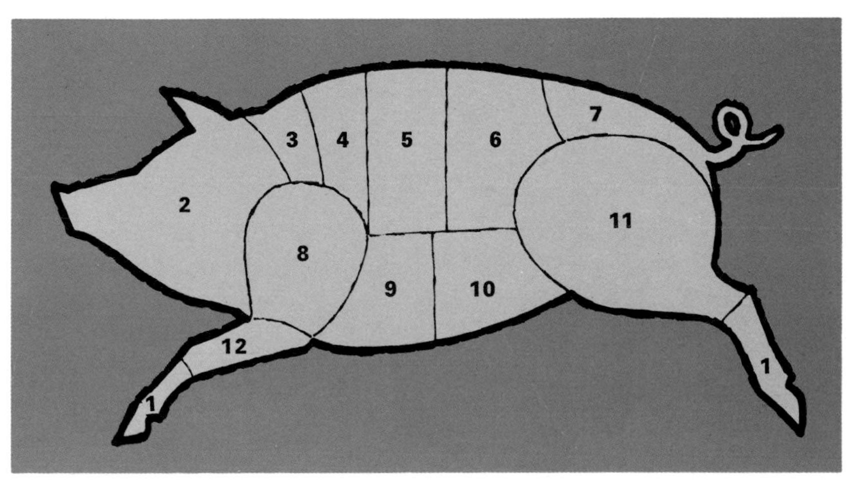

Porc de boucherie : 1. pieds ; 2. tête ; 3. échine ; 4. côtes découvertes ; 5. côtes premières ; 6. filet ; 7. pointe ; 8. épaule ; 9. poitrine ; 10. ventre ; 11. jambon ; 12. jambonneau.

San Juan, capitale de l'État de Porto Rico, au nord-est de l'île, est aussi le port par lequel s'effectuent les exportations de sucre. Porto Rico est la plus orientale des Grandes Antilles.

certainement à une mesure d'hygiène car, dans ces contrées, la viande de porc est souvent infestée de parasites transmissibles à l'homme. A cause de son pied fourchu, le porc a, pour certains, partie liée avec le Démon. Sa prolificité lui a valu d'être le symbole de la fécondité et, dès le Moyen Age, celui de la luxure. ■

▶ *MAMMIFÈRES*

PORTO RICO

Superficie : 8 900 km². Population : 3 337 000 hab. Capitale : San Juan (1 100 000 hab.) Langues : espagnol, anglais. Régime politique : État libre associé aux États-Unis (nationalité américaine). Unité monétaire, le *dollar*.

● Lors de son second périple, le Génois Christophe Colomb débarqua le 15 novembre 1493 dans une île de la mer des Caraïbes, émergée à l'est de l'actuelle Haïti et qu'il surnomma, en hommage au fils et héritier du roi d'Espagne, Saint-Jean-Baptiste. Cette île, rebaptisée « Porto Rico » (Port Riche) au XVIe siècle par Ponce de León, demeura sous le joug espagnol jusqu'en 1898. A cette date en effet, après la violente mais rapide guerre américano-hispanique, elle fut octroyée aux États-Unis et gravita désormais dans l'orbite américaine.

● La colonisation de cette petite île par les Espagnols fut particulièrement brutale : les autochtones, — des Amérindiens de la civilisation Arawack —, furent exterminés ou s'enfuirent sur le continent ou vers Saint-Domingue. « Il ne reste plus un seul sauvage dans l'île », écrivait Ponce de León dès 1585! Au cours du XVIIe siècle, la mise en valeur de ce territoire de quelque 8 900 km² nécessita ainsi une immigration massive (et involontaire) d'esclaves noirs, amenés d'Afrique occidentale.

● Porto-Rico est une île montagneuse qui bénéficie totalement des influences climatiques tropicales. Naguère sous-développée, elle était vouée à la culture du café et de la canne à sucre mais cette île est de moins en moins un pays agricole; de 1975 à 1985, la superficie des terres cultivées a diminué de 20 %; la balance agricole est fortement déficitaire et la population jeune se détourne des travaux agricoles.

● Porto-Rico ne possède aucune ressources minière et pendant longtemps les Portoricains ont immigré partout dans le monde, et surtout aux États-Unis, où ils étaient concentrés dans les faubourgs de New York, formant un réservoir de main-d'œuvre consciencieuse et bon marché.

● Mais la situation a évolué; le gouvernement américain a fait des efforts considérables pour industrialiser l'île. Après les dizaines d'établissements industriels installés dans la région de San Juan, la capitale, les implantations se sont multipliées sur tout le territoire, huit fois grand comme la Martinique. L'éventail des productions est très large : pharmacie, cosmétiques, industries textiles, raffineries, industries agro-alimentaires (rhum, conserves de thon) et, depuis peu, électronique. Cette industrie puissante, qui occupe plus du tiers de la population active, forme l'ossature économique de l'île. Ce succès incontestable repose sur deux points forts : une main-d'œuvre de grande qualité et beaucoup moins payée qu'aux États-Unis, un régime fiscal privilégié qui impose moins les sociétés américaines fixées à Porto-Rico que celles établies sur le sol américain, tandis que les produits portoricains importés aux États-Unis ne sont frappés d'aucune taxe! Le système bancaire bénéficie également d'avantages substantiels, et pratique des taux très inférieurs à ceux des banques nord-méricaines.

● Cette évolution se traduit par un essor économique local remarquable, par une mutation rapide des structures de la population active et des catégories socio-professionnelles, par une hausse du niveau de vie moyen (deux fois inférieur à celui d'un américain), mais contribue à intensifier les liens de dépendance de l'île à l'égard de la métropole : en 1985, 60 % des importations portoricaines venaient des États-Unis.

● En effet la situation politique de Porto-Rico est paradoxale. Cette démocratie pluraliste, qui a troqué son caractère d'île de charme contre celui de complexe industriel, est territoire américain depuis 1917; ses habitants ont donc la nationalité américaine et sont astreints au service militaire dans l'armée américaine. Les ménages bénéficient de l'aide américaine. Cependant, les Porto ricains n'ont pas le droit de vote au Congrès. Cette situation n'est pas sans engendrer certains malaises sociaux et politiques, plus ou moins aigus selon les périodes. D'après un sondage le parti indépendantiste ne représentait en 1986 que 4 % de la population, alors que 48 % désiraient que Porto Rico devienne un État de l'Union et que les 48 % restant préféraient le statu quo d'État associé aux États-Unis. ■

PORTRAIT

● Dès la préhistoire, dessinant, gravant, sculptant, l'homme a tenté de représenter la forme humaine. Mais ces représentations, très stylisées comme la statuette de la Vénus de Lespugue, peuvent-elles être appelées des portraits? Le portrait suppose chez l'artiste l'intention de donner une image, idéalisée ou ressemblante, d'un individu.

● Comme dans les civilisations primitives (masques d'Afrique, crânes peints d'Océanie signifiant la présence de l'ancêtre, du dieu), dans les grandes civilisations de l'antiquité (sumérienne, égyptienne, grecque archaïque), le portrait occupe d'abord une fonction essentiellement religieuse. Le portrait était le double de l'individu, lui permettait d'être représenté auprès des dieux ou mieux, assurait la permanence de son image, facilitait son passage dans l'au-delà.

● A Athènes, le portrait perdit peu à peu cette fonction quasi magique. Comme il ne s'agissait plus de donner une image symbolique du modèle, mais de figurer les traits de héros, d'hommes célèbres, de notables, les artistes s'efforcèrent de saisir la « ressemblance ». A Rome, particulièrement dans le Bas-Empire, où les fresquistes peignaient sur les murs une image du groupe familial, le portrait devint un genre profane.

● Le Moyen Age lui rendit sa fonction religieuse. Jusqu'au XIVe siècle (portrait de Jean II Le Bon), le portrait individuel n'existait pas. Peignant pour une église une scène de l'histoire sainte, les peintres reproduisaient sur un personnage, se tenant à l'écart et en adoration, les traits du donateur qui offrait ce tableau en hommage à la Vierge, au Christ ou à un saint. Parfois, toute la famille du donateur figurait dans le coin d'une fresque ou sur le volet extérieur d'un retable.

Détail d'un totem appartenant à une tridu indienne d'Amérique du Nord. Parc national des totems de Sitka (Alaska). Figuration symbolique, le totem est à l'opposé du portrait. Celui-ci présente néanmoins des traits indiens.

● A partir du XIVe siècle, le tableau de chevalet, l'accroissement d'une clientèle de princes, de grands seigneurs, de riches bourgeois favorisèrent l'essor de la peinture profane, et par contrecoup, du portrait. Longtemps, les portraits furent d'apparat, visant d'abord à illustrer la gloire du modèle, à en magnifier la personne. Au XVIe siècle, Titien représentait Charles Quint en pied ou à cheval dans toute sa splendeur. Au XVIIe siècle, Velasquez multipliait les portraits de Philippe IV dont il était le peintre officiel. Mais Titien déjà s'attachait à rendre le caractère de ses modèles (portrait du pape Paul III).

● A partir du XVIIe siècle, à la suite de Rembrandt, qui ne craignait pas de représenter des gens de condition modeste, les peintres se firent psychologues et s'ils portaient encore beaucoup d'attention à l'habit (principalement dans les portraits officiels), ils donnaient tous leurs soins au visage, miroir de l'âme. Ainsi, de Rembrandt à Courbet, ils se firent témoins de la société et des mœurs de leur temps.

● Parallèlement, de Dürer à Cézanne, nombreux furent les peintres (et particulièrement Rembrandt et Van Gogh) qui interrogeant leur propre visage, le pei-

L'Annonciation œuvre d'Antonello da Messina, artiste sicilien du XVe siècle. L'éclat des teintes, conjugué à la plénitude de vie immobile, donne valeur de portrait à cette toile, qui est à la fois figuration, réaliste et transfiguration lyrique.

En 1986, Rotterdam portait son trafic de marchandises à 256 millions de tonnes. Viennent ensuite (en mt) :

Kobé	**175**
La Nouvelle-Orléans	**149**
Chiba	**137**
Yokohama	**117**
Nagoya	**103**
Marseille	**89**

gnant sous toutes les lumières, à tous les âges, dans les moments de joie ou de peine, tentèrent de saisir le mystère de leur propre individualité.

● Les autoportraits de Cézanne, à la fin du XIXe siècle, témoignent de l'abandon progressif de la psychologie au profit de la peinture pure. Le visage intéresse Cézanne, non plus comme expression d'une individualité, mais comme ensemble de formes et de couleurs. Déjà chez Degas, précurseur de l'impressionnisme, le mouvement des corps importait plus que l'identification d'un modèle. Au XXe siècle, un Matisse, un Picasso, poursuivant les recherches de Degas, de Cézanne, des impressionnistes, ne se soucieront plus de ressemblance, mais de constructions et de rythmes purement plastiques.

● Aussi, dans ce siècle où les portraits, les images fixes ou animées des individus se rencontrent partout, dans les albums de photographies, sur les pages des magazines, sur les écrans de cinéma et de télévision, les peintres se sont-ils détournés du portrait. Et il faudra attendre une école très récente, l'hyper-réalisme, qui rivalise de précision avec la photographie, pour voir des artistes, de nouveau, reproduire fidèlement des visages (portrait de Marilyn Monroë par Andy Warhol).

● Le portrait représente aussi un art littéraire. En étudiant l'évolution du portrait littéraire tel que l'ont pratiqué depuis le Moyen Age poètes, chroniqueurs, mémorialistes et romanciers, on découvrirait une parenté avec l'évolution du portrait pictural. Les auteurs des chansons de geste et les chroniqueurs médiévaux brossent des portraits à grands traits, soulignant le port altier, la beauté des héros, l'apparence plus fruste des serviteurs ou la laideur des traîtres.

● Au XVIe siècle et surtout au XVIIe siècle (Madame de La Fayette dans *la Princesse de Clèves*, La Bruyère dans ses *Caractères*, Saint-Simon dans ses *Mémoires*), les écrivains soulignent de plus en plus les caractères physiques, les notations psychologiques qui reflètent la singularité d'un individu. Le portrait psychologique fouillé, minutieux, mettant en relief les correspondances entre la physionomie, la silhouette et le comportement, atteindra sa perfection dans les romans du XIXe siècle, de Balzac à Zola, contemporains de Ingres et de Courbet.

● Enfin au XXe siècle, les romanciers attachent de moins en moins d'importance au portrait des personnages. Dans le nouveau roman, représenté par Alain Robbe-Grillet, Michel Butor, Claude Simon, les personnages s'effacent, — et perdent quelquefois jusqu'à leur nom —, au profit de la description de comportements, de situations, d'aventures. Ce sont les cinéastes, créateurs de personnages, qui font des « portraits ». Ainsi, Orson Welles dans *Citizen Kane*. ■

PORTS

● Le port représente le lieu d'échange entre les activités maritimes et les activités terrestres. Ce contact s'effectue naturellement sur les plages. De nos jours encore, celles-ci connaissent l'échouage volontaire des navires et assurent le transbordement. Mais l'homme a cherché à favoriser ces échanges en les concentrant sur les rivages les plus favorables. Là où le continent en a le plus besoin, là où les conditions nautiques sont les plus favorables.

● Ainsi naquirent les ports naturels, estuaires profonds ou baies bien échancrées abritées de la houle; le Lacydon, vieux port de Marseille, témoigne de la recherche d'une rade aux eaux calmes de la part de Phocéens. Mais la multiplication des navires, l'augmentation de leurs dimensions, les nécessités d'une protection — militaire notamment — encore accrue, imposèrent le choix de sites plus vastes et de plus en plus rares et la construction de jetées aboutissant à des bassins artificiels.

● Ainsi, le nouveau port de Marseille (Joliette) s'est étendu sur des kilomètres vers le nord, sur une côte rectiligne, grâce à la construction d'une jetée de protection en avant du rivage, agrémentée de

Une partie du grand port de Buenos Aires (9000000 hab.), sur le Rio de la Plata, par lequel sont exportés du pétrole raffiné, des céréales, des viandes et des produits de la métallurgie. argentine.

quais perpendiculaires qui servent au transbordement.

● La troisième génération, d'abord simple palliatif improvisé sur les côtes à barre (Afrique), tend à s'affirmer aujourd'hui avec l'arrivée des super-tankers dont le tirant d'eau ne permet plus d'approcher le rivage, même exempt de hauts fonds comme dans l'avant-port : un appontement fixe ou flottant se trouve au large, à plusieurs milliers de mètres du continent auquel il se relie par une jetée ou par un pipe-line sous-marin (sea line). Ainsi les installations du cap d'Antifer permettent le déchargement des plus gros pétroliers devenus inaptes à pénétrer même dans l'avant-port du Havre.

● On assiste par ailleurs à une spécialisation des bassins ou des ports en fonction de leurs activités : port de passagers (Calais), de plaisance (Cannes), port minéralier (Dunkerque), port pétrolier (Tampico), s'ajoutant à la distinction ancienne entre ports de commerce et ports de pêche. Car les installations terrestres : grues, silos, magasins, réfrigérateurs, douane, réparation, ravitaillement, carénage, prennent de plus en plus d'importance. Un port comme Rotterdam est capable d'accueillir 250 navires à la fois. Il est vrai qu'il s'agit là du premier port mondial, dépassant chaque année 100 millions de tonnes de trafic auquel s'ajoutent encore des liaisons fluviales par le Rhin.

● Bien qu'importants, les ports liés aux lacs (Duluth), ou aux fleuves (Duisbourg), n'atteignent pas les tonnages des géants maritimes. L'importance de ceux-ci tient compte à la fois de leur condition nautique, de leur position sur les grandes routes maritimes, — ainsi Dakar à la pointe de l'Afrique, tangent à la circulation vers le Cap ou vers le Brésil —, et surtout aujourd'hui de l'hinterland.

● L'hinterland, c'est l'espace de réception et de distribution des produits transitant dans un port. Plus celui-ci est vaste, dense, industrialisé, plus le développement de l'exutoire portuaire se trouve facilité. Ainsi les ports de la basse Seine, le port ancien de Rouen situé au contact de la circulation fluviale et maritime, sur le lieu de rupture de charge, et Le Havre, création de François Ier accessible aux navires de haute mer, bénéficient-ils de la présence du marché de production et de consommation de la région parisienne, auquel ils se relient, grâce à la navigation sur la Seine, aux routes et autoroutes, aux chemins de fer et aux oléoducs.

● Anvers, Hambourg, Dunkerque, se trouvent sur la mer du Nord, bordière de l'Europe du Nord-Ouest industrielle et urbanisée, tout comme New York, Philadelphie et Baltimore, qui assurent les échanges avec les 50 millions d'habitants de la Mégalopolis américaine.

● Quant à Rotterdam, son rôle capital s'explique par le dynamisme de ses dirigeants, mais aussi par sa situation dans la Hollande industrielle, et surtout grâce aux débouchés vers la plus grande partie de l'Europe industrialisée, par autoroutes, chemins de fer et surtout par l'artère rhénane dont les ramifications canalisées permettent aux produits de la moitié de l'Europe de converger vers Rotterdam, et à toutes les marchandises débarquées de diverger ensuite vers la Ruhr, jusqu'à Paris, Bâle ou Hanovre. ■

Changhaï (près de 11 millions d'hab.) à l'embouchure du Yang-tsé-kiang Pour la métallurgie, les tissus et les industries chimiques, Changhaï est le centre le plus important de Chine.

PORTUGAL

● Les peuples lusitaniens, premiers occupants du pays, durent lutter contre les occupations romaine, wisigothe et arabe, pour affirmer une indépendance, qui resta longtemps contestée par l'Espagne.

● Après la dynastie bourguignonne (XIe au XIVe siècle), la dynastie Aviz s'implanta en 1385, avec l'aide de l'Angleterre. Le roi Jean, vainqueur des Castillans, l'année de son intronisation à Aljubarrota, confirma la partition de la Péninsule en deux royaumes.

● Bloqués à l'Est par l'Espagne, les Portugais dirigèrent leur expansion outre-mer, vers Madère, les Açores (1432), l'Afrique. En 1498, Vasco de Gama atteignit les côtes de l'Inde, et donna au pays le monopole du commerce des épices. En 1500, Cabral apportait au Portugal la possession du Brésil. Il fallut l'arbitrage du pape et le traité de Tordesillas pour partager le monde entre les deux empires coloniaux d'Ibérie.

● Après la fin des Aviz, en 1578, le Portugal ne réussit à s'affranchir de la domination espagnole qu'en 1640, avec la dynastie des Bragance. Mais il dut, pour assurer son indépendance, accepter le protectorat anglais dont le Premier ministre Pombal fit une ère de prospérité. L'épisode napoléonien, puis l'émancipation du Brésil entraînèrent un processus de déclin, que l'instauration de la république, en 1910, ne réussit pas à enrayer.

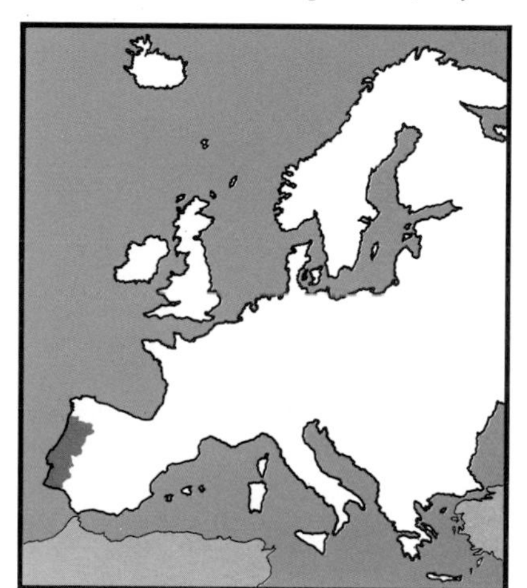

Superficie : 91 640 km^2 (y compris Madère et les Açores). Population : 10 250 000 hab. Capitale : Lisbonne (2 100 000 hab.). Langue : portugais Régime Politique : république. Unité monétaire : l'*escudo*.

A Braga (680 000 hab.), ville du Portugal, s'élève le sanctuaire du Bon Jésus, édifié au XVIIIe siècle en style baroque portugais. L'escalier monumental, œuvre de l'architecte Amarante, a été souvent copié.

Aux sources de l'empire colonial portugais : cycle de l'or africain au XVe siècle (Açores, Madère, Angola, Cap-Vert) ; cycle des épices de l'Inde au XVIe siècle (Calicut, Malacca, Goa, jusqu'à Macao) cycle du bois et du sucre en échange des esclaves africains aux XVIIe et XVIIIe siècles. (Angola, Mozambique, Brésil). L'indépendance du Brésil en 1822 limite l'empire à l'Afrique, jusqu'à la difficile décolonisation de 1974.

● Le régime parlementaire, aux prises à de multiples crises, succomba à son tour, en 1926, sous la dictature militaire relayée à partir de 1933 par le régime autoritaire de Salazar qui dirigea le pays jusqu'en 1968.

● Son successeur et continuateur, Marcelo Caetano, se trouve confronté aux problèmes posés par un pays pauvre, surpeuplé, engagé dans une entreprise militaire pour le maintien des colonies africaines. La révolution pacifique du 25 avril 1974, en rétablissant la démocratie, a remis en cause toute la politique portugaise des cinquante dernières années.

● De 1974 à 1982, on assiste à une vague d'élections et de dissolutions. En 1983, c'est le retour du socialiste Mario Soares qui prend la tête d'un gouvernement social-démocrate.

● Le Portugal forme l'extrémité occidentale de la Meseta ibérique (1/3 de la surface). Les plateaux, étagés par des failles, sont incisés par des fleuves (Douro, Tage, Guadiana) au régime méditerranéen très irrégulier. Ils se prolongent par des plaines littorales étroites, découpées par les grands estuaires du Tage et du Sado.

● Bien que doté d'une longue façade océanique, le Portugal jouit d'un climat à affinités méditerranéennes, d'autant plus marquées dans le sud du pays; les précipitations passent de 600 mm dans l'Algarve à 1100 mm autour de Coimbra.

● La végétation subit le même étagement nuancé, et la garrigue méridionale laisse place, plus au nord, à de beaux boisements de pins et de chênes.

● L'agriculture du Portugal occupe le quart de la population active mais sa productivité est si faible qu'elle n'est pas auto-suffisante. Le blé et le maïs sont les deux principales cultures céréalières. L'olivier est partout présent mais c'est le vignoble de Porto, de renommée internationale, qui est la principale culture d'exportation. L'élevage d'ovins, et surtout de porcins, est en augmentation. La forêt constitue également une source de devises, surtout avec le liège. La pêche, enfin, est un élément important dans l'économie du pays; les sardines portugaises sont exportées dans l'Europe entière.

● Le Portugal possède peu de ressources minières. Le principal minerai est l'uranium dont le marché mondial ne manque certes pas; l'anthracite, le cuivre, l'étain, le tungstène n'existent pas en quantité suffisante pour contribuer sérieusement à la richesse économique du pays. En revanche, l'hydroélectricité est importante. Le fleuve Douro, frontière naturelle avec l'Espagne, est une grande source d'énergie et fournit 50 % de l'électricité consommée.

● L'activité industrielle progresse à un rythme relativement satisfaisant : industries textiles, du vêtement, de la chaussure, du papier, du tabac, constructions navales, sidérurgie occupent plus de 36 % de la population active. Le coût du travail horaire est le plus bas de tous les pays de la communauté économique européenne, dont le Portugal fait partie depuis janvier 1986.

● C'est d'ailleurs l'entrée dans le Marché commun qui a amorcé la transformation du Portugal. En effet, il a fallu, pour être compétitif, accélérer la réforme agraire prévue par la loi de 1975, et créer des coopératives agricoles. Il a fallu lutter contre l'inflation et moderniser l'industrie, concentrée surtout autour de Lisbonne, de Setubal et de Porto; cette modernisation est capitale si le Portugal veut lutter contre l'immigration de sa jeunesse qui n'accepte plus la stagnation et a essaimé, depuis la fin des années 60, dans tous les pays industrialisés d'Europe, avec une préférence pour la France. Un plan de développement du tourisme a été mis en route, doublé d'une politique de développement régional. Toutes ces mesures, accompagnées d'une politique de rigueur budgétaire rendue nécessaire par l'importance de la dette extérieure, ont permis au gouvernement actuel de remettre le Portugal sur la voie de la croissance économique et d'améliorer son équilibre économique à partir de 1985-86. ■

POUCHKINE (1799-1837)

● Alexandre Sergheïevitch Pouchkine, peut-être le plus grand poète russe, descend par sa mère du célèbre Hannibal, le nègre de Pierre le Grand. Le tsar, qui s'était pris d'amitié pour cet Abyssin, l'avait libéré, éduqué et doté. Le père de l'écrivain appartient à une famille noble. Selon l'usage de son milieu, le jeune Alexandre fait ses études en français. Il a très tôt accès à la riche bibliothèque paternelle.

● Il lit Dante, Shakespeare, Byron et Voltaire pour lequel il éprouve une prédilection. Mais il n'oublie pas pour autant sa langue maternelle, grâce à sa gouvernante qui lui raconte d'anciens contes populaires dont il s'inspirera plus tard *(le Pêcheur et le petit poisson, le Coq d'or*, etc...).

● Dès le lycée il écrit des poésies qui lui valent la considération de ses maîtres et de ses condisciples. Nommé au ministère des Affaires étrangères, il écrit *la Gabriéliade*, d'inspiration voltairienne, qui lui vaut d'être muté en Bessarabie. A la suite d'une nouvelle incartade, il est assigné à résidence dans la propriété paternelle de Mikhaïlovskoïè, dans la province de Pskov.

● Durant toute cette période il écrit de nombreux poèmes : *Rouslan et Lioudmilla* (1817-1820), sorte d'épopée héroï-comique qui lui apporte la renommée, *les Tsiganes* (1823-1824), d'inspiration byronienne, *le Prisonnier du Caucase* (1821), qui raconte l'histoire d'un jeune officier prisonnier des Circassiens, délivré par une jeune fille qu'il abandonne ensuite, *la Fontaine de Bakhtchisaraï* (1822), etc. Puis, en 1825, il écrit un drame en vers, *Boris Godounov*, qui relate l'histoire du tsar du même nom.

● Amnistié par le tsar, il rentre à Moscou, puis, en 1827, à Saint-Pétersbourg. Sans abandonner ses idées libérales, il se fera dès lors un point d'honneur à ne pas s'opposer ouvertement au pouvoir. En 1831, il épouse la belle Nathalie Gontcharova. Il mène alors une vie mondaine et s'occupe de son domaine. Il jouit d'un grand prestige et est élu en 1833 à l'Académie russe.

● Son chef-d'œuvre est, sans aucun doute, le roman en vers *Eugène Onéguine* (1823-1830). Le héros y incarne un de ces esprits supérieurs qui souffrent du « mal du siècle » et n'attendent plus rien de la société dans laquelle ils vivent. C'est la première apparition d'un personnage que l'on retrouvera dans toute la littérature russe de la première moitié du XIXᵉ siècle : l'intellectuel que sa culture occidentale a coupé de ses racines nationales.

● Il écrit aussi, en prose, *les Récits de Bielkine* (1830), *la Dame de Pique* (1834) et *la Fille du Capitaine* (1836) où l'influence de Walter Scott se fait sentir.

● Véritable fondateur de la littérature russe moderne qu'il libère des contraintes étrangères et à laquelle il donne des modèles d'équilibre et d'élégance, il est aussi un conteur savoureux. Mais, comme s'il avait pressenti sa fin tragique, à 37 ans, dans un duel avec le français d'Anthès, Pouchkine a exprimé avant tout, dans son œuvre, la tragédie d'une contradiction propre à la nature humaine. ■

Gogol disait à propos de Pouchkine : « Aucun des poètes russes ne lui est supérieur et ne peut être plus justement appelé national ; en lui, comme dans un dictionnaire, sont contenues toute la richesse, la puissance et la souplesse de notre langue ».

Aristocrate gagné aux idées libérales et détestant les compromis, Pouchkine eut le courage d'exprimer ouvertement ses convictions, dans sa vie, comme dans son œuvre ; ce qui lui valut plusieurs fois l'exil, et une mort digne d'un héros romantique.

POUDOVKINE (1893-1953)

● Acteur, réalisateur, théoricien, Vsevolod Illarionovitch Poudovkine apparaît au sein du cinéma soviétique comme le grand rival d'Eisenstein. Son apport à l'esthétique du « Septième Art » a été universellement reconnu. De son œuvre, on tend trop souvent à retenir la célèbre trilogie de l'époque du muet et à passer sous silence les films ultérieurs; discrimination qui prête à croire qu'il ne sut éviter l'écueil du parlant, alors qu'en fait l'avènement de la parole marqua une étape non négligeable dans sa création d'un langage filmique neuf.

● Ce langage, il le voulut parfait, d'une rigueur minutieusement élaborée, adapté à ses préoccupations sociales et psychologiques,

Fervent adepte du réalisme socialiste, Poudovkine voit dans cette forme d'art « une méthode de travail unissant profondément l'artiste à la réalité, au monde environnant et (c'est là l'essentiel) le faisant directement participer au travail de toute la nation ».

bien entendu dans le cadre du « réalisme socialiste » dont sa production illustre les grandes lignes.

● Rien au départ ne semblait destiner le jeune Poudovkine à une carrière cinématographique. C'est vers les sciences, et plus précisément la chimie, que l'avaient porté ses études. Mais il y eut *Intolérance* de Griffith et il eut l'occasion de le voir en 1920. Un univers ignoré s'ouvrait à lui, à la découverte duquel il se lança aussitôt, à l'École de cinéma de Moscou d'abord, puis, à partir de 1923, au Laboratoire Expérimental que venait de fonder Lev Vladimirovitch Koulechov, son maître à l'École de cinéma. Une première réalisation en 1926, — *la Mécanique du cerveau*, documentaire scientifique sur les recherches de Pavlov —, lui prouva qu'il était désormais en mesure de « voler de ses propres ailes ».

● *La Mère* (1926), librement inspiré de Gorki, *la Fin de Saint-Pétersbourg* (1927), *Tempête sur l'Asie* (1928), d'après un roman de I. Novokchonov, allaient l'imposer rapidement au rang des plus grands. A travers ces trois chefs-d'œuvre, l'un des thèmes favoris de Poudovkine : la prise de conscience face à l'oppression. Dans *la Mère*, une vieille femme, résignée à la pauvreté, découvre par son fils, militant révolutionnaire, la nécessité de s'insurger. Dans *la Fin de Saint-Pétersbourg*, même transformation d'un individu dépourvu de conscience politique; ici, un jeune paysan illettré. Enfin, « chanson de geste où tout est imaginaire », *Tempête sur l'Asie* ou *le Descendant de Gengis Khan* (sonorisé en 1949) stigmatise le colonialisme dans la Mongolie occupée par les troupes du Royaume-Uni.

● Cette révolte contre l'injustice sous toutes ses formes devait demeurer l'idée maîtresse de son œuvre : *le Déserteur* (1933), histoire d'un jeune communiste allemand exilé en U.R.S.S. au moment où l'hitlérisme s'installe en Allemagne et qui, se jugeant déserteur, rejoindra ses camarades; *Minine et Pojarski* (1939), fresque historique relatant l'occupation de Moscou par le roi de Pologne Sigismond, au début du XVIIe siècle, et la libération de la Russie par le prince Pojarski; *Souvorov* (1941), consacré au célèbre chef militaire russe; *Amiral Nakhimov* (1947), film patriotique.

● Et c'est avec *la Moisson* (1953), adaptée du roman de Galina Nicolaeva, que s'acheva la contribution de Poudovkine, « artiste du peuple de l'U.R.S.S. », au cinéma de son pays; une dernière réalisation placée sous le signe du lyrisme et où se trouve abordé le thème du couple dans la société socialiste, sa valeur, son rôle.

***La Mère*, film muet tourné en 1926, à partir du roman de Gorki, est considéré comme le chef-d'œuvre de Poudovkine, et comme le film le plus important — avec *le Cuirassé Potemkine* — du cinéma soviétique. Son thème : l'éveil politique d'une vieille femme dans le contexte de la Révolution.**

● « Le fondement esthétique du film est le montage »; derrière cette formule se dissimule toute la conception cinématographique du réalisateur soviétique, en fait le secret de son art. Aucun hasard n'intervient dans son œuvre; la poésie est là certes, mais elle n'a pas été une fin en soi, elle est née de l'unité du film, de la rigueur de sa construction, du soin apporté au *montage lyrique*. « Le rythme est le moyen d'influencer l'émotivité du spectateur »; le but premier est donc d'être efficace, d'agir sur celui qui recevra l'image. Pour cela, extraire de la réalité l'essentiel, réduire la matière pour permettre la clarté, et, en montant les plans, créer un *temps filmique*, un nouvel *espace filmique* idéal.

● Chacune de ses réalisations a donc pu être comparée à une composition musicale, à un poème visuel; chacune a ses grands moments lyriques : le cyclone sur lequel s'achève *Tempête sur l'Asie*; la débâcle de la Neva au printemps dans *la Mère*... Métaphores indissociables du style de Poudovkine, de même que plus tard, le contrepoint audiovisuel dont il fit un large usage. « La première fonction du sonore est d'augmenter la capacité d'expression du film ». Partisan de l'asynchronisme, — sons montés avec les images —, il accorde chaque bruit à sa source, conférant à son réalisme une dimension supplémentaire. Un exemple frappant nous en est donné au tout début du *Déserteur* avec les chantiers navals de Hambourg.

● « Un film d'Eisenstein ressemble à un cri, un film de Poudovkine évoque un chant », a écrit Léon Moussinac, mettant par là l'accent sur ce qu'il y a de viscéral chez le premier et d'intellectuel, voire même de cartésien, chez le second. Et dans cette *science* cinématographique, telle que l'a conçue Poudovkine, d'aucuns ont perçu de graves risques de sclérose. Mais, peut-être, parce qu'il refuse l'emphase, parce qu'il « fait appel à ce qu'il estime le plus pur de nous-mêmes, aux seules forces que nous dominions » (Moussinac), nous touche-t-il davantage, agissant néanmoins sur notre sensibilité et sur notre cœur. ■

POULES ET POULETS

Le coq domestique de nos basses-cours arbore les mêmes couleurs rutilantes que son ancêtre, le coq bankiva. Chez ce dernier, cependant, la queue est horizontale et la femelle ne possède ni crête ni barbillons.

- La poule fait partie de l'ordre des galliformes et de la famille des phasianidés tout comme le paon, le faisan, la pintade, la perdrix et la caille. Ces oiseaux se rencontrent dans toutes les régions tempérées et tropicales du globe à l'exception de la Polynésie. Le foyer du genre *Gallus* semble être l'Asie.
- D'innombrables races de poules peuplent nos basses-cours. Leur élevage fait partie des activités agricoles traditionnelles depuis plusieurs milliers d'années. Il s'est créé ces dernières années une véritable industrie de l'élevage de la poule.
- On ne connaît pas l'origine exacte de la poule domestique. Elle provient sans doute d'un croisement entre plusieurs espèces apparentées, mais le coq Bankiva *(Gallus gallus)* semble bien être son principal ancêtre. Cette espèce sauvage de l'Asie de l'Est et de l'Inde présente un polymorphisme favorable à la sélection de races adaptées aux exigences de l'homme.
- Sa livrée est très colorée, jaune doré sur la tête et le cou, brun pourpré avec des reflets métalliques sur le dos et noir avec des reflets verts sur la poitrine. La queue, bien développée, est constituée de rectrices noires aux reflets métalliques. Le mâle est orné d'une crête rouge vif identique à celle du coq domestique, de deux barbillons et ses pattes sont armées d'ergots. La femelle, plus petite, a un plumage plus terne, une crête et des barbillons réduits.
- Les mœurs du coq Bankiva ne diffèrent guère de celles des autres phasianidés et correspondent pour l'essentiel à celles de la poule domestique. Le *Gallus gallus* habite les régions à végétation dense telles que la jungle et se nourrit de graines, d'insectes, de vermisseaux et de larves. Dès que tombe le soir, cet oiseau choisit un perchoir où il passera la nuit. Le chant du mâle ne diffère guère de celui du coq domestique. La femelle pond une dizaine d'œufs dans un nid aménagé dans une excavation du sol et protégé de débris végétaux. Les poussins éclosent après une couvaison de 18 à 21 jours.
- Chaque année au printemps, les mâles se livrent des combats pour la possession d'un territoire qu'ils partageront chacun avec 3 à 5 femelles. Ces « affrontements » ne se terminent jamais par la mort de l'un des combattants, contrairement à ce qui se passe lors des combats organisés par certains peuples comme les Flamands ou les Siamois.
- Il existe d'autres espèces de coqs sauvages, le coq de Sonnerat *(Gallus sonnerati)* qui est asiatique, le coq sauvage de Java *(Gallus varius)* et le coq de La Fayette *(Gallus lafayettii)* de Ceylan. Ces espèces sont très semblables au coq Bankiva par leurs mœurs, mais en diffèrent par leur livrée. On observe même des croisements dans la nature, qui donnent naissance à des hybrides féconds.
- La domestication de la poule remonte à 3000 ans avant J.-C. et on en trouve des traces en Égypte à cette époque. L'abondance des individus et leur tendance à la vie sociale ont certainement été des éléments déterminants dans cette domestication. La technique d'élevage s'est répandue en Europe par l'intermédiaire des Grecs et des Crétois, mais ces peuplades ont pu également apprendre ce mode d'élevage des Perses. Il était très répandu en Gaule dès le début de notre ère.
- Il existe une centaine de races de poules parmi lesquelles la race japonaise, le coq à longue queue, dont les plumes caudales croissent pendant toute la vie sans jamais tomber. Cet oiseau mesure alors jusqu'à 5 ou 6 mètres, de la pointe du bec au bout de la queue. La sélection a permis la création de races naines (Bantham, Java, Hambourg), de races robustes tels les combattants et des races productrices d'œufs ou de chair (poules de Bresse, du Mans, de La Flèche).
- La poule livournaise ou leghorn des pays anglo-saxons et la padouane ont gardé de nombreux caractères de l'espèce sauvage et produisent des œufs blancs. La Sussex blanche et noire et la Wyandotte blanche se rapprochent da-

Dans une enceinte grillagée et surélevée, analogue à un ring de boxe, les deux adversaires d'un combat de coqs, soigneusement sélectionnés, les ergots armés d'un éperon d'acier, s'affrontent à mort. Est reconnu vainqueur le coq qui reste debout trois minutes après le combat. L'enjeu est constitué par les mises des propriétaires.

La poule domestique est dépourvue d'ergot, son plumage est terne, sa crête et ses barbillons très réduits. Elle se nourrit d'aliments composites auxquels il faut ajouter des graviers pour broyer les graines contenues dans le gésier, des coquilles d'huîtres pour renforcer l'enveloppe des œufs, enfin de l'eau.

vantage des races combattantes d'Indo-Malaisie et de la cochinchinoise à tarses emplumés.

● Le comportement des poules domestiques a fait l'objet de nombreuses études qui ont permis la mise en évidence d'une hiérarchie que l'on a retrouvée depuis dans de nombreuses espèces animales. On a observé que dans tout groupe il existe une poule qui donne des coups de bec à toutes les autres, mais n'en reçoit jamais. Un deuxième individu distribue ses coups de bec à toutes les poules sauf à la première et n'en reçoit d'aucune sauf de celle-ci. Il en va ainsi jusqu'à la poule classée au rang le plus bas de la hiérarchie, qui est le souffre-douleur du groupe.

● Chaque individu reconnaît et respecte celui qui lui est supérieur, mais cette hiérarchie n'est pas toujours aussi simple car il peut exister des groupes dominants et des groupes dominés au sein d'une basse-cour. Le coq occupe un rang à part et surveille son harem en prévenant les poules du moindre danger. Les combats entre les femelles pour l'accession à un rang élevé ne sont pas aussi violents qu'entre les mâles.

● La pratique de l'aviculture avec un petit nombre de poules n'est plus rentable de nos jours sauf pour nourrir une famille. Dans ce cas on laisse les poules chercher leur nourriture en leur fournissant cependant un complément alimentaire. L'élevage industriel est fondé sur des techniques permettant d'incuber les œufs dans des couveuses artificielles, l'utilisation de cages aux dimensions réduites et d'aliments soigneusement dosés. En empêchant le poulet de courir on arrive à l'engraisser pour qu'il soit prêt à la vente à l'âge de 3 mois.

● La poule, comme bien d'autres animaux, est à l'origine de légendes et de superstitions. On attribuait jadis des pouvoirs occultes au chant du coq. Celui qui précède la Passion en est l'un des exemples les plus célèbres. Le coq gaulois n'apparaît comme symbole de la France que vers la fin du XVIIe siècle. Les combats de coqs datent du temps de la Grèce antique où l'on dotait ces oiseaux

Un œuf de poule se compose de : 65 % d'eau, 12 % de protéines, 0,9 % de glucides, 10,9 % d'éléments minéraux.

d'éperons pointus sur les ergots. Très en faveur naguère en Angleterre, dans le nord de la France, en Belgique et en Amérique du Sud, ces combats sont actuellement partout interdits à l'exception de la Thaïlande. ■

▶ *OISEAUX*

POULPES (Céphalopodes)

● On appelle communément poulpes ou pieuvres certains mollusques marins qui font partie de la classe des céphalopodes, de la sous-classe des dibranchiaux et de l'ordre des octopodes.

● La morphologie des céphalopodes diffère quelque peu de l'organisation générale des mollusques. Les céphalopodes sont des organismes à symétrie bilatérale. La tête, pourvue de deux gros yeux, est bien développée et distincte du tronc. Les bords du pied sont transformés en 8 ou 10 tentacules, ou bras périoraux, qui entourent complètement la tête. A leur face interne ils sont pourvus d'une ou de plusieurs rangées de ventouses cupuliformes et pédiculées ou sessiles qui ont essentiellement une fonction adhésive.

● Chaque ventouse est pourvue d'un muscle circulaire qui réduit son diamètre lorsqu'il se contracte et de muscles verticaux périphériques qui peuvent diminuer sa hauteur. Chaque bras ou tentacule est innervé par un nerf brachial qui se prolonge par une ramification dans chaque ventouse. De petits crochets chitineux marginaux augmentent encore l'adhérence des ventouses.

● La limite entre la tête et le tronc est souvent marquée par une fente transversale plus ou moins large qui donne accès à la cavité palléale. Dans la région antérieure, en dessous de la bouche, et en dehors de la couronne tentaculaire, se situe l'entonnoir qui résulte de la prolifération ventrale du pied et dont la base s'engage dans l'ouverture palléale.

● Lorsque le céphalopode contracte le manteau, l'eau sort de la cavité palléale par l'entonnoir. La masse viscérale est entièrement enveloppée par le manteau dont les deux lobes sont soudés ventralement, délimitant ainsi la cavité palléale qui communique avec l'extérieur par l'entonnoir et la fente palléale. Dans la cavité palléale se situent deux branchies, fixées à la paroi du corps en arrière, avec, au milieu, le rectum terminé par l'anus et les uretères pourvus d'orifices excréteurs. L'orifice génital est impair et situé sur le côté gauche. A la base de l'entonnoir s'étalent les ganglions étoilés. Chaque branchie est pourvue, à sa base, d'un cœur branchial. La forme et la taille du sac viscéral sont variables.

● La peau, dont la couleur peut varier en fonction du milieu environnant, renferme de nombreuses cellules pigmentées et contractiles, les chromatophores, qui contiennent des grains pigmentaires de diverses couleurs (jaune, orangé, rouge, brun). Ces cellules sont sous contrôle nerveux et hormonal. Les iridocytes consistent en cellules tégumentaires à guanine qui réfléchissent la lumière et peuvent migrer plus ou moins en profondeur. Ce sont elles qui confèrent à la peau un aspect iridescent.

● La coquille, réduite, n'est pas visible extérieurement. Elle est enveloppée par le manteau qui la sécrète. Seul le nautile a une coquille apparente. Elle fut surtout bien développée chez les céphalopodes d'époques géologiques précédentes, qui n'existent plus qu'à l'état de fossiles (Ammonites, Bélemnites, Nautiloïdés).

● La bouche s'ouvre au centre de la couronne tentaculaire. Elle est fréquemment pourvue d'un pli membraneux épais formant une sorte de lèvre et possède deux mâchoires cornées comparables à un bec de perroquet. La radula est typiquement formée d'une succession de rangées de 5 dents. Les glandes salivaires sont très développées et sécrètent une salive toxique pour les crustacés et les poissons.

● L'œsophage est long, tubuliforme et se termine par un estomac musculeux broyeur. Le tube digestif se poursuit par le cæcum spiral, puis le rectum et l'orifice anal. La poche du noir ou glande à encre constitue une annexe du rectum, qui débouche tout près de l'anus, propre aux céphalopodes. Elle expulse une substance foncée qui camoufle l'animal en cas de danger. Le pouvoir colorant de cette « encre » est très important, quelques milligrammes forment un nuage suffisant pour soustraire le céphalopode à la vue d'un ennemi.

● La respiration est assurée par une paire de branchies pectinées. Le système circulatoire comprend un cœur formé de deux oreillettes et d'un ventricule. Les oreillettes sont des dilatations des vaisseaux branchiaux qui communiquent avec le ventricule par un canal artériel. Le ventricule se prolonge par une aorte qui se ramifie en artère génitale et aorte postérieure. Les artérioles aboutissent à des sinus, d'où le sang passe dans des veinules puis dans des veines qui l'amènent aux branchies où il est oxygéné avant de retourner au cœur.

● Le système nerveux est caractérisé par une importante concentration céphalique. Les ganglions, volumineux, forment une masse compacte autour de l'œsophage. Les deux ganglions cérébroïdes sont reliés à des ganglions pleuroviscéraux par une large commissure et à des ganglions pédieux qui forment une masse sous-œsophagienne. Les céphalopodes sont les mollusques les plus évolués, au psychisme très perfectionné, en relation avec la concentration du système nerveux et le perfectionnement des organes sensoriels.

● L'étude du comportement des poulpes a montré que ces mollusques possédaient de hautes capacités d'apprentissage : on peut les dresser à faire la distinction entre un rectangle placé verticalement et un autre, identique, mais en position horizontale, ou encore entre un carré de 8 cm de côté, placé à une distance d'un mètre, et un autre de 4 cm de côté placé à 50 mètres. Les récepteurs sensoriels chimiques, localisés dans les ventouses, permettent de détecter des prédateurs comme les murènes.

● Les téguments sont pourvus de nombreuses cellules tactiles, mais la sensibilité tactile est surtout importante dans la région orale et sur les ventouses. La gustation est produite par des cellules sensorielles des lèvres et de la langue. Les organes olfactifs sont constitués par deux petites fossettes situées en arrière des yeux. Deux statocystes, logés dans le cartilage céphalique, assurent le sens de l'équilibre. Les yeux, comparables à ceux des vertébrés, ont une structure complexe. Ils possèdent une cornée, un iris, une sorte de cristallin, une humeur vitrée. Le fond est tapissé de cellules nerveuses qui forment la rétine.

● Les sexes sont séparés. Lors

Le plus grand céphalopode rencontré jusqu'ici était originaire du Pacifique. Son envergure dépassait dix mètres.

Pour tuer un poulpe de petite taille, les pêcheurs retournent son manteau, appelé aussi calotte ou bonnet.

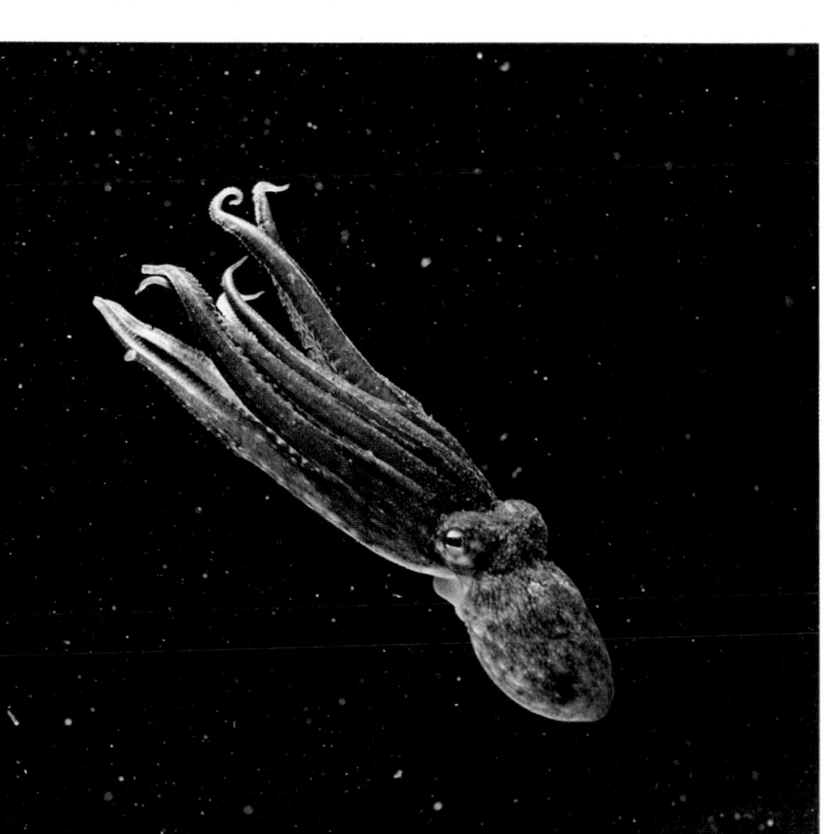

Un spécimen d'*Octopus vulgaris*, espèce très répandue sur les côtes de l'Atlantique. La plupart des poulpes vivent sur les fonds marins ou dissimulés sous les rochers d'où ils ne sortent que pour chasser.

L'homme respire de 12 000 à 15 000 litres d'air par jour. L'air qui circule dans les poumons (5 litres) se compose de 1,5 l d'air résiduel (qui ne peut être expulsé), 1,5 l d'air de réserve, 0,5 l d'air courant et 1,5 l d'air complémentaire (aspiré avec effort).

de la reproduction, un des bras du mâle se transforme en organe copulateur ou hectocotyle. Celui-ci cherche, par l'entonnoir, les spermatophores renfermant les cellules sexuelles mâles, et les dépose dans la cavité palléale de la femelle où se fait la fécondation.

● Les œufs, riches en vitellus, sont volumineux et entourés d'une substance visqueuse. Ils sont fixés en grappes sur les plantes aquatiques, d'où leur dénomination de « raisins de mer ». Le développement est direct, sans stades larvaires, et dure plusieurs mois. A l'éclosion, tous les organes sont formés. Le jeune céphalopode flotte d'abord quelque temps passivement dans l'eau, puis devient un bon nageur pélagique ou un organisme peu mobile au fond.

● Pour leurs déplacements, les céphalopodes exploitent la poussée de l'eau qu'ils expulsent fortement par l'entonnoir.

● Les poulpes ou pieuvres possèdent un corps sphéroïdal, dépourvu de nageoires. Les tentacules, au nombre de huit (d'où la dénomination d'octopodes), sont réunis à leur base par une membrane. Ils s'en servent pour s'appuyer lorsqu'ils se reposent, pour glisser sur les rochers ou se fixer à un support quelconque, et saisir des proies.

● L'espèce la plus commune de nos mers est *Octopus vulgaris* qui mesure jusqu'à 3 mètres de long, les tentacules compris. La coquille est absente, la cavité palléale étroite et les bras ont plusieurs rangées de ventouses sessiles. Après l'éclosion, les jeunes poulpes, qui mesurent 6 mm, nagent dans l'eau pendant un mois ou deux. Leur croissance est rapide. Ils se nourrissent surtout de bivalves et de crustacés.

● Quand un poulpe capture un crabe, par exemple, il le porte à sa bouche avec les tentacules, le tue en l'aspergeant de venin, et troue la carapace avec ses mâchoires. Il injecte dans ce trou des sucs digestifs qui digèrent la proie. Une heure plus tard environ, il expulse la coquille vide. Quand il s'agit de bivalves, le poulpe ouvre la coquille en se servant des ventouses, puis y injecte le venin.

● On rencontre également le long de nos côtes les poulpes de la Méditerranée, *Ozaena moschata* (ou *Eledone moschata*) et *Ozaena cirrosa* (*Eledone cirrosa*). Semblables à la pieuvre par leur aspect général, ils s'en distinguent par leur taille, 40 cm au maximum, et la présence d'une seule rangée de ventouses sur les bras. ■

▸ *LOCOMOTION / MOLLUSQUES*

POUMONS

● L'organisme humain consomme continuellement de l'oxygène, en même temps qu'il élimine de l'anhydride carbonique. L'introduction de l'oxygène, nécessaire à la vie, et l'élimination de l'anhydride carbonique sont l'objet de la respiration.

● Les poumons sont les organes chargés de la fonction respiratoire. L'air passe à travers la bouche et le nez, puis par des canaux appropriés, larynx, trachée, parvient aux deux bronches, droite et gauche. Les bronches se ramifient en plusieurs tubes, de plus en plus petits. Ces subdivisions aboutissent à de petits alvéoles (leur taille varie de 0,1 à 0,3 mm), siège des échanges d'oxygène et de gaz carbonique, entre l'air respiré et le sang qui circule dans les parois des alvéoles. Dans le corps humain, le nombre des alvéoles est d'environ 300 millions chez l'adulte; on évalue leur surface intérieure à cinquante mètres carrés à peu près.

● L'ensemble de ces structures, partant des bronches et finissant aux alvéoles, constitue le poumon. De l'extérieur, les poumons apparaissent comme des organes de forme conique, situés symétriquement dans la cavité thoracique. Ils s'appuient sur un muscle transversal, le diaphragme, qui sépare l'abdomen de la cavité thoracique. Les poumons sont enveloppés d'une membrane souple, qui revêt également la surface interne du thorax.

● Si l'on observe une personne en train de respirer, on peut remarquer qu'elle est animée de mouvements successifs et réguliers, cor-

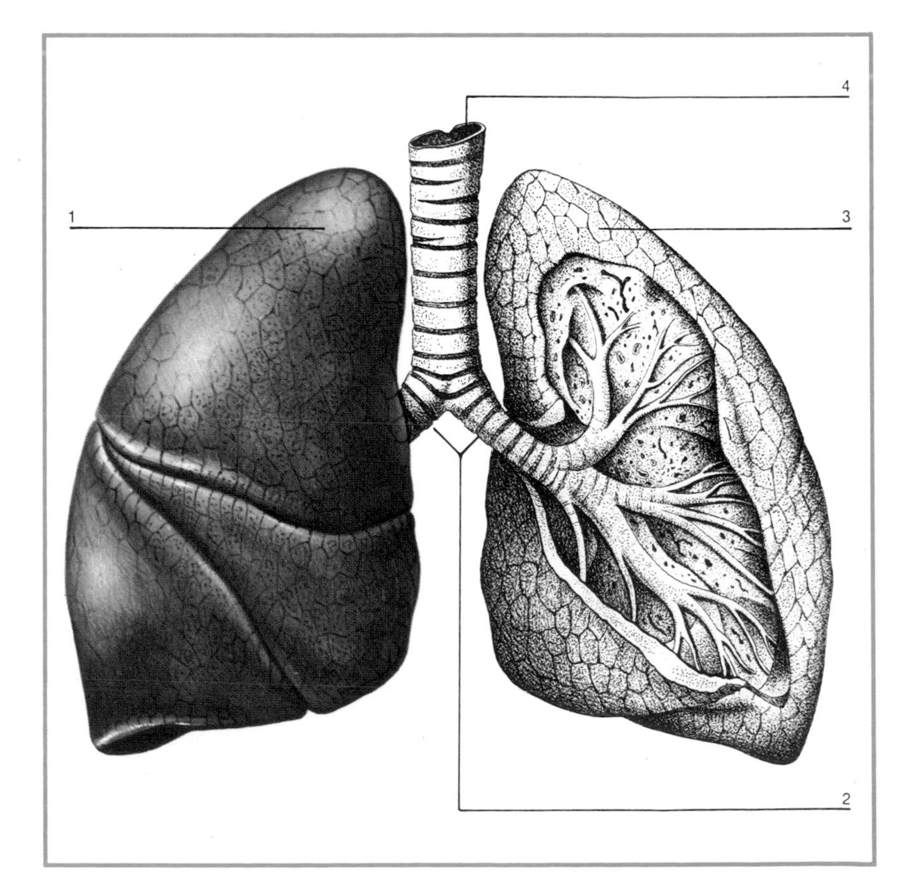

Les poumons, siège de la fonction respiratoire : 1. poumon droit 2. grosses bronches 3. coupe du poumon gauche 4. trachée.

Cadence respiratoire (nombre de mouvements par minute) au repos :

nouveau-né	35
5 ans	25
15-20 ans	20
20-25 ans	18
25-40 ans	15

Une poupée de porcelaine fabriquée à Nuremberg et une poupée tunisienne parée des vêtements et des accessoires — babouches, collier, bracelet — de son pays.

respondant à l'inspiration (introduction de l'air) et à l'expiration (expulsion de l'air).

● Au cours de l'inspiration, les muscles du diaphragme et les muscles intercostaux entrent en action, de sorte que l'on assiste à une dilatation de la cage thoracique, avec pour conséquence l'entrée de l'air dans les poumons. Au cours de la phase d'expiration, ces mêmes muscles se relâchent, le volume de la cage thoracique diminue, le poumon se rétracte, le tout provoquant l'émission de l'air.

● Il est important que ces mouvements aient lieu de façon rythmique et coordonnée, aussi sont-ils contrôlés par un mécanisme nerveux, dont le centre se situe dans le bulbe rachidien.

● Les maladies des poumons sont de diverses natures : aiguës (pneumonie, congestion pulmonaire aiguë), chroniques (congestion pulmonaire chronique des vieillards, dilatation des bronches), tumorales (cancer broncho-pulmonaire), tuberculeuses. ■

▶ *RESPIRATION*

POUPÉES

● La poupée est le jouet le plus ancien de l'humanité. L'homme, en effet, a toujours eu besoin de se représenter et, de cette exigence, naquirent les premières peintures et les premières sculptures. La poupée consiste en quelque chose de plus : elle est objet propitiatoire, fétiche en quelque sorte, pour les adultes; vrai jouet pour les enfants.

● Chez les Égyptiens, les Grecs, les Romains et les premiers chrétiens, on fabriquait des poupées de bonne facture en bois, en terre cuite et quelquefois en ivoire. Les poupées de certaines régions d'Afrique et les poupées indiennes du Nouveau-Mexique et de l'Arizona donnent une idée de ce que pouvait être la poupée dans les sociétés antiques, sans parler des poupées japonaises, très connues pour la finesse de leur fabrication, la richesse de leurs costumes et la variété de leurs couleurs. Les poupées japonaises, à la fois jouets et objets de décoration, jouent un rôle très important dans la vie nationale du pays. Une fête leur est même consacrée, le 3 mars de chaque année, jour où l'on célèbre également la fête de toutes les petites filles âgées de moins de six ans.

● Dans la civilisation occidentale moderne, la poupée ne devint jouet qu'à partir de la Renaissance, quand on commença à l'habiller de riches habits pour le divertissement des enfants princiers. La renommée des poupées de Nuremberg, faites d'abord entièrement en porcelaine puis en carton bouilli, se répandit dans toute l'Europe.

● Au XIXe siècle, la poupée prit l'aspect qu'elle conserve actuellement, tandis qu'apparurent les premières poupées parlantes. Aujourd'hui, la fabrication des poupées constitue une florissante industrie. La technique moderne a permis de réaliser des poupées de plus en plus perfectionnées qui disent « maman », font pipi, ouvrent et ferment les yeux, marchent, parlent ou chantent au moyen de disques dissimulés à l'intérieur de leur corps. ■

Le mécanicien autrichien Maelzel inventa, en 1823, les premières poupées parlantes. En 1826, un nouveau progrès était réalisé avec les poupées capables de fermer les yeux en position couchée, et de marcher.

Deux styles de poupées populaires taillées dans des bouts d'étoffe : une poupée occidentale de style « gavroche » et deux poupées d'origine indienne.

Le *Moïse sauvé des eaux*, exécuté à Rome, illustre l'idéal artistique de Poussin : rigueur et équilibre de la composition, noblesse des attitudes, rôle du paysage. Avec l'histoire ancienne et la mythologie, l'Écriture sainte constitua la principale source d'inspiration du peintre.

POUSSIN, Nicolas (1594-1665)

● Issu d'une famille peu fortunée de la petite noblesse, Poussin s'initia à la peinture auprès de Quentin Varin, de passage aux Andelys. A l'âge de 18 ans, il vient à Paris où il travaille avec Georges Lallemant. Il visite les collections royales et se familiarise avec les œuvres antiques et les maîtres vénitiens et romains.

● Ébloui, il décide alors de se rendre à Rome. Sa première tentative, en 1621, est infructueuse : parvenu à Florence, il doit, faute d'argent, regagner Paris. Il s'y lie avec un poète italien, le Cavalier Marin, qui lui commande des dessins pour illustrer ses écrits, lui permettant ainsi d'approfondir sa connaissance des thèmes mythologiques. Poussin le rejoint enfin à Rome en 1623, après s'être arrêté à Venise où il est fortement impressionné par l'œuvre de Titien.

● Les premières années de son séjour romain s'avèrent difficiles. L'argent manque, son ami le Cavalier Marin meurt et ses protecteurs font défaut. Il doit vendre ses œuvres à bas prix. Les commandes qu'il exécute pour le cardinal Barberini montrent la disparition de toute trace de maniérisme, grâce à une étude attentive de la sculpture antique, en compagnie de son ami le sculpteur Duquesnoy, ainsi qu'à celle des œuvres de Raphaël et des peintres vénitiens, ce dont témoignent de nombreux dessins.

● En 1630 il se marie; ayant retrouvé une certaine stabilité affective et matérielle, il est en mesure de poursuivre plus sereinement cette quête de la pureté classique qu'il s'est donnée pour but. Inspirée par Titien, la série de bacchanales qu'il réalise alors montre une sensualité chaleureuse, qui se tempère parfois de gravité. A partir de 1637, son coloris se refroidit, son dessin se fait plus incisif et ses compositions plus savantes. Le souci d'explication prédomine dans des œuvres qui sont avant tout une méditation sur la destinée humaine.

● Sa renommée considérable conduit Richelieu à lui demander de rentrer en France en lui promettant la place de premier peintre du roi. Poussin, soucieux de préserver sa tranquillité et son indépendance, commence par refuser, puis accepte en 1640. Mais le travail qu'on attend de lui ne lui convient pas et il rentre à Rome deux ans plus tard, écœuré par les intrigues et les jalousies qu'il avait suscitées malgré lui.

● Il reprend son travail avec acharnement. Il produit peu mais dessine beaucoup et réfléchit longuement. Le paysage occupe une place de plus en plus importante dans ses toiles, où il oppose l'harmonie et l'éternelle fécondité de la nature aux éphémères passions humaines. Sûr de sa technique et de son style, il cherche à présent à exprimer une vérité morale ou philosophique.

● C'est de cette sérénité stoïcienne qu'est empreinte la magistrale suite des *Quatre Saisons*, peinte pour le duc de Richelieu (Louvre). Ses dernières œuvres montrent un retour à des thèmes mythologiques qu'il conçoit comme des allégories de l'harmonie universelle et de la puissance des forces de vie.

● Malgré une carrière essentiellement romaine, Poussin est considéré comme l'instigateur du classicisme français, dont il fut aussi le plus grand représentant. La vénération dont il fut l'objet constitua longtemps une entrave à sa réelle appréciation : on le trouvait académique et ennuyeux. Une récente exposition et des analyses plus précises ont permis de le situer à une plus juste place. ■

▸ *CLASSICISME*

Plusieurs expositions organisées à Paris en 1960, 1961 et 1973, ont contribué à faire revivre l'art de Poussin que sa renommée de maître du classicisme avait figé totalement aux yeux de la postérité.

POUX

● Les poux sont des insectes aptères de petite taille (0,4 - 6 mm de long), qui constituent l'ordre des anoploures ou pédiculidés. On en connaît plus de 200 espèces, réparties dans le monde entier. Ce sont tous des ectoparasites permanents, obligatoires, suceurs de sang, dont la plupart infestent les mammifères, exception faite pour les marsupiaux.

● Le corps est ovoïde, aplati et recouvert d'un tégument épais et résistant, jaunâtre ou brunâtre chez la plupart des espèces. La tête est petite, pourvue d'yeux réduits ou atrophiés et de courtes antennes, constituées, chez l'adulte, de 5 articles. Elle se prolonge en avant par une sorte de trompe dévaginable, qui contient les pièces buccales, et se termine par des denticules. L'appareil buccal est de type piqueur-suceur.

● Pour se nourrir, deux à trois fois par jour, le pou s'accroche, avec les dents de la trompe, à l'épiderme de son hôte, puis perfore le tégument, à l'aide des stylets du suçoir. Il injecte ensuite sa salive anticoagulante dans la plaie, et aspire le sang grâce à son pharynx musculeux, qui fonctionne comme une pompe aspirante.

● Le thorax des poux est aplati, habituellement plus court que la tête, et formé de segments fusionnés. Les pattes, très robustes, sont armées de grosses griffes qui, opposables à une excroissance du tibia, forment une sorte de pince, servant lors de la fixation sur l'hôte. La première paire de pattes, souvent différente morphologiquement des autres, est préhensile.

● L'abdomen, large et plat, est constitué de 6 à 9 segments. Chez la femelle, le dernier segment présente deux gonopodes. Il est échancré ou bilobé. Chez le mâle, habituellement plus petit et plus grêle que la femelle, le dernier segment abdominal est arrondi et comporte un orifice médian, anal et génital.

● Le nombre d'œufs pondus est variable, selon les différentes espèces : 30 à 50 par jour pendant la quinzaine de jours de ponte chez *Haematopinus eurysternus*, 70 chez les polypax des rongeurs, et 14 pendant 25 jours chez *Pediculus humanus corporis*.

● Les œufs, ovoïdes, sont fixés sur les poils ou les vêtements de l'hôte par un pôle, l'autre, qui est operculé, restant libre. 4 à 8 jours après la ponte, les jeunes poux sortent de l'œuf en soulevant l'opercule, mais certaines conditions de température et d'humidité sont indispensables au bon développement embryonnaire. Semblables, en plus petit, à leurs parents, ils sont suceurs de sang dès leur éclosion. Les générations se succèdent sur l'hôte pendant toute l'année.

● Les poux sont des insectes parasites éminemment spécifiques, obligatoirement liés à leur hôte, qu'ils ne peuvent abandonner, si les conditions de température ou d'humidité deviennent défavorables, que pour un hôte de la même espèce ou d'une espèce très voisine, et ce, à très bref délai. Ils recherchent une chaleur douce, proche de 37°, et fuient la lumière. Au-dessus de 44°, les poux meurent. Ils abandonnent les cadavres dès qu'ils deviennent froids.

● Les poux provoquent chez leur hôte une affection cutanée, appelée phtiriase hématopinique, qui détermine un prurit, dont l'intensité est fonction du nombre de parasites. Les jeunes mammifères sont plus souvent atteints que les adultes. Les poux sont également des vecteurs de microorganismes, qu'ils aspirent avec le sang de l'hôte. *Pediculus humanus corporis* peut transmettre divers agents pathogènes, lesquels sont à l'origine de la fièvre des tranchées, de la fièvre récurrente et du typhus exanthématique.

● L'espèce la plus connue est le pou de l'homme, *Pediculus humanus*, qui comprend deux races : *Pediculus humanus corporis* ou *Pediculus humanus humanus* qui reste accroché aux vêtements de l'hôte et se rend sur le corps pour se nourrir, et *Pediculus humanus capitis*, qui se loge dans les cheveux. Il peut y avoir une nouvelle génération toutes les 3 semaines, si les conditions sont favorables. Ce parasite pond entre 100 et 300 œufs dans les vêtements ou à la base des cheveux. L'infestation se traduit par une irritation et du prurit. Dans certains cas, lorsque la parasitose se prolonge, il se produit un noircissement de la peau ou mélanodermie, que l'on peut observer chez certains vagabonds, au niveau de la nuque ou du thorax. Ces poux infestent les individus qui vivent dans des conditions d'hygiène peu satisfaisantes.

● D'autres espèces parasitent les animaux domestiques. C'est notamment le cas de *Haematopinus eurysternus*, commun chez les bovidés et essentiellement localisé dans les endroits les plus velus du corps; ou *Haematopinus suis*, qui niche dans les replis du cou et sous les oreilles du porc. *Linognathus vituli* parasite les bovidés et, occasionnellement, l'homme. *Linognathus setosus* se plaît sur les chiens à longs poils, leur occasionnant des croûtes et des chutes de poils. ■

Les piqûres des poux de tête provoquent des lésions du cuir chevelu (pédiculose). On en vient à bout par des traitements à base de lotions mercurielles et de D.D.T. en poudre. Pour plus d'efficacité, il est souvent nécessaire de couper les cheveux à ras.

► *INSECTES/PARASITISME*

PRAGUE

● Dans une région vallonnée de Bohême, où la Vltava enfin s'assagit, Prague s'impose au nouveau venu. A peine plus d'un million d'habitants ont le privilège de vivre dans cette ville, qui passe pour l'une des capitales européennes les plus belles et les plus élégantes. Elle conserve de son histoire d'innombrables témoignages d'une réelle valeur artistique, et fait chaque année l'objet de l'admiration des touristes.

● Ceux-ci visitent d'abord le Hradčany, citadelle du IXe siècle enserrant dans ses murs la cathédrale Saint-Guy, dont on célèbre les fresques (chapelle Saint-Venceslas), l'oratoire et le mausolée royal; ce dernier renferme un trésor important, dont la couronne des rois de Bohême est l'une des pièces les plus précieuses. L'enceinte du Hradčany protège aussi l'ancienne abbatiale romane des bénédictines de Saint-Georges.

● Sur l'autre rive de la Vltava au cours paresseux, la vieille ville *(Staré Mésto)* occupe un méandre.

Un spécimen de goniocote, ou pou des oiseaux, appartenant à l'ordre des mallophages. Ces insectes munis d'un appareil buccal broyeur ne piquent pas, mais incommodent par leurs morsures, les vertébrés à sang chaud.

Le château du Hradcany, ancienne résidence des souverains de Bohême, édifié sur une riante colline dominant la rive gauche de la Vltava, abrite dans ses remparts des édifices religieux, dont la cathédrale, et des bâtiments administratifs.

Il faut passer le pont Charles (XIVe siècle), abondamment orné de statues de saints sculptées dans le style baroque. Le long de rues tortueuses, se dressent de sévères édifices médiévaux aux toits crénelés, des tours innombrables : tour de l'Hôtel de Ville, tour Poudrière. *Staré Mésto* est aussi un quartier d'églises plus belles les unes que les autres — Saint-Clément, Notre - Dame - des Victoires, de style Renaissance tardif, Saint-Charles Borromée et Saint-Joseph, construit dans le style baroque cher à l'Europe centrale et où voisinent pourtant plusieurs éléments stylistiques d'Europe orientale. Couvents — des templiers, des capucins — et palais fastueux, ou sobres, tel le palais épiscopal : autant de joyaux à ne pas manquer.

● La rive gauche abrite aussi *Nové Mesto,* ville « nouvelle » crée en 1348 par le roi Charles IV. C'est une zone résidentielle, aérée, élégante. Centre commercial important, Prague est en outre, de loin, le premier nœud de communications routières et ferroviaires. Un aéroport international, *Ruzyné,* favorise considérablement son activité.

● De part et d'autre de la Vltava, des quartiers industriels font pendant à ceux qui charment le touriste. *Karlin,* créé au siècle dernier pour abriter de petites fabriques, — brasseries, tanneries, tissages, se spécialise aujourd'hui dans la métallurgie lourde; *Bubenec* et *Holesovice* sont les secteurs privilégiés des industries chimique et alimentaire.

L'horloge astronomique de l'hôtel de ville de Prague. Des figurines apparaissent aux fenêtres de la partie supérieure. La partie centrale est constituée par une sphère qui fonctionne selon l'hypothèse que la Terre est le centre de l'Univers ; au-dessous, le calendrier est formé de 24 médaillons dont la moitié représente les signes du zodiaque, les autres montrant des scènes de la vie à la campagne au cours des différents mois de l'année.

● L'histoire connue de Prague commence au IXe siècle. Tout d'abord forteresse, celle-ci devint évêché (973), puis résidence des ducs de Bohême (1061-1140). De nombreux marchands étrangers, surtout allemands, s'y installèrent et y fondèrent une colonie jouissant d'une relative autonomie et de lois et privilèges spéciaux. Bientôt des centres culturels, une grande université jouissent d'une renommée incontestée.

● Au XIVe siècle, le noyau primitif de Hradcany s'adjoint une deuxième ville, *Malà Strana.* Deux cents ans plus tard, cette dernière perd de son importance sous les Habsbourg (1526). Puis, à la suite de la révolte dirigée contre Ferdinand Ier (1547), Vienne supplante Prague en devenant capitale de l'Empire romain germanique, empire qui compte, au nombre de ses États, le royaume de Bohême. Entre-temps, celui-ci a été secoué par l'hérésie de Jan Hus (1369-1415) et par les soulèvements de ses partisans contre les Impériaux.

● Après une brève période pendant laquelle Prague joua un rôle international, l'épisode de la défenestration des envoyés de l'Empereur (1618) réduisit à néant son importance politique. En vain la Bohême se serra-t-elle autour de Prague pour résister aux armées impériales et défendre son indépendance. Occupée à plusieurs reprises par les Saxons et les Suédois, la ville ne retrouva quelque brillant qu'à l'époque baroque. Au XIXe siècle, le sentiment national s'exacerbant, Prague s'insurgea (1848).

● C'est à Prague, siège du mouvement tchèque pendant tout le XIXe siècle, que l'État indépendant de Tchécoslovaquie fut proclamé, en 1918, cependant que les Habsbourg étaient déchus. La nouvelle capitale de l'État, né à la fin de la Première Guerre mondiale, fut occupée en 1939 par la Wehrmacht. Elle en fut libérée en 1945. En février 1948, un coup d'État portait au pouvoir le parti communiste.

● Terrain d'invasion privilégié, semble-t-il, Prague fut arpentée en août 1968 par les chars russes. Au « socialisme à visage humain » que le président Svoboda et son ministre Dubcek tentaient d'instaurer, sans cesser d'adhérer au pacte de Varsovie, le Kremlin rétorquait par la doctrine de Brejnev, la « souveraineté limitée » des pays satellites de l'Union soviétique. ■

▶ *TCHÉCOSLOVAQUIE*

PRAIRIE AMÉRICAINE

● La Prairie américaine, immortalisée par le célèbre roman d'aventures de Fenimore Cooper *(la Prairie)*, constitue le milieu géographique le plus vaste de l'ensemble du continent nord-américain : elle s'étire en effet, à l'état originel, sans interruption notoire, du littoral du golfe du Mexique aux domaines arctiques frangeant le territoire canadien. Son altitude moyenne est de l'ordre de 290 mètres. Les paysages qu'elle déroule sous les yeux du voyageur sont généralement monotones. On a même pu localement évoquer un « immense lac gelé »!

● Cette platitude se conjugue avec une orientation qui se traduit par des possibilités de pénétration et de circulation singulièrement aisées (presque trop, parfois : à l'époque héroïque des pionniers se dirigeant vers l'Ouest, les voyageurs devaient jalonner leurs pistes de grosses pierres plates, de crainte de s'égarer dans un univers aussi indifférencié!).

● En outre, renforçant la vigueur de cette uniformité, la tonalité continentale du contexte climatique est particulièrement bien marquée; les amplitudes thermiques annuelles sont éloquentes : − 1 °C et + 21 °C pour Denver par exemple. L'aridité est la règle au fur et à mesure que l'on s'éloigne vers l'Ouest, l'ossature montagneuse des Rocheuses faisant écran aux influences océaniques. Dans la haute Prairie de l'Ouest, adossée aux cordillères, souffle un vent desséchant, le « chinook », naguère redouté des colons et des « ranchers ». L'évaporation et l'insolation estivales s'avèrent très actives et les précipitations, à l'ouest du 100e méridien, dépassent rarement 500 mm (350 mm seulement à Denver).

● A l'état naturel, la majeure partie de la contrée était dotée d'un tapis herbeux régulier, d'où elle tire son nom de Prairie, tapis de hautes herbes relayé vers les hautes terres de l'Ouest par des formations plus arides de « brush » et de plantes plus franchement steppiques.

● En changeant d'échelle, cependant, compte tenu de données structurales et climatiques originales, on peut distinguer schématiquement deux grands domaines : celui de la monumentale cuvette mississippienne, aux paysages de grands espaces plats ou faiblement bosselés, localement interrompus par de belles vallées fluviales; et, au pied des Rocheuses, de véritables formations de plateaux, entre 1000 et 1200 mètres d'altitude, aux cours d'eau très violemment encaissés : ici, la reprise de l'érosion « normale » a découpé ces gigantesques glacis en lambeaux, voire en pittoresques lanières, étirées de l'ouest vers l'est, et dégagé de petites cuestas dans les roches les plus résistantes : « Dans les argiles sableuses, le flot brutal des averses entaille des ravins ramifiés à l'infini, parmi un dédale de crêtes aiguës, de piliers et de clochetons aux formes fantastiques » (H. Baulig).

● Au-delà de cette dualité, les espaces découverts de la Prairie ont été colonisés par l'Européen à une époque très récente : l'implantation de véritables foyers humains permanents s'est réellement effectuée avec la construction des chemins de fer... et dans le cadre du *Homestead Bill* de 1862 : cet acte attribuait gratuitement « un lot de terre de 64 hectares à tout chef de famille mobilisé durant la Guerre civile, qui s'engageait à le cultiver pendant cinq ans en habitant sur ce carré ».

● Ces parcelles systématiquement géométriques (aux dimensions croissant régulièrement, en fait, vers l'Ouest, avec la sécheresse : 64 hectares en Middle West, 128 hectares dans la grande Prairie, et 256 hectares dans les hautes Plaines), délimitées par des routes se coupant à angle droit, seront plus ou moins regroupées par la suite, au hasard des ventes et des faillites, des spéculations et des ruines. Mais la trame générale subsiste, avec des paysages de champs carrés, massifs, dépourvus d'arbres, de fermes isolées adossées à la route, et de gros bourgs, installés le plus souvent au carrefour de cette dernière et de la voie ferrée.

● L'omniprésence des activités rurales, écrasante en territoire canadien (États du Manitoba, de l'Alberta ou du Saskatchewan), constitue d'ailleurs, aujourd'hui encore, le plus fort élément d'homogénéisation de la Prairie au sein des États-Unis, que la région soit

L'extension des chemins de fer dans les grandes plaines de l'Ouest est à l'origine de la mutation qui amena les *farmers* à remplacer les *ranchers*, propriétaires d'immenses troupeaux laissés en liberté.

Irrigation dans une exploitation de blé au Nebraska. La culture des céréales (maïs et blé) à l'Ouest, l'élevage extensif des bovins et des ovins à l'Est, sont les principales ressources de cette région. Au moment de la récolte, des escadrons de *combinés*, moissonnent et battent le blé en remontant du Sud au Nord à mesure que mûrissent les grains.

orientée vers le secteur de l'élevage bovin (hautes Plaines) ou vers l'agriculture (naturellement adaptée aux conditions climatiques locales : maïs et élevage des porcs à l'étable au sein de la *Corn Belt*; blé de printemps des contrées les plus septentrionales, — Nebraska et Dakota —; blé d'hiver du Kansas; ceinture cotonnière du Sud).

● Conséquence directe de ce phénomène, l'emprise du fait urbain, par ailleurs très ponctuel, s'avère relativement lâche : les villes de la Prairie les plus importantes conjuguent en réalité des situations géographiques exceptionnelles de carrefour routier et ferroviaire avec une position fluviale de premier ordre : c'est le cas notamment de Saint-Louis du Missouri, de Minneapolis, de Saint-Paul ou de Kansas City.

● Quant aux activités industrielles, à l'échelle de l'ensemble des plaines centrales nord-américaines, elles demeurent centrées sur la transformation et la valorisation des productions agricoles locales : abattoirs géants de Wichita, d'Omaha ou de Calgary; travail du cuir, minoteries et brasseries de Saint-Paul, d'Edmonton ou de Minneapolis... ou, plus récemment, sur la mise en valeur des gisements d'hydrocarbures qui contribuent désormais à la richesse de l'Alberta canadien ou des agglomérations américaines de Tulsa, Oklahoma City, ou Fort Worth.

● En dépit de leur dynamisme, les statistiques les plus récentes révèlent une stagnation démographique et économique généralisée des régions de la Prairie, officiellement qualifiées, depuis 1971, aux États-Unis, de « milieu socio-économique en sérieuse difficulté ». ■

▶ *ÉTATS-UNIS*

PRÉCIOSITÉ

Les satires dont elle fut l'objet de la part de Boileau et de Molière, contribuèrent à ridiculiser la préciosité aux yeux de la postérité. A l'origine pourtant, ce mouvement traduisait des aspirations très louables : véhicule des revendications féminines d'abord, il apporta plus tard, dans les salons littéraires, un raffinement positif dans l'analyse des sentiments et dans leur expression.

● Boileau, vaillant défenseur des valeurs classiques et grand maître de l' « épuration » en matière de style, s'est acharné avec une indéniable efficacité sur les précieux. Il n'avait pas tout à fait tort car ceux-ci, mis à part quelques survivants de l'époque Louis XIII, adorables poètes mineurs comme Saint-Amant ou Tristan L'Hermite, étaient devenus, au milieu du XVIIe siècle, aussi innombrables qu'insipides (Voiture, Benserade, l'abbé Cotin, etc.): eux seuls récoltaient le « vert laurier » des poètes; et, plus encore, du côté des romanciers (La Calprenède, Georges de Scudéry et surtout sa sœur Madeleine, dont la *Carte du Tendre*, insérée dans son roman *la Clélie*, devait faire fureur).

● La vogue de la préciosité venait d'envahir la France, après avoir, tour à tour, emporté d'assaut l'Angleterre (où triomphait l'*euphuisme*, du nom d'un ouvrage célèbre de John Lily, intitulé *Euphues*), et l'Espagne (où régnait le *gongorisme*, du nom du poète Gongora). Mais c'est en Italie, sa patrie d'origine, que la préciosité avait, au siècle précédent, atteint son point culminant, si ce n'est son âge d'or, avec le fameux Marini (d'où son nom local de *marinisme*).

● Vue sous l'angle de la mode, on comprend sans peine que la littérature « précieuse » ait excité la verve satirique de Boileau. Quant à Molière, sa réaction personnelle avait été moins nette; moins simpliste surtout, qu'on ne le répète, depuis deux siècles, dans les manuels scolaires. S'il se moqua, lui aussi, de l'engouement général de Paris, et même de la province, pour une façon de parler et d'écrire qui affecte une excessive « finesse » aristocratique, il apparaît au contraire qu'en plusieurs de ses œuvres, destinées à la cour et jouées dans les jardins du Roi-Soleil, *la Princesse d'Élide*, ou *Mélicerte* (qui emprunte son sujet à un roman de la précieuse Mlle de Scudéry), ou encore *les Amants magnifiques*, Molière se révèle le plus doué, le plus raffiné des « poètes galants » de son siècle.

● Comment s'en étonner, après tout? Ce qu'il réprouve, ce n'est pas en soi cette finesse poétique, mais son imitation maladroite; et s'il s'en prend — dans sa célèbre pièce sur ce thème — aux *précieuses*, c'est seulement lorsqu'elles sont ridicules. C'est-à-dire qu'il n'en a qu'à un certain conformisme intellectuel et au « snobisme » de la bourgeoisie de son temps, snobisme qui est alors à l'affectation de distinction dans le langage, comme il pourrait l'être — et l'a été en un autre temps — à l'affectation de vulgarité.

● Que cet écrivain, qui est aussi un directeur de troupe, soucieux de varier les tonalités dans ses différentes œuvres, et d'adapter chacune de celles-ci à son public, tantôt bourgeois, sinon populaire, et tantôt aristocratique, ait sacrifié parfois, et avec bonheur, au goût

Deux Précieuses pour qui les pièges et les détours de la Carte du Tendre, imaginée par Mademoiselle de Scudéry et ses amis, ne devaient présenter aucun secret.

qui régnait chez les « gens de qualité », c'est Giraudoux qui nous le rappelle dans son éloge enthousiaste de l'*Amphitryon* de Molière, où il souligne la beauté et la subtilité des scènes entre Jupiter et Alcmène : « précieuses (dit-il) dans la grande tradition française ».

● Tradition qui ne fut jamais aussi fidèlement suivie, en effet, au cours des siècles, dans aucune littérature nationale; car c'est bien là une des constantes de l'esprit français. Nos écrivains sont enclins, bien souvent, à rechercher l'effet « rare », la « pointe » (voire l'ambiguïté); et plus soucieux d'obtenir le suffrage discret d'une élite, fût-elle réduite à quelques initiés, que les trop promptes acclamations de la masse.

● Depuis les troubadours, qui cultivaient dans le silence et la solitude la poésie « riche et fermée » *(trobar ric et clus)*, depuis le *Roman de la Rose* et ses « mignardes énigmes », jusqu'à Mallarmé, selon qui le poème devait être à la fois éclatant dans son écriture et mystérieux dans sa signification (« un diamant fumé »), en passant par Marivaux (Voltaire lui reprochait malicieusement de « peser des œufs de mouche sur des balances en toile d'araignée »), chaque grande époque de la littérature française a payé son tribut régulier à ce vice national de nos écrivains qu'est la préciosité. Et encore, en plein milieu de notre XXe siècle, l'équipe des surréalistes avait, elle aussi, en Paul Éluard, son « abstracteur de quintessence ».

● Chose curieuse, ces grands « précieux » de la littérature française que nous venons de passer en revue, ont tous fait de la femme — ou, disons : de l'amour — leur thème principal; et ce depuis le Moyen Age, à l'époque où la littérature courtoise liait l'esprit aristocratique de la chevalerie au culte de la Dame.

● Les deux notions ne sont-elles pas liées, en effet? C'est l'intérêt constant du Français pour la femme, et la place que celle-ci a pu jouer par conséquent dans la société, qui ont développé dans nos lettres ce goût du raffinement, et, en revanche, cette méfiance ou ce mépris vis-à-vis de la lourdeur, de la vulgarité et du pédantisme. Ce sont les valeurs proprement féminines qui ont, pour une large part, contribué à « affiner » les lettres en France.

Les Esquimaux utilisent aujourd'hui des harpons ressemblant étrangement à ce spécimen en os fabriqué par les hommes du Magdalénien. Un climat et un environnement identiques sont peut-être à l'origine de cette analogie.

● La préciosité apparaît donc comme une attitude, séduisante parfois, mais toujours hasardeuse. Seuls, les plus doués d'entre les grands écrivains ont pu courir cette aventure, sans danger pour eux de se voir rire au nez par les générations futures. Et malheur ici, aux médiocres, les Voiture, les Scudéry, les Cotin; car, ainsi que l'écrivait leur contemporain, La Bruyère, si vous voulez dire qu'il fait nuit ou qu'il pleut, dites-le tout uniment et sans « faire de phœbus ». ■

PRÉHISTOIRE

● La préhistoire étudie la période qui s'étend de l'apparition de l'homme sur la terre jusqu'à l'invention de l'écriture, il y a cinq mille ans. Les documents écrits permettent d'individualiser les sociétés et les hommes qui sortent ainsi de l'anonymat en entrant dans l'histoire.

● Les civilisations préhistoriques ont laissé cependant des témoignages éloquents de leur existence, révélés par les découvertes du siècle dernier. C'est une science toute récente. Il a fallu attendre l'époque moderne pour que l'homme prenne conscience de ses origines lointaines. Certes, leur mystère le préoccupait, mais il se contentait d'une explication magique, et, plus tard, religieuse.

● L'Église catholique ne pensait pas que les récits de la Bible pussent avoir un sens symbolique. Pour elle, l'homme, chef-d'œuvre de la Création détruite par le déluge à l'époque de Noé, avait été tiré du néant directement par Dieu, à une date récente, en 4 004 avant Jésus-Christ très précisément, selon les calculs d'un archevêque irlandais érudit du XVIIe siècle. Au XVIIIe siècle, le développement de l'esprit scientifique, les voyages, les premières fouilles archéologiques conduisent à la remise en cause des idées reçues, ce qui provoque de violentes controverses.

● En 1859, la publication du célèbre ouvrage de Darwin *l'Origine des espèces* apporta une théorie, désormais admise, qui rend compte de la diversité des formes de vie sur la terre : l'évolution. C'est un Français qui fut le créateur de la préhistoire. « C'est à partir de 1838 que les découvertes de Boucher de Perthes imposèrent l'idée d'une humanité très antérieure aux plus vieilles périodes de l'histoire. » Il avait prouvé que les très vieilles alluvions de la Somme contenaient à la fois des restes d'animaux disparus et des pierres « intentionnellement taillées » par des hommes primitifs. Les découvertes de restes humains fossiles se sont multipliées depuis celle du crâne de l'homme de Néanderthal, en 1856.

● La documentation du pré-

Cette empreinte découverte dans une caverne de Ligurie a été attribuée à un homme du Néanderthal. Elle permet de conclure que cet individu, plus petit que l'homme actuel, était puissamment bâti.

Cet objet façonné dans la pierre par percussion directe ou indirecte était utilisé par l'homme préhistorique pour tuer les animaux, préparer les peaux de bête, travailler le bois.

historien est enfouie dans le sol; la terre s'est mêlée aux débris animaux, végétaux, humains, aux objets. La découverte des sites a lieu le plus souvent par hasard : en 1911, c'est en poursuivant un papillon qu'un Allemand dégringole dans la gorge de l'Olduvai. Actuellement, les photographies aériennes permettent de les repérer. Les couches de terrain ou strates se présentent comme les « feuillets d'un livre ». L'étude scientifique a pour but de reconstituer le milieu naturel et humain.

● C'est la fouille qui fait le document. Au fur et à mesure qu'elle progresse, on est obligé de détruire les couches superficielles pour s'enfoncer dans le passé. On l'oublie trop souvent : le document préhistorique est irréversiblement détruit par la fouille, même si une partie du site est conservée comme témoin. Le sol est véritablement disséqué, grain à grain, avec des pinces, pinceaux, grattoirs, car on peut trouver des objets minuscules. Tous sont observés, triés, classés, photographiés, soumis aux rayons ultraviolets ou aux infrarouges.

● Des équipes, souvent internationales, et toujours pluridisciplinaires, accomplissent ce travail très coûteux : anthropologues (ossements humains), paléontologues (ossements d'animaux), géologues, botanistes (pollens fossilisés des plantes), physiciens (datation des vestiges organiques, par la méthode du carbone 14 fondée sur la transformation, en un laps de temps donné, du carbone radioactif en carbone ordinaire; elle est valable pour les 50 000 dernières années). En préhistoire, la chronologie ne peut être que relative; elle donne un ordre de succession.

● Les sites européens trouvés les premiers se sont révélés d'une extraordinaire richesse, ainsi que ceux de Sibérie, Asie du Sud-Est, Proche-Orient, Afrique du Nord, du Sud et orientale. L'Amérique — peuplée tardivement — possède des sites récents (35 000 ans pour le plus ancien). Actuellement les fouilles les plus importantes ont lieu en Afrique orientale, ou Tanzanie, sur le site de l'Olduvai, au Kenya sur les rives du lac Rodolphe et près du lac Baringo (couches très anciennes : 15 millions d'années); en Éthiopie du sud dans le site de l'Omo (un dépôt continu de couches épaisses de 600 m de — 4,5 millions à — 1,5 million d'années sur 80 km²). D'un intérêt prodigieux, elles tiennent en haleine le monde des savants, surtout depuis 1967. Nos connaissances se trouvent modifiées par les découvertes effectuées.

● Les géologues divisent l'histoire de la Terre, vieille de 4 à 5 milliards d'années, en quatre périodes; nous vivons dans la dernière période : l'ère quaternaire, qui a environ un million d'années. Les êtres vivants sont apparus il y a près de 500 millions d'années; le groupe animal des mammifères, auquel nous appartenons, s'est développé rapidement à partir de l'ère tertiaire (60 millions d'années). Les grandes périodes de la préhistoire, définies en 1912 par l'abbé Breuil, s'appliquent seulement à l'Europe occidentale; elles n'ont pas — on le découvre — de valeur universelle. Car l'humanité n'a pas connu partout un développement parallèle.

● De plus, les classifications sont fondées sur l'évolution des outils de pierre — on préfère maintenant leur en substituer d'autres, reposant sur des aspects plus globaux : les modes de vie, surtout économiques.

● La classification traditionnelle oppose deux périodes d'inégale longueur : le Paléolithique (âge de la pierre ancienne) et le Néolithique (âge de la pierre nouvelle). Dans le Paléolithique, on trouve trois subdivisions : le Paléolithique inférieur des origines à — 170 000 ans environ (avec l'Abbevillien et l'Acheuléen); le Paléolithique moyen (Moustérien) jusque vers — 40 000 ans; le Paléolithique supérieur (Aurignacien, Solutréen, Magdalénien) jusqu'en — 10 000 ans. Le Néolithique (âge de la pierre nouvelle), — 7 000 à — 3 000 ans, est précédé par une période mésolithique et suivi par l'âge des métaux (cuivre, bronze, fer).

● Les fouilles effectuées par les expéditions qui se succèdent chaque année en Afrique viennent modifier également l'échelle chronologique admise. En 1959, deux crânes ont été retrouvés sur le site

La Vénus de Savignano (province de Modène en Italie) est très représentative des statuettes de type gravétien, malgré sa taille (20 cm) sensiblement plus élevée que la moyenne. Sa silhouette aux bras atrophiés, renflée dans la partie centrale, fuselée aux extrémités, s'inscrit parfaitement dans un losange.

de l'Olduvai datant de — 1,7 et 1,9 million d'années; le dernier, beaucoup plus évolué, quoique plus ancien, a été baptisé *Homo habilis* par le docteur Louis Leakey qui le considère comme l'ancêtre de l'homme actuel. Depuis, on a découvert, toujours en Afrique orientale, une dent, vieille de 11,5 millions d'années, à N'Gorora; elle annonce la lignée des hominidés; à Lothogam, une autre dent (5 à 5,5 millions d'années) révèle l'évolution vers l'hominisation. Plus de 300 outils (éclats de pierre, galets aménagés, ossements taillés) ont été mis à jour; ils constituent la plus vieille (2,5 millions d'années) industrie connue.

Cette peinture rupestre trés élaborée, représentant une scène de chasse, provient du Sahara où l'art pariétal naturaliste se développa pendant la période néolithique.

● Jusqu'en 1969, on donnait au premier outil un âge maximum de 1 million d'années. En 1972, à l'Omo, plusieurs centaines de petits éclats de quartz — de quelques millimètres à 2 ou 3 cm de long — ont été recueillis, avec quelques galets aménagés, dans une couche de gravier datant de 2,6 millions d'années. Les savants étaient jusqu'ici tous d'accord pour estimer que les premiers outils avaient été des galets, gros comme le poing, auxquels on avait enlevé un ou des éclats; plus tard seulement, on avait utilisé les éclats en les taillant à leur tour. Or, il apparaît que les plus gros des éclats ont été utilisés, car les tranchants sont ébréchés. Les fragments minuscules sont des déchets et les plus gros galets des restes de matières premières.

● Cette hypothèse est-elle exacte? En 15 ans, on a été amené à attribuer aux outils une origine trois fois plus reculée. Peut-être va-t-on trouver des outils vieux de 3 millions d'années.

● L'homme moderne, *Homo sapiens*, apparut il y a 40 000 ans. Mais quelle est son origine? Pour Leakey, il aurait existé une lignée, très proche du genre *Homo*, ancêtre de *l'Homo sapiens*, de façon très précoce, il y a 2 à 3 millions d'années. Il s'agit encore d'une hypothèse. Toutefois, le matériel recueilli est abondant : restes de 16 individus en 1970; de 26 (1971), appartenant à l'un ou l'autre type de crânes découverts en 1969.

● Tous ces documents sont étudiés avec passion par les préhistoriens. Nous pouvons, avec eux, clarifier en partie la question de nos origines et comprendre, par l'étude des corrélations existant entre le milieu naturel et les restes humains, comment a pu se réaliser l'évolution vers l'humanité. Est-ce l'influence du milieu naturel qui a prévalu, ou, au contraire, ne serait-ce pas l'expérience collective accumulée, c'est-à-dire la culture? Ce qui est certain, c'est que l'évolution « suit le chemin des adaptations réussies ».

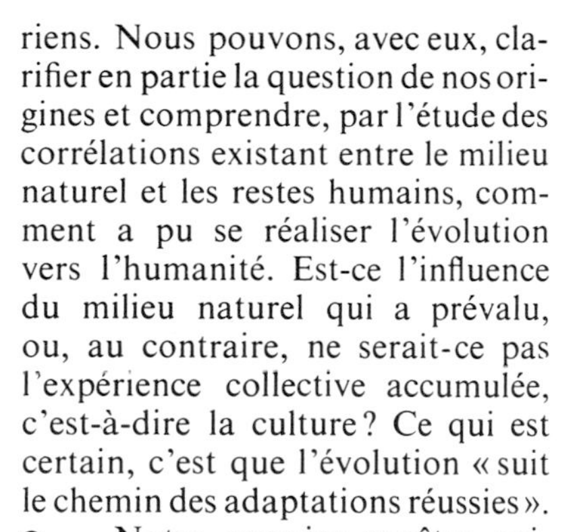

● Notre premier ancêtre animal, baptisé *Ramapithecus*, dont les mâchoires et les dents, qui révèlent une tendance vers la forme humaine (arcade dentaire courte et arrondie, molaires carrées), ont été trouvées en Inde en 1934, vécut il y a 14 millions d'années et pendant 8 millions d'années encore. Il devait ressembler davantage aux singes, ses ancêtres, qu'à l'homme. L'évolution s'est déroulée à partir d'animaux conduisant d'un côté aux grands singes : gorille, chimpanzé, de l'autre à l'homme. Donc nous ne descendons pas des singes, mais nous avons, avec eux, des aïeux communs.

● *Ramapithecus* vivait dans les arbres, se nourrissant de végétaux durs : noix, racines, car ses dents, usées, semblent avoir servi de meules. Mais il est différent du Dryopithèque (20 à 8 millions d'années) dont descendent les grands singes. Il y a deux évolutions parallèles : celle des animaux singes, et celle, plus rapide, des animaux hommes appelés hominidés. Au cours de ce long cheminement, des rameaux ont pu cesser de se transformer et disparaître. Nous ne disposons pas de restes fossiles humains de façon continue, à toutes les époques — pour certaines, on n'a encore rien trouvé —, ce qui rend l'établissement d'un schéma de l'évolution très délicat.

● Une mutation décisive se produisit, il y a peut-être moins de 10 millions d'années, certainement plus de 5 millions d'années (les deux dents découvertes et antérieures à cette date marquent peut-être une étape). Nos ancêtres abandonnent les arbres pour marcher sur le sol où ils vont vivre désormais : ils sont devenus des bipèdes; c'est ce que nous montrent avec

Selon le célèbre ethnologue Leroi-Gourhan, certains signes figurant sur les gravures rupestres (traits, points, bâtonnets) pourraient être interprétés comme des symboles masculins et féminins.

Un manche de bois est fixé par une sorte de mastic à une lame de silex. Cet ancêtre du couteau de cuisine, datant de la période néolithique, permet de se faire une idée du degré d'habileté auquel était parvenu l'homme préhistorique dans le traitement des matériaux.

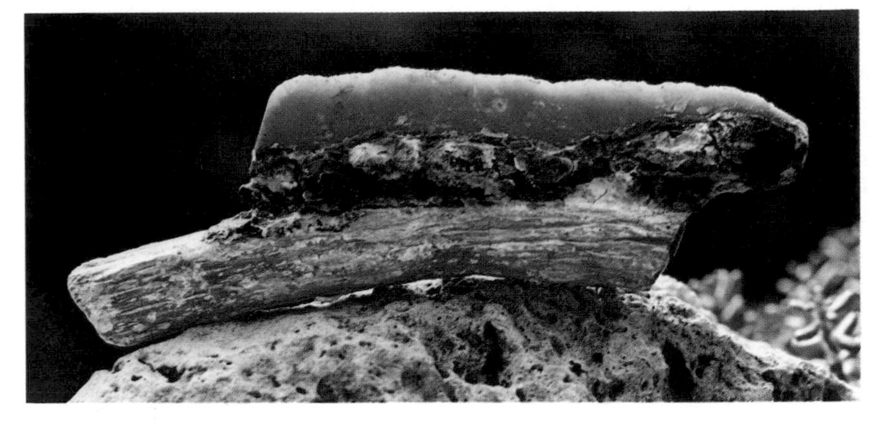

certitude les fossiles d'un type nouveau, actuellement très bien connu; de 4 à 1 millions d'années, appelé *Australopithecus*, il a été découvert en Afrique du Sud (1924). Les deux dents appartenaient-elles aux Australopithèques ou à un ancêtre commun aux hommes et aux Australopithèques ?

● Morphologiquement, ces créatures se situaient à mi-chemin entre le singe (même volume cérébral que le chimpanzé) et l'homme (dents humaines); mais appartenaient à deux types physiques différents : l'une était très petite, massive, herbivore, marchait difficilement en s'aidant de ses mains; l'autre, plus gracile, plus avancée, omnivore, se tenait debout, le torse droit, les genoux raides, les pieds cambrés. Bref, elle était parfaitement capable de faire des enjambées. Nous voici au cœur d'une des grandes controverses actuelles.

● Pour certains savants, il n'y a qu'une espèce d'Australopithèques « assez différenciée ». Pour Leakey (décédé en 1970) et son fils Richard Leakey, il y a bien deux lignées distinctes : la première s'est éteinte; quant à la lignée gracile — des hommes très anciens? — elle aurait évolué de façon continue. Leakey a proposé de l'appeler *Homo sapiens faber*, l'homme fabricant d'outils, par opposition à la race humaine actuelle *Homo sapiens sapiens*. Depuis 1972 nous savons qu'*Australopithecus* se servait de ses mains et fabriquait des outils. La majorité des savants restent encore prudents sur ce sujet : qui étaient ces êtres? « La fabrication des outils a pu les aider à devenir des hommes. »

● Il faut attendre au moins 1 million d'années pour trouver à nouveau des fossiles. C'est *Homo erectus*. La découverte, en 1891, de l'Homme de Java ou Pithécanthrope fut un événement sensationnel. Cet homme primitif, considéré comme notre plus lointain ancêtre direct, fut jugé sous-humain. L'Homme de Pékin ou Sinanthrope se rattache à ce type. *Homo erectus* a vécu en Afrique, en Chine et en Europe, au moment où débutent les grandes glaciations. Il sait utiliser le feu. Très proche de nous par la taille, l'apparence générale, il a une boîte crânienne surplombant les mâchoires, mais il n'a ni front ni menton; le volume cérébral, s'il a augmenté, reste encore inférieur à celui de l'homme actuel.

● Récemment, des crânes très évolués, datant de 250 000 ans, ont été mis à jour : ils représenteraient le premier type de l'*Homo sapiens*. Mais on trouve des fossiles très abondants, surtout pour les 100 000 dernières années. L'Homme de Néanderthal présente un crâne très long, avec un bourrelet osseux au-dessus des orbites, et un volume cérébral identique au nôtre. Il disparaît vers 40 000 avant Jésus-Christ, remplacé par l'Homme moderne — l'Homme de Cro-Magnon — créateur de la première civilisation —, en Europe, d'où descendent les races humaines actuelles. L'Homme de Néanderthal s'est-il éteint? — hypothèse généralement admise pour l'Europe — ou a-t-il évolué? Cette question a été l'objet de discussions également fameuses.

● Il y a au moins 40 000 ans, des races actuelles existaient en Afrique, en Asie. Elles ont abordé ensuite l'Australie et pénétré en Amérique. S'il est possible d'estimer, dans l'état actuel des connaissances, que l'Afrique a été le berceau de l'humanité, nous ne savons encore que peu de choses sur nos ancêtres les plus proches. Pour la majorité des préhistoriens, l'évolution s'est déroulée simultanément en différents lieux, selon des rythmes variables. Donc, l'Homme moderne a pu apparaître en des points géographiques éloignés, à des moments différents.

● Pendant toute la durée des temps préhistoriques, pratiquement jusque vers 10 000 ans avant Jésus-Christ, les « Hommes » ont été économiquement des « prédateurs », ils tiraient leurs ressources de ce que leur offrait la nature : pratiquant la cueillette, la chasse et la pêche, ils devaient mener une vie de trappeurs.

● Les outils ne cessent de se perfectionner. Les silex — plus durs que l'acier — ont été taillés, c'est-à-dire éclatés. Le geste le plus simple consistait à frapper un galet très près du bord, perpendiculairement au plan d'une de ses grandes surfaces, avec un autre galet pour obtenir un éclat à bords tranchants. Le galet ou l'éclat servait de couteau. En pratiquant l'opération sur les deux faces du galet, on fabrique un outil ovale, pointu à l'extrémité : le biface. Ce couteau, tenu à plein poing, est appelé « coup de poing ». Bientôt, c'est avec un gourdin de bois ou d'os qu'on réussit à détacher, toujours par percussion, des éclats plus fins et réguliers, ce qui donne des outils absolument réguliers, armés de longs tranchants rectilignes sur les deux bords. Les

Crâne d'un homme de Néanderthal trouvé près de Gibraltar. Doté d'un cerveau plus développé que celui de l'homme moyen, l'homme de Néanderthal a su s'adapter à des conditions de vie très difficiles. Excellent chasseur, il venait à bout des animaux les plus féroces.

éclats servent de pointes d'épieu ou de racloirs.

● Cette technique sur éclat est mise au point au Moustérien où l'on apprend à emmancher les « coups de poing » en associant la pierre et le bois. Au Paléolithique supérieur, la technique sur lames (obtenues par percussion indirecte en interposant un ciseau entre le gourdin et la pierre, ou par pression sur une pierre chauffée lentement) permet de disposer de lames très fines, les « feuilles de laurier », et d'un outillage très diversifié et spécialisé (on utilise aussi la corne, l'os, l'ivoire, le bois) : grattoirs, burins, poinçons, lissoirs, aiguilles, harpons pour la pêche, pratiquée d'abord à l'épieu ou à la main. Lianes et tendons d'animaux servent de fil. Les lampes sont creusées dans du calcaire.

● Le progrès se mesure de façon précise à la longueur de tranchant rectiligne obtenu par rapport au volume de pierre débité. L'économie de matière première ainsi réalisée rend les hommes moins tributaires des carrières de silex, moins dépendants du milieu naturel. En frottant l'un contre l'autre, non pas deux silex, mais un silex et une pyrite de fer, on sait enfin allumer le feu, conservé seulement jusqu'alors.

● Le premier pas qui permit de passer de l'outil à la machine fut franchi avec la découverte du principe du levier et de l'élasticité du bois. Le propulseur et l'arc transforment le geste de la main et en multiplient l'efficacité. Une baguette souple, tenue à la main comme un javelot, comporte un butoir vers l'arrière, à l'extrémité. La sagaie posée sur la baguette prend appui sur le butoir. Le mouvement de levier imprimé à la baguette décuple la force du lancer; la sagaie est projetée ainsi à une grande distance.

● Les variations climatiques caractérisent l'ère quaternaire. Dans les régions tempérées actuelles, se succèdent quatre glaciations, séparées par des périodes interglaciaires. La glaciation et le froid, qui peut être humide ou sec, ne sont pas dans un rapport nécessaire l'un avec l'autre. Le paysage est celui d'une steppe plus ou moins boisée où vivent bisons, rennes, chevaux, ours, mammouths. Dans les zones intertropicales actuelles, les déserts s'étendent ou disparaissent. L'environnement est donc changeant.

● Pour la chasse, activité principale, des méthodes diverses sont utilisées; dans tous les cas, ce sont des entreprises collectives : construction de pièges, rabattage des troupeaux affolés par des torches enflammées vers des falaises (à Solutré, on a retrouvé les débris de 10 000 chevaux sauvages). Les animaux sont guettés sur les trajets de leurs migrations (restes de 40 000 mammouths dans un site tchèque). Pour la cueillette des végétaux, l'étude des pollens fossiles nous apporte quelques indications : noisettes, framboises, prunelles, myrtilles, mûres, carottes sauvages, oseilles.

● Les habitations étaient installées à l'entrée des grottes ou à l'abri des surplombs taillés par l'érosion. Des traces de piquets, des cercles ou des carrés de pierre, indiquent l'emplacement de huttes recouvertes de peaux, ou de branchages dans les régions chaudes. Le foyer, parfois enfoncé dans le sol, est tapissé ou non de galets; ceux-ci servent à conserver la chaleur, à cuire la viande ou à faire bouillir l'eau des outres de peau dans lesquelles ils sont jetés.

● En Sibérie, où l'on trouve de vastes habitations et des ossements, des huttes rondes, recouvertes et partiellement enfoncées dans le sol, sont construites dans les régions dépourvues de grottes. Des campements en plein air étaient utilisés l'été pour des expéditions de chasse, ce qui indique un genre de vie semi-nomade. Les peaux de bêtes, assemblées avec des poinçons ou des aiguilles, devaient recouvrir entièrement le corps quand la température l'exigeait.

● Les groupes humains sont peu nombreux, tout au plus quelques centaines d'individus, car ils doivent disposer d'un terrain de chasse suffisamment vaste. Pour cette raison, la guerre devait être inconnue. Cette société fragile, aux ressources aléatoires, était décimée par la maladie et la mort, surtout les enfants (40 % au Paléolithique moyen; 24 % au Paléolithique supérieur, d'après des études de squelettes). La vie humaine, très courte, ne dépassait guère 50 ans. « L'homme n'a émergé du règne animal que par une éternité d'héroïsme. »

● Dès les origines, les « hommes » ont communiqué entre eux; mais le langage articulé, différence fondamentale entre l'animal et l'homme, s'est formé lentement.

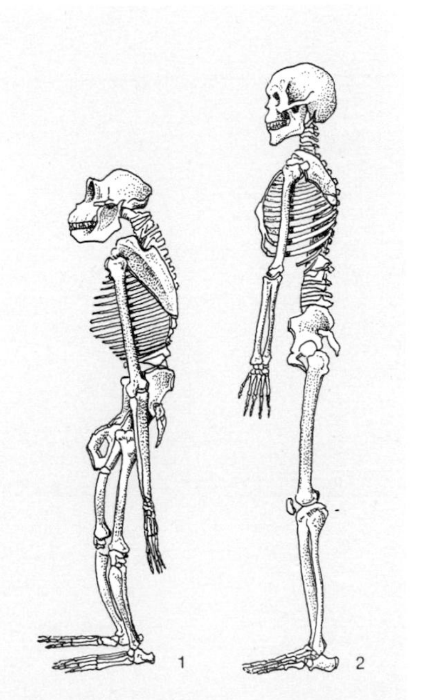

L'étude comparée du squelette humain (2) et de celui du chimpanzé (1) révèle des différences évidentes portant sur la longueur des membres, la forme de la mâchoire, la taille des doigts de pied, le port de la tête, la courbure de la colonne vertébrale, les dimensions du thorax par rapport au reste du corps.

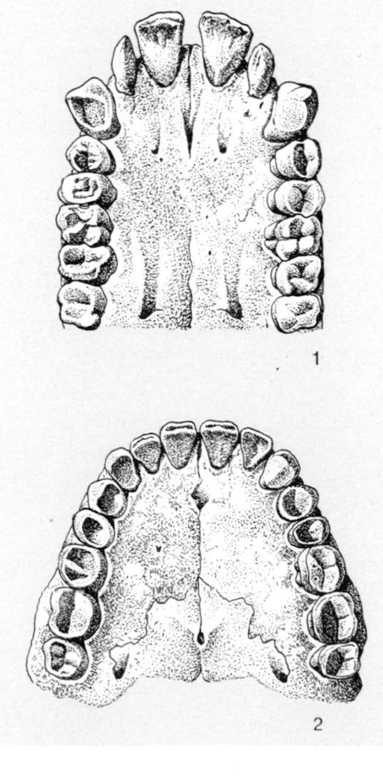

L'arcade dentaire de l'homme (2) est plus arrondie que celle du chimpanzé (1) ; les canines et les prémolaires sont plus petites. Les dents, en nombre égal, sont serrées les unes contre les autres comme les perles d'un collier.

Il ne faut pas imaginer nos ancêtres poussant des cris comme des animaux. Le développement du langage et de l'intelligence vont de pair. Les hommes, qui ne sont pas guidés par l'instinct, se montrent capables de choix; ils peuvent se représenter des objets et des actes, les prévoir, les combiner, en acquérir la « notion ». « Le lien entre des représentations de diverses natures s'établit en certaines zones du cortex où parviennent des impulsions provenant des organes vocaux. » Les sons de la voix deviennent des symboles de notions. Les syllabes sont constituées par des combinaisons de phonèmes (une trentaine de sons, caractéristiques d'une langue). Les mots comportent une ou plusieurs syllabes.

● Notion et mot sont liés, car une notion intellectuelle est acquise quand elle revêt une expression sonore. Lorsque nous pensons sans parler, « les organes de la parole effectuent des mouvements embryonnaires ». Les hominidés les plus anciens (les éclats de l'Omo sont taillés sans méthode) devaient émettre des sons : cris, non pas automatiques, mais jetés pour exprimer leurs réactions personnelles. Ils articulent ensuite des syllabes, surtout des monosyllabes, au fur et à mesure des progrès de la pensée, capables d'acquérir peu à peu des notions et d'imaginer des techniques. La mâchoire, en se réduisant, permet au contrôle cortical de s'exercer davantage sur les organes de la gorge, repoussés en arrière. Les mots deviennent communs au groupe.

● Le langage articulé apparaît avec l'*Homo sapiens* — il possède un front développé, une mâchoire souple, un menton —, capable de « doubles combinaisons de notion et de mots ». Les langues, systèmes d'expression complexes, naquirent il y a 6 000 à 9 000 ans. Mais toute la culture orale — chants, récits, mythes — a disparu à jamais. D'après les ressemblances des techniques, il semble que des contacts entre des groupes parfois très distants aient été établis de façon suivie.

● Les premières sépultures datent du Moustérien. Les corps, en position repliée, sont déposés dans des fosses, en Inde sur des lits de fleurs; parfois ils sont attachés, ou de grosses pierres sont placées sur les mains et les pieds; au Paléolithique supérieur, viennent s'ajouter, dans les tombes, des parures, des objets. Ces rites funéraires, identiques pour les hommes et les femmes, ce qui indique une absence de discrimination fondée sur le sexe, manifestent la crainte vis-à-vis des morts et la croyance en la survie. C'est tout ce que l'on peut savoir avec certitude en ce qui concerne la religion. Les premières sculptures, des statuettes féminines aux formes hyperdéveloppées, permettent de penser qu'il existait un culte de la fécondité.

● Dès les origines, les hommes ont eu des préoccupations esthétiques (la forme des outils, en amande, en triangle, obéit à des caractères de style). Mais c'est seulement à partir de 50 000 ans avant Jésus-Christ jusqu'à 3 000 ans avant Jésus-Christ qu'ils représentent des symboles, au lieu d'exécuter des objets. Les premières œuvres, qui atteignent immédiatement les plus hauts sommets de l'art, sont liées au développement du langage abstrait. L'homme est enfin parvenu à la « plénitude de son humanité ».

● Cet art privilégie un moyen d'expression : la peinture figurative, presque exclusivement d'animaux, sur les parois des grottes d'Eurasie; les plus célèbres sont celles de Lascaux (France) et d'Altamira (Espagne). La figuration humaine est rare, souvent caricaturale. Les bas-reliefs sont limités aux grottes éclairées par le jour naturel. La majorité des abris sous roches, et pas seulement les gorges profondes, sont décorés. Les objets gravés et sculptés sont souvent de très petites dimensions. Les chefs-d'œuvre d'Afrique, où les personnages sont très stylisés, et d'Asie sont plus tardifs.

● Cet art se caractérise par la maîtrise technique : les outils de silex conviennent par leur tranchant. Avec les terres colorées on obtient les ocres qui, après avoir subi l'action oxydante du feu, fournissent la gamme des jaunes et des rouges violacés. Le charbon de bois ou le manganèse donnent le noir; utilisées sous forme de crayons ou de poudre, les couleurs sont déposées au doigt, au pinceau ou au tampon de fourrure en lignes continues ou en pointillés.

● Par des procédés variés, aussi sobres qu'habiles : hachures, dégradés, variations de l'épaisseur du trait, contrastes de couleur, mise à profit des accidents de la paroi, les artistes — ils semblent avoir été spécialisés — réussissent à donner l'impression du relief. Les animaux : bisons, rennes, ours, lions, mammouths, paraissent vivants, saisis en pleine course, « fi-

Reconstruction d'une cabane de forme ovale, à partir des débris mis à jour dans le port marchand de Nice. Les murs de cette habitation du Paléolithique inférieur étaient faits de branchages soutenus le long du plus grand axe par des pieux enfoncés dans le sol. Des pierres de petite taille renforcent la base de la construction. Au centre de la cabane était installé le foyer, protégé du vent par des murettes de pierre. Là, se réunissaient les membres de la tribu pour façonner leurs armes et leurs outils, et se réconforter au retour de la chasse.

Bâton de commandement ou bâton percé, en bois de renne décoré, datant du Paléolithique supérieur. Cet objet était utilisé comme levier pour redresser à chaud les sagaies et les flèches, prélevées elles aussi dans les bois de renne.

gés dans un éternel mouvement », sur la paroi.

● Ces thèmes montrent l'importance de la chasse dans la vie et la mentalité des hommes. Ils ont donné lieu à des interprétations diverses. On a voulu y voir d'abord l'expression de préoccupations esthétiques, ou magiques (la représentation d'animaux blessés ou de femelles gravides devant assurer un gibier abondant et facile à abattre); cette explication a longtemps prévalu. A. Leroy-Gourhan y voit une représentation symbolique des principes mâle et femelle. La question est complexe.

● La deuxième période de la préhistoire est très courte; en Occident, elle s'étend de 10 000 à 3 000 ans avant Jésus-Christ. Sa durée varie selon les régions. Un changement se produit dans le climat, qui devient tempéré en Europe. Les glaciers fondent, transformant les régions basses en immenses marécages. Le rivage se fixe définitivement. Le travail de l'os et de la pierre obéit à une maîtrise parfaite : cette dernière est désormais polie. Les outils présentent des formes actuelles : haches, marteaux, faucilles.

● Le phénomène capital est l'apparition d'un nouveau mode de vie, car les hommes deviennent des producteurs. Ils domestiquent les animaux sauvages (le chien en premier); le gibier devient bétail et le chasseur, propriétaire de troupeaux et pasteur. Ils défrichent le sol et plantent des graines sauvages, obtenant ainsi les premières récoltes de blé. Cette « révolution » économiques a lieu en Orient, sur les plateaux situés entre l'Asie Mineure et l'Inde, sans cesse menacés par l'aridité croissante.

● Au VIe millénaire avant Jésus-Christ, les communautés humaines devenues sédentaires se groupent en villages. De nouvelles techniques sont mises au point : tissage, vannerie, puis le premier art du feu : la céramique, au décor coloré géométrique. Ces progrès permettent de nourrir une population plus nombreuse. Les premiers États s'organisent, à la fin du IVe millénaire, au sud de la Mésopotamie où l'irrigation des plaines exige de façon permanente des travaux coordonnés et collectifs, ce qui suppose une autorité. Les inventions techniques se multiplient : travail des métaux : cuivre, fer, fondu et coulé dans des moules, procédé de fabrication du bronze, tour du potier, moule à brique, navire, chariot à roue, araire entraînent la spécialisation des activités économiques et une véritable division du travail. Les premières villes ceintes de remparts, avec des maisons de brique, apparaissent; la guerre également, avec les armes en fer. La céramique, l'architecture (des groupes d'hommes désormais plus nombreux sont disponibles) se développent.

● Les techniques agricoles et la céramique gagnent l'Europe, où la civilisation a régressé — c'est l'époque des cités lacustres —, du IVe au IIe millénaire avant Jésus-Christ; la vallée de l'Indus au milieu du IIIe millénaire; la Chine du Nord, où le riz est cultivé à partir du IIe millénaire. En Afrique, s'épanouit au Sahara une civilisation pastorale encore mal connue. Elle semble avoir contribué à la désertification de la région.

● Les mégalithes sont les premiers témoignages architecturaux : on trouve des pierres verticales (menhirs) alignées en files ou disposées en cercles; deux pierres dressées recouvertes par une troisième constituent un dolmen. On en compte 100 000 dans le monde entier : en Inde, Jordanie, Soudan, Europe occidentale principalement. Les matériaux sont encore utilisés à l'état brut. Certains menhirs sont sculptés et évoquent la silhouette ou le visage humains. La taille élevée, la forme régulière atteintes par d'autres (10 mètres environ de moyenne) leur confèrent une grande beauté. Le menhir de Locmariaquer dans le Morbihan, atteint 20 mètres. Le grand menhir de Carnac a dû exiger les efforts conjugués de 1 800 hommes. Les dolmens sont, en majorité, des sépultures. Les mégalithes semblent liés au culte du soleil et de la fécondité; ils dénotent en tout cas un système de croyances dont le sens s'est perdu.

● Cette période, appelée protohistoire, s'achève rapidement en Mésopotamie et en Égypte à la fin du IVe millénaire, avec l'invention de l'écriture. « Le grain appelle le grenier, le grenier exige un rempart pour le défendre et une troupe pour garder le rempart, un scribe pour compter les sacs de blé, fixer les impôts et écrire l'histoire... »

● La préhistoire s'est prolongée jusqu'à nos jours dans des

Commencé avec le travail du cuivre, l'âge des métaux se poursuivit avec celui du bronze, avant que l'homme n'apprenne à fondre le minerai de fer. Il put alors réaliser des outils très élaborés, des armes solides et des objets destinés à des fins ornementales comme cette très belle coupe de fer.

Ces graffiti découverts dans la Val Camonica, haute vallée des Alpes italiennes, sont les vestiges d'une civilisation néolithique. Le décor figuratif et naturaliste a fait place ici à un décor géométrique.

régions isolées de la terre. Mais il serait peut-être plus exact, tout compte fait, de parler d'une histoire de l'homme qui s'est déroulée de façon continue depuis les origines, de plus en plus lointaines, jusqu'à l'époque actuelle. ■

PRESBYTÉRIANISME

● Le presbytérianisme est un système ecclésiastique particulier, qui refuse la hiérarchie traditionnelle de type catholique et donne le gouvernement de l'Église à un ensemble de conseils (synodes, assemblée générale) composés de simples ministres du culte et de laïcs égaux entre eux. En ce sens, le terme peut s'appliquer à plusieurs Églises protestantes, mais il désigne plus spécialement le calvinisme anglo-saxon qui a trouvé en Écosse une terre d'élection.

● A la veille de la Réforme, l'Écosse offrait du point de vue religieux le même spectacle que la plupart des pays occidentaux : l'Église était corrompue et ne répondait pas à l'attente des fidèles; l'évêque de Moray, par exemple, avait dix enfants, tous de mère différente, et de nombreuses paroisses n'avaient pas de curé. Le gouvernement et les autorités ecclésiastiques s'occupèrent pourtant de religion lorsqu'il fallut protéger leurs avantages face à la Réforme protestante qui gagnait du terrain.

● Elle eut un premier martyr dès 1528, un disciple de Luther, mais les Écossais furent surtout sensibles à la propagande calviniste, et c'est elle qui devait inspirer le prédicateur George Wishart, brûlé en 1546, et surtout le « tonnant » John Knox (1505-1572), qui parvint à faire adopter par le Parlement une profession de foi, et à faire abolir la juridiction papale en Écosse. En décembre 1560, s'ouvrit la première assemblée générale de l'Église réformée écossaise, qui organisa l'Église locale sur un mode démocratique, supprimant l'épiscopat, et instituant l'élection des pasteurs par les fidèles. La Réforme presbytérienne triomphait.

● Beaucoup plus difficile fut l'implantation du presbytérianisme en Angleterre, dominée, non par le catholicisme, mais par l'Église anglicane. Une première campagne presbytérienne fut menée par Thomas Cartwright contre l'épiscopat : celui-ci dut s'enfuir en Allemagne en 1573. Elisabeth Ire ordonna à tous les ministres du culte de confirmer par écrit que la reine possédait le gouvernement suprême de l'Église anglaise et que le livre de prières *(Book of common Prayer)* était conforme à la parole de Dieu. Deux ministres s'y refusèrent, réclamant une organisation ecclésiastique plus simple, « pure », ce qui leur valut le nom de puritains.

● En 1603, Jacques VI d'Écosse devint Jacques Ier d'Angleterre. Il venait d'un pays où le presbytérianisme était religion d'État, mais les tendances démocratiques et antiabsolutistes du mouvement lui déplaisaient, et il imposa un régime épiscopalien (avec une hiérarchie épiscopale) dans l'ensemble du royaume. Les Écossais répliquèrent par la signature d'un *Covenant*, où ils s'engageaient à défendre leur liberté religieuse, et par l'abolition de l'épiscopat (1610).

● L'épreuve de force était engagée, mais Charles Ier comptait sans le soutien actif des puritains anglais aux Écossais, et la victoire de Cromwell marqua le triomphe du presbytérianisme. Le roi fut condamné à mort par le Parlement croupion composé uniquement de puritains (1649), et une sérieuse épuration fut entreprise.

● C'est dire que le retour des Stuart en 1660 ne fut pas le signal de réjouissances puritaines : l'Acte d'uniformité, voté en 1662, contraignit les ecclésiastiques à accepter le *Prayer Book* sous peine de renvoi immédiat; 1760 courageux « dissidents » s'y refusèrent et furent persécutés. En Écosse même, Charles II rétablit l'épiscopat et entreprit une sauvage répression : emprisonnements, tortures, noyades et exécutions remplirent cette période néfaste.

● La nouvelle révolution de 1688 et l'avènement du calviniste Guillaume III furent donc bien accueillis par les presbytériens ou, du moins, par ce qu'il en restait, car en Angleterre, malgré l'Acte de tolérance de 1689, la majorité de la population restait fidèle à l'épiscopat et, en Écosse, les presbytériens étaient usés par la répression. Après l'Acte d'union de 1707 entre l'Angleterre et l'Écosse, le Parlement retira au peuple le droit de choisir ses pasteurs, qui furent dès lors nommés par la couronne ou par des gens influents.

● Le presbytérianisme a donc cessé d'être une force politique, et il ne compte plus guère aujourd'hui que 70 000 fidèles. Mais il déploie encore une certaine activité aux États-Unis, où il fut introduit dès le XVIIe siècle par les puritains de Nouvelle-Angleterre. ■

Parti de Southampton le 6 septembre 1620, le *Mayflower* débarqua près du cap Cod (Massachusetts) avec à son bord 102 émigrants dont 41 pèlerins de la secte presbytérienne des puritains. Ces derniers fondèrent la ville de Plymouth en Nouvelle-Angleterre.

PRESSE HYDRAULIQUE

● La presse hydraulique a été imaginée par Pascal pour démontrer que les liquides transmettent les pressions (tandis que les solides transmettent les forces). Deux cylindres contiennent de l'eau et communiquent par leur partie inférieure; deux pistons de surfaces S et s, mobiles dans chaque cylindre, appuient sur l'eau et supportent respectivement des poids F et f. On trouve que le système est en équilibre lorsque les forces F et f sont proportionnelles aux surfaces S et s qui leur correspondent. On voit l'intérêt de cette machine pour la multiplication des forces, et on notera que chaque force produit la même pression : $p = F/S = f/s$, transmise par l'eau d'un piston à l'autre.

● Dans une presse, le grand piston glisse dans un cylindre en relation avec une pompe aspirante et foulante, dont les soupapes *a* et *b* rendent le fonctionnement irréversible; la pompe peut être remplacée par tout autre dispositif amenant de l'eau sous pression. Le corps à comprimer est placé entre le grand piston et un bâti supérieur fixe. Si le grand piston a un diamètre égal à 40 fois celui du petit piston, l'effort exercé sur ce dernier sera multiplié par 1 600.

● Les presses hydrauliques sont très employées dans l'industrie : presses à *forger*, presses à *agglomérer*, presses à *emboutir*. Les *vérins* hydrauliques fonctionnent sur le même principe; on a réglé la verticalité de la tour Eiffel, lors de sa construction, à l'aide de 16 vérins, 4 étant placés sous chaque pied. Dans l'*ascenseur* hydraulique ou le *pont* hydraulique, qui sert à soulever les voitures, le grand piston est un long cylindre (qui s'enfonce dans un véritable puits pour l'ascenseur); le liquide subit en général la pression due à une réserve d'air comprimé.

● Dans les *freins* hydrauliques, le pied du conducteur appuie sur une pédale qui agit sur un piston; le liquide transmet la pression qui en résulte aux organes de freinage.

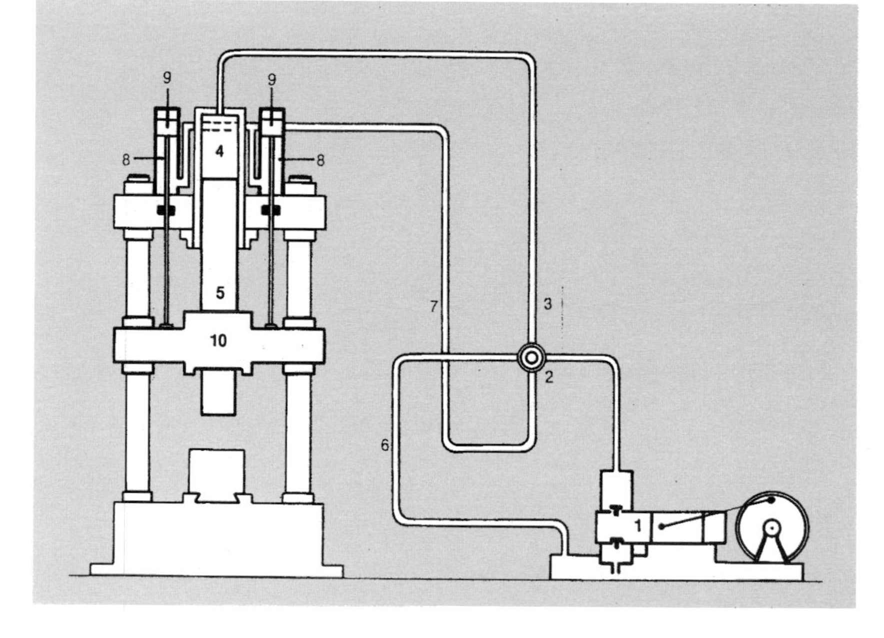

La pompe (1) comprime le liquide qui, grâce à la vanne de distribution (2) et au tube (3), parvient dans le cylindre (4) et pousse le piston (5) de la presse. En tournant la vanne (2), on met en communication les tubes (3) et (6), ce qui ramène le liquide à la pompe. Le liquide sous pression traverse le tube (7), et, parvenant dans les cylindres (8), soulève le piston (9) et avec lui la traverse (10).

Le *dynamomètre* hydraulique mesure les très grands efforts de traction, par exemple ceux d'une locomotive. Il fonctionne en sens inverse de la presse habituelle. L'effort à mesurer s'exerce sur le grand piston; il est démultiplié sur le petit piston, lequel agit sur un ressort de compression jouant le rôle d'un dynamomètre ordinaire. Une aiguille indicatrice, qui peut porter un style inscripteur, permet de lire la valeur de l'effort de traction initial, l'appareil étant étalonné. ■

PRESSION

● Appuyez fortement votre pouce sur un mur, par exemple avec une force de 40 newtons (environ 4 kg poids); cette force est répartie sur toute la surface de contact (environ 4 cm^2); votre pouce ne s'enfonce pas dans le mur! Intercalez maintenant une punaise à dessin entre votre pouce et le mur, et appuyez de la même façon; la punaise s'enfonce, car la force de 40 N s'est exercée sur une surface beaucoup plus petite (soit 0,02 mm^2).

● On dit que la *pression* qu'a subie le mur est plus grande que dans le premier cas. On convient de mesurer cette pression par le rapport $p = F$, F/S étant la force totale exprimée en newtons répartie sur la surface S exprimée en m^2; la pression p est alors exprimée en *pascals*. Dans le premier des exemples précédents, on calcule facilement que $p = 10$ pascals; dans le second cas $p = 2 \times 10^5$ pascals. On utilise encore dans la pratique courante d'autres unités dont voici les équivalences :

1 atmosphère $\sim$ 1 kg poids / m^2
$\sim$ 10 pascals

● La déformation d'une surface solide dépend de la pression qu'elle subit. Dans certains cas, on a intérêt à réduire la pression en augmentant la surface de contact : pneus jumelés des camions, chenilles des tracteurs devant rouler sur la boue, la neige ou le sable; socles des colonnes ou des statues; raquettes et skis pour la neige; larges bretelles des sacs de montagne. Dans d'autres cas, on a intérêt à augmenter la pression en réduisant la surface : pointes des punaises et des clous, des aiguilles à coudre ou des seringues, arêtes des couteaux, ciseaux, pinces coupantes.

● Prenez maintenant une boîte de conserve que vous aurez remplie d'eau. L'eau exerce sur les parois des forces de pression, car si la boîte a été percée de trous, l'eau s'en échappe d'autant plus violemment que le trou est plus près du fond : la pression croît avec la profondeur. Quand un plongeur est à 10 m, 20 m,... sous l'eau, il

Voisine d'un bar (10^5 pascals) à la surface de la Terre, la pression atteint 3,5 Mbars (mégabars) au centre de la planète.

subit de la part de l'eau une surpression de 1, 2,... atmosphères. Des gaz se dissolvent dans son sang, et s'il remontait trop rapidement à la surface, les gaz, se dégageant dans les vaisseaux sanguins, provoqueraient des embolies; la décompression doit durer parfois plusieurs heures pour les grandes profondeurs.

● Un gaz exerce sur les parois de son récipient (ballon de jeu, chaudière à vapeur, bouteille d'oxygène comprimé) une pression due aux chocs des molécules sur ces parois : si l'on fait un trou, le gaz s'échappe. Quand la température s'élève, les chocs sont plus violents et la pression augmente; si, à température constante, on réduit le volume de moitié, il y a deux fois plus de chocs sur un même élément de surface et la pression est double (loi de Mariotte).

● On mesure la pression des gaz à l'aide de *manomètres* à dénivellation de liquide (eau pour le gaz de ville, mercure pour les pressions plus fortes), ou à déformation élastique (manomètre de Bourdon) pour les chaudières à vapeur et les bouteilles de gaz comprimé. Les *baromètres* donnent la valeur de la pression atmosphérique qui varie autour de 10^5 pascals ou 1000 millibars. Un baromètre peut être gradué en altitudes, puisque la pression diminue quand on s'élève dans l'atmosphère; il devient alors un *altimètre*. ■

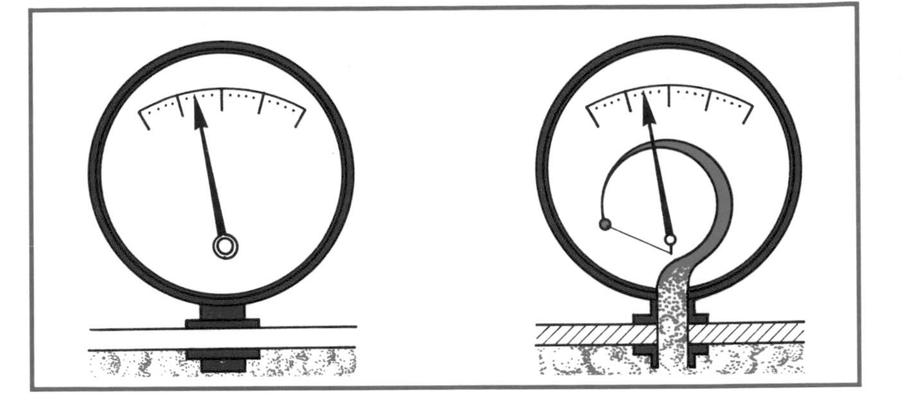

Aspects extérieur (à gauche) et intérieur (à droite) d'un manomètre métallique fixé à la paroi d'une enceinte sous pression. Plus celle-ci est élevée, plus est déformé le tube métallique dont est solidaire l'aiguille indicatrice qui se déplace sur une échelle graduée.

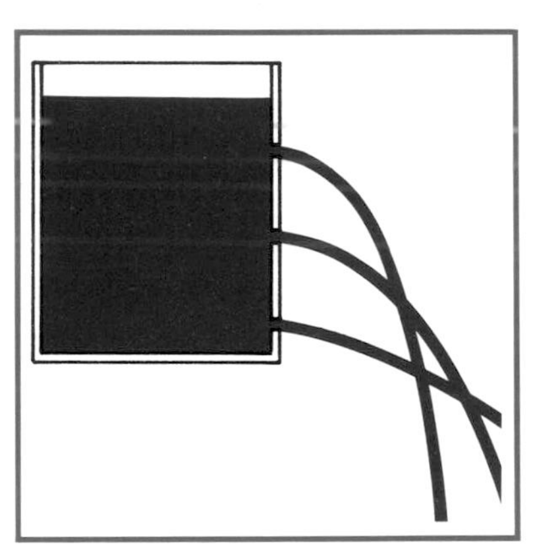

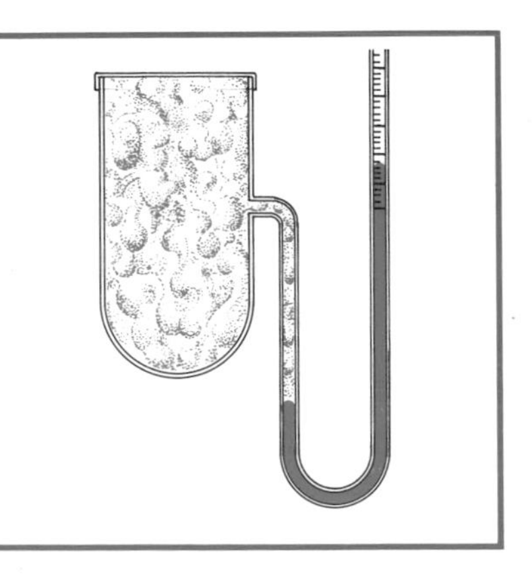

Mise en évidence de la pression hydrostatique, d'après l'observation d'un récipient percé de trous à différents niveaux : c'est au bas du récipient que la pression est le plus élevée, comme le montrent les trajectoires suivies par le liquide. Le manomètre à mercure (en bas) permet, grâce à son échelle graduée, de lire directement la valeur de la pression du gaz contenu dans le récipient.

PRÉVISION ÉCONOMIQUE

● Elle consiste à évaluer l'état futur des principales variables économiques : prix, quantités offertes et demandées, niveau de l'emploi, etc. Cette prévision, qui se justifie par son utilité, s'appuie sur des méthodes précises.

● Une décision économique ne donne des résultats qu'au terme d'un *délai* plus ou moins long. Il se passe quelques semaines entre une commande passée par un commerçant et la vente qui produit le bénéfice; il faut donc que le commerçant ait prévu la demande aussi exactement que possible. Si sa commande est insuffisante, il perdra des clients. Si elle est trop importante, les invendus pèseront sur le profit.

● La capacité de bien prévoir — il s'agit ici d'une prévision à court terme, de l'ordre de quelques semaines à quelques mois — est un facteur important de succès. Il en va de même pour tous les agents économiques. Un industriel qui réalise un investissement doit parfois attendre plusieurs années avant que celui-ci ne commence à devenir productif, et sa production s'étale ensuite sur une longue période.

● Une erreur de prévision peut être lourde de conséquences. L'exemple des abattoirs de la Villette, jamais utilisés, montre tout à la fois la nécessité de bien prévoir, la possibilité de se tromper, et ce qu'il en coûte. Il s'agissait ici d'une prévision à long terme.

● Le champ des prévisions n'est évidemment pas le même pour tous les agents économiques. Pour l'industriel ou le commerçant, il s'agira d'évaluer la capacité de vente en tenant compte des actions de la concurrence, afin de réaliser des investissements judicieux et d'élaborer une stratégie commerciale.

● Pour l'État, qui a pour fonction économique d'assurer ce qu'on appelle les équilibres fondamentaux, les prévisions porteront sur l'emploi de la main-d'œuvre, l'évolution des prix, l'évolution de la balance des paiements, etc.

● La nature de la prévision économique doit être soulignée pour comprendre l'usage qui en sera fait. Elle indique ce qui va arriver *si* le comportement des agents économiques reste stable : il s'agit toujours d'une prévision *conditionnelle*. Or, certains agents économiques peuvent modifier leur comportement de façon volontaire, dans le but d'éviter un événement fâcheux.

● Si, par exemple, la demande d'un bien est prévue en baisse parce que les revenus des consommateurs n'augmentent pas, une entreprise dynamique peut jouer sur ses prix, sa publicité, et sur d'autres éléments qu'elle contrôle, afin de maintenir le volume de la demande adressée à l'entreprise. De même, l'État se sert des prévisions pour déceler des déséquilibres potentiels et prendre à temps les mesures qui s'imposent pour qu'ils ne se réalisent pas. Tel est le sens de la planification.

● Les méthodes de prévision sont nombreuses, à l'image de la diversité des problèmes à traiter. On peut les classer en trois catégories.

● Les méthodes qualitatives : elles sont adaptées aux cas totalement nouveaux pour lesquels il n'existe pas de statistiques. Par exemple, comment prévoir la demande d'un produit nouveau, mis au point par un laboratoire de recherches et non encore offert au public? La réponse est donnée par des experts travaillant selon certaines méthodes; nous n'en citerons qu'une : la méthode Delphi.

● Des experts sont interrogés au moyen de questionnaires successifs, les réponses au premier questionnaire servant à rédiger le second, et ainsi de suite. Les informations des uns sont transmises aux autres à chaque étape, chacun disposant donc de toutes les données possibles. Les prévisions qui en découlent, bonnes ou mauvaises, ne sont valables que pour le long terme. Quoi qu'il en soit, la proportion des produits nouveaux qui sont des succès commerciaux n'est pas élevée.

● L'analyse et la projection des séries chronologiques : lorsqu'on dispose de relevés chiffrés allant de deux à dix années, des statistiques de vente par exemple, il est possible de traiter mathématiquement cette série. Il s'agit de définir l'équation de la « courbe de tendance », et de prolonger cette courbe vers l'avenir. Si les conditions économiques demeurent ce qu'elles étaient, la prévision est bonne. Dans le cas contraire, lorsqu'un changement économique important intervient, la prévision s'avère erronée.

● Les méthodes causales : ce sont les plus satisfaisantes pour l'esprit, mais aussi les plus exigeantes. Il s'agit, en effet, de déterminer la loi économique qui explique la formation d'une grandeur (l'épargne nationale, par exemple) et de l'appliquer à l'avenir. Ainsi, les experts de la planification établissent des « modèles économétriques » tenant compte de toutes les interdépendances entre quelques milliers de variables économiques. Par exemple, l'économie française est représentée par près de 1 500 équations simultanées. ■

▸ *ÉCONOMIE / PLANIFICATION*

PRIMEVÈRES

● Cultivées depuis longtemps, les primevères sont très répandues en Europe et en Asie, et les horticulteurs en ont obtenu de nouvelles et de très nombreuses variétés hybrides. Après le XVIIIe siècle, l'importation d'espèces nouvelles de Chine et du Japon a permis de multiples essais d'hybridation, déterminant parfois une inflorescence totalement différente.

● Les primevères (genre *Primula*) sont les principaux représentants de la famille des primulacées, qui compte plusieurs centaines d'espèces. Ce sont de petites plantes herbacées qui poussent dans les zones tempérées de l'hémisphère Nord.

● La primevère à grandes fleurs *(Primula acaulis)* croît sur les pentes herbeuses et dans les bois des régions de collines et de basse montagne. Les feuilles allongées forment une rosette d'où partent des pédoncules portant chacun une fleur. La corolle, d'un diamètre de 2 à 3 cm, est constituée par 5 pétales jaunes, réunis les uns aux autres à la partie inférieure et formant un tube sur lequel s'insèrent 5 étamines. L'ovaire donne un fruit en forme de capsule.

Primevère à fleurs roses *(Primula farinosa)*. Les primevères sont des angiospermes de la famille des primulacées, qui comprend aussi le cyclamen, le mouron des champs à fleurs rouges ou bleues, et le lysimaque ou herbe-aux-écus. Dans nos régions, les primevères sauvages ont parfois une seconde floraison en automne.

● La primevère officinale *(Primula officinalis)*, qui pousse dans les prairies de montagne, a une petite tige veloutée, qui peut atteindre une hauteur de 30 cm et qui porte au sommet une ombelle de 10 à 15 fleurs jaunes tournées d'un seul côté.

● La culture de certaines primevères nécessite l'emploi de terre de bruyère : *Primula cortusoides* à fleurs rose purpurin, *Primula rosea* à fleurs rose vif, *Primula capitata*, de l'Himalaya, à fleurs violet-bleu.

● Parmi les autres primevères de notre flore, nous citerons encore: la *Primula elatior*, à fleurs jaunes semblables à celles de la primevère à grandes fleurs, mais réunies en ombelles sur une petite tige; la *P. farinosa*, de petite taille, à fleurs roses, qui croît dans les endroits humides; la *P. auricula* ou Oreille d'ours, ainsi nommée du fait de la forme de ses feuilles, à fleurs jaunes en ombelles; la *P. spectabilis*, à fleurs rosâtres; enfin, la *P. minima*, à fleurs roses et hautes, de 3 à 4 cm tout au plus.

● De nombreuses variétés non spontanées de primevères sont largement utilisées du point de vue ornemental, en appartement et dans les jardins. ■

Les *Primula abconica*, originaires du Tibet, se plaisent à l'intérieur des maisons, mais provoquent parfois des maladies de peau chez les personnes qui les touchent. 1/5 de milligramme de « primine », sécrétion qui se produit au sommet des poils épais sous forme de gouttelettes, suffit pour provoquer des éruptions sur les peaux sensibles.

PRIMITIF, Art

● L'art primitif n'a acquis une certaine considération auprès du public occidental que depuis une cinquantaine d'années. Autrefois tenus pour de simples curiosités, les souvenirs de voyage des marins et les objets rapportés par les chercheurs ont pris à présent place dans nos musées et sur le marché de l'art où ils atteignent des cotes importantes. Cette découverte s'effectua avec le développement de l'ethnologie et sous l'impulsion de certains artistes, qui, notamment parmi les surréalistes, collectionnèrent avec passion les masques et les sculptures africaines et océaniennes.

● Cette revalorisation de l'art

primitif s'effectua au moment où l'art occidental rompait avec les critères esthétiques traditionnels et le souci de réalisme; certaines sculptures africaines semblent venir à point étayer les thèses du cubisme. Il n'y a là guère plus qu'une analogie formelle, mais cette coïncidence va contribuer à rénover la vision plastique de toute une génération de créateurs.

L'œuvre primitive, qu'il s'agisse d'une fresque de Lascaux ou d'une statuette exécutée aujourd'hui par un artiste boschiman, traduit les vœux, les peurs, les impressions de la collectivité et non la personnalité de l'individu qui l'a créée.

● Il est difficile de cerner avec précision la notion d'art primitif. Dans une large acceptation, elle englobe l'art préhistorique et toutes les productions antérieures à un certain seuil du développement artistique de n'importe quelle civilisation, le plus souvent d'ailleurs arbitrairement déterminé. C'est ainsi que l'on a appelé « primitive » la peinture occidentale antérieure à la Renaissance. On pourrait aussi étendre cette notion aux productions artisanales et populaires qui ne répondent pas à une certaine perfection esthétique ou qui trahissent une absence de maîtrise des moyens d'expression. Mais il est préférable de la réserver à l'art des sociétés préindustrielles, sans tenir compte de leur aire géographique de développement.

● On a longtemps tenu pour acquis que ces civilisations orales, ou possédant un système de notation rudimentaire, n'avaient pas d'histoire et s'étaient figées dans un éternel présent. L'absence de documents écrits et la stabilité du mode de vie, ainsi que des formes décoratives, semblaient corroborer cette opinion. Mais chaque peuple a une histoire, elle est simplement un peu plus difficile à reconstituer pour certains d'entre eux.

● Quant à l'immuabilité de la création artistique, il faut remarquer que la majorité des objets primitifs ont moins d'un siècle d'existence en raison des destructions naturelles, de celles opérées par les missionnaires et autres « civilisateurs », qui les tenaient pour païens ou simplement laids, et de l'absence de mentalité conservatoire; de sorte qu'il est pratiquement impossible de percevoir la vie des formes et les lignes réelles d'évolution.

● A la différence de l'art oriental ou occidental, l'art primitif n'est pas uniquement destiné à servir des fins esthétiques, ce qui n'exclut pas cependant, dans l'esprit de celui qui sculpte, qui grave, qui tisse, qui peint ou qui modèle la terre, une idée de beauté en accord avec la conception qui prédomine à l'intérieur de telle ou telle société.

● Mais l'objet créé, si gratuit semble-t-il, est investi d'une fonction utilitaire et ne sert pas uniquement à la contemplation. Il s'inscrit dans un certain processus de récupération et de maîtrise des énergies : culte des ancêtres, opérations magiques, cérémonies initiatiques, à moins qu'il ne soit qu'un symbole de prestige, le signe de la puissance du chef du groupe. C'est pourquoi on s'en défait facilement lorsqu'il est cassé ou qu'il a perdu de quelque façon les propriétés suprasensibles dont il était investi. Il est remplacé par un autre, identique, car l'artiste ne travaille que dans les limites d'une tradition qui lui impose ses modèles et ses schémas.

● La stabilité des motifs permet donc la constitution de séries d'objets qui ne se différencient que par la plus ou moins grande virtuosité de celui qui les a exécutés. L'art n'est d'ailleurs qu'exceptionnellement l'affaire de spécialistes; la plupart du temps les divers types de création sont simplement répartis par sexe, la sculpture étant généralement réservée aux hommes.

● Cette référence à la tradition explique aussi l'absence de certains sujets, qui n'est pas la marque d'une pauvreté d'imagination ou d'une impuissance d'exécution, mais procède d'une pure et simple exclusion. Certains thèmes ont une signification, c'est pourquoi on les traite; d'autres ne signifient rien dans tel cadre socio-culturel. La totalité de l'objet, forme et décor, étant pleinement utile et signifiante, seul ce qui signifie quelque chose sera représenté, car, dans toutes les sociétés primitives, art, parole et enseignement sont complémentaires les uns des autres. Enfin, l'art primitif néglige le réalisme, il suggère, d'une manière plus ou moins proche des apparences sensibles; en fait, il évoque en se souciant peu de la ressemblance.

● Ces caractéristiques s'appliquent en général à l'art primitif,

En Nouvelle-Guinée comme dans l'ensemble de l'Océanie, les masques et les diverses œuvres d'art ont pour rôle de mêler les mythes à la vie quotidienne. Respectés, admirés, les artistes jouissent de privilèges comparables à ceux des chefs.

Totem d'une tribu indienne d'Amérique du Nord, conservé au Parc national de Sitkay en Alaska. Le totem représente l'animal (ici un oiseau dont on aperçoit les ailes et les pattes), considéré comme l'ancêtre ou le protecteur de la tribu.

extraordinairement riche et multiple. En deçà, subsistent des problèmes de style, phénomènes collectifs variables selon les civilisations considérées. Si les artistes contemporains ont largement puisé dans ce répertoire de formes et de couleurs, ils n'ont emprunté qu'une partie infime de ce que vaut réellement l'objet pour le groupe qui l'a créé. ■

PRIX ET COÛTS

● Le prix d'un bien est le nombre d'unités monétaires qu'il faut dépenser pour obtenir une unité de ce bien sur le marché. Le coût, ou prix de revient, est la dépense unitaire engagée par le producteur, l'entreprise, y compris les frais généraux pour fabriquer ce bien.

● Un même bien possède plusieurs prix, chacun relatif à un stade du circuit de distribution. Le prix hors taxe départ usine est celui qui est demandé par le producteur, il comprend le coût de production (frais généraux compris) et le bénéfice unitaire qui revient à l'entreprise. Mais l'acheteur, en outre, devra payer un impôt indirect, qui sera encaissé par l'entreprise et versé à l'administration fiscale : il s'agit, en France, de la T.V.A. ou taxe à la valeur ajoutée. Le prix, taxes comprises, est donc la dépense unitaire engagée en réalité par l'acheteur qui se fournit auprès de l'entreprise.

● Le prix de gros, taxes incluses, est celui que devra payer le détaillant. Le prix de détail, taxes incluses, enfin, représente la dépense du consommateur final. Il existe souvent plus de deux intermédiaires entre la fabrique et le consommateur. A chaque stade correspond un prix particulier, qui comprend le coût de l'approvisionnement, le bénéfice de l'intermédiaire et les taxes revenant à l'État. Lorsque le détaillant est le seul agent entre le producteur et le consommateur, on parle de « circuit court ».

● Au cours du temps, un même bien peut être proposé à des prix variables. Si la concurrence est active et l'offre abondante, les prix peuvent baisser pour inciter les acheteurs à absorber toute la production. Inversement, l'inflation est le phénomène de la hausse des prix. Afin de modérer l'inflation, l'État, en France, a institué une surveillance des prix et un système de contrats avec les entreprises.

● Les hausses justifiées par l'accroissement des coûts sont admises, celles qui tablent uniquement sur l'abondance des revenus des acheteurs, interdites. Cependant, les producteurs mettent souvent sur le marché des produits nouveaux. Or, un contrat n'est valable que si le bien est très exactement défini au préalable. Un produit nouveau échappe automatiquement au carcan de la surveillance et permet des profits spéculatifs.

● Le coût total est la dépense globale qui doit être engagée pour obtenir une certaine quantité de biens ou de services. Il n'est pas toujours facile de l'établir car les entreprises et les commerçants traitent souvent plusieurs articles simultanément, et les « frais généraux » doivent être ventilés entre tous, au moyen de conventions plus ou moins arbitraires.

● A partir du coût total, il est possible d'établir le coût moyen : il faut diviser le coût total par le nombre d'unités de biens ou de services produits — et le coût marginal, ou coût de la dernière unité produite; il suffit de mesurer l'augmentation du coût total qui intervient entre deux productions successives de X et X + 1 unités.

● Cette dernière notion est importante. On démontre, en effet, que le profit total du producteur atteint son maximum lorsque sa production est réglée de telle façon que le coût marginal égale la recette marginale, c'est-à-dire l'augmentation de recette qui intervient lorsque les ventes passent de X à X + 1 unités.

● Lorsqu'il existe plusieurs producteurs concurrents, et que le prix de vente est fixé par le marché selon l'état de l'offre et de la demande, la recette marginale est facile à connaître : il s'agit tout simplement du prix de vente. En effet, la dernière unité vendue apporte comme recette supplémentaire son prix de vente.

● Lorsqu'un bien identique est produit par plusieurs entreprises, la concurrence a pour effet d'égaliser le prix des articles, quelle qu'en soit l'origine. Si un producteur veut augmenter ses tarifs, les acheteurs s'adresseront aux concurrents. S'il les abaisse, théoriquement les autres devront suivre.

● A cause de ce « prix uniformisé », certains producteurs peuvent réaliser des pertes et, même en peu de temps, disparaître du

Généralement supérieur au coût de fabrication, le prix d'un produit peut parfois lui être inférieur. Il s'agit alors de prix de « dumping » : le fabricant ou le distributeur vend « à perte » pour écraser ses concurrents et se tailler un marché, quitte à relever ensuite progressivement ses prix de vente.

Un marché rue Lepic à Paris. Si les grandes métropoles conservent encore des « marchés », l'intervention de nombreux intermédiaires entre producteurs et consommateurs explique l'escalade des prix.

marché. A la rigueur, un producteur peut se maintenir sans réaliser ni pertes, ni profits. C'est celui dont le coût moyen de production, frais généraux compris, égale le prix de vente. On le nomme « producteur marginal ». Par contre, ceux qui réalisent des profits vendent, par définition, à un prix qui excède leur propre coût moyen.

● Mais, s'il n'existe qu'un producteur, c'est-à-dire en cas de monopole, les prix peuvent n'avoir que de lointaines relations avec les coûts, les prix étant fixés selon la valeur subjective qu'accordent les acheteurs au produit proposé. Des enquêtes préalables sont effectuées auprès d'un échantillon du public afin de connaître les « prix d'acceptabilité ».

● Elles consistent à montrer au client éventuel le produit et à lui poser deux questions : au-dessus de quel prix ce produit vous semblerait-il trop cher? au-dessous de quel prix pensez-vous que la qualité du produit est mauvaise?

● Les experts ont ensuite pour tâche de trouver le prix intermédiaire le plus efficace. S'ils y parviennent, le monopole, obtenu en différenciant les produits par rapport à ceux de la concurrence, peut être source de profits élevés. ■

PROBABILITÉS

● Il est courant d'entendre dire : « il y a de grandes chances pour qu'il réussisse à cet examen »; « il y a une chance sur deux pour qu'une pièce tombe sur pile »; « avec un seul billet de loterie, on a très peu de chances de gagner. » A chaque fois, nous envisageons un événement dont l'issue n'est pas certaine, mais nous essayons de prédire, avec plus ou moins d'assurance, ce qui va se passer. La théorie des probabilités essaie de donner une charpente mathématique à ce type d'affirmation, et de fournir une idée plus précise sur le degré de confiance que l'on peut avoir dans leur réalisation.

● Quelques exemples permettent de bien analyser certains types de probabilité. Dans une élection où trois candidats s'affrontent, Dubois a la probabilité 1/6 de gagner, Dupont a la probabilité 1/2, et Durand a la probabilité 1/3 de l'emporter. Il est possible de déterminer la probabilité pour que Dubois ne soit pas élu, ou, ce qui revient au même, que ce soit Dupont ou Durand qui gagne : cette probabilité est de 5/6, soit $1/2 + 1/3$. De même, la probabilité pour que ce soit Dubois ou Dupont qui gagne est de 2/3. La probabilité pour que Dubois et Dupont soient ensemble élus est 0 (événement impossible).

● On lance une pièce de monnaie trois fois de suite : quelle est la probabilité d'obtenir exactement deux fois pile? A première vue, on a envie de dire il y a quatre résultats possibles : soit 0, soit 1, soit 2, soit 3 piles; la probabilité de chacun serait alors de 1/4. En fait, il y a huit résultats possibles, qui sont représentés par les listes : PPP, PPF, PFP, PFF, FPP, FPF, FFP, FFF. Parmi ces huit résultats, dont on peut considérer qu'ils sont tous également probables, il y en a trois qui comportent deux fois pile. Par suite la probabilité d'obtenir deux fois pile est 3/8.

● Un étudiant estime avoir 40 % de chance de réussir un examen d'anglais, 30 % de chance de réussir un examen d'histoire, et 10 % de chance de réussir ces deux examens. Pour déterminer la probabilité qu'il a de réussir au moins l'un des deux examens, on pourrait ajouter les chances qu'il a de réussir à chacun des examens, mais alors on compterait deux fois les 10 % qu'il a de réussir aux deux; on est donc amené à retrancher ces 10 %. La probabilité qu'il a de réussir à au moins un des deux examens est : $p = 40\ \% + 30\ \% - 10\ \% = 60\ \%$.

● Un tireur fait mouche dans 80 % des cas; un autre, placé dans les mêmes conditions, atteint le but dans 70 % des cas. Quelle est la probabilité pour que le but soit touché si les deux tireurs le visent simultanément? Sur 100 tirs couplés, le premier tireur atteindra le but lors de 80 coups. Sur les 20 restants, on peut considérer que le second tireur va toucher en moyenne 14 fois (7 sur 10). Par suite on peut considérer que sur 100 coups la cible sera touchée en moyenne 94 fois. La probabilité pour qu'elle soit atteinte par au moins l'un des tireurs est de 94 %.

● Il est possible de décrire

La courbe « en cloche » de Gauss illustre la répartition normale d'un effectif autour de la moyenne, ici 26 personnes notées de — 3 à + 3. En ordonnée, le nombre de personnes pour chaque note. Des billes déversées sur un plateau compartimenté se répartiraient selon le même profil.

cette situation mathématiquement.

● On a un ensemble U d'éléments; un événement est un sous-ensemble X de U. Définir une probabilité sur l'ensemble U revient à associer à chaque sous-ensemble de U un nombre, en respectant les règles suivantes :

• Pour tout sous-ensemble X, le nombre associé à X, p (X), doit être compris entre 0 et 1 :

$$0 \leqslant p(X) \leqslant 1$$

• Le nombre associé à U est 1; celui associé à l'ensemble vide $\varnothing$ est 0 :

$$p(U) = 1 \quad ; \quad p(\varnothing) = 0$$

• Pour deux événements X et Y, on peut considérer l'événement $X \cup Y$ (X ou Y) et l'événement $X \cap Y$ (X et Y). On doit avoir l'égalité :

$$p(X \cup Y) = p(X) + p(Y) - p(X \cap Y).$$

● Ces règles ont deux conséquences immédiates :

1. Si X' désigne l'événement contraire à X, c'est-à-dire celui qui se réalise si, et seulement si, X n'est pas réalisé, alors on a :

$$p(X') = 1 - p(X).$$

X' est le sous-ensemble complémentaire de X dans U.

2. Si X et Y sont deux événements incompatibles, c'est-à-dire deux événements qui ne peuvent pas être réalisés simultanément

$$(X \cap Y = \varnothing),$$

notre troisième règle devient :

$$p(X \cup Y) = p(X) + p(Y).$$

● Enfin si U est constitué de n événements élémentaires tous également probables, on peut en déduire que la probabilité de chacun est 1/n. Ainsi, lorsqu'on lance un dé à six faces, en supposant, bien sûr, que le dé soit parfaitement équilibré, on peut dire que cette probabilité est 1/6.

● Supposons que nous ayons défini sur U une probabilité : l'événement X a une probabilité p (X) bien déterminée. Admettons maintenant que nous ayons une information supplémentaire : l'événement Y est réalisé. Cela change la probabilité de l'événement X. Cette nouvelle probabilité, ou probabilité conditionnelle de X sachant Y, est notée $p'(X)$. Pour que X soit réalisé, il faut et il suffit que $X \cap Y$ le soit; déterminer $p'(X)$ revient alors à déterminer la probabilité de $X \cap Y$ relativement à l'ensemble Y. On pose par définition :

$$p'(X) = \frac{p(X \cap Y)}{p(Y)}, \text{ ou}$$

$$p(X \cap Y) = p(Y).\ p'(X).$$

La probabilité pour que se réalisent simultanément deux événements X et Y est égale au produit de la probabilité de l'un d'eux par la probabilité conditionnelle de l'autre lorsque le premier s'est produit.

● L'*indépendance*, en probabilité, se définit alors de la manière suivante : deux événements X et Y sont indépendants si la réalisation de l'un ne change pas la probabilité de l'autre; ce qui peut s'écrire :

$$p(X) = p'(X).$$

● Il serait possible de prolonger la théorie : si l'événement est caractérisé par un ou plusieurs nombres, on introduit la notion de variable aléatoire à une ou plusieurs dimensions, et l'on étudie la fonction de répartition de cette variable aléatoire. Les lois les plus connues et les plus utilisées, car elles permettent de décrire de manière valable un grand nombre de phénomènes, sont les lois binomiale, normale ou de Laplace-Gauss, de Poisson, etc.

● Le calcul des probabilités est né de l'étude des jeux de hasard, avec Pascal et le chevalier de Méré. Cette théorie a pris un développement considérable à l'époque contemporaine et s'est peu à peu introduite dans toutes les branches de l'activité scientifique : en mathématique, en physique corpusculaire, en économie, en génétique, en psychologie, en informatique, dans les problèmes de gestion et de décision. ■

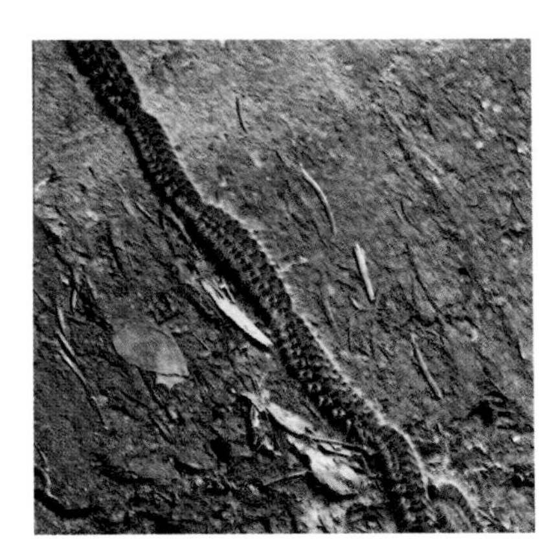

Chenilles processionnaires du pin, *(Thaumetopoea pityocampa)*. Dans sa progression, chaque chenille dépose un fil de soie. L'ensemble des fils forme une sorte de ruban qui sert de guide à la procession pour retrouver son nid.

PROCESSIONNAIRES

● Les processionnaires constituent une petite famille de lépidoptères, dont il n'existe que deux espèces dans nos régions : la processionnaire du pin, et la processionnaire du chêne, plus rare. Elles doivent leur nom à l'habitude qu'ont les larves de se déplacer en longues colonnes.

● Ces papillons de dimension moyenne (l'envergure des ailes se situe autour de 30 mm), ont un corps très poilu. Leurs ailes antérieures sont gris-brun, un peu bariolées, et les ailes postérieures blanches avec des reflets plus sombres.

● En juillet, les femelles déposent leurs œufs en formant des espèces de manchons sur les aiguilles des pins. Au bout d'un mois naissent les larves, qui restent toujours en groupe et commencent tout de suite à construire, avec la soie qu'elles sécrètent, un nid englobant l'extrémité d'une branche. Cet abri, de plus en plus grand, devient compact au début de l'hiver, époque à laquelle il atteint 30 à 35 cm de long et environ 20 cm de diamètre.

● Pour se nourrir, les chenilles sortent du nid et se déplacent en ligne sur les plantes ou les arbres voisins avant de revenir toutes ensemble à la fin du repas.

● Les chenilles arrivent à maturité pendant le mois d'avril; elles descendent alors en longues files sur le sol où elles deviennent chrysalides. C'est au mois de juillet que les papillons sortent de leurs cocons. ■

Nid de chenilles du pin. Pour chercher leur nourriture, les chenilles sortent le soir, en file indienne, et regagnent toutes leur nid de soie blanche ou grisâtre avant le lever du jour.

Dans *les Temps modernes* (1936), Charlie Chaplin, comme René Clair dans *A nous la liberté,* comme Fritz Lang dans *Metropolis,* met en scène l'univers mécanisé et déshumanisé sur lequel débouche une civilisation régie par le principe du rendement maximum. Au-delà de cette critique, c'est la loi du profit et ses abus que Chaplin se propose de dénoncer à travers des scènes dont l'apparence humoristique ne sert qu'à mieux révéler le vrai tragique.

PRODUCTIVITÉ

● La productivité, ou rendement, est le rapport qui existe entre ce qui est produit et un ou plusieurs facteurs de production ayant servi à cette production. Elle considère l'efficacité de l'utilisation des facteurs productifs. On évalue par exemple le rendement d'une terre au poids ou à la valeur d'une récolte par hectare. On peut, de même, mesurer le rendement du travail par la quantité ou la valeur produite par heure de travail.

● Les productivités dont nous venons de donner l'exemple sont des productivités partielles. En effet, une production requiert l'usage simultané de plusieurs facteurs de production : travail et capital dans l'industrie et le commerce, travail, capital et terre dans l'agriculture. Diviser la production, évaluée en quantité physique ou en valeur monétaire, par la quantité d'un seul facteur, revient donc à affecter à ce facteur unique le résultat de l'usage de plus d'un facteur.

● On peut le faire, mais les conclusions qui en découlent doivent être nuancées. Un ouvrier doté d'un capital de 50 000 francs, par exemple, peut produire davantage qu'un autre dont l'outil vaut 10 000 francs. On ne peut en conclure qu'il est plus efficace.

● On peut aussi calculer la productivité *globale* des facteurs de production, en divisant la production par la valeur totale des facteurs de production utilisés.

● Les calculs de productivité, et les comparaisons qu'il est possible d'effectuer de nation à nation, ou d'entreprise à entreprise, ont pour but essentiel de rechercher les combinaisons de facteurs de production les plus rentables.

● Pour qu'une population jouisse d'un niveau de bien-être élevé, il faut, en effet, que les facteurs rares soient affectés de façon judicieuse. Une bonne organisation des entreprises peut souvent améliorer la productivité, les outils et les travailleurs restant identiques. ■

PROFIT

● Le profit est le revenu tiré de l'entreprise, c'est ce qui reste après paiement de tous les autres facteurs de production, pour rémunérer le capital investi par les actionnaires. Le taux de profit est le pourcentage que représente ce profit par rapport au capital investi.

● Le profit est difficile à connaître exactement, parce qu'il ne coïncide pour ainsi dire jamais avec le bénéfice qui apparaît dans la comptabilité des entreprises. Deux raisons principales à cela. Tout d'abord, la rémunération des dirigeants d'entreprises est déduite, tout comme les autres salaires, pour calculer le bénéfice.

● Or elle comprend une part plus ou moins grande de « primes », de « jetons de présence » aux assemblées générales, etc., qui sont, en fait, des participations aux profits. Mais la raison principale de la divergence entre bénéfice et profit réside dans le fait que les éléments d'actifs détenus par l'entreprise, et qui sont la propriété des investisseurs capitalistes, ne sont pas réévalués, alors qu'ils augmentent de valeur en réalité. Ainsi la valeur des terrains. L'inflation est source de profit pour les propriétaires des capitaux.

● Le rôle du profit est fondamental dans le fonctionnement d'une économie libérale, capitaliste. Il oriente les investissements vers les activités où le taux de profit est le plus élevé et tend, dans une certaine mesure, à l'égalisation des taux dans les diverses activités. Cependant, il demeure des différences notables et durables des taux de profits selon les secteurs et les entreprises, parce que la mobilité du capital est imparfaite.

● La « loi du profit » est sévèrement combattue par les adversaires du libéralisme : le profit, selon eux, c'est le vol. Les capitaux étant intégralement produits par le travail, leur revenu doit bénéficier aux travailleurs, non aux propriétaires. D'où des propositions de systèmes économiques sans propriété des moyens de production ni profit. ■

▶ *ÉCONOMIE / ENTREPRISE*

PROKOFIEV (1891-1953)

● Appartenant, au même titre que Stravinsky, Rachmaninov et Chostakovitch, à la seconde génération de compositeurs russes qui assurèrent à leur pays une place de tout premier plan dans le domaine musical, Serge Prokofiev se signale par la création d'une œuvre qui parvient à réaliser la synthèse d'un don mélodique prodigieux avec un esprit résolument d'avant-garde, sollicité par toutes les innovations stylistiques possibles.

● Né en 1891 à Sonsovska, le jeune Serge révéla rapidement des dons musicaux précoces, qu'il eut quelque mal, par la suite, à imposer à ses professeurs du conservatoire de Saint-Pétersbourg, partisans, comme Liadov et Glazounov, d'une conception de la musique beaucoup plus traditionnaliste. C'est que, déjà, s'était affirmée en Prokofiev la foi dans la recherche d'une expression personnelle, commandant le rejet de tout esprit conservateur.

● Aussi est-il tout naturel que ce soit à lui que s'adressa Diaghilev, le directeur des célèbres Ballets russes, pour la création d'un ballet qui puisse prendre la suite du *Sacre* de Stravinsky, après la « bombe » que celui-ci y avait fait éclater. Cette commande sera satisfaite par la composition de la célèbre *Suite scythe* (1914). Première œuvre importante de Prokofiev, elle en révèle les qualités essentielles qui animeront la plupart de ses partitions futures : le chatoiement constant et le « fondu » paradoxalement suscités par une musique acide, toute en arêtes, distillant son vif-argent de note à note, et dynamisée par une carrure rythmique abrupte et intransigeante.

● Mais si, à l'instar de Stravinsky, Prokofiev s'est inspiré de la prodigieuse richesse de l'orchestre de Tchaïkowsky, il se distingue de son contemporain par une sensibilité plus intense; Prokofiev n'use des techniques les plus révolutionnaires que pour traduire une émotion, presque toujours présente dans son œuvre, et ne répugne pas aux séductions de la ligne mélodique.

● Son opéra *l'Amour des trois oranges*, son ballet *Chout*, ses sept symphonies réalisent ce programme implicite. Plus formalistes, sa musique de chambre, et particulièrement son abondante production de piano, révèlent davantage son esprit de recherche et sa hantise rythmique que son œuvre proprement orchestrale.

● De 1918 à 1933, Prokofiev s'était exilé de Russie pour parcourir en tous sens l'Europe occidentale et les États-Unis. En cette année 1933, il retourne dans son pays natal et se voue désormais à la célébration du culte stalinien, ce qui nous a valu de sa part un grand nombre d'anathèmes prononcés contre la quasi-totalité des compositeurs russes et occidentaux de son temps, ainsi que de la musique pour cinéma de propagande (dont celle d'*Alexandre Nevski*).

● Vertement tancé cependant en 1948 par le Parti communiste pour une musique jugée trop peu soviétique, Prokofiev s'éteindra quelques années après, en 1955, universellement considéré pour son génie, qui, dans son originalité même, a su faire chanter et vibrer si intensément l'âme russe. ■

Bien qu'il fût condamné par la République socialiste soviétique pour son « formalisme », Prokofiev ne fut jamais en complète opposition avec le communisme. L'État russe le prima cinq fois, le proclama « artiste du peuple » en 1947, et après sa mort, en 1957, lui décerna le prix Lénine.

Ce portrait de Prokofiev fut exécuté en 1934, après qu'il eût quitté l'Europe. Bien que ses nombreux séjours à l'étranger confèrent à son œuvre une apparence de cosmopolitisme, Prokofiev est avant tout russe, par nature et par choix.

PROSPECTION GÉOLOGIQUE

● La prospection est une recherche systématique d'éléments indispensables pour la compréhension et l'interprétation d'un milieu. En géologie comme en d'autres domaines, elle est capitale. La prospection géologique, souvent synonyme d'étude géologique, peut se faire à différents niveaux de perception et poursuivre des objectifs très différents : une investigation rapide met en évidence la structure et la lithologie d'une région; une reconnaissance fine et détaillée au niveau d'un chantier est la méthode utilisée pour les ouvrages d'art, immeubles, etc.

● Le géologue commence son étude par l'approche du sujet. Il réunit le maximum de documentation concernant sa zone d'étude en fonction de l'objectif qu'il doit atteindre. Ces documents peuvent être des cartes géologiques ou encore des études antérieures.

● Il a la possibilité également de consulter les archives des sondages de plus de dix mètres — ils sont à sa disposition, au moins pour la France, au Bureau de recherches géologiques et minières — et de se procurer des renseignements complémentaires, auprès des pétroliers, par exemple.

● Dans un premier temps, le géologue reconnaîtra les carrières, les tranchées, les puits qui lui permettront de se faire une idée de la structure géologique, de la nature lithologique, de l'épaisseur des couches et de leur constitution, et de trouver des indices précieux pour comprendre les lois de répartition spatiale des affleurements. Il sera amené à faire des relevés topographiques sur le terrain, et de rechercher tous les indices physiques,

Un navire-foreur de 15 000 t, le Pélican, est doté d'un système de positionnement dynamique qui lui permet de se maintenir sans ancrage au-dessus du lieu de forage ; des émetteurs d'ultra-sons envoient des ondes que des récepteurs, disposés au fond de l'eau, réfléchissent vers le navire ; si le temps mis par les ondes à revenir n'est pas normal, c'est-à-dire si le navire s'écarte de la verticale du puits, un ordinateur commande aussitôt son redressement.

chimiques ou géologiques susceptibles d'orienter ses recherches. Il déterminera ainsi des « points d'accrochage » méritant d'être étudiés par sondage.

● En effet, la méthode la plus classique de prospection est le sondage et, suivant la nature des terrains traversés, on met en place un soutènement et l'on procède parfois à un tubage.

● L'outil de forage est placé à l'extrémité d'un train de tiges vissées les unes à la suite des autres à mesure que le sondage progresse. Pour remonter l'outil, on dispose d'un derrick d'une hauteur variable suivant les cas; il est constitué d'une charpente métallique équipée d'un engin de levage : treuil ou palan. Le mouvement communiqué par les tiges à l'outil peut être un mouvement alternatif de translation que l'on appelle battage, ou un mouvement de rotation.

● L'outil utilisé dans un sondage par battage est un trépan surmonté d'une masse vissée pour favoriser l'enfoncement. Le battage peut se faire à sec ou avec injection d'eau ou de boues; dans le premier cas il est nécessaire de curer, alors que dans l'autre cas la boue remonte à la surface les débris de roches.

● Si l'outil par contre est arrimé avec un mouvement de rotation, il faut un dispositif appelé table de rotation, qui communique ce mouvement au train de tiges, depuis la surface. Une technique plus moderne consiste à placer le moteur non plus à la surface, mais juste en dessous de l'outil (turbine actionnée par de la boue injectée).

● On doit changer l'outil en fonction des observations que l'on veut faire. Si l'on ne veut que forer, on utilise des couronnes à grenailles, ou des couronnes à fissures de carbure de tungstène, ou encore des couronnes diamantées pour les roches très dures. Dans ce cas, les roches sont broyées et les débris sont évacués par les boues.

● Pour pouvoir observer les couches traversées pendant le sondage, on procède de deux manières : soit par carottage continu ou par carottage intermittent. Dans les deux cas, on utilise un outil spécial — on l'appelle carottier — que l'on fixe au train de tige. Il est composé par une couronne laquelle dégage le terrain, tranche une carotte qui s'enfonce dans un tube évidé surmontant la couronne; c'est le tube carottier. Lorsqu'on procède à un forage avec carottier il faut remonter le train de tiges lorsque le tube est rempli.

● Ces forages peuvent être plus ou moins profonds. Plus ils sont profonds, plus ils nécessitent un équipement lourd et plus ils sont coûteux. Aussi est-il impératif de ne pas les multiplier sans raison.

● La géophysique avec ses méthodes et ses techniques vient souvent apporter ses services au géologue. La prospection géophysique va permettre de lever des indéterminations ou mettre en évidence des phénomènes indiscernables par la méthode classique.

● Les principales mesures de géophysique utilisent des paramètres liés à la nature des matériaux : résistivité électrique, vitesse du son, densité, susceptibilité magnétique, etc., qui s'ajoutent aux qualités que le géologue est habitué à associer aux différents types de roches : couleur, cassure, grain, dureté, altération, etc.

● Les deux méthodes essentielles dans les études à profondeur faible ou moyenne, reposent sur la mesure de la résistivité électrique ou sur celle de la vitesse de propagation d'un ébranlement sonore.

● La prospection électrique est fondée sur le principe suivant : on injecte un courant dans le sol au moyen d'électrodes, le courant ne passe que par l'intermédiaire de l'eau qui imprègne les pores et les fissures, et la résistivité de l'eau dépend des ions qu'elle tient en solution : la résistivité d'une roche est donc fonction de la porosité et de son pouvoir électrolytique.

● L'appareillage de mesure est composé d'un générateur de courant continu, d'électrodes d'envoi et d'électrodes de mesure de potentiel, qui sont reliés directement à un résistivimètre. On a pu établir des chiffres approximatifs pour la résistivité des principaux matériaux : on note par exemple

Le « Drillship », navire de forage mouillant dans le golfe du Lion. Au-delà de 200 à 300 m de profondeur, seul un navire-foreur peut extraire des fonds marins, dans les meilleures conditions, le précieux or noir.

que la résistivité des argiles est de 1 à 10 ohms-mètre alors que celle des granites peut aller de 300 à 15 000 ohms-mètre.

- On peut utiliser le dispositif général de deux façons, soit en carottage électrique, soit en continu. Dans le premier cas on maintient les électrodes fixes et on met en évidence la superposition de différents niveaux, ce qui permet ponctuellement de remplacer un sondage traditionnel.
- Mais lorsque les niveaux sont perturbés ou fissurés, la réponse n'est plus possible et on procède alors à des mesures en ligne de la résistivité du sol, ce qui permet de dresser des cartes de résistivité où les anomalies peuvent être significatives.
- Il ne faut cependant pas trop espérer de ces mesures de résistivité dont l'interprétation est souvent délicate et qui doivent être confrontées à la réalité (à un sondage traditionnel par exemple).
- La sismique réfractive est également une méthode de prospection géophysique. Elle est fondée sur l'étude de la durée du parcours d'un ébranlement sonore, dont les ondes se réfractent sur les différentes couches de terrain. L'instrumentation consiste en un dispositif élémentaire, composé d'une source sonore (explosion), d'un récepteur sonore, ou géophone, placé à une distance déterminée et d'un chronographe enregistrant les ondes en fonction du temps.
- La charge d'explosifs est souvent placée dans un forage plus ou moins profond pour réduire les dégâts de surface et augmenter la proportion d'énergie fournie au sol. Il arrive fréquemment que l'on remplace l'explosif par un marteau et une enclume pour des investigations peu profondes.
- Dans cette méthode, l'interprétation des diagrammes fournis par l'enregistreur n'est pas toujours évidente. Elle permet cependant de préciser la profondeur de la discontinuité entre deux terrains différents et leur nature approximative.
- La méthode sismique la plus employée actuellement par les pétroliers qui ont besoin de réponse à des profondeurs considérables est la réflexion sismique. Cette méthode est voisine de la précédente, mais la réfraction est remplacée par la réflexion. Les ondes enregistrées sont réfléchies sur des « miroirs » (qui sont des couches géologiques plus ou moins déterminées). Ceci permet de trouver des structures inclinées ou plissées, même faiblement, mettant en évidence, quand ils existent, des pièges pour le pétrole, par exemple.
- Les méthodes sismiques peuvent être utilisées en mer ou sur un lac presque plus facilement que sur terre, car il suffit de faire exploser les charges simplement immergées. Il est également possible d'utiliser les ébranlements fournis par les séismes enregistrés par les sismographes pour mettre en évidence des structures cachées ou mal connues en différents points du globe.
- La géophysique offre également d'autres types de prospection : la prospection magnétique qui peut donner des résultats intéressants dans certains cas : par exemple lorsqu'il existe un gisement de minerai de fer. Au niveau de ce gisement il se crée d'énormes perturbations du champ magnétique, perceptibles déjà avec une simple boussole. La prospection se fait d'une manière simple, en notant la perturbation à un endroit par rapport à la composante verticale du champ magnétique terrestre.
- La mise au point des magnétomètres aéroportés, qui peuvent mesurer les anomalies par rapport au champ total et non plus les composants verticaux, a considérablement élargi le domaine de la prospection magnétique.
- La gravimétrie est une méthode de reconnaissance ponctuelle. Les gravimètres permettent de mesurer les variations de l'intensité de la pesanteur à différents points et de mettre en évidence les anomalies traduisant les irrégularités de la densité des formations géologiques.
- Les courant telluriques permettent également l'étude de la structure d'ensemble des bassins. Cette méthode est proche de la prospection électrique mais ici, la

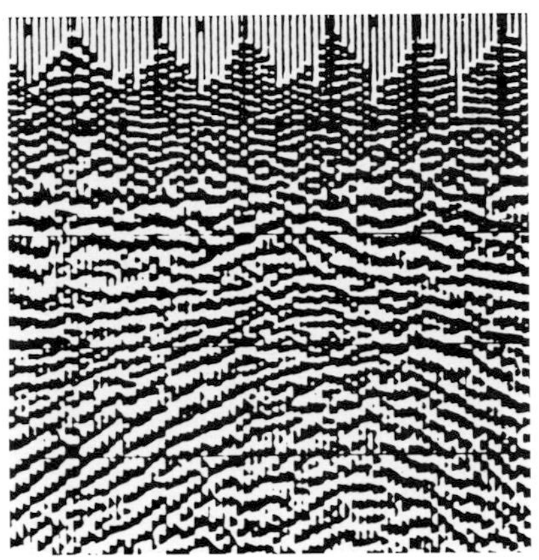

Prospection sismique (à gauche) au Sahara : les effets d'un mini-tremblement de terre provoqué par l'explosion d'une charge de dynamite sont enregistrés sur un sismographe.

Le « Flexotir » (à droite), procédé de sismique en mer, fonctionne à 12 m de profondeur et utilise de faibles charges d'explosifs (50 g) dans une sphère percée de trous pour sauvegarder la faune marine.

Une « carotte » (à gauche) imprégnée de pétrole : cet échantillon rocheux de forme cylindrique destiné à l'analyse, est prélevé dans le puits par un outil en forme de couronne, le carottier.

Courbe sismique (à droite) où l'on distingue nettement le dôme d'un anticlinal.

Couramment pratiqué aux États-Unis, le protectionnisme administratif consiste à imposer une réglementation très sévère en matière de contrôle sanitaire, par exemple, de façon à interdire ou du moins à gêner les importations étrangères.

source de courant utilisée est naturelle. Ces courants, d'origine cosmique, circulent sur des grandes étendues mais ils varient en direction et en intensité suivant les lieux, ce qui pose des problèmes d'adaptation et de correction des résultats.

● Nous citerons également l'électromagnétisme, très utilisé pour la prospection des gisements métallifères. Cette méthode est fondée sur le phénomène d'induction, car les gisements métallifères se comportent comme des conducteurs, alors que les terrains encaissants sont des isolants.

● On peut utiliser la polarisation spontanée de certains gisements métalliques comme les sulfures car l'oxydation leur donne un comportement de piles; il suffira alors de capter le courant.

● Les méthodes indirectes de prospection fournies par la géophysique sont des outils précieux pour le géologue, qui doit les utiliser à bon escient en fonction de son objectif. Cependant il faut, avant de mettre en œuvre tant de techniques classiques, comme le sondage, ou les techniques indirectes telles que le carottage électrique par exemple, bien préjuger de l'utilité de telles actions dans l'étude demandée. Ce serait un non-sens de multiplier sur un même chantier toutes les techniques énumérées alors qu'une ou deux apporteraient des réponses satisfaisantes. Il est bien évident que plus les problèmes sont complexes, comme la recherche du pétrole de nos jours, moins il ne faudra se priver d'informations, quitte à multiplier les méthodes de prospection. ■

PROTECTIONNISME

● On appelle protectionnisme l'opposition, par un régime douanier, à la libre entrée, dans un pays, des marchandises étrangères. Sont généralement mis en œuvre dans ce but : des droits de douanes élevés et des contingents quantitatifs fixés pour chaque sorte de marchandise. Ces moyens peuvent être employés ensemble ou séparément. Le respect des contingents éventuels est obtenu par l'instauration de « licences », que les importateurs doivent demander à l'administration douanière.

● L'existence de droits de douane modérés n'est pas considérée comme une mesure protectionniste, mais fiscale. Il s'agit seulement de prélever un impôt, comparable aux impôts indirects, qui frappent les marchandises produites et consommées à l'intérieur des frontières nationales. Ce n'est qu'au-delà d'un certain seuil, qu'il est possible de déceler une politique protectionniste. Le calcul des droits de douane pondérés moyens, effectué pour chaque pays ou union douanière (États-Unis, pays du Marché commun, etc.), permet de savoir si un pays est plus ou moins protectionniste que les autres.

● Quelle que soit la politique adoptée, libre échange ou protectionnisme, il convient de la justifier. On connaît les arguments en faveur de la première : le libre échange permet de se procurer là où elles sont les marchandises les moins chères. La division internationale du travail, qui en résulte, est la meilleure garantie des consommateurs. A l'inverse, que répondent les protectionnistes?

● Il faut d'abord souligner qu'ils ne sont pas ennemis du commerce international, qu'ils ne nient pas les avantages de l'importation. Mais, disent-ils, si des secteurs entiers de production disparaissent de la nation sous l'effet de la concurrence internationale, c'est l'indépendance qui, avec eux, se perd. La dépendance énergétique de l'Europe, par exemple, n'est-elle pas dangereuse?

● Leur second argument est lié à la défense du travail national. L'importation fait appel aux travailleurs des autres nations, elle réduit au chômage les ouvriers des entreprises, mises en faillite par la concurrence étrangère. Certes, il doit être possible de les reclasser dans les entreprises dynamiques, celles dont la productivité est suffisante pour exporter ou se maintenir sur le marché national, mais les reconversions sont coûteuses et pénibles pour les travailleurs.

● Le troisième argument, enfin, milite en faveur d'un protectionnisme temporaire. C'est, notamment, celui qu'utilisent les pays désireux de créer ou de renforcer un secteur de production. Aux premiers stades de leur développement, ces industries ne pourraient pas supporter la concurrence; il convient donc de les protéger, en attendant qu'elles aient atteint un niveau de production, de compétitivité suffisant.

● Ainsi voit-on les pays en

Pièces de viande provenant de Grande-Bretagne et jetées sur le sol par des éboueurs en colère à Rochefort (Charente-Maritime). En France, le protectionnisme est très traditionnel dans le secteur agricole car les cours mondiaux de la plupart des produits étrangers sont sensiblement inférieurs aux cours français.

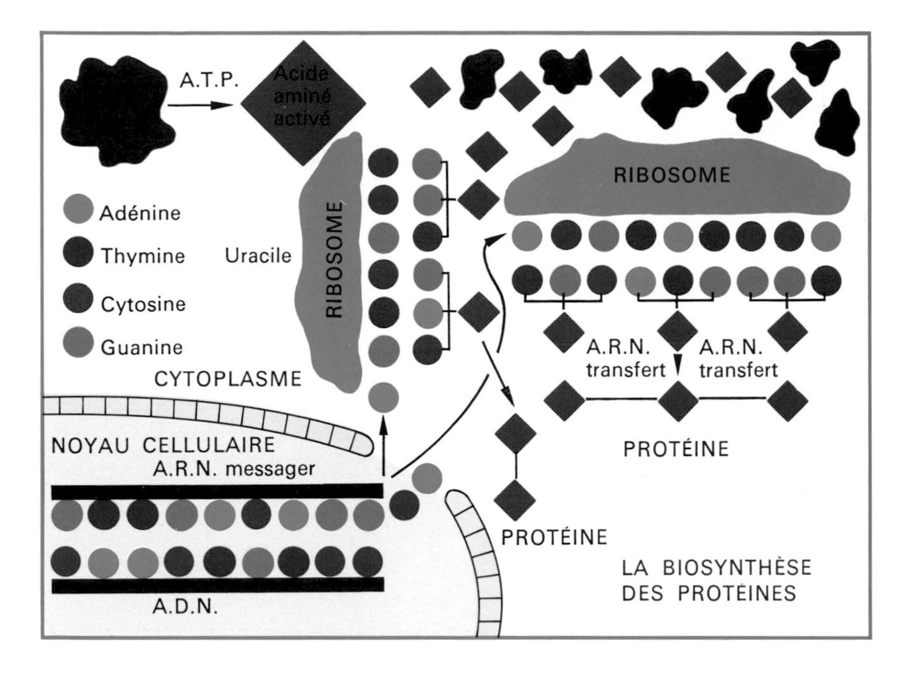

voie de développement, dans le but de créer une industrie de substitution, taxer lourdement ou interdire certaines importations. Ils y sont incités d'autant plus qu'il existe là un chômage massif, et qu'ils ont des difficultés à trouver des débouchés pour leur production. D'où un manque de devises étrangères, ces devises si nécessaires au paiement des importations. ■

PROTÉINES

● Les protéines sont des substances chimiques très importantes puisque, d'une part, elles constituent l'essentiel de la masse de la matière vivante et que, d'autre part, elles sont indispensables à son fonctionnement. Elles sont composées de carbone, hydrogène, oxygène, azote et soufre. Leurs molécules sont très grosses. Ce sont, dit-on, des macromolécules qui sont formées par l'union de petites molécules : les acides aminés. Ceux-ci possèdent la propriété de se lier entre eux suivant le mécanisme de la liaison peptidique.

● Vingt acides aminés différents participent à la constitution des molécules protéiques. L'hydrolyse, qui rompt les liaisons peptidiques, permet de les séparer. Cette hydrolyse est habituellement faite à chaud, en milieu acide, mais on peut également opérer à température plus faible, en utilisant des enzymes spécifiques.

● Pour reconnaître les différents acides aminés d'une protéine, il faut les isoler, et l'on utilise pour cela la chromatographie.

● Une protéine peut contenir de 50 à plus de 1 000 acides aminés. Les dimensions de ces macromolécules varient entre 0,001 et 0,1 μ. Lorsqu'elles sont très pures, les protéines peuvent être obtenues à l'état cristallisé : ce résultat révèle que la forme de chaque molécule est parfaitement définie et provient d'un arrangement particulier des molécules d'acides aminés dans la molécule de protéine.

● Les acides aminés, unis par les liaisons peptidiques, se suivent dans un ordre spécifique : cette « séquence » constitue la structure primaire de chaque protéine. La première séquence protéique connue, celle de l'insuline, fut découverte en 1944 par le biochimiste américain Sanger; il reçut le prix Nobel pour cette recherche qui avait duré dix ans alors que l'insuline ne compte que 51 acides aminés. Une dizaine de protéines ont actuellement été « déchiffrées » et parmi elles, l'hémoglobine, qui se compose de 574 acides aminés, répartis en 4 chaînes.

● Les chaînes d'acides aminés ne restent pas rectilignes mais prennent une forme particulière, grâce à des liaisons variées entre atomes de la chaîne. Il y a d'abord, entre les groupements C = O et N — H des liaisons peptidiques successives, qui maintiennent la molécule dans une forme hélicoïdale. C'est la structure dite secondaire de la protéine. Puis cette molécule hélicoïdale se pelotonne, en prenant une forme globulaire, des liaisons complexes s'établissant entre les radicaux des acides aminés. Dans certaines protéines, plusieurs de ces pelotons peuvent se réunir. Ces protéines ont, dit-on, une structure quaternaire.

● Ces structures successives sont uniquement fonction de la séquence des acides aminés. Toutes les molécules d'une même protéine adoptent donc une forme identique. On comprend que certaines protéines puissent apparaître sous un aspect qui rappelle l'état cristallin.

● Beaucoup de protéines sont constituées comme il a été dit ci-dessus. Ce sont les protéines simples qui, par hydrolyse, fournissent uniquement des acides aminés. Elles jouent plusieurs rôles dans la cellule : celles qui constituent le cytoplasme sont des protéines de structure. D'autres sont les enzymes, qui catalysent les réactions chimiques du métabolisme. Il est souvent difficile de préciser exactement le rôle d'une protéine. Certaines protéines, surtout dans la cellule végétale, sont accumulées sous forme de réserves.

● Elles forment, dans les graines par exemple, des inclusions cellulaires caractéristiques, les grains d'aleurone. La zéine du maïs, le gluten du blé, la légumine du haricot appartiennent à cette catégorie. Au moment de la germination des graines, elles seront utilisées, d'une part, pour fournir de l'énergie, (1 g de protides fournit l'équivalent énergétique de 4,1 grandes calories, comme les glucides) et, d'autre part, pour fournir les acides aminés nécessaires à la synthèse des premières protéines de structure.

● D'autres protéines fournissent, à l'hydrolyse, outre des

L'activité essentielle de chaque cellule consiste à fabriquer des protéines, assemblages d'acides aminés selon son programme héréditaire, défini par l'A.D.N. Ne sortant pas du noyau cellulaire, celui-ci transmet l'information à un A.R.N. messager qui se fixe sur les ribosomes cellulaires, et y induit un A.R.N. transfert. Les matériaux des protéines, les acides aminés, déjà activés par l'A.T.P., sont reliés à l'A.R.N. transfert et ordonnés en protéines selon le code génétique : la séquence de trois des nucléotides de l'A.D.N. (adénine, thymine, cytosine, guanine) code pour un acide aminé.

Le temple d'Anduze (Gard), un des principaux centres du protestantisme cévenol. Outre la lecture de la Bible et la prédication, les moments privilégiés de l'office sont : la lecture du Décalogue, la confession des péchés, les promesses de grâce, la profession de foi, l'oraison dominicale, et enfin l'eucharistie, distribuée sous les deux espèces.

En France, les plus forts pourcentages de protestants sont relevés dans l'Est (Bas-Rhin, Haut-Rhin, Moselle, Doubs), au sud du Massif central (Lozère, Drôme, Ardèche, Gard), et dans le département des Deux-Sèvres.

acides aminés, certaines autres substances : ce sont les protéines conjuguées, ou hétéroprotéines. La caséine du lait contient de l'acide phosphorique; l'hémoglobine contient l'hème, molécule déjà complexe, pouvant fixer de l'oxygène; le collagène du tissu conjonctif contient des molécules d'oses.

● La chimie des protéines est donc fort complexe, et leurs rôles dans la cellule apparaissent aussi importants que variés. ■

PROTESTANTISME

● Le protestantisme est, avec le catholicisme et l'orthodoxie, l'une des trois grandes confessions chrétiennes, puisqu'il rassemble 260 millions de fidèles. A la différence de l'orthodoxie, née pacifiquement de l'écart croissant entre le monde occidental de Rome et la civilisation byzantine, le protestantisme est issu d'une forme violente de contestation, la Réforme. Liée aux profondes mutations de la fin du Moyen Age, au passage d'une civilisation orale à une civilisation écrite avec le développement de l'imprimerie, au déclin de la féodalité et à l'affirmation du pouvoir monarchique, à l'essor enfin du capitalisme commercial avec une bourgeoisie active. Ces structures nouvelles dans lesquelles s'enracine le protestantisme en expliquent encore aujourd'hui les aspects fondamentaux.

● La doctrine protestante a d'abord été codifiée par Luther dans ses 95 thèses de Wittenberg, affichées en 1517, dans *la Papauté de Rome* et dans *la Liberté du chrétien*. L'application fut surtout l'œuvre d'un disciple brillant de Luther, Mélanchthon, esprit souple qui s'efforça de trouver une formule de foi acceptable par les sujets des princes protestants et par ceux de l'Empereur. La messe se déroulait suivant la doctrine luthérienne, les prêtres avaient le droit de se marier, mais certaines coutumes romaines, comme l'emploi du latin dans le culte, le jeûne ou les images n'étaient pas formellement prohibées.

● Parmi les fondateurs du protestantisme, il faut aussi mentionner le réformateur de Zurich, Zwingli, plus humaniste et rationaliste que Luther, dont la doctrine était moins pessimiste que celle de son maître en ce qui concernait le salut. Le troisième grand de la Réforme est, bien sûr, Calvin, dont l'ouvrage fondamental, *l'Institution de la religion chrétienne* (1536), défend la prédestination : le salut de l'homme n'est pas déterminé par ses actions mais par l'élection divine.

● Le protestantisme diffère du catholicisme sur plusieurs points essentiels : l'Écriture sainte, selon lui, a une autorité souveraine dans le domaine de la foi. Cette Écriture est la parole vivante de Dieu, mais elle ne peut être pleinement comprise et reçue que grâce à la foi délivrée par l'Esprit Saint.

● N'importe quel fidèle peut interpréter librement les Écritures (esprit de libre examen) à condition de les aborder avec amour. Puisque c'est la communauté des fidèles qui reçoit le message divin, la hiérarchie ecclésiastique détentrice d'une autorité doctrinale disparaît. Tous les baptisés participent au sacerdoce (sacerdoce universel) et les prêtres perdent tout pouvoir de droit divin. Dès lors, le célibat des prêtres et les vœux monastiques deviennent inutiles et disparaissent. (Luther lui-même s'est marié en 1525 avec une ancienne religieuse.)

● Seuls subsistent les sacrements institués par Jésus-Christ : le baptême, qui permet à l'individu de participer à la mort et à la résurrection du Seigneur; la cène, repas au cours duquel le Seigneur institua l'Eucharistie — les protestants considèrent que le Christ est présent, non réellement, mais spirituellement dans le pain et le vin.

● L'individu est justifié non par ses œuvres, mais par la foi qui fait percevoir l'œuvre du Christ. Pas besoin, donc, d'observer rigoureusement un certain nombre de rites; ce qui compte, c'est l'amour, fruit de la grâce. Les intermédiaires divins, la Vierge, les saints, n'ont plus de raison d'être, seul étant valable le culte rendu à Dieu.

● Comment ces divergences

peuvent-elles être mises en relation avec les structures nouvelles apparues au début de la Renaissance, qui conduisirent à deux traits fondamentaux de l'époque actuelle : le capitalisme et la toute-puissance de l'État ?

● On a beaucoup insisté sur le lien profond existant entre capitalisme et protestantisme. De fait, par la doctrine de la prédestination, il devient nécessaire de rechercher des signes visibles de l'élection divine; la réussite professionnelle, et donc sociale, en est pour beaucoup le signe le plus évident. Ce succès dépendant plus d'une volonté extérieure à l'individu que de l'attitude personnelle, il est possible d'user de toute son habileté pour parvenir à réaliser l'expression de la volonté divine. D'ailleurs, Calvin ne s'est pas opposé à la pratique du prêt à intérêt, sévèrement condamné par l'Église catholique qui y voyait un moyen de ruiner les pauvres gens contraints d'emprunter. Objectivement enfin, la spoliation des biens d'Église et la transformation des jours fériés en jours ouvrables ont puissamment contribué à l'essor d'une riche bourgeoisie commerçante et industrielle.

● Les liens du protestantisme avec l'évolution politique sont tout aussi nets. En une période où le pouvoir royal centralisateur et absolutiste se développait aux dépens de toutes les puissances indépendantes, des seigneurs locaux mais aussi des riches ecclésiastiques et en premier lieu du Pape, la lutte des protestants contre la papauté, et l'affirmation de la dépendance de l'Église par rapport au pouvoir temporel n'étaient pas pour déplaire à certains souverains, comme le roi d'Angleterre Henri VIII, qui en profita pour se proclamer chef suprême de l'Église anglicane (1534).

● Cette acceptation de l'absolutisme royal s'alliait en outre avec un conservatisme social affirmé. Luther s'opposa de toutes ses forces aux anabaptistes, qui se réclamaient de sa doctrine mais qui avaient des opinions égalitaires; Luther exhorta lui-même les princes à écraser sans pitié les paysans révoltés (1525). Au XIXe siècle encore, les pasteurs américains conviaient les Noirs à servir loyalement leurs maîtres blancs.

● Cette attitude sociale et politique explique la diversité des Églises issues de la Réforme en fonction de la situation locale, et un profond mouvement actuel de contestation.

● Trois ensembles d'Églises datent de la Réforme : les Églises luthériennes, puissantes en Allemagne, en Scandinavie et aux États-Unis, et qui comptent entre 70 et 80 millions de fidèles, rassemblés dans la Fédération luthérienne mondiale; les Églises réformées, ou presbytériennes, en Écosse, Suisse, Europe centrale et États-Unis, dont les 70 millions de membres sont regroupés dans l'Alliance réformée mondiale. Les assemblées générales de ces deux groupes ont lieu tous les 6 ou 7 ans (en 1970 à Évian pour la F.L.M.). Enfin les Églises anglicanes en Grande-Bretagne et aux États-Unis (la conférence de Lambeth a lieu tous les 10 ans).

● Il faut y ajouter divers groupes, comme les baptistes qui n'admettent que le baptême des adultes; les méthodistes, issus de l'anglicanisme mais qui insistent sur le sacerdoce universel; des mouvements d'évangélisation comme les quakers, ou l'Armée du salut. Il est donc préférable de parler de protestantismes, et même de nouveau protestantisme si l'on prend en considération l'ère nouvelle de recherche théologique et de contestation des formes.

● Le XXe siècle a connu de remarquables théologiens protestants, comme Oltramare, historien et grand commentateur de la Bible, Karl Barth (1886-1968), ou très

Après la révocation de l'édit de Nantes, les Camisards, protestants cévenols, en butte aux persécutions ordonnées par le pouvoir royal, organisaient des réunions clandestines dans la montagne. Ils tiraient leur nom du patois *camiso* (blouse paysanne) ou du mot *camisade* signifiant embuscade.

Un rassemblement d'Orangistes dans l'Ulster. Lors de la révolution anglaise (1688), on donna ce nom aux protestants qui soutinrent Guillaume d'Orange. Dans le nord de l'Irlande, les Orangistes, inquiets de voir leur supériorité menacée par l'indépendance de l'Irlande, obtinrent que 6 comtés soient rattachés à la Grande-Bretagne.

récemment Robinson, Ebeling ou Paul Ricœur, qui s'efforcent d'orienter leur religion dans un sens plus social, plus humain. Si l'organisation des Églises est rarement remise en cause et si le principe des élections et des assemblées (synodes de clercs et de laïcs élus, congrégations assurant l'autonomie des communautés locales) est généralement admis, il n'en va pas de même pour les modes d'action : contre le « fondamentalisme » américain, prônant l'austérité des mœurs et le racisme, très actif chez les pauvres et financé par les hommes d'affaires, les « modernistes » s'efforcent de participer à toutes les tâches sociales, et les révolutionnaires remettent en cause les structures mêmes de la société.

● C'est cette vitalité dans la contestation, ce regain d'intérêt pour la vie sociale, ce refus de jouer un rôle intégrateur et de soumission, qui peuvent sauver un protestantisme trop souvent tombé dans l'indifférence. Créateur de mouvements internationaux comme le scoutisme, tourné vers la jeunesse, il s'est aussi efforcé de comprendre la crise générale de la religion occidentale actuelle, et participe à la concertation avec Rome et les orthodoxes. ■

▸ *ANGLICANE, ÉGLISE / CALVIN / LUTHER / PRESBYTÉRIANISME / RÉFORME PROTESTANTE*

PROTOZOAIRES

● Les protozoaires sont des organismes à affinités animales, constitués d'une seule cellule à un noyau, exceptionnellement plusieurs. Ils forment un groupe hétérogène d'organismes de petite taille, les plus petits mesurent entre 1 et 30 microns, certains foraminifères une dizaine de mm, et quelques mycétozoaires près de 30 cm de diamètre.

● La distribution géographique des protozoaires est très vaste, ils sont communs dans les milieux écologiques les plus variés. On peut dire qu'ils peuvent vivre dans tous les milieux à condition qu'il y ait une pellicule d'eau indispensable au maintien de l'humidité de la membrane cellulaire. On les trouve donc dans l'eau de mer, à tous les niveaux, dans les eaux douces et saumâtres et la terre humide. Dans le sol et les mousses, ils rivalisent avec les nématodes par le nombre d'espèces et d'individus.

● Beaucoup vivent en parasites ou en symbiotes d'animaux pluricellulaires ou métazoaires. Il est très difficile d'établir une frontière nette entre les êtres unicellulaires animaux et végétaux. Le mode de nutrition est le critère habituellement utilisé : les êtres unicellulaires animaux sont hétérotrophes, alors que les protophytes sont autotrophes, c'est-à-dire capables de synthétiser les composés organiques à partir du gaz carbonique, grâce à l'énergie solaire et à la présence dans leur organisme de chloroplastes (photosynthèse). Il existe pourtant des flagellés chlorophylliens.

● De même, chez certaines espèces il est possible d'observer les deux modes de nutrition et tous les termes de passage entre les formes hétérotrophes et autotrophes. Il serait donc absurde de faire une distinction trop stricte entre monde animal et monde végétal. Les êtres unicellulaires végétaux (protophytes), consistent en certaines algues et champignons inférieurs. Les bactéries et les cyanophycées (algues bleues) constituent ce que l'on appelle les schizophytes, qui se caractérisent par le fait qu'ils n'ont pas de noyau défini.

● Bien que le polymorphisme des organismes unicellulaires soit limité, la forme de ceux-ci peut varier, de celle des amibes nues, chez lesquelles elle change constamment, à celle des flagellés à paroi cellulosique ou enveloppe minéralisée, des foraminifères, thécamoebiens et radiolaires munis d'une enveloppe calcaire ou siliceuse, où elle est constante. Les protozoaires vivent à l'état isolé ou en colonies, qui atteignent des dimensions visibles à l'œil nu, comme c'est le cas pour de nombreux flagellés et ciliés.

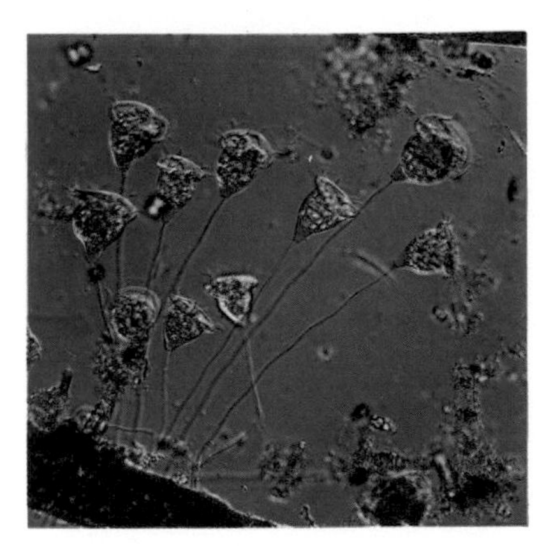

Groupe de vorticelles de la classe des ciliés (les plus évolués des protozoaires), vues au microscope (x 100). Le corps, en forme de clochette, est muni de cils uniquement dans la zone adorale ; il est soutenu par une tige qui peut se contracter et former une spirale.

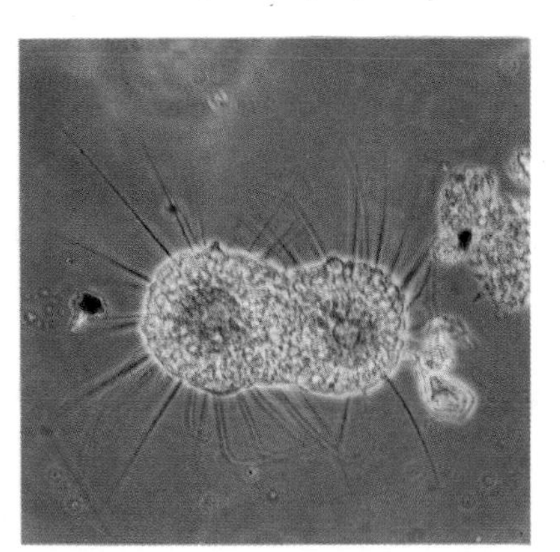

Un héliozaire en division (agrandi environ 200 fois). De la classe des rhizopodes, cet animalcule présente une forme parfaitement sphérique et de nombreux pseudopodes fins et pointus, disposés en rayons, qui lui ont valu son nom.

● Chez les protozoaires, aux structures caractéristiques d'une cellule vivante viennent s'ajouter les différenciations nécessaires aux fonctions biologiques d'un organisme complet. Le cytoplasme est limité par une membrane cytoplasmique complétée par une membrane, squelettique chez certaines espèces, siliceuse ou chitineuse chez les thécamoebiens, cellulosique chez certains flagellés ou protéique chez les grégarines.

● Le cytoplasme, plus ou moins visqueux, élastique et contractile, renferme plusieurs types d'inclusions telles que le chondriome, l'appareil de Golgi, des vacuoles, le noyau et le centrosome, au voisinage et parfois au contact du noyau. Les vacuoles sont de différents types : les unes sont contractiles ou pulsatiles et jouent un rôle régulateur (de la pression osmotique) et excréteur, d'autres sont digestives et se forment autour des proies ingérées, d'autres encore sont analogues à celles que l'on trouve dans les cellules végétales.

● Le centrosome joue un rôle important chez les protozoaires en élaborant les organites moteurs (flagelles et cils) et les formations squelettiques (fibres ou baguettes de soutien). Le noyau, dont la structure varie suivant les groupes, renferme les chromosomes et joue un rôle important dans les phénomènes de reproduction.

● La reproduction des protozoaires se fait par multiplication asexuée ou par voie sexuée. La multiplication asexuée se présente sous divers aspects : le cas le plus simple est la division binaire, au cours de laquelle il y a scission en deux de l'individu, soit transversale (ciliés) soit longitudinale (flagellés), après division du noyau (mitose). Dans d'autres cas, le noyau se divise plusieurs fois sans que la cellule elle-même se divise et ce n'est qu'à la fin des divisions nucléaires que le protozoaire se scinde en autant d'éléments qu'il y a de noyaux. Ce phénomène est appelé schizogonie (sporozoaires).

● Chez les infusoires (ciliés) on observe, sur la cellule-mère, un ou plusieurs bourgeonnements qui se détachent et forment un nouvel individu. Lorsque les conditions du milieu extérieur sont défavorables, les protozoaires s'enkystent. La cellule se déshydrate, sécrète une coque résistante, rejette les enclaves et accumule des réserves. C'est sous cette forme que se fait la dissémination de certains protozoaires parasites.

● La reproduction sexuée, ou gamogonie, n'existe pas dans tous les groupes. Très souvent elle alterne avec la reproduction asexuée, plus ou moins régulièrement. Elle se caractérise par l'union de deux gamètes, semblables ou différents morphologiquement et physiologiquement, qui fusionnent pour former une cellule, appelée œuf ou zygote, qui donnera un nouvel organisme.

● On subdivise actuellement les protozoaires en 5 groupes, ou sous-embranchements, qui sont : les rhizoflagellés, les ciliés, les sporozoaires, les cnidosporidies et les actinopodes.

● Les flagellés sont des unicellulaires, pourvus de flagelles qui leur permettent de se déplacer. Ils sont libres, parasites ou symbiotes. Un grand nombre de représentants de ce groupe possèdent des chloroplastes ainsi que des affinités plutôt végétales. Leur mode de nutrition est autotrophe, mais pas dans tous les cas. Ce sont les phytoflagellés, parmi lesquels nous citerons les euglènes, formes libres des eaux stagnantes à un flagelle, les xantho monadines, à deux flagelles inégaux, les chrysomonadines, flagellées ou amoeboïdes, dont certaines formes sont dépourvues de pigments, et les silicoflagellés à un flagelle et squelette interne siliceux.

● Les zooflagellés sont dépourvus de pigments assimilateurs, leur membrane cellulaire est mince et ils se nourrissent par phagotrophie et osmose. Les trypanosomides sont tous parasites et pourvus d'un seul flagelle. Ils renferment, entre autres, les genres *Leptomonas*, très commun dans le tube digestif des mouches, *Leishmania*, responsable d'une maladie appelée kala-azar ou maladie noire, et *Trypanosoma*, dont l'habitat le plus fréquent est le sang des vertébrés.

● *Trypanosoma gambiense* est l'agent de la maladie du sommeil, exclusivement africaine. C'est un zooflagellé (15-30 microns de long) pourvu d'un seul flagelle, très long et uni à la paroi cellulaire par une membrane ondulante qui longe un côté de la cellule. Ce protozoaire est transmis à l'homme par la piqûre de la mouche tsé-tsé *(Glossina palpalis)*.

● Les bodonides, libres ou parasites, sont pourvus de deux flagelles, dont l'un est dirigé vers l'avant et l'autre vers l'arrière. Ils mesurent entre 6 et 8 microns. Le genre *Bodo* est libre alors que *Proteromonas* et *Cryptobia* sont parasites. *Proteromonas* vit dans le rectum de salamandres et de lézards, *Cryptobia* a des hôtes variés, y compris l'homme. Ceux qui parasitent les termites sont de grande taille. Les trychonymphines se nourrissent de bois et vivent en symbiose avec les termites ou les blattes. C'est grâce à ces flagellés que les termites digèrent le bois.

● Les opalines sont des flagellés parasites de l'intestin des vertébrés à sang froid. Les flagelles, disposés en lignes longitudinales, revêtent toute la surface de la cellule. Longues de 100 à 1 300 microns suivant les espèces, les opa-

Les ciliés présentent deux particularités : ils sont munis de cils ; ils possèdent 2 noyaux : le macronucleus, qui se divise par amitose, et le micronucleus, qui se divise par mitose.

***Acanthometra*, ordre des radiolaires, classe des rhizopodes. Le cytoplasme est divisé en deux parties : l'une contenue dans une capsule centrale, l'autre extracapsulaire. Le squelette siliceux des radiolaires est d'une grande importance sur le plan géologique puisque leur superposition a fini par former des couches rocheuses.**

lines sont anaérobies et osmotrophes.

● Les rhizopodes présentent la particularité d'émettre des pseudopodes qui peuvent servir à la locomotion et à la capture des proies. Leur corps est limité par une membrane mince et se déforme facilement. On classe dans ce groupe les amibes dont certaines, comme *Chaos diffluens* (amibe protée), sont toujours à l'état amibien. Celle-ci vit dans la vase ou la terre humide, mesure jusqu'à 500 microns et se nourrit de petits organismes par phagocytose. *Entamoeba histolytica* vit dans le gros intestin de l'homme, chez qui elle provoque la dysenterie dite amibienne. *Tetramitus rostratus* peut se présenter sous forme amiboïde ou flagellée.

● Les thécamoebiens sont des formes libres, logées dans une coque, à laquelle ils n'adhèrent qu'en partie. Ils sont fréquents dans les tourbières. Les foraminifères sont surtout marins. Ils sont pourvus d'un squelette, ou test calcaire interne, percé d'un ou de plusieurs orifices d'où sortent des pseudopodes, longs, grêles et parfois anastomosés. Certaines formes ont un test chitineux externe sur lequel peuvent se fixer du sable ou des débris de toutes sortes. Il existe de nombreuses formes de foraminifères aussi bien actuelles que fossiles, parmi lesquelles nous citerons les globigérines, abondants au Crétacé, au Tertiaire et actuellement, les fusulines du Permo-Carbonifère et les nummulites, qui ont connu leur apogée à l'Éocène.

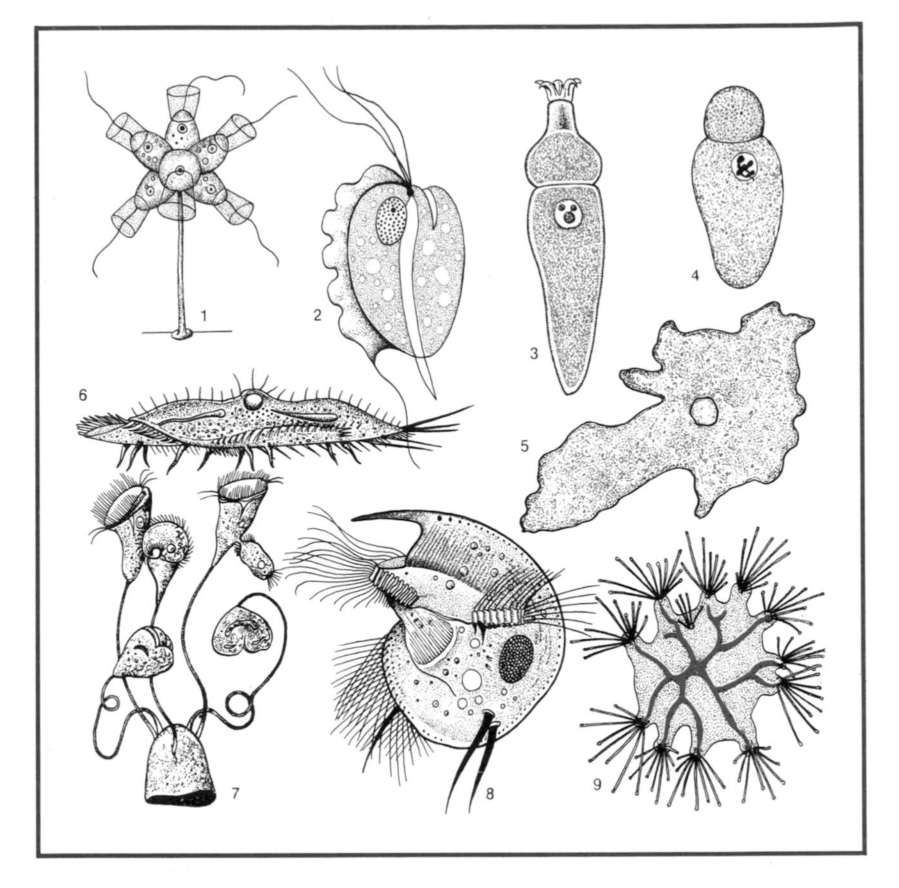

Représentation schématique de quelques protozoaires. De la classe des flagellés : 1) *Codonosiga ;* 2) *Trichomonas.* De celle des sporozoaires : 3) *Corycella ;* 4) *Gregarina.* De celle des rhizopodes : 5) *Amoeba.* De celle des ciliés : 6) *Stylonychia ;* 7) *Vorticella ;* 8) *Discomorpha ;* 9) *Lernaeophyra.*

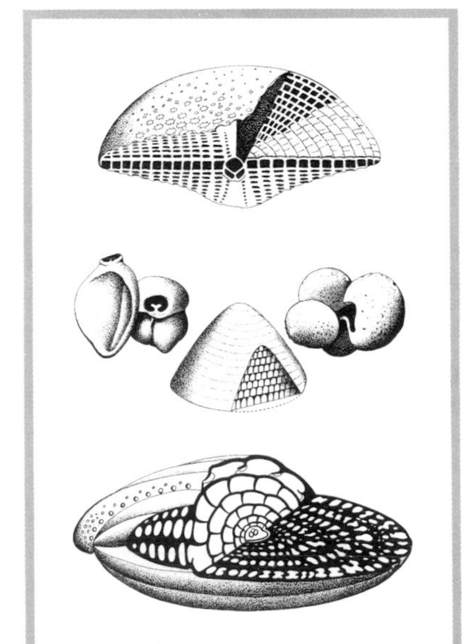

Quelques foraminifères fossiles dont la section montre une structure interne très complexe. Leurs enveloppes calcaires ont formé de vastes étendues rocheuses sous-marines qu'on ne trouve jamais à plus de 5 000 mètres de profondeur, l'eau dissolvant l'enveloppe lors de sa chute.

● Les actinopodes renferment les radiolaires, les héliozoaires et les acanthaires. Ces protozoaires sont pourvus de pseudopodes auxquels s'associent des formations rigides ou axopodes. La plupart des radiolaires possèdent un squelette siliceux sécrété par le cytoplasme. Leur corps est sphérique et recouvert de spicules perpendiculaires à sa surface, souvent jointifs. Ces protozoaires pélagiques flottent dans la mer. Les héliozoaires eux, vivent en eau douce. Leurs axopodes rayonnent autour de leur corps sphérique. La plupart d'entre eux sont libres, quelques-uns vivent fixés.

● Les acanthaires sont marins et planctoniques. Ils se caractérisent par leur squelette formé de 10 ou 20 spicules radiaires, qui partent tous d'un point central du corps et sont disposés suivant une loi géométrique (de J. Müller). Ces organismes flottent dans la mer et, tout comme les héliozoaires, dériveraient des chrysomonadines.

● Les ciliés, comme leur nom l'indique, sont pourvus de cils vibratiles utilisés lors des déplacements et pour la nutrition. La plupart sont libres et très communs dans les eaux stagnantes ou les infusions de végétaux abandonnés à l'air libre. Protozoaires de grande taille, ils se caractérisent par la présence d'un appareil nucléaire comprenant un macronucleus, qui intervient dans la nutrition et l'assimilation, et un micronucleus à fonction sexuelle.

● Le type en est la paramécie, protozoaire ovoïde et allongé, mesurant entre 150 et 300 microns de longueur. Elle se nourrit de bactéries, de flagellés et de débris végétaux par phagocytose. Quand les conditions deviennent défavorables, la paramécie, comme la plupart des ciliés, s'enkyste.

● La classification des ciliés est fondée sur la disposition et la longueur des cils vibratiles. Les holotriches ont une ciliature disposée uniformément, sans frange adorale (paramécie, coleps, colpoda, uronema...). Les spirotriches ont une frange adorale sénestre (stentor, ophryoscolex, stylonychia) alors que chez les péritriches, la ciliature est réduite à la frange adorale spirale dextre (vorticelle).

● Les sporozoaires sont parasites et ne présentent, à l'état adulte, ni flagelle, ni pseudopodes, ni cils vibratiles. Dépourvus de vacuoles digestives et contractiles, ils se nourrissent aux dépens de l'hôte par absorption de substances nutritives. Les sporozoaires peuvent être à l'origine de maladies graves chez l'hôte. Les grégarines *(Stylocephalus longicollis)* sont de grande taille et parasitent surtout des arthropodes, des vers et des mollusques. Les coccidies, plus petites, parasitent des invertébrés et des vertébrés. *Eimeria stiedae* vit dans les canaux biliaires du lapin. Certaines espèces nécessitent deux hôtes d'espèces différentes pour accomplir leur cycle évolutif.

● Les cnidosporidies parasitent les poissons et les invertébrés. Ils se distinguent nettement des autres protozoaires par le fait qu'ils sont formés d'un grand plasmode, dans lequel il y a de nombreux noyaux somatiques périssables et des cellules amiboïdes germinales. Il semble donc que ces organismes soient « à cheval » entre les protozoaires et les métazoaires, desquels ils se distinguent nettement par leur mode particulier de reproduction sexuée. *Myxobolus pfeifferi* vit dans les muscles des cyprinidés, poissons d'eau douce. *Nosema* est une microsporidie qui parasite les tissus et les œufs du bombyx du mûrier. D'autres cnidosporidies, telles que l'actinomyxidie du tubifex, parasitent les vers d'eau douce. ■

▸ *CELLULE / COLONIES ANIMALES / PARAMÉCIE / PARASITISME / REPRODUCTION*

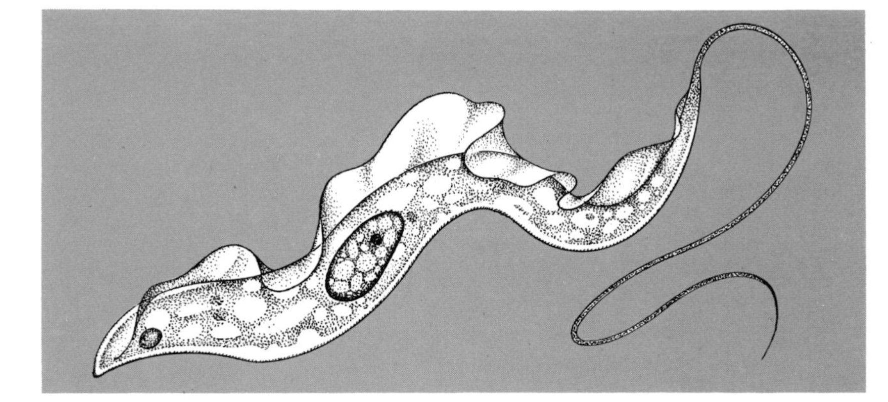

Trypanosoma gambiense, **agent de la maladie du sommeil. Pourvu d'un seul flagelle, il mesure de 13 à 33 microns de long. Il se développe dans l'intestin de la mouche tsé-tsé, puis gagne ses glandes salivaires d'où il passe dans le sang de l'homme par piqûre.**

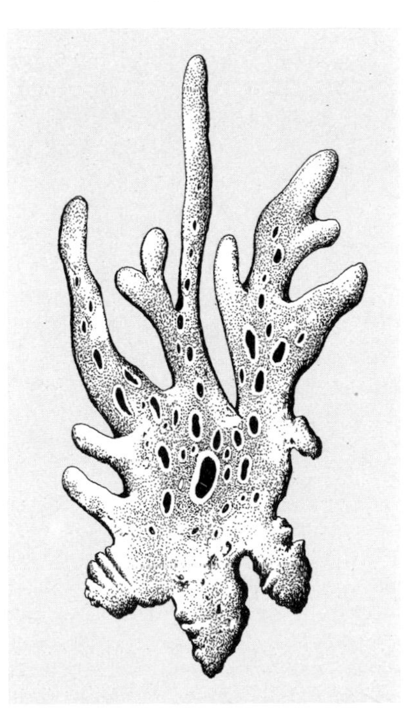

De la classe des rhizopodes (ordre des amoebiens), l'amibe est un animal unicellulaire dont le corps nu est muni de courts pseudopodes (étymologiquement « faux pieds ») qui changent continuellement de forme et de taille.

PROUDHON, Pierre Joseph

● Fils d'un brasseur de Besançon et d'une cuisinière, Pierre-Joseph Proudhon (1809-1865), malgré ses origines modestes, n'eut jamais une profonde influence sur les milieux ouvriers. Défenseur d'une morale sévère et traditionnelle, il prônera toute sa vie un socialisme utopique, qui ne trouvera d'écho que chez des anarchistes russes tels que Bakounine.

● Proudhon n'a pas 17 ans lorsqu'il interrompt ses études pour gagner sa vie. Il devient ouvrier typographe, mais à force de lectures, acquiert une culture aussi étonnante que disparate. En 1838, il s'installe comme journaliste à Paris, fréquente les milieux socialistes et fait la connaissance de Karl Marx, auquel il se heurte violemment.

● En 1840, Proudhon publie une brochure intitulée *Qu'est-ce que la propriété ?* question à laquelle il répond par la phrase célèbre : « la propriété, c'est le vol ». Mais sous ces formules explosives, on découvre en fait une pensée plutôt modérée, dont les traits dominants consistent dans l'exaltation de l'individualisme et l'opposition à la fois à l'arbitraire du pouvoir absolu et au collectivisme; en fait, c'est « la propriété pour tout le monde » qu'il défend.

● Politiquement, Proudhon est opposé à toute autorité centralisatrice, qu'il s'agisse de l'État ou de l'Église, et se révèle proche de « l'anarchie », ou absence de tout gouvernement, qu'il remplace par une sorte de contrat, « seul lien moral que puissent accepter des êtres égaux et libres », librement consenti entre familles, corps de métiers et communes.

● Pour Proudhon, la société idéale est une vaste fédération de petits propriétaires. Il propose la création de « compagnies ouvrières » pour gérer les différentes industries et d'une « Banque d'échange » qui ferait disparaître le profit capitaliste en pratiquant le crédit gratuit.

● Après avoir écrit la *Philosophie de la misère*, en 1847, il est emprisonné, puis libéré, et doit s'enfuir pour la Belgique en 1858. Il meurt à Paris en 1865.

● Bien que son influence fût rapidement supplantée par celle de Marx, certaines des idées proudhoniennes sont passées dans les faits : coopération, État planificateur, décentralisation, et « participation croissante de l'ouvrier aux avantages et aux prérogatives de l'entreprise ». ■

▸ *ANARCHISME / COMMUNISME / MARX / SOCIALISME*

Malade, vivant en reclus, écrivant la nuit, sommeillant quelques heures pendant la journée, Proust se laisse littéralement dévorer par son œuvre ; mourant, il enrichit de détails authentiques le récit de la mort d'un de ses personnages, le romancier Bergotte.

PROUST, Marcel (1871-1922)

● En 1913, paraissait le premier tome du plus grand roman du XXe siècle, *A la recherche du temps perdu*, qui comprenait : *Du côté de chez Swan, A l'ombre des jeunes filles en fleur* (1919), *le Côté de Guermantes* (1920), *Sodome et Gomorrhe* (1922), *la Prisonnière* (1923), *Albertine disparue* (1925), *le Temps retrouvé* (1927). Cet ouvrage représente un défi au lecteur, ne serait-ce que par sa longueur, plus de 5 000 pages. Bien que Proust ne soit pas vraiment l'homme d'un seul livre, celui-ci doit cependant toute sa renommée à ce vaste roman.

● L'auteur y relate l'histoire d'un jeune homme de la grande bourgeoisie, de santé fragile, grâce à la mondanité et au snobisme duquel il nous fait revivre tout un monde. Proust a créé une multitude de personnages, Swann, Charlus, Saint-Loup, les Verdurin, Odette, la vieille bonne Françoise, etc.

● Mais au lieu de raconter toute une vie, Proust s'en tient à quelques scènes capitales et il nous fournit une multitude de détails. Le présent ne se suffit pas à lui-même, il est chargé de souvenirs, de tout le passé dont est redevable la personnalité des êtres. Proust cherche à sentir l'homme tout entier, et ne conçoit la vie que dans sa totalité. Ainsi la madeleine ou la sonate de Vinteuil éveilleront, dans l'esprit du narrateur, tout un ensemble d'impressions, de sensations, de souvenirs qui donneront de l'épaisseur et de la densité au présent.

● Comme il l'a dit lui-même, Proust a « étendu sa vie passée aux dimensions de l'histoire ». La connaissance de l'âme humaine est atteinte en descendant dans les profondeurs d'une individualité plus qu'en observant les relations des êtres. Car le narrateur à la recherche du temps perdu, c'est Proust à la recherche de lui-même. Il s'agit d'une véritable quête du Graal, d'une investigation de son être, d'une reconnaissance. Il a su faire entendre le vrai son du cœur.

● En se dévoilant complètement dans son œuvre, Proust dépeint l'homme. Ce qu'il cherche à montrer dans son récit ce sont les lois psychologiques de l'humanité. Et ce faisant, il pose des questions fondamentales sur la vie, l'art, l'esthétique, questions qui sont parties intégrantes de l'être humain. Le Proust critique d'art est ainsi également présent tout entier dans son roman.

● Plus que la réalité des faits, c'est la vérité des êtres qu'il veut dévoiler. Cette vérité qui ne peut être que personnelle mais qui est riche d'une vie intérieure. Des choses elles-mêmes, il a dégagé « l'esprit individuel et transcendant ». C'est ainsi qu'il a saisi au passage, dégagé de l'instant, approfondi, éternisé, le plaisir que lui donnait une botte d'asperges dans la cuisine de Françoise. La vie a toujours quelque chose de nouveau à dire. « Regardez mieux, dit-il, sous ces formes si simples, il y a le secret du monde. »

● Proust a été l'un des plus grands innovateurs dans le genre du roman au XXe siècle. Il a créé une forme nouvelle, en utilisant un style original à la période volontiers archaïsante. Son influence s'est étendue à la littérature de nombreux pays. ■

PROVENCE-CÔTE D'AZUR

● La région économique « Provence-Côte d'Azur », cadre administratif, circonscription d'action régionale aux limites précises, recouvre six départements : trois départements littoraux : les Bouches-du-Rhône, le Var et les Alpes-Maritimes; un département rhodanien, le Vaucluse, et deux départements montagneux, les Hautes-Alpes et les Alpes de Haute-Provence, appelées jusqu'en 1970 les Basses-Alpes; cette région s'étire sur 31 500 km², soit moins de 6 % du territoire français, entre le bas Rhône et la frontière italienne, entre les rivages de la Méditerranée et les hautes terres pittoresques du Briançonnais.

● Incontestablement, cette en-

La Camargue traditionnelle avec ses manades de taureaux sauvages, ses gardians, sa flore si variée, est en voie de disparition ; elle ne survivra bientôt plus que dans les 13 500 ha de la réserve de l'étang de Vaccarès, interdite au public, où sont protégés flamants roses, aigrettes, échasses, ibis, tortues d'eau et castors.

Longue de 65 km, la chaîne du Lubéron s'étend entre les vallées du Coulon et de la Durance ; la combe de Lourmarin la divise en Grand et Petit Lubéron Accessible autrefois uniquement aux engins du Génie, la route de crête est maintenant carrossable. Elle traverse le massif des Cèdres et permet de découvrir sur les Alpes et les Alpilles un magnifique panorama.

tité administrative récente est dépourvue d'unité historique. Songeons qu'au cœur de la région se développent les horizons de la province (naguère royaume) de Provence, mais que le nord des Hautes-Alpes a gravité durant plus de cinq siècles dans l'orbite du Dauphiné. Le comtat Venaissin (États du pape), autour d'Avignon, n'a été réuni à la France qu'en 1791, à la demande de ses habitants, et le comté de Nice qu'en 1860, avec la Savoie. Enfin dans les Alpes-Maritimes, quelques communes ont été détachées de l'Italie, après référendum, en 1947 seulement, telles celles de Tende et de la Brigue! Mais cette mosaïque historique est fortement homogénéisée par la marque indélébile de la romanisation, romanisation qui donne à l'ensemble de la région Provence-Côte d'Azur une profonde unité culturelle, voire sociologique et psychologique.

● De même, on ne peut guère parler d'unité manifeste du milieu physique. A l'échelle de l'entité régionale, et au-delà des disparités de détail, trois vastes ensembles de reliefs, d'ampleur inégale, se juxtaposent : un étroit liséré côtier, baigné par la Méditerranée; des plaines alluviales, élargissant dans le secteur occidental les paysages de « l'avenue rhodanienne »; une belle masse montagneuse, enfin, de structure alpine, dans la partie orientale (représentée notamment par les massifs aux crêtes vigoureuses de l'Ubaye et du Queyras, moins élevés et plus secs, mais aussi beaucoup moins aérés et pénétrables que ceux des Alpes du Nord), et de structure plus calme à l'ouest (plateaux et chaînons de moyenne altitude de la Haute-Provence calcaire).

● Pourtant, la personnalité « naturelle » de la région Provence-Côte d'Azur est tout aussi homogène que sa personnalité culturelle: cet élément paradoxal est intimement lié, en fait, à l'emprise de tonalités climatiques franchement méridionales : les caractéristiques, par ailleurs bien connues, du climat méditerranéen (sécheresse et chaleur de la saison estivale, douceur remarquable de l'hiver, heureuse répartition des précipitations en un minimum de jours (moins de 90 jours de pluie par an sur l'ensemble de la Côte d'Azur), et surtout niveau élevé — inégalé en France — de l'ensoleillement (près de 3 000 heures par an dans le département du Var), règnent sur la majeure partie de la contrée, bien que l'altitude ait localement pour conséquence l'atténuation de ces traits de caractère : diminution des températures moyennes notamment; l'hiver est en effet de plus en plus rude et enneigé dans l'intérieur : or, un massif comme le Mercantour, développé au-delà de 2 000 mètres d'altitude, se trouve à moins de 45 kilomètres de la côte méditerranéenne.

● La région Provence-Côte d'Azur, enfin — et ce n'est pas l'aspect le moins surprenant de son approche — ne constitue pas réellement une véritable unité économique! Elle possède certes avec Marseille une agglomération (la troisième de France) qui, du fait même de son étendue et de ses fonctions industrielles et commerciales, pourrait en constituer la métropole, c'est-à-dire un centre de décision, le centre moteur d'un réseau de relations administratives, économiques, définissant un espace organisé et hiérarchisé. Mais ce qu'a réalisé par exemple Lyon pour la région Rhône-Alpes, Marseille n'a pas pu le faire. La meilleure illustration de cette impuissance marseillaise, c'est la volonté de l'agglomération niçoise d'affirmer, dans le cadre de la circonscription d'action régionale, « l'indépendance » d'une Côte d'Azur qui inclurait la frange littorale du Var jusqu'à Hyères!

● En fait, la région apparaît essentiellement aujourd'hui comme un milieu privilégié de l'aménagement du territoire. La politique d'aménagement en cours procède d'une triple tendance, démographique, économique et politique.

● Sur le plan démographique, se dessine un fort taux d'accroissement du chiffre de la population, moins par croissance naturelle — puisque le taux d'accroissement naturel régional est inférieur à la moyenne française depuis quelques décennies — que grâce à un remarquable courant migratoire,

Le Lubéron fut le siège au XVIe siècle d'une répression sanglante dirigée contre des hérétiques vaudois (du nom de leur chef Pierre Valdo). Les survivants se réfugièrent en Suisse et en Allemagne où ils se joignirent aux Réformés.

Marina-Baie des Anges, la France défigurée? Depuis 1965, le littoral de Provence-Côte d'Azur voit surgir de vastes ensembles immobiliers doublés de ports de plaisance : les marinas. Après des années de facile spéculation, les promoteurs se heurtent aujourd'hui à des obstacles de deux types : les plans directeurs de l'aménagement du territoire, les comités locaux pour la défense de l'environnement.

combinant la « descente traditionnelle » du peuplement des « pays ruraux » de l'intérieur vers le littoral à un phénomène original de « retraite ». Cette évolution démographique se traduit dans le paysage par une intense urbanisation littorale, accrue par la demande de résidences du tourisme estival, urbanisation qui n'est pas sans menacer désormais les richesses naturelles du patrimoine touristique.

● Sur le plan économique, la conjoncture nationale et internationale a mis, au cours des trente dernières années, l'accent sur les faiblesses et la fragilité des données régionales et locales (décolonisation, aléas du canal de Suez — pour l'agglomération marseillaise —; désengagement militaire français — pour l'agglomération toulonnaise —; tendance à la mono-activité touristique bloquant les processus de croissance harmonisée — pour le littoral azuréen, concurrencé par la création de zones touristiques étrangères moins dépendantes des contraintes physiques du site —; extension de la spéculation maraîchère en France et concurrence des produits étrangers sur un marché agricole, enfin, à l'échelle européenne, pour les plaines et les bassins du couloir rhodanien).

● Sur le plan politique, longtemps menacée de « sous-développement » industriel par le dynamisme de la région Rhône-Alpes voisine, mais aussi par des pôles industriels comme ceux de l'Europe rhénane et de l'Italie du Nord, la région a pris une nouvelle importance grâce à la mutation du monde méditerranée dont elle fait partie : péninsules méditerranéennes, Afrique du Nord, Moyen-Orient, ont stimulé son développement. De plus un réseau autoroutier sans lacunes, des liaisons ferroviaires modernes (Train à Grande Vitesse) la relient aux autres régions françaises et lui ont permis d'accueillir le complexe industriel de Fos-sur-Mer et de l'étang de Berre qui, malgré les difficultés économiques des années 80, a donné à cette région une vocation industrielle, modifiant profondément le littoral, du delta du Rhône à Toulon. L'aménagement hydro-électrique du Rhône et de la Durance, entrepris après la Seconde Guerre mondiale, avait préparé le terrain, permettant en même temps une irrigation à grande échelle qui a favorisé la production intensive de fruits et de légumes largement exportés.

● Mais ces formes récentes d'industrialisation, contribuant au dynamisme démographique et économique de la région, modifiant l'organisation urbaine antérieure et la trame de la vie de relations, sont soigneusement contrôlées : à partir d'Hyères et surtout de Fréjus, la frange côtière varoise entend bien rester à l'écart des nuisances de l'industrie lourde. Mais si l'industrialisation s'avère obligatoire (caractère artificiel et monolithique des seules industries du tourisme), Nice et la Côte d'Azur n'excluent pas un schéma de développement de type floridien ou californien, fondé sur la multiplication des industries de pointe et sur l'expansion du « tertiaire supérieur ». ■

Le nom de Côte d'Azur donné au littoral méditerranéen entre Cassis et Menton fut lancé pour la première fois en 1888 par Stephen Liégeard dans un livre portant ce titre.

PSYCHANALYSE

● Parmi les grands courants d'idées contemporains la psychanalyse occupe une place de choix : on l'invoque à tout propos dans la presse et la littérature, elle bouleverse l'éducation, les arts, les sciences humaines; elle « révolutionne » la pensée. Et pourtant devenue familière au grand public, elle reste encore souvent méconnue : elle inquiète et elle choque, elle fait figure de « science occulte ». C'est qu'en tant que théorie, elle remet en question la conception traditionnelle de l'homme « raisonnable, conscient, responsable » et qu'en tant que pratique, elle prétend guérir des malades que notre civilisation occidentale rejette ou s'efforce de cacher : ceux qui souffrent de troubles mentaux.

● La psychanalyse est l'œuvre d'un médecin viennois, Sigmund Freud (1856-1939), qui, tirant profit des découvertes médicales de son temps fut amené à braver les préjugés de son milieu, juif et bourgeois, et l'Université à laquelle il se destinait. C'est à la suite de recherches entreprises sur le système nerveux et les propriétés anesthésiques de la cocaïne, qu'il s'orienta vers le traitement des maladies psychiques.

● Il travailla en 1880, à Vienne, avec le docteur J. Breuer (1842-1923), qui traitait une jeune malade hystérique par « la parole », puis vint en France étudier les phénomènes d'hypnose et de suggestion, d'abord chez Charcot, à la Salpêtrière (1885), puis chez Bernheim, à Nancy (1889); il constata la valeur thérapeutique des procédés qui font appel aux souvenirs refoulés. Convaincu que les névroses sont des affections psychiques causées par des chocs affectifs oubliés, il s'attacha avec Breuer, à démontrer dans les *Études sur l'hystérie* (1895) l'importance des facteurs inconscients.

● Si Freud pratiqua lui-même l'hypnose, il l'abandonna rapidement au profit de la méthode des « associations libres », imaginée par un confrère suisse, C. G. Jung (le patient communique à son médecin tout ce qui lui vient à l'esprit « par associations d'idées »). En traitant de cette manière une malade, il fit des découvertes importantes sur les causes de l'hystérie, sur l'organisation du psychisme, sur le processus du traitement : la psychanalyse était officiellement née; elle prit, entre 1900 et 1920, un essor considérable.

● Basée sur l'expérience clinique (traitement des névrosés) et sur l'auto-analyse de Freud lui-même, la théorie psychanalytique met en évidence le déterminisme régissant les phénomènes psychiques. Les conduites humaines, tout comme les phénomènes naturels, obéissent à des lois; ces lois (intérieures) sont obscures, difficilement saisissables, car nos motivations sont, en grande partie, inconscientes.

● L'inconscient n'est pas toutefois un domaine inaccessible : il s'exprime dans les rêves (*Science des rêves,* 1900), les lapsus et oublis (*Psychopathologie de la vie quotidienne,* 1901), dans l'art et différentes institutions sociales, autant que dans les symptômes névrotiques. La psychanalyse se propose d'étudier le fonctionnement de l' « appareil psychique », où des forces différemment orientées et d'inégale intensité se livrent combat.

● Les analyses de Freud ont mené aux constatations suivantes : les événements de l'enfance ont un grand retentissement dans l'inconscient : de nature « essentiellement sexuelle », ils peuvent provoquer des « traumatismes » sensibles à l'âge adulte, dans la mesure où, refoulés, ils sont susceptibles d'être réveillés à tout moment. L'individu, en passant de la petite enfance à l'âge adulte, franchit une série de stades, caractérisés par un intérêt marqué pour telle ou telle partie du corps, appelée par Freud « zone érogène » : la bouche (stade oral : première année); l'anus et les matières fécales (zone anale : seconde et troisième années); les organes génitaux (stades phallique, quatrième à sixième année; et génital, au moment de la puberté). La perversion se caractériserait par la fixation à un des stades archaïques du développement (*Trois Essais sur la théorie de la sexualité,* 1905).

● La personnalité se structure au contact de la réalité extérieure à partir de trois instances : le *Ça* étant « tout ce que l'être apporte en naissant, tout ce qui est constitutionnellement déterminé », le *Moi* qui se constitue comme organe de régulation psychique, renforcé par le *Surmoi,* fruit de l'influence parentale et de l'éducation.

● L'individu est partagé entre les pulsions instinctives et les interdits moraux, entre le désir et son interdiction, « le principe de plaisir » et « le principe de réalité »; deux instincts s'opposent en nous : Éros, instinct de vie, et Thanatos, instinct de mort (*Au-delà du principe de plaisir,* publié en 1923).

● Le Moi dispose d'un certain nombre de « mécanismes de défense » pour assurer un équilibre, se défendre contre l'angoisse; le bon fonctionnement du psychisme suppose une mobilisation constante d'une certaine énergie psychique et un ajustement des tensions. C'est l'impossibilité de mobiliser ses défenses, ou leur mauvaise utilisation, qui provoque les névroses : l'individu ne pouvant plus régler ses conflits, il « régresse ».

● « Les symptômes des névroses, affections psychogènes, sont l'expression symbolique d'un conflit psychique, dont les racines se trouvent dans l'histoire infantile du sujet, et constituent un compromis entre le désir et la défense. » Ces symptômes sont à la fois psychiques (phobies, obsessions, impuissance) et physiques-psychosomatiques (angoisse, spasmes, palpitations...).

● Ce que Freud et ses premiers

Très discutées du vivant de leur auteur, les théories de Freud devinrent si populaires qu'aujourd'hui des termes tels que « traumatisme », « complexe », « frustration », « défoulement », débordant du seul jargon médical, ont envahi le langage de la vie quotidienne.

Sigmund Freud, le père de la psychanalyse, photographié avec l'un de ses enfants. N'hésitant pas à se pencher sur son propre passé, Freud révéla le rôle joué par les événements, importants ou minimes, de la petite enfance dans la formation de la personnalité.

disciples (Steckel, Rank, Ferenczi, Jones, Abraham) ont réussi à mettre au point, c'est un procédé psychothérapique permettant au malade névrosé de rendre conscients (manifestes) les conflits inconscients (latents), qui sont à la base des symptômes, de dévoiler tout ce qui « le bloque », tout ce qui est pour lui facteur d'angoisse, d'inhibition.

- La cure se présente comme une longue investigation, essentiellement dirigée vers le passé (souvenirs oubliés, traumatismes affectifs, désirs réprimés); c'est pour l'analysé et... aussi l'analyste, une épreuve douloureuse; il a donc fallu en fixer les principes, les conditions *(Technique psychanalytique)*.
- La cure suppose le respect de deux règles fondamentales : pour le patient, libre-association et non-omission (« suspendre toute critique ou toute direction volontaire des pensées »), pour le praticien non-intervention (ne donner ni jugement ni conseil, faire preuve d'une « bienveillante neutralité », interpréter au moment opportun).
- A la reviviscence d'événements anciens, le patient oppose des résistances qu'il convient à l'analyste de faire céder, en suscitant et contrôlant les « abréactions » (décharges émotionnelles). A un certain moment de la cure, le sujet peut revivre, avec son analyste, une relation affective intense, proche de celle qu'il entretenait, enfant, avec ses parents (phénomène dit de « transfert »). Ce sont là des événements décisifs qui mènent à la prise de conscience, porte ouverte à la guérison.
- Si Freud reste incontestablement le maître à penser de la psychanalyse, de nombreux disciples ont contribué à développer cette science jeune et dynamique en remettant en cause ou en approfondissant ses premières notions. Certains se sont démarqués dès le début, condamnant par exemple le pan-sexualisme freudien : Adler a souligné le rôle du sentiment d'infériorité dans les névroses, Jung, par ses études sur les archétypes présents dans les mythes et les légendes, a mis en évidence l'existence d'un « inconscient collectif ».
- D'autres ont élargi le champ d'application de la psychanalyse aux jeunes enfants (Mélanie Klein, Anna Freud et plus récemment Winnicott et Françoise Dolto), aux psychotiques (Federn, Sullivan, Fromm-Reichmann, Rosen, Sechehaye), aux enfants autistes (M. Mannoni), ou ont orienté la psychanalyse dans un sens politique (Reich, Marcuse), faisant la synthèse entre le marxisme et la partie critique de l'œuvre de Freud *(Malaise dans la civilisation, Avenir d'une illusion)*.
- En France, où la psychanalyse a été introduite en 1926 par Marie Bonaparte, et où existent, à l'heure actuelle, quatre groupements officiels s'en réclamant, le philosophe structuraliste Lacan a rénové la théorie freudienne en envisageant l'inconscient comme « langage », et en y distinguant le symbolique et l'imaginaire.
- Du cabinet du psychanalyste, la psychanalyse est passée dans les institutions : grâce à elle s'est ouvert l'hôpital psychiatrique et se sont multipliés les nouveaux modes de prise en charge du trouble mental. ■

Herbert Marcuse, entouré d'un groupe d'étudiants à la faculté de Vincennes dans les années 68. Selon Marcuse, la force répressive de la société prend sa source non dans la lutte contre les instincts primitifs de l'homme — conception freudienne — mais dans le travail et les contraintes qu'imposent les structures de la société capitaliste.

Carl Gustav Jung travailla avec Freud de 1907 à 1912. Ses études sur l'inconscient collectif contribuèrent aux progrès de la psychanalyse.

PSYCHIATRIE

- Si la folie a retenu l'attention des médecins dès l'Antiquité, ce n'est qu'au XIXe siècle qu'est apparue en Europe, étudiant et traitant les maladies mentales, une science médicale particulière basée sur une sémiologie (description de symptômes), une étiologie (recherche des causes des différents types de folie) et une nosographie (classification).
- La première réaction de l'homme devant le phénomène de la folie fut de l'attribuer à des causes surnaturelles; la thérapeutique fut donc, à l'origine, étroitement liée à la magie et à la religion (exorcisme et chamanisme). Ainsi, chez les Assyriens, (2000 ans av. J.-C.), la folie était attribuée aux « esprits malins sans sépulture » et aux démons : le prêtre-médecin procédait à des supplications rituelles pour calmer la colère du démon et le déloger du corps

« possédé ». Il en était de même en Égypte (1500 av. J.-C.), où des initiés avaient accès aux « remèdes sacrés ».

● En Europe, ce sont les découvertes des Grecs (Hippocrate) et des Romains (Gallien) sur les vertus « purgatives » de certaines herbes, de l'exercice physique, de l'eau et de la musique, qui orientèrent le traitement dans un sens scientifique. S'inspirant des Arabes, les ordres monastiques chrétiens créèrent, au XVe siècle, les premiers quartiers d' « aliénés » dans les hôpitaux et hospices espagnols, anglais et français. Une loi de 1660 ordonna en France l'internement des fous à l'Hôtel-Dieu, à la Salpêtrière et à Bicêtre : sinistres retraites, proches en fait des prisons, où l'on parquait les malades comme des animaux.

● Pinel (qui en 1792 libéra les fous de leurs chaînes à Bicêtre), Esquirol, Ferrus, Falret, aliénistes philanthropes, créèrent en France la psychiatrie au lendemain de la Révolution. Suivant en cela le courant de l'anatomie clinique, ils recherchèrent les origines organiques des maladies mentales; Bayle, dès 1822, démontrait les causes syphilitiques d'une démence, la paralysie générale. Ils fixèrent également les conditions juridiques de l'internement (loi de 1838, encore en application, établissant les types de « placements » et les systèmes de gestion des biens des aliénés). Ils systématisèrent enfin le traitement physique et le traitement moral dans l'enceinte des maisons de santé.

● Comme le rappelle Michel Foucault, dans l'*Histoire de la folie*, au siècle dernier, le traitement physique se limitait à quatre types de techniques : la consolidation (stimulation à l'aide de substances odorantes, tonifiantes), la purification du sang (saignées, transfusions), l'immersion (bains, douches), la régulation des mouvements (machines rotatoires pour « remettre les esprits en place »). Plus préoccupés d' « agir directement sur l'intelligence et sur les passions » par les moyens psychologiques et moraux, les aliénistes prônaient l'isolement, le repos ou la mise au travail autoritaire, et la direction de conscience, reflets d'une conception judiciaire, policière, oppressive du traitement.

● Si certaines techniques brutales, comme l'électrochoc (1938), la cure d'insuline (1932), la psychochirurgie (1935) ont contribué à perpétrer la notion de « violence psychiatrique », la découverte, vers 1952, des médicaments neuroleptiques (ceux-ci combattent efficacement les états d'agitation), l'introduction de la psychanalyse et des techniques de groupe, inspirées par Freud et la sociologie, ont singulièrement contribué à modifier l'atmosphère des asiles, devenus officiellement, en 1936, « hôpitaux psychiatriques » et « centres psychothérapiques ».

● Issu du Front populaire et de la Résistance, le mouvement dit de la psychothérapie institutionnelle, longtemps méconnu ou méprisé, a « libéralisé » une discipline qui fut étroitement liée aux idéologies strictes de l' « organicisme » et de la réadaptation. La psychiatrie a, depuis, pris ses distances par rapport à la neurologie; la maladie mentale est aujourd'hui envisagée des points de vue psychodynamique (celui-ci considère les troubles de la personnalité) et, depuis 1950, sociogénétique (sont ici pris en compte les troubles de la communication); les services traditionnels « s'ouvrent », et un réseau d'assistance, de prophylaxie (dispensaires d'hygiène mentale, hôpitaux de jour, foyers de post-cure et structures intermédiaires) se développe. ■

En France, en 1985, on comtait environ 738 000 personnes, de 20 ans et plus, atteintes de maladies mentales nécessitant un traitement médical dans le service public de psychiatrie. Le nombre des patients étant répartis ainsi : 193 848 en hospitalisation complète et 543 270 en hospitalisation partielle. Depuis les années 70, le nombre des patients en hospitalisation complète a considérablement diminué alors que celui des patients en hospitalisation à temps partiel est en augmentation.

Pinel libérant de leurs chaînes les aliénés de la Salpêtrière en 1792. Pinel fut l'un des fondateurs de la psychiatrie en France et l'un des premiers à rechercher les origines organiques des maladies mentales.

PSYCHOLOGIE

● La psychologie est, à l'origine, une des branches de la philosophie et, plus particulièrement, de cette partie de la philosophie qu'on appelle la métaphysique (qui s'occupe de l'âme, de la matière, de l'espace, du temps, de la connaissance, de la vérité, de la liberté et de l'être).

● Le terme de « psychologie » désignait, au XVIIe siècle, la *science des esprits* ou *de l'âme*, par rapport à l'anatomie, « science du corps » (conception partagée par Des-

Après leur baccalauréat, les jeunes désirant exercer la profession de psychologue peuvent passer par deux filières : la faculté (maîtrise de psychologie) complétée d'une formation à l'institut de psychologie ou dans certaines facultés ; les écoles privées (Clermont, Paris).

cartes, Malebranche et Leibnitz). Cette conception « subjectiviste » a prévalu jusqu'à la fin du XIXe siècle.

● « Science du principe intelligent, du moi » (Jouffroy), la psychologie avait pour objet « la connaissance de l'âme et de ses facultés étudiées par le seul moyen de la conscience » *(Dictionnaire philosophique)*. Toute méthode étudiant « les états psychologiques au-dehors, non au-dedans, dans les faits matériels qui les traduisent et non dans la conscience qui leur donne naissance » (Ribot) était alors exclue. L'avènement du positivisme poussa la psychologie à se détacher de la philosophie, à renoncer à l'introspection, et à intégrer la méthode expérimentale.

● C'est Ribot (1839-1916) qui, s'inspirant du physiologiste Claude Bernard, auteur de l'*Introduction à la médecine expérimentale* (1865), contribua, en France, à la création d'une psychologie objective, vraiment scientifique. « La psychologie, disait-il, n'a pour objet que les phénomènes, les lois et leurs causes immédiates; elle ne doit s'occuper ni de l'âme ni de son essence car, cette question étant au-dessus de l'expérience et en dehors de la vérification, appartient à la métaphysique. »

● Ribot cite en exemple les travaux des physiciens et physiologistes allemands : l'introduction de la mesure dans l'étude de l'excitation sensorielle et de la sensation (psychophysique) par Fechner (1801-1887), les recherches de von Helmholtz (1821-1894) sur les mécanismes de la vision des couleurs et de la perception sonore (1850), la création d'un laboratoire de psychologie à Leipzig (1879) par Wundt (1832-1920), l'évaluation de la mémoire par Ebbinghaus (1850-1909)...

● A Paris, Binet (1857-1911), mettait au point une méthode de mesure de l'intelligence. Piéron (1881-1964), quant à lui, appliqua à l'homme les techniques d'observation du comportement que Pavlov avait mises en honneur en physiologie animale (réflexes conditionnés). Ces techniques se développèrent aux États-Unis, après 1914, avec Watson et ses disciples, les « behaviouristes », qui établirent une « théorie de l'apprentissage » humain.

● La psychologie étant « l'étude des phénomènes psychiques dans leur origine, leur évolution, leurs transformations », elle doit se développer, selon Ribot, dans trois directions : la psychologie générale, qui décrit les phénomènes et établit les lois; la psychologie comparée, ou étude des variations entre les phénomènes; la psychologie morbide, laquelle s'intéresse aux cas pathologiques.

● La psychologie expérimentale ayant mis en évidence des différences d'attitudes, de réactions, de comportements entre individus et groupes d'individus, une discipline particulière s'est constituée : la psychologie « différentielle ». Préparée par Galton (1822-1911) — ce statisticien s'est intéressé aux relations existant entre les « génies » et l'hérédité — elle est à l'origine des « tests mentaux », qui, aujourd'hui, connaissent un si grand succès.

● Le mot fut employé pour la première fois aux États-Unis (1890) par Cattell (1860-1944) : les tests qui, maintenant, servent à la médecine, à l'éducation, à la justice ou à la sélection professionnelles, étaient alors des épreuves servant à mesurer les processus « élémentaires », les sensations, les « temps de réaction ».

● Les psychologues français Binet et Simon furent les premiers à concevoir (en 1904) un test « composé d'un grand nombre d'épreuves courtes, variées, pas très éloignées de situations courantes et s'adressant toutes aux processus supérieurs ». Cette « échelle métrique de l'intelligence » était demandée par une commission ministérielle soucieuse de « détecter les arriérations », en vue d' « assurer aux enfants anormaux les bénéfices de l'instruction ».

● Plusieurs fois remanié, le test B.S. est encore utilisé pour diagnostiquer les aptitudes scolaires des enfants; il détermine leur âge mental [la différence entre âge mental (A.M.) et âge réel (A.R.) donne une idée du retard; le quotient intellectuel ou Q.I., $\frac{A.M.}{A.R.}$, est un critère pratique pour l'appréciation du degré d'arriération].

● De même que la physiologie s'appuie sur la pathologie (étude des « anomalies naturelles », permettant de mieux comprendre le fonctionnement normal des organismes), la psychologie, ne se contentant pas de l'expérience « provoquée », vérifie ses hypothèses par l'observation des « manifestations morbides de la vie mentale » (véritables « expériences invoquées », spontanées). De tels états morbides mettent en lumière

Exemple de test d'intelligence pour chacun des ensembles ci-contre, S_1, S_2, S_3, cherchez à constituer deux groupes cohérents de 6 éléments ayant un caractère commun. Les classifications possibles sont en nombre variable. Notez toutes celles que vous pourrez trouver pour chaque ensemble.

Abstraction

Classez les 12 éléments suivants en deux groupes de 6, ces 6 éléments ayant un caractère commun.

Exemple :

On peut classer ces éléments en :

Figures fermées (éléments n° 1,2,3,6,7,9) et
Figures ouvertes (éléments n° 4,5,8,10,11,12)

ou en :

Figures en traits pleins (1,2,4,7,9,11) et
Figures en traits pointillés (3,5,6,8,10,12)

ou en :

Figures formées de droites (1,3,5,6,7,12) et
Figures formées de courbes (2,4,8,9,10,11).

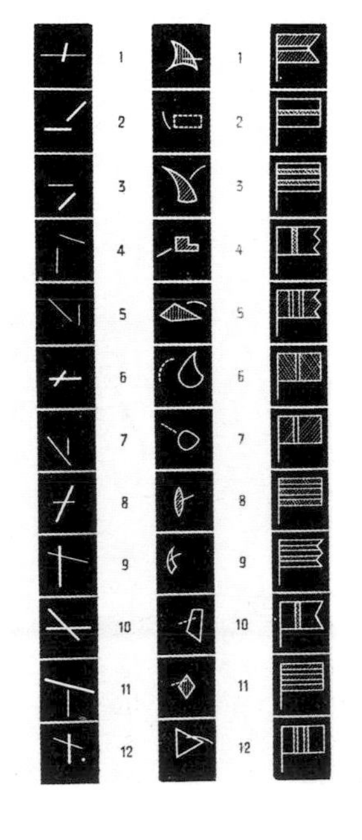

les « lois de la dissolution », qui, venant en complément de la psychologie normale, participent à la recherche des « lois de l'évolution ».

● Fondée, à la fin du siècle dernier, par des philosophes, comme Ribot (les *Maladies de la mémoire,* 1881; les *Maladies de la volonté,* 1883; les *Maladies de la personnalité,* 1885) et par des médecins, comme Janet (1859-1947) et Dumas (1866-1946), la psychologie analyse les états décrits, répertoriés et traités par la psychiatrie. Se distinguant de la médecine mentale par son aspect plus abstrait, « elle élabore en théorie de la connaissance les matériaux de la psychiatrie » (Deshaies).

● Les grands psychologues français fréquentèrent les amphithéâtres des hôpitaux psychiatriques et des cliniques neurologiques; les leçons de Charcot sur l'hystérie, à la Salpêtrière (1884-1885), sont à la base des théories de Janet sur « l'automatisme psychologique » (1889) et de la psychanalyse freudienne (*Études sur l'hystérie,* 1895).

● On doit à la psychopathologie l'introduction de la méthode clinique en psychologie; en ne se limitant plus au laboratoire, la psychologie aborde d'une manière plus « humaine », dynamique, dialectique (par exemple, par des entretiens) les individus dont elle s'occupe, qu'ils soient « normaux » ou « anormaux ». Elle s'intéresse aux cas individuels, guide, conseille, oriente, éduque, guérit. Psychopédagogie, rééducation, psychothérapie, autres aspects de la psychologie appliquée!

● « Relever aussi fidèlement que possible les manières d'être et de réagir d'un être humain et concret et complet aux prises avec une situation, chercher à en établir le sens, la structure et la genèse, déceler les conflits qui les motivent et les démarches qui tendent à résoudre ses conflits, tel est en résumé le programme de la psychologie clinique » (D. Lagache).

● C'est dans le domaine de la psychologie de l'enfant (et de l'adolescent) que coexistent le mieux les deux méthodes, apparemment contradictoires, de l'expérimentation et de l'observation clinique.

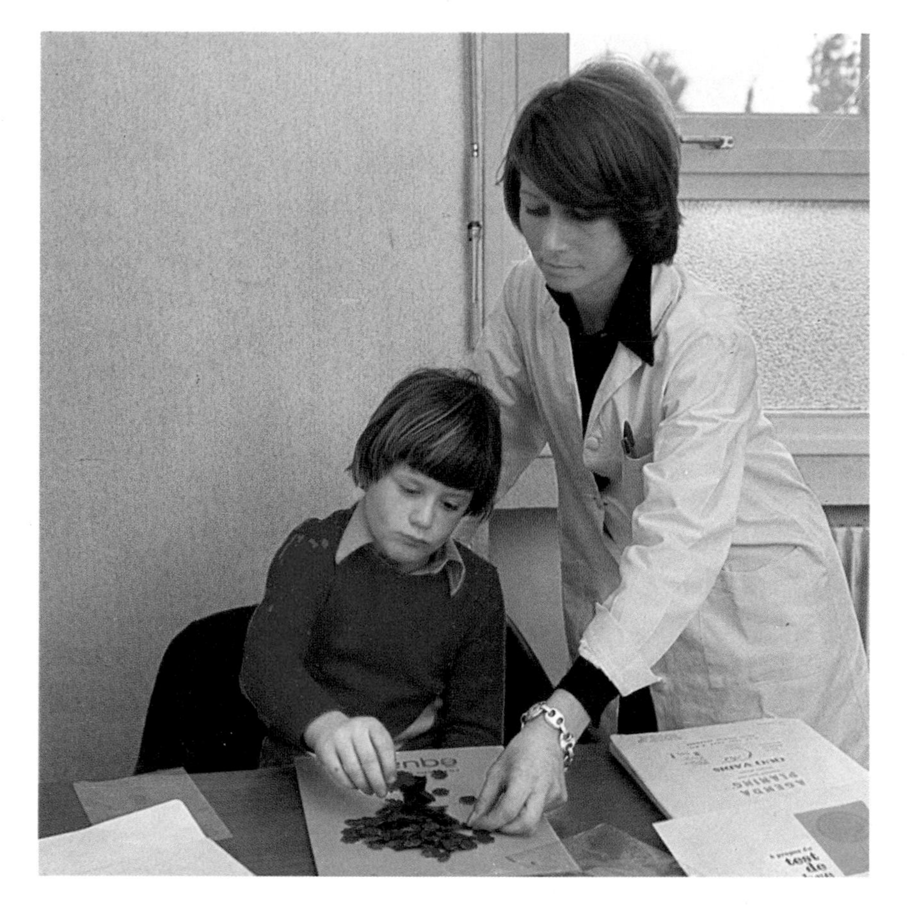

Le test de l'arbre (test projectif). Les couleurs, les lignes, les proportions librement choisies par l'enfant pour réaliser son arbre révèlent des tendances profondes de sa personnalité.

● Suivant l'exemple du physiologiste Preyer qui, dans les années 1880, observait quotidiennement son fils, les psychologues français, Binet et Guillaume, ainsi que le psychopédagogue suisse Piaget firent des « études longitudinales » sur leurs propres enfants. Des « études transversales » (réalisées avec des séries d'enfants d'âges différents) apportèrent des indications plus précises sur le processus d'acquisition du langage, le développement psychomoteur, l'évolution du jugement, du raisonnement, de la perception.

● En même temps que s'effectuent la maturation nerveuse et la croissance physique (en rapport avec elle), l'individu passe par une suite de « stades », marqués par des modifications notables dans les domaines de la pensée logique, de l'affectivité, des relations avec le monde extérieur et le milieu social.

● Wallon (1879-1962) a montré que cette évolution n'est pas un processus graduel, continuel (l'*Évolution psychologique de l'enfant,* 1841); y apparaissent des moments de crise, de conflit, de véritables mutations ou « révolutions », que les psychanalystes connaissent bien, et dont doivent tenir compte les éducateurs.

● Les études sur le développement ou l'adaptation débouchent tout naturellement sur l'observation de l'adulte dans ses relations avec ses semblables, au sein de la société et des différents groupes dont elle est constituée. Les attitudes et opinions, la perception des situations sociales (« gestaltistes » : 1929-1935), la dynamique des groupes restreints (K. Lewin, 1936), les notions de rôle et de statut (Mead), les fondements culturels de la personnalité (« anthropologie culturelle américaine ») intéressent autant la psychologie que la sociologie. D'où la création, vers 1930, aux États-Unis, de la psychologie sociale, science aux applications multiples.

● On en connaît les nombreux prolongements, qui la servent ou la discréditent, suivant les idéologies. Publicistes et politiciens sont les premiers bénéficiaires des son-

« Essayer de mesurer un génie par des tests est aussi vain que mesurer un arbre avec un micromètre » reconnaît le secrétaire général du club Mensa, rassemblant des super-cerveaux, sélectionnés par des tests dans le monde entier. Les membres de cette élite doivent posséder un Q.I. supérieur à 132 (échelle Binet) ou à 148 (échelle Cattell).

En amenant au pouvoir des souverains étrangers, la période ptolémaïque instaure en Égypte une ère nouvelle, celle de l'hellénisme. Elle est marquée par la rupture entre une classe dirigeante de culture grecque et un peuple dont les traditions et la langue vont perdre tout dynamisme.

dages d'opinion (des sondages Gallup, en 1936, aux États-Unis, à ceux de l'I.N.S.E.E. en France). De la sociométrie, conçue vers 1930, par Moreno, pour évaluer, dans les groupes, les attirances et les répulsions, découlent le psychodrame et le sociodrame, méthodes de thérapeutique collective. Quant à la dynamique de groupe (d'inspiration psychanalytique), elle a pour fonction d'améliorer les relations humaines, le « climat » des entreprises, le rendement...

● La psychologie est une science humaine en pleine extension. Elle enrichit à présent tous les domaines de la connaissance et de l'action; on parle de « psychologie médicale, économique, industrielle, commerciale, juridique, esthétique, de psychocritique, d'ethnopsychologie »... Il faut toutefois prendre garde à certains excès du « psychologisme », à certains risques, à certaines compromissions. La « conquête de nous-mêmes », la plus prestigieuse et la dernière venue ne doit pas profiter à ceux qui visent à la domination, à l'exploitation, ou à la destruction de l'humanité « guerre psychologique », « endoctrinements »...! ■

PTOLÉMÉES, Dynastie des

● La dynastie Lagide fut fondée après la mort d'Alexandre le Grand (323 av. J.-C.) par le fils de Lagos — d'où le nom donné à cette dynastie —, Ptolémée, qui reçut en partage l'Égypte. Quinze Ptolémées se succéderont sur le trône d'Égypte entre 306 et 30 av. J.-C.

● Le fondateur de la dynastie, Ptolémée I Soter (305-283) prit le titre de roi d'Égypte en 306. Ce nouveau roi, fort intelligent, ami des arts et des lettres, prit en main les destinées de l'Égypte en la libérant de la tutelle de la Macédoine et en essayant d'étendre ses territoires. Il s'empara de Cyrène, de la Syrie et de la Palestine. Il instaura une habile politique intérieure et introduisit, dans le panthéon égyptien, une nouvelle divinité, Sérapis, pour laquelle il fit construire à, Alexandrie, le Serapeum, l'une des sept merveilles du monde, ainsi qu'une bibliothèque et un musée. Il fit agrandir le canal entre la mer Rouge et le Nil. On lui doit également la traduction en grec de la Bible, connue sous le nom de *Version des Septante*.

● Son successeur, Ptolémée II Philadelphe, favorisa le développement des arts et des recherches scientifiques, et Ptolémée III Évergète mit sur pied une administration efficace. Par contre, Ptolémée IV Philopator mit en péril le royaume en s'opposant à Antiochus III de Syrie et fit alliance avec les Romains. A partir de cette période, l'influence de Rome sur l'Égypte ne cessa de grandir.

● Sous Ptolémée V Épiphane (205-180), l'Égypte perdit ses possessions d'Asie Mineure et de la mer Égée. Des révoltes éclatèrent à Lycopodis, à Abydos, qui furent cruellement réprimées. A l'occasion de son couronnement à Memphis (195), les prêtres firent graver la célèbre *pierre de Rosette*, qui devait permettre à Champollion de déchiffrer les hiéroglyphes (1824).

● Des querelles dynastiques caractérisent la fin du règne des Ptolémées (Ptolémée VI à Ptolémée XII). Ptolémée XIII épousa la belle Cléopâtre... qui épousa ensuite son propre frère, Ptolémée XIV. La dynastie s'éteignit avec le fruit des amours de Cléopâtre et de César, Césarion, qu'Octave fit assassiner. L'Égypte était désormais province romaine. ■

▶ *ÉGYPTE : LE PASSÉ*

Ptolémée II Philadelphe (308-246) et sa deuxième femme Arsinoé. Ce pharaon institua le culte dynastique, rétablit la liaison fluviale entre la mer Rouge et le Nil, et fit construire les célèbres monuments d'Alexandrie que sont le Phare, la Bibliothèque et le Musée.

PUBLICITÉ

● La publicité est un élément de la stratégie commerciale des entreprises. Elle consiste à communiquer des messages à tous les agents qui interviennent sur le marché d'un produit, en fonction de leur importance sur le chiffre final des ventes. Elle a pour but de déclencher des décisions favorables au promoteur qui finance la campagne de publicité.

● La définition qui vient d'être donnée concerne la publicité commerciale, qui est, de loin, la forme la plus importante de la publicité. Il en existe aussi d'autres, dont la finalité n'est pas la vente au sens strict. Ainsi la publicité politique consiste à obtenir du public une attitude favorable, un acte concret (exemple : « Votez blanc ou noir, mais votez »), ou encore un engagement précis pour tel candidat.

● Une entreprise a plusieurs cordes à son arc, plusieurs paramètres qu'elle maîtrise plus ou moins, et qu'il convient de coordonner en vue de l'objectif ultime, qui est la réalisation du profit le plus élevé possible.

● La première donnée est le produit lui-même. Ayant défini le public auquel on s'adresse et ses besoins, il s'agit de concevoir le produit le plus apte à satisfaire pleinement cette éventuelle clientèle. Il doit remplir sa fonction, être d'un usage commode, apporter des satisfactions esthétiques, etc. Aujourd'hui, les produits ne sont pas conçus et dessinés par les seuls techniciens, mais par des équipes, où les spécialistes du marché et

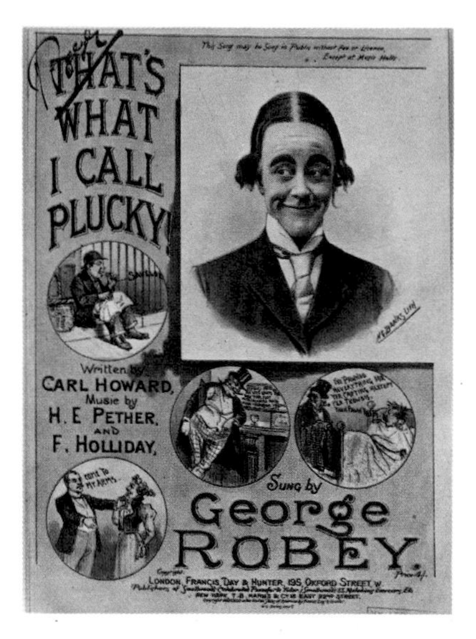

Affiche publicitaire pour un spectacle anglais de variétés, animé par un des comiques les plus applaudis du music-hall britannique de la fin du siècle dernier.

des relations humaines tiennent une place importante. Le « marketing » commence dès les premiers stades de la conception des produits, voire avant, puisque l'étude du marché potentiel est un préalable.

- L'entreprise établit alors le prix du produit, choisit son circuit de distribution. Ainsi, la politique des communications avec le marché, dont la publicité est un élément, n'est-elle qu'un rouage parmi d'autres, au sein d'une stratégie globale.
- La publicité et la politique de l'entreprise doivent être cohérentes. Si, par exemple, elle s'adresse à un public aisé touché par un circuit de magasins de luxe, ce qui suppose un produit de grande qualité, la publicité ne sera pas axée sur l'économie ou le prix. Et on ne la verra pas s'étaler sur tous les murs de la ville! La conception, la présentation, les supports, etc., de la publicité, dépendent de tous les autres éléments de la stratégie commerciale.
- On appelle « cible » les personnes que la publicité désire toucher et influencer : à l'intérieur du circuit de distribution, les intermédiaires, les commerçants; et à l'extérieur, les acheteurs.
- Un commerçant n'est jamais obligé d'acheter un produit pour le proposer ensuite à ses clients. Tout comme l'acheteur, il s'agit donc de le convaincre. Et, comme son propre objectif est le profit, on conçoit que les arguments publicitaires qui seront utilisés, ainsi que leurs supports, seront différents de ceux qui auront pour fonction d'attirer l'acheteur ou l'utilisateur final.
- Les supports de la publicité, porteurs des messages, peuvent être choisis dans de nombreux domaines : affiches, journaux, périodiques, cinéma et télévision, caravanes des tours de France, maillots des sportifs, avions, bateaux, sans oublier les spécialistes de la communication orale, tels que les représentants de commerce.
- Une campagne de publicité est une affaire coûteuse, il s'agit donc de sélectionner les supports en vue du maximum d'efficacité. L'idéal serait de toucher tous les acheteurs visés, et eux seulement. A cet effet, des enquêtes précises sont menées pour connaître les caractéristiques exactes des usagers. Qui prend le métro? Qui va au cinéma? Qui achète tel ou tel périodique? Quels sont leurs métiers, leurs revenus, leurs besoins et leurs goûts?
- Mais aussi : que font les spectateurs de cinéma pendant l'entracte où sont projetés les films publicitaires? Comment les lecteurs d'une revue regardent-ils les placards publicitaires? etc. Sont intéressés par ces données, pour établir leurs tarifs et leurs choix, aussi bien les vendeurs que les acheteurs de supports. Encore faut-il savoir définir le contenu qui sera donné à la publicité qu'on envisage de faire.
- Il s'agit donc de vendre, immédiatement ou non, un produit à des acheteurs définis à l'avance par leurs caractéristiques économiques et socio-professionnelles. L'important est de savoir quel est leur comportement psychologique avant, pendant et après l'achat. Cet acte, de l'avis des spécialistes, provoque une tension, source de désagrément, entre des motivations qui poussent à acheter et des freins qui incitent à s'abstenir.
- Tous les éléments du marketing, allant de la présentation du produit à l'agencement des magasins, en passant par la publicité, auront pour objet de renforcer les motivations et d'affaiblir les freins. En outre, la décision générale d'achat étant prise, il s'agit d'orienter l'acheteur vers le produit proposé par le fabricant, et non vers celui des concurrents.
- Dans certains cas, la publicité vise à renforcer des motivations. Un fabricant de dessous masculins (slips, maillots de corps) s'est heurté, par exemple, à un double problème : les achats se portaient sur des produits de forme traditionnelle, et sur des marques concurrentes. Comment renverser la situation? Une analyse ayant montré que les achats étaient effec-

We cover the four corners of the earth.

In more and more countries, readers are finding fresh perspectives on their world in the international publications

En publicité une image vaut plus qu'un discours. Annonce parue dans *Time* expliquant qu'ils distribuent « aux quatres coins du monde » *Time, Asiaweek Money* et *Fortune*.

A gauche, affiche réalisée en 1923 pour le compte d'un fabricant de chapeaux, par Marcello Dudovich, peintre venu de l'impressionnisme et un des créateurs de l'affiche italienne. A droite, affiche publicitaire conçue par Jean Carlu, pour le lancement d'une nouvelle boisson.

Les meilleurs supports publicitaires sont la télévision et la radio, car ils touchent au même moment des millions d'éventuels consommateurs. Aussi, en 1978, la publicité représentait 61 % des recettes totales de TF1 et 53 % de celles d'Antenne 2.

tués essentiellement par les épouses, pour leurs maris et leurs enfants, il a eu l'idée d'axer sa publicité vers les femmes, prises comme cibles, au moyen de supports appropriés, tels que les magazines féminins. Il insista, aussi bien par l'image que par le texte, sur l'élégance et l'érotisme discret des nouveaux dessous conçus par l'entreprise. Cette motivation, réservée jusque-là à la vente de vêtements féminins, s'est révélée efficace.

● Mais la publicité vise parfois aussi à affaiblir un frein, comme dans le domaine commercial, la publicité en faveur des cafés solubles ou des plats cuisinés. Les messages télévisés sont bâtis sur le schéma suivant : félicitations du consommateur (en général mari ou enfant), aveu de l'épouse qu'il s'agit d'un produit tout prêt, nouvelle marque de satisfaction. Le message impliqué ici est le suivant : n'ayez pas peur d'acheter ce produit, ne vous sentez pas coupable de profiter d'une facilité.

● A ce point, il est possible de tracer aussi bien le panégyrique de la publicité qu'une critique acerbe. A l'image de tout ce que fait une entreprise, la publicité est utilisée pour réaliser des profits, et pour en augmenter la masse, d'année en année. Elle a pour but d'accroître toujours plus la production. Elle permet de rationaliser les moyens de production, d'abaisser les prix de revient unitaires des produits, de maintenir au travail un grand nombre d'ouvriers, et de leur permettre d'accéder à un haut niveau de consommation.

● Mais son rôle est avant tout d'éveiller le désir, de créer des besoins, plus ou moins artificiels, de lancer sans cesse de nouveaux produits pour « allécher » l'acheteur. C'est dire que toute considération morale est oubliée. Il a fallu réprimer « la publicité mensongère », celle qui pare un produit de qualités ou d'avantages qu'il n'a pas en réalité, à la grande déconvenue du client. Plus grave encore, la publicité pour des produits nocifs (alcool, tabac), qui va à contre-courant des tentatives de réduire la consommation de ces ennemis de la santé publique.

● Et les coûts de la publicité, puis ceux de la croissance qu'elle alimente, ne sont pas minces. Il y a d'abord son coût direct, payé forcément par le consommateur final. Ensuite les répercutions indirectes. Certaines entreprises font des dépenses de publicité pour empêcher l'apparition de concurrents et imposer, aux acheteurs, des prix de monopole. Toute publicité de marque a pour but de différencier les produits, de créer, si possible, une demande exclusive (« la lessive X ne s'échange pas »), de monopoliser la vente.

● Quant aux coûts de la croissance — gaspillages, encombrements, pollution, longueur de la durée du travail préférée à une consommation plus modérée et à plus de loisirs, etc. — notre époque en prend de mieux en mieux conscience. Le meilleur usage de la publicité passe sans nul doute par l'éducation du consommateur. ■

▶ *ENTREPRISES/PRODUCTIVITÉ/PROFIT*

PUCERONS

● Les pucerons ou « aphidiens » sont des insectes appartenant à l'ordre des homoptères et au sous-ordre des aphidinés. Ils constituent un vaste groupe d'espèces vivant en colonies sur les plantes. Ce sont certainement les homoptères les plus intéressants, tant au point de vue biologique que par leur importance économique, par suite de leur pullulement sur les végétaux les plus divers.

● Les pucerons sont de petite taille, les plus grandes espèces dépassant à peine une longueur de 8 mm. Leur corps est mou, brunnoirâtre ou vert et souvent recouvert de sécrétions cireuses. L'appareil buccal, de type piqueur-suceur, comprend des stylets fins mais robustes qui pénètrent dans les tissus végétaux pour aspirer la sève. Les ailes, quand elles sont présentes, sont au nombre de 4, transparentes et peu nervurées. La paire antérieure est plus grande que la paire d'ailes postérieure.

● Sur l'abdomen, au niveau du sixième ou septième segment, se trouvent deux ouvertures, situées à l'extrémité de deux petits tubes appelés siphons, par lesquels sortent les produits d'excrétion sous forme de petites sphères de cire. Les pucerons émettent en grande quantité des excréments sucrés appelés « miellats », qui recouvrent les plantes-hôtes. Les fourmis sont très friandes de ce miellat, ce qui explique que très souvent elles « domestiquent » des pucerons, chacun tirant avantage de l'autre.

● Les pucerons sont des insectes polymorphes. En effet, à l'intérieur de chaque espèce on rencontre divers types de femelles naissant à des périodes différentes. Dans le cours d'une année, une génération de mâles et femelles à reproduction sexuée est suivie de plusieurs générations de femelles, ailées ou aptères, parthénogénétiques, qui peuvent se localiser sur des parties différentes d'une même plante, ou sur plusieurs plantes.

Puceron du rosier *(Macrosiphum rosae).*

● Le cycle biologique qui se déroule sur une seule espèce de plante est dit « monoïque », alors que celui qui nécessite la présence de deux plantes (hôte primaire et hôte secondaire) est dit « dioïque ».

● Ce dernier type de cycle, très fréquent, peut se schématiser ainsi : au printemps, l'œuf d'hiver, fécondé et pondu en automne sur l'écorce d'un arbre ou d'un arbuste, donne naissance à une « fondatrice », femelle qui va fonder une nouvelle colonie. Cette femelle engendre par parthénogenèse d'autres femelles dites « virginipares ». Puis se succèdent une ou plusieurs générations d'autres femelles virginipares dites « fondatrigènes », aptères ou ailées qui infestent d'autres parties de la plante ou un deuxième hôte; sur celui-ci, généralement une plante herbacée, une ou plusieurs générations se développent et c'est de la dernière que naîtront des femelles ailées ou aptères sexupares, qui donneront naissance à des individus mâles et femelles. Le cycle sera bouclé après la fécondation des œufs d'hiver qui seront pondus sur l'hôte primaire.

● Les pucerons sont très prolifiques et peuvent causer de graves dommages aux plantes, soit directement en aspirant la sève, soit indirectement en transmettant un virus. Les végétaux attaqués, dans lesquels l'insecte injecte la sécrétion de ses glandes salivaires, subissent des altérations morphologiques : feuilles qui s'enroulent, tiges tordues, nodules sur les racines, tumeurs sur les branches ou galles sur diverses parties.

● Parmi les principales espèces de pucerons, citons le puceron vert du pêcher *(Hyalopterus pruni)*, le

Le cycle biologique du puceron vert du pêcher est un cycle dioïque, c'est-à-dire qu'il se déroule sur deux plantes : l'œuf passe l'hiver sur le pêcher (1), hôte primaire ; au printemps naît une femelle aptère, dite fondatrice (2) qui, sans fécondation, engendre d'autres femelles virginipares, aptères (3) ou ailées (4) ; celles-ci peuvent émigrer sur le roseau, hôte secondaire. Plusieurs générations de virginipares se suivent (5). La dernière donne naissance à des femelles sexupares (6) qui produisent des individus mâles (7) et femelles (8) ; ils bouclent le cycle en fécondant les œufs d'hiver.

Le puceron lanigère du pommier *(Eriosoma lanigerum)* est de couleur rougeâtre ; la femelle aptère s'enveloppe de filaments de cire blanche, qui forment de gros flocons semblables à de l'ouate.

puceron lanigène du pommier *(Eriosoma lani gerum)* et le phylloxéra de la vigne *(Phylloxera vastatrix)*. ■

▸ *COLONIES ANIMALES / INSECTES / PARTHÉNOGENÈSE / REPRODUCTION*

PUCES

● Les puces constituent l'ordre des siphonaptères, ou aphaniptères, qui renferme près de 1 500 espèces dont plus de 50 se rencontrent sous nos climats. Ce sont des insectes de petite taille, mesurant entre 0,8 et 6 mm, aptères, à corps fortement comprimé latéralement. A l'état adulte elles sont ectoparasites, hématophages, essentiellement chez les mammifères et les oiseaux.

● Le corps est revêtu d'un épais tégument jaunâtre ou brun. La tête présente des antennes courtes, triarticulées, dont le dernier article est souvent dilaté en massue. On peut observer un dimorphisme sexuel au niveau des antennes. Les yeux sont réduits ou absents. L'appareil buccal est de type piqueur-suceur. La puce provoque d'abord une blessure au niveau de la peau de l'hôte à l'aide des mandibules et du labre. Puis elle injecte sa salive et aspire le sang avec le pharynx musculeux, qui agit comme une pompe.

● Le thorax prolonge la tête sans cou apparent. Il est constitué de 3 segments articulés entre eux et plus ou moins mobiles. Latéralement on observe fréquemment des couronnes de piquants ou cténidies. Les pattes sont longues et robustes, surtout la dernière paire, capable d'effectuer des bonds de 20 cm de hauteur.

● Les puces domestiques pondent en moyenne une dizaine d'œufs, plusieurs fois dans l'année. Ces œufs sont rarement collés au tégument de l'hôte, poils ou plumes, et s'accumulent dans divers endroits tels que parois du nid, pavements ou planchers (où se réfugie l'hôte). Si la température et l'humidité sont favorables, les œufs éclosent au bout de 3 à 10 jours. Les larves sont vermiformes, apodes, aveugles et pourvues de pièces buccales broyeuses.

● Elles ne sont pas normalement parasites, mais se nourrissent de débris divers. Chez certaines espèces, l'adulte nourrit les larves de sang, chez d'autres, c'est le cadavre de la mère qui leur servira de nourriture. La croissance larvaire est rapide mais de durée variable suivant les espèces, 4 à 6 semaines chez *Pulex irritans* d'Europe moyenne, 9 à 11 chez certaines espèces littorales du Pacifique, 3 chez *Xenopsylla cheopsis* d'Inde. Les puces adultes vivent plus d'un an et supportent de longues périodes de jeûne.

● En piquant, les puces inoculent leur salive qui est souvent irritante et provoque un prurit désagréable. Elles peuvent également transmettre des bactéries, des protozoaires et d'autres agents pathogènes, responsables entre autres du typhus murin, de la peste ou de la tularémie, et véhiculer de nombreux parasites. La puce du rat des pays tropicaux *(Xenopsylla cheopsis)* pique l'homme et le rat et, de ce fait, transmet à l'homme la peste du rat, contrairement à la puce du rat des pays tempérés, qui ne transmet la peste que d'un rat à un autre. L'agent responsable de la peste bubonique est une bactérie ou bacille de Yersin *(Pasteurella pestis)*.

● L'espèce la mieux connue est la puce de l'homme *(Pulex irritans)*, qui, malgré son nom, n'est pas spécifique à l'homme et s'attaque aussi au chien, au porc, et au poulet, entre autres. Elle peut effectuer des sauts de 35 cm de longueur et 20 cm de hauteur, ce qui est considérable, eu égard à sa taille.

● Parmi les autres espèces infestant l'homme, la puce pénétrante *(Tunga penetrans* ou *Dermatophilus penetrans)* ou « chique », vit uniquement dans les régions inter-tropicales. Elle provoque chez l'hôte des inflammations et des ulcérations. ■

▸ *PARASITISME*

PUMA

● Le puma *(Felis concolor)*, est un mammifère de la famille des félidés, qui fréquente l'ouest de l'Amérique du Nord et toute l'Amérique du Sud. Il s'agit d'un

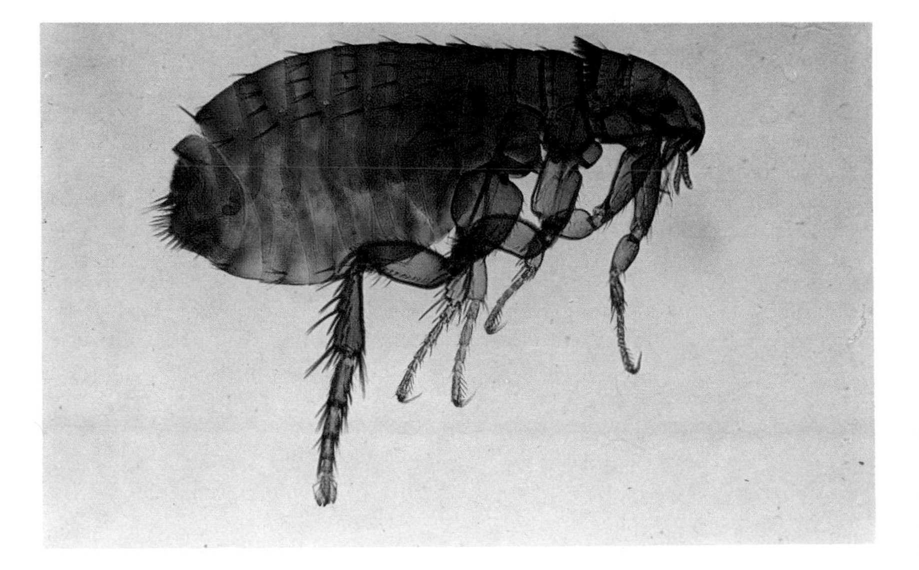

La puce du chien *(Ctenocephalides canis)* s'attaque aussi à d'autres animaux et même à l'homme. Des œufs, naissent de petites larves pourvues d'une épine frontale servant à percer la coque de l'œuf, et qu'elles perdront lors de leur première mue.

« chat » de taille respectable, qui atteint une longueur de 160 cm, sans compter la queue, d'environ 85 cm. Son poids maximum est de 100 kg. L'espèce d'Amérique du Sud est plus grande que celle du Nord, que l'on appelle plus communément couguar.

● La fourrure du puma est fauve jaunâtre sur le dos, et blanc sale sur le ventre, la gorge et la partie interne des pattes. Seuls les jeunes présentent des mouchetures noires sur leur livrée. Le puma vit dans des zones dont le climat est fort variable; sa robe est donc plus ou moins longue et touffue selon la température du milieu ambiant.

● Le puma est un animal solitaire et sédentaire qui exploite un territoire très étendu, d'une superficie pouvant atteindre 50 km². Il ne le quitte qu'exceptionnellement, pour suivre les migrations saisonnières des troupeaux. Il passe l'été en montagne, et l'hiver dans les plaines.

● Tous les animaux qui vivent sur son territoire, du plus petit rongeur au cerf Wapiti, lui servent de nourriture. Très rapide, très agile mais peu combatif, il chasse surtout la nuit, lorsque sa future victime relâche son attention. On dit souvent que le puma tue tous ceux qui le fuient, et fuit tous ceux qui l'agressent.

● Comme la plupart des félins, le puma est chassé pour sa fourrure, beaucoup moins que l'ocelot cependant *(Leopardus pardalis)*, qui vit également en Amérique, du Texas aux régions centro-méridionales. Son pelage, ocre orangé dans les régions forestières humides, tirant sur le gris chez les habitants des régions broussailleuses, est orné de taches foncées sur les bords, plus claires au centre, et disposées en ligne.

● L'ocelot, félin qui mesure 90 cm sans la queue, est très agile, et chasse, dans les arbres, singes et oiseaux. Il se nourrit également de lapins, de lézards et de petits cervidés. Les ocelots sont parmi les rares félins qui chassent par couples. Ils se laissent facilement apprivoiser mais dégagent hélas une forte odeur. ■

▶ *MAMMIFÈRES*

PUNAISES

● On appelle communément « punaises » plusieurs insectes de l'ordre des hétéroptères qui regroupe environ 25 000 espèces, surtout répandues sous les tropiques. La plupart des hétéroptères sont des insectes terrestres mais certains se sont adaptés à la vie aquatique et fréquentent les étangs et les cours d'eau lents.

● Les punaises des bois ou punaises à bouclier se classent parmi les pentatomidés. Leur corps est aplati, généralement pentagonal, plus ou moins allongé et présente des couleurs variées, vert, brun, gris, avec des dessins et des taches rouges, bleues ou noires. La tête est pourvue d'antennes longues, formées de 5 articles, d'une paire d'yeux latéraux bien développés et souvent de deux ocelles. Les appendices buccaux, de type piqueur-suceur forment une sorte de trompe ou rostre qui, au repos, s'appuie contre le corps de l'insecte dans sa partie ventrale. Les palpes maxillaires et labiaux font défaut. Le labium forme une sorte de gouttière multiarticulée (3 à 4 articles).

● Les mandibules et les maxilles se présentent comme des stylets allongés piqueurs et se situent dorsalement dans la gouttière formée par le labium. Les maxilles, en s'accolant, forment le tube aspirant qui comporte un canal de succion et un canal salivaire, plus étroit. Pour se nourrir, la punaise enfonce les mandibules dans la chair de la victime, puis les maxilles qui lui permettent d'injecter la salive et d'aspirer sa nourriture.

● Les glandes salivaires des hétéroptères sont en général très développées, s'étendant parfois jusque dans la région abdominale. Chez les espèces phytophages, la salive renferme des enzymes utiles à une première digestion externe des sucs végétaux, tandis que chez les espèces hématophages elle comporte des substances anticoagulantes. Certaines punaises s'attaquent à d'autres insectes. Leur salive contient alors des substances toxiques servant à tuer la proie.

Le puma est revêtu d'une robe à poil court, uniformément fauve, sauf dans la région ventrale où elle s'éclaircit, à la tête où le poil devient blanc, à l'intérieur de l'oreille, à la gorge, et autour de la gueule. Elle forme deux taches blanches au-dessus et au-dessous de l'œil.

Souple, agile et silencieux, le puma évolue au milieu des branches d'arbres à la tombée du jour et il bondit sur tous les animaux qui passent à sa portée, de l'oiseau aux bovidés de grande taille. Il agit par surprise et fuit quand il est attaqué, ce qui lui a valu la réputation d'animal lâche.

Le pyrrhocore aptère, magnifique punaise à la livrée rouge corail et noire, est plus connue sous le nom de « français » ou de « soldat ». Elle vit en colonies au pied des vieux ormes et des vieux tilleuls, et se nourrit de sucs végétaux, de graines juteuses et de cadavres d'insectes.

● Les ailes antérieures des punaises des bois, comme celles de la plupart des hétéroptères, sont des hémélytres. Leur partie discale est membraneuse et la partie proximale chitineuse, souvent colorée. Les ailes postérieures, par contre, sont entièrement membraneuses. Au repos, les ailes sont appliquées à plat sur le dos, se croisant parfois à leur extrémité, mais ne sont jamais plissées.

● Les 3 paires de pattes sont semblables habituellement chez les punaises terrestres; elles diffèrent tout au plus par la taille.

● Diverses espèces de punaises des bois sont pourvues de glandes, situées sur la partie dorsale de l'abdomen chez les jeunes, et sur la plèvre du dernier segment thoracique chez l'adulte, en nombre variable, et dont la sécrétion émet une odeur très désagréable. Lorsqu'on prend une punaise en main cette sécrétion nauséabonde est une réaction de défense de l'insecte. Les aliments attaqués par ces insectes deviennent immangeables par suite de l'odeur désagréable qu'ils y laissent.

● Les hétéroptères sont des insectes hétérométaboles, qui se développent progressivement en 5 stades. Les œufs ont des formes variées et leur enveloppe externe s'orne souvent de dessins en relief. Les œufs des pentatomidés sont particulièrement curieux : ils sont munis d'un opercule circulaire que la larve ouvre grâce à un dispositif pointu situé sur sa tête.

● Les punaises des bois sont phytophages et, une fois adultes, hibernent pour la plupart. Beaucoup d'espèces sont nuisibles aux plantes cultivées. Les genres *Aelia* et *Eurygaster* s'attaquent au blé, *Eurydema* est nuisible aux crucifères. *Nezara viridula*, de couleur vert pâle, est également nuisible à un grand nombre de végétaux cultivés. *Rhaphigaster nebulosa*, d'un brun jaspé, nuit aux fruits et légumes en leur inoculant le produit de ses glandes. D'autres espèces de pentatomidés, comme les asopinés, s'attaquent aux larves d'insectes. *Periuoïdes bioculatus* a été importé d'Amérique en Europe pour combattre le doryphore.

● La punaise des lits *(Cimex lectularius)* possède des ailes vestigiales et se nourrit de sang humain. Cachée le jour dans des fentes ou des anfractuosités, elle en sort la nuit pour piquer une victime et se nourrir de son sang, puis regagne sa cachette qu'elle ne quitte que lorsqu'elle a faim.

● Certaines formes exotiques de réduves, comme les genres *Triatoma* et *Rhodnius*, s'attaquent également à l'homme et lui inoculent des germes pathogènes, responsables du kala-azar en Inde et en Afrique, ou de la maladie de Chagas en Amérique du Sud. ■

La punaise des lits *(Cimex lectularius)* a les ailes et les élytres atrophiés. Elle cache ses œufs dans les fentes des cloisons et des planchers. Les petites punaises qui en éclosent peuvent jeûner longtemps et mettre plus d'un an à devenir adultes.

PUNIQUES, Guerres

● L'expansion romaine était fortement limitée, au IIIe siècle av. J.-C., par son alliée de la guerre précédente contre Pyrrhus, Carthage, qui s'était emparée de la Sicile. Un traité, signé au Ve siècle avec les Romains, garantissait pratiquement l'exclusivité de la navigation en Méditerranée à la flotte carthaginoise, sans doute la plus puissante de l'époque.

● Les Romains se voyaient interdire les côtes de la Sicile, de la Sardaigne, de la Corse et de l'Afrique. Les Romains étaient surtout intéressés par la riche Sicile. D'autre part, les actions de piraterie menées par Carthage contre leur alliée, Marseille, les irritaient. Aussi cherchaient-ils un prétexte à la guerre, qui leur fut fourni par les Mamertins, mercenaires osques. Ceux-ci s'étaient emparés de Messine, en 289. Menacés par Hiéron, tyran de Syracuse, les Carthaginois les avaient libérés mais, méfiants, ils demandèrent l'intervention de Rome.

● Les Romains franchirent le détroit et signèrent un traité d'alliance avec Hiéron. Mais ils s'aperçurent que la guerre s'éterniserait si les Carthaginois conservaient la maîtrise de la mer. Ils affrétèrent une flotte, mirent au point l'ingénieux système des « corbeaux », qui facilitait l'abordage et transformait la bataille navale en une bataille de terre ferme. Les corbeaux étaient des sortes de passerelles mobiles, munies de crochets, qui étaient descendues sur les navires ennemis, empêchant toute manœuvre et permettant à l'infanterie romaine d'aborder facilement.

● Ces efforts entraînèrent très vite (260) une éclatante victoire navale, remportée à Myles par le consul Caius Duilius. En 256, le consul Attilius Regulus, à la tête d'une forte flotte, vainquit les Carthaginois à Ecnome, et débarqua en Afrique avec une petite armée. Après quelques succès initiaux des Romains, les Carthaginois appelèrent le Spartiate Xanthippe qui réorganisa l'armée, battit Régulus et le fit prisonnier, avec 5 000 légionnaires.

● Les années suivantes, jusqu'en 249, les Romains s'emparèrent de presque toute la Sicile, en dépit de l'habile résistance d'Hamilcar. Ils assiégèrent les Carthaginois dans les deux places fortes de Drepanum et de Lilybée. Entretemps, Carthage avait recouvré sa suprématie sur mer.

● En 242, Rome, grâce aux dernières ressources financières de ses patriciens, à peu près ruinés par la longueur de la guerre, équipa une flotte, dont le commandement fut confié à Lutatius Catulus. En 241, près des îles Aegates, la flotte carthaginoise fut défaite, et Carthage dut demander la paix. Celle-ci fut très lourde pour les Puniques, qui durent s'engager à abandonner la Sicile, les îles Lipari, et à payer une forte somme en remboursement des frais de guerre.

● Privée de ses possessions au cœur de la Méditerranée, Carthage se tourna alors vers l'Espagne. Les opérations furent confiées à Hamilcar qui, en Sicile, avait donné des preuves de son talent de général. Il étendit la domination de sa cité à l'actuelle Andalousie. Puis il poussa jusqu'à la mer, et approcha des colonies marseillaises.

● A sa mort, son gendre Hasdrubal (beau-frère d'Hannibal) lui succéda. Celui-ci fonda Carthagène et, diplomate habile, consolida, auprès des tribus indigènes les conquêtes de Carthage. Il signa ensuite un traité avec les Romains, par lequel il s'engageait à ne pas franchir l'Èbre. Rome voulait ainsi protéger les colonies marseillaises, alors qu'elle était engagée dans la difficile guerre contre les Ligures et dans la conquête de la Sardaigne.

● A la mort d'Hasdrubal (221), l'armée avait choisi comme chef Hannibal, fils d'Hamilcar, à qui celui-ci avait fait jurer, enfant, une haine éternelle envers les Romains. Hannibal étendit jusqu'en Vieille-Castille les conquêtes carthaginoises en Espagne. En 219, il projeta une expédition contre Sagonte, ville située au sud de l'Èbre, alliée de Rome.

● Ainsi provoquée, Rome déclara la guerre à Carthage. Elle projeta une double expédition, contre Hannibal en Espagne, et en Afrique même. Le général carthaginois prévint l'ennemi en franchissant les Alpes et en portant la guerre en Italie. Il comptait sur un soulèvement des populations italiques contre Rome, mais son espoir fut déçu, en dépit de fulgurantes victoires au Tessin, à la Trébie (218) et au lac Trasimène (217).

● Il se retrancha en Campanie, harcelé par la guérilla que menait Quintus Fabius Maximus, dit le Temporisateur. En 216, les Romains abandonnèrent cette tactique et affrontèrent Hannibal en terrain découvert, à Cannes. Ce fut pour eux une terrible défaite, qui les mit à la merci du vainqueur. Mais ce dernier ne profita pas de sa victoire. Il se retira pour se reposer dans les villes de l'Italie méridionale (dont Capoue), qui quittèrent la ligue italique formée autour de Rome.

● Les Romains revinrent alors à leur tactique d'usure, empêchant l'arrivée de renforts de Carthage (la suprématie romaine sur mer était demeurée intacte) et d'Espagne, où une armée, commandée

En 213, la flotte romaine, aux ordres de Claudius Marcellus, assiégea Syracuse, alliée de Carthage. En dépit des machines de guerre imaginées par le savant Archimède, la ville fut prise et Archimède fut tué dans la lutte qui suivit (212 av. J-C.).

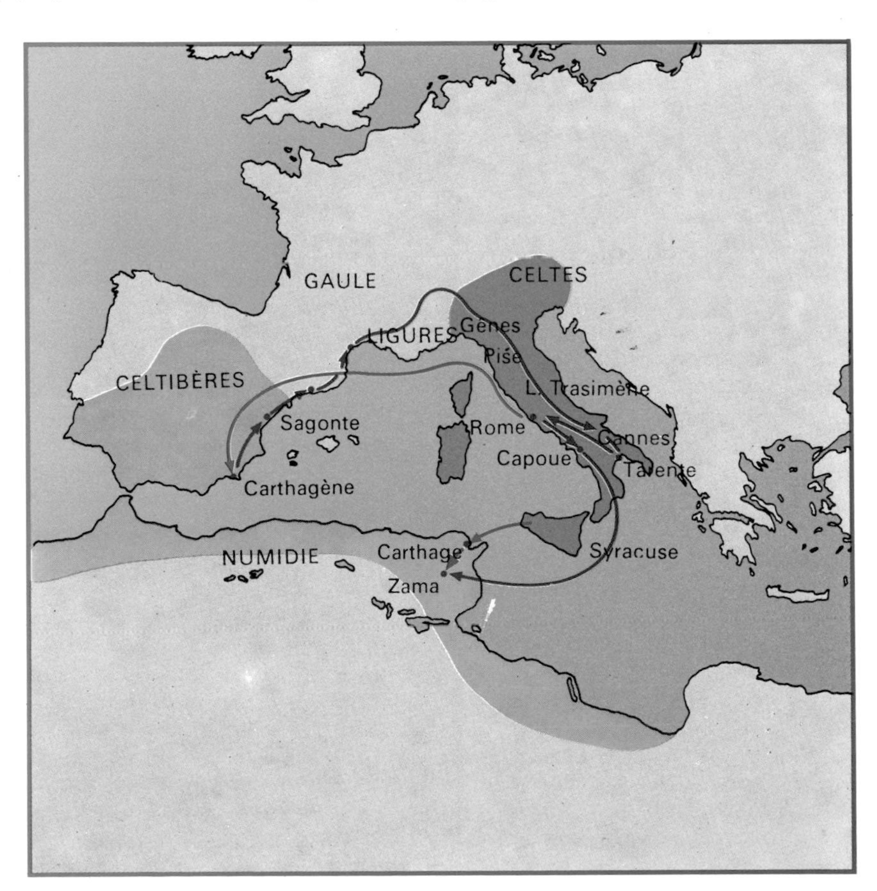

Théâtre des opérations au cours de la deuxième guerre punique. En ocre, l'empire commercial de Carthage. En rouge : l'itinéraire d'Hannibal ; en vert : l'itinéraire des légions de Cornélius Scipion vers l'Espagne et vers l'Afrique, où eut lieu la bataille décisive de Zama.

Les éléphants de guerre d'Hannibal permirent aux Carthaginois de remporter des victoires en Espagne. Mais, c'est dans un état pitoyable qu'ils arrivèrent en Italie, après avoir franchi les Pyrénées, le sud de la Gaule, et les Alpes par le col du Petit-Saint-Bernard.

par Publius et Scipion, se battait contre les Carthaginois.

● Rome était enfin prête pour la revanche. Elle confia au jeune général Publius Cornelius Scipion, qui s'était révélé en Espagne, le commandement d'une armée, avec la mission de porter la lutte en Afrique et de contraindre Hannibal à quitter l'Italie. Scipion obtint l'alliance de Massinissa en l'aidant à remonter sur le trône de Numidie, que Syphax avait usurpé, avec l'aide des Carthaginois.

● Carthage, encerclée, demanda la paix. Elle l'obtint en échange de l'Espagne et du retour d'Hannibal. Mais, l'année suivante, plutôt que de céder ses riches colonies espagnoles, Carthage reprit les hostilités. Romains et Carthaginois, Scipion et Hannibal, s'affrontèrent dans la plaine de Zama (202). Rome fut vainqueur et dépouilla sa rivale de toutes ses possessions.

● Cinquante ans après, une troisième guerre opposa Rome et Carthage. Brillamment remise de sa défaite, celle-ci voyait son intégrité territoriale constamment compromise par les incursions de Massinissa. Rome ne la défendant pas, Carthage déclara la guerre au roi de Numidie. Elle fut défaite en 151. Craignant que Massinissa ne s'empare définitivement de la ville, Rome prépara une armée, sous le prétexte de la punir pour avoir violé le traité.

● La décision fut prise de détruire Carthage. Après trois années de résistance, celle-ci fut prise d'assaut par Scipion et rasée (146). Le vœu de Caton le Censeur, qui fut toujours impressionné par l'essor économique de la cité punique, *Delenda est Carthago* (« Il faut détruire Carthage »), était ainsi exaucé. ■

Hannibal pénétra en Italie en 218 av. J.-C. Ce n'est qu'en 204 que le gouvernement punique le rappela pour défendre Carthage, à la suite du débarquement de Scipion en Afrique. Il s'était écoulé une quinzaine d'années durant lesquelles le général carthaginois avait parcouru l'Italie et la Sicile.

▶ *CARTHAGE / HANNIBAL / ROMAINE, CIVILISATION*

PURITAINS

● Le mouvement puritain, né du protestantisme anglo-saxon, prônait une soumission totale à l'enseignement de la Bible, et s'ancrait dans une croyance indéfectible en la prédestination. Il reprochait à la Réforme anglaise de nombreux éléments catholiques dans le rituel, particulièrement l'usage d'habits sacerdotaux, et une organisation ecclésiastique calquée sur celle de Rome.

● Le puritanisme prit définitivement forme en 1559 quand des membres de l'Église anglicane refusèrent l'Acte d'uniformité, par lequel la reine Élisabeth Iʳᵉ entendait combattre à la fois les « papistes » et les protestants trop zélés. L'opposition redoubla avec le roi Jacques Iᵉʳ; celui-ci voulait défendre les évêques anglicans, qui lui permettaient de contrôler les affaires religieuses.

● Aussi le mouvement devint-il rapidement politique, avec pour slogan *no bishop, no king* (« ni évêque, ni roi »). Influents à l'université de Cambridge, à Londres et dans les campagnes de l'est de l'Angleterre, les puritains combattirent, avec le Parlement, les Stuarts, et portèrent au pouvoir l'un des leurs, Cromwell. Ils allaient jouer un rôle important au cours de la Révolution anglaise.

● Maîtres de la République anglaise, ils imposèrent la morale puritaine (théâtres et tavernes furent même fermés). Mais la mort du Lord Protecteur et la restauration des Stuart marquèrent leur irrémédiable déclin, dans une Angleterre lasse d'une austère dictature, encore plus pesante que ne l'avait été celle des rois.

● La route de l'émigration s'ouvre alors, pour les puritains, comme seule solution possible — à l'exemple des Pères pèlerins — qui, après avoir tenté de s'installer en Hollande, partirent vers l'Amérique sur le *Mayflower*, et fondèrent, en 1620, une colonie puritaine à Plymouth. A nouveau continent, nouvelle société : la distinction entre les masses et une minorité de « saints », qui pouvait espérer être sauvée, se retrouva dans l'octroi du droit de vote aux seuls membres d'une Église qui ne recevait pas tout le monde en son sein.

● Cette théocratie devait rapidement disparaître à cause de son intolérance même et de l'expansion de la colonisation anglaise, mais son influence marquera longtemps encore certaines couches de la société américaine.

● En fait, les puritains jouèrent un rôle primordial dans la formation du capitalisme protestant. Ainsi que l'explique Max Weber, dans *l'Éthique protestante et l'esprit du capitalisme*, la théorie puritaine selon laquelle il était bon de travailler et de rechercher l'enrichissement, signe tangible de l'élection par Dieu, reflète en réalité les aspirations et les ambitions des classes moyennes arrivant au pouvoir et assurant le triomphe des régimes parlementaires. ■

▶ *ANGLICANE, ÉGLISE / PROTESTANTISME / RÉFORME*

PYGMÉES

● Les pygmées vivent surtout dans la forêt africaine, entre l'océan Atlantique et le Tanganyika. Ce peuple, qui présente un type racial particulier, peut être divisé en trois groupes : les Bambutis (« Ceux de la forêt »), qui demeurent dans l'est de l'ancien Congo belge; les Pygmées du Centre (dans l'ouest de l'ancien Congo belge et dans la république du Congo); et les Pygmées de l'Ouest, qu'on appelle aussi Négrilles. Ces derniers vivent au Gabon et au Cameroun. Leur taille est inférieure à 1,50 m, leurs cheveux sont crépus, et leur peau va du brun au jaune. Ils habitent dans des huttes semi-circulaires.

● Leur économie est fondée sur la chasse, la cueillette et, dans une moindre mesure, la pêche. Les armes employées pour la chasse sont l'arc et les flèches, souvent empoisonnées, le harpon et la lance. Aux femmes sont réservées la pêche et la cueillette des baies sauvages, des plantes, des champignons, des escargots, des vers et des termites, qu'elles réduisent en bouillie dans des mortiers de bois, et qu'elles cuisinent ensuite. Quand le gibier manque, les pygmées, qui vivent en association économique avec les agriculteurs noirs voisins, changent de lieu de campement. Assez compliquée, l'organisation sociale des pygmées repose sur l'association de plusieurs familles consanguines. Au-dessus se trouve le clan, dont les membres disent descendre d'un totem commun, presque toujours un animal (oiseau, léopard, chimpanzé, serpent, etc.). Celui-ci est sacré, intouchable, porteur d'une force surnaturelle appelée *megbe*. Le mariage a généralement lieu hors du clan, et la polygamie est rare. Quant aux morts, ils sont souvent inhumés ou placés dans des troncs d'arbres creux.

● Toutes les tribus croient en un Être Suprême *(Khmvoum)*. Leur langue, caractérisée par les « clics », donne lieu à une poésie qui ne manque pas d'intérêt. La mythologie, elle, est riche de récits, où paraissent les éclairs, la pluie, les étoiles et la lune, comme aussi la grenouille, le crapaud, le caméléon. ■

Jeune femme pygmée sortant de sa hutte de feuillage. Les pygmées sont environ 110 000, dont 100 000 au Zaïre.

PYRAMIDES

● Destinées à abriter la sépulture des pharaons, les pyramides représentent la première architecture en pierre de l'Égypte ancienne.

● Jusqu'à la IIIe dynastie, les tombes royales étaient des *mastabas*, tumulus en forme de trapèze, construits sur un puits tombal pour abriter une chambre rituelle. La pyramide est une évolution du mastaba. La première, construite par Zoser, que l'on déifia sous le nom de Imhotep, à Saqqarah, est formée de six mastabas de taille décroissante.

● Le fondateur de la IVe dynastie, le pharaon Snéfrou, en fit construire trois qui montrent une évolution par rapport à celle de Zoser : celle de Meïdoum, d'abord à degrés, fut transformée en pyramide à pente régulière; les deux pyramides de Dachour sont, l'une « rhomboïdale », l'autre d'une inclinaison inférieure à la normale.

● Mais l'âge classique de la pyramide est représenté par le groupe de Gizèh, avec les tombeaux de Chéops, Chéphren et Mykérinos. La plus grande, la pyramide de Chéops, haute de 146 mètres, a une base de 230 mètres et enferme un complexe de chambres et de couloirs. Elle comprend trois salles intérieures, dont la salle du roi, à laquelle on accède par un puits et qui contient le sarcophage de granite. Ses angles correspondent exactement aux quatre points cardinaux; elle a été construite en vingt ans, avec 2 500 000 blocs de pierre, de 2,5 tonnes. Cette pyramide est l'une des Sept Merveilles du monde.

● Le groupe de Chéphren comporte la colossale sculpture du sphinx; il est composé d'un temple funéraire, situé sur la terrasse de la pyramide, qui est relié par une longue digue à un petit temple bâti plus bas, au bord de la rivière. Les salles intérieures, revêtues de granite rouge, occupent relativement un faible volume, et le tout ressemble à un tombeau creusé dans la roche.

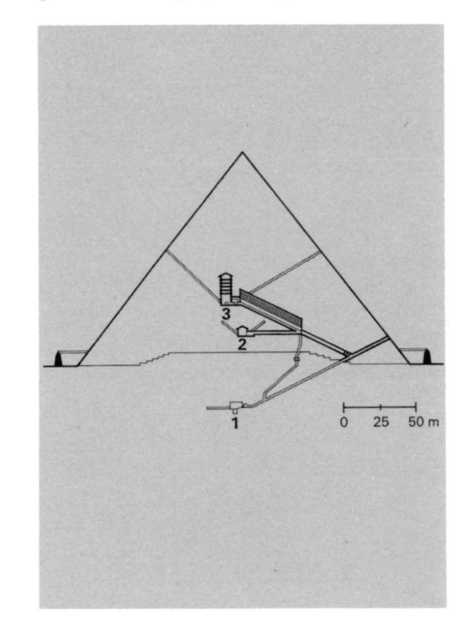

Une coupe de la Grande Pyramide de Gizèh construite pour Chéops (IVe Dynastie). Trois plans furent successivement adoptés, d'où les trois salles sépulcrales (1, 2, 3). Les blocs de roc pesant deux à trois tonnes, sont reliés par des joints qui ne dépassent pas le demi-millimètre !

● Ces impressionnants monuments de l'âge classique ont atteint la perfection. Les pyramides étaient dépourvues de décors intérieurs. Sous la IVe dynastie, le pharaon Ounas fit décorer l'intérieur de la pyramide, et sur les murs de la chambre funéraire furent gravés ce que l'on appelle les *Textes des pyramides*.

Gravés en caractères hiéroglyphiques, les *Textes des Pyramides* étaient des prières et sentences magiques constituant de véritables sauf-conduits pour l'au-delà. Parfois, ils célébraient les mérites du défunt.

● Les pyramides ont avant tout été construites pour protéger le roi et les richesses qui étaient enterrées avec lui contre les profanateurs éventuels. Le corps du roi, ainsi défendu, pouvait accomplir sa destinée solaire : il devait en effet monter au ciel rejoindre Rê, et la

Les pythons attaquent rarement l'homme. Quand on les inquiète, ils cherchent généralement à s'enfouir ; certains se roulent en boule serrée, la tête protégée par tout le corps.

pyramide constituait dans la religion égyptienne « un escalier du ciel ».

● Contrairement à ce que l'on a cru pendant longtemps, les pyramides n'étaient pas le théâtre de cérémonies initiatiques. Seules des offrandes funéraires y étaient apportées, et le culte royal était rendu dans les temples placés auprès de ces monuments.

● On a dénombré environ quatre-vingts pyramides construites entre la IIIe et la XVIIe dynasties, en différentes régions d'Égypte. Des monuments semblables à ces tombes égyptiennes et remontant à l'époque précolombienne, ont été découverts au Mexique, mais ils ne représentaient que le support d'un sanctuaire : la pyramide du Soleil à Toetihuacan est cependant aussi gigantesque que la plus grande des pyramides égyptiennes. ■

▸ *ARCHITECTURE / ÉGYPTE : LE PASSÉ / ÉGYPTE : ART ET MYTHOLOGIE / PHARAON*

PYTHONS

● Les pythons sont des serpents de la famille des boïdés qui renferme des espèces de grande taille —, les géants actuels parmi les serpents —, et d'autres qui ne dépassent pas deux mètres en longueur.

● Les pythonidés se distinguent des boïdés par la présence d'un os supra-orbital et de dents sur les prémaxillaires. Ils se reproduisent par oviparité. Leur répartition géographique se limite à l'Ancien Monde (Afrique, Indochine, Malaisie, Australie et Nouvelle-Guinée). Les pythons vivent dans la végétation luxuriante, fréquentant les forêts, le bord des marais et les branches d'arbres. Ils passent la journée cachés sous le feuillage et chassent surtout la nuit, à l'affût, de petites antilopes, des rongeurs, des singes et des oiseaux qu'ils tuent par constriction avant de les déglutir. Chaque animal consomme habituellement 30 à 40 kg de viande tous les 15 à 20 jours.

● Ces serpents ne sont pas venimeux, mais peuvent être dangereux par leur masse et leur puissance de constriction. Les fabuleux récits où de grands serpents se laissent tomber du haut d'une branche sur un homme et l'étouffent avant de le déglutir sont de pures légendes. Les plus grandes espèces ne sont pas arboricoles dans la nature et les petites, qui mesurent au maximum deux mètres de long, sont incapables d'étouffer un homme. Il paraît d'autre part difficile d'admettre qu'un pythonidé soit en mesure d'avaler une proie aussi grosse qu'un être humain.

● Les pythons peuvent se déplacer assez rapidement sur la terre ferme, en cas de danger, sans pouvoir toutefois rattraper un homme qui court. Ils évoluent avec beaucoup d'aisance dans l'eau, et plongent par moments.

● Une fois par an et à une époque variant suivant la région, les femelles pondent, dans un endroit ombragé et humide, de 4 à plus de 100 œufs blancs, mesurant en moyenne 11 cm sur 7. Elles les rassemblent en un petit tas autour duquel elles s'enroulent. Pendant l'incubation, qui dure de 80 à 120 jours, les femelles ne se nourrissent pas, pour que la chaleur nécessaire au développement des œufs ne se perde pas. A la naissance, les petits des plus grandes espèces mesurent entre 60 et 75 cm et pèsent de 100 à 170 kg. Ils grandissent de 60 cm par an lors des 4 ou 5 premières années. Les jeunes vivent de préférence au sol et se nourrissent de rongeurs, d'amphibiens, de sauriens et d'insectes (adultes ou larves).

● La peau des pythons est très solide. Tannée de façon appropriée elle est très douce et peut servir à maints usages en pelleterie. Ce sont des animaux peu agressifs que l'on voit fréquemment dans les cirques et les jardins zoologiques.

● L'espèce la plus grande est le python réticulé *(Python reticulatus)* qui peut atteindre une longueur de 10 mètres et mesure en moyenne 7 mètres de long. Il habite les Philippines, les îles de la Sonde et l'Indochine. C'est un serpent

Python réticulé étouffant un chacal. C'est le plus grand serpent vivant. Il se nourrit de mammifères de taille moyenne, canidés, sangliers, petites antilopes, mais aussi de rongeurs et d'oiseaux. Attiré par les chiens, les poulets et les rats, il vient souvent au voisinage des habitations et même dans les banlieues des villes.

qui s'adapte facilement à la captivité. On estime que lorsqu'il a atteint une longueur de 9 mètres il doit être âgé d'environ 70 ans car la croissance, rapide au cours des premières années, se ralentit de plus en plus par la suite.

● Le python de Seba *(Python sebae)* vit en Afrique, au sud du Sahara. Il mesure 6 mètres de long. Sa résistance au jeûne est légendaire. On raconte que certains pythons de cette espèce sont restés plus de deux ans sans prendre de nourriture. Il s'adapte bien à la captivité.

● Le python indien, ou molure *(Python molurus)*, comprend deux sous-espèces qui diffèrent entre elles par la taille. Le plus petit (Inde et Ceylan) est plus clair que le grand, qui atteint une longueur de 8 mètres (Birmanie, Indonésie). Aussi grand, pratiquement, que le python réticulé, il s'en distingue par une marque en forme de lance sur la tête et le cou.

● Le python malais *(Python curtus)*, mesure entre 2 et 3 mètres de long. Sa peau est rouge brique avec des taches rondes jaune pâle. Il habite en Malaisie et en Indonésie. Le python royal du Soudan *(Python regius)* est très doux. Il mesure au maximum deux mètres de long.

● Les représentants du genre *Chondropython*, dont le python vert *(Chondropython viridis)*, vivent au sommet des arbres, en Nouvelle-Guinée et aux îles Salomon. Leur corps, dont la longueur ne dépasse guère un mètre, est d'un vert brillant parsemé de taches blanchâtres le long du dos. La queue est un véritable organe préhensile.

● Le calabaria de Reinhardt *(Calabaria reinhardti)* est une forme fouisseuse de l'Ouest africain mesurant un peu moins d'un mètre de long. Les genres *Liasis* (Philippines, Nouvelle-Guinée, Indonésie et Australie du Nord), *Morelia* (Australie et Nouvelle-Guinée) et *Aspidites* (Australie) font également partie de la sous-famille des pythonidés, comme toutes les espèces citées précédemment. ■

▶ *SERPENTS*

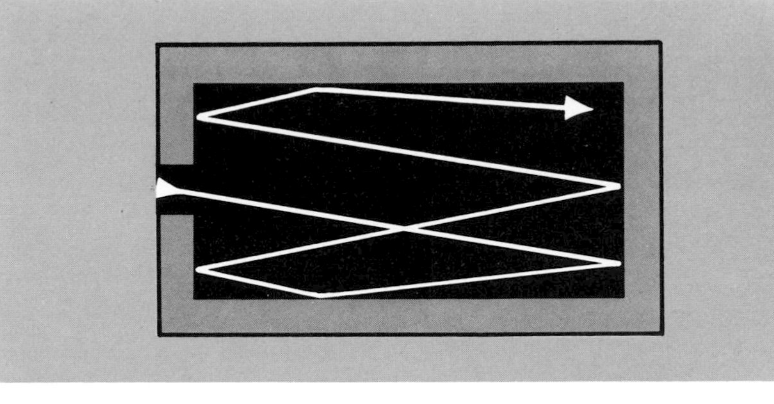

Le « corps noir », peut être assimilé à une boite fermée percée d'un trou et dont l'intérieur a été enduit de noir de fumée. Toute radiation incidente pénétrant par le trou est, par réflexions successives sur les parois, entièrement absorbée par l'enceinte ainsi formée.

QUANTA

● La mécanique classique déterministe est, pour une bonne part, fondée sur le principe que la connaissance de l'état d'un système à un instant donné permet de déterminer cet état à tout autre instant. La mécanique classique donna entière satisfaction tant que la physique s'occupa de l'étude des phénomènes macroscopiques, à notre échelle. Le temps était considéré comme continu; tout phénomène se déroulait dans l'espace absolu euclidien et était régi par les lois de la mécanique newtonienne.

● C'est alors que se produisit, au début du XXe siècle, une révolution qui ébranla la physique; ce fut la découverte des quanta, à l'occasion d'une recherche sur le rayonnement de la chaleur.

● Les lois du rayonnement thermique avaient été définies par Kirchhoff, Stefan et Wien, en utilisant la notion de « corps noir ». Un corps noir absorbe au maximum toutes les radiations qui y parviennent. Pratiquement, on réalise un corps noir en perçant un petit trou dans une enceinte fermée : les radiations qui pénètrent par le trou ne ressortent plus, car elles se réfléchissent indéfiniment sur les parois. Ainsi, un corps noir chauffé à température élevée émet de la lumière (comme le fait un barreau de fer chauffé), et, à température égale, son rayonnement est plus puissant que celui de n'importe quel autre corps. Une telle notion permet d'étudier quantitativement le rayonnement thermique.

● La loi de Stefan-Boltzmann énonce que le pouvoir rayonnant du corps noir est proportionnel à la quatrième puissance de sa température absolue (température exprimée en degrés Celsius augmentée de 273 °C). Selon la loi de Wien, quand la température absolue du corps noir croît, la longueur d'onde correspondant au maximum d'intensité de la radiation émise diminue progressivement en se déplaçant vers le violet du spectre visible. Lord Rayleigh et Jeans voulurent unifier ces deux lois, et formèrent une loi unique indiquant que la puissance lumineuse d'un corps chauffé est proportionnelle à sa température et inversement proportionnelle au carré de la longueur d'onde de la radiation émise.

● On s'aperçut que cette loi n'était vérifiée que pour une partie seulement du spectre visible, et que les valeurs illimitées de l'intensité, quand la longueur devenait de plus en plus courte, n'étaient pas possibles. La mécanique butait donc contre un obstacle et aboutissait à une impasse. L'union de deux lois, individuellement valables, conduisait à des résultats faux.

● Max Planck, vers 1900, parvint à une formule qui concordait avec les mesures grâce à l'introduction d'une constante, considérée au départ comme un artifice de calcul. Cette formule était en désaccord parfait avec la notion, sacrée à cette époque, de la continuité de l'énergie. En effet, Planck émit l'hypothèse étonnante que le rayonnement du corps noir

Né en 1858, mort en 1947, Max Planck, inventeur de la théorie des quanta, fut, comme l'a dit Werner Heisenberg, « le promoteur de toutes les nouveautés », à l'origine du prodigieux essor de la physique moderne.

était constitué de vibrations d'énergie proportionnelles à la fréquence de la lumière émise : l'émission d'énergie par un corps se faisait, selon lui, par valeurs discrètes, par portions séparées, par *quanta* d'énergie égaux à $h\nu$, de façon discontinue. La valeur ν est la fréquence, et h la constante de Planck, égale à $6{,}61 \times 10^{-27}$ erg.seconde. Cette constante devenait l'une des grandeurs fondamentales de la physique moderne.

● Pour illustrer la petitesse de la valeur de h, remarquons qu'une ampoule électrique d'une puissance de 25 watts seulement correspond à une émission de 6×10^{19} (soixante milliards de milliards) quanta à la seconde. Cette constante est donc très faible, ce qui explique qu'à notre échelle les phénomènes paraissent être continus. A l'échelle subatomique, en revanche, la constante h n'est plus négligeable et les discontinuités apparaissent.

● En 1905, Einstein, jusqu'alors chercheur inconnu travaillant dans un bureau de brevets en Suisse, explicita la notion de quanta en considérant que la lumière était un flux de quanta d'énergie, qu'elle était formée de grains de lumière, les photons. Planck refusa tout d'abord cette interprétation. Einstein déduisit de ses conceptions les lois de l'effet photoélectrique, ou l'émission d'électrons par un métal, quand celui-ci est éclairé.

● Ainsi était une fois de plus posée la question de la nature de la lumière. On n'arrivait pas à expliquer le phénomène de l'effet photoélectrique en se servant de la théorie ondulatoire de Fresnel. Le rayonnement électromagnétique avait un comportement qui était différent d'un phénomène à l'autre. Tantôt, la lumière était de nature ondulatoire, d'où l'apparition de la diffraction et des interférences, tantôt elle était de nature corpusculaire, comme c'est le cas dans l'effet photoélectrique ou dans l'effet Compton, par exemple.

● La théorie atomique classique fut, elle aussi, malmenée par l'introduction des quanta, qui condamnait la notion d'atome insécable. Niels Bohr, reprenant les travaux de son maître Rutherford, considéra que l'atome était formé d'électrons gravitant autour d'un noyau central sur des orbites privilégiés, dont les positions étaient définies par des nombres entiers, qui sont dits *nombres quantiques*.

● Tant que les électrons restaient sur ces orbites, il n'y avait pas d'émission de radiation : l'atome n'émettait pas de lumière. En revanche, le rayonnement atomique élémentaire se produisait quand un électron sautait d'une orbite à l'autre : ce saut était suivi de l'émission d'un photon, ce grain de lumière découvert par Einstein.

● Ainsi, la discontinuité de l'énergie, ici illustrée par le « saut » des électrons, prise comme hypothèse par Planck dans sa théorie des quanta, s'appliquait à la théorie atomique. Cette nouvelle façon de voir les choses améliora considérablement les connaissances que l'on avait de l'atome, de son noyau et de ses autres constituants. On découvrit les protons, les neutrons et une foule de particules élémentaires.

● S'agissant de la lumière, Louis de Broglie relia les deux notions d'onde et de particule pour tenter d'unifier la théorie classique de la lumière et celle des quanta. Il associa à l'électron une onde de longueur $\lambda = h/mv$. Dans le cas d'un électron de masse m égale à 10^{-27} gramme et de vitesse v égale à 6×10^{7} centimètre par seconde, λ est de l'ordre de 10^{-7} centimètre. La longueur d'onde ainsi définie correspond approximativement à celle des rayons X, et peut donc être mesurée.

● Ainsi, selon l'hypothèse de de Broglie, la lumière serait constituée de corpuscules, chacun d'eux étant accompagné d'une onde. Cette conception stupéfiante fut confirmée par l'expérience. En envoyant un faisceau d'électrons sur un cristal, on obtint des anneaux de diffraction : là où il y a diffraction, une onde est présente. Davisson et Germer, en 1927, eurent l'idée de cette expérience, et les anneaux obtenus furent photographiés; il était donc prouvé que les électrons allaient bien à leurs propriétés corpusculaires, mises en évidence par l'effet photoélectrique, des propriétés ondulatoires.

● De son côté, Werner Heisenberg élabora une « mécanique quantique » fondée sur le calcul matriciel, et Erwin Schrödinger, prenant le relais de de Broglie, fonda la « mécanique ondulatoire ». Tous ces travaux convergeaient. En 1930, Paul Dirac dota la mécanique quantique d'un formalisme mathématique adéquat, outil indispensable mais d'un maniement délicat.

● Heisenberg s'aperçut que les phénomènes quantiques, à l'échelle subatomique, échappaient aux règles strictes du déterminisme de la mécanique classique. Il n'est pas possible, en mécanique quantique. de définir les conditions initiales qui détermineront la trajectoire d'un électron. Dès lors, il est impossible de connaître à la fois et de façon précise la position et la vitesse d'une particule; on ne peut connaître que des valeurs approximatives $\Delta \times$ sur sa position et Δp sur sa quantité de mouvement. On a : $\Delta \times .\Delta p = h$, h étant la constante de Planck partout présente. C'est la célèbre « relation d'incertitude » d'Heisenberg.

● Les principes fondamentaux de la mécanique quantique furent dégagés de 1920 à 1930 environ, lors de séjours à Copenhague effectués par les physiciens spécialistes des quanta : Heisenberg, Bohr, Dirac, Pauli, Ehrenfels, Landau, Schrödinger, Einstein, entre autres. Le comportement réel de la nature, au niveau subatomique, ne correspond pas exactement à sa traduction à l'aide du langage de la mécanique classique. Certes, celle-ci reste valable, mais il en est ainsi uniquement en ce qui concerne les phénomènes macroscopiques, à notre échelle.

● Ainsi, la mécanique quantique, née à l'occasion de l'étude d'un seul phénomène, celui du rayonnement thermique du corps noir, a peu à peu étendu son influence à toute la physique. Elle a été la semence à partir de laquelle a germé puis s'est développée la physique moderne. Les applications pratiques qui en découlent débordent largement les limites de cet article. Citons seulement diverses découvertes : les transmutations chimiques, la cellule photoélectrique, la bombe et la pile atomique, l'utilisation pacifique de l'énergie thermonucléaire, les semi-conducteurs et les transistors, les masers, les lasers. Grâce à la mécanique quantique, la réalité de demain dépassera la fiction d'aujourd'hui. ■

► *ATOME / CHAMPS, PHYSIQUE DES / LASER ET MASER / LUMIÈRE / RELATIVITÉ*

QUARTZ

● Plus dur que l'acier, le quartz est l'espèce minéralogique la plus répandue dans l'écorce terrestre. Il est la forme cristallisée de la silice la plus courante, qui constitue par conséquent une grande partie des roches éruptives acides, sédimentaires (grès) et métamorphiques (quartzites).

● Les cristaux de quartz sont des prismes présentant de nombreuses faces qui sont fréquemment striées horizontalement. Les cristaux sont souvent géminés et ils atteignent parfois d'énormes dimensions : dans l'État de Minas Gerais, au Brésil, on a découvert un cristal haut de 2 m, large de 3 m et pesant 5 t; un fragment de cristal trouvé en U.R.S.S. avait une arête d'environ 3 m de longueur.

● Le quartz a une dureté de 7, dans l'échelle de Mohs, et un poids spécifique de 2,65. Il se brise facilement avec une cassure conchoïdale dans laquelle l'éclat est gras, tandis que la surface des cristaux a un aspect vitreux. Il est attaqué par le seul acide fluorhydrique.

● Le quartz présente une extrême diversité de couleurs, qui le font rechercher des collectionneurs, et dont certaines variétés sont des gemmes précieuses. Le quartz pur est transparent : c'est le cristal de roche. Mais il présente le plus souvent des teintes nuancées, allant du blanc au brun et au noirâtre. Ces colorations sont dues à des traces de divers éléments (manganèse, fer, nickel) ou à l'effet de la radio-activité.

● L'améthyste doit sa couleur violette à des traces de manganèse; le quartz fumé ou enfumé est de couleur brun noir; le quartz citron, jaune citron, peut donner des gemmes. Le quartz rose apparaît en masses cristallines et sa couleur est probablement due à des traces de manganèse; le quartz opalin est peu transparent et de couleur laiteuse, et le quartz bleu est une variété très rare de ce minéral.

● Le quartz peut contenir des inclusions d'autres minéraux, comme les fins cristaux appelés « cheveux de Vénus »; le quartz « aventurine » comporte des inclusions de paillettes micacées ou ferrugineuses en forme d'aiguilles; les fibres d'asbeste donnent la variété appelée « œil-de-chat ».

● Le quartz est le constituant fondamental d'innombrables types de roches : les plus beaux cristaux proviennent de cavités (géodes et lithoclases) où ils ont pu librement

Échantillon de quartz hyalin ou cristal de roche (Brésil). Le quartz incolore est de la silice pure.

cristalliser. Les plus beaux spécimens nous viennent du Brésil, de l'Uruguay, du Guatémala, de la Colombie, de Madagascar et des États-Unis.

● Mais en Europe, il en existe de splendides agrégats dans le Dauphiné et le Massif du Saint-Gothard; le marbre de Carrare (Italie) en contient sous forme de petits cristaux si limpides que l'on dirait des gemmes.

● Les utilisations industrielles du quartz sont nombreuses : ses cristaux sont doués de piézoélectricité (phénomène réversible de polarisation électrique sous l'action de contraintes mécaniques), d'où leur emploi pour la régularisation des émissions hertziennes et la génération d'ultra-sons pour tous usages; on l'utilise pour fabriquer des matériaux réfractaires, dans la céramique, pour l'émaillage des porcelaines (couverte) et surtout en verrerie.

● La calcédoine est une autre variété de silice cristallisée. Elle se présente en masses compactes formées d'aiguilles cristallisées, seulement visibles au microscope. C'est un minéral très courant qui se forme aux dépens du quartz sous l'action des eaux superficielles. Les différentes variétés de calcédoine sont l'agate, formée de couches de couleurs différentes, la cornaline, translucide, rouge ou brun clair, le jaspe, qui montre des taches rouge sang dans une pâte verte, l'onyx, le plasma, calcédoine vert brillant. ■

► *CRISTAUX ET CRISTALLISATION / MINÉRAUX / PIERRES PRÉCIEUSES / ROCHES / SILICIUM*

Géode tapissée de cristaux d'améthyste, variété de quartz contenant des traces d'oxydes de fer et de magnésium. Il ne faut pas confondre le quartz améthyste avec l'améthyste orientale, de dureté 9, variété de corindon qui contiendrait du vanadium.

La Place du Marché dans le centre de Montréal. Ce quartier ancien est resté miraculeusement à l'écart des bouleversements consécutifs à l'activité de la métropole moderne.

QUÉBEC

● Côté français, l'histoire du Québec commence avec le Malouin Jacques Cartier débarquant à Gaspé, en 1534, et prenant possession des terres canadiennes au nom de François Ier. Suit une longue période d'histoire française jalonnée par la fondation de Québec (1608) par Champlain, la recherche de peaux de castor, l'alliance des « bons Hurons » contre les mauvais Iroquois (soutenus par les Anglais), la victoire de Frontenac repoussant les Anglais à Québec en 1690... glorieux chapitres qui s'achèvent par une défaite et la mort de Montcalm en 1759.

● Dès lors commence l'histoire dont les Anglais aiment le mieux se souvenir. En 1763, la France abandonne ses « arpents de neige » canadiens à l'Angleterre qui abolit aussitôt le catholicisme et établit de nouvelles institutions pour entreprendre sérieusement la mise en valeur de ce nouveau fleuron de la couronne britannique : création d'usines de fabrication de pâte à papier à Lachute (1803), naissance de l'industrie cartonnière à Sherbrooke (1845), exploitation des mines de fer, d'or, de bauxite, etc.

● Ainsi les deux vieilles puissances européennes trient dans le passé du Québec à la recherche d'un titre irréfutable de propriété. Les uns arguent de la langue, de la toponymie, de la religion, les autres du poids du passé récent, de l'amitié de la nation canadienne, du rôle des capitaux anglo-saxons dans le développement économique du pays... discussion sans issue et aussi sans objet, car l'enjeu du débat, le Québec, est, entre temps, devenu majeur et ne prête guère plus d'attention aux querelles des Anglais et des Français que ceux-ci n'en accorderaient aux arguties entre descendants des Francs et des Romains.

● Les Anglais ont l'impression de connaître le Québec parce que c'est une partie d'un dominion, parce que la prééminence de la reine y est reconnue; les Français s'accrochent au souvenir de « Maria Chapdelaine », voire à des refrains de chansonnettes (« Ma cabane au Canada » par exemple). C'est le meilleur moyen de passer à côté de la réalité canadienne française et cela n'a pas plus de rapport avec la réalité d'aujourd'hui que les propos d'une vieille tante évoquant la personnalité d'un chef d'État, d'un grand écrivain ou d'un savant à travers les boucles précieusement gardées, les souvenirs de « sottises » enfantines ou les photos défraîchies de l'album de famille.

● Car si les Québécois ont, de par leur origine, des parents et des cousins en Europe, ils sont avant tout Américains. Pendant que les Anglais et les Français s'affrontaient ou épiloguaient sur leurs chamailleries, ceux qui avaient choisi d'être Québécois — et rien de plus — ni de moins — s'enracinaient dans un sol qui avait le mérite d'être spacieux, offrant ainsi à chacun la possibilité de se tailler un espace à sa mesure.

● Résultat : des villes comme Québec ou Trois Rivières qui ressemblent à des petites villes du centre ouest de la France mais qui paraissent « grandes » au jeune visiteur français, alors que les villes françaises sont d'abord perçues comme « petites » par les jeunes Canadiens; à plus forte raison s'ils viennent des gratte-ciel de Montréal, deuxième ville francophone du monde (plus de 2 700 000 habitants), après Paris certes, mais avant toutes les autres.

● Si les Québécois ont ainsi choisi de bâtir de grandes villes, ce n'est pas qu'ils soient particulièrement nombreux, c'est simplement qu'en toutes choses, ils ont choisi de voir grand.

● D'ailleurs, tout dans ce pays invite l'homme à aller jusqu'au fond de ses possibilités. Il y a d'abord l'appel de l'espace.

● La moitié de la population du Québec (environ 6 500 000 habitants) est répartie sur un espace égal au triple de la superficie de la France (1 541 000 km²), tel est le rapport fondamental qui domine la vie des Canadiens du Québec.

● Il y a ensuite le défi d'une nature et d'un climat peu cléments : hiver long et froid (température

Le Saint-Laurent, veillé par les campaniles de Québec. Concurrencé depuis la seconde moitié du XIXe siècle par Montréal, Québec demeure un port très actif où accostent les transatlantiques qui ne peuvent remonter jusqu'à Montréal.

moyenne du 15 novembre au 5 avril : — 11 °C), été chaud et humide, saisons intermédiaires courtes. Mais les Québécois sont habitués à ce climat rude qui stimule leur dynamisme et, dans le fond de leur cœur, ils se réjouissent de n'être pas trop nombreux à profiter de la beauté d'un pays où les forêts sont riches en caribous, chevreuils, ours noirs, lynx, renards, mouffettes, lièvres, perdrix, canards, cependant que dans les rivières abondent ombles, truites et saumons.

● Solidement ancré sur sa terre vaste et riche, le Québécois affronte avec sérénité le monde qui l'entoure et deux allégeances le sollicitent : celle du monde anglo-saxon où le Québec est immergé, celle de la culture française à partir de laquelle il a forgé son identité.

● Numériquement, les 6 millions de francophones du Québec ne pèsent pas lourd en face des anglophones du reste du Canada, deux fois plus nombreux, et surtout des 240 millions d'anglophones d'Amérique du Nord. On peut se demander ce qu'il serait advenu de la langue française en Europe si les Français avaient été entourés de 240 millions d'anglophones.

● Les Québécois eux ont tenu. Ils ont résisté pied à pied en refusant d'adopter la langue anglaise, se soulevant au besoin pour reconnaître leurs droits (1837, 1918) et surtout en utilisant l'arme traditionnelle des pauvres : les enfants — le lit de la misère étant, comme chacun sait, fécond.

● De 1608 à 1760, moins de 10 000 Français étaient établis au Canada : c'est à partir de cette souche exiguë que s'est développée la population canadienne française, le taux de natalité se maintenant, jusque vers la fin du XIXe siècle, au dessous de 50 pour 1 000.

● Fort de la jeunesse de sa population, le Québec a pu progressivement affirmer sa personnalité au sein de la Fédération canadienne d'abord, dans le reste du monde ensuite. Aujourd'hui, le Québec a pour langue officielle le français (depuis 1974), il signe des accords culturels ou économiques avec des États étrangers, et ses chanteurs (Félix Leclerc, Gilles

Comment reconnaître parmi ces gratte-ciel de Montréel, l'ancienne Ville-Marie, fondée en 1642, pour porter l'évangile chez les indigènes du Haut-Saint-Laurent? Plus de 40 % de la population québécoise vivent à Montréal, pôle de la vie économique, que son activité place au rang des grandes capitales nord-américaines.

Vigneault, Robert Charlebois), ses films *(La vraie nature de Bernadette, Le chat dans le sac, l'homme multiplié, La maudite galette)* font le tour du monde, cependant que patiemment une génération prometteuse d'écrivains (Yves Thiérault, Claude Jasmin, Rejean Ducharme, Marie-Claire Blais, etc.) présentent et analysent une autre façon d'être français, celle des Québécois.

● Car les Québécois n'imitent personne : ils ont la vigueur et la santé des jeunes arbres et ils ne doivent rien d'autre à la France que les graines d'hommes que le vent a un jour emportées par-dessus les océans pour y croître sur une autre terre et sous un autre soleil. Cela n'empêche pas les Québécois d'être curieux de ce qui se passe chez les autres peuples dont ils partagent la langue et, à ce titre, ils ont joué un rôle important dans le développement de la francophonie; ils sont notamment à l'origine de la création à Montréal de l'Association des Universités de langue française. A la différence de la France, marquée par son passé de puissance coloniale, le Québec est souvent mieux placé que l'ancienne métropole pour établir des liens nouveaux entre tous ceux qui parlent français. Ainsi par son action culturelle dans le monde, le Québec se désenclave un peu plus et parachève le combat qu'il a victorieusement mené au Canada contre l'emprise de la langue anglaise.

● Dans le domaine économique et financier, le Québec a plus de difficultés à se libérer de l'influence des anglo-saxons. Deux raisons à cela : la dépendance politique à l'égard de l'Angleterre (relayée par la suite par les États-Unis), plus encline à partager dans le domaine politique et culturel que dans le domaine économique et financier, et l'indifférence des Québécois eux-mêmes qui avaient choisi d'affirmer leur identité culturelle avant de chercher à s'enrichir.

● Ainsi pendant des siècles, ils ont été plus volontiers cultivateurs ou trappeurs, pendant que les anglophones créaient des banques, des sociétés anonymes, et tissaient la trame solide de l'expansion capitaliste et urbaine. Les Québécois, eux, persistaient à gratter la terre et l'érable, à élever des enfants, à aller à la messe et à parler français en famille. C'était leur façon de préparer l'avenir.

● Effectivement, quand la situation a été jugée mûre, ce peuple s'est brusquement redressé et inexorablement a entamé sa « révolution tranquille ».

● Un à un, tous les verrous qui bridaient la croissance du Québec ont sauté : le clergé, qui avait parfaitement aidé les Québécois à résister sur le plan culturel, mais ne

Alors que la population de Québec est massivement francophone (4 % d'anglophones) celle de Montréal est nettement plus hétérogène (24 % d'anglophones).

Le barrage Daniel-Jonhson (Manic V) réalisation la plus spectaculaire de l'aménagement de la rivière aux Outardes et de la Manicougan. 85 000 ouvriers ont travaillé à sa construction. La voûte centrale pourrait abriter la coupole de Saint-Pierre de Rome.

réussissait pas à les aider à s'imposer sur le plan économique, a vu son influence évoluer, la société traditionnelle a été remodelée, l'éducation intensifiée, et le Québec a commencé à prendre son essor économique.

● Le Québec moderne est devenu bien différent. Certes l'agriculture occupe encore 20 % de la population active; mais elle s'est modernisée et ses rendements sont devenus compétitifs.

● Le pays s'est industrialisé, grâce à ses richesses minières d'abord. A côté des gisements de fer, de cuivre ,de zinc, d'argent, d'or et d'autres substances, métallifères ou non, les gisements d'uranium de la baie James ont permis la création d'un complexe moderne. Autre secteur industriel prospère, celui dérivant de l'exploitation des forêts, qui occupent presque 2 millions de km². Le Québec a produit plus de 20 millions de tonnes de pâte à papier en 1985, occupant ainsi le 2e rang mondial, après les États-Unis. L'industrie du bois s'est développée parallèlement.

● Mais surtout le Québec a réussi à capter la puissance de ses innombrables rivières, dans le complexe de la baie James essentiellement, où l'énergie vient d'un lac artificiel, au nord de la province, où 125 km de digues retiennent les eaux. Une fois terminée — et la construction est très avancée — la production sera de 21 000 Mw. En 1986, la production canadienne d'hydro-électricité a occupé le 2e rang mondial, talonnant de près le premier producteur, les États-Unis.

● Pour les Québécois, ce n'est pas un coup d'essai. En matière de grands travaux, ils s'étaient déjà fait la main en créant la voie maritime du Saint-Laurent : grâce à cette œuvre gigantesque, inaugurée en 1959, les longs-courriers d'un tirant d'eau de plus de huit mètres, peuvent franchir les 3 540 km qui séparent le lac Supérieur de l'Atlantique, et la rade de Montréal est ainsi devenue le premier port intérieur du monde.

Les rives boisées du Saint-Laurent, « le chemin qui marche » comme l'appellent les Indiens. Les touristes, américains surtout, mais aussi européens, viennent nombreux profiter des ressources que leur offre une nature à la fois exploitée et respectée.

● Ce brusque décollage économique ne manque pas d'attirer de nouveaux immigrants vers le Québec qui, de tous les États de la Fédération canadienne, est, après l'Ontario, celui qui reçoit le plus d'étrangers.

● Il en résulte certains problèmes car bon nombre de ces communautés d'immigrants (Mexicains, Allemands) ont du mal à adopter la langue française, que par ailleurs la loi ne reconnaît plus comme seule langue officielle. Malgré les efforts du gouvernement québécois, qui a multiplié les cours du soir pour immigrants, les « classes d'accueil » pour écoliers non francophones, beaucoup de jeunes québécois s'orientent vers l'étude de l'anglais car 20 % d'anglophones détiennent le pouvoir politique et 70 % de l'écnomie sont contrôlés par les États-Unis. La réalité du Québec est contenue dans ces simples chiffres.

● La question des compétences est importante car le Québec n'est plus depuis belle lurette la dernière chance des « ratés » d'Europe. En revanche, ceux qui possèdent une formation professionnelle ou des diplômes valables auront sans doute plus d'occasion de réussir qu'en Europe où les structures sociales sont plus rigides qu'au Québec. Tout dépend en dernier ressort de la faculté d'adaptation du sujet à un environnement humain différent. Si le jeune Français débarquant au Québec s'obstine à considérer les Québécois comme un Parisien considère parfois les provinciaux, il a toutes les chances 1) de ne rien comprendre aux Québécois; 2) de se faire payer de retour et d'être méprisé à son tour par ceux qu'il croyait pouvoir traiter de haut.

● En revanche, un jeune Français, décidé à s'intégrer à un pays proche mais différent du sien par bien des points, n'aura guère de mal à s'intégrer à une nation qui demeure fondamentalement accueillante. Dès lors, il pourra profiter à plein de tous les avantages matériels qu'il y a à vivre au Québec et aussi s'enrichir sur le plan intellectuel et humain.

● Les Québécois bénéficient en effet d'une position charnière irremplaçable : ils ont pu assimiler le pragmatisme et le « know how » anglo-saxon sans en devenir esclaves car leur culture différente les faisait participer à un autre univers mental, de même qu'ils ont pu prendre leurs distances à l'égard d'une culture française souvent trop passéiste et la réinventer en terme américain. C'est ainsi que de toutes les nations qui parlent français, le Québec est devenu la plus moderne.

● Être Québécois est, aujourd'hui, une grande chance. ■

► *AMÉRIQUE / CANADA / CARTIER, JACQUES / CHAMPLAIN, SAMUEL / GRANDS LACS AMÉRICAINS / MONTRÉAL / TRAPPEURS*

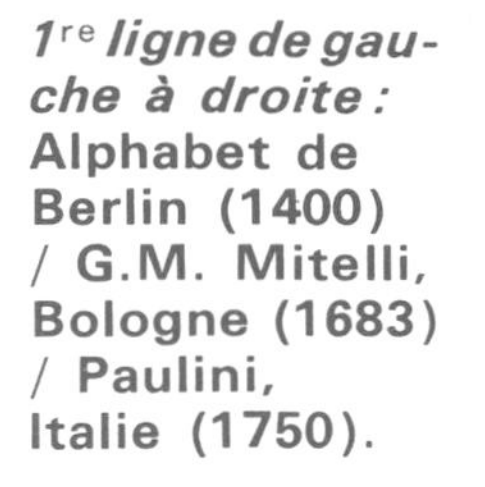

1re ligne de gauche à droite :
Alphabet de Berlin (1400) / G.M. Mitelli, Bologne (1683) / Paulini, Italie (1750).

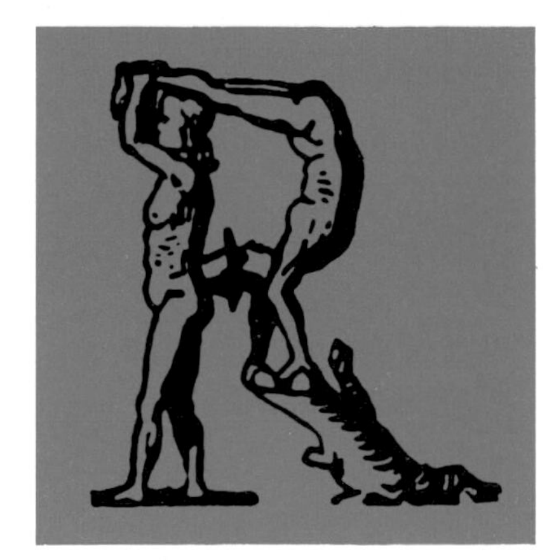

2e ligne de gauche à droite :
Alphabet hiéroglyphique de C.V. Noorde, Pays-Bas (1751) Alphabet de personnages, Caulo, Paris (1856) Alph. de Daumier, Paris (1836).

3e ligne de gauche à droite :
Alphabet « Forestière », J. Midolle, Strasbourg (1834) / Alphabet diabolique, J. Midolle, Strasbourg (1834) / G.C. Lassada, Bologne (1850)

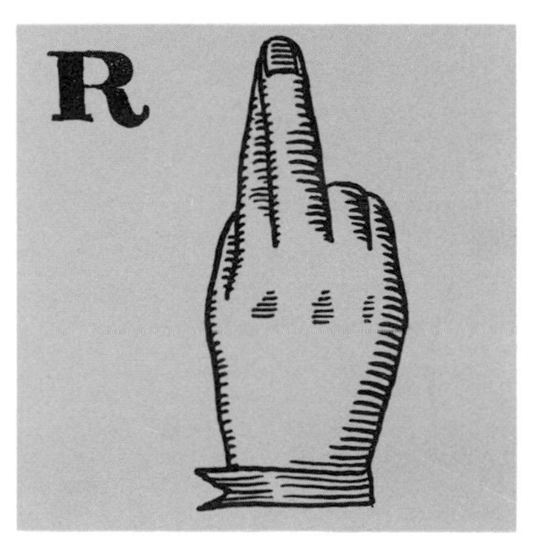

4e ligne de gauche à droite :
Alphabet chromolithographique, Vosges (1891) / Alph. d'animaux, Silvestre, Paris (1834) / Alphabet dactylologique des sourds-muets, (Paris).

Lettre R - ORIGINE DES ILLUSTRATIONS

Foto Archivio, Rome : 2651 supérieur, 2658, 2659, 2660 / G. Arvati : 2588 / Bibliothèque Nationale : 2608, 2616 / Bulloz : 2590s, 2604, 2615s, 2655, 2687, 2688, 2699s / Carrese Foto : 2592s, 2597 inférieur gauche, 2610, 2682, 2694s, 2695i, 2696s, 2698 / L. Corbella : 2594i, 2627 / P. Cozzaglio : 2611, 2628, 2644, 2671s / R. Crespi : 2671i, 2672i / R. Curiel : 2596, 2667, 2676, 2677 / Archives D.C.O. : 2636s, 2637, 2646s, 2647, 2669s / Fotogram : Burneau, 2612 ; Pavard, 2652i / Giraudon : 2587, 2603 ; Lauros, 2615i, 2648, 2685s, 2686 / Institut de Radiologie de Milan : 2601 / Archives R. Laffont : 2605i, 2614, 2636i, 2643, 2645, 2646i, 2652s, 2653, 2683 / P. Lalande : 2649 / Magnum : 2590i, 2640s / A. Margiocco : 2623, 2629i, 2631s, 2632c et d, 2641i / G. Mazza : 2598, 2626s, 2629s, 2631i, 2632g, 2633, 2641s, 2662s, 2664, 2665s, 2674, 2696i / G. Minelli : 2594s, 2605s, 2651i, 2662i, 2697s, 2703i / Archives Mondadori : 2599, 2600, 2617, 2625, 2650, 2654, 2657i, 2666i, 2694i / Photo Nova : 2595 / Parimage : 2663 / Foto Pictor : 2624, 2661, 2691, 2692 / M. Pucciarelli : 2592i, 2620, 2621i, 2656, 2657s, 2668, 2679, 2680 / F. Quilici : 2589 i et g. 2690 / R.A.I. : 2597 s et id / Rapho : Pavlovsky, 2606 / L. Ricciarini : Bevilacqua, 2591, 2622i, 2626i, 2678, 2689 ; P. Curto, 2640i ; N. Cirani, 2666s, 2697i, 2707s ; D. Guissani, 2693 ; E. Robba, 2695s / X. Richer : 2704 / Roger-Viollet : 2643s / Scala : 2618, 2619, 2621s, 2622s, 2673, 2675, 2681, 2684, 2685i, 2700 / SEF : 2589d, 2669i / Sipa-press : 2638, 2639 / Snark : 2602, 2607, 2699i / U.S. National Museum Washington : 2630 / USIS : 2613 / S. Valbusa : 2593.

NOUVELLE ÉDITION 1980

Doisnau (Rapho) : 2345 / Presse-Sports : 2701 / Régie Renault : 2670.

R — *Consonne et dix-huitième lettre de l'alphabet.* R *vient du grec rhô, issu lui-même du phénicien ros.*

RABELAIS (1494-1553)

● En 1532, à l'occasion de la foire de Lyon, sont publiés *les Horribles et Épouvantables Faits et Prouesses du très renommé Pantagruel, roi des Dipsodes, fils du grand géant Gargantua,* sous le nom d'Alcofribas Nasier, alias François Rabelais, médecin à l'Hôtel-Dieu de Lyon.

● L'ouvrage s'impose par sa faconde, sa truculence populaire et une conception de la vie qui tranche sur la morale officielle. Pantagruel est ce géant débonnaire à qui ne déplaisent pas plus les écarts de langage que les fantaisies de conduite. C'est d'abord un joyeux compagnon insouciant et principalement occupé de copieuses libations. Il aime la vie et n'est entravé par aucune contrainte, serait-elle de langage. Son vocabulaire emprunte à tous les domaines, les plus savants et les plus populaires. C'est un mélange d'observations délicates, de fantaisie et de grossièretés.

● La suite de l'ouvrage se révélera de la même veine : *Gargantua* en 1534, le *Tiers Livre* en 1546, puis le *Quart Livre* et le *Cinquième* qui s'achève en 1564. Tous ces personnages, Gargantua, Grandgousier, Pantagruel, Picrochole, avec leurs proportions colossales, vont permettre à Rabelais d'exprimer tous les rêves titanesques de l'humanisme naissant, et la joie d'une existence où l'on réinvente à chaque instant le bonheur et le rire.

● Les détails amusants ne doivent cependant pas dissimuler les préoccupations plus graves de Rabelais. Hostile au fanatisme, il demande une liberté religieuse élargie. Avide de connaissances, il lutte contre la tutelle qu'exercent les aristotéliciens sur le savoir. Il est, en France, l'un des premiers à demander que les arts libéraux (entendez les Beaux-Arts) et l'artisanat soient enseignés comme les sciences : le savoir est un, comme l'homme. Disciple d'Érasme et de Budé, il dresse les plans d'éducation du prince idéal, amateur des arts et ami des artisans. En fait, il nous invite à prendre son œuvre très au sérieux et comme il le dit si joliment « à rompre l'os et sugcer la substantificque mouelle ».

● Il n'est pas sans prendre conscience des obstacles à un tel renouvellement des esprits, aussi déverse-t-il ses sarcasmes et son ironie sur le monde qui l'entoure. Il est peu d'institutions, de corps constitués, de personnages officiels qui ne fassent les frais de sa satire. Les coups ne sont jamais portés au hasard, et rarement ils manquent leur but. Les théologiens, les magistrats, les moines, les superstitieux, les catholiques, les protestants, forment une galerie inoubliable de personnages caricaturés : Picrochole, le foudre de guerre, Thomaste le théologien, Jean des Entommeures, le moine ignorant.

● S'étonnera-t-on dans ces circonstances que Rabelais eût quelques ennuis avec la Sorbonne, dont il se moquait un peu trop? Les théologiens l'accusèrent d'immoralité et tous ses livres furent interdits, les uns après les autres. Son génie ne pouvait qu'indisposer. Ses démêlés avec l'autorité avaient d'ailleurs commencé bien plus tôt, lorsque, moine cordelier,

« Le grand rire de Rabelais est un phénomène unique dans la littérature de tous les temps ; et à côté de lui, Aristophane, Boccace, Molière, font figure de croque-morts »

Marcel Aymé.

Cette copie d'une œuvre exécutée par l'école de Versailles (et dont l'original a été perdu) a servi de modèle à la plupart des portraits de l'écrivain réalisés au XVIIe siècle. Rabelais y figure coiffé du bonnet de docteur.

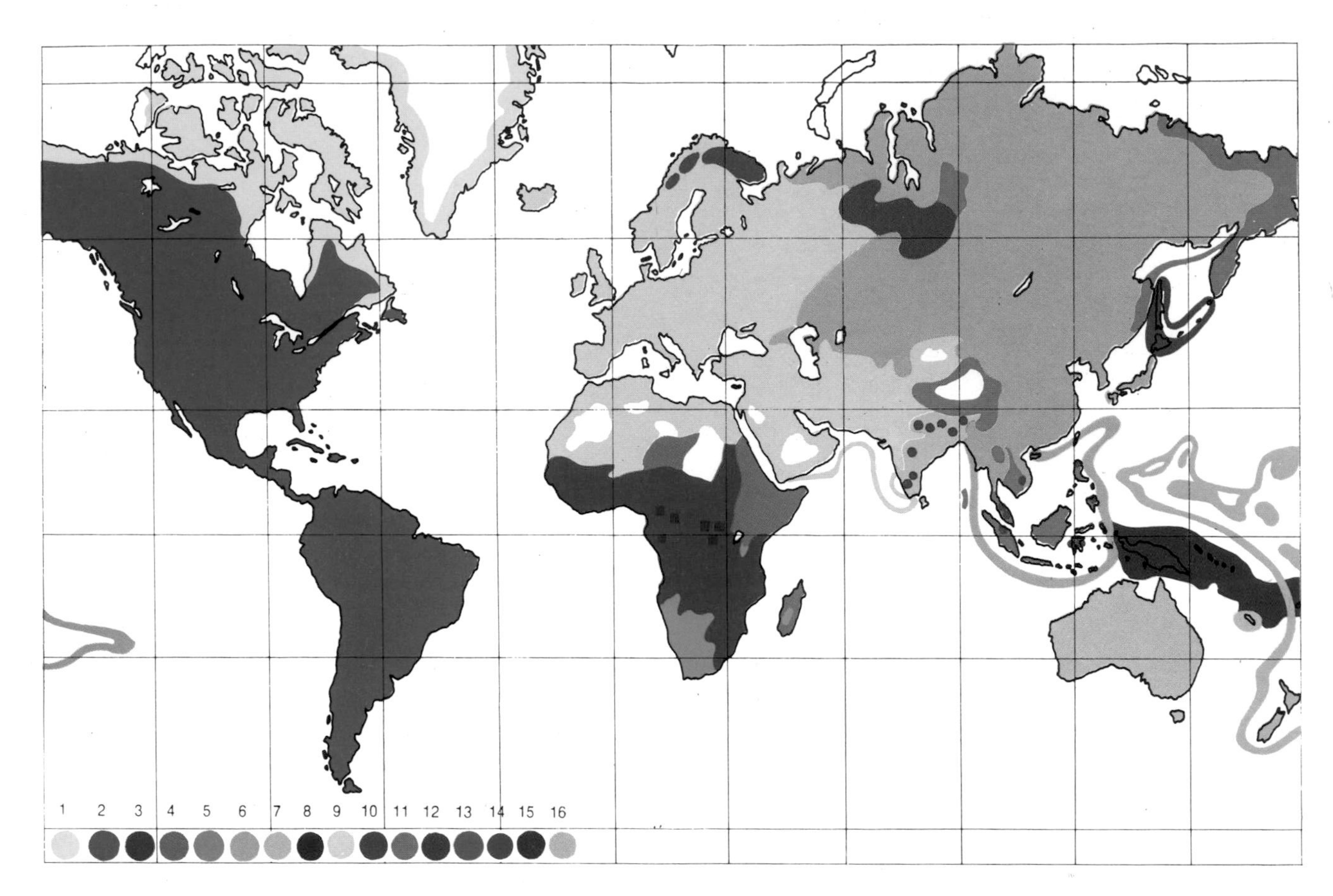

Répartition des races humaines, selon l'ethnologue italien R. Biasutti. Les couleurs localisent les grandes souches humaines qui se subdivisent, à leur tour, en un certain nombre de races dérivées.
1. Esquimaux
2. Américanidés
3. Négroïdes
4. Ethiopidés
5. Stéatopygidés
6. Polynésidés
7. Paléo-indidés
8. Papouasidés
9. Europoïdes
10. Lapons
11. Prémongoloïdes
12. Pygmées
13. Mongoloïdes
14. Veddidés
15. Préeuropoïdes
16. Australoïdes

il émit la prétention d'apprendre le grec. Pour cela, il dut quitter son couvent et entrer chez les bénédictins, réputés plus libéraux. Mais il ne cessa de se rebiffer contre toutes les « lois, statuts et règles ».

● C'est selon cette orientation que Gargantua construisit l'abbaye de Thélème. Sur la grande porte, une inscription en interdit l'entrée aux « hypocrites, bigots, cagots ». « Entrez, qu'on fonde ici la foi profonde, puis qu'on confonde, et par voix et par rôle, les ennemis de la sainte parole ». Rabelais pensait que la racine de l'amour est intérieure, et que de la liberté ne peut sortir que le bien. La devise de Thélème est « Fais ce que voudras, parce que gens libres et bien nés, bien instruits conversant en compagnies honnêtes ont par nature un instinct et aiguillon qui toujours les pousse à faits vertueux. » Il s'agit de concilier le christianisme retrempé à ses textes originaux et l'épanouissement total de la nature humaine.

● La passion du savoir, l'amour de la liberté, le goût d'une existence complète, tels sont les thèmes de Rabelais. Ils s'expriment dans une langue crue d'une richesse étonnante où les mots ne sont « gelés » ni par sottise, ni par avarice. La virtuosité verbale de Rabelais a quelque chose de prodigieux.

● Rabelais a effrayé les scolastes ou autres « sorbonnicoles » et parangons de vertu. Mais son œuvre reste terre de vie et de liberté. « L'épaisseur des grands comiques, des Cervantes, Molière, Rabelais... Leur vie est générosité. Celui qui sourit seulement se croit supérieur; il se prête; l'autre se donne. » (André Gide). ■

▸ *HUMANISME*

RACES

● Les races humaines sont des groupements d'individus qui ont en commun des caractéristiques héréditaires déterminées. Parmi celles-ci les caractères somatiques sont les plus évidents. La science qui étudie les races humaines s'appelle l'anthropologie.

● Les principaux caractères pris en considération sont : la couleur de la peau, qui va du blanc-rouge au noir ébène, avec toute une série de nuances intermédiaires — jaunâtre, olivâtre, rouge cuivre, brun, etc.; la forme du crâne, qui peut être dolichocéphale (tête allongée) ou brachicéphale (arrondie); la stature, étant considérée comme normale celle comprise entre 1,60 m et 1,70 m. On dit d'un individu qu'il est longiligne s'il est grand et élancé, et bréviligne s'il est petit et trapu.

● La forme du visage : allongé (leptoprosopie), arrondi (brachiprosopie), prognathe (mâchoire et menton proéminents par rapport à la partie supérieure du visage), orthognathe (absence de proéminence sensible). On tient compte également d'une série d'éléments comme la forme du nez, des yeux, la forme et les dimensions des lèvres, etc.; les cheveux, qui sont lisses, ondulés ou crépus. Leur couleur est généralement noire, mais dans les races à peau blanche il existe un certain pourcentage (en continuelle diminution) d'individus ayant des cheveux blonds. On établit actuellement une distinction, de nos jours, entre quatre groupes principaux, comprenant un certain nombre de races : Australoïdes, Négroïdes, Mongoloïdes et Europoïdes.

- Les *Australoïdes :* de couleur brune et de stature moyenne, ils sont dolichocéphales. Leurs cheveux sont ondulés, leurs lèvres épaisses et leur silhouette longiligne. On les trouve en Océanie et, en petits groupes, en Asie. Les *Négroïdes* sont caractérisés par la couleur noire, un crâne dolichocéphale, un prognathisme accentué, des cheveux crépus, un nez « écrasé » et de grosses lèvres. Ils sont généralement grands. Ils constituent la majeure partie des populations d'Afrique. On les trouve aussi en Asie (presqu'île de Malacca, îles Philippines et Andaman).
- Les *Mongoloïdes* ont la peau jaunâtre ou olivâtre, leur crâne est brachicéphale, aux cheveux noirs et lisses, leur visage plutôt large et plat avec des pommettes saillantes et des yeux bridés, un petit nez. Ils forment le groupe le plus nombreux (environ un tiers de l'humanité). Ils vivent en Asie centrale et orientale et dans les îles d'Indonésie.
- Les *Europoïdes,* enfin, ont la peau claire ou brune, des cheveux lisses, ondulés ou frisés, un visage orthognathe. Ils occupent l'Europe, l'Afrique au nord du Sahara, l'Asie Mineure, la péninsule indienne et la Sibérie jusqu'aux îles Kouriles.
- Il existe aussi une série de races « dérivées », provenant de mélanges ou de différenciations ayant eu lieu à des époques assez reculées. Elles comprennent les Américanidés, les Polynésidés, les Paléoindidés et les Éthiopidés.
- Les *Américanidés* comprennent toutes les races indigènes d'Amérique, à l'exception des Esquimaux. Ils ont principalement des caractères mongoloïdes.
- Les *Polynésidés* présentent des caractères europoïdes dominants, de même que les *Paléoindidés,* chez lesquels, toutefois, apparaissent très nettement les caractères négroïdes (peau sombre et corps élancé).
- Les *Éthiopidés* présentent un mélange de caractères europoïdes et négroïdes. Les Pygmées occupent une place à part. Ils sont caractérisés par leur petite taille, leur minceur, leur couleur brune. Ils sont probablement les survivants d'une ancienne race vivant en Afrique qui fut en grande partie anéantie par les Noirs.
- En conclusion, on peut dire que les Mongoloïdes et les Négroïdes se trouvent dans les zones méridionales du globe, alors que les Europoïdes habitent surtout les régions occidentales, et les Mongoloïdes les régions orientales. Les zones habitées par ces types raciaux distincts sont souvent séparées par des barrières naturelles difficilement franchissables, comme le Sahara, qui sépare les Europoïdes des Négroïdes, et les grandes chaînes de montagnes d'Asie (Himalaya, par exemple) qui distinguent géographiquement les Europoïdes des Mongoloïdes. Là où ces barrières n'existaient pas, la facilité des communications a fa-

Indien galibi de Guyane. A gauche : l'ancienne Guyane anglaise compte 380 000 Indiens sur 758 000 habitants.

Indienne de Bolivie avec son enfant. A droite : malgré des caractères indiens manifestes, ces individus sont probablement métissés. La Bolivie comprend 50 % d'Indiens chiriguanos et boronos, et 44 % de métis et de créoles.

Slaves d'Europe orientale. Les cheveux blond cendré, les pommettes saillantes et les yeux légèrement bridés sont les traits caractéristiques des femmes slaves.

vorisé un mélange des races, et la création d'autres races dérivées (ou mixtes).

● Alors que de nombreux peuples ont disparu, comme les Indo-américains, de nouveaux croisements se sont produits. Les *métis* sont le produit de croisements entre immigrés et populations indigènes. En Amérique on appelle métis les croisements entre immigrés européens et indigènes américains. Les individus nés de croisements entre blancs et noirs sont appelés *mulâtres;* ceux qui sont nés de noirs et d'indigènes américains sont dits *zambos*. ■

▶ *ANTHROPOLOGIE*

Jeunes Formosanes. A l'origine, l'île de Formose était peuplée de tribus malaises, dont la race est demeurée pure dans les montagnes. A partir du IXe siècle l'invasion chinoise a donné naissance à une race métissée, à caractères sud-mongols dominants.

RACINE, Jean (1639-1699)

● Le théâtre de Racine marque l'apogée du classicisme français. Il est paradoxal que les personnages raciniens, parlant un langage conventionnel redevable de l'époque, empruntés presque toujours à la mythologie ou à l'histoire antiques, puissent incarner encore pour les hommes du XXe siècle les passions les plus brûlantes, dans toute leur force dévastatrice.

● Le personnage de Jean Racine n'est pourtant guère attirant : élevé dans le milieu janséniste de Port-Royal, il se retournera contre lui pour s'attirer la faveur du

Un portrait de Racine, peint par un élève de l'école de Mignard.

pouvoir. Il fait jouer sa première pièce connue, *la Thébaïde*, par la troupe de Molière, puis va porter la seconde au théâtre rival. Il se console de la mort — d'ailleurs suspecte — d'une amie par d'autres amours plus utiles à sa carrière. Dès ses débuts littéraires, il veut rivaliser avec Corneille veillissant. *Britannicus* est une machine de guerre dirigée contre le grand auteur tragique. Enfin, en 1677, il abandonne la tragédie, une fois qu'il a obtenu une position officielle et que sa réussite financière et sociale n'est plus à faire : Louis XIV en effet en avait fait son historiographe.

● Au milieu de cette vie « trop bien » menée, s'impose une œuvre réduite certes, mais qui représente un monument du théâtre. Elle consiste en une dizaine de pièces : *Andromaque* (1669), l'intermède comique des *Plaideurs* (1668), *Britannicus* (1668), *Bérénice* (1670), *Bajazet* (1672), *Mithridate* (1673), *Iphigénie* (1674), *Phèdre* (1677), *Esther* (1689), et *Athalie* (1691). Chacune de ces œuvres respecte scrupuleusement les contraintes du genre tragique classique. Racine, loin de s'en sentir gêné, en tire parti pour intensifier les effets. L'unité d'action, de lieu et de temps permet aux événements d'apparaître dans toute leur brutalité. Il recherche la simplicité. Dans *Bérénice*, il a voulu « faire quelque chose de rien ».

● Car son génie le pousse à une très grande économie de moyens. Il ne doit rien y avoir que de vraisemblable et de nécessaire. On connaît le schéma, voire le prototype, de l'intrigue élaborée pour *Andromaque :* Oreste aime Hermione qui aime Pyrrhus qui aime Andromaque. Les limites de la scène interdisent qu'on étende le processus. Car l'univers de Racine est à huis-clos. C'est un jeu social un peu cruel, dans lequel les personnages s'entre-déchirent lentement. Les héros ne sont pas des surhommes, tout l'éclat de la tragédie tient à leurs conditions et à leurs infortunes. L'intrigue se noue dès qu'ils sont en présence les uns des autres.

● L'homme racinien est l'artisan de son destin. Même s'il est dominé par la passion, si son raisonnement et sa volonté restent sous l'empire de la passion, le héros garde sa liberté, mais une liberté qui est circonscrite dans les limites des sentiments qu'il éprouve et de sa situation par rapport aux autres. La tragédie racinienne est à la fois passion et action. Le destin équivaut en fait à la volonté des héros. Il n'est nul besoin d'aller chercher une quelconque fatalité extérieure pour créer le pathétique. Le théâtre de Racine est une inquisition poussée jusqu'aux tréfonds de l'âme. Le mouvement du drame et la passivité tragique se trouvent ainsi réunis.

● Pourtant la tragédie racinienne ne s'enferme pas dans une salle, elle met le monde en jeu; le recul dans le temps ou l'espace, le recours aux grands thèmes cosmiques — le soleil, la mer, la forêt — suggèrent un ailleurs étendu aux dimensions de l'univers. Des foules sont réunies dans le palais de Roxane ou le temple d'Athalie, Césarée est pour Anthiocus « l'orient désert », Achille s'est nourri du sang des lions et des ours. Le présent de la scène concorde ainsi avec les mythes et trouve sa place dans l'ordre universel. C'est le monde enfermé dans l'âme du poète.

● En effet, la poésie n'est pas étrangère à l'émotion théâtrale. La langue de Racine est d'une extrême densité. Son vocabulaire n'atteint pas deux mille mots. Cela suppose une certaine concentration dans l'écriture et une très grande richesse. « Je t'aimais inconstant, qu'aurais-je fait fidèle? » est une déclaration d'amour des plus fortes. Rien d'algébrique pourtant dans l'expression des sentiments. Chez Racine le dialogue perd toute déclamation, les personnages n'ayant, semble-t-il, d'autre propos que d'attendrir ou de blesser. Et cette langue cristalline peut même prendre les accents d'une poésie d'autant plus dense que discrète : « Ariane, ma sœur, de quel amour blessée, / Vous mourûtes aux bords où vous fûtes laissée. »

● Tout est humain dans ce théâtre si cruel. Il met sur la vertu une sorte de voile de pudeur et de plainte comme si elle était très éloignée du monde. Racine a écrit des tragédies où le mal est toujours présent : c'est la violence de la passion, c'est la cruauté du pouvoir. Faut-il voir là un fruit du jansénisme dans lequel il avait été élevé ? En fait, lorsqu'il se sera « rangé », et qu'il aura quitté la littérature, il renouera avec Port-Royal.

● On dit souvent que le théâtre de Racine est le théâtre de l'amour. N'est-ce pas parce que, pour lui, les amours véritables sont toujours tragiques ? Il est assurément le poète qui a su décrire dans toute sa plénitude la violence des passions et toute l'agitation qu'elle produit dans les cœurs. ■

▶ *TRAGÉDIES*

RACINES

● Se développant généralement dans une direction opposée à celle de la tige, les racines sont des organes qui servent à fixer au sol les plantes, et à assurer, en partie du moins, leur nutrition. Elles poussent dans le sol et fuient toute lumière.

● Les racines sont constituées d'un épiderme sur lequel se forment les poils absorbants. Quand une racine vieillit, l'épiderme est souvent remplacé par des cellules lignifiées. Vient ensuite le parenchyme cortical, constitué de cellules en forme de parallélépipèdes, à membrane épaisse. Au centre du parenchyme, la moelle présente sur ses bords des cellules à cytoplasme abondant. Des vaisseaux véhiculent la sève, parfois appelée lymphe.

● Chez les monocotylédones surtout, le diamètre des racines ne varie pas avec l'âge. Chez d'autres plantes, comme les dycotylédones et les gymnospermes, ce diamètre s'accroît. On observe alors une structure secondaire où l'on retrouve des caractères de la tige.

● Les racines sont souvent de forme allongée. On trouve en leur extrémité une sorte d'enveloppe : la « coiffe », blanchâtre, servant à protéger l'apex. C'est de l'apex que dépend la croissance en longueur de la racine. Un peu au-dessus se trouve une zone filifère où les poils absorbants, très nombreux, assurent l'absorption des substances nutritives contenues dans le sol.

● Au fur et à mesure que l'on s'approche de la tige, en s'éloignant de l'extrémité de la racine, celle-ci prend un aspect différent, dû à la lignification des cellules.

● On distingue divers types de racines. Si elles sont *fibreuses*, épaisses et dures, réunies en touffe au pied de la plante, cette dernière s'extrait alors assez facilement du sol.

● Les racines *fasciculées* sont fines et tendres, réunies en un chevelu complexe au pied de la plante, qui s'extrait avec peine du sol. Les racines *pivotantes* sont constituées d'une racine principale très développée, qui se casse assez aisément quand on veut arracher la plante, couverte par de nombreuses radicelles très fines. Les racines peuvent être renflées en tubercules : on parle alors de racines *tuberculeuses*.

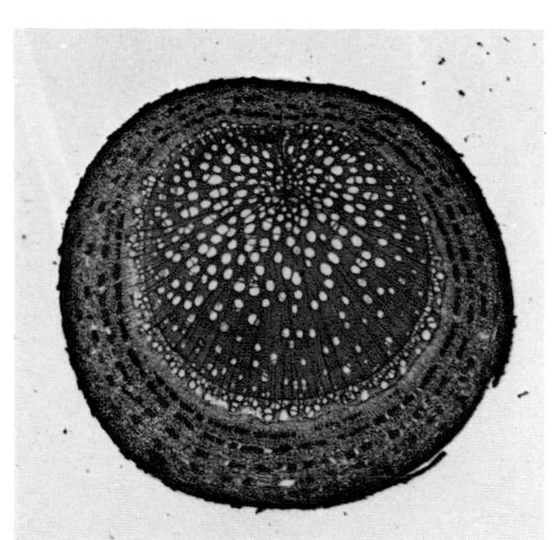

Coupe transversale d'une racine de saule, pratiquée sous la région pilifère (vue au microscope). On distingue le cylindre central, les vaisseaux libériens qui conduisent la sève, et l'écorce parenchymateuse.

● Certains organes souterrains, comme les rejets (tiges courtes se dressant sur le sol), les stolons (tiges rampantes s'enracinant à certains endroits), les rhizomes (tiges souterraines parfois renflées en tubercule), sont des organes souterrains qui ressemblent à des racines, mais qui n'en sont pas. On appelle souche l'ensemble de ces organes souterrains et des racines.

● Les graminées sont des plantes à racines *cespiteuses*; elles présentent parfois des bulbes ou bulbilles *(Poa bulboa, Phleum bulboeum...)*, ou un rhizome *(Poa compressa, Holcus mollis...)*. Il existe aussi des graminées à souche traçante *(Agropyrum repens)*. Les monocotylédones autres que les graminées ont des souches cespiteuses *(Luzula campestris...)*, des rhizomes *(Carex glauca, Cladium mariscus...)*, des bulbes (jacinthe, lis, ail...) ou des tubercules *(Arum maculatum)*. Parmi les dicotylédones, on trouve des plantes à pivot (la centaurée, les oseilles, le pissenlit), à rhizome *(Achillea millefolium*, menthes*)*...

● Dans les pays chauds, les plantes ont souvent des racines aériennes, telles les colonnes du *Ficus elastica* et les racines palettes des fromagers *(Eriodendron)* du Soudan. Les *Pandanus* des mangroves (forêts des zones salées tropicales) ont des racines aériennes en forme de câbles.

Coupe longitudinale de l'extrémité d'une racine, vue au microscope. La coiffe terminale protège l'apex, constitué de plusieurs cellules initiales qui engendrent la coiffe elle-même, l'écorce et le cylindre central.

Les racines latérales aériennes du maïs *(Zea mays)* forment une couronne autour de la racine terminale qui prolonge la tige. En dessous du collet, on distingue les poils absorbants. Les racines latérales en touffe sont fréquentes chez les graminées.

● Les racines des *Avicennia* forment des excroissances aériennes qui captent l'oxygène de l'air, puisque le sol asphyxiant dans lequel elles poussent en est dépourvu. En Europe ce phénomène est peu fréquent. Citons le lierre *(Hedera helix)* : il a des racines très courtes qui lui permettent de grimper sur un support (racines-crampons). ■

RACINES (math.)

▶ *Voir NOMBRES*

RADAR

Gare aux excès de vitesse ! Sur la plupart des autoroutes, agent invisible mais infaillible, le radar est utilisé pour contrôler la vitesse des voitures.

● Le mot radar est une abréviation de l'expression *Radio Detecting And Ranging*. Il s'agit d'un appareil de détection électromagnétique, c'est-à-dire permettant de « voir » ce qui normalement est invisible en raison de la distance ou des conditions d'observation, de la nuit ou du brouillard.

● Les chauves-souris émettent des ultra-sons de l'ordre de 50 000 hertz pendant des temps très courts, de l'ordre du centième de seconde. D'après les échos reçus, elles localisent et détectent avec une précision extraordinaire la nature et les contours de l'obstacle. Ces fréquences sont variables selon la distance des obstacles.

● Dans la détection électromagnétique il ne s'agit plus d'ondes acoustiques, mais d'ondes « lumineuses » ou électromagnétiques dont les fréquences sont de l'ordre de quelques milliards de cycles ou de hertz par seconde (hyperfréquences). Ces ondes se propagent à la vitesse de la lumière, soit 300 000 kilomètres par seconde.

● Le principe du radar est le suivant : un émetteur envoie un train d'ondes ou une impulsion dans une certaine direction, puis le récepteur — comme un récepteur de télévision — analyse l'écho éventuel transmis en retour. La durée de l'impulsion est très courte, de l'ordre du millionième de seconde. Le temps qui sépare deux impulsions est utilisé pour « écouter » l'écho.

● Tous les radars n'émettent pas à la même fréquence, sur la même longueur d'onde. Le choix dépend de ce que l'on veut observer et des conditions d'observation. D'une façon générale, il faut que la longueur d'onde soit voisine des dimensions de l'objet : par exemple, pour détecter des balises ou des bouées en mer, il faut des ondes décimétriques, mais pour un avion il en faut qui atteignent une dizaine de mètres, sinon l'écho serait trop faible.

● De plus, il faut tenir compte du fait de l'absorption par l'humidité de l'atmosphère : le brouillard, la pluie. Et là, il ne faut pas dépasser la longueur d'onde de l'ordre du décimètre. En y ajoutant les problèmes de directivité du signal, on est arrivé à choisir une gamme de longueur d'onde s'étalant de 2 cm à 3 m environ: il s'agit d'un compromis.

● L' « écoute de l'écho » radar est un problème très difficile. Il ne suffit pas de recevoir quelque chose, mais il s'agit d'interpréter un message. Nous sommes encore loin de savoir utiliser les ondes électromagnétiques comme les chauves-souris se servent des ultra-sons. Les écrans radar, surtout à la surface de la terre ou de la mer, sont encombrés d'échos parasites provenant de la réflexion des ondes sur des obstacles naturels tels que les vagues de la mer, les collines, les arbres, ou des obstacles artificiels tels que les cheminées d'usines, les pylônes, les immeubles, etc. Autrement dit, il faut apprendre à trier dans tout cela, car on ne peut éliminer totalement ces échos parasites.

● La météorologie utilise aussi des radars pour étudier les nuages et suivre à la trace les ballons « sondes », mais il faut savoir distinguer entre un vol d'oiseaux migrateurs et un nuage!

● Les radars occupent une place primordiale dans l'armement moderne. Depuis leur invention durant la Seconde Guerre mondiale, les radars ont servi à des applications militaires de plus en plus nombreuses et perfectionnées.

● Les avions américains « Awacs » sont des Boeing 707 surmontés d'une énorme antenne radar capable de détecter des avions et des missiles volant à basse altitude et à grande vitesse, dans un rayon de 280 km. Pour y échapper les chasseurs modernes sont équipés de systèmes de brouillage des ondes radar. De plus, ils sont « furtifs » c'est-à-dire qu'ils ne provoquent qu'un très faible écho radar.

● En bref, on distingue deux fonctions essentielles en ce qui concerne l'utilisation militaire du radar : la surveillance et la poursuite. La surveillance s'adresse à l'ensemble des cibles présentes

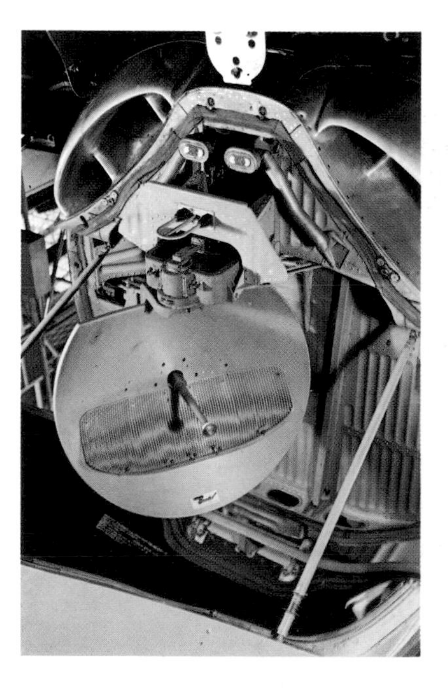

Radar de navigation du long-courrier Douglas DC 8.

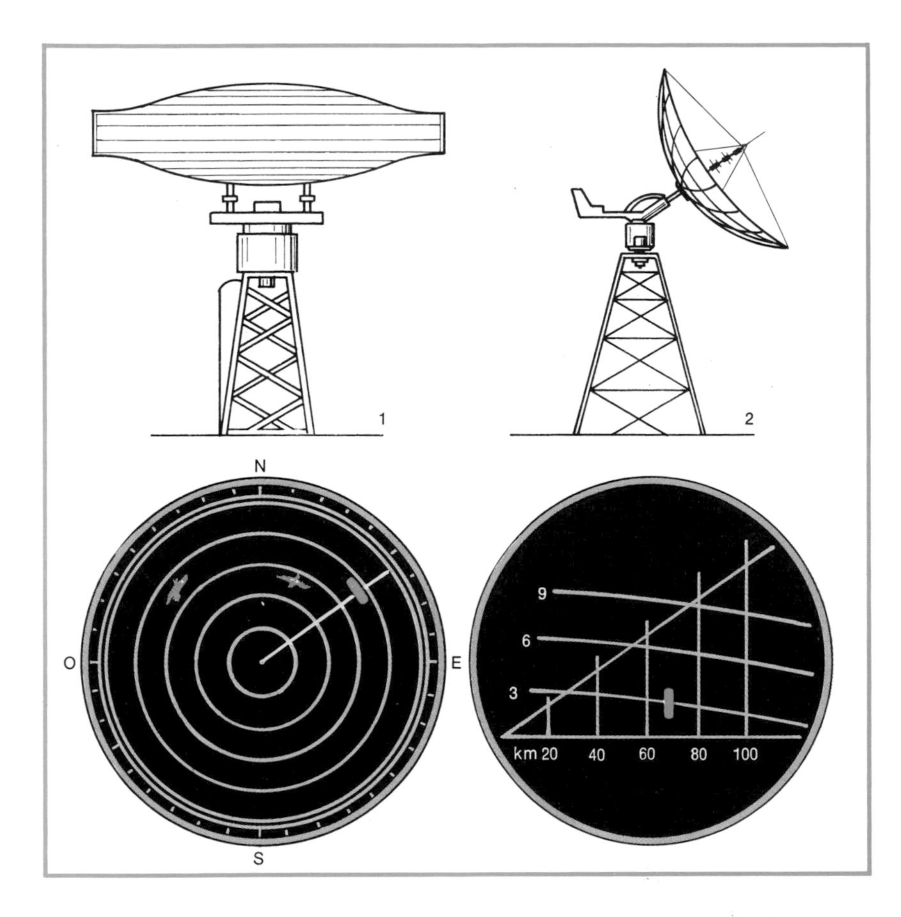

Direction, distance, hauteur, toutes les coordonnées de la cible, fixe ou mobile, sont indiquées par les radars modernes. Ici sont représentés deux types d'antennes avec les écrans de visualisation des récepteurs.

dans un périmètre donné; la poursuite a pour objet une cible particulière, la plupart du temps mobile. Un radar de poursuite doit donc fournir à chaque instant les coordonnées de la cible (avion, missile, etc.), c'est-à-dire indiquer sa position, sa distance et sa vitesse.

● L'adjonction d'ordinateurs transforme les radars en véritables automates qui calculent immédiatement les données indiquées ci-dessus et les communiquent aussitôt aux divers systèmes de riposte prévus : batteries d'artillerie, plates-formes anti-missiles, chasseurs.

● Ainsi l'on trouve, selon les fréquences utilisées, des radars fixes à longue portée, servant à la surveillance de territoire (systèmes de défense contre missiles stratégiques, satellites, bombardiers volant à très haute altitude, etc.), des radars de surveillance à moyenne portée, des radars de poursuite assurant le guidage d'artillerie anti-aérienne, des radars de poursuite aéroportés guidant des missiles offensifs ou défensifs, des radars embarqués sur navires de guerre, etc.

● Une application du radar, pacifique celle-là, prend actuellement une grande importance : c'est la radarastronomie. Dans la radioastronomie, le corps céleste étudié, planète ou étoile, constitue l'émetteur d'ondes radioélectriques. En radarastronomie, au contraire, le corps étudié sert de miroir réfléchissant à des ondes émises depuis la terre. Cette science est née en 1946, date à laquelle le hongrois Z. Bay obtint pour la première fois un écho radar sur la lune. On s'aperçut alors que la nature de cet écho pouvait renseigner sur la nature de la surface de l'astre considéré, sur sa distance et sur ses mouvements.

● Compte tenu des puissances considérables nécessaires à l'émission, la radarastronomie est aujourd'hui exclusivement limitée à l'étude du système solaire. Grâce à cette technique, on a été à même de mesurer avec une précision bien supérieure à celle des mesures optiques la distance entre la Terre et la Lune, et de connaître la vitesse de rotation de planètes telles que Vénus et Mercure, problème rendu très difficile, sinon impossible à résoudre, avec les méthodes optiques classiques à cause de la présence de couches nuageuses autour de Vénus et de la proximité de Mercure par rapport au Soleil. ■

▶ *LUMIÈRE / RADIO AMATEUR / ULTRA-SONS*

RADIOACTIVITÉ

● En 1896, la découverte de la radioactivité par un physicien français de quarante-quatre ans, Henri Becquerel, ouvrit la voie à la physique nucléaire, c'est-à-dire à la science qui s'occupe du noyau des atomes.

● Un atome est constitué de deux parties distinctes, un noyau central chargé d'électricité positive autour duquel gravitent — un peu comme les planètes autour du Soleil — d'autres particules, toutes identiques entre elles, les électrons, chargés négativement. L'ensemble de l'atome est électriquement neutre.

● Combien y a-t-il de types de noyaux dans la nature ? Si l'on compte un type de noyaux par élément chimique naturel, il y en a moins d'une centaine. Ces noyaux, à la différence des électrons, renferment un nombre plus ou moins grand d'autres particules, appelées nucléons, de deux espèces différentes : protons et neutrons.

● En général, un équilibre entre nucléons s'est établi au fur et à mesure de la formation de l'univers, et les noyaux correspondants sont dits « stables ». Par contre, il y en a quelques-uns qui ne le sont pas, et sont dits « instables ». Ils sont alors radioactifs, c'est-à-dire qu'ils se transforment ou se désintègrent en émettant un rayonnement ou en rejetant certaines particules au dehors. Ce faisant, ils réalisent, en principe, le vieux rêve des alchimistes, la transmutation des métaux.

● Dans la nature il existe des substances radioactives naturelles, mais on peut aussi bousculer la stabilité de certains noyaux qui deviennent alors, eux-mêmes, ra-

Sept prix Nobel de physique et huit prix Nobel de chimie ont consacré des études à la radioactivité. Antoine Becquerel a été couronné le premier, en 1903.

dioactifs : ce second type de radioactivité est appelé radioactivité artificielle ou induite.

● En physique nucléaire, on ne peut se contenter de la classification des éléments ou de celle des corps purs selon leurs seules propriétés physiques et chimiques; il faut introduire une classification supplémentaire reposant sur la structure même du noyau. Tous les atomes d'un élément donné contiennent le même nombre d'électrons, et les noyaux correspondants le même nombre de protons, mais, dans le noyau d'un élément donné, le nombre de neutrons peut varier légèrement.

● Autrement dit, le même élément peut exister sous différentes formes selon le nombre de neutrons existant dans son noyau. On parle alors des isotopes d'un élément. Plus précisément, on caractérise un isotope d'un élément donné par son nombre de masse, c'est-à-dire par la somme totale de protons et de neutrons (le nombre de nucléons) d'un des noyaux. Des noyaux isotopiques sont des noyaux ayant le même nombre de protons, soit le même nombre atomique.

● Il n'y a pratiquement pas de différence entre les propriétés physiques et chimiques des isotopes d'un élément donné. Ainsi, par exemple, le noyau d'uranium 238 (le plus répandu dans la nature) contient 92 protons et 146 neutrons, le noyau d'uranium 235, le même nombre de protons et 143 neutrons.

● La notion d'isotope est essentielle dans l'étude de la radioactivité car, pour un même élément, le type de radioactivité des isotopes peut énormément varier : certains de ces isotopes sont radioactifs (ceux de l'uranium, par exemple) tandis que d'autres ne le sont pas (ceux du calcium ou du zinc).

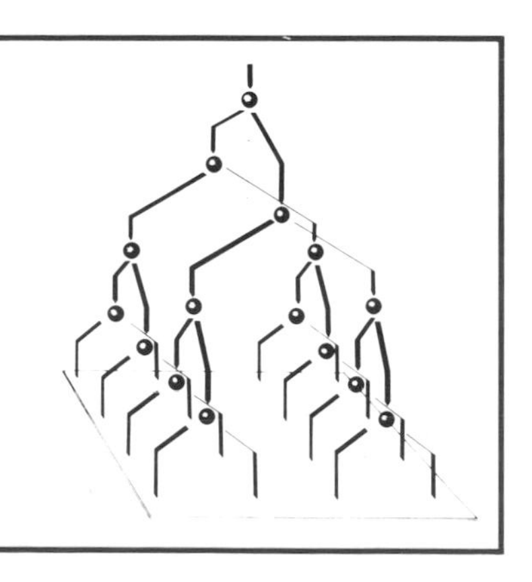

Les rayons cosmiques, provenant des espaces intersidéraux, pénètrent dans l'atmosphère et se divisent en particules plus petites : les rayons mous, formés d'électrons et les rayons durs, capables de traverser plusieurs mètres de plomb. Découverts par Hess en 1911, ces rayons produisent une ionisation de l'air.

● La radioactivité naturelle se manifeste sous trois formes que l'on peut détecter d'après le comportement des noyaux dans un champ magnétique.

● Dans le cas de l'émission d'une particule Alpha, le noyau perd une particule chargée positivement identique à un noyau de l'atome d'hélium, c'est-à-dire formée de deux protons et de deux neutrons. Ce sont surtout les noyaux contenant beaucoup de nucléons (noyaux lourds) qui présentent ce mode de désintégration : radium 228 (88 protons + 140 neutrons) → radon 224 (86 protons + 138 neutrons) + 1 particule alpha (2 protons + 2 neutrons).

● Dans le cas de la radioactivité Béta, le nombre de nucléons du noyau est conservé. Elle existe sous deux formes : ou un neutron se change en proton avec émission d'un électron négatif et d'une particule sans charge ni masse, l'antineutrino :
azote 16 (7 protons + 9 neutrons) → oxygène 16 (8 protons + 8 neutrons) + 1 électron négatif + 1 antineutrino; ou un proton se change en neutron avec émission d'un électron positif (positron) et d'un neutrino :
fluor 16 (9 protons + 7 neutrons) → oxygène 16 (8 protons + 8 neutrons) + 1 électron positif et 1 neutrino.

● L'émission d'un rayonnement gamma est un rayonnement électromagnétique analogue à la lumière, mais dont la longueur d'onde, beaucoup plus petite, est provoquée par la chute d'un nucléon d'un niveau d'énergie supérieur à un niveau inférieur.

● Les premiers isotopes radioactifs artificiels furent découverts par Frédéric et Irène Joliot-Curie en 1934. Bombardant du magnésium avec un rayonnement Alpha, ils s'aperçurent que celui-ci émettait un rayonnement Béta qui persistait quand le bombardement cessait.

● Cette nouvelle substance radioactive était l'isotope 28 de l'aluminium, qui était instable : progressivement, il se transformait en silicium. Ils en découvrirent d'autres, dont l'isotope 13 de l'azote et l'isotope 30 du phosphore.

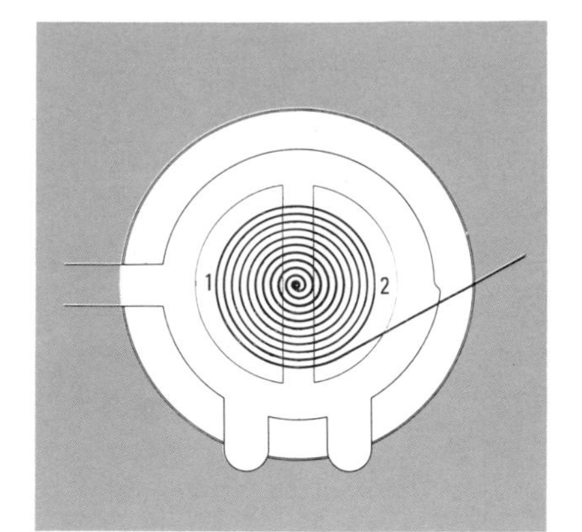

Fonctionnement d'un cyclotron : les particules provenant de la source (au centre du schéma) sont accélérées grâce à une tension émise entre deux électrodes en demi-coquilles (1 et 2). Les particules décrivent une spirale (tracée en rouge) perpendiculaire aux lignes de force avant d'être projetées sur la cible.

● Aujourd'hui on peut fabriquer, par bombardement de neutrons produits dans un réacteur nucléaire, des isotopes artificiels de tous les éléments chimiques dont la moitié environ sont radioactifs (radio-isotopes).

● La désintégration d'un échantillon radioactif n'est pas instantanée; pour préciser ce phénomène on introduit la notion de période de désintégration : la période d'un échantillon est le temps requis pour que la moitié des noyaux présents se soient désintégrés. Ces périodes peuvent être très courtes ou très longues. D'une façon générale, la radioactivité artificielle a les mêmes caractéristiques que la radioactivité naturelle.

● Une des applications les plus simples des isotopes radioactifs est l'étude des réactions chimiques qui se produisent dans un organisme vivant. On les appelle alors des traceurs, car on peut les « suivre à la trace » grâce à un compteur Geiger. Le même principe est appliqué en médecine pour étudier le fonctionnement de certaines glandes ou du débit cardiaque. Le cobalt 60 est utilisé pour le traitement du cancer et aussi pour mesurer l'épaisseur d'un profil métallique, déterminer la pureté d'un alliage ou les défauts d'une pièce. Le carbone 14 permet de dater les fossiles avec une assez grande précision. ■

▶ *ATOMES / ISOTOPES / PARTICULES ÉLÉMENTAIRES*

RADIO-AMATEURS

● La radio, dès sa naissance, a séduit un bon nombre d'amateurs qui ont cherché, avec des moyens personnels souvent minimes, à réaliser des liaisons radioélectriques. Aujourd'hui groupés en réseaux nationaux, les radioamateurs s'initient aux techniques électriques et électroniques, rendent des services à la collectivité (Croix-Rouge, urgence en cas de cataclysme, etc.) et sont souvent recherchés par certaines industries électroniques.

● Le radio-amateur cherche à établir des liaisons par téléphonie ou par télégraphie (en utilisant le code Morse) avec d'autres radio-amateurs aussi éloignés que possible. De France et d'Italie certains d'entre eux établissent des liaisons aussi lointaines que l'U.R.S.S., l'Australie ou le pôle Sud. Quand une liaison est obtenue entre deux radio-amateurs, ceux-ci échangent par la poste des cartes d'accusé de réception, cartes qu'ils collectionnent et qui font leur fierté.

● Établir une liaison, surtout si elle est lointaine, n'est pas chose facile. En effet les radio-amateurs ne peuvent émettre qu'en utilisant certaines bandes de fréquences dont les plus faibles sont situées entre 3,5 et 3,8 mégahertz (MHz) et les plus grandes entre 2 100 et 2 200 MHz, c'est-à-dire des ondes moyennes, courtes ou ultracourtes et, qui plus est, leur puissance d'émission ne peut pas dépasser 500 watts.

● A titre de comparaison, les émetteurs nationaux atteignent 1 200 kW. Malgré ces faibles moyens, les radio-amateurs, grâce à leur ingéniosité, grâce à l'amélioration qu'ils ont personnellement apportée aux antennes et aux amplificateurs, ont réalisé des prouesses qui les ont faits reconnaître dans le monde entier.

● Mais n'est pas radio-amateur qui veut. Pour faire une émission radio-électrique. Il faut une autorisation particulière délivrée par le ministère des Postes et Télécommunications. Cette autorisation, appelée licence amateur, qui n'est délivrée qu'à la suite d'une visite des installations (émetteur, récepteur, antenne) et d'un examen d'opérateur destiné à vérifier que le postulant connaît notamment les règles de procédure et la lecture du Morse au son. Puis, le nouveau radio-émetteur vient grossir la masse des quelques 2 000 000 radio-amateurs du monde entier.

● Beaucoup plus simple et beaucoup moins onéreuse, la « C.B. » (canaux banalisés) a envahi le monde. Limités à 4 w, ces petits émetteurs-récepteurs permettent de dialoguer entre amis sur courte distance. La coutume veut que soit employé le code « Q » : code radiomaritime et aérien, adapté. ■

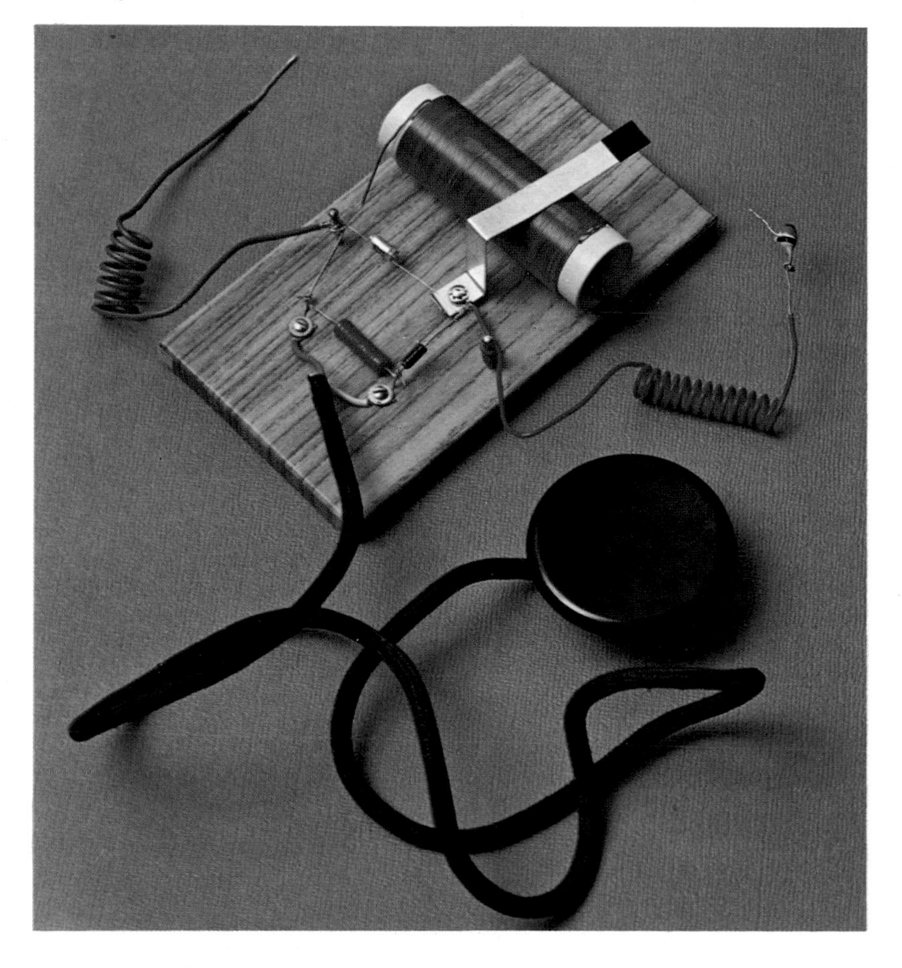

Ce récepteur radio, facilement réalisable, est composé d'un circuit oscillant capable de sélectionner les ondes radio que l'on veut capter. Deux condensateurs (l'un doré, l'autre rouge) d'une part et une bobine d'autre part empêchent le passage des ondes trop longues ou trop courtes. Captées par l'antenne (reliée au fil rouge), les ondes sont redressées par le petit composant de couleur noire, avant de sortir par le fil de terre marron. Les signaux captés par l'écouteur sont audibles sans l'utilisation d'un système amplificateur dans la mesure où la station émettrice est suffisamment proche.

RADIODIFFUSION

● La radiodiffusion comprend l'ensemble des techniques qui permettent de transmettre à distance, sans support matériel, c'est-à-dire essentiellement sans liaison par fil, des informations sonores. Ces informations existent sous forme de « code » dans l'onde radioélectrique qui se propage dans l'espace à partir de l'émetteur.

● Toute personne possédant un récepteur adapté peut, si elle se trouve dans une zone géographique déterminée (ce peut être toute la Terre) qui dépend de la puissance de l'émetteur et de sa fréquence d'émission, recevoir l'information. C'est donc généralement, si la portée d'émission de l'antenne est grande, une information qui s'adresse à un vaste public.

● Ce n'est qu'après la guerre de 1914-1918 que se créa l'Union Internationale des Télécommunications (U.I.T.), dont une des missions consiste à coordonner l'utilisation des fréquences radioélectriques sur le plan international. Ce rôle est essentiel; dans les régions frontalières, des interférences entre émissions en prove-

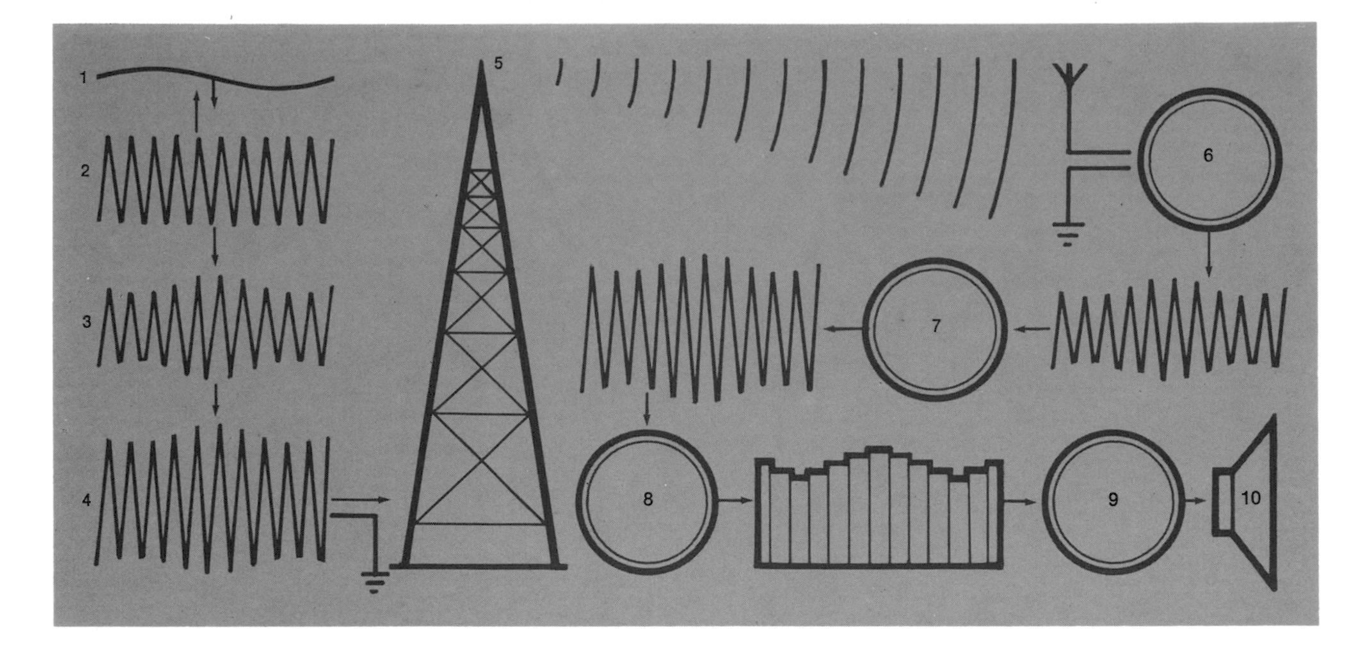

Schéma de principe de la transmission et de la réception des ondes radio. Les impulsions électriques (1) superposées à l'onde porteuse (2), donnent naissance à une onde porteuse modulée (3) qui, une fois amplifiée (4), est envoyée à l'antenne de transmission (5). Le poste récepteur capte l'onde désirée (6), l'amplifie (7), la démodule (8), l'information qui apparaît sous forme d'un courant variable, est amplifiée (9) et transmise à un haut-parleur (10).

nance d'émetteurs de pays différents sont évitées en attribuant à chaque pays des bandes de fréquences différentes.

● On considère actuellement comme faisant partie du domaine des radiocommunications le domaine de fréquences allant de 100 à 3000 kilohertz pour la radiodiffusion, et de 30 000 à 300 000 kilohertz pour la télévision. Chaque pays attribue à chacun de ses émetteurs une bande de fréquences particulière, s'étendant plus ou moins de part et d'autre d'une fréquence dite fondamentale.

● Un canal est une petite bande de fréquences assignée à une émission. Ainsi, les bandes IV et V de télévision ont été divisées en 48 canaux de 8 mégahertz. Les programmes d'Antenne 2, de FR. 3, émis de la Tour Eiffel, occupent les canaux 22, 25, 28.

● Les systèmes d'émission sont très divers. Il suffit pour s'en persuader de considérer que l'on peut recevoir sur les récepteurs classiques des émissions en modulation d'amplitude, en modulation de fréquence, en stéréophonie, sans compter les émissions de télévision, plus complexes, et qui nécessitent un récepteur particulier.

● Tous ces systèmes ont en commun un émetteur débitant un courant alternatif dans un circuit se terminant par une antenne qui rayonne dans l'espace une onde radioélectrique. Les systèmes diffèrent surtout dans la façon dont le courant, et donc l'onde radioélectrique, sont modulés pour transporter l'information constituant l'émission.

● En modulation d'amplitude, nous avons un courant de fréquence fixe. En modulation de fréquence, l'amplitude du courant émetteur est constante; la modulation porte sur la fréquence.

● La stéréophonie fait appel à la modulation de fréquence, en compliquant quelque peu l'onde émise pour qu'elle puisse, à la réception, restituer l'impression de relief sonore. La télévision constitue un système avec deux courants porteurs, l'un pour le son, modulé en fréquence ou en amplitude, l'autre pour l'image.

● Les ondes émises par l'antenne de l'émetteur se propagent dans l'espace jusqu'aux antennes des divers récepteurs. Entre les deux antennes, l'homme n'est pas maître de ce qui se passe; il a procédé à des expériences pour connaître les lois de la propagation, lesquelles dépendent beaucoup de la fréquence de l'onde mais aussi des propriétés électriques de l'atmosphère, qui sont essentiellement variables.

● De manière simplifiée, on peut dire que la Terre est entourée de couches ionisées ou couches de Heaviside (ce sont des couches formées de diverses particules électriques) qui, pour les ondes radioélectriques, peuvent se comporter comme un miroir. Les ondes sont donc astreintes à se déplacer dans l'espace compris entre la Terre et les couches ionisées.

● Pour les ondes longues (grandes ondes de la radiodiffusion), il y a peu de problèmes car elles peuvent contourner les obstacles, la Terre en particulier, et aller de l'émetteur au récepteur sans réflexion d'aucune sorte.

● Pour les ondes courtes (quelques centaines de mètres de longueur d'onde), le récepteur reçoit les ondes provenant directement de l'émetteur mais aussi celles qui se sont réfléchies soit sur le sol, soit sur les couches ionisées de l'atmosphère, soit sur les deux successivement. Ces ondes interfèrent et il arrive que le résultat soit une audition très faible, voire nulle. C'est le phénomène de fading (ou affaiblissement) si décevant pour l'auditeur.

● D'autre part, le jour, les couches de Heaviside sont peu réfléchissantes; elles sont traversées par les ondes radio qui se perdent donc dans l'espace; ne parviennent aux récepteurs que les ondes directes, affaiblies, car elles voisinent le sol qui les absorbe : la portée de l'émetteur est alors faible. De nuit, la réflexion sur les couches ionisées est meilleure et la

Les quatre stations françaises les plus importantes émettant en grandes ondes sont : France-Inter (1 829 m), Europe 1 (1 647 m), RTL (1 293 m), Radio Monte-Carlo (1 400 m).

portée de l'émetteur plus grande.

● Pour les ondes très courtes (quelques dizaines de mètres de longueur d'onde), le pouvoir réflecteur des couches ionisées est bon même le jour, et permet des distances émetteur-récepteur de plusieurs milliers de kilomètres. Mais, dans ce domaine, les propriétés des couches de Heaviside varient beaucoup avec la longueur d'onde, l'ensoleillement, etc.

● Pendant longtemps, en télévision, on ne pouvait utiliser que l'onde directe de faible portée car elle est absorbée par le sol. Elle oblige à supprimer tout obstacle entre émetteur et récepteur. Cela conduit à placer l'antenne émettrice aussi haut que possible. A Paris, l'émetteur de télévision et son antenne sont situés au sommet de la Tour Eiffel. Mais les liaisons peuvent se faire par satellites qui sont utilisés comme réflecteurs d'ondes. Dès 1958, des satellites permettaient de relier, à temps partiel, les stations où ils étaient visibles simultanément. Cette première génération de satellites s'est perfectionnée et, vers les années 1965, les satellites de la deuxième génération ont permis des relations permanentes. Enfin, depuis 1974, les émissions par satellites sont utilisées couramment.

● A l'extrémité de la chaîne d'émission se trouvent les récepteurs. Pourvus d'une antenne (souvent incorporée à l'appareil), ils captent l'onde radioélectrique, mais encore faut-il que parmi toutes les ondes qui se propagent dans l'espace ils puissent capter celle qui a été émise par tel émetteur particulier que l'auditeur désire entendre. Pour cela, chaque récepteur est pourvu d'un circuit d'accord qui permet de sélectionner une onde de longueur.

● Ceci se fait en tournant un bouton du récepteur qui modifie la capacité d'un condensateur variable du circuit d'entrée du récepteur. L'onde crée dans le circuit d'entrée du récepteur un courant de même modulation qu'elle. Ce courant, très faible, est amplifié, démodulé, filtré, etc. Après ces opérations, il est envoyé sur un électro-aimant commandant la membrane d'un haut-parleur qui restitue le son initial.

● La radiodiffusion permet d'apporter à un très grand nombre de personnes, en des points parfois très reculés, informations, distractions, enseignements divers. En ce sens elle contribue grandement à l'éducation des individus et à l'évolution des sociétés. ■

▶ *ONDES*

RADIOGRAPHIE

▶ *Voir RAYONS X*

RAIES

● Les raies sont des poissons cartilagineux (Sélaciens), marins, qui font partie de l'ordre des rajiformes et de la famille des rajidés.

● Leur corps est aplati et constitué d'un disque quadrangulaire déprimé et d'une queue. Le disque, correspondant à la tête et au tronc, est entouré d'amples nageoires pectorales. Les nageoires pelviennes sont petites. Les fentes branchiales, la bouche, les narines et l'orifice cloacal sont situés sur la face dorsale. Les yeux et les évents qui servent à l'entrée d'eau sont situés sur la face dorsale. La cavité buccale est pourvue de dents petites, parfois pointues, disposées en rangées transversales. La peau est parsemée de petits denticules, parfois volumineux, ayant un aspect d'épine ou de tubercule.

● Ces poissons vivent sur le plateau continental des mers froides et tempérées, à différentes profondeurs, sur des fonds sablonneux ou vaseux où ils chassent des petits poissons, des crustacés, des mollusques et des vers. Lorsque les raies guettent une proie, elles se tiennent immobiles et brusquement effectuent des déplacements rapides comparables à un vol, à l'aide des nageoires pectorales. Contrairement aux torpilles, les organes électriques de la queue ne sont pas très paralysants chez les raies. Elles se servent surtout de leur queue armée d'épines, comme organe de défense.

● Les raies sont ovipares et pondent des œufs quadrangulaires, mesurant entre 8 et 18 cm. Leur enveloppe cornée présente à chaqu coin des petites fentes par lesquelles s'établit un courant d'eau vers l'embryon. Les œufs sont fixés aux algues et autres substrats

Journal parlé reportages, interviews, messages publicitaires, chansons, concerts, jeux, etc. composent la grille des programmes radiodiffusés. Ici, un journaliste d'une radio libre s'entretient avec l'un de ses invités.

Radio-Caroline fut, pendant 4 ans et 8 mois, la station pirate la plus écoutée du monde. Émettant de 2 cargos situés hors des eaux territoriales anglaises, elle touchait de 28 à 50 millions d'auditeurs. Elle fut déclarée hors la loi à la suite de plaintes déposées par 9 membres du Conseil de l'Europe.

A gauche, l'antenne de la station de la radio italienne à Cantanissetta. A droite, intérieur d'un auditorium dans une station de Rome.

Les raies communes sont ovipares. Il existe aussi des espèces ovovivipares (aigles de mer, raies venimeuses) dont les embryons absorbent leur propre vitellus et se nourrissent en outre, par la bouche, de liquides laiteux sécrétés par des filaments ou les oviductes de la mère.

par des filaments situés aux angles. La durée de l'incubation varie suivant les espèces entre 121-154 jours et 189-219 jours.

● On pêche les raies au chalut en vue de la consommation des nageoires pectorales. Certaines espèces comme *Raja batis* atteignent une envergure de 2 mètres. La raie bouclée *(Raja clavata)* appelée ainsi à cause des grands denticules de son dos, est assez fréquente en Méditerranée et dans l'océan Atlantique oriental, tout comme la raie radiée *(Raja asterias* ou *radiata)*, tachetée d'ocelles clairs, et la raie miroir *(Raja miraletus)* qui possède deux ocelles, bien visibles au milieu du corps.

● Dans le même ordre que les raies, on classe d'autres familles telles que les « guitares de mer » (rhinobatidés) ainsi appelées à cause de la forme de leur corps qui reste fuselée et squaliforme. Les pristidés, quant à eux, ont un rostre allongé et garni de dents. Par la forme de leur corps ils sont encore plus proches des squales que les rhinobatidés. Ce sont les poissons-scie des mers chaudes, qui peuvent atteindre une longueur de 9 mètres. La pastenague *(Dasyatis pastinaca)* appartient à la famille des dasyatidés. Elle est pourvue d'un redoutable aiguillon venimeux barbelé pouvant atteindre une longueur de 40 cm et, de surcroît, remplaçable en cas de perte.

● Les « aigles de mer », ou myliobatidés, ont des nageoires pectorales allongées et pointues et vivent dans les mers chaudes. La mourine *(Mylio batisaquila)* se rencontre en Méditerranée. Les raies cornues ou diables de mer font partie de la famille des mobulidés. Elles doivent leur nom à la présence, en avant de la tête, de deux nageoires céphaliques. La plupart vivent dans les eaux tropicales et subtropicales. Les mantes ou grands diables de mer sont des espèces de grande taille, particulièrement *Manta birostris* qui peut atteindre une envergure de 8 m et un poids de 3 000 kg. ■

▸ *POISSONS*

RAINETTES

● Les hylidés sont des amphibiens que l'on appelle communément « rainettes ». Cette famille renferme plus de 200 espèces réparties sur tout le globe, à l'exception de l'Afrique (au sud du Sahara), de Madagascar, de l'Inde et d'une partie de la côte méridionale d'Asie. Elles sont très répandues en Australie et Nouvelle-Guinée.

● La plupart des rainettes sont arboricoles. Elles grimpent avec aisance grâce à leurs doigts terminés par des pelotes adhésives, et ne se rendent à l'eau qu'au moment de la reproduction. Les hylidés se sont adaptés à des biotopes très divers et montrent une grande variété dans la biologie de la reproduction : les uns pondent dans l'eau, d'autres construisent un nid ou incubent les œufs sur leur dos.

● La rainette verte *(Hyla arborea)* est commune en France et dans toute l'Europe centrale, depuis le sud de la Scandinavie, et en Asie, jusqu'en Corée et au Japon. Elle mesure en moyenne 4 cm et sa livrée, habituellement vert laqué, peut cependant varier du brun olivâtre au gris cendré ou au bleu. La couleur bleue, selon certains auteurs, serait due à une absence de pigment lipidique, du type caroténoïde par exemple, et de ce fait la lumière, lorsqu'elle se réfléchit sur les pigments des guanophores, confère un aspect bleuté à l'animal.

● Le mâle se distingue aisément de la femelle par la présence d'un sac vocal jugulaire qui se gonfle d'air et devient plus gros que la tête lorsqu'il « chante ». Ce chant compte parmi les plus sonores des batraciens de nos régions et s'entend à plus de 800 m de distance.

● La rainette verte vit habituellement sur les plantes et ne se rend à l'eau que pour se reproduire entre avril et juin. Elle choisit de préférence les étangs entourés de buissons et de roseaux. Parfois elle se contente de sablières ou de trous d'eau de chantiers. Dès que tombe la nuit, les mâles rassemblés au bord de l'eau font entendre leur « chant » pour appeler les femelles qui n'arriveront que vers 22 heures. La ponte s'effectuera avant minuit.

● Elle est constituée d'un grand nombre d'œufs, mesurant 4 mm de diamètre, y compris l'enveloppe mucilagineuse. Les œufs sont fixés, par petits paquets, aux plantes immergées. Les larves naissent au bout de 15 jours. Les tetards de la rainette verte se reconnaissent aisément au bord transparent de la nageoire caudale. Dès le mois de juillet, les petites rainettes quittent l'eau; elles seront aptes à se reproduire

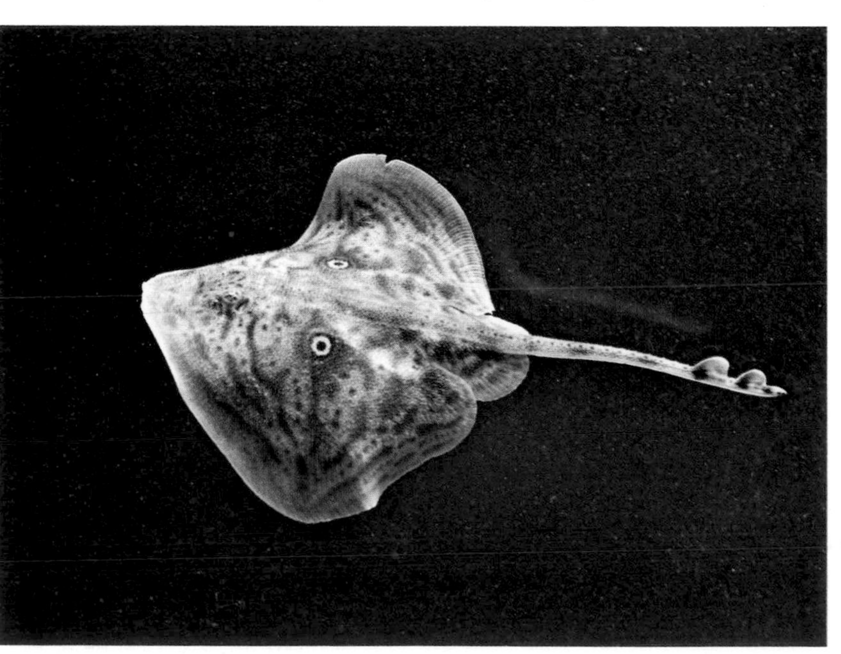

Mouvement ondulatoire du disque d'une raie. Les ondes se propagent en augmentant de hauteur depuis l'avant des nageoires pectorales jusqu'au milieu du disque, puis décroissent vers l'arrière. Les demi-ondes postérieures produisent une série de poussées vers l'avant.

à leur tour au bout de deux ans.

● Timide et vive, la rainette verte est très facile à élever en captivité. On la rencontre du niveau de la mer jusqu'à une altitude de 2 200 m. Sa longévité est de l'ordre de 22 ans aussi bien dans la nature qu'en captivité. ■

▸ *AMPHIBIENS*

RAMSÈS II (v. 1301-1235 av. J.-C.)

● A la mort d'Horemhed (XVIIIe dynastie), Ramsès Ier, originaire du Delta, prit le pouvoir. Ramsès II fut son petit-fils. Quand il succéda à son père, Séthi Ier, il poursuivit la politique de celui-ci, visant à s'opposer à l'hégémonie hittite en Asie.

● Ramsès II était alors un jeune homme courageux jusqu'à la témérité. Ses hauts faits militaires sont décrits avec emphase sur les parois des temples. Celui de Karnak, par exemple, relate, dans le poème épique de Pentaour, la bataille incertaine de Qadesh, revendiquée comme une victoire par les Égyptiens, mais également par le roi hittite Mouwattali; ce dernier en effet avait fomenté une révolte en Palestine que les Égyptiens réprimèrent rapidement. Cette guerre se termina par un pacte de non-agression que Ramsès II signa avec le roi hittite Hattousil III, dont il épousa une fille.

● Mais, plus qu'un grand chef de guerre, ce pharaon fut un habile politique, un sage administrateur qui sut assurer la prospérité à son pays et, surtout, un grand constructeur.

● Pour résister à la pression toujours croissante des « peuples de la Mer », Ramsès II installa sa capitale, Piramsès, dans le Delta. Exploitant au maximum la Nubie, qui fournit entre autres à l'Égypte de l'or et des hommes d'armes, il y fit construire les deux magnifiques temples d'Abou-Simbel. Citons aussi le Ramesseum de Thèbes et la cour intérieure de Louxor.

● De nombreuses statues, un grand nombre d'inscriptions et d'autres monuments (parfois construits, d'ailleurs, par ses prédécesseurs et dont il s'attribua sans vergogne l'édification) attestent son infatigable activité de constructeur.

● Certains historiens pensèrent, à tort considère-t-on aujourd'hui, que ce fut sous son règne qu'eut lieu l' « exode » du peuple juif.

● Ramsès II mourut après 68 ans de règne, ayant eu de ses très nombreuses femmes plus de cent enfants! ■

▸ *ÉGYPTE : LE PASSÉ*

RAPHAËL (1483-1520)

● Peintre et architecte, Raphaël Sanzio, malgré la brièveté de sa carrière, apparaît, aux côtés de Léonard de Vinci et de Michel-Ange, comme l'un des artistes les plus marquants de la Renaissance. C'est aussi celui dont l'œuvre a été le plus largement diffusée, notamment par la gravure et la reproduction de ses madones. Paradoxalement, cette popularité nuit à une juste appréciation de ses qualités novatrices, car la peinture religieuse ne constitue pas la partie la plus intéressante de sa production.

● Raphaël est né à Urbin, petite ville de l'Italie centrale qui, sous l'impulsion de Frederic de Montefeltre, était devenue l'un des foyers culturels les plus vivants de la péninsule et où l'humanisme avait trouvé un terrain favorable à son épanouissement. Les premières années de la vie de Raphaël s'écoulent donc dans un milieu ouvert à toutes les suggestions de l'esprit de la Renaissance. Il y acquiert cette sérénité et cette foi dans son art qui caractérise les créateurs de cette époque privilégiée.

● L'apprentissage de Raphaël demeure mal connu. On sait que vers 1500 il travaille dans l'atelier de Pérugin, mais il est déjà en possession d'une technique qui permet de penser qu'il connut d'autres maîtres, peut-être, parmi ceux-ci, son propre père, Giovanni Santi, bien que celui-ci soit mort alors que Raphaël était âgé de douze ans à peine. A Urbin, il s'est familiarisé avec les œuvres de Bramante et de Piero della Francesca, auxquels il est sans doute redevable d'une conception de l'espace et d'une maîtrise des rythmes et des proportions qui vont au-delà de l'application d'un simple système de règles et de canons.

● Auprès de Pérugin, il acquiert non seulement un métier correct mais aussi une certaine conception de la forme, dominée par la nécessité de la grâce et de la beauté, et un sentiment cha-

Peu sauvage, la rainette verte s'apprivoise facilement. Insensible au froid, elle passe l'hiver dans la vase, dans la mousse ou sous les herbes. En montagne, elle s'enfouit profondément.

Plutôt que de conquérir des territoires, Ramsès II s'attacha à préserver ceux qui avaient été acquis par la XVIIIe Dynastie. Par le traité d'amitié avec Hattousil III (vers 1275), la frontière avec les Hittites fut fixée sur l'Oronte. Menacée par les Grecs et les Philistins, l'Égypte avait ainsi les mains libres.

Le *Mariage de la Vierge,* commandé à Raphaël par Citta de Castillo date de 1504. Il transpose la composition peinte par le Pérugin à la Chapelle Sixtine, de la *Remise des clefs à saint Pierre.* On y retrouve le temple central, la perspective donnant de l'ampleur à l'espace, chers à ces deux peintres.

En nommant Raphaël conservateur des antiquités romaines en 1516, le pape Léon X le chargea d'établir une carte de la Rome antique, de décorer les Loges du Vatican et de fournir les cartons d'une série de tapisseries pour la Chapelle Sixtine. Accablé de travail, l'artiste mourut 4 ans plus tard, âgé de moins de 37 ans.

leureux de la couleur, qui le différencie de ses aînés florentins. L'ensemble de ces apports se manifeste dans une de ses premières compositions, le *Mariage de la Vierge* (1504) qui s'inspire directement d'une œuvre de Pérugin mais dénote plus d'aisance et de sens psychologique que celle-ci dans la conception des groupes de personnages.

● La même année Raphaël se rend à Florence où il découvre l'art de Léonard et de Michel-Ange. Il en assimile avec une étonnante rapidité les éléments principaux qu'il adapte à son propre usage, loin de se borner à une servile copie. A leur contact sa sensibilité s'affine. S'il reprend des motifs au point que certaines de ses œuvres apparaissent comme de véritables citations, ainsi le portrait de Maddalena Doni (palais Pitti, Florence), transcription raphaëlienne de *la Joconde,* il les transforme et son intelligence créatrice parvient à les plier à son idéal. L'étude de la culture florentine lui apporte un enrichissement de sa vision et une assurance qui confèrent un poids et une réalité nouvelle à ses personnages.

● A la fin de 1508, Raphaël quitte Florence pour Rome où l'a appelé Bramante. Sous l'impulsion du pape Jules II qui avait entrepris de restaurer l'autorité papale et pratiquait à cet effet une politique de prestige, Rome se transforme en un gigantesque chantier, employant la plupart des grands artistes italiens. Raphaël se voit confier la décoration des nouveaux appartements pontificaux au Vatican, travail qui l'occupera jusqu'en 1517 et mobilisera toute une équipe d'assistants sur lesquels il se déchargera de plus en plus de l'exécution, se réservant la conception et la mise en place des fresques.

● Si les thèmes furent imposés par le pape, Raphaël sut concilier les impératifs de son commanditaire avec les exigences proprement picturales, au point que ce fond compliqué de concepts philosophiques, de symboles religieux et de faits historiques ne semble en aucun cas artificiel ou étranger à la nature même des œuvres. Le succès des quatre *Chambres,* admirées unanimement, fait de Raphaël l'un des plus célèbres artistes de Rome, rival direct de Michel-Ange, avec qui il exercera une influence capitale sur la génération suivante des peintres maniéristes. Les commandes affluent, il est surchargé de travail. A son activité de peintre vient s'ajouter celle d'architecte.

● En 1514, à la mort de Bramante, il est chargé de la direction des travaux de Saint-Pierre et est vraisemblablement à l'origine de l'adoption d'un plan en croix latine. Deux ans plus tard, il lui échoit également la charge de la restauration et de la conservation des antiquités latines, qui le met à la tête des travaux archéologiques effectués à Rome.

● Tâches absorbantes qui ne l'empêchent pas de diriger la décoration des Loges du Vatican (1517-1519), de la Farnésine, villa du riche banquier Agostino Chigi, et de continuer à peindre de nombreux portraits. Il fournit aussi les cartons d'une série de tapisseries, commandées par Léon X, pour la chapelle Sixtine, sur le thème des actes des Apôtres. Celles-ci seront tissées à Bruxelles et détermineront une évolution capitale dans l'histoire de la tapisserie — par leur traitement, qui emprunte à la peinture — en même temps que l'introduction irréversible du style de la Renaissance italienne dans les pays du Nord. Le 1er avril 1520 Raphaël meurt, précocement épuisé par son intense activité. Avec lui s'achève l'âge d'or de la Renaissance. ■

▶ *RENAISSANCE, ART*

RAYONS X

● Pour détecter les lésions internes du corps humain, avant toute intervention les médecins font une radiographie du malade, c'est-à-dire qu'ils prennent de celui-ci une photographie interne. Cette plaque photographique n'est pas exposée à des rayons lumineux ordinaires, incapables de traverser un corps humain, mais à un rayonnement d'un type particulier, les rayons X ou rayons Röntgen.

● Comme la lumière et les ondes radioélectriques, les rayons X sont des ondes électromagnétiques caractérisées par leur longueur d'onde, c'est-à-dire la distance entre deux creux de l'onde, ou, ce qui revient au même, par leur fréquence. Leur énergie est proportionnelle à cette fréquence. Dans le spectre électromagnétique, selon le sens des longueurs d'onde décroissantes, on rencontre, à la suite du violet, l'ultraviolet, puis les rayons X.

● On distingue deux types de rayons X, les rayons X durs (plus pénétrants) et les rayons X mous, selon que leur longueur d'onde est supérieure ou inférieure à 0,8 angström, 1 angström valant 10^{-8} cm.

● Un atome émettra des rayons X s'il est heurté par des particules telles que des électrons ou des particules alpha, des noyaux d'hélium, se déplaçant à des vitesses suffisantes.

● Pratiquement ces chocs se réalisent dans des tubes, sortes de grosses ampoules de verre où l'on crée un vide très poussé. Dans ces tubes se trouvent convenablement disposées deux électrodes : la cathode, constituée par un filament de tungstène chauffé par une batterie auxiliaire, et une anode en tungstène inclinée à 45°. Le filament émet des électrons que l'on concentre sur l'anode métallique, dont les atomes émettent alors un rayonnement X perpendiculaire au faisceau d'électrons. L'intensité de ce rayonnement se règle en agissant sur la température de chauffage du filament. Il existe beaucoup d'autres variétés de tubes émetteurs de rayons X.

● Dans un atome quelconque, les électrons peuvent être représentés comme décrivant autour du noyau de l'atome des orbites circulaires ou elliptiques, selon le modèle de Bohr-Sommerfeld. Ces orbites sont groupées en fait par paquets ou par couches et les électrons d'une couche donnée ont presque tous le même niveau d'énergie. Plus les électrons sont « proches » du noyau, plus leur niveau d'énergie est élevé.

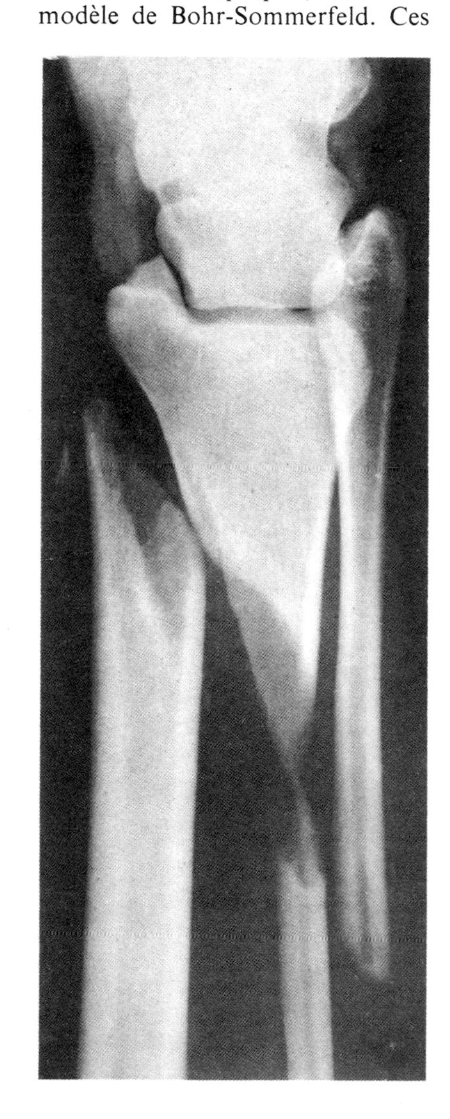

● L'émission de lumière se produit quand un électron peut descendre d'un niveau d'énergie plus élevée à un niveau inférieur. La fréquence du rayonnement émis est proportionnelle à la différence de ces niveaux d'énergie. Les spectres de rayons X émis par les atomes correspondent à des transitions ou à des mouvements d'électrons placés sur des couches profondes.

● Pour déranger l'équilibre des électrons ou en extraire une de ces couches profondes, il faut « traverser » les couches les plus externes; pour cette raison il faut que les particules incidentes, électrons par exemple, aient une grande énergie, c'est-à-dire une grande vitesse. A ce degré d'excitation l'atome émet un spectre de rayons X.

● Comme la lumière, les rayons X présentent les phénomènes de diffraction (par les cristaux), réfraction, polarisation... La diffusion des rayons X par les atomes, par exemple, de carbone, est cependant à mettre à part, car dans une direction quelconque elle est double : d'une part, il y a une diffusion sans changement de longueur d'onde (ce qui est normal) mais d'autre part, il y a aussi une diffusion avec changement de longueur d'onde (effet Compton).

● Pour expliquer cette seconde diffusion, il faut faire appel à une structure corpusculaire du rayonnement X : l'hypothèse des grains de lumière ou photons doit être étendue aux rayons X. Grâce à ces rayons on peut étudier les structures cristallines (diagrammes de Laue).

● Le grand intérêt des rayons X consiste dans leur capacité de traverser les corps opaques à la lumière visible. Ils ont ainsi de multiples applications en médecine, métallurgie, cristallographie, peinture, etc. ■

▶ *LUMIÈRE / ONDES*

Uhuru est le nom étrange donné au premier satellite (lancé en décembre 1970) destiné à observer le rayonnement X de l'univers. Cet engin a permis de découvrir des sources de rayons X hors de notre galaxie.

Radiographie aux rayons X d'un tibia dont on voit nettement la fracture. Capables de traverser les corps opaques à la lumière visible, les rayons X permettent de détecter toutes les lésions éventuelles du corps humain.

RÉALISME

Si le réalisme est la reproduction fidèle de la réalité, aucun romancier doué de personnalité ne peut s'y tenir. Ainsi Balzac ne fut-il pas un visionnaire autant qu'un observateur ? « Tous les acteurs de sa *Comédie* sont plus âpres à la vie, plus actifs et rusés dans la lutte, plus goulus dans la jouissance, plus angéliques dans le dévouement que la comédie du vrai monde ne nous les montre ».

Baudelaire

● La littérature peut-elle rendre compte de la réalité? La question est aussi vieille que la littérature elle-même et on n'a toujours pas fini d'en débattre. Peut-être même, en raison des mutations que subit aujourd'hui le roman, genre littéraire moderne par excellence, en débat-on plus que jamais. Pourtant, dès l'Antiquité grecque, philosophes, professeurs et, naturellement, écrivains se demandaient quelle confiance on devait accorder à la parole des poètes, si leurs chants étaient un tissu de mensonges ou de vérités.

● Déjà apparaissait l'ambiguïté de toute littérature. Cette ambiguïté est d'abord celle du langage, qui tient à la distance entre les mots et les choses, au fait que les mots peuvent dire avec la même apparente cohérence le vrai et le faux. Mais elle est redoublée par le fait que chaque écrivain se distingue des autres par son écriture, par sa manière de raconter ou d'inventer une histoire.

● Et comme son art consiste à poétiser la réalité ou à rendre crédible la fiction, ses rapports avec le monde réel sont nécessairement complexes.

● Mais c'est à l'époque moderne, avec l'essor du roman, que la notion de réalisme s'est développée, et ce en opposition aux contes merveilleux hérités de la tradition populaire tout autant qu'aux constructions abstraites, savantes, imposées par les règles de la poétique classique.

● Aux grands genres mettant en scène les héros et les mythes de l'Antiquité ou de l'histoire moderne, le roman — mais aussi la comédie opposèrent, à partir du XVIIe siècle, la peinture de la vie. Molière, dans ses comédies, et plus encore Sorel, dans son roman *Histoire comique de Francion*, accordaient une place à la bourgeoisie et au petit peuple, s'efforçant de reproduire fidèlement leur comportement et leur langage. Les héros désormais n'étaient plus seulement des demi-dieux ou des princes, ne vivaient plus uniquement des aventures exceptionnelles. Ils commençaient à ressembler à n'importe qui et à vivre comme tout le monde.

● Au XVIIIe siècle, cette tendance s'accentua. Le drame bourgeois, digne pendant de la peinture de Greuze ou de Chardin, se voulut réaliste. Les romans eurent pour héros, outre des petits marquis, des financiers, des hommes de lois, des aventuriers, des pique-assiettes et des prostituées. Mais ces personnages empruntés à la vie courante n'en connaissaient pas moins quelquefois des aventures invraisemblables. Le roman aussi eut bien vite ses conventions. Celles-ci, à leur tour, furent dénoncées au nom du réalisme.

● Le XIXe siècle fut le grand siècle du réalisme. Et aussi le grand siècle du roman. Celui-ci, en effet, bien qu'il propose par définition une fiction, est, de tous les genres littéraires, celui qui peut le mieux faire concurrence à la réalité. Les histoires qu'il raconte auraient pu arriver, et souvent même, ne sont que la démarcation ou la transposition d'aventures réelles. Les personnages qu'il met en scène, nous aurions pu les rencontrer dans la rue.

● De plus, rien n'est interdit au romancier. Il peut voyager dans tous les pays ou toutes les époques. Il pénètre partout et dans tous les milieux, dans les salons de l'aristocratie, les cabinets des banquiers et des notaires, les coulisses de la politique et du théâtre, les boutiques des commerçants, les échoppes des artisans, les ateliers des usines, les cours de ferme, les bouges et les taudis.

● Ainsi, Balzac, dans *la Comédie humaine*, brosse un tableau très complet de la société de son temps. De même Dickens, dans *Oliver Twist*, ou *David Coperfield*, témoigne de la transformation de la société anglaise due au développement du capitalisme et de l'industrie.

● Mais peindre la société n'est pas tout le réalisme, d'autant que cette peinture, chez Balzac ou chez Dickens, se fait à travers des intrigues romanesques riches en rebondissements et grâce à des

Degas : *l'Absinthe* (1877). Sinistre croquis pris sur le vif? En réalité, Degas a fait poser une actrice et un peintre : géniale reconstitution psychologique d'une solitude à deux.

personnages fortement typés, presque exemplaires. Une vision de la réalité n'est pas une description de la réalité.

● Une telle description, attentive à la notation de détails, de faits vrais plus qu'à la construction d'une histoire romanesque, fut l'un des rêves de Flaubert qui, dans son dernier livre, *Bouvard et Pécuchet* (qu'il laissa inachevé), s'attacha à montrer deux personnages médiocres aux prises avec leur existence quotidienne.

● En 1887, dans sa préface à son roman *Pierre et Jean*, Maupassant, disciple et ami de Flaubert, expliquait qu'il ne s'agit plus pour le romancier réaliste de raconter comme ses prédécesseurs « les crises de la vie, les états aigus de l'âme et du cœur », mais d'écrire « l'histoire du cœur, de l'âme et de l'intelligence à l'état normal ». Aussi, « son but n'est point de nous raconter une histoire, de nous amuser ou de nous attendrir, mais de nous forcer à penser, à comprendre le sens profond et caché des événements. » Certes, ce refus de l'histoire, suggéré par Flaubert, Maupassant et ses amis naturalistes ne le mirent pas véritablement en pratique.

● Mais Zola, par exemple, dans *les Rougon-Macquart* sut concilier le sens de la grande fresque sociale avec un art du détail vrai et de l'analyse qui prenait modèle sur la méthode des sciences biologiques. Le réalisme alors visait à devenir scientifique.

● Aujourd'hui, de nombreux romanciers, écrivant encore à la manière de Balzac ou de Zola, pensent créer des œuvres réalistes parce qu'ils savent camper des personnages, décrire des milieux bourgeois ou populaires, mettre en relief des éléments pittoresques ou certains tics de langage. Mais depuis Joyce, Proust et Kafka qui, dans la première moitié du XXe siècle, ont cassé les structures traditionnelles du roman, on sait que le réalisme n'est pas lié à celles-ci.

● Depuis 1950, les romanciers dits du nouveau roman, Robbe-Grillet, Butor, Claude Simon ou Nathalie Sarraute, qui se réfèrent à Flaubert pour refuser histoire et personnages au sens classique, dénoncent « l'illusion réaliste » qui consiste à croire qu'on peut décalquer la réalité. C'est le romancier lui-même qui leur apparaît comme le démiurge qui façonne cette réalité grâce à l'écriture. ■

▶ *BALZAC / DICKENS / DRAME / FLAUBERT / MAUPASSANT / NATURALISME / ROMAN / ZOLA*

Courbet : *Proudhon et ses enfants.* En représentant près de ses livres et de ses manuscrits l'un des pères du socialisme français, Courbet fait coup double, lui qui n'a jamais séparé peinture et politique, réalisme et socialisme. Éternel opposant, il vit au Salon de 1853 l'un de ses tableaux frappé d'un coup de cravache par l'empereur outré, avant d'être condamné par la IIIe République pour sa participation à la Commune.

RÉALISTE, Art

● Dans une large acception, le réalisme peut être compris comme une tendance esthétique qui s'inscrit de façon cyclique en réaction contre l'idéalisation. On en trouvera donc de nombreux exemples dans l'histoire de l'art, sans considération de lieux précis ni de temps.

● Il s'agit dans le cas de cette peinture, dite « réaliste », de représenter la nature telle qu'elle apparaît, en s'appuyant sur une technique minutieuse qui analyse le moindre détail, si banal et cruel soit-il. Aussi la peinture réaliste dédaigne-t-elle les sujets mythologiques et de fantaisie pour s'orienter de préférence vers des thèmes populaires, des scènes de genre ou des portraits.

● Toutefois le terme de réalisme a fini par désigner plus particulièrement un mouvement qui, au milieu du XIXe siècle, oppose à la froideur du néo-classicisme et à certain caractère artificiel du romantisme une peinture non conventionnelle, reposant moins sur des normes établies que sur l'observation directe.

● A la faveur des transformations économiques et sociales qui survinrent au cours du premier âge industriel s'opéra une modification de la perception de la réalité et de sa représentation. Le progrès des sciences, le développement de l'industrie et des techniques exigeaient une rationalisation qui eut quelque écho sur le plan artistique. On exigea de l'artiste une exactitude quasi-scientifique, une reproduction objective et fidèle de la nature, se fondant sur les grands principes énoncés par les tenants de l'école positiviste.

● Les premiers, Daumier, Courbet et Millet s'attachent, dès 1840, à la description de la vie des paysans et du prolétariat urbain. Mais ce n'est qu'avec la révolution de 1848 que le réalisme revêt un véritable caractère social et politique. Alors que les peintres hollandais, espagnols ou français du XVIIe siècle ne s'étaient tournés vers ces sujets que dans une recherche de pittoresque, la peinture

Les Glaneuses de Millet. Peintre de la vie rustique et campagnarde, ce peintre réaliste vint s'installer à Barbizon où il fut à l'origine d'une école de paysagistes.

Théodore Géricault (1791-1824) peut être considéré comme un précurseur des grands réalistes du XIXe siècle. Après le naufrage de la frégate « Méduse » (1816), il va d'hôpital en hôpital, son carnet de croquis à la main, pour interroger les rescapés comme un journaliste scrupuleux. C'est après avoir amassé une somme considérable de documents qu'il peint son célèbre *Radeau de la Méduse* (1819).

réaliste du XIXe siècle s'appuie sur une idéologie puissamment affirmée par les intellectuels républicains à la suite du philosophe Proudhon : la mission sociale de l'art.

● Rejetant les prescriptions académiques, le réalisme propose une peinture « moderne », à la composition libre, qui individualise l'homme du peuple au lieu de le traiter comme un type conventionnel, tiré du répertoire du genre pittoresque. Autre innovation, la taille gigantesque des œuvres, alors qu'on n'avait jusqu'alors traité ces thèmes que dans de petits formats.

● Pourtant, par certains côtés, le réalisme demeure fidèle à certaines traditions académiques, comme la peinture en atelier et l'emploi de couleurs sombres et bitumées. Si les paysagistes de l'école de Barbizon s'insurgent contre le paysage historique ou romantique, leur peinture ne s'est pas encore totalement libérée, et leur chromatisme demeure souvent arbitraire; de même leur dessin paraît relativement lourd et compact.

● Peu de peintres parviendront en fait à surmonter les difficultés inhérentes au réalisme. D'une part, l'objectivité dont il se réclame suppose l'élimination de tout sentiment personnel ou intellectuel, et l'attribution d'une même valeur plastique à la laideur qu'à la beauté. D'autre part, sa coloration populiste le conduit souvent à la grandiloquence et au ridicule, alors qu'il visait l'héroïque ou le pathétique. Pour surmonter ces écueils, et conférer un souffle épique à la description de gardiens de vaches ou de casseurs de pierre, il faut une parfaite maîtrise des moyens picturaux et une grandeur de vision et de sentiments qui n'est donnée en partage qu'à peu d'élus.

● Cependant la montée de nouvelles couches sociales, la signification politique de l'enjeu, vont emporter la victoire du réalisme, quelle que soit la valeur de cette peinture. L'Europe, puis l'Amérique, désormais à l'heure de la bourgeoisie, réclament d'elles-mêmes une image exacte, une chronique du temps présent, dépourvue d'audace, ou d'arrogance.

● Connu grâce aux salons et aux expositions universelles, le style impérieux et messianique de Courbet est diffus dans tout l'Occident, non sans qu'il ait perdu son message et sa charge passionnelle. Il reste une vision d'une objectivité parfois photographique, qui saisit le fait dans son instantanéité et le fige, en dépit de son insignifiance, dans une absurde éternité. Tout est correct : tracé, anatomie, perspective, mais il manque l'essentiel, le sentiment personnel du peintre qui transcende cette banalité. Parfois un fait anecdotique, tiré de l'histoire ou de l'actualité locale, retient l'un de ces peintres disciplinés et attentifs au moindre détail : le résultat n'en est que plus déplorable.

● Pourtant, vers 1880, le réalisme s'est affirmé comme un style international. En France, en Angleterre, en Espagne, en Italie, en Allemagne, en Pologne, en Russie même, il a ses adeptes, et se taille la part du lion sur le marché de l'art. La lithographie diffuse des œuvres médiocres dont la demande s'accroît sans cesse.

● Révolutionnaire à son origine, le réalisme a été « récupéré » par les peintres académiques ; il est devenu style officiel, après qu'on l'ait dépouillé de son contenu subversif. Il faudra une autre révolution, celle de l'art abstrait, pour le détrôner.

● Au XIXe siècle, le réalisme en sculpture fut diversement accueilli. Le nu, généralement féminin, fut le sujet préféré des sculpteurs réalistes. De leurs modèles sont copiés tous les plis de la peau, toutes les rides, tous les bourrelets de graisse. Pour rendre ces « reproductions » plus réalistes encore, les sculpteurs aimaient utiliser des marbres teintés.

● Aujourd'hui les œuvres de Léon Gérome ou de Carpeaux ne sont plus guère exposées. Toutefois dans un grand nombre de squares, de parcs, sur des places, des parvis, dans des cimetières, s'exhibent, statufiés dans des attitudes, simples ou pompeuses, toujours réalistes, des centaines, des milliers d'hommes politiques, d'artistes, de musiciens, des écrivains le plus souvent oubliés ■

RECONQUISTA

● Du XIe au XVe siècles, les chrétiens d'Espagne ont lutté pour la péninsule ibérique après sept siècles d'occupation musulmane.

● Après la destruction de l'État wisigoth en 711, les Arabes, conduits par Tariq, franchirent le détroit de Gibraltar et soumirent toute la péninsule, à l'exception des provinces montagneuses du Nord (Galice, Asturies, Biscaye et Navarre). En 756 'Abd al-Rahman Ier, un prince omeyyade exilé de Damas, fonda l'émirat indépendant de Cordoue.

● Quelques petits royaumes chrétiens refoulés au nord ont résisté à la poussée musulmane et ne cesseront de lutter pour reprendre les places perdues. Aux VIIIe et IXe siècles, de nombreux territoires furent pris aux envahisseurs. Charlemagne, afin d'éloigner le plus possible les Sarrasins des Pyrénées, conduisit victorieusement l'armée des Francs jusqu'à l'Ebre et constitua la Marche espagnoles (778).

● Toutefois, l'expansion chrétienne fut arrêtée par un capitaine arabe, Almanzor (al-Mansùr) vers l'an mille. Peu après, avec le démembrement du califat de Cordoue (1031), l'Espagne musulmane se partagea en 23 royaumes indépendants : les royaumes de Taifas. Leurs fréquents désaccords favorisèrent la reconquête.

● Durant cette période, dominée par la figure d'Alphonse VI, roi de León (1065-1109) et de Castille, les Espagnols franchirent la Sierra centrale, s'emparèrent de Tolède (1085), Guadalajara et Cuenca. Mais les Maures d'Espagne reçurent un renfort d'Afrique avec les Almoravides qui battirent Alphonse VI à Sagrajas (1086).

● Seul le Cid Campeador, héros national espagnol, réussit à tenir tête aux musulmans, devenant ainsi le symbole de la *Reconquista*. Sa geste fut racontée dans le célèbre poème *Cantare del Cid* (environ 1140) et dans le *Romancero del Cid*. Ayant repris Valence, il y régna de 1094 à 1099, mais, à sa mort, la ville retomba aux mains des infidèles, Barcelone étant elle-même menacée (1114).

Véritable croisade des Chrétiens d'Espagne et du Portugal contre les Maures, la Reconquista mit fin à 7 siècles d'occupation musulmane.

● Au XIIe siècle, les victoires d'Alphonse Ier d'Aragon, d'Alphonse VII et d'Alphonse VIII de Castille succédèrent les unes aux autres. Mais ce dernier dut faire front à une nouvelle invasion arabe, celle des Almohades, et il fut battu à Alarcos (1195). Alphonse VIII organisa alors une véritable croisade contre les infidèles. La rencontre eut lieu à Las Navas de Tolosa en 1212. Les chrétiens mirent en déroute les Almohades et portèrent un coup décisif à la domination musulmane dans la péninsule ibérique.

● La *Reconquista* se poursuivit pendant tout le XIIIe siècle. Les possessions arabes se réduisirent de plus en plus. Jacques Ier le Conquérant, roi d'Aragon, occupa les Baléares (1229-1235) et Valence (1238), Alphonse III de Portugal annexa la région méridionale de l'Algarve (1249), et Ferdinand III, le saint, roi de Castille, conquit Cordoue (1236) et Séville (1248). Le fils de ce dernier, Alphonse X, reprit aux Arabes Cadix et Carthagène.

● Vers 1270 les musulmans ne possédaient plus que le petit royaume de Grenade, gouverné par la dynastie des Nasrides. Au XIVe siècle, la *Reconquista* se ralentit à cause de la résistance des Maures. L'union des royaumes de Castille et d'Aragon, à la suite du mariage (1469) de leurs souverains respectifs Isabelle et Ferdinand (les « Rois catholiques »), permit de terminer enfin la *Reconquista* par la prise de Grenade (1492) et de chasser

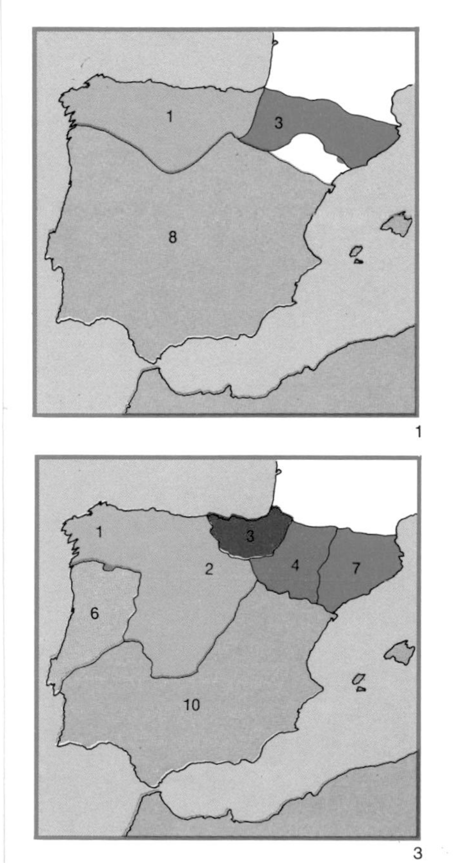

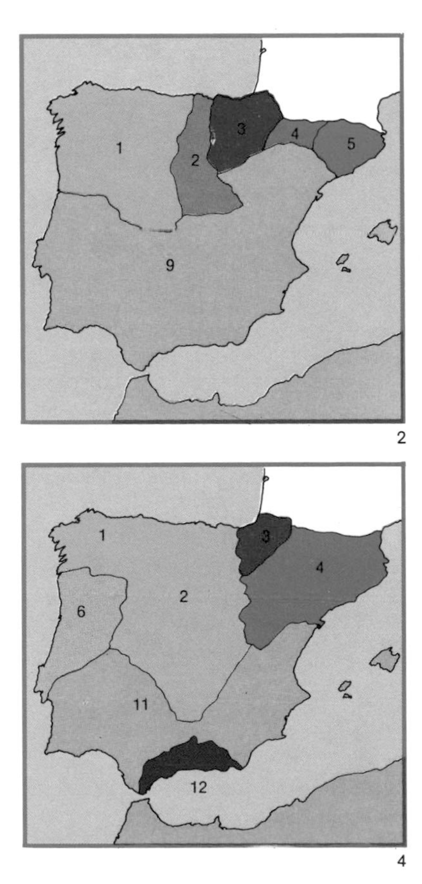

La péninsule ibérique au cours de la Reconquista. Sous la pression des petits États chrétiens du voisinage, le domaine musulman se réduisit de plus en plus, entre 800 (1), 1 000 (2), 1 130 (3) et 1 200 (4).
1. Asturies (ou Léon)
2. Castille
3. Navarre
4. Aragon
5. Comté de Barcelone
6. Portugal
7. Comté de Catalogne
8. Émirat de Cordoue
9. Califat de Cordoue
10. Royaume des Almoravides
11. Royaume des Almohades
12. Grenade

L'empereur Charles Quint convoque à Augsbourg en 1530, une diète pour tenter de résoudre la question religieuse. Les théologiens des deux partis font connaître leur opinion. En l'absence de Luther, qui a préféré ne pas mettre en péril par sa violence le sort de la Réforme, c'est son ami Mélanchthon qui rédige ce qui va devenir la Confession d'Augsbourg.

prêtres ne sont plus alors que de simples guides, des pasteurs. Les sacrements sont réduits à deux, le baptême et l'eucharistie. Quant aux monastères, ils sont inutiles et supprimés.

● Nullement révolutionnaire, Luther sera débordé par l'un de ses disciples, Müntzer, qui veut prolonger ses conceptions religieuses dans le domaine social : constatant que les pauvres sont trop malheureux pour avoir le temps de prier et de lire la Bible, il soutient qu'aucune réforme religieuse n'est possible sans une révolution sociale. Avec ses amis, il guide une grande révolte paysanne (1524-1525), mais Luther, plus soucieux semble-t-il d'ordre social que de concordance religieuse, appelle à la paix, puis exhorte à la répression contre le peuple : « Qu'on les étrangle ; le chien fou qui se jette sur vous, il faut le tuer, sinon il vous tuera ». Les révoltés furent écrasés et les anabaptistes suppliciés.

● Cette attitude valut au réformateur l'appui des princes allemands, désireux de s'emparer des biens d'Église et soucieux de préserver leur paix sociale. Cette adhésion révélait aussi le désir d'affirmer une certaine autonomie face à l'empereur Charles Quint, le très catholique. Quand celui-ci essaie d'interdire la nouvelle religion (diète de Spire, 1529), les délégués luthériens protestent, ce qui leur vaut le nom de protestants, et les princes protestants constituent la ligue de Smalkalde (1531), dotée d'une armée fédérale.

● Vainqueur à Mühlberg (1547), Charles Quint doit pourtant céder devant la menace française et turque : par la paix d'Augsbourg (1555), il reconnaissait aux princes allemands la liberté d'opter entre le luthéranisme et le catholicisme, les sujets étant tenus de suivre la religion de leur souverain, selon le principe *cujus regio, ejus religio* (tel prince, telle religion).

● Malgré la remarquable activité de l'ami de Luther, Melanchthon, plus humaniste et très érudit, le luthéranisme commençait à s'essouffler quand Calvin donna un regain de vie à la Réforme. Né à Noyon en 1509, il publie en 1536 *l'Institution chrétienne*, où il se livre à un exposé de la doctrine protestante. Installé définitivement à Genève en 1541, il y soutient des théories plus radicales que celles de Luther, niant par exemple la présence réelle du Christ dans l'Eucharistie.

● La prédestination devient aussi plus rigoureuse, l'individu ne pouvant trouver son salut que dans la grâce divine. Prédicateur à Genève, il rédige une confession de foi à laquelle tout le monde doit adhérer : le théâtre est interdit, les lectures sont contrôlées, les tribunaux encombrés « d'affaires de mœurs ». Le médecin espagnol Michel Servet sera brûlé pour avoir voulu nier l'existence de la Trinité.

● Le calvinisme supplanta le luthéranisme aux Pays-Bas et s'implanta en Écosse grâce aux prédications de John Knox (à l'origine du presbytérianisme). La France elle-même fut touchée, surtout en ce qui concerne la noblesse et la bourgeoisie ; mais l'audace de quelques protestants, qui affichèrent des pamphlets contre la messe sur la porte même de la chambre royale à Amboise (Affaire des Placards), irrita François Ier et suscita une répression. L'attitude de Henri II fut encore plus dure : il condamna à mort tous les hérétiques. C'est contre le protestantisme qu'il signa avec le roi d'Espagne la paix du Cateau-Cambrésis (1559). Les guerres de religion devaient déchaîner les violences et les haines accumulées.

● L'Angleterre, écrasée par la fiscalité exigée par Rome, offrait un terrain favorable à la réforme, annoncée dès le XIVe siècle par des hommes comme John Wyclif, qui traduisit à Oxford la Bible en anglais. Mais ce fut le roi Henri VIII qui, par amour pour Anne Boleyn, consomma le schisme. Mécontent du refus pontifical d'annuler son mariage avec Catherine d'Aragon, tante du roi d'Espagne, Henri VIII passa outre, divorça et épousa la nouvelle élue, ce qui lui valut d'être excommunié par le pape Clément VII. En 1534, il fit approuver par le Parlement l'Acte de suprématie

Un des épisodes des luttes sanglantes qui opposèrent en France catholiques et protestants pendant toute la seconde moitié du XVIe siècle : on massacre sans distinction de sexe ni d'âge.

qui l'établit comme chef suprême de l'Église d'Angleterre, dite Église anglicane.

● Deux érasmiens qui se refusèrent à prêter serment à la majesté du roi, Thomas More et John Fisher, furent décapités. Si le dogme lui-même connut peu d'évolution sous Henri VIII, il s'orienta plus nettement vers le protestantisme sous Édouard VI, qui imposa un *Prayer Book,* livre de prières en langue vulgaire.

● C'est sa demi-sœur, Marie Tudor, restée catholique, qui lui succéda en 1553. Conformément à ses convictions, elle voulut réconcilier son royaume avec Rome, et le Parlement, docile, vota en 1555 le retour à l'obédience du pape. Mais elle mena contre certains protestants une sévère répression marquée par l'exécution de 273 réformés, ce qui lui valut le surnom de « Marie la Sanglante ».

● Par contre l'anglicanisme se trouva consolidé sous Elisabeth, qui pratiqua systématiquement une politique érasmienne, de soumission de l'Église à l'État. Elle peut être considérée comme la vraie fondatrice de l'anglicanisme, voie moyenne entre le catholicisme et le calvinisme, restaurant le *Prayer Book*, et faisant promulguer le *Bill des 39 Articles* qui devait rester la confession de foi de l'Église officielle. Purgatoire, indulgences et reliques étaient rejetés, mais le maintien d'une hiérarchie et d'un cérémonial inspirés de la liturgie catholique expliquent l'opposition d'autres protestants qui se regroupèrent dans des sectes dites « non conformistes ».

● Le catholicisme pourtant ne s'avouait pas vaincu : en Espagne, le protestantisme n'a jamais pu s'implanter, et l'Inquisition l'en aurait bien prévenu ; en Italie, la papauté était trop puissante ; en France, les protestants ont souffert de la répression, et les derniers galériens pour cause de religion n'ont été libérés qu'en 1775. Mais on assiste aussi à une renaissance catholique à partir de la deuxième moitié du XVIe siècle.

● Le mysticisme prend un nouvel essor, les troupes catholiques sortent auréolées de leur victoire contre les Turcs à Lépante (1571), la création de l'ordre des Jésuites et l'activité d'hommes comme Vincent de Paul ou François Xavier, le renouveau de l'art catholique enfin, avec Michel-Ange, sont la preuve de la curieuse vitalité d'une religion pourtant durement éprouvée par la Réforme mais qui sut redevenir combative et se réformer courageusement au concile de Trente (1545-1563). Il était cependant trop tard, et le protestantisme avait su conquérir une place éminente et irréductible dans le monde chrétien. ■

▶ *ANGLICANE, ÉGLISE / CALVIN / CATHOLICISME / LUTHER / PROTESTANTISME / SCHISME*

Phénomène de la double réfraction mis en évidence grâce à un cristal de spath d'Islande posé sur une feuille de papier où est écrit le mot « calcite ». On voit nettement deux mots par transparence.

RÉFRACTION

● Mettez une pièce de monnaie au fond d'un bol et placez votre œil de façon que le bord vous cache juste la pièce, puis versez de l'eau dans le bol ; vous voyez apparaître la pièce comme si elle était soulevée. Cela ne peut s'expliquer que par une brisure, qu'on appelle réfraction, du rayon lumineux qui va de la pièce à votre œil, au moment où il traverse la surface de l'eau pour passer dans l'air. Le même phénomène se produit lorsque vous regardez un poisson rouge dans un bassin ; il paraît plus éloigné du fond qu'il ne l'est réellement, aux trois quarts de sa profondeur réelle.

● A quelles lois physiques obéit la réfraction ? Elles furent découvertes par l'Anglais Willebrord Snell en 1621, puis par Descartes en 1638. Traçons un cercle ayant pour centre le point où le rayon lumineux touche la surface de séparation de l'eau et de l'air (ceci au point d'incidence I); le rayon incident le coupe en A, le rayon réfracté le coupe en B. Menons les perpendiculaires AH et BK à la verticale passant par le point d'incidence, donc normale à la surface.

● Par rapport à cette normale, le rayon incident et le rayon réfracté sont dans un même plan (1re loi). De plus, le rapport KB / AH conserve une valeur constante quel que soit l'angle d'incidence $\widehat{AIH}$ (2e loi).

● Cette valeur mesure l'*indice de réfraction* n de l'eau par rapport à l'air : n = 1,33. Pour le verre, on aurait n = 1,5, valeur importante si l'on pense que les lentilles sont en verre. Mêmes lois pour une surface courbe de séparation : il suffit de raisonner de la même façon sur le plan tangent à la surface, au point d'incidence.

● Quand l'angle d'incidence augmente, il arrive un moment où le point B touche la surface de

La composition des verres optiques influe sur leurs propriétés. Le crown, verre courant, a un indice de réfraction n = 1,5. Le flint, à base d'oxyde de plomb, a un indice égal à 1,75. Certains verres spéciaux, à base de séléniures et de tellurures ont des indices supérieurs à 3.

L'autonomie accordée aux régions françaises, leur relatif pouvoir de décision et de responsabilité, furent dictés en premier lieu par le souci de sauvegarder l'ordre social. Dès 1947 est créé un corps de hauts fonctionnaires, les I.G.A.M.E. (Inspecteurs Généraux de l'Administration en Mission Extraordinaire), chargés de coordonner l'action des préfets « en vue du maintien de l'ordre et de la protection de la liberté du travail ».

l'eau ; l'émergence est dite *rasante*, et l'angle d'incidence a une valeur bien déterminée, appelée *angle de réfraction limite*, qui vaut ici 49°; pour le verre il est de 42°. Que va-t-il se passer si l'angle d'incidence est supérieur à l'angle limite, puisqu'il ne correspond plus à aucune émergence possible? On observe alors que la lumière se réfléchit comme sur un miroir.

● La théorie montre que l'indice de réfraction est égal au rapport des célérités de la lumière dans le milieu transparent et dans l'air. La célérité dans l'air est de 300 000 km/s ; elle est de 225 000 km/s dans l'eau, et de 200 000 km/s dans le verre.

● Le problème se complique alors un peu dans le cas des cristaux ; il existe en effet deux célérités différentes de propagation de la lumière correspondant à deux directions de polarisation différentes : l'une parallèle à la surface réfringente, l'autre perpendiculaire à la direction précédente. Il y a donc deux indices de réfraction, et la lumière donnée par un rayon incident unique se dédouble tout en se réfractant. Si l'on pose un cristal de spath d'Islande sur une feuille de papier où l'on a tracé une ligne, on voit deux lignes par transparence. ■

▶ *LENTILLES ET SYSTÈMES OPTIQUES / LUMIÈRE / POLARISATION*

RÉGIONS	Km²	Hab. Population
Picardie	19 411	1 740 000
Champagne-Ardenne	25 600	1 350 000
Bourgogne	31 592	1 600 000
Centre	39 061	2 300 000
Lorraine	23 540	2 320 000
Nord	12 378	3 950 000
Alsace	8 310	1 600 000
Franche-Comté	16 189	1 100 000
Haute-Normandie	12 258	1 700 000
Basse-Normandie	17 583	1 400 000
Bretagne	27 184	2 700 000
Pays de la Loire	32 126	3 000 000
Poitou-Charentes	25 790	1 600 000
Aquitaine	41 407	2 700 000
Midi-Pyrénées	45 382	2 300 000
Limousin	16 932	750 000
Auvergne	25 988	1 330 000
Rhône-Alpes	43 694	5 100 000
Languedoc-Roussillon	27 448	1 930 000
Provence Côte d'Azur	40 117	3 970 000
Corse	8 681	240 000
Ile de France	12 008	10 100 000

RÉGIONS, RÉGIONALISATION

● S'il existe en France des régions nettement individualisées par leurs caractères physiques, c'est que l'histoire elle-même a d'abord permis la distinction des « provinces ». Dans le même temps que le pouvoir central perfectionnait progressivement ses modes de gouvernement (intendants), le poids des traditions locales se faisait lourdement sentir pour individualiser ces provinces, et cela d'autant plus que la lenteur et l'insécurité des communications limitait les relations à grandes distances.

● Sous l'Ancien Régime, on se considérait « breton » ou « provençal » aussi bien que « français ». Mais la situation se trouva modifiée à partir de 1789, par le biais de mesures administratives et à la faveur d'un changement de mentalité. Les dangers que firent peser les puissances voisines sur la jeune Révolution ont rapproché les habitants des différentes provinces, et une nation au sens moderne du terme s'est définitivement construite, remplaçant cet « agrégat inconstitué de peuples désunis » (Mirabeau).

● Dans cette optique, la création des départements en 1789 a été fondamentale. Désormais, l'ensemble du territoire est divisé d'une manière assez uniforme, bien que des nécessités géographiques et historiques aient suscité la création de départements peu réguliers dans leurs contours.

● Ces départements, légèrement modifiés parfois, sont devenus, au fil des ans, la division administrative fondamentale : mais leur intérêt en tant qu'objet d'analyse et en tant qu'instrument d'application d'une politique et d'une administration moderne est de plus en plus mince, eu égard à la médiocrité spatiale moyenne de leur sphère d'influence.

● Dans cette perspective, et après avoir divisé l'espace en « bassins fluviaux », auxquels on reconnaît une certaine individualité due à l'unicité de leur drainage, les chercheurs ont étudié les régions naturelles plus vastes et plus homogènes, définies par le climat (Midi méditerranéen) ou par le relief (les Alpes). Pourtant, la notion de région historique restait

La chaîne des Vosges sépare deux provinces individualisées dès le Moyen Age, l'Alsace et la Lorraine ; elles sont devenues aujourd'hui deux régions économiques.

vivante pour des régions comme la Bourgogne, disparate du point de vue physique, mais héritière d'une situation politique révolue.

● Cette conception de la région n'est plus apparue fonctionnelle avec le développement des communications rapides, la place croissante des activités industrielles et l'essor des villes. Les combinaisons géographiques qui s'étaient établies sur la base du climat, du relief et des sols, se sont vues modifiées par une hiérarchie nouvelle dans les facteurs de division de l'espace, et ce sont désormais les relations entre les villes et les campagnes qui constituent les plus fidèles témoignages de la réalité vivante de nos régions.

● Dès 1922, le gouvernement divisa le pays en 19 régions économiques pourvues de larges attributions dans le domaine industriel et commercial. La conception de la région s'orientait donc autrement. Mais c'est après la Seconde Guerre mondiale que l'idée de régionalisation commença à prendre vraiment corps, et que l'on commença de dénoncer la centralisation excessive héritée de la politique napoléonienne; on parlait alors de « désert français » pour désigner... ce qui n'était pas la région parisienne! Néanmoins les réalisations furent hésitantes et l'idée de régionalisation était loin de rallier tous les suffrages. En 1969, le projet de régionalisation, soumis à un référendum, fut repoussé par 53 % de « non ». Mais l'idée fit son chemin et en 1982 la loi sur la régionalisation et la décentralisation vint à bout des dernières résistances, et l'emprise de Paris et de l'administration centrale allaient désormais être battues en brèche. Le but de la loi est en effet d'assurer le développement équilibré des 22 régions métropolitaines, d'animer les capitales régionales qui deviennent des centres de décision à part entière.

● En effet, les assemblées régionales sont responsables du développement économique, social, scientifique, culturel, sanitaire de la région et de l'aménagement de son territoire.

● Chaque région a à sa tête un conseil régional, dont le nombre de membres, élus au suffrage universel direct, est proportionnel à la population de la région. Le conseil régional délibère sur les actions à entreprendre. C'est le commissaire de la République de la région qui est chargé de veiller à la bonne exécution des décisions prises.

● Pour réaliser les projets décidés, le Conseil régional dispose d'un budget important, qui n'est plus soumis au contrôle du pouvoir central. Cette autonomie financière, qui manquait aux départements, conditionnait en effet l'efficacité des réformes de décentralisation. La région dispose aussi d'un conseil économique et social, et d'une cour des comptes.

● On peut espérer que ce grand virage pris par l'État pour moderniser des structures obsolètes portera ses fruits dans un avenir proche. Le dépeuplement des régions a d'ailleurs été stoppé mais c'est à ce prix que l'économie du pays pourra être rééquilibrée. ■

« L'effort multiséculaire de centralisation qui fut longtemps nécessaire à notre pays pour réaliser et maintenir son unité ne s'impose plus désormais. Au contraire, ce sont les activités régionales qui apparaissent comme les ressorts de sa puissance économique de demain ».

Charles de Gaulle, discours de Lyon, 1968.

REINS

● Les reins ont pour principale fonction de filtrer et d'éliminer les déchets contenus dans le sang. Au nombre de deux, ces organes rouges, en forme de haricot, sont situés, chez l'homme, en arrière de la cavité abdominale, de chaque côté de la colonne vertébrale. Le rein droit est légèrement plus bas que le gauche. Certains sujets ne possèdent qu'un rein, d'autres en ont trois, sans que cette anomalie entraîne des troubles particuliers.

● Le tissu rénal comprend la substance corticale, formée par les pyramides de Ferrein, et la substance médullaire, constituée par les pyramides de Malpighi, qui entourent une cavité centrale, le sinus du rein (petits calices, grands calices, bassinet).

● Parvenu au rein par l'artère rénale, le sang subit, en passant à travers les structures anatomiques du rein, un processus de filtration ; après quoi, il gagne la veine rénale qui se jette dans la veine cave inférieure.

● L'urine formée se rassemble dans le bassinet, avant de s'écouler par l'uretère jusque dans la vessie et d'être évacuée à l'extérieur. L'urine d'un sujet en bonne santé est de couleur jaune paille et renferme de l'eau, des sels minéraux et des déchets. En cas de maladie, on peut y déceler d'autres substances : glucose (diabète), albumine, sang. La quantité d'urine produite n'est pas fixe : si l'on boit beaucoup, elle augmente, tandis qu'une forte transpiration la fait diminuer par un phénomène de compensation, tendant à maintenir constant le volume des

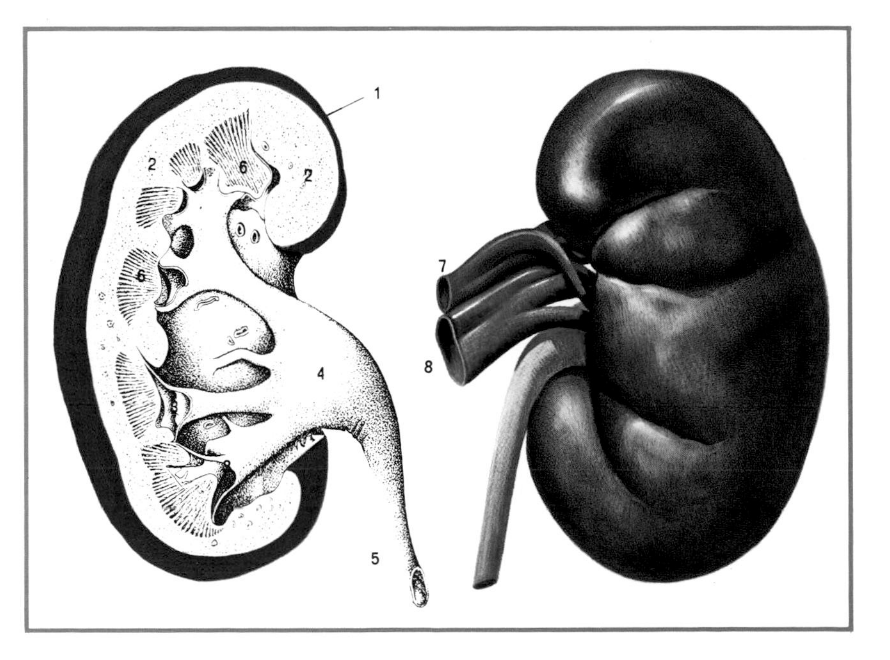

Coupe et aspect externe du rein. Pesant environ 160 g, le rein est composé des éléments suivants : 1. capsule fibro-élastique 2. substance corticale 3. calice 4. bassinet rénal 5. uretère 6. pyramides de Malpighi 7. artère rénale 8. veine rénale.

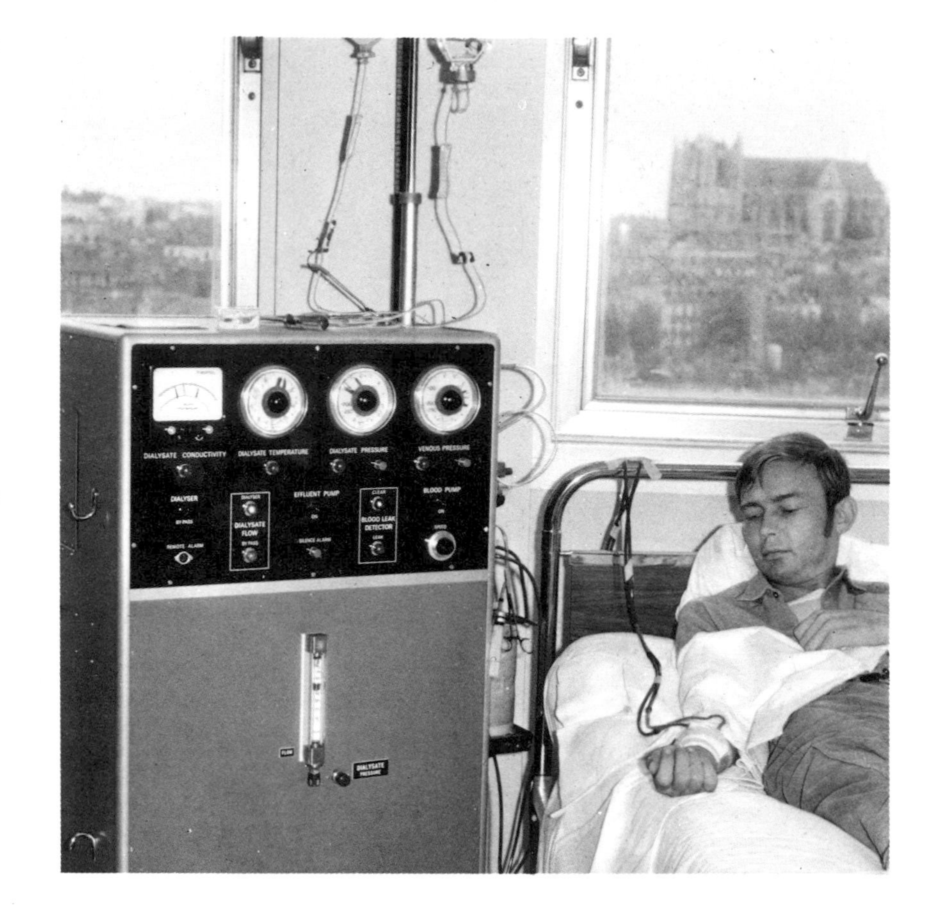

Ce volumineux appareil est un rein artificiel destiné à suppléer aux déficiences de l'organe naturel : le sang du malade est capté au niveau de l'artère radiale, canalisé dans une membrane de cellophane qui, par osmose, laisse passer l'urée et les impuretés contenues dans le sang. Le sang épuré est restitué au niveau de la veine cubitale.

liquides contenus dans l'organisme.

● Parmi les principales maladies du rein, on peut citer les néphrites et les coliques néphrétiques, les tumeurs bénignes ou malignes, les kystes, la tuberculose.

● Lorsqu'on procède à l'ablation d'un rein, l'autre s'hypertrophie en quelques jours, assumant un double travail. L'ablation des deux reins est mortelle. De manière temporaire (en cas de maladie passagère) ou régulière et répétée (en cas de maladie chronique ou incurable), on a recours au rein artificiel, appareil capable d'assumer pour un temps les fonctions des reins déficients. La greffe du rein, couramment pratiquée, est couronnée de succès dans 70 % des cas.

● Ces bons résultats ont été obtenus grâce à une excellente mise au point des tests d'histocompatibilité. ■

Le rein a été le premier organe greffé avec succès, en 1958. On pratique chaque année en France 300 transplantations, mais la liste des demandeurs s'allonge : on l'évalue à environ un millier.

► *CŒUR/CORPS HUMAIN/ MÉTABOLISME / ORGANES, GREFFES D'*

RELATIVITÉ

● La théorie de la relativité est l'apport fondamental du xxe siècle à la connaissance de l'univers. Albert Einstein en eut l'idée après que Michelson, vers 1880, eut voulu rendre compte expérimentalement du mouvement de la Terre dans l'espace.

● Michelson fit le montage suivant : une source lumineuse S émet un faisceau monochromatique qui tombe, sous une incidence de 45°, sur un miroir semi-transparent M. Une partie du faisceau se réfléchit en direction d'un premier miroir M_1 et l'autre partie traverse M et tombe sur un autre miroir M_2. Les miroirs M_1 et M_2, placés sur des bras perpendiculaires entre eux, renvoient les rayons reçus par réflexion normale et les deux demi-faisceaux mélangés parviennent à une lunette d'observation L munie d'un réticule, et y produisent des franges d'interférences.

● Notons que si la frange centrale correspond au point d'intersection des fils du réticule, on en déduit qu'il y a égalité des temps de propagation des rayons lumineux entre OM_1 et OM_2; cette méthode de mesure est extrêmement précise.

● D'après les lois de la mécanique classique, fondées en particulier sur l'additivité des vitesses, la durée du trajet des rayons dans l'appareil imaginé par Michelson dépend du mouvement de translation de la Terre autour du Soleil à la vitesse v et de l'orientation de l'appareil par rapport à la direction du mouvement de notre planète. Ainsi, un rayon lumineux de vitesse c, célérité de la lumière, se déplaçant dans la même direction que celle du mouvement de la Terre, doit avoir, d'après le principe de l'additivité des vitesses, une vitesse relative par rapport à la Terre égale à (c-v). Supposons que la Terre se déplace dans la direction OM_1 à la vitesse v : selon la mécanique classique, le parcours OM_1O effectué par un rayon lumineux s'opère en un temps plus long que celui correspondant au parcours OM_2O si OM_1 et OM_2 sont égaux.

● Pour égaliser les temps de parcours, il suffit de régler l'appareil de façon que la frange centrale d'interférences coïncide exactement avec le centre du réticule. Dès lors, on doit avoir des segments OM_1 et OM_2 *inégaux*. Par conséquent, si l'on fait tourner de 90° l'ensemble de l'instrument de Michelson, OM_2 sera à son tour dans la direction du mouvement de translation de la Terre et il n'y aura plus coïncidence entre la frange centrale et le centre du réticule.

● Or, l'expérience montre que, contrairement à toute prévision, il y a conservation de l'égalité des temps de parcours : les franges n'ont pas bougé. Tout se passe comme si la Terre ne tournait pas autour du Soleil, comme si elle était immobile. Les faits sont donc en contradiction avec la mécanique classique : la loi de l'additivité des vitesses est fausse en physique.

● La vitesse de la lumière est égale dans toutes les directions et est indépendante des mouvements de la source lumineuse. Cette vitesse c, égale à 299 776 kilomètres par seconde, est la vitesse limite qu'aucun mobile pesant ne peut dépasser. Cette constance de c est à la base de la théorie dite de la relativité restreinte, due à Einstein.

● Faisons, pour préciser cette découverte, un peu d'algèbre élémentaire. Imaginons un repère constitué par deux axes parallèles entre eux, Ox et O'x', ce dernier se déplaçant parallèlement à Ox à la vitesse v (comme le ferait un train par rapport aux rails qui le portent), et la « communication », d'un axe à l'autre, se fait par signal lumineux, la lumière étant le signal le plus rapide qui existe. L'origine des temps correspond à l'instant où O et O' coïncident. Lorentz a établi les relations suivantes entre x et t, coordonnées d'espace et de temps dans le système Ox, et x' et t', coordonnées relatives au système O'x' :

$$x' = \frac{x - vt}{\sqrt{1 - \frac{v^2}{c^2}}} \qquad t' = \frac{t - \frac{vx}{c^2}}{\sqrt{1 - \frac{v^2}{c^2}}}$$

● Ces deux formules un peu compliquées nous indiquent que quand on passe d'un axe à l'autre les coordonnées ne sont pas les mêmes. x' n'est pas égal à x et t' est différent de t. En d'autres termes, un même événement (une lampe qui s'allume, un train qui passe, etc.) est « vu » de façon différente si l'on se fixe à l'un ou à l'autre axe de coordonnées.

● On en déduit quelques faits apparemment paradoxaux ; la notion de simultanéité n'est pas valable pour les deux axes à la fois. Deux événements simultanés pour un observateur situé sur l'axe Ox (au bord des rails) ne le sont plus pour un second observateur situé sur O'x' (le train qui roule). En effet, si nous faisons t = 0, on voit, d'après la deuxième formule, que t' n'est pas nul. Ainsi, pour un même événement, deux observateurs en mouvement relatif l'un par rapport à l'autre mesurent des durées et pareillement des longueurs différentes.

● L'exemple couramment cité du train nous fournit l'illustration de cette affirmation surprenante. Soit, au bord d'une voie de chemin de fer, deux lampes L_1 et L_2, distantes l'une de l'autre, d'une longueur égale à celle d'un train. Sur le bord de la voie, un premier observateur 1 fixe se trouve au milieu de L_1L_2. Un deuxième observateur 2 se trouve debout au milieu du train. Un dispositif spécial fait que L_1 s'allume quand l'avant de la locomotive arrive à hauteur de L_1, et que L_2 s'allume quand la queue du train parvient à hauteur de L_2.

● Quand le train passe, l'observateur 1, muni d'un miroir double grâce auquel il peut voir les deux lampes en même temps, voit ces deux dernières s'allumer simultanément. L'observateur 2, lancé par le train en direction de la lampe L_1, et s'éloignant donc de L_2, remarque à l'aide de son miroir double un décalage entre les lampes. Il lui semble que L_1 s'allume avant L_2 ; il dira donc que le train a une longueur supérieure à la distance L_1L_2, car il affirmera que la queue du train n'avait pas franchi l'emplacement de L_2 quand L_1 s'est allumée.

● Il y a donc désaccord entre les appréciations des longueurs et des temps effectuées par deux observateurs en mouvement relatif.

● Ces notions aboutissent à des résultats étonnants et le célèbre exemple du « voyageur de Langevin », quoiqu'il soit irréalisable, donne une image frappante des conséquences qui découlent de la théorie de la relativité. Le physicien Langevin imagina qu'un voyageur puisse quitter la Terre en utilisant une fusée ultra-rapide capable de se déplacer à la vitesse fantastique de 299 750 kilomètres à la seconde, soit un peu moins que la vitesse c de la lumière, qu'aucun mobile, rappelons-le, ne peut dépasser. Il mesure la durée de son voyage avec une horloge placée dans sa fusée.

● Langevin suppose que l'aller du voyage dure un an (temps compté sur l'horloge embarquée) ; puis la fusée fait demi-tour et met un an pour revenir sur terre. Ainsi, le voyageur dira que son périple extra-galactique aura duré deux ans. Mais, à sa grande surprise, quand il reviendra sur Terre, il la trouvera vieillie de deux cents ans ; il aura effectué un bond dans le futur de deux siècles, persuadé que lui n'aura vieilli que de deux ans. Tel est le paradoxe de Langevin, conséquence immédiate des équations de Lorentz précédemment citées.

● En 1971, deux physiciens américains, J. Hafele et R. Keating effectuèrent l'expérience suivante. Ils prirent deux horloges atomiques au césium, extrêmement précises, et marquant exactement le même

« L'expérience peut nous guider dans notre choix des concepts mathématiques à utiliser, mais il n'est pas possible qu'elle soit la source d'où ils découlent. En un certain sens, donc, je tiens pour vrai que la pensée pure est compétente pour comprendre le réel, ainsi que les Anciens l'avaient rêvé ».

Einstein.

En découvrant la théorie de la relativité, Einstein a révolutionné la physique contemporaine et notre conception du monde en étendant notre champ de connaissances de l'atome aux galaxies.

Le savant belge, l'abbé Lemaître, a été le premier à imaginer, vers 1927, que l'Univers était en perpétuelle expansion. Cette hypothèse hardie paraît être vérifiée par la relativité générale qui permet d'estimer la vitesse à laquelle les astres s'éloignent de nous.

temps. Ils placèrent la première dans un avion, qui fit le tour de la Terre en volant à vitesse constante, et la seconde sur le sol de l'aéroport, au point de départ de l'avion. Au retour de celui-ci, on contrôla les temps indiqués par les deux horloges. On s'aperçut alors d'un décalage de quelque 273 nanosecondes (une nanoseconde est égale à un milliardième de seconde), intervalle de temps aisément mesurable grâce aux horloges atomiques. L'horloge voyageuse était en avance par rapport à celle qui était restée sur la Terre ; elle avait moins « vieilli ».

● La notion de masse, après celles de distance et de temps, acquiert de nouvelles propriétés grâce à la relativité : la masse d'un corps mobile augmente avec sa vitesse. L'expérience encore confirme cette affirmation : les électrons émis par la cathode d'un tube à décharge, et qui ont des vitesses proportionnelles à la tension appliquée aux bornes du tube, ont des vitesses atteignant aisément 200 000 kilomètres à la seconde. On s'aperçoit alors que leur masse croît de près de 40 % par rapport à sa valeur au repos. Plus la vitesse se rapproche de c plus la masse augmente. La vitesse c de la lumière est bien la vitesse limite qu'aucun mobile pesant ne peut dépasser ; en effet, sa masse deviendrait infinie.

● On en déduit aussi que l'énergie est liée à la masse. A toute masse correspond une énergie, et l'on peut dès lors parler de l'inertie de l'énergie. Cette découverte d'Einstein rendit possible la mise en œuvre par l'homme de réactions nucléaires.

● En 1912, Einstein étendit la relativité restreinte à tous les observateurs, dans le cadre de la relativité générale. Il élabora sa théorie de la gravitation d'une façon purement déductive, en utilisant le calcul tensoriel, technique mathématique fort complexe. Ce ne fut que plus tard que la relativité générale fut confirmée par des mesures et des expériences astronomiques.

● A côté des objets physiques constitués par les corps (bille, rocher, lentille optique, Soleil, étoile...), on trouve les champs. Les propriétés de ces derniers ne peuvent être connues que d'après l'étude du comportement des corps qui y sont placés. Il existe deux types de champs, le champ électromagnétique que l'on étudie en électricité, et le champ de gravitation, moins bien connu. Tout objet physique engendre un champ gravitationnel, mais celui-ci n'est important que si l'objet physique en question est de dimensions cosmiques : le Soleil ou une étoile par exemple. La propriété essentielle des champs de gravitation est que tous les corps, quelle que soit leur masse ou leur charge, s'y meuvent de façon identique.

● Dans le cas de la gravitation terrestre, la loi de la chute libre est la même pour un poids en plomb ou pour une bille en verre. Einstein a établi que dans un champ de gravitation dû à une masse matérielle, la lumière est déviée : un rayon lumineux dont la trajectoire est tangente au Soleil est dévié de près de 1,70 seconde. Cela a été vérifié expérimentalement.

● Aussi, en présence d'un champ de gravitation, l'espace devient-il curviligne, et n'est pas euclidien, comme cela est admis en mécanique classique. On dit qu'il obéit à une géométrie riemannienne, (du nom du mathématicien Riemann). Toute une série de conséquences, à première vue, étonnantes, découlent du champ de gravitation : les intervalles de temps dépendent du champ, le temps ne s'écoule pas de la même façon en des points différents de l'espace. Les propriétés géométriques de l'univers varient avec le temps, l'univers semble en perpétuelle expansion.

● Avec la théorie des quanta, dont il a été l'un des principaux promoteurs, et la relativité, Albert Einstein a signé les idées-clés qui dominent de très haut la science contemporaine. Il a modelé une nouvelle physique, ouvert des horizons neufs pour les chercheurs et corrigé notre vision du monde en étendant notre champ de connaissances, depuis les constituants de l'atome jusqu'à la fuite infinie des galaxies. ■

► *CHAMPS, PHYSIQUE DES / LUMIÈRE / MOUVEMENT / PHOTOÉLECTRICITÉ / QUANTA*

RELIGION, Guerres de

● Dans la seconde moitié du XVIe siècle, des guerres civiles opposent, en France, les catholiques aux calvinistes. Pour les contemporains, il s'agissait de « troubles ». Cette expression traduit bien la complexité d'une situation originelle qui évolue, dans la confusion, vers un chaos où les institutions et l'unité du royaume paraissent sombrer.

● Cette période douloureuse, qui dure près de 40 ans, a laissé des souvenirs vivaces dans la mémoire des Français. En 1559, à la mort du roi Henri II qui avait entrepris une lutte active contre l'hérésie, le problème de l'unité religieuse, fondement de l'unité politique à l'époque, se pose de façon aiguë en France, comme dans les pays de l'Europe moyenne : Pays-Bas, Suisse, Autriche, Bohême, où les progrès de la Réforme calviniste se confirment.

● En revanche, les positions sont nettement tranchées dans l'Europe du Nord, entièrement acquise à la Réforme luthérienne, ainsi qu'en Europe méridionale, où l'Inquisition, par sa vigilance impi-

24 août 1572 jour de la Saint-Barthélemy, Catherine de Médicis profite de la présence des chefs protestants, venus assister au mariage de sa fille Marguerite avec Henri de Navarre, pour les faire assassiner. Très vite la folie meurtrière gagne le peuple et l'on voit même des enfants de dix ans tuer d'autres enfants.

Procession de la Ligue en place de Grève. Fondée en 1576, la Ligue réunit les catholiques les plus exaltés autour de la personnalité d'Henri de Guise.

toyable, parvient à écraser la Réforme calviniste. Celle-ci, en France, est certes le fait d'une minorité : deux mille cent cinquante communautés calvinistes seulement y sont organisées; mais le dynamisme de ce mouvement religieux permet tous les espoirs.

● Les protestants sont présents un peu partout, spécialement dans les grandes villes : Paris (plusieurs milliers), Lyon, Orléans, Rouen, et dans les provinces situées à la périphérie du royaume : Picardie, Normandie, Touraine, Poitou, Midi, Dauphiné. La Réforme a gagné l'élite urbaine : les artisans d'abord, puis les intellectuels, imprimeurs, marchands, même certains magistrats.

● Mais c'est l'adhésion des classes dirigeantes traditionnelles, en particulier de la noblesse féodale, qui donne à la Réforme sa puissance politique et lui fournit des cadres militaires.

● Bien entendu, des deux côtés, l'idée de tolérance, étrangère à la mentalité du temps, est inadmissible, inimaginable. Seule, la force politique peut être le garant de la liberté religieuse. Les grandes familles aristocratiques, parfois liées à la famille royale : les Guise, les Montmorency du côté catholique; les Navarre, les Condé, les Châtillon du côté protestant, désirent limiter les progrès du pouvoir royal accomplis sous les règnes précédents.

● Les passions religieuses vont donc servir les ambitions des « Grands ». Dans les deux camps, papiste et huguenot, organisés progressivement en véritables partis, on trouve, à côté des intransigeants, des modérés : les « politiques » qui ont tenté, à plusieurs reprises, de trouver un compromis. L'amiral de Coligny surtout, réformé fervent mais loyaliste, grand caractère, le chancelier Michel de l'Hospital sont, parmi d'autres, les représentants les plus connus des modérés.

● Quant au roi « très chrétien », il ne peut que rejeter « l'hérésie ». Cependant, si son autorité ne s'impose pas avec la force suffisante, il risque de devenir prisonnier de l'un ou l'autre camp. Or, la politique royale est incohérente. Elle autorise et interdit plusieurs fois et successivement, au gré des circonstances, le culte protestant, provoquant tour à tour un raidissement chez les catholiques, une méfiance du côté protestant, bref le mécontentement général.

● La régente Catherine de Médicis gouverne au nom de ses fils mineurs. Jusqu'en 1562, cette femme intelligente, habile, pratique, consciente de la faiblesse momentanée de la monarchie, va chercher une conciliation impossible. Avec l'appui des modérés, elle s'efforce de maintenir un équilibre entre les deux camps, pour laisser le pouvoir royal audessus des partis.

● Mais les catholiques s'insurgent contre l'édit de tolérance de 1562 : il accordait aux protestants une liberté — limitée — de culte. Le parlement de Paris refuse de l'enregistrer. La même année, le massacre de Wassy, en Champagne, marque le début des hostilités.

● Une assemblée de 1400 protestants environ a été surprise par le duc de Guise : 74 d'entre eux sont tués. La guerre consiste en une série d'escarmouches, d'embuscades, toujours localisées. C'est

La bataille de Jarnac, le 13 mars 1569, tourna mal pour les protestants. Malgré les injonctions de Coligny, le prince de Condé refusa de se retirer et fit face aux soldats du duc d'Anjou. Il fut tué et le duc fit exposer son corps sur une pierre, « bras et jambes pendants, un œil sortant de la tête ».

La triste fin des conjurés d'Amboise. (16 mars 1650). Cette conjuration fut fomentée par les protestants, aidés du prince de Condé, pour enlever le roi François II et le soustraire à l'influence des catholiques. Les Guise organisèrent une féroce répression qui marqua le début des guerres de religion.

une « guérilla », avec son cortège de massacres et de représailles d'une cruauté inouïe, où s'illustrent papistes (Blaise de Montluc) et huguenots (le baron des Adrets). On assiste à de véritables « pogroms ». Les protestants découvrent leur infériorité numérique : ils ont peur. Chez les catholiques, les passions s'exaspèrent.

● Des antagonismes sociaux se font jour : paysans refusant de payer la dîme, bourgeois et nobles s'emparant des terres de l'Église. Des deux côtés, on fait appel à l'étranger, on engage des mercenaires.

● Par son habileté militaire et politique, Coligny rétablit la situation des protestants, compromise par des défaites en 1569. Un édit, en 1570, semble marquer le retour à la paix. Coligny entre au Conseil du roi où il est apprécié du jeune Charles IX. Il envisage, pour pacifier le royaume, d'entraîner nobles et mercenaires désœuvrés ou pillards dans une guerre contre l'Espagne catholique.

● Pour retrouver son influence sur son fils, craignant un soulèvement à Paris (depuis longtemps 4 à 5 000 huguenots y ont été « fichés »), Catherine de Médicis décide de faire éliminer Coligny et les autres chefs protestants — réunis à Paris à l'occasion du mariage du prince Henri de Navarre et de sa fille, mariage qui doit sceller la réconciliation — par les Guise. C'est là l'origine du célèbre massacre de la Saint-Barthélemy.

● L'attentat contre Coligny a échoué. Catherine de Médicis, éperdue, craint d'être soupçonnée. Elle arrache à son fils l'ordre d'une extermination des huguenots. Du 24 août au 26 août à Paris, du 25 août au 3 octobre dans le royaume, au moins trente mille protestants sont mis à mort. A Paris seulement, on a compté 4 000 cadavres dans la Seine. Dès lors, la guerre civile devient générale. Affaiblis, les protestants s'organisent pour se défendre. Le parti protestant devient un véritable État, avec une armée, commandée par Henri de Navarre, seul chef protestant épargné, des finances, des états généraux et provinciaux, un conseil permanent.

● En 1576, les catholiques constituent « la Sainte Union des catholiques de la ligue » qui s'allie avec l'Espagne. Des pamphlets protestants (ceux des catholiques suivront plus tard) dénoncent le roi comme tyran et l'attaquent avec violence. C'est la première apparition de l'idée républicaine en France. Le nouveau roi, Henri III, ne sait pas faire face à la situation. Le duc de Guise, chef de la Ligue, est le véritable maître de Paris. Des villes, des parlements se rallient à lui. L'autorité royale est contestée.

« Ainsi furent plusieurs jours employés à couper têtes, ou à pendre, ou à noyer. Les rues d'Amboise étaient coulantes de sang et tapissées de corps morts si bien qu'on ne pouvait durer par la ville pour la puanteur et infections ».

Régnier de la Planche.

● Henri III tente de la rétablir. Il abandonne Paris, fait assassiner le duc de Guise en 1588, renoue avec Henri de Navarre, son héritier légitime. Il vient avec lui mettre le siège devant sa propre capitale. Le royaume est en pleine anarchie. Paris se révolte et se donne une organisation communale ouvertement révolutionnaire. Dans le royaume, les opérations ont dégénéré en brigandages : c'est « la picorée ».

● L'assassinat du roi en 1589 par un moine ligueur porte le désordre à son comble. L'autorité royale a sombré dans la tourmente. L'unité du royaume est menacée. La Ligue est prête à accepter un souverain étranger : le roi d'Espagne lui-même ou sa fille. Les protestants reçoivent le soutien des protestants des Pays-Bas et de l'Angleterre. Henri de Navarre, chef du parti protestant, peut-il devenir effectivement roi de France? Rude soldat, dépourvu de fanatisme et de rancune, il va profiter d'un revirement des esprits. La lassitude devient générale : le pays est épuisé; à Paris, mal ravitaillé, la population est affamée.

● Opportunément, en 1593, Henri de Navarre abjure le protestantisme. Il incarne alors le sentiment national français dressé contre la domination étrangère. Il lui reste, une fois devenu le roi Henri IV, à vaincre les armées de la Ligue et leurs alliés espagnols, ainsi que la méfiance de ses anciens coreligionnaires, repliés sur leurs places fortes. Le protestantisme a perdu, pour longtemps, son dynamisme. En 1538, on compte 274 000 familles huguenotes, sans doute à peine un million de Français.

● En 1598, l'édit de Nantes met fin aux guerres de religion. Ce compromis ne repose ni sur un accord, ni sur un progrès de la tolérance, mais sur un équilibre de forces; il est donc nécessairement précaire. Il établissait cependant, phénomène unique en Europe, la coexistence des deux religions. Si les tribulations des protestants sont loin d'être terminées, si les hostilités reprennent sous Louis XIII, le pays connaîtra au XVIIe s. une paix relative. ■

REMBRANDT (1606-1669)

● Dans la Hollande du XVIIe siècle, disciplinée, policée, respectueuse des convenances morales et sociales, la personnalité de Rembrandt Van Rijn se détache avec puissance. Son parcours le fait échapper à toute classification : alors que la plupart des peintres hollandais se spécialisent dans un genre déterminé, Rembrandt refuse de s'enfermer dans aucune limite. On trouve aussi bien dans son œuvre des portraits que des natures mortes, des nus, des peintures religieuses ou des paysages.

● De même, il se soucie peu de problèmes de style, et poursuit sa voie propre, épurant progressivement son œuvre, la débarrassant de l'anecdote, du détail superflu, pour se concentrer sur l'expression de l'invisible, la réalité spirituelle, l'esprit des êtres et des choses. Cette quête d'une vérité profonde le condamne peu à peu à la solitude; la plupart de ses contemporains n'attendent de la peinture qu'un reflet des apparences, d'un certain ordre social hiérarchisé, qui lui impose de se soumettre à un code de représentation auquel satisfont fidèlement la plupart des autres peintres.

● Pourtant, en dépit de sa légende, Rembrandt ne fut nullement le peintre maudit, au destin tragique, dont on a décrit avec complaisance les tourments. Pendant toute la première moitié de sa carrière, malgré certains soucis d'argent, Rembrandt a fait partie des artistes les plus en vue et les plus appréciés d'Amsterdam. Ce n'est qu'après la mort de sa femme, à partir de 1642, que commencent les véritables difficultés morales et matérielles.

● Cinquième enfant d'un meunier de Leyde, Rembrandt passa les premières années de sa vie dans une famille pieuse, attentive aux enseignements de la Bible. A quatorze ans il entra dans l'atelier de Jacob van Swanenbourg, artiste maniériste italianisant qui eut au moins le mérite de lui apprendre un métier correct.

***Jérémie pleurant sur la destruction de Jérusalem* (1630). Rembrandt cherchait à atteindre, à travers la matière picturale d'une extrême richesse, l'essentiel de l'individu. Il choisissait des modèles juifs par souci d'authenticité et parce qu'il aimait ce peuple qui avait souffert et témoignait d'un riche passé spirituel.**

● En 1624, on le retrouve travaillant à Amsterdam auprès de Pieter Lastman; puis il revient s'établir à Leyde. Encore sous l'influence de ses maîtres, il peint des portraits et des sujets religieux au réalisme minutieux, inscrivant ses effets d'ombre et de lumière, sans trop d'originalité, dans la tradition du caravagisme. En 1628, *le Christ et les pèlerins d'Emmaüs* le montre enfin en possession de son langage. Le schéma habituel est inversé : le Christ est dans l'ombre, mais c'est de lui que semble, en fait, émaner la lumière, donnant au tableau son caractère mystique.

● La réussite venant, Rembrandt décide de quitter Leyde, trop provinciale, et s'installe à Amsterdam. Il se lie d'amitié avec un riche marchand de tableaux qui lui obtient des commandes de portraits. Il fréquente la bonne société d'Amsterdam, et commence à rassembler une remarquable collection de tableaux et de gravures. En 1634, il épouse la cousine de son protecteur, Saskia, qui joint la beauté à la fortune.

● Cette période est la plus heureuse de son existence. Sa facture s'enhardit jusqu'à frôler parfois une luxuriance baroque. Il aime les matières riches, les couleurs rutilantes, mais sacrifie volontiers la ressemblance pour approfondir la psychologie des personnages. En 1639, il acquiert une maison près du quartier juif, où il s'établit luxueusement. Il apprécie la compagnie des Orientaux aux accoutrements bizarres; il recherche l'exotisme, mais au-delà, une certaine science ésoté-

Rembrandt a peint nombre d'autoportraits : le peintre devant son chevalet, le graveur à sa table de travail, l'époux tenant sa femme sur ses genoux ; recherche constante pour saisir, au-delà des apparences, des costumes, de l'âge, de la lumière, sa véritable identité.

La famille et la Cour du duc Louis de Gonzague. **Cette fresque de Mantegna (1474) décorant la « Chambre des Époux » au palais ducal de Mantoue, évoque l'atmosphère de luxe raffiné propre à la Renaissance italienne.**

Le Banquet d'Hérode, **de Ghirlandaio est l'une des fresques de l'église Santa Maria Novella à Florence ; on est frappé par l'accent profane, presque mondain, de cette œuvre à sujet religieux. C'est que l'entreprise fut financée par un Médicis qui désigna lui-même le peintre et contrôla l'exécution de l'ouvrage, en faisant figurer dans certaines scènes les portraits de parents et d'amis.**

rique, aussi, et on commence à lui reprocher de fréquenter des sectes hérétiques. Mais sa fortune permet aux bien-pensants de fermer les yeux sur ses extravagances.

● En 1642, il peint la *Ronde de nuit*, portrait collectif commandé par une compagnie d'arquebusiers. Il se démarque des portraits de groupe habituels en sacrifiant l'identification des personnages à la lumière et à la composition d'ensemble. Chaque membre de la compagnie avait payé pour avoir un véritable portrait : le tableau est mal reçu!

● La même année, Saskia meurt, laissant Rembrandt durement affecté. Accablé par les dettes, il doit abandonner en 1656 sa maison : elle est vendue aux enchères avec ses collections d'œuvres d'art, de meubles et d'objets précieux. Pourtant Rembrandt trouve un certain réconfort auprès d'une jeune servante, Hendrijke Stoffels, qui, avec dévouement, s'occupera de lui, ainsi que de son fils Titus, jusqu'à sa mort.

● Pendant les années 1643-1656, Rembrandt consacre plus de temps au dessin et à la gravure. Simplifiant audacieusement les formes, il acquiert une expression plus profonde, et le travail en noir et blanc lui permet d'atteindre à la maîtrise des effets de lumière, en éliminant ce que cette technique aurait pu comporter de théâtral.

● Malgré les problèmes matériels et une angoisse qui transparaît dans ses autoportraits, son art gagne en plénitude. Dépouillé d'accessoires et de décors, le sujet se réduit à sa seule richesse émotionnelle et picturale. La couleur est posée en touches grasses et puissantes, qui modèlent la forme en profondeur.

● Curieux contraste que cette peinture qui, vue de loin, est toute de lumière et de reflets d'or, et qui, lorsqu'on s'approche jusqu'à pouvoir saisir la trace du pinceau sur la toile, apparaît comme un ciment rugueux, une véritable maçonnerie brune, jaune et orangée.

● Les dernières années de sa vie sont encore assombries par la perte de ceux qui lui sont chers : Hendrijke et son fils Titus. Mais l'expression narquoise et ambiguë de son autoportrait de 1668 permet de comprendre qu'il a désormais échappé à la douleur par la concentration sur son art : plus rien, désormais, ne peut véritablement l'atteindre. ■

RENAISSANCE

● Née en Italie entre le XIVe et le XVe siècle, la Renaissance gagna peu à peu toute l'Europe. Elle toucha tous les aspects de la vie humaine, culture, politique, arts, vie civile. Les contemporains désignèrent par le terme de Renaissance ce mouvement placé sous le signe de la redécouverte des grands auteurs classiques et de l'Antiquité en général.

● La Renaissance fut précédée d'une période de ferveur philologique et littéraire au cours de laquelle on s'appliqua à rechercher les textes anciens, grecs et latins, sensés renfermer l'*humanitas*, c'est-à-dire l'essence de l'homme, alliance de savoir et de sagesse. On appela humanistes les spécialistes chargés de trouver les manuscrits et de compléter les textes endommagés par le temps ou trahis par les copistes.

● Confronté aux valeurs de la civilisation gréco-romaine, le Moyen Age apparut comme une époque barbare. L'humanisme fournit à la Renaissance des instruments de renouvellement qu'elle appliqua à tous les domaines de la vie.

● Le Moyen Age n'avait nullement négligé l'étude des classiques; des générations de moines avaient lu, recopié, commenté Virgile, Aristote, Stace, mais leur travail n'apporta aucun changement culturel. Désormais va s'affirmer, en revanche, une nouvelle manière de comprendre les écrivains anciens et de lire les classiques. La culture des siècles passés devient une source d'étude au lieu d'être seulement l'objet d'une vague admiration.

● Les humanistes apportèrent à la lecture des Anciens un jugement critique. Appliquant leur méthode aux textes anciens, ils discernaient le vrai du faux, la légende de la vérité historique. Lorenzo Valla réussit ainsi à démontrer que le *Constitutum Constantini,* la célèbre donation de Constantin qui établissait la légitimité du pouvoir temporel des papes au Moyen Age, était fausse.

● L'étude des classiques amena les humanistes à se pencher avec un intérêt nouveau sur les problèmes de la société, de l'éducation et de la famille. Le Moyen Age avait exalté l'ascétisme et la vie de l'au-delà; la Renaissance au contraire, confiante dans l'humanité, remit à l'honneur la vie sur Terre et les qualités sociales de l'homme. Léon Battista Alberti (1404-1472) rédigea un traité sur la famille et, dans les cours princières, de nombreux humanistes (Paolo Vergerio, Guarino Guarini et bien d'autres) se prodiguèrent afin de créer une école laïque orientée vers de nouveaux objectifs pédagogiques.

● Deux faits contribuèrent à la redécouvert du monde grec : le Concile de Ferrare, réuni en 1438-1439, dans le but de rapprocher les églises orthodoxes et romaines, permit des échanges fructueux entre savants. Ainsi, l'humaniste byzantin, Jean Bessarion, devenu cardinal en 1439, légua-t-il sa riche bibliothèque à Venise, donnant ainsi naissance à la future bibliothèque Saint-Marc; autre événement, la prise de Constantinople par les Turcs en 1453 contraignit de nombreux moines grecs à fuir en Occident, emportant avec eux des manuscrits d'un intérêt considérable pour les humanistes.

● L'œuvre de Platon connut alors à nouveau un grand succès. En effet, la technique de dialogue de ce dernier libéra la pensée philosophique du cadre étroit dans lequel l'aristotélisme et la scolastique l'avaient enfermée. Désormais Aristote n'était plus une *auctoritas*, mais un simple penseur.

● A Florence, les savants grecs eurent de nombreux disciples parmi lesquels Pic de la Mirandole (1463-1494) et Marsile Ficin (1433-1499). Le platonisme inspira aussi les poètes, tel Agnolo Poliziano, le Politien (1454-1494), qui fut à l'origine de l'humanisme poétique.

● Ces savants et ces érudits considèrent l'homme comme un « microcosme » (petit univers), reflet du « macrocosme » (grand univers), c'est-à-dire du monde de la nature dans toute son ampleur.

● La Renaissance culturelle et intellectuelle trouva dans le mécénat des princes une aide efficace. Chaque capitale italienne, chaque cour, y compris celle du pape, abritait des artistes et des humanistes; de ce point de vue, le primat revient sans conteste à Florence. La cour de Laurent de Médicis (1449-1492), dit le Magnifique à cause de sa passion pour toutes les formes d'art et de culture, est un véritable creuset où se fondent les talents et les génies des plus grands artistes, des plus grands penseurs, de l'époque.

● Bramante (1444-1515) fréquenta à Milan la cour des Sforza, tandis qu'à sa cour de Naples, Alphonse d'Aragon favorisait les études des humanistes. L'Arioste (1474-1533) séjourna à la cour de Ferrare. Tous les seigneurs, les Gonzague de Mantoue, les Montefeltro d'Urbino, les Bentivoglio de Bologne, les Malatesta de Rimini accroissaient le prestige de leur gouvernement en accueillant des lettrés et des artistes.

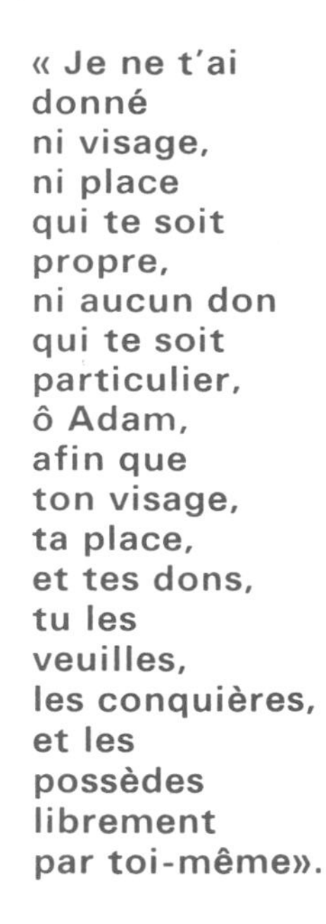
« Je ne t'ai donné ni visage, ni place qui te soit propre, ni aucun don qui te soit particulier, ô Adam, afin que ton visage, ta place, et tes dons, tu les veuilles, les conquières, et les possèdes librement par toi-même».

Pic de la Mirandole, *Discours sur la dignité de l'homme.*

Au XVIe siècle, la Cour de France suit l'exemple italien : le goût des fêtes, de la danse, de la mise en scène à l'antique (groupe des musiciens à gauche) apparaît sur cette tapisserie représentant une réception en l'honneur d'ambassadeurs de Pologne.

Détail d'une peinture de « cassone » (coffre offert comme présent de noces), représentant un cortège nuptial à Florence (peintre anonyme du XVe siècle).

● Léonard de Vinci (1452-1519) se détache comme l'une des figures les plus caractéristiques de cette période; lettré, peintre, architecte, homme de science, mathématicien, philosophe, il n'est pas de domaine que son esprit encyclopédique n'ait exploré et éclairé de son génie. Il ouvrit la voie à une science réelle, capable de déchiffrer le grand livre de la nature en découvrant les causes et les effets des phénomènes. En considérant l'expérience comme la condition indispensable de toute étude sur la nature, il fit faire de gros progrès à la recherche scientifique.

● Conduites selon des méthodes scientifiques, les études historiques laissent de côté les critères selon lesquels avaient été établis les chroniques et les histoires médiévales. La foi dans les capacités créatrices de l'homme incita les historiens à rechercher les lois constantes qui déterminent les faits et les rapports humains, et à les réduire à des sortes de formules scientifiques.

« Le peintre doit s'efforcer non seulement d'imiter la Nature, mais aussi de faire mieux qu'elle et, grâce à l'art, atteindre en un seul corps à cette perfection de beauté que la nature a dispersée en mille ».

Léonard de Vinci.

● Le grand théoricien de cette conception est le Toscan Niccolo Machiavel (1469-1527). Dans *le Prince,* il dresse la silhouette du souverain moderne; un homme doté d'une maîtrise absolue sur lui-même et sur les autres, qui se situe au-dessus de la morale courante et dont le but suprême est la puissance de sa principauté. L'État est une entité qui porte sa justification en soi et non dans des principes éthiques visant des fins surnaturelles; ce n'est plus la « cité terrestre » du Moyen Age, antichambre de la « cité céleste ».

● A partir de la Renaissance, l'individu commença à sentir la présence d'une organisation collective qui limite ses libertés personnelles en même temps qu'elle lui donne une plus grande sécurité. De plus en plus, l'État moderne, tendra à prendre sur soi tous les pouvoirs. En Italie, les seigneuries se transformèrent en une série de petits États régionaux (Naples, Florence, Venise, Milan) inspirés des principes de l'État moderne.

● Pendant qu'en Italie la civilisation de la Renaissance connaissait son plein épanouissement, le reste de l'Europe continuait à vivre à l'heure médiévale. Lentement, cependant, la France, l'Espagne, l'Angleterre, commencèrent à s'ouvrir à l'influence de la Renaissance italienne. Les cours des souverains européens firent appel aux artistes et aux lettrés italiens.

● L'invention de l'imprimerie fut pour une grande part responsable de l'expansion des valeurs de la Renaissance. En 1455, Jean Gutenberg, de Mayence, publia son premier livre, une grande Bible latine. Cette découverte fut à l'origine d'une véritable révolution intellectuelle : autrefois très rares, les livres furent désormais imprimés à des milliers d'exemplaires et vendus beaucoup moins cher. Un plus grand nombre de personnes eurent ainsi accès à la culture.

● La Renaissance ne pénétra cependant pas dans toutes les couches de la société. Elle toucha surtout les villes, et dans les villes, la bourgeoisie qui s'était affirmée par le commerce et les échanges. La féodalité et le clergé continuèrent, bien qu'à un degré moindre, à exercer des droits sur leurs sujets. Seules les classes les plus cultivées et les plus économiquement développées bénéficièrent du bouleversement universel provoqué par la Renaissance. Le peuple resta dans sa pauvreté, ancré dans ses anciennes croyances et ses superstitions les plus grossières. ■

LA RENAISSANCE DANS L'ART

● Dans le domaine des arts, la Renaissance se traduit, au XVe siècle, par une résurgence du substrat antique et une réadaptation de ses principalesva leurs morales et esthétiques au monde chrétien et à l'histoire contemporaine.

● Cette « réinvention » de la culture classique ne signifie nullement, contrairement à ce que l'on a longtemps cru, que le Moyen Age ait délibérément rompu avec le monde antique à la faveur des invasions barbares ou de l'hostilité du clergé pour les traditions intellectuelles et artistiques du monde païen.

● Déjà, l'Empire carolingien s'était situé dans la perspective de l'héritage direct de l'Empire romain; l'empereur passait pour être le successeur de César et avait restauré un certain nombre d'institutions romaines. Mais la conscience d'un fossé infranchissable entre civilisation chrétienne et civilisation païenne était trop grande pour que cette première renaissance put aboutir. D'autre part, la durée de l'Empire carolingien est brève, les circonstances économiques sont défavorables et le mécénat peu important.

● Néanmoins, durant toute la période médiévale, on trouve des témoignages de la persistance de la culture antique, même si l'on constate un divorce entre les thèmes et la représentation : le Moyen Age s'intéresse à la littérature classique, mais l'illustre de motifs empruntés à la vie contemporaine; inversement, il transpose dans le domaine religieux des motifs empruntés à l'art classique. On trouve ainsi des représentations de Vénus sous les traits de nobles dames, ou des représentations de héros, voire de dieux mythologiques, rattachés à la foi chrétienne : Orphée sert à représenter David, Hercule, le Christ, et l'enlèvement d'Europe symbolise le salut de l'âme humaine.

● Aucun homme du Moyen Age ne fut à même de considérer la civilisation de l'Antiquité comme un phénomène historique détaché de l'univers dans lequel il vivait et qui pût être étudié en tant que tel. Cette incapacité se fonde sur une distance émotive : alors que la civilisation classique considère l'homme comme une unité parfaitement intégrée, le corps et l'âme, la conception judéo-chrétienne repose sur l'association d'une âme immortelle et d'un corps périssable, vaine « argile matérielle ». Dès lors les formules qui avaient exprimé, dans l'art gréco-romain, la beauté et les passions ne pouvaient être admises que sous la condition de revêtir une signification morale.

● Au XVe siècle, l'attitude d'ensemble à l'égard de l'Antiquité subit une radicale métamorphose : une nouvelle éthique conçoit désormais l'homme comme la mesure de toutes choses. Cette révolution se produit d'abord en Italie, où le système féodal a moins d'emprise que dans le reste de l'Europe, et où l'essor des villes libres, dont la prospérité repose sur le commerce international aux mains

Architecte, anatomiste, mathématicien, physicien, Léonard de Vinci a exploré tous les domaines. Mais serait-il aussi célèbre s'il n'avait peint le sourire de la Joconde? La mystérieuse Mona Lisa, femme d'un gentilhomme napolitain, avait 30 ans; la légende veut que Léonard ait travaillé à ce portrait pendant 4 ans. Il ne l'acheva en France que quelques années plus tard.

d'une classe de riches bourgeois, se produit plus tôt. La réussite des affaires suppose une émancipation de la tutelle morale et politique de l'Église, libération qui est effective en Italie dès la fin du XIIIe siècle. Les prescriptions relatives au prêt à intérêt sont habilement tournées, permettant la constitution d'un capital considérable dont une partie sera affectée au mécénat.

● Il s'agit à la fois d'un réel amour de l'art et d'une propagande active des valeurs de la nouvelle classe dominante, qui s'affirment ainsi avec éclat. Pourtant, la religion est ménagée, et une grande partie des travaux et des œuvres demeure d'ordre religieux. Mais l'idée maîtresse a changé : on ne célèbre plus la grandeur de Dieu, mais celle de sa création. La philosophie néoplatonicienne se charge de réconcilier ce qui apparaissait comme inconciliable, en soulignant les possibilités de rachat de l'âme humaine. L'homme peut ainsi devenir un sujet d'études passionnées.

● Cette re-situation de l'homme dans la nature aboutit à une nouvelle conception de l'espace plastique qui se trouve désacralisé et analysé techniquement. La découverte des règles de la perspective géométrique rénove la représentation figurative. L'humanisme ressuscite les thèmes an-

Intérieur d'une maison Renaissance : Florence, palais Davanzati; cette salle, dite des Perroquets, doit son nom aux oiseaux figurés sur la tapisserie.

Dans cette *Crucifixion* de 1459 (Musée du Louvre, détail) Mantegna allie la tradition « gothique » (montagne du fond) à un souci « moderne » de reconstitution archéologique (soldats romains, groupe des saintes femmes).

tiques dans leur signification et leur forme originelle; on s'intéresse à l'archéologie, et les fouilles en Italie mettent au jour des œuvres qui prennent place parmi les collections de princes érudits.

● La diffusion de cet ordre nouveau, qui s'affirme dans la péninsule italienne au cours des XVe et XVIe siècles, va être assurée, d'une part par les guerres d'Italie d'où les rois de France et d'Allemagne ramènent de nombreux artistes, et d'autre part, plus pacifiquement, grâce à l'imprimerie. Livres et estampes véhiculent dans toute l'Europe les idées, les formes et les motifs iconographiques humanistes que pénétreront diversement les traditions nationales.

● Cette adaptation au milieu géographique et ethnique se manifeste surtout en architecture, où l'inspiration spécifique régionale se combine à des formes importées avec des fortunes variables. En Espagne, au Portugal, dans la vallée de la Loire, dans les pays germaniques, en Europe centrale comme en Russie, les constructeurs italiens affluent et superposent le style de Brunelleschi et d'Alberti au fond traditionnel local.

● La sculpture s'oriente vers le réalisme. La plus importante des conquêtes est celle du nu, qui retrouve un accent de vérité expressive tempéré par le souci de beauté et d'équilibre des proportions que partagent tous les artistes de cette période. Les progrès dans la technique de la fonte permettent de réaliser à nouveau des statues équestres grandeur nature en bronze qui servent à la glorification des princes.

● La peinture s'efforce d'allier la solidité du dessin à la richesse de la couleur, tout en rationalisant l'ensemble de la composition par l'emploi de la perspective, l'éloignement modifiant les formes que modèle la lumière en fonction des lois de l'optique. Au XVe siècle, chaque centre possède une « manière » caractéristique.

● Mais le rassemblement à Rome, dans les premières années du XVIe siècle, des plus grands créateurs va contribuer à la constitution d'un véritable style international, le maniérisme, qui gagne l'ensemble des pays européens. Une nouvelle conception de l'œuvre d'art, considérée comme une fin en soi, se développe et réagit sur le statut social de l'artiste qui se dégage du carcan des institutions corporatives. La notion de génie, ignorée du Moyen Age, apparaît à cette époque.

● L'œuvre individualisée va constituer pour les générations postérieures un point de référence, souvent aussi sclérosant que les anciennes normes d'atelier. Le culte de Léonard de Vinci, de Michel-Ange ou Raphaël, condamne les moins doués à la répétition de stéréotypes, tout comme les règlements des guildes entravaient la liberté créatrice des artistes médiévaux. Si, désormais, on signe les œuvres, la protection de celles-ci par les corporations dont elles relevaient, disparaît : l'artiste reste seul, face à la concurrence et au bon ou mauvais vouloir de ses commanditaires.

● Malgré ses contradictions, la Renaissance est une période privilégiée où l'esprit occidental tente la synthèse harmonieuse de l'héritage classique et de la pensée chrétienne. L'étude du phénomène humain sous toutes ses formes, la quête de la beauté, deviennent les préoccupations essentielles des créateurs qui s'emploient à réaliser un équilibre entre la science et la sensibilité. Les rivalités politiques et la querelle qui déchire l'Église lorsque Luther prononce ses premiers sermons auront raison de cet idéalisme. ■

▶ *ARCHITECTURE / HUMANISME / LÉONARD DE VINCI / MANIÉRISME / RABELAIS / SCULPTURE*

Façade Renaissance de la Chartreuse de Pavie, terminée vers 1540 : large composition polychrome où la richesse ornementale est rythmée de niveau en niveau, par l'alternance des courbes et des droites.

Ce renard commun, aux aguets, présente les caractères typiques de l'espèce : pattes vigoureuses mais assez courtes par rapport au corps, museau très pointu, longue queue puissante au poil abondant.

RENARDS

● Le renard est un mammifère de la famille des canidés, à laquelle appartiennent également le loup, le chien, le chacal, le lycaon, le coyote, le dingo, très largement répandus dans toute l'Eurasie et comprenant un grand nombre de races. Il se distingue des autres canidés par ses pattes plus courtes, une queue proportionnellement plus longue et plus fournie et une pupille elliptique.

● Le renard commun *(Vulpes vulpes)* a une fourrure généralement fauve avec des différences de nuances sur le ventre et à l'extrémité de la queue. De la tête au bout de la queue, il mesure à peu près un mètre cinquante, sa queue touffue mesurant de 35 à 50 cm. Sa hauteur au garrot est de 35 à 40 cm, pour un poids de 10 à 15 kg.

● Le renard est un animal omnivore qui se nourrit d'invertébrés, de poissons, de petits rongeurs, de reptiles et même de végétaux. Il s'en prend également aux volailles et parfois même à de jeunes chevreaux. Chasseur infatigable, il suit impitoyablement la trace de ses victimes et fait patiemment le guet lorsqu'il veut s'emparer d'un animal sur lequel il a jeté son dévolu.

● Le renard est un animal fouisseur qui vit dans un terrier comprenant un réseau compliqué de galeries, chambres et sorties de secours, qui sont indispensables à sa sécurité. Contrairement à d'autres canidés comme le loup par exemple, le renard ne vit pas en groupe. En dehors de la période de reproduction, qui se situe en janvier, il évite ses congénères. Chaque renard marque son territoire grâce à l'odeur que dégagent des glandes situées sous la queue (glande à violette) ou entre les coussinets plantaires, et à l'aide de ses excréments. Pour signaler sa présence aux autres animaux, il émet des cris.

● Les renardeaux, au nombre de 2 à 8 par portée, naissent après une gestation d'environ 55 jours, dans le terrier où la mère s'était installée peu après l'accouplement. D'après certaines observations récentes, il semble que le père apporte à manger à la mère et aux petits jusqu'à ce qu'ils aient atteint l'âge de 5 mois.

● Durant le premier mois de leur existence, la mère allaite ses petits et ne quitte la tanière que la nuit pour aller chasser. Au bout de 5 mois, les renardeaux commencent à se débrouiller seuls, finissent par quitter la tanière et vont à la recherche d'un emplacement pour s'établir. Les femelles peuvent se reproduire dès l'âge d'un an.

● Le renard s'adapte facilement à tous les milieux. Autrefois animal exclusivement forestier, il a fini par envahir les régions cultivées et même les alentours immédiats de l'homme. Il est difficile à attraper et se défend vaillamment contre les chiens, mais il est la proie de nombreux parasites. Il fut introduit par l'homme en Australie pour la lutte contre la prolifération excessive des lapins, mais il préféra certains marsupiaux aux lapins, contribuant par là à leur extermination.

● Par suite de la disparition de leurs ennemis naturels tels que le loup ou le lynx, les renards se sont mis à proliférer. L'homme a rapidement freiné cette prolifération en leur livrant une lutte implacable qui s'est considérablement intensifiée depuis l'apparition de la rage en Allemagne et son extension vers l'Ouest.

● L'usage du poison dans cette lutte se répercute souvent sur d'autres espèces et correspond à un carnage inutile, souvent dicté par une haine de l'homme contre un concurrent dans la chasse au lapin et autre menu gibier, bien plus que par un désir de lutte raisonnée contre la rage. La vitesse de prolifération de cette maladie est d'ailleurs bien plus en rapport avec les déplacements des rongeurs qu'avec les grandes distances parcourues par le renard.

● Le renard est un animal très intelligent et rusé, héros des *Fables* de La Fontaine. C'est le type même de l'individu rusé, fourbe et perfide dont les exploits sont relatés dans de nombreux fabliaux ; ceux-ci ont également

Chasseur remarquable, le renard met sa ruse et son intelligence au service de ses instincts : il sait se faufiler sans bruit entre les herbes, ramper en terrain découvert, se glisser à travers les fourrés, jusqu'à ce que sa proie soit capturée, qu'il s'agisse de lézards, de serpents, d'oiseaux, de lièvres, de rats, de grenouilles et même de faons.

inspiré les sculpteurs de chapiteaux qui en tirèrent quelques œuvres. En Orient, le renard est un dieu de la nourriture, le dieu du riz. ■

▶ *MAMMIFÈRES*

RENNES

Le renne est un des rares animaux qui ait su s'adapter aux difficiles conditions d'existence de la toundra : il supporte l'obscurité et le froid, sait trouver sa nourriture et l'assimiler, même si elle est gelée ; il creuse la neige avec ses pattes antérieures jusqu'à un mètre de profondeur à la recherche de lichens et de mousses.

● Dans les territoires arctiques d'Eurasie et d'Amérique vit un curieux représentant de la famille des cervidés (mammifères, artiodactyles, ruminants) dont les limites de l'aire de diffusion étaient bien plus étendues par le passé : il s'agit du renne *(Rangifer tarandus)*. Cet animal, qui existe à l'état sauvage en Amérique du Nord, où on l'appelle caribou, ne se trouve plus qu'à l'état semi-domestique en Eurasie. Le renne est un peu plus svelte que le caribou.

● Le renne se distingue des autres cervidés par la présence de bois chez les deux sexes. Ils tombent chez la femelle après la mise-bas mais le mâle s'en débarrasse immédiatement après la fin du rut. Ses bois, très amples et garnis de nombreuses ramifications, portent d'un côté un andouiller aplati, asymétrique, qui est dirigé vers l'avant au-dessus de la face. Le renne, dont la robe est de couleur variable selon les saisons, a une hauteur moyenne au garrot d'un mètre, une longueur de 2 mètres et pèse jusqu'à 300 kg. Les mâles sont plus grands que les femelles. Les jeunes naissent au printemps, après huit mois de gestation.

● Ces animaux sont bien adaptés aux conditions climatiques et à la topographie du biotope où ils évoluent, la toundra et la taïga. Leur pelage épais les protège contre le froid et leurs membres sont pourvus de sabots latéraux aux doigts II et V qui peuvent s'écarter pour augmenter la surface d'appui du pied sur les sols détrempés lors du dégel ou sur la neige. Les rennes se servent également de leurs sabots pour casser la glace qui recouvre les végétaux tels que les lichens dont ils se nourrissent en hiver.

● Les rennes et les caribous ne sont pas des animaux sédentaires. Ils se déplacent au fil des saisons entre la taïga et la toundra, en groupes de plusieurs centaines de bêtes. Les peuplades nomades du Nord sont solidaires de ces déplacements, car, en fait, ce ne sont pas les rennes qui suivent les Lapons, mais les Lapons qui suivent les rennes. Ces troupeaux semi-domestiques sont marqués au lobe de l'oreille par le propriétaire, car souvent plusieurs troupeaux se rassemblent et forment des hordes immenses pour migrer.

● Les Lapons utilisent la peau de ces animaux pour se protéger contre les rigueurs du climat et pour en faire du cuir. Ils mangent leur chair et traient les femelles pour avoir du lait dont ils font du beurre, du fromage et une boisson alcoolisée. Les os et les bois servent à la fabrication d'outils et les tendons leur permettent de confectionner des cordages. ■

Les maigres ressources des territoires arctiques obligent le renne à de longs déplacements ; Il parcourt ainsi des centaines de kilomètres, n'hésitant pas à traverser à la nage fleuves et bras de mer.

▶ *MAMMIFÈRES / POLAIRES, RÉGIONS / TOUNDRA*

RENOIR, Pierre-Auguste

● Fils d'un modeste tailleur de Limoges qui vint s'installer à Paris peu après sa naissance, Renoir (1841-1919) manifesta des dons pour le dessin qui amenèrent son père à le faire entrer comme apprenti décorateur sur porcelaine dans une fabrique de la rue du Temple. Mais Renoir veut être peintre; il se rend souvent au Louvre pour étudier les maîtres et, en 1862, quitte son métier d'artisan, et entre dans l'atelier de Gleyre. Il y rencontre Monet, Sisley et Bazille en compagnie de qui il va peindre sur le motif en forêt de Fontainebleau.

● Tous professent une grande admiration pour Courbet et Manet qui s'inscrivent en réaction contre l'esthétique académique régnante. Mais chez Renoir, ces influences se combinent à celles des maîtres anciens qu'il a copiés au Louvre : Delacroix, Watteau, Fragonard. Avec ses amis il travaille à Paris et dans les environs, préférant toujours au paysage pur le spectacle de la vie quotidienne, les scènes de la rue, de bals ou de guinguettes des bords de la Seine.

● S'il souscrit aux grands credo de l'Impressionnisme, c'est cependant un indiscipliné, plus à l'écoute de son propre sentiment pictural que des théories et qui n'hésite pas à suivre seul son chemin. Hédoniste, il est trop passionné par l'être humain, trop amoureux de la femme, trop charmé par la grâce des enfants pour se laisser figer dans un style déterminé. Après une période purement impressionniste, où sa touche se fragmente jusqu'à abolir les contours trop marqués, parvenant à une sorte de tachisme, il revient brusquement à un langage plus architecturé.

● Un voyage en Italie en 1881 lui a fait découvrir Raphaël ainsi que la sculpture et la peinture antiques. Désormais, le dessin et la composition occupent une place plus importante dans ses préoccupations. En 1881, il épouse une jeune fille de 20 ans, dont il aura trois enfants. Sa vie familiale est heureuse et ce bonheur transparaît dans ses toiles. Ayant acquis une certaine notoriété, les soucis matériels s'estompent.

● Il peint de nombreux portraits des grands bourgeois fortunés qui sont ses mécènes et de leurs familles, mais il se consacre de plus en plus à ses thèmes favoris : des nus féminins en plein air, odalisques et baigneuses aux formes épanouies dont les chairs laiteuses reflètent la lumière.

● En 1902, atteint de rhumatisme articulaire, il se retire dans le Midi où il continue à travailler malgré la maladie qui le rend à demi impotent. Cette longue et douloureuse vieillesse n'atteint pas sa force créatrice, et ses dernières œuvres, bien qu'exécutées péniblement, les pinceaux attachés à ses mains paralysées, sont autant d'hymnes au corps féminin, d'une rayonnante sensualité. ■

▶ *IMPRESSIONNISME*

Renoir, *le Moulin de la Galette* (1876 - Musée du Louvre). Cafés et guinguettes de banlieue comptent parmi les sujets préférés des Impressionnistes : la virtuosité brillante de leur technique, le jeu séduisant des taches claires, des lumières et de l'ombre, s'accordent à merveille avec ce que le sujet comporte de bonheur superficiel et d'ivresse facile.

RENONCULACÉES

● Les renonculacées forment une grande famille comprenant environ 1 500 espèces de plantes, très communes dans les régions tempérées et froides de l'hémisphère boréal. Il en existe beaucoup dans notre flore, du niveau de la mer à la haute montagne. Les renonculacées sont des plantes herbacées annuelles ou vivaces, parfois à rhizomes ou à tubercules.

● La fleur des renonculacées est typiquement acyclique, c'est-à-dire que toutes les pièces sont réparties suivant une spirale continue. Ceci fait penser au mode d'insertion des feuilles dans le bourgeon et tend à montrer que cette famille est très ancienne puisque les fleurs dériveraient des boutons de feuilles.

● La fleur comporte généralement cinq sépales, qui ressemblent parfois à des pétales quand ils sont très colorés. Dans ce cas, les pétales sont peu développés ou absents. Les étamines sont très nombreuses, de même que les carpelles, souvent en nombre indéfini. Ceux-ci contiennent un seul ovule. Le fruit est un akène ou, plus rarement, une baie.

● La famille des renonculacées comporte cinq tribus. Chez les clématidées auxquelles appartiennent les clématites, *Clematis vitalba* (viorne ou herbe aux gueux) caractérisée par son aspect de liane se trouve abondamment suspendue aux arbres dans les bois frais. Ses fruits sont des akènes terminés par un long style plumeux, servant à leur dissémination. Le suc de la plante est très irritant. Autrefois les mendiants s'en frottaient les membres pour produire des plaies superficielles et exciter ainsi la pitié des passants. Les clématites des jardins sont surtout *Climatis flammula* et *Climatis patina.*

● Les représentants les plus importants de la tribu des anémonées sont le thalictrum et surtout les anémones. *Anemona nemerosa* pousse dans des chênaies fraîches de climat tempéré, *Anemone pubatilla* aux grandes fleurs violettes se rencontre dans les tapis de graminées sur les côteaux secs, tels que les « chaumes » du Jura.

● Souvent confondue avec les anémones, *Hepatica triloba* appartient à la même tribu. Elle a des fleurs bleues et des feuilles vert sombre à trois lobes. On la rencontre dans les montagnes. A la même tribu appartiennent les *Adonis,* surtout *Adonis autumnalis* dont le nom vulgaire est « goutte de sang ». Ceci est dû à ses sépales et ses pétales rouge foncé.

● Les renoncules appartiennent à la famille des renonculées. On compte plus de cent quinquante espèces réparties sur tout le globe. Citons quelques-unes des plus connues dans nos régions : la grenouillette *(Ranunculus aquatilis)* à fleurs blanches, dont les tiges nagent à la surface de l'eau, la grande et la petite douve *(Ranunculus lingua* et *R. flammula)* à fleurs jaunes que l'on trouve au bord des fossés et des mares, dans les endroits humides.

● La renoncule tête d'or *(Ranunculus auricomus)* vit dans les prés, le bouton d'or *(Ranunculus acris)* pousse aussi dans les prairies

Nombre de renonculacées figurent dans des mythes antiques : l'anémone née du sang d'Adonis mourant, l'aconit qui éclot de la bave du chien Cerbère, la pivoine qui guérit Pluton blessé par Hercule.

A gauche l'aconit napel *(Aconitum napellus)* est une plante vivace et vénéneuse, qui contient divers alcaloïdes d'une extrême toxicité, même dans la racine. Le sépale supérieur en forme de heaume coiffe toute la fleur. A droite : anémone blanche. Dépourvues de pétales, les anémones ont 5 sépales ou plus.

plus ou moins humides, de même que *Ranunculus bulbosus* qui a un bulbe bien développé. Les ficaires, telles que *Ficaria ranunculoïdes*, ont des fleurs jaunes à 3 sépales et 6 ou 9 pétales et se reproduisent par des bulbilles qui se développent au bas des feuilles.

● Dans la tribu des helléborées se trouvent les caltha. *Caltha palustris* aux grandes fleurs jaunes est une espèce très commune poussant le long des ruisseaux et dans les lieux humides. Voisins des caltha sont les trolles, tels que *Trollius europaeus* à fleurs jaunes. Les hellébores sont des plantes assez grandes, aux feuilles dures très découpées. Citons *Helleborus niger* ou rose de Noël, *Helleborus foetidus* ou pied de griffon, *Helleborus foetidus* à fleurs vertes.

● Les nigelles, *Nigella arvensis* (nigelle des champs) et *Nigella tamascena* (cheveux de Vénus, pattes d'araignées), dont l'involucre est formée de filaments verts, sont des espèces voisines à fleurs bleues. L'ancolie *(Aquilegia vulgaris)*, appelée colombine aux gants de Notre-Dame, a des fleurs bleues dont les pétales possèdent un éperon, de même que le pied d'alouette *(Delphinium consolida)* que l'on nomme aussi bec d'oiseau ou éperon de chevalier. Les aconits ont aussi des fleurs irrégulières. Citons l'aconit napel *(Aconit napellus)*, aux grandes fleurs violettes.

● A la tribu des paeoniées appartiennent enfin les pivoines. Ce sont des espèces originaires d'Asie ou d'Amérique du Nord, à l'exception de quelques-unes originaires d'Europe, comme *Paeonia officinalis* à grandes fleurs rouges.■

La boule d'or ou trolle *(Trollius europaeus)* agrémente de sa belle couleur dorée les pâturages de montagnes. Cette fleur vénéneuse perd sa toxicité en se desséchant.

REPRODUCTION

● Les caractéristiques essentielles qui distinguent les êtres vivants de la matière inerte sont la naissance, la croissance, la reproduction, la sénescence et la mort. La reproduction constitue l'acte essentiel irremplaçable qui permet aux espèces de se perpétuer.

● Chez les organismes les plus primitifs, le nouvel individu se forme à partir d'un individu géniteur, par scission d'une cellule-mère en deux cellules-filles. Dans ce cas, la reproduction coïncide avec la fin de la vie du géniteur. Parfois, un seul individu unicellulaire peut donner naissance à plusieurs individus par divisions multiples. Ce type de reproduction (gemmiparité) est assez répandu chez les animaux et végétaux unicellulaires, les protozoaires et les protophytes.

● Ces modes de reproduction sont dits asexués, agames ou végétatifs par opposition au mode de reproduction sexué, caractéristique des organismes dans lesquels il existe des cellules spécialisées, les cellules germinales, dont le seul rôle est d'assurer la reproduction. Les organes où se forment ces cellules sont appelés gonades.

● Dans la reproduction agame, quand une cellule-mère se divise en deux cellules-filles, égales entre elles, on parle de reproduction par scissiparité. Cette division peut être longitudinale comme chez les trypanosomes ou transversale (paramécies). La division multiple, ou schizogonie, s'effectue en deux temps. Le noyau du géniteur commence à se diviser, donnant un nombre élevé de noyaux, puis chaque noyau s'entoure d'une portion de cytoplasme. Tous ces petits organismes sont alors libérés et augmenteront de volume au cours de leur vie libre.

● La division multiple est caractéristique, par exemple, d'une partie du cycle biologique des sporozoaires, parmi lesquels le plasmodium de la malaria qui se multiplie de cette façon à l'intérieur des globules rouges, les détruisant. Une partie des individus ainsi engendrés continue à se reproduire de la même façon, envahissant d'autres globules rouges, alors que d'autres subissent des transformations et deviennent des gamètes destinés à la reproduction sexuée.

● Dans le bourgeonnement (gemmiparité), les nouveaux individus se forment à partir de bourgeons qui se développent à la surface du corps du géniteur. Ces bourgeons peuvent devenir indépendants en se séparant du géniteur ou au contraire y rester attachés, constituant un ensemble d'organismes indépendants entre eux (colonies). Ce mode de reproduction se rencontre surtout chez les protozoaires qui vivent attachés à un substrat (certains ciliés) mais également chez les métazoaires, où ce type de reproduction agame est le plus courant. Les spongiaires (éponges) se reproduisent le plus souvent de cette façon.

● La gemmiparité est prédominante dans certains groupes de cœlentérés, polypes coloniaux des hydrozoaires et des anthozoaires, et chez l'hydre d'eau douce. Certains plathelminthes (vers plats) parasites utilisent ce mode de reproduction pour se multiplier dans l'organisme de l'hôte. Le ténia échinocoque *(Echinococcus granulosus)* est un ver de petite taille qui vit dans l'intestin du chien ou d'un autre carnivore, et dont le cysticerque se trouve chez le mouton, le porc et même chez l'homme. La larve se fixe habituellement dans le foie où elle grossit et forme ce que l'on appelle l'hyatide dont la paroi bourgeonne des vésicules-filles.

● La régénération est un aspect particulier de la reproduction agame chez les métazoaires. Elle est d'autant plus fréquente que l'organisme est moins évolué. Un fragment, même petit, de planaire peut redonner une planaire complète. De même, les étoiles de mer sont capables de régénérer les bras amputés et un seul bras peut à son tour régénérer un nouvel individu.

● Enfin, parmi les diverses modalités de reproduction agame chez les animaux, il faut mentionner la polyembryonie qui se produit dans plusieurs groupes d'animaux, y compris les vertébrés les plus évolués, dont l'homme. Ce phénomène consiste en la séparation des premières cellules de segmentation (blastomères) de l'œuf fécondé, ou dans le cas de parthénogenèse de l'œuf spontanément entré en division. Chaque blastomère poursuit son développement indépendamment des autres et le nombre d'embryons sera proportionnel au nombre de blastomères qui se sont séparés. On aura ainsi deux individus si la séparation des blastomères s'effectue lors de la première division de segmentation, 4 après la seconde division et ainsi de suite. Les jumeaux univitellins humains représentent, eux aussi, un cas de polyembryonie.

● Quand, dans un organisme, apparaissent des gamètes, auxquels est réservée la fonction de reproduction, la formation de nouveaux individus se fait à partir d'une cellule-œuf, produite par la fusion d'un gamète mâle et d'un gamète femelle. Ce mode de reproduction diffère fondamentalement du mode asexué : le patrimoine héréditaire est modifié d'une génération à l'autre, alors qu'il reste inchangé dans la reproduction asexuée.

● Chez les métazoaires les moins évolués, il n'existe pas de gonades organisées : les cellules germinatives, contenues dans la cavité du corps, peuvent émigrer à l'extérieur (éponges). Chez les métazoaires les plus évolués par contre, des gonades bien différenciées sont le siège des cellules germinatives destinées à devenir gamètes mâles (spermatozoïdes) ou femelles (ovules).

● Dans le cas des organismes hermaphrodites, les deux types de gamètes sont élaborés par un même individu. Les gamètes appartiennent à une lignée particulière de cellules, la lignée germinale, et se caractérisent par leur haploïdie, c'est-à-dire la présence de n chromosomes dans leur noyau, alors que toutes les autres cellules ont un noyau à 2 n chromosomes, (n étant variable suivant les espèces).

● L'appareil reproducteur mâle est constitué de deux glandes génitales ou testicules qui produisent les spermatozoïdes, acheminés vers l'extérieur par les voies sperma-

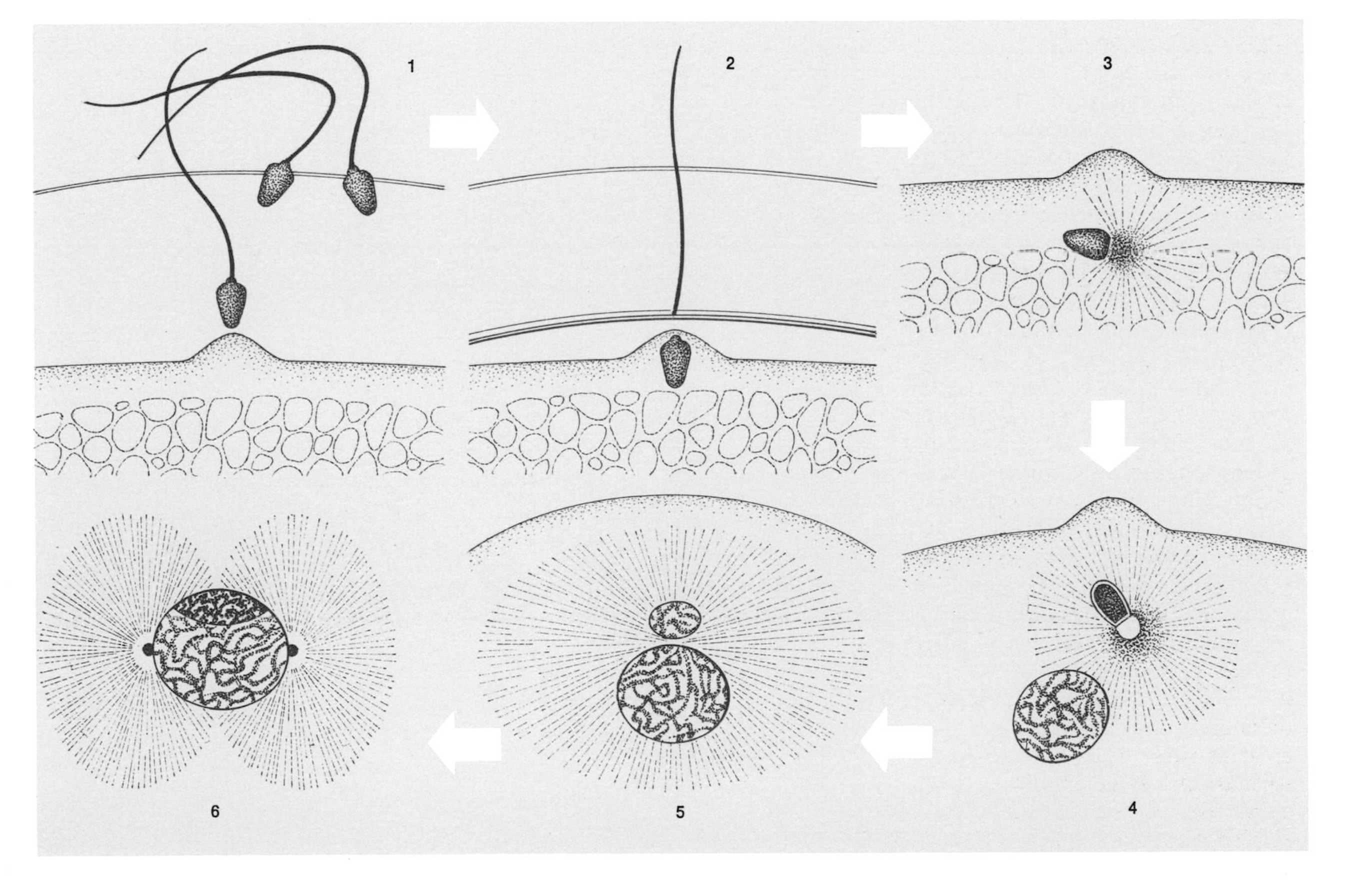

Les différentes phases de la fécondation de l'oursin : 1. pénétration d'un spermatozoïde dans l'œuf 2. formation de la membrane de fécondation 3-5. le noyau du gamète mâle se rapproche du noyau de l'œuf femelle 6. caryogamie, c'est-à-dire fusion, par appariement chromosomique, des deux noyaux en un seul. La fécondation est l'acte essentiel de la reproduction : c'est par la fusion des deux gamètes mâle et femelle que se perpétue le nombre de chromosomes caractérisant l'espèce.

tiques qui reçoivent en outre la sécrétion de glandes annexes contribuant à constituer le sperme. Il n'y a d'organe copulateur que chez les animaux à fécondation interne.

● Les testicules des vertébrés sont formés d'un ensemble de tubes séminifères revêtus d'un épithélium qui renferme des spermatogonies, qui donneront les spermatozoïdes, et des cellules nourricières. La spermatogenèse débute par la prolifération des spermatogonies en cellules qui vont subir une phase de croissance, lorsque la phase de multiplication s'arrête, et donner ce que l'on appelle les spermatocytes de 1er ordre. Chaque spermatocyte de 1er ordre va se diviser et former deux spermatocytes de 2e ordre, qui, à leur tour, vont se diviser en deux spermatides, eux-mêmes transformés ensuite en spermatozoïdes.

● Les spermatocytes I sont des cellules dont le noyau renferme 2 n chromosomes. Il se divisent une première fois, par mitose, pour donner des spermatocytes II à 2 n chromosomes, puis une deuxième fois, par méiose, pour donner des spermatides à n chromosomes. Chaque cellule de la lignée germinale mâle ou spermatogonie, à 2 n chromosomes, donne naissance à 4 spermatozoïdes à n chromosomes. La formation des spermatozoïdes proprement dite, ou spermiogenèse, consiste en la transformation des spermatides en spermatozoïdes.

● L'appareil reproducteur femelle comprend les glandes génitales femelles, ou ovaires, qui produisent les ovules, et les voies génitales (oviducte, utérus, vagin). L'ovogenèse, ou formation des gamètes femelles, se déroule par étapes successives comme la spermatogenèse, mais comporte néanmoins quelques différences. Un certain nombre d'ovogonies (cellules germinales de la lignée femelle) entrent dans une phase de multiplication alors que d'autres restent au repos.

● A la fin de cette période de divisions, chaque ovocyte I s'accroît et subit d'importantes transformations. Il accumule en particulier des substances de réserve, et s'entoure de cellules folliculeuses. L'ovocyte I (ou de premier ordre), dont le noyau renferme 2 n chromosomes, se divise en deux cellules inégales, un ovocyte II et une petite cellule ou globule polaire, à n chromosomes. Puis l'ovocyte II se divise à son tour en deux cellules inégales, l'ovotide et un autre globule polaire. Dans l'ovogenèse, on obtient donc, à partir d'une cellule germinale à 2 n chromosomes, un ovule à n chromosomes et 3 globules polaires (expulsés), alors que chaque spermatogonie est à l'origine de 4 spermatozoïdes, à n chromosomes.

● L'acte essentiel de la reproduction sexuée consiste en la fécondation ou fusion des gamètes. Par suite de l'union d'un gamète mâle et d'un gamète femelle, il y a transmission des caractères héréditaires des parents aux enfants, par l'intermédiaire des chromosomes qui en sont le support.

● Chaque espèce présente un nombre caractéristique de chromosomes, le même pour toutes les cellules de l'organisme, et qui reste constant chez les descendants. L'homme possède ainsi 23 paires de chromosomes ($n = 23$), chaque paire étant formée d'un chromosome d'origine paternelle et d'un chromosome d'origine maternelle.

● Chez les animaux aquatiques la fécondation est souvent externe. Mâle et femelle émettent les gamètes dans l'eau où ceux-ci vont se rencontrer et fusionner. Les animaux terrestres ont une fécondation interne, les spermatozoïdes ne pouvant survivre hors d'un milieu humide. Le mâle, par l'intermédiaire d'un organe de copulation (pénis), déverse ses produits génitaux dans les voies génitales de la femelle ou les dépose à l'entrée. La durée de vie des cellules germinales hors des organes qui les ont produites est généralement assez brève.

● Certains animaux, comme les insectes, peuvent emmagasiner les spermatozoïdes en réserve dans des annexes, pour les utiliser au moment opportun. La reine des abeilles est fécondée une seule fois au cours de son existence. Les spermatozoïdes sont emmagasinés dans les réceptacles séminaux et fécondent les œufs au fur et à mesure qu'ils passent dans l'ovi-

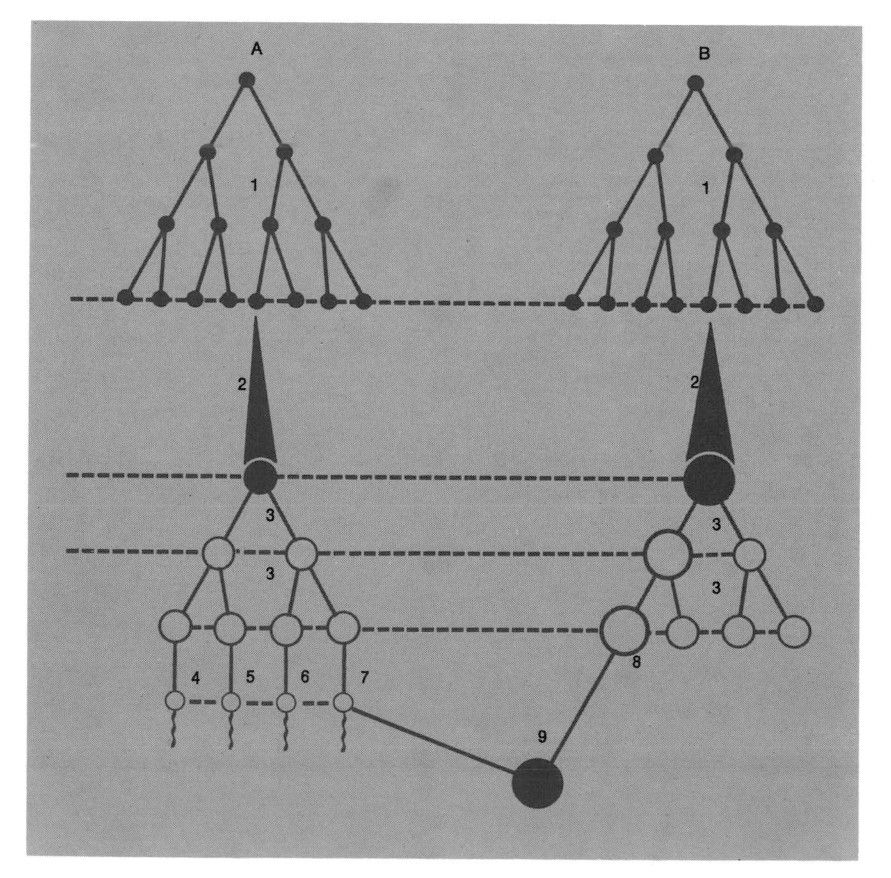

Phases successives de la maturation des gamètes : A. spermatogenèse, ou formation des gamètes mâles B. ovogenèse, ou formation des gamètes femelles ; 1. période de multiplication des spermatogonies (mâles) et des ovogonies (femelles) 2. période de croissance 3. période de maturation 4-7. spermatides 8. l'ovocyte a donné en deux divisions 4 cellules inégales : un ovotide, ou ovule mûr, et trois minuscules globules polaires ; 9. zygote, cellule à 2n chromosomes, résultant de la fusion des 2 gamètes, et constituant la première cellule d'un individu nouveau.

Le genre *Crenilabrus* regroupe différentes espèces appelées communément « donzelles », qui abondent le long des côtes africaines et européennes. Ici, mâle du labre-paon en livrée quotidienne et dans sa parure nuptiale.

ducte au voisinage des réceptacles séminaux.

● La plupart des espèces ont une période de reproduction bien définie en dehors de laquelle les individus n'éprouvent aucun besoin de s'accoupler. Cette période de reproduction, ou période des amours, est variable suivant les espèces, en étroite relation avec les conditions climatiques et sous la dépendance de facteurs hormonaux. Beaucoup d'animaux changent de livrée et la plupart adoptent un comportement de « cour ».

● Aussi bien chez les protozoaires, il est possible de rencontrer des espèces qui présentent une alternance de reproduction agame et sexuée, soit régulière (foraminifères, cœlentérés et thaliacés) soit irrégulière, comme il arrive dans la plupart des cas.

● Fondamentalement, la reproduction sexuée chez les végétaux est semblable à celle des animaux. Par la fécondation il y a également brassage des caractères héréditaires et chaque plante ainsi formée est génétiquement différente. Ce sont les modalités de la reproduction sexuée qui changent suivant qu'il s'agit d'animaux ou de végétaux. Chez les organismes les plus simples comme les bactéries, les algues ou les levures, la multiplication se fait le plus souvent et parfois même exclusivement par division. Chez les levures (saccaromycètes), on aboutit à de véritables colonies lorsque les bourgeons formés par divisions successives restent unis.

● Il existe un type de reproduction agame particulier aux végétaux, la fragmentation, que l'on rencontre chez les plantes inférieures pluricellulaires. De petits fragments peuvent se détacher de l'organisme et former à eux seuls une nouvelle plante. Ce mode de reproduction a été exploité par l'homme pour multiplier de nombreuses espèces cultivées qui sont, finalement, surtout produites par voie végétative. C'est ainsi que l'on utilise en horticulture la bouture, le marcottage, la greffe et le provignage.

● Chez les plantes supérieures, la tige peut se différencier pour former des structures qui donneront naissance à une plante nouvelle. Ces différenciations sont normalement réalisées dans la portion souterraine de la tige, tout près et en étroite relation avec la racine. Ce sont les tubercules, les bulbes, les rhizomes. Les fraises, les violettes, les potentilles, etc., peuvent se reproduire par stolons. Ce sont les parties rampantes de la tige qui, à hauteur de nœuds, forment des racines et des bourgeons normaux.

● La plupart des végétaux ont un cycle biologique comprenant une alternance de générations : la fusion des gamètes donne naissance à un sporophyte qui produit, par voie agame, des macrospores et des microspores. Celles-ci évoluent en gamétophytes qui, à leur tour, produisent les gamètes qui, par la fécondation, terminent le cycle et engendrent un nouveau sporophyte. Les macrospores sont à l'origine des gamètes femelles, les microspores forment les gamètes mâles.

● Les végétaux supérieurs sont pour la plupart hermaphrodites, ou bien à sexes séparés, soit sur la même plante, soit sur des plantes différentes. La plante correspond au sporophyte, les gamétophytes ayant une existence de courte durée. Ils sont produits respectivement par le granule pollinique après pollinisation et par les cellules du sac embryonnaire, qui donneront naissance à l'ovule. La fleur est formée d'une série de feuilles modifiées qui en constituent la partie accessoire, présente seulement chez les angiospermes, et d'une partie essentielle qui constitue les appareils reproductifs mâle et femelle. L'autofécondation est rare; elle est rendue impossible par la structure même des plantes

Divers procédés de multiplication des plantes sont employés en horticulture ; l'un d'eux, le marcottage, consiste à ployer un rameau de la plante-mère, et le placer dans une terre humide et fertile afin de lui faire prendre racine. Ce n'est qu'après l'enracinement que l'on sépare la marcotte de la tige-mère.

Squelette de l'edaphosaure, reptile herbivore de la période permienne. Ce grand lézard pouvait atteindre 5 m de long, et possédait un gigantesque voile de peau tendu par les apophyses épineuses des vertèbres dorsales ; on suppose que ce voile servait à capter les rayons solaires, et à recevoir le maximum d'énergie calorique nécessaire à son activité. Quant aux pointes latérales des apophyses, l'animal devait s'en servir comme arme pour se défendre.

ou par un décalage dans la maturation des éléments mâles et femelles.

● Chez les plantes aquatiques, la pollinisation peut être favorisée par l'eau. Dans le cas de la vallisnérie, les fleurs mâles se détachent à maturité et, transportées par l'eau, rejoignent les fleurs femelles. La plupart des angiospermes possèdent un type de pollinisation zoophile, dans la mesure où le pollen est transporté passivement par des insectes ou des petits oiseaux qui touchent ou visitent différentes fleurs.

● La graine, souvent protégée par des fruits de forme variée, constitue l'embryon du nouvel individu, qui peut rester à l'état de vie latente pendant très longtemps avant de germer. ■

▸ *CELLULES / CHROMOSOMES / EMBRYON / FLEURS / GÉNÉTIQUE / GRAINE / PARTHÉNOGENÈSE / POLLEN*

REPTILES

● Les reptiles sont des vertébrés aériens, fondamentalement tétrapodes ; surtout abondants dans les régions chaudes du globe, ils ont connu leur apogée au Secondaire. Actuellement, il n'y a guère plus de 5 000 espèces. Ils dériveraient, selon toute probabilité, d'amphibiens stégocéphales qui furent les premiers vertébrés à quitter l'eau. Ces formes archaïques donnèrent naissance à quatre groupes, qu'on a élevés au rang de sous-classes et dont la plupart des espèces ont aujourd'hui disparu.

● Le groupe des anapsidés comprend les chéloniens, ou testudinates. Ceux-ci, apparus au Permien, ont conservé à peu près sans changements leurs caractères originels. C'est dans ce groupe que se classent les tortues. Le groupe des parapsidés atteignit son apogée au Crétacé, avec les plésiosaures et les ichthyosaures et s'éteignit à la fin de la même période. Le groupe des synapsidés, qui vécurent du Carbonifère au Trias, comprend deux ordres, les pélycosauriens et les thérapsidés. Ces derniers ont un intérêt exceptionnel parce qu'ils ont donné naissance aux mammifères.

● Les diapsidés, enfin, eurent leur origine au Permien et se scindèrent ensuite en archosauriens et en lépidosauriens. Les archosauriens donnèrent naissance à l'ordre des crocodiliens, ainsi qu'à ceux des saurischiens et des ornithischiens, mieux connus sous la dénomination de dinosaures. Les lépidosauriens furent à l'origine, au Trias, des rhynchocéphalidés qui ont survécu jusqu'à notre époque avec l'hatteria, et, au Jurassique, des squamates, dont la plupart des espèces existent encore aujourd'hui (lézards, serpents).

● Les ancêtres des reptiles actuels étaient des animaux extraordinaires qui ont dominé le monde (terre, eau, ciel) durant plus de 100 millions d'années. A l'ère mésozoïque, en effet, les mers étaient peuplées, en surface, par les plésiosaures au long cou, et, au fond, par les ichthyosaures, pisciformes et par de gigantesques tortues. Dans les clairières des forêts paissaient les stégosaures et dans les marais s'ébattaient les énormes brontosaures. Les tyrannosaures étaient des reptiles carnivores qui semaient la terreur sur la terre ferme.

● Les ptérosaures, aux longues ailes, évoluaient dans les airs, sinon gracieusement, du moins efficacement. Certains de ces reptiles furent les plus grands animaux ayant jamais existé : le branchiosaurus d'Afrique, d'Amérique et d'Europe était un dinosaure herbivore qui mesurait 25 mètres de long, 12 mètres de haut et pesait environ 75 tonnes.

● A la fin du Mésozoïque, par suite de modifications géographiques et climatiques, toutes ces formes disparurent assez subitement, de sorte qu'au début du Cénozoïque, l'immense classe des reptiles n'était plus représentée que par quelques ordres que l'on retrouve actuellement.

● Les reptiles ont le corps recouvert d'une peau sèche, dépourvue de glandes chez la plupart, et constituée d'une couche cornée épaisse avec des écailles, des plaques ou des écussons, parfois renforcés par des formations osseuses cutanées sous-jacentes. Cette constitution du tégument confère aux reptiles une résistance à la déshydratation qui leur permet de s'aventurer dans des régions sèches et arides.

● Certains ophidiens (natrix ou balanophis) sont pourvus de glandes tégumentaires, les glandes vertébrales, qui renferment un liquide irritant et ne s'ouvrent pas à l'extérieur. A la face ventrale de la tête, les crocodiliens ont des glandes du musc. Chez les squamates (sauriens et ophidiens), la couche cornée de l'épiderme se sépare peu à peu de la couche sous-jacente et tombe. Ce renouvellement périodique est appelé mue. Cette couche cornée se détache en une seule fois chez les serpents, mais par lambeaux chez les sauriens. On ne parle pas de mue chez les autres reptiles dont la peau se desquame peu à peu.

● La peau des reptiles est souvent vivement colorée par suite de la présence de pigments tégumentaires. La coloration peut varier en fonction de l'incidence de la lumière et de la rétraction ou de l'étalement des chromatophores (mélanophores, guanophores, xanthophores et allophores) qui sont, soit sous contrôle nerveux (caméléon), soit sous contrôle hormonal (iguanes du genre *Anolis*), soit encore sous contrôle nerveux et hormonal (phrynosoma). La couleur bleue des anolis et de certains caméléons est due à un phénomène de diffraction de la lumière.

● Le crâne est presque entièrement ossifié et relié à la colonne vertébrale par un condyle divisé

Tout reptile suscite chez l'homme un mouvement spontané de répulsion ; voici pourtant auprès de ses œufs la plus inoffensive des couleuvres.

parfois en trois parties. La mandibule est articulée avec le crâne par l'intermédiaire de l'os carré. La colonne vertébrale est constituée par un nombre de vertèbres variable suivant les espèces (30 chez les tortues, plus de 500 chez les serpents). Les côtes, qui sont également en nombre variable, sont formées d'une partie osseuse articulée avec la vertèbre correspondante et d'une partie cartilagineuse qui est libre ou articulée avec le sternum.

● Les membres, au nombre de 4, se terminent par 5 doigts et sont articulés avec la colonne vertébrale par l'intermédiaire des ceintures scapulaire (omoplate, os coracoïde et parfois précoracoïde, clavicule) et pelvienne (ilion, ischion et pubis). Chez certains sauriens, les membres sont réduits (sept) ou absents (orvet). Ils sont inexistants ou réduits chez les ophidiens.

● La respiration des reptiles

Intéressant phénomène de mimétisme chez le petit iguane *anolis* (Amérique tropicale), appelé aussi faux caméléon à cause de l'aptitude qu'il a à prendre la couleur du support, surtout si celui-ci a une coloration verte. Sur un support d'une autre couleur, l'anolis prend une teinte brune dont l'intensité varie avec l'éclairage.

Le gigantesque crocodile du Nil (à gauche) atteint 6 m de longueur ; il court et grimpe aussi bien qu'il nage, et s'aidant de sa queue, il peut franchir des parois verticales hautes de 3 m.

Le boa canin (au centre) ou émeraude mérite bien son nom : grâce à sa belle livrée verte, parsemée de taches blanches, il se dissimule aisément dans les feuillages.

Tortue du Brésil, la mata-mata (à droite) est recouverte d'une carapace rugueuse et bosselée qui, lorsqu'elle est tapie dans la vase, lui donne l'aspect d'une vieille souche.

CLASSIFICATION DES REPTILES

ordre		
RHYNCHOCÉPHALES		hatteria
SQUAMATES	Lézards ou Sauriens	gecko, iguane caméléon, agame, varan, héloderme
	Ophidiens ou Serpents	couleuvre, python, boa, cobra
CROCODILIENS		crocodile, alligator
CHÉLONIENS ou TORTUES	Chélydridés	trionyx
	Émydidés	tortue bourbeuse
	Testudinidés	tortue terrestre

est assurée par la présence de poumons, plus complexes que ceux des amphibiens et dont la surface interne est peu alvéolée. Chez les caméléons et divers geckos, ils sont prolongés vers l'arrière par des sacs aériens qui s'insinuent entre les viscères. Les deux poumons des serpents et des sauriens serpentiformes sont de taille inégale, le gauche étant plus petit que le droit. Les caméléons et les geckos possèdent des cordes vocales et peuvent ainsi émettre des sons.

● Chez les reptiles, la circulation pulmonaire et la « grande circulation » sont incomplètement séparées. Le cœur est formé de deux oreillettes et d'un ventricule qui est partiellement divisé chez les squamates et les chéloniens. Le cœur des crocodiliens se distingue de celui des autres reptiles par la présence d'une cloison interventriculaire complète. Les deux arcs aortiques communiquent à leur base par le « foramen de Panizza » et, de ce fait, il y a mélange des sangs artériel et veineux.

● L'appareil digestif diffère selon le régime alimentaire de l'espèce mais est toujours constitué d'une cavité buccale, suivie d'un œsophage, d'un estomac et de l'intestin. La bouche est pourvue de dents qui ont pour rôle essentiel de retenir les proies. Elles sont habituellement toutes identiques, coniques ou crochues et disposées en une seule rangée sur la mâchoire et la mandibule, parfois sur les os palatins.

● Chez les serpents venimeux, la mâchoire est armée de dents particulières ou crochets, fixes ou mobiles, qui sont creusées d'un sillon permettant l'écoulement du venin produit par des glandes spéciales (glandes à venin) auxquelles elles sont reliées. Chez les aglyphes, le venin s'écoule dans la cavité buccale et se mêle à la salive sans entrer en contact au préalable avec les dents (couleuvre, python, boa). Les « dents » des chéloniens sont en fait des étuis cornés à bords coupants.

● L'excrétion est assurée par les reins, assez allongés et situés dorsalement par rapport à la colonne vertébrale. Ils se prolongent par les uretères qui aboutissent au cloaque, tout comme la partie terminale du tube digestif. Les sauriens et les chéloniens possèdent une vessie urinaire.

● Les produits génitaux mâles sont évacués par l'intermédiaire des uretères alors que chez la femelle les œufs sont conduits au cloaque par les oviductes, distincts des uretères, et qui sécrètent les enveloppes membraneuses et calcaires des œufs. Les organes copulateurs sont souvent bifides. La fécondation est interne.

● Dans la plupart des cas, les reptiles sont ovipares. Les œufs, allongés ou sphéroïdaux, à coquille calcaire ou parcheminée, sont abandonnés après la ponte et couvés seulement dans certains cas (python). Certaines espèces sont ovovipares (orvet, vipère). Dans ce cas les œufs se développent dans les oviductes et les petits sont mis au monde entourés par les membranes ovulaires. Chez d'autres espèces il y a viviparité (seps, lézards vivipares). Les parois de la partie centrale de l'oviducte forment des replis richement vascularisés dont les vaisseaux sont en relation avec ceux de l'embryon. Il s'agit d'une véritable placentation. Les petits naissent semblables aux adultes ou en diffèrent par leur livrée.

● Les reptiles ont 12 paires de nerfs crâniens. Ils sont les premiers vertébrés pourvus d'une

oreille interne avec une vraie cochlée. Chez la plupart des reptiles il y a trois paupières, deux horizontales et une verticale. La paupière verticale, ou nictitante, est translucide chez les chéloniens et les crocodiliens. Les sauriens ont habituellement la paupière inférieure plus grande et plus mobile que la paupière supérieure. Elle devient transparente en son centre chez certaines espèces.

● Les ophidiens et quelques sauriens ont une « lunette » à la place des paupières mobiles. C'est une membrane transparente qui passe en avant de la cornée. Les organes de l'olfaction sont peu développés dans cette classe de vertébrés mais ce sens joue néanmoins un rôle important dans le comportement des serpents. La langue, étroite et souvent longuement bifide à son extrémité, joue un rôle gustatif et tactile. Elle peut être projetée hors de la bouche ou se rétracter dans une sorte de gaine située sur le plancher buccal.

● Comme les amphibiens et les poissons, les reptiles ont une température interne qui varie en fonction de celle du milieu extérieur : ils sont poecilothermes. Leur activité a donc lieu dans des limites de température qui varient selon les espèces, et en dehors desquelles ils sont incapables de se nourrir, de se reproduire, de se défendre et de fuir. Quand la température s'abaisse notablement ou lorsqu'elle s'élève trop, les reptiles entrent dans un état de torpeur, appelé, selon le cas, hibernation ou estivation.

● Les reptiles actuels sont devenus assez modestes et c'est seulement dans des cas exceptionnels que des espèces mesurent 10 mètres de long (python). Même du point de vue morphologique, les diverses espèces ne sont pas tellement différentes les unes des autres, contrairement à celles du Secondaire. On classe les reptiles actuels dans 4 ordres qui sont : les rhynchocéphales, les chéloniens, les squamates et les crocodiliens.

● L'ordre des rynchocéphales n'a plus qu'un seul représentant dans la faune actuelle, l'hatteria de la Nouvelle-Zélande *(Sphenodon punctatus)*. Morphologiquement, ce reptile ressemble à un robuste lézard qui peut atteindre une longueur de 70 cm, y compris sa queue déprimée. Tout le long des vertèbres dorsales et caudales il possède une rangée de grosses écailles proéminentes. Ses maxillaires prognathes forment une sorte de bec. Il est ovipare et se nourrit de lézards, de vers, de petits rongeurs et d'amphibiens. De mœurs nocturnes, il passe ses journées caché dans les longues galeries creusées par les pétrels.

● L'ordre des chéloniens regroupe toutes les tortues, que l'on subdivise en cryptodires dont le plastron se compose de 11 ou 12 grandes plaques, la tête pouvant se cacher plus ou moins sous la carapace (genres *Testudo, Chelydra, Emys, Chelonia*), et en pleurodires dont le plastron a 13 plaques et dont la tête, non rétractile, se rabat sur les côtés du corps (genres *Chelodina, Chelus, Emydura, Hydromedusa*).

● Les squamates se subdivisent en sauriens et ophidiens, que l'on nomme communément lézards et serpents. Parmi les sauriens se classent les geckos, les iguanes, les agames, les uromastix ou fouette-queue, les molochs, les caméléons, les scinques, les lézards proprement dits, les orvets, les varans, les hélodermes. Les seuls sauriens venimeux appartiennent à la famille des hélodermatidés avec deux espèces seulement, le monstre de Gila, (*Heloderma suspectum*, Mexique et quelques états des États-Unis) et l'héloderme granuleux (*Heloderma horridum*, Mexique). Leur venin est comparable par ses effets à celui des crotales; la mort survient par paralysie des centres moteurs du cœur et des poumons. ■

▶ *DINOSAURES*

Tête et patte de gecko ; cet habile grimpeur possède sous les doigts des organes adhésifs formés d'écailles recouvertes de pinceaux de soies très fines qui lui permettent de s'accrocher aux minuscules aspérités des surfaces les plus lisses, comme le verre.

La plupart des reptiles s'élèvent facilement en captivité. Il faut pour cela observer trois règles essentielles : — maintenir le lieu à la température optimale de l'espèce, — pulvériser du désinfectant contre les vers parasites, — disposer des fragments d'écorce ou du feuillage pour permettre à l'animal de se dissimuler.

RÉPUBLICAIN, PARTI (États-Unis)

● Dans l'enthousiasme de l'indépendance, les artisans des États-Unis avaient pensé réunir le monde entier derrière une constitution parfaite; vœu pieu, dans la mesure où les Américains n'étaient pas eux-mêmes unis, et où ils avaient été formés à l'école anglaise pour qui le bipartisme était la forme évidente de toute vie politique. A peine avait-on fêté la liberté retrouvée, qu'une faille, une division apparaissait : les uns, derrière Jefferson, se disaient républicains et voulaient une république décentralisée, développant le pouvoir de chaque État par rapport au gouvernement fédéral; les autres, les fédéralistes, réclamaient une autorité centrale puissante. Comme rien n'est jamais simple, les républicains de la fin du XVIIIe siècle sont ceux que l'on appellerait aujourd'hui les démocrates, et les fédéralistes sont ceux qui ont donné naissance, en 1854, au parti républicain.

C'était en 1984 avec pour thème de cette kermesse électorale : Reagan pour Président et Georges Bush pour adjoint. Quatre ans plus tard, c'est à son tour Georges Bush qui sera élu Président des États-Unis d'Amérique.

● Ce parti s'est développé autour d'un thème fondamental, la lutte contre l'esclavage : la Convention nationale de Philadelphie, en 1856, en réclame même l'abolition dans tous les territoires où il existait. A cela s'ajoute un protectionnisme économique qui vise à protéger les grands industriels du Nord au détriment des planteurs du Sud. L'élection du candidat républicain Abraham Lincoln, aux élections présidentielles de 1860, détermine les États du Sud à faire sécession.

● La victoire nordiste assure la domination politique des républicains pendant toute la fin du XIXe siècle : très liés aux grandes sociétés capitalistes, les républicains se font remarquer au gouvernement par leur extraordinaire corruption, sous Grant notamment (1869-1877), par l'instauration d'une véritable dictature militaire sur le Sud, par l'exploitation éhontée de planteurs accablés d'impôts, par des restrictions multiples au droit de vote, par une ségrégation raciale sévère, et par l'essor de l'impérialisme : politique du « gros bâton » menée par le président Theodore Roosevelt, tutelle sur Cuba, implantation à Panama, etc.

● En face, les démocrates font donc figure de gens de « gauche », et ils profitent des divisions des républicains pour leur ravir la présidence en 1913, avec Wilson.

● Les profits considérables réalisés grâce à la guerre de 1914 ouvrent une ère de prospérité qui ramène les républicains au pouvoir avec Harding, Coolidge et Hoover. Très attaché au libéralisme économique, Hoover ne parvient pas à juguler la crise de 1929, et il est remplacé en 1932 par le démocrate Franklin Delano Roosevelt dont la forte personnalité assure aux démocrates une influence nouvelle dont témoigne l'élection de Truman.

● Pour y mettre un terme, les républicains ont l'habileté de présenter le général Dwight Eisenhower, chef prestigieux pendant la Seconde Guerre mondiale. La fibre nationaliste jouant à plein, il est élu et même réélu. Mais de relatives difficultés économiques amènent au pouvoir le démocrate J.-F. Kennedy en 1960 (par 49,7 % des voix, contre 49,5 à son adversaire R. Nixon), puis le démocrate Lindon B. Johnson en 1964. 1976 : Jimmy Carter, démocrate, succède à G. Ford, républicain.

● De toute façon, l'alternance des partis n'amène pas nécessairement de réelles transformations dans la politique américaine. Certes, les démocrates sont plus favorables aux classes défavorisées; mais les conservateurs réactionnaires du Sud votent parfois démocrate et les ouvriers de l'Est peuvent voter républicain comme leurs patrons. En fait, on est républicain surtout parce qu'on est né dans une famille américaine. D'ailleurs, si le parti comporte une gigantesque organisation, avec un chef, tout un état-major, des équipes, des techniciens, il ne comporte pas de membres porteurs d'une carte et payant des cotisations; seuls importent les électeurs, qu'il s'agit de convaincre par tous les moyens (télévision, sondages, publicité).

● Le parti républicain dispose pour cela du soutien financier des magnats de l'industrie, mais il doit actuellement faire face à une lente érosion de son électorat, face aux démocrates plus jeunes et dynamiques. L'affaire du Watergate, impliquant l'équipe Nixon, a sûrement accéléré ce processus. Mais la majorité des citoyens est une chose, et la réalité politique en est une autre : même si des démocrates sont élus à la présidence, il faudra compter sur un Congrès où les démocrates n'hésitent pas à s'allier aux républicains pour empêcher toute réforme. ■

▶ *DÉMOCRATE, PARTI / ÉTATS-UNIS*

RÉPUBLIQUE, IIIe (1870-1940)

● Si la Ire République, celle fondée par la Constitution de l'An I (1793), ne vit jamais le jour, si la IIe ne vécut que trois ans (1848-1851), la IIIe République, elle, devait battre tous les records de longévité, et n'être emportée que par la défaite de 1940. Issue de l'effondrement militaire de l'Empire à la bataille de Sedan, le 1er septembre 1870, la République a été proclamée sur l'initiative de Gambetta le 4 septembre; mais le gouvernement de la Défense nationale, soucieux de poursuivre la guerre, devait se heurter à la capitulation du maréchal Bazaine à Metz et à une opinion publique pacifiste.

● Après la chute de Paris, en janvier 1871, les élections pour une Assemblée nationale donnèrent une écrasante majorité aux conservateurs, groupés autour de Thiers, et décidés à négocier une paix garante de l'ordre social. Le traité de Francfort (10 mai 1871) imposa la perte de l'Alsace et d'une partie de la Lorraine, et le paiement d'une indemnité de 5 milliards de francs.

● Face à une capitulation aussi ignominieuse, et au désir avoué du gouvernement, installé à Versailles, de rétablir une monarchie parlementaire, le peuple de Paris, encore en armes, s'organisa en gouvernement populaire et révolutionnaire, la Commune. Thiers n'hésita pas à entreprendre un second siège de Paris, plus dur encore que le premier, et à exterminer dans la semaine sanglante (mai 1871) tous les communards; la répression qui suivit et les déportations firent perdre à Paris plus de 80 000 personnes.

● Élu président de la République en août 1871, Thiers mena une politique de conservatisme social et de redressement national, obtenant que le territoire fût libéré dès 1873. Mais les nostalgiques de la monarchie ne se rallièrent pas, et il dut démissionner le 24 mai 1873; il fut remplacé à la présidence par le maréchal de Mac Mahon, candidat de l'union des droites qui préparait la venue au pouvoir du comte de Chambord, petit-fils de Charles X, légitimiste intransigeant.

● Élu pour sept ans, Mac Mahon entreprit de restaurer l'ordre moral et de préparer le retour du roi. Hélas, le comte de Chambord était aussi peu réaliste que têtu, et il entendait n'être restauré qu'avec le drapeau blanc de ses ancêtres; républicains et orléanistes, partisans d'une monarchie parlementaire, y étaient farouchement hostiles, et l'amendement Wallon (30 janvier 1875) institua, en fait, la république : « Le président de la République (et non plus le seul Mac Mahon) est élu à la majorité des suffrages par le Sénat et par la Chambre des députés réunis en Assemblée nationale. Il est nommé pour sept ans, il est rééligible ».

● Les républicains l'emportent à la Chambre au printemps 1876, alors que la majorité conservatrice est très faible au Sénat. Le 16 mai 1877, Mac Mahon tente un coup de force : il fait dissoudre la Chambre. De nouvelles élections, favorables aux républicains, le forcent à s'incliner, puis à démissionner en 1879. De cet échec devaient découler deux caractères de la IIIe République : l'effacement du président de la République qui n'osera plus dissoudre la Chambre, et la toute-puissance du Parlement qui n'hésitera pas à renverser fréquemment les gouvernements.

● Mais république ne signifiait pas démocratie, et encore moins justice sociale. Le suffrage universel était restrictif puisque les femmes et les militaires ne votaient pas; une large fraction de l'opinion, de plus en plus nationaliste, rêvait d'un régime autoritaire. Les syndicats, autorisés par une loi de 1884, devaient faire face aux chicaneries de l'administration. L'école primaire publique, devenue gratuite, obligatoire et laïque grâce à Jules Ferry (1882), devait constamment lutter contre les autorités ecclésiastiques. La conquête du Tonkin et l'installation d'un protectorat sur le Maroc par Jules Ferry traduisaient enfin les visées impérialistes d'un régime dominé par la haute bourgeoisie industrielle et commerçante. Cette république bourgeoise, conservatrice et opportuniste dut faire face à trois grandes crises.

● Une crise politique, d'abord, marquée par l'antiparlementarisme

Présidents de la IIIe République : Thiers (1871-73), Mac-Mahon (1873-79), Grévy (1879-87), Sadi Carnot (1887-94), Casimir Périer (1894-95), Félix Faure (1895-99), Loubet (1899-1906), Fallières (1906-13), Poincaré (1913-20), Deschanel (1920), Millerand (1920-24), Doumergue (1924-31), Doumer (1931-32), Lebrun (1932-40).

Le 4 septembre 1870 la nouvelle du désastre de Sedan est connue à Paris. Le peuple se porte à l'Hôtel de Ville où se constitue le gouvernement de la Défense nationale; la République est proclamée.

1905 : loi de séparation de l'Église et de l'État ; son application suscite bien des résistances. Ici, la troupe enfonce à coups de bélier la porte de l'église d'Yssingeaux (Haute-Loire) pour frayer un passage aux fonctionnaires chargés de procéder à l'inventaire des biens mobiliers des églises.

de certains nostalgiques du pouvoir personnel fort. Le général Boulanger, ministre de la Guerre soutenu par les radicaux, exploite le mécontentement social et parvient à rallier une partie de la droite. Très populaire dans les classes défavorisées, partisan d'une revanche sur l'Allemagne, il remporte plusieurs élections partielles en 1888; les scandales qui éclaboussent l'Élysée et contraignent Jules Grévy à démissionner servent ses ambitions. Mais le gouvernement réagit, et, pris de peur, le général s'enfuit en Belgique.

● Crise sociale, ensuite, marquée par les profondes difficultés économiques et l'injuste répartition des richesses. Les socialistes et les anarchistes impressionnent l'opinion, mais la police et l'armée n'hésitent pas à écraser dans le sang grèves et révoltes ouvrières (Fourmies, 1891). Après une série d'attentats, et l'assassinat du président de la République Sadi Carnot (1894), les libertés fondamentales sont singulièrement restreintes par les lois « scélérates ».

● Crise morale enfin, avec de nouveaux scandales (Panama). La crise culmine avec l'affaire Dreyfus, qui divise l'ensemble des Français.

● Condamné sur de fausses allégations, lors d'un procès irrégulier où ses origines juives le desservent, Dreyfus trouve de nombreux défenseurs, comme Zola. Le gouvernement modéré tombe en 1899; les républicains se regroupent face à l'agitation nationaliste; un Bloc des Gauches, dominé par Waldeck Rousseau, s'installe au gouvernement pour y rester jusqu'à la guerre.

● En fait, les différences ne devaient pas être profondes entre les deux : la même politique coloniale se poursuivit en Afrique et à Madagascar, malgré l'opposition de l'Angleterre; la politique d'entente avec la Russie fut maintenue. Le conservatisme social resta tout aussi intransigeant : pour obtenir quelques améliorations de la condition ouvrière, la Confédération Générale du Travail (C.G.T.) organisa de grandes grèves dans les mines, chez les postiers et chez les viticulteurs du Languedoc (1907). Mais Clemenceau, « le premier flic de France », y mit fin impitoyablement. Seul trait nouveau de cette république radicale, l'essor de l'anticléricalisme, avec Combes, culminant lors de la séparation de l'Église et de l'État en 1905.

● A la veille de 1914, la France, avec seulement 40 millions d'habitants, était un pays vieux, de petits bourgeois épargnants et d'ouvriers malheureux, regroupés au sein de la Section Française de l'Internationale Ouvrière (S.F.I.O.) derrière Jaurès. Le nationalisme y était tout-puissant, et malgré l'opposition de Jaurès à la guerre, et son assassinat le 31 juillet 1914, l'Union sacrée fut réalisée pour permettre à la France de prendre enfin sa revanche.

Une école primaire à la fin du XIXe siècle. C'est grâce à Jules Ferry que fut institué l'enseignement primaire gratuit, obligatoire et laïque (lois de 1881 et 1882). Pour permettre aux parents de donner à leurs enfants une éducation religieuse, les écoles sont fermées un jour par semaine en plus du dimanche.

● La perte de dix départements en quelques jours, les défaites meurtrières de 1915 et 1916, l'hécatombe de Verdun en 1917, la détérioration de l'économie et des finances, la ruine des rentiers, suscitèrent un mécontentement général. Clemenceau réagit alors avec une extrême rigueur, faisant arrêter des hommes politiques (Caillaux) et fusiller des militaires. Le 11 novembre 1918, la France était victorieuse, mais épuisée.

● 1 310 000 hommes étaient morts; la production charbonnière et sidérurgique s'avérait anéantie. L'union réalisée par le Bloc national, très conservatrice, avec les radicaux pour aile gauche, l'emporta aux élections législatives de 1919. Clemenceau lui-même apparut trop anticlérical, et il ne parvint pas à se faire élire à la présidence de la République face à Deschanel (janvier 1920).

● Devant cette évolution politique conservatrice et la montée vertigineuse des prix, le monde du travail s'organisa : en décembre 1920, au congrès de Tours, un Parti communiste français est formé sous la direction de Marcel Cachin, et deux syndicats s'organisent : la Confédération Française des Travailleurs Chrétiens (C.F.T.C.), et la Confédération Générale des Travailleurs Unifiée (C.G.T.U.) de tendance communiste. Pour faire « payer le Boche », et calmer le mécontentement social, Poincaré décide en 1923 l'occupation de la Ruhr, mais c'est une opération sans lendemain, et le Bloc national est renversé par un Cartel des gauches en mai 1924.

● L'inflation restait galopante, et des groupes d'extrême-droite, s'inspirant du fascisme mussolinien se développaient : Jeunesses patriotes de Taittinger, Faisceau de G. Valois; pendant que l'Action française, de tendance monarchiste, accroissait son audience, surtout parmi les rentiers ruinés par la dévaluation Poincaré de juin 1928. La crise économique mondiale de 1929, ressentie en France seulement en 1931, aggrave les antagonismes.

● Alors que les ministères radi-

Enfance de la civilisation industrielle : les forges de Basse-Indre au XIXe siècle.

caux tombent les uns après les autres, le système parlementaire dans son ensemble est déconsidéré par des scandales comme l'affaire Stavisky, qui implique plusieurs hommes politiques. Les ligues de tendance fasciste tentent un coup de force contre le Palais Bourbon le 6 février 1934. Ce sanglant échec montre combien le péril fasciste est grand.

● La gauche s'unit, et le Front populaire exploite les faiblesses de la politique de déflation menée par Laval (baisse des salaires), pour remporter les élections du 3 mai 1936.

● Grâce à un vaste mouvement de grèves allant jusqu'à l'occupation des usines, le président du Conseil Léon Blum peut imposer au patronat les accords Matignon (7 juin) instituant la semaine de 40 heures, les congés payés, les délégués ouvriers dans les entreprises, et augmenter les salaires. De grandes réformes de structure sont également entreprises : réorganisation de la Banque de France, nationalisations création de la S.N.C.F..

● Mais la fuite des capitaux contraint Blum à une nouvelle dévaluation, sa non-intervention en Espagne où le général Franco mène l'insurrection contre le gouvernement le déconsidèrent aux yeux des communistes, et la nécessité du réarmement, face aux menaces allemandes, handicape sa politique de réformes. Il doit démissionner en juin 1937. Pour ses successeurs, Chautemps, puis Daladier, la politique extérieure prend le dessus, fournissant d'ailleurs des prétextes pour remettre en cause les mesures du Front populaire.

● En septembre 1939, la guerre ramène l'Union sacrée, derrière le chef du gouvernement Daladier. Une chasse aux communistes s'ouvre après la signature du traité germano-soviétique, mais aucune opération d'envergure n'est entreprise contre l'Allemagne. Le 10 mai 1940, les troupes allemandes déferlent sur les Pays-Bas, le 5 juin elles pénètrent en France, le 22, l'armistice est signé à Compiègne.

● Rendu responsable du désastre militaire, le ministère Reynaud démissionne, et un régime autoritaire se substitue à la République : l'État de Vichy, dont le maréchal Pétain devient le chef. La IIIe République est morte. ■

RÉPUBLIQUE, IVe (1944-1958)

● Quand le général de Gaulle arriva à Paris, le soir de la Libération (25 août 1944), il trouva la population enthousiaste de soulagement et d'espérance. Pourtant, libération ne signifiait pas forcément bonheur et prospérité; il fallait d'abord engager résolument la France aux côtés des Alliés dans la lutte finale contre l'Allemagne, afin de faire oublier aux yeux du monde une trop longue collaboration; il fallait ensuite remettre en marche une économie profondément désorganisée par le conflit; et, pour assurer cette reconstruction, il était urgent de réorganiser la vie politique.

● Le 2 février 1945, l'Alsace est libérée, et des troupes françaises participent à l'occupation de l'Allemagne. Parallèlement, et avec le soutien des communistes, d'importantes réformes de structure sont entreprises : le 16 janvier 1945, les usines Renault, coupables de collaboration active avec l'ennemi, sont nationalisées; le 22 février, les comités d'entreprises sont créés; le 2 mars, de Gaulle annonce la nationalisation de toutes les sources d'énergie et des grandes banques de crédit.

● Politiquement, le régime naissant devait liquider toutes les séquelles de la guerre par l'élimination du personnel de Vichy (exécution de Laval, emprisonnement du maréchal Pétain, jugements expéditifs, épuration, et la mise en place de nouvelles institutions. Une Assemblée constituante est élue, assurant aux communistes et aux socialistes la majorité absolue des sièges, le Mouvement Républicain Populaire (M.R.P.), parti chrétien issu de la Résistance, obtenant 23 % des voix. Mais le général entre en conflit avec elle au sujet du rôle à donner à l'exécutif; il parvient à faire rejeter par référendum un premier projet, et est élu à l'unanimité président du gouvernement provisoire en novembre 1945. Mais il se heurte aux partis traditionnels, et craignant peut-être aussi des difficultés

20 janvier 1946. Président du Conseil depuis seize mois, le général de Gaulle se retire. Son chef de cabinet, M. Palewski, déclare : « Le général de Gaulle ne démissionne pas ; il quitte son poste, et ceci irrévocablement. D'ailleurs, le général se retire définitivement de la vie politique. » La prophétie ne se réalisera pas. Douze ans... plus tard il revient au pouvoir, et c'est la fin de la IVe République qu'il avait contribué à fonder.

Huit années durant, la guerre d'Indochine fut une plaie ouverte au flanc de la IVe République. L'armée française y perdit 100 000 hommes et fut profondément marquée par cette expérience de guerre révolutionnaire imposée par la stratégie de l'adversaire.

économiques et sociales, il démissionne le 20 janvier 1946. Malgré le discours qu'il prononce à Bayeux le 16 juin, le nouveau projet de Constitution, peu différent du premier, est accepté par le suffrage populaire en octobre 1946; le président de la République est élu par les deux Chambres (Assemblée nationale et Conseil de la République) pour 7 ans; il nomme le président du Conseil qui doit être accepté par la Chambre à la majorité absolue.

● Le 10 novembre, la nouvelle Assemblée nationale est élue, avec une forte proportion de communistes et de M.R.P., les socialistes perdant des voix. Le 16 janvier, le socialiste Vincent Auriol est élu président de la République, et un autre socialiste, Ramadier, forme un ministère tripartite, regroupant communistes, socialistes et M.R.P. S'élevant contre l'importance que prennent les partis, de Gaulle annonce en avril la formation du Rassemblement du Peuple Français (R.P.F.), envisageant déjà un changement de régime.

● 1947 est une année décisive dans l'histoire de la IVe République; c'est à ce moment que naissent tous les grands problèmes qui vont empoisonner son existence jusqu'en 1958. Problèmes économiques d'abord, de mise sur pied d'une industrie moderne : l'aide américaine (plan Marshall) accordée en échange d'une relative dépendance politique à l'égard des États-Unis, suscite le mécontentement des communistes; la politique d'expansion sans augmentation des salaires aggrave l'insatisfaction des milieux ouvriers; l'attitude répressive du gouvernement aux colonies, et notamment en Indochine, conduit les communistes à voter contre le ministère. C'est la fin du tripartisme, et le début de la violente opposition de l'extrême gauche à un gouvernement qui s'engage dans la guerre froide aux côtés des puissances occidentales.

● La tentative de *Troisième Force*, marquée en fait par une évolution constante vers la droite, s'appuie sur l'alliance des socialistes et des M.R.P. Face au bloc socialiste de l'Est, Robert Schuman s'efforce de rapprocher la France de l'Allemagne, et parvient à la création, en 1951, de la Communauté Européenne du Charbon et de l'Acier (C.E.C.A.). Mais il se heurte aux grèves déclenchées par la C.G.T., à l'opposition d'une partie de l'opinion publique face aux projets d'aide à l'enseignement privé (loi Barangé), et aux difficultés dans les colonies (Indochine, Madagascar). Les ministères se succèdent (Marie, Queuille, Bidault, Pleven, Queuille). Les socialistes quittent le gouvernement, et la France glisse un peu plus à droite avec des hommes comme Pinay ou Laniel. C'est d'ailleurs un président de centre droit, René Coty, qui est élu en décembre 1953 à la magistrature suprême. Mais l'instabilité ministérielle est à son comble, l'inflation n'a pas été stoppée par Pinay, les grèves paralysent les secteurs publics, et surtout, le 7 mai 1954, les armées françaises sont écrasées à Dien Bien Phu.

● Pierre Mendès-France remplace alors Laniel à la tête du gouvernement, menant une politique de réformes vigoureuses. En juillet, il signe les accords de Genève qui mettent fin à la guerre d'Indochine, et prend de rigoureuses mesures économiques. Mais il ne parvient pas à faire accepter le principe d'une Communauté Européenne de Défense (C.E.D.), et doit affronter les préludes à la guerre d'Algérie. Condamné pour une politique trop libérale dans les colonies, il tombe le 6 février 1955. La valse des ministères ne tarde pas à recommencer, aggravée par la montée de l'extrême droite (poujadisme soutenu par une partie du petit commerce et de l'artisanat), les difficultés au Maroc, en Tunisie et surtout en Algérie.

● Le socialiste Guy Mollet devient chef du gouvernement après les élections législatives de janvier 1956; il accorde des avantages sociaux au monde du travail, favorise une relative libéralisation en Afrique Noire (loi-cadre Defferre), participe à la formation du Marché commun (traité de Rome, mars 1957), mais s'efforce de conserver l'Algérie à la France, et engage le pays aux côtés de la Grande-Bretagne, dans la désastreuse expédition de Suez, qui visait à anéantir le foyer égyptien de la résistance arabe et à préserver les intérêts commerciaux franco-britanniques. La condamnation menaçante de tous les États de l'O.N.U. contraint le corps expéditionnaire à une retraite précipitée (novembre 1956).

● Le conflit s'aggravant chaque jour en Algérie, un gouvernement de conciliation est enfin désigné en la personne de Paul Pflimlin (13 mai 1958). Mais les colons et l'armée réagissent, créent à Alger

Alger, septembre 1958. Jacques Soustelle, ministre de l'Information du général de Gaulle, vient défendre le projet de constitution soumis à référendum ; à sa droite, le général Salan, délégué général du gouvernement à Alger.

un Comité de salut public, et font appel au général de Gaulle qui se déclare « prêt à assumer les pouvoirs de la République ». La guerre civile est évitée; de Gaulle reçoit l'investiture de la Chambre et les pleins pouvoirs pour 6 mois.

● La IVe République était morte; elle avait reconstruit la France, apporté d'importantes mesures sociales, réalisé l'intégration européenne, mais elle n'avait pas su libérer la France de son contentieux colonial. Faisant de la politique un art du compromis, elle restait profondément soumise aux groupes de pression économiques et coloniaux. ■

Mitterrand et Giscard d'Estaing devant micros et caméras, en direct, à l'occasion des élections présidentielles en 1974. Depuis la formule a fait fortune avec Giscard-Mitterrand en 1981, et Mitterrand-Chirac en 1988. Qui en 1995?

RÉPUBLIQUE, Ve

● « Un fou a dit : Moi la France, et personne n'a ri parce que c'était vrai », notait François Mauriac. Mais en 1958, il ne s'agissait plus d'incarner la France, mais de gouverner des Français : « Les trois affaires qui dominent notre situation sont l'Algérie, l'équilibre financier et économique, la réforme de l'État. » Pour le général de Gaulle, ce dernier point devait être la condition de réalisation des deux autres, et c'est à la mise en place de nouvelles institutions qu'il s'attacha tout d'abord.

● Après les complots du 13 mai 1958, et l'investiture du général le 1er juin, un projet de Constitution est élaboré par un comité ministériel dirigé par Michel Debré, et accepté par le suffrage universel le 28 septembre : les pouvoirs du président de la République sont considérablement accrus, et l'article 16 lui permet de « prendre les mesures exigées par les circonstances... quand le fonctionnement régulier des pouvoirs publics constitutionnels est interrompu. » Il nomme le Premier ministre qui n'est plus soumis à l'investiture de l'Assemblée (cause de l'instabilité de la IVe République), et peut soumettre à référendum tout projet de loi portant sur l'organisation des pouvoirs publics. L'Assemblée nationale garde l'essentiel du pouvoir législatif, mais elle n'est plus permanente (deux sessions par an).

● Les organisations gaullistes, groupées dans l'Union pour la Nouvelle République (U.N.R.), remportent les élections législatives du 30 novembre 1958 avec 212 élus, contre 44 socialistes et 10 communistes. Le 21 décembre, le général de Gaulle est élu président de la République par les Grands Électeurs.

● Dès le 16 septembre 1959, de Gaulle propose l'autodétermination aux populations d'Algérie. Mais les Français d'Algérie entendent préserver leur situation, et certains éléments de l'armée refusent de s'avouer vaincus : du 21 au 25 avril, les généraux Salan, Challe, Jouhaud et Zeller prennent le pouvoir à Alger, s'efforçant vainement d'entraîner le reste de l'armée dans la sédition. L'échec du putsch permet au gouvernement d'accélérer les négociations avec le Front de Libération Nationale (F.L.N.), alors même que les activistes de l'Algérie française, réunis dans l'O.A.S. (Organisation de l'Armée Secrète), organisent toute une campagne d'attentats au plastic. En vain, car le 18 mars 1962, les accords d'Évian sont conclus : en juillet, la France reconnaît la nouvelle République algérienne.

● Le général de Gaulle avait résolu la première affaire. Il en profita pour parfaire la réforme de l'État : fort de sa popularité nouvelle, il renforce ses pouvoirs en faisant accepter par référendum l'élection du président de la République au suffrage universel (28 octobre 1962).

● Tout n'allait pourtant pas pour le mieux en France même. La politique de prestige entreprise par le président, les efforts d'indépendance nationale conduisant au retrait français de l'Organisation de l'Atlantique Nord (O.T.A.N.), trop asservie aux États-Unis, à l'ouverture vers l'Est, mais aussi à la création d'une force de frappe atomique coûteuse, entraînent de sérieuses difficultés économiques, et bloquent l'évolution du pouvoir d'achat des travailleurs. Le mécontentement social est entretenu par des mesures économiques et monétaires maladroites et conservatrices.

● Le ministre des Finances

Pinay entreprend en 1958 une impopulaire politique de déflation, augmentant les impôts indirects frappant les classes les plus défavorisées, et dévaluant le franc de 17 % pour favoriser les produits français dans le cadre du Marché commun. En septembre 1963, alors ministre des finances, Valéry Giscard d'Estaing lance un plan de stabilisation qui limite les investissements et ralentit toute l'activité industrielle. Le 1er juillet

Après le discours ferme et résolu du général de Gaulle, le 30 mai 1968, cent mille Parisiens se massent sur les Champs-Élysées pour proclamer leur soutien au chef de l'État.

1967, l'entrée en vigueur du Marché commun agricole aggrave le malaise paysan.

● Apparemment, la force du gaullisme est intacte : en décembre 1965, le général de Gaulle est réélu à la présidence, au suffrage universel ; en mars 1967, les élections législatives ramènent une majorité gaulliste, malgré les progrès de la gauche. Mais une grande distance séparait les résultats électoraux des courants profonds de la population. L'agitation estudiantine allait marquer cet écart.

● Le 22 mars 1968, naît à la faculté des lettres de Nanterre un mouvement de contestation gauchiste animé par David Cohn Bendit, contestant les fondements de la société capitaliste de consommation et réclamant une profonde transformation de l'appareil éducatif français dans son ensemble

● L'agitation gagne la Sorbonne en mai, et, dans la nuit du 10 au 11, des émeutes éclatent dans le Quartier Latin. La réaction policière est si brutale que les syndicats décident un arrêt de travail. Les mouvements de grèves ne tardent pas à s'étendre; le 20 mai, sept millions de personnes sont en grève. De Gaulle ouvre des négociations avec les syndicats, rue de Grenelle : le salaire minimum est augmenté de 35 %, les droits syndicaux dans l'entreprise sont reconnus. Le 30 mai, l'Assemblée nationale est dissoute, et le général prononce un discours affirmant sa détermination. Une foule immense défile sur les Champs-Élysées, lui apportant son soutien. Les élections législatives du 23 juin sont un succès pour les gaullistes de l'U.D.R.

● Le régime, en fait, sort politiquement affaibli de la crise, et le général de Gaulle comprend la nécessité de réformes importantes : il développe les idées de participation, refuse une dévaluation du franc qui favoriserait les riches spéculateurs ayant transporté leurs capitaux en Allemagne, et instaure le contrôle des changes. Mais cette politique mécontente les grands milieux d'affaires sans satisfaire ni les ouvriers, ni les intellectuels acquis à la révolution culturelle. Le 27 avril 1969, un référendum qui visait à supprimer le Sénat et à assurer la régionalisation, échoue devant le suffrage obtenu. Le général démissionne le lendemain.

● Le 15 juin 1969, Georges Pompidou est élu président de la République. Devant l'opinion, le nouveau gouvernement se présente comme l'héritier du gaullisme, en dépit de l'exil tenace de son fondateur, puis de la mort de celui-ci le 9 novembre 1970. Défenseur de la politique gaulliste d'indépendance nationale face aux États-Unis, Georges Pompidou s'est attaché à développer l'armement nucléaire français. Le développement de la puissance industrielle et bancaire se confirme, mais l'inflation atteint un taux important (15 % par an), le chômage menace partout, tandis que se dégrade la balance extérieure des paiements.

● Après la mort prématurée de Georges Pompidou en avril 1974, c'est Valéry Giscard d'Estaing qui est élu président de la République à une courte majorité. En 1981 il se présente pour un nouveau mandat mais il est battu par le candidat de « Gauche », François Mitterrand élu pour appliquer *le programme commun*. F. Mitterrand, après les élections législatives de 1986 qui ont donné au pays une majorité « de droite » à l'Assemblée, gouverne avec un 1er ministre R.P.R., Jacques Chirac. C'est l'expérience de la « cohabitation », qui ne s'était jamais présentée sous la 5e République. Les élections présidentielles de 1988, en confiant un deuxième mandat à François Mitterrand, ont amené celui-ci à procéder à des élections législatives anticipées; mais la forte majorité de gauche, espérée par le président de la République, ne s'est pas dessinée. On aboutit alors à des alliances mal définies et à une sorte de confusion des idéaux politiques que l'avenir clarifiera sans doute. ■

REQUINS

● Les requins ou squales sont des poissons cartilagineux (sélaciens), tout comme les raies et les torpilles. Ils se répartissent en 12 familles différentes qui renferment près de 200 espèces vivant essentiellement sous les tropiques, mais dont on rencontre quelques-unes dans la plupart des mers, et très exceptionnellement en eau douce. Bien que ce groupe soit constitué de quelques espèces de petite taille, dont la longueur ne dépasse pas un mètre, on trouve

Squale au museau conique et pointu, à la bouche ventrale, aux dents acérées; cinq fentes dépourvues d'opercule mettent en relation directe les branchies et l'extérieur. La peau, rêche et rugueuse, appelée « chagrin » était autrefois utilisée pour polir le bois, l'ivoire et les métaux.

La grande roussette *(Scyliorhinus stellaris)* fréquente les fonds sablonneux des côtes européennes de l'Atlantique et de la Méditerranée. Son corps grisâtre est parsemé de taches rondes marron foncé. Elle pond au printemps de gros œufs protégés par une enveloppe cornée, munie de filaments qui leur permettent de se fixer sur les plantes.

parmi les squales les plus grands poissons actuels.

● Le corps des squales est fusiforme et se prolonge par une queue puissante. Il est protégé par de nombreuses petites écailles placoïdes très dures et constituées par une plaque basale sur laquelle est insérée une petite dent dont la pointe est dirigée vers l'arrière. Les nageoires sont supportées par des rayons mous, faits de cartilage et de matière cornée. La nageoire caudale, dirigée obliquement vers le haut, est asymétrique.

● Dans la région antérieure, en avant des nageoires pectorales, se situent 5 paires de fentes branchiales en position latérale ou subventrale. La forme des dents varie en fonction du mode de nutrition, mais elles sont toujours soumises au remplacement. Les requins sont connus pour leur voracité.

● Les formes les plus petites, qui évoluent près du fond le long des côtes, se nourrissent de crustacés et de mollusques.

● D'autres, comme les requins à maquereaux, pourchassent les poissons alors que le requin blanc, le requin tigre ou le grand requin bleu s'attaquent aux proies les plus diverses, vivantes ou mortes, y compris l'homme. Le requin pèlerin par contre, qui est une espèce de 9 mètres de long, pesant près de 4 tonnes, se nourrit de plancton comme la baleine. Ses arcs branchiaux sont pourvus, sur un côté, d'une ou de deux rangées de longs filaments qui font office de fanons.

● La reproduction des squales est ovovivipare.

● Le requin taureau *(Carcharias taurus)* est une espèce très répandue en Méditerranée, le long de la côte ouest d'Afrique, près des Canaries, dans l'Atlantique Ouest et la mer des Caraïbes. Son corps, qui peut atteindre une longueur de 3 mètres, est parsemé de taches sombres.

● Le requin à maquereaux, *(Mamna nasus)*, est un poisson de haute mer qui s'aventure jusque près des côtes. Il est répandu dans toutes les mers. De même taille que l'espèce précédente, il est pourvu de grandes dents à trois pointes, tranchantes comme une lame de rasoir. On dit qu'il s'attaque à l'homme. Celui-ci le pourchasse, non seulement pour diminuer ses effectifs, mais également en vue de sa consommation.

● L'espèce la plus dangereuse pour l'homme est le requin blanc *(Carcharodon carcharias)*. Son corps grisâtre ou bleuté peut atteindre exceptionnellement une longueur de 12 mètres et mesure en moyenne 5-6 mètres pour un poids de près de 3 tonnes. Les dents triangulaires ont un bord découpé en dents de scie. Il s'attaque aux poissons, à des requins de 2 mètres, à des tortues marines, des dauphins et des pinnipèdes. C'est le requin le plus vorace que l'on connaisse, qui peut être dangereux pour les baigneurs lorsqu'il s'aventure le long des côtes.

● Les requins géants font partie de la famille des cétorhinidés. Leurs fentes branchiales sont très grandes et s'étendent parfois de la partie dorsale de la tête jusqu'au milieu du thorax. Ils se nourrissent de plancton et vivent en haute mer. Le requin pèlerin *(Cetorhinus maximus)* est le plus grand représentant de cette famille, mesurant près de 14 mètres de long et pesant 4 tonnes. En se déplaçant à une vitesse de 4 km/heure, il arrive à filtrer entre 1 000 et 1 500 tonnes d'eau en une heure.

● Le requin baleine *(Rhincodon typus)*, dont le corps et les flancs sombres sont parsemés de taches blanches ou jaunes, est le plus grand des poissons. Il peut atteindre une longueur de 18 mètres. Répandu dans toutes les mers, exception faite de la Méditerranée, il est le plus fréquent sous les tropiques. Le requin baleine se nourrit de petits poissons, de céphalopodes et de petits organismes qui flottent dans l'eau.

● Le requin marteau *(Sphyrna zygaena)* est répandu dans toutes les mers tropicales et tempérées, aussi bien en haute mer que le long des côtes. Il doit son nom à la forme particulière de sa tête, pourvue de deux excroissances latérales. C'est une espèce qui peut être dangereuse pour les baigneurs ou les plongeurs sous-marins.

● Les plus petits représentants des requins appartiennent à la

Le squale sert fréquemment de véhicule aux échénéidés ; quoique excellents nageurs, ceux-ci préfèrent se laisser transporter et vivent des restes des repas de leur hôte.

Organisés en unités militaires, les maquis ajoutent leur action locale à l'action de masse des Alliés et attaquent les Allemands par surprise en dehors de la zone principale des combats. En Bretagne, les F.F.I. capturent 20 000 prisonniers en 2 mois.

famille des scyliorhinidés, parmi lesquels nous citerons *Scyliorhinus caniculus* qui est la petite roussette, petit squale paisible ovipare mesurant entre 60 et 80 cm. Le chien de mer, *(Mustelus mustelus)*, vit dans la Méditerranée et dans l'est de l'océan Atlantique. Long d'environ 1,50 m, il est apprécié pour sa chair. ■

▶ *POISSONS*

RÉSISTANCE, Histoire de la

Principaux groupes de résistance.
Hiver 1940-41 Organisation Civile et Militaire (O.C.M.) : cadres de l'Armée, de l'Industrie et de l'Administration.
Fin 1941 — Témoignage Chrétien : intellectuels catholiques.
— Front National : obédience communiste.
— Groupes armés : Francs-Tireurs-Partisans (F.T.P.)
1942 Début des maquis.
Fév. 1944 Forces Françaises de l'Intérieur (F.F.I.)

● Le 25 juin 1940, à 0 h 35, l'armistice franco-allemand entrait en vigueur mettant fin à trois semaines de débâcle militaire, d'exode populaire, de démoralisation, de stupeur et de honte. Une planche de salut? Le vainqueur de 1917, le glorieux maréchal Pétain, qui se proposait généreusement de faire don de sa personne à la France, n'était-il pas l'homme providentiel que la France sait toujours trouver dans les moments difficiles de son histoire?

● Sans doute se proposait-il d'établir un régime ultra-conservateur, à peine adouci par un paternalisme réconfortant. Mais aux grands maux les grands remèdes, surtout lorsque ceux-ci ont été souhaités bien avant une quelconque défaite militaire : Pétain représentait le moyen de mettre fin au danger socialiste d'un Front populaire.

● L'ensemble des Français va s'accommoder, plus ou moins rapidement, de l'occupation du pays. Un nouvel ennemi s'offre d'ailleurs au nationalisme retrouvé, l'Angleterre, celle de la guerre de Cent Ans, celle qui a osé bombarder notre flotte dans la rade de Mers-el-Kébir, le 3 juillet 1940.

● Pourtant, le 17 juin dans l'après-midi, Churchill reçoit le général de Gaulle, venu de Bordeaux, et décide que l'ancien secrétaire d'État à la guerre pourra disposer le lendemain de la B.B.C. pour lancer un appel à la poursuite de la guerre aux côtés des Anglais : « La flamme de la Résistance ne doit pas s'éteindre et elle ne s'éteindra pas » (Appel du 18 juin).

● Bien que reconnu chef des Français libres par Churchill, de Gaulle n'a aucun succès dans la population de la métropole (qui écoutait la B.B.C. à ce moment-là?); mais il parvient à obtenir le ralliement du gouverneur du Tchad, Éboué (26 août), entraînant l'adhésion d'une partie de l'Afrique Équatoriale Française et du Cameroun. Désormais, les F.F.L. (Forces Françaises Libres) ont une assise territoriale leur assurant une certaine autorité. Mais la dépendance financière a l'égard des Anglais nuit à leur influence en métropole.

● Sur le continent, et indépendamment de l'appel du 18 juin, des mouvements de résistance se sont constitués, plus nombreux dans la zone Sud que dans la zone Nord, qui était occupée. A Lyon, le capitaine Henri Frenay organise dès l'été 40 le groupe *Combat;* à Clermont-Ferrand, Emmanuel d'Astier de la Vigerie rassemble communistes et socialistes locaux dans *Libération;* à Lyon encore, *Franc-Tireur* est créé en novembre 1940.

● Tous ces mouvements souffrent du mythe Pétain, bien implanté dans la population, de l'indifférence d'une « majorité silencieuse », de l'hostilité de groupes fascisants, comme les Anciens combattants des S.O.L. (service d'ordre de la Légion des combattants). La résistance se fait donc plus contre le régime de Vichy et ses principes conservateurs que contre les Allemands, à qui l'on reproche surtout leur système politique.

● En zone Nord, la résistance était plus difficile, du fait de la présence allemande; les groupes devaient y être plus nombreux mais plus éphémères : Libération-Nord, formé de socialistes (Jean Texcier, Vallon), l'Organisation Civile et Militaire (Arthuys) et le Front National, soutenu par le P.C., implanté aussi bien en zone Sud qu'en zone Nord (Villon, Joliot-Curie), qui s'efforce de coiffer toute la résistance et entre en conflit avec Libération-Nord. En fait, tous ces mouvement regroupent un nombre infime de résistants courageux, qui donnent l'impression du nombre par l'intensité de leur activité.

● Dès que le général de Gaulle se rendit compte qu'il y avait une résistance à l'intérieur de la France, il entreprit de la soutenir et de se la subordonner; mais il avait contre lui d'être militaire et de dépendre de l'Angleterre. Il s'affirma donc comme le défenseur de la démocratie face à Pétain, et organisa un Comité National Français (septembre 1941), embryon d'un conseil des ministres et d'un gouvernement autonome.

● Tout change à la fin de 1942 avec l'invasion de la zone Sud par les Allemands. Les conditions locales deviennent partout identiques, le mythe Pétain s'effondre, en un temps où l'Allemagne n'apparaît plus invincible. Il devient urgent d'unifier la résistance, et de Gaulle envoie Jean Moulin, ancien préfet de Chartres, pour organiser une délégation générale, puis créer un Conseil National de la Résistance (C.N.R.) qui se réunit pour la première fois à Paris le 27 mai 1943. Jean Moulin, son premier président, est arrêté le 21 juin, et Georges Bidault lui succède.

● Le C.N.R. comprend 8 représentants des mouvements de résistance, 6 représentants des tendances politiques et 2 représentants des organisations syndicales. Toute la résistance se trouve ainsi unifiée, organisée en bureaux, commissions et groupes d'action, coiffée par le général de Gaulle qui est parvenu, contre les Américains et avec le soutien financier de l'Angleterre, à rallier les socialistes et même les communistes.

● Un chef et une organisation ne suffisaient pourtant pas, et il fallait surtout des armes et du matériel. La résistance ne fut jamais puissamment armée, et les réticences des Alliés en furent en partie responsables : les Américains hésitaient à parachuter des armes qui non seulement pouvaient tomber aux mains des Allemands, mais surtout pouvaient être utilisées, à la libération, par les communistes, qui, majoritaires dans les mouvements, risquaient de fomenter une action révolutionnaire.

● Les modes d'action n'en furent pas moins très nombreux et variés, depuis les renseignements transmis aux services secrets anglais ou américains, jusqu'aux sabotages des points stratégiques, en passant par les filières acheminant les résistants ou les Juifs en lieu sûr. La guerre psychologique n'a pas non plus été négligée, et les journaux comme *Combat* ou *Libération* ont pu être distribués à plus de 100 000 exemplaires, malgré l'action de la police de Vichy ou de la Gestapo.

● La forme la plus marquante fut l'organisation de maquis qui entreprirent d'immobiliser des troupes ennemies par des opérations de guérilla; à l'inverse de la Yougoslavie où Tito parvint à libérer ainsi le pays, les maquis français finirent presque tous tragiquement. Peuplés par les jeunes réfractaires au Service du Travail Obligatoire (S.T.O.), ils souffrirent des difficultés d'approvisionnement, et furent vaincus par l'action conjuguée des milices françaises et des troupes allemandes (Glières, février 1944; Ain, mars; Vercors, juillet; Mont-Mouchet, dans le Massif Central).

● Le 1er février 1944, furent officiellement créées les F.F.I., Forces Françaises de l'Intérieur, absorbant les formations militaires de tous les organismes, et visant à préparer le débarquement allié. Pour éviter que Paris ne fût placé sous administration alliée, les F.F.I. de Koenig et le C.N.R., entrèrent en insurrection dès le 18 août et libérèrent Paris, aidés par la 2e D.B. (Division Blindée) du général Leclerc, qui entre le 25 août 1944 dans une ville en liesse.

● Même si la résistance est toujours restée très minoritaire dans la population, elle a eu une importance considérable : sur le plan militaire, le général Eisenhower a parlé de l'équivalent de 15 divisions; sur le plan diplomatique, elle a contribué, avec la France Libre, à maintenir le pays dans la guerre aux côtés des alliés; sur le plan politique, elle a établi un programme politique et social qui est en grande partie passé dans les faits après la Libération (vote des femmes, nationalisations, sécurité sociale). ■

▶ *DE GAULLE / GUERRE, MONDIALE, SECONDE / VICHY, RÉGIME DE*

Le général de Gaulle avait lancé, de Londres, le premier appel à la résistance. Devenu chef des *Forces Françaises Libres*, il fut assez habile, lors de la Libération, pour faire rentrer dans la légalité tous les mouvements de résistance armée, en les amalgamant aux forces régulières.

La « bataille du rail », résistance des cheminots et des maquis, devait paralyser le mouvement des troupes allemandes vers le front de Normandie. Ainsi, la division *Das Reich*, qui venait du Sud-Ouest, fut accrochée dans le Massif Central et retardée dans sa montée vers la zone de débarquement.

RESPIRATION

● Exception faite des êtres anaérobies, la grande majorité des vivants consomme de l'oxygène pour dégrader les substances alimentaires en produisant de l'énergie. Cette dégradation consiste à oxyder les molécules biochimiques dont il ne restera plus que du gaz

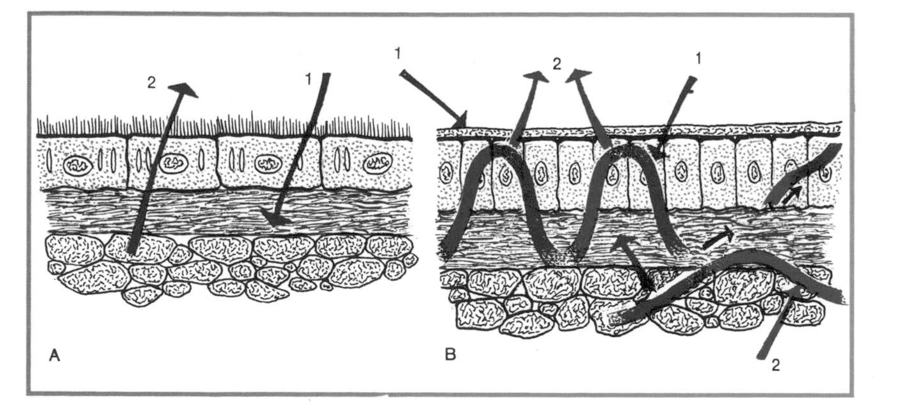

Les échanges gazeux au niveau de l'épiderme chez un ver privé de circulation (A), et chez un ver annelé pourvu de circulation (B). 1. oxygène 2. anhydride carbonique.

carbonique et de l'eau, à leur tour éliminés dans le milieu ambiant. Il s'agit là du principe de base de la respiration.

● Chez les protozoaires comme l'amibe, les échanges respiratoires se font directement à travers la membrane entre le cytoplasme et l'eau constituant le milieu ambiant. Même mécanisme chez les petits invertébrés, dont le faible volume lié à une surface corporelle proportionnellement énorme permet ces échanges directs. On note cependant l'apparition d'un système circulatoire assurant une meilleure répartition des aliments et de l'oxygène entre les différents organes. Certains hirudinés présentent, dans la région moyenne du corps, des paires de branchies richement irriguées, au niveau desquelles s'effectuent les échanges respiratoires entre le milieu ambiant et le sang.

● L'apparition de ces organes respiratoires est liée à l'augmentation du volume du corps. Les branchies se développent et se spécialisent chez les mollusques aquatiques.

● Une vie aérienne, toutefois, entraînerait rapidement le dessèchement et le racornissement de l'épithélium des branchies. Les gastéropodes terrestres se sont adaptés à ce nouvel environnement en développant un « poumon », un sac richement vascularisé, communiquant avec le milieu ambiant par un orifice : l'épithélium responsable des échanges gazeux se trouve donc à l'abri de la dessication.

● L'évolution a suivi une autre voie chez les insectes : lors de leur invasion du milieu terrestre, ils ont élaboré un système trachéen véhiculant directement l'oxygène de l'air jusqu'aux cellules des différents organes. Les trachées sont des tubes finement ramifiés qui s'ouvrent à l'extérieur du corps et permettent l'apport direct d'air aux tissus.

● Le système respiratoire le plus complexe s'observe dans la série des vertébrés. Les poissons respirent à l'aide de branchies portées par des arcs branchiaux osseux et parcourues par de nombreux capillaires. Au nombre de 4, ces arcs branchiaux sont irrigués par 4 arcs aortiques situés en amont du cœur.

● Les échanges gazeux s'effectuent à travers l'épithélium des branchies entre le sang et l'eau que le poisson absorbe par la bouche et rejette par les fentes operculaires. Le sang oxygéné sortant des branchies est distribué à tout le corps de l'animal. Chargé de gaz carbonique, et appauvri en oxygène, le sang retourne au cœur, qui le renvoie aux branchies. Pas plus que chez les mollusques qui ont colonisé le milieu aérien, les branchies des poissons ne conviennent nullement à la vie terrestre.

● Les vertébrés aériens ont développé des poumons, organes dont l'origine embryologique est totalement différente de celle des branchies. Ils se sont formés à partir d'une expansion ventrale de l'œsophage. Chez les amphibiens, ils s'ouvrent dans la cavité buccale. La spécialisation du conduit aérien en une trachée s'observe seulement chez les Sauropsidés et les mammifères. Apparus sous la forme de simples sacs, les poumons se perfectionnent : l'apparition d'alvéoles (3 à 4 millions par poumon chez l'homme) étend la surface d'échange entre l'air et le sang.

● Cette spécialisation du système respiratoire a entraîné une évolution du système circulatoire aboutissant à la formation de 2 systèmes distincts, la circulation générale et la circulation pulmonaire.

● Les poumons les plus rudimentaires s'observent chez les poissons dipneustes. Les amphibiens respirent à l'aide de branchies au stade larvaire, et ne développent de poumons, d'ailleurs rudimentaires, qu'au stade adulte (une grande partie des échanges respiratoires s'effectue directement à travers la peau). Le ventricule unique, dans lequel se déversent les deux oreillettes, mélange encore sang veineux et sang artériel. Le ventricule, partiellement cloisonné chez les reptiles, aboutit à une séparation totale chez les oiseaux et les mammifères. Les poumons des oiseaux sont formés d'un grand

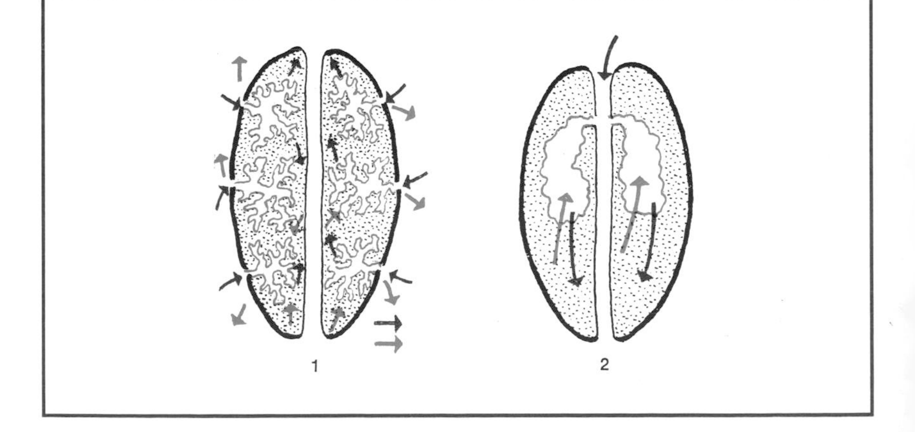

Deux types d'organes respiratoires : 1. trachées 2. poumons. En rouge, l'oxygène, en bleu, l'anhydride carbonique.

nombre de parabronches, petits tubes parallèles d'où se détachent des capillaires aériens qui jouent le même rôle que les alvéoles chez les mammifères.

● Les échanges gazeux entre l'air contenu dans les poumons et le sang des capillaires sont basés sur les différences de pression partielle du gaz carbonique et de l'oxygène : il est indispensable de maintenir dans la cavité pulmonaire une pression partielle élevée d'oxygène et une pression partielle faible de CO_2. C'est le rôle de la ventilation pulmonaire, assurée par le mouvement des côtes sous l'action des muscles thoraciques, et par les contractions du diaphragme. Dans les conditions normales, seule l'inspiration est un phénomène actif, les muscles expirateurs n'intervenant qu'en cas de ventilation forcée.

● Chez l'homme, les poumons renferment constamment un volume résiduel (environ 2,5 l), auquel s'ajoute 5 à 600 ml d'air inspiré puis expiré.

● Les mouvements ventilatoires mettent en jeu plusieurs muscles qui sont sous la dépendance de centres nerveux, principalement le bulbe.

● Ces centres présentent une activité rythmique autonome, qui peut être modulée par des stimulations venant de divers récepteurs ou du système nerveux central supérieur. Il existe un centre inspiratoire et un centre expiratoire plus ou moins imbriqués, chaque centre provoquant l'inhibition de l'autre. Les centres respiratoires bulbaires sont directement sensibles à la concentration en gaz carbonique du sang qui les irrigue : son augmentation entraîne une augmentation de l'amplitude et de la fréquence des mouvements respiratoires.

● Ce mécanisme est renforcé par l'intervention de récepteurs situés dans les poumons, au niveau de la crosse aortique et au niveau des carotides. Une inspiration profonde provoque une excitation nerveuse qui entraîne automatiquement une expiration. Inversement, une rétraction des poumons fait naître une excitation inspiratoire. La diminution du taux d'oxygène dans le sang est perçue par les glomérus carotidien et aortique, récepteurs chimiques, ce qui entraîne une augmentation de la respiration.

● L'exercice musculaire n'est possible que par un accroissement de la consommation d'oxygène par les muscles et un rejet de CO_2 plus important dans le sang; il provoque, de ce fait, une accélération du rythme et une augmentation de l'amplitude respiratoires. Cependant tous ces mécanismes automatiques peuvent être influencés par les centres nerveux supérieurs puisqu'il est possible, dans certaines limites, de faire varier volontairement notre rythme respiratoire. Une émotion peut également perturber le rythme normal. ■

▶ *CIRCULATION / ÉVOLUTION / POUMONS*

Cédant à la pression des députés, le gouvernement de Louis XVIII dresse la liste de dix-neuf généraux jugés responsables du retour de Napoléon lors des Cent-Jours. La victime la plus célèbre est le maréchal Ney, condamné à mort par la Cour des Pairs et fusillé à Paris le 7 décembre 1815.

RESTAURATION FRANÇAISE

● Pour remplacer Napoléon Ier à la tête de la France, les Bourbons ne disposaient que des deux frères de Louis XVI, un petit gros de 60 ans, Louis XVIII, et un grand maigre, orgueilleux et bête, le futur Charles X. Tous deux, revenus d'exil dans les fourgons des armées étrangères, entendaient bien mettre un terme à tous les bouleversements qui avaient agité les Français depuis un quart de siècle, et agir comme si la Révolution et l'Empire n'avaient pas existé. Le roi est mort, vive le roi! Peu importait de savoir si, entre les deux, plus de vingt ans s'étaient écoulés.

● Cet état d'esprit s'était manifesté, dès 1814, avec le rétablissement des vieux principes monarchiques, le droit divin, l'hérédité dynastique et le drapeau blanc. Les cendres de Louis XVI et de Marie-Antoinette furent transférées à Saint-Denis; les émigrés retrouvèrent de hautes fonctions et furent même intégrés dans l'armée avec le grade qu'ils avaient obtenu en combattant dans les armées étrangères contre les troupes impériales. La « 18e année du règne » de Louis XVIII était donc bien placée sous le signe de la réaction.

● Mise entre parenthèses, mais aussi lutte ouverte contre tout ce qui rappelait trop nettement un passé tristement populaire : Fouché dressa des listes de « coupables » qui furent jugés et condamnés (Ney fut exécuté); les royalistes du Midi se livrèrent à une véritable terreur blanche, massacrant les mamelucks de l'Empereur à Marseille, assassinant le maréchal Brune à Avignon et jetant son corps dans le Rhône; le gouvernement supprima l'Université.

● Mais il était impossible de faire table rase du passé, et Louis XVIII, fin politique, le sai-

Le discrédit de la monarchie restaurée était tel que pour faire face à la crise économique, on dut faire appel à des banquiers étrangers qui prêtèrent de l'argent au taux exorbitant de 52,50 % !

sit. Il savait qu'il ne devait son trône qu'aux tractations de Talleyrand et de Fouché, et qu'il ne pourrait le conserver qu'en obtenant le soutien ou, au moins, la neutralité des paysans et des bourgeois.

● Les premiers étaient attachés à l'abolition des droits féodaux; la bourgeoisie entendait que soient respectés l'égalité devant la loi, le principe de la représentativité, et surtout la propriété des biens nationaux que la Révolution avait revendus après les avoir confisqués au clergé et aux nobles émigrés, qui en réclamaient la restitution. Les « Alliés » eux-mêmes, Anglais et Autrichiens notamment, craignaient les excès d'une réaction qui risquerait de provoquer une nouvelle révolution.

● Louis XVIII dut donc octroyer en 1814 une Charte constitutionnelle qui instituait deux Chambres sur le modèle britannique, une Chambre des pairs héréditaire, et une Chambre des députés élue au suffrage censitaire. L'initiative des lois était réservée à l'exécutif exercé par des ministres responsables devant le roi. La chambre ultra-royaliste élue en 1815, après le court épisode des Cent Jours qui vit le retour triomphal de Napoléon, est dissoute dès 1816, et le roi Louis XVIII va s'efforcer de suivre les royalistes modérés dans une voie moyenne (1816-1820). La gauche en profite et emporte la majorité des sièges en 1819.

Allégorie de Daumier : le peuple (pauvre mouton) est tondu par le bourgeois.

Talleyrand (1754-1838) opportuniste ou patriote réaliste? Évêque d'Autun sous l'Ancien Régime, chef du clergé sous la Constituante, le voici prince de Bénévent, peint par Prudhon, revêtu de sa tenue de Grand Dignitaire d'Empire, brodée de soie et de velours. Puis il rompt avec Napoléon et devient le principal artisan de la Restauration des Bourbons. Après 1830, il se rallie à la Monarchie de Juillet.

● Au Parlement, les ultras, dirigés par Polignac et Villèle, ne sont plus que 100, alors que les Constitutionnels sont 142 et les Libéraux de Manuel une vingtaine. Le roi va donc gouverner avec le duc de Richelieu d'abord, puis avec son favori Decazes, ancien ministre de la police.

● Ils font passer trois lois libérales qui tentent d'assimiler certaines des grandes options de la Révolution : par la loi électorale de 1817 instaurant le scrutin direct pour l'élection des députés, ils entérinent la nouvelle puissance des moyens propriétaires; par la loi Gouvion Saint-Cyr (1818) assurant le recrutement militaire par tirage au sort et permettant à tous d'accéder au grade d'officier, ils enlèvent à l'aristocratie l'un de ses derniers privilèges; par les lois de 1819 supprimant la censure sur la presse, ils rassurent la bourgeoisie libérale.

● Cette évolution va être contrariée par l'opposition croissante des ultras, par la poussée des libéraux, et par l'assassinat en 1820 du duc de Berry, petit-fils du futur Charles X et héritier du trône. Cet assassinat allait déclencher de nouveau la réaction et amener la domination des ultras (1820-1830).

● Le durcissement est politique, social et moral. Sur le plan politique, la loi du double vote (1820) ajoute aux 262 députés élus en collèges d'arrondissement 172 députés élus en collèges de département par les plus riches propriétaires. Les plus fortunés peuvent donc voter deux fois, et une nouvelle Chambre ultra est élue, amenant Villèle, un ultra, au pouvoir.

● L'avènement de Charles X, comte d'Artois, en 1824, accentue l'évolution réactionnaire du régime; d'allure jeune et sportive malgré ses 67 ans, le nouveau souverain n'a pas la souplesse de son frère, et il entend régner en s'appuyant seulement sur l'Église et sur les ultras.

● Dans le domaine social, le gouvernement s'attaque à l'opposition libérale, organisée comme en Italie en sociétés secrètes (Charbonnerie). Les complots sont durement réprimés, et quatre sergents de la Rochelle sont exécutés sur de simples présomptions. La censure est rétablie, la Garde nationale est dissoute, un don d'un milliard est octroyé aux émigrés. Pour que l'emprise sur la population soit plus complète, le régime entreprend enfin un « retour à la moralité ».

● D'imposantes missions visent à rechristianiser le peuple et, par exemple, en 1821, à Cherbourg, près de 70 000 personnes défilent derrière une croix haute de 20 mètres. En 1823, le préfet de l'Aisne traduit en justice des villageois qui avaient dansé le dimanche. Les Jésuites peuvent revenir et l'Université passe sous le contrôle de l'Église en la personne de Mgr Frayssinous. Les autorités n'hésitent pas à promettre la mort à ceux qui commettraient un sacrilège.

● Un tel durcissement ne pouvait qu'exaspérer une population attachée à ses libertés fondamentales. Les républicains commencent à s'agiter avec des journalistes comme Paul-Louis Courier ou des écrivains comme Sainte-Beuve, et réclament le retour au drapeau tricolore et au suffrage universel.

● Les Constitutionnels, regroupant une bonne partie des intellectuels, des commerçants et des industriels, s'opposent à un tel retour à l'Ancien Régime et au protectionnisme économique nuisible aux intérêts de la grande bourgeoisie; ils se regroupent derrière Royer-Collard, Guizot et Thiers.

● Quelques ultras, même, passent dans la dissidence, pour des motifs d'ambition personnelle (Chateaubriand), ou parce qu'ils n'approuvent pas l'alliance du Trône et de l'Autel (Lamennais).

● La Chambre doit être dissoute en 1828, mais la victoire des Constitutionnels contraint Villèle à démissionner. Celui-ci est remplacé par le libéral Martignac qui louvoie et est finalement renversé en 1829. Charles X décide alors une véritable épreuve de force en faisant appel au plus dur des ultras, le prince de Polignac qui choisit ses ministres contre l'avis des députés, en particulier le général de Bourmont qui avait abandonné Napoléon en 1815. C'était violer la Charte.

● Croyant en sa popularité, et soucieux de tirer profit de la prise d'Alger (1830), Charles X élabore en juillet avec son ministre 4 ordonnances qui assurent un retour décisif à l'Ancien Régime La nouvelle Chambre est dissoute avant sa réunion; le système d'élection n'est plus fondé que sur l'impôt foncier, ce qui désavantage considérablement la bourgeoisie industrielle et commerçante; la censure est rétablie; les nouvelles élections sont fixées à septembre.

● Le journal *Le National*, avec Adolphe Thiers, publie le 27 juillet une proclamation protestant contre ces ordonnances. Le soir, des barricades sont édifiées, et, le 28, les ouvriers, les étudiants et les gardes nationaux occupent l'Hôtel de Ville. Le 29, le Louvre et les Tuileries sont pris, Charles X abdique en faveur du duc de Bordeaux (son petit-fils) avant de fuir en Angleterre, et les bourgeois confisquent la révolution populaire en offrant la couronne au duc d'Orléans.

● Pour avoir méconnu les profonds bouleversements économiques, sociaux et politiques introduits par la Révolution et l'Empire, le régime de la Restauration tombe, à la surprise générale, en trois jours, les « Trois Glorieuses » de juillet, qui devaient marquer l'avènement d'un régime bourgeois. ■

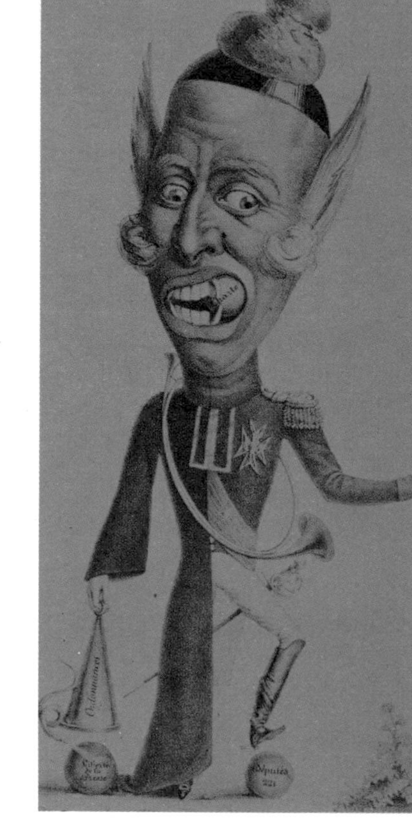

Charles X se casse les dents sur la Charte. Plutôt que de se soumettre à la volonté du pays qui demande le renvoi de Polignac, il élabore en secret les Ordonnances de Juillet, violation flagrante de la Charte. « Les concessions ont perdu Louis XVI, j'aime mieux monter à cheval qu'en charrette ».

Le retour des émigrés suscite la joie des aristocrates, et l'on danse aux Tuileries. Louis XVIII, d'ailleurs, ne se priva pas d'anoblir : il créa 17 ducs, 80 marquis, 83 comtes, 62 vicomtes et 215 barons sans oublier 785 simples lettres de noblesse.

RÊVE

● Le rêve, phénomène le plus intime de notre vie individuelle, a joui, à toute époque, d'un certain prestige non seulement auprès des poètes mais aussi des hommes d'action les plus engagés dans la vie sociale. Les Grecs s'inquiétaient de leurs songes avant de livrer les grandes batailles et leur accordaient une valeur prophétique. Les prêtres et les médecins pratiquent encore dans certaines sociétés l'oniromancie, pour communiquer avec les dieux ou guérir les maladies; les vieilles « clefs des songes » connaissent aujourd'hui le succès, autant que les horoscopes, dans la population européenne.

● Le mérite de Freud est d'avoir proposé une méthode scientifique d'analyse du rêve qu'il considérait comme « la voie royale menant à l'inconscient ». En dépouillant méthodiquement la littérature existant sur le sujet, en se penchant sur les rêves de ses malades et sur ses propres rêves

En étudiant le sommeil à l'aide d'électro-encéphalographes, on a pu arriver aux conclusions suivantes : les phases de rêve se produisent généralement cinq fois par nuit, sont de plus en plus longues, et durent environ une heure trente pour un sommeil de huit heures.

(au cours de l'auto-analyse qu'il pratiqua entre 1895 et 1900), le « père de la psychanalyse » trouva « la clef des névroses ». La publication de l'ouvrage *la Science des Rêves* en 1900 passa toutefois inaperçue.

● Le rêve a une signification et mérite une interprétation. L'interprétation est relativement facile dans le cas des rêves clairs, brefs et simples des enfants; elle est difficile dans le cas des rêves obscurs, énigmatiques, extravagants, des adultes. Dans ce dernier cas, la « méthode des associations libres » employée par Freud avec les hystériques a démontré que le rêve revêt un aspect étrange, complexe, dans la mesure où il exprime, sous une forme « déguisée, déformée, dissimulée » des tendances profondes, inavouées, refoulées hors de la conscience du sujet.

● Comme toute manifestation de l'inconscient, le rêve est une réalité à double niveau : le niveau manifeste (ensemble de signes déchiffrables, semblables aux éléments d'un rébus) et le niveau latent (ensemble des « motifs » inconscients). Freud voit dans le contenu manifeste du rêve l' « accomplissement obscur de désirs latents ». Le climat angoissant de certains rêves (cauchemars) n'est que l'effet de la censure du surmoi qui s'exerce jusque dans le sommeil à l'encontre de tout désir qui s'exprime inconsidérément.

● Toujours plus ou moins lié à des événements récents (survenus dans la journée précédant le sommeil), le rêve ravive des impressions anciennes, remontant souvent au premier âge. « Plus on analyse, plus on découvre des traces d'événements d'enfance qui ont joué dans le contenu latent le rôle de source de rêves ». Ce sont des « chaînes d'idées » qui relient les situations anciennes aux événements présents et ce n'est que par « allusion » que la « scène de notre enfance » est représentée dans le contenu manifeste.

● Le contenu du rêve est une transcription des « pensées du rêve ». Divers mécanismes président à l'élaboration onirique; la condensation (chaque élément renvoie à plusieurs significations, il est un amalgame, « un nœud où se rencontrent de nombreuses associations d'idées », le rêve est bref, pauvre, laconique, comparé à la richesse et à l'ampleur des pensées du rêve); le déplacement (le rêve donne une plus grande valeur à des éléments de moindre importance, il y a transfert des intensités psychiques des différents éléments).

● Par ailleurs, le rêve utilise une symbolique (qui est aussi celle des mythes, légendes, jeux de mots, aspects de « l'inconscient collectif ») pour la figuration déguisée des pensées latentes. Cette symbolique est essentiellement sexuelle : les objets allongés, les chapeaux, les parapluies représentent le pénis (organe sexuel masculin); les coffrets, les armoires, les vases et les caisses sont des substituts du vagin; la perte des dents ou des cheveux évoque la castration; les rêves de chute ou d'envol renvoient aux activités sexuelles également. L'analyse des rêves paraît donc d'un grand intérêt pour le traitement des névrosés.

● Si, au réveil, nous sommes le plus souvent incapables de raconter un rêve, ou si nous le déformons (« élaboration secondaire »), c'est parce que nous nous défendons (inconsciemment) des idées qu'il exprime et que nous jugeons absurdes, contradictoires, indécentes.

● Ainsi, nous évoquons difficilement deux types fréquents de rêves : les rêves de nudité (expression de tendances voyeuristes ou exhibitionnistes), les « rêves de mort de personnes chères » (expression de sentiments de type « œdipien », à la fois tendres et hostiles à l'égard de l'être aimé).

● Freud a bien souligné que le rêve est partie intégrante du sommeil et que, loin d'en être le perturbateur (on pensait jadis qu'il était la production d'un cerveau « inefficient, pauvrement oxygéné »), il en est « le gardien ». La neurophysiologie n'était pas toutefois suffisamment développée à son époque pour qu'il explique le phénomène, du point de vue organique. L'électro-encéphalographie et la biochimie apportent depuis peu de précieuses indications.

● L'état onirique, comme le

Le rêve et le fanstastique inspirèrent à H. Füssli plusieurs toiles intitulées *le Cauchemar*. Dans une chambre tendue de lourdes draperies, des créatures monstrueuses montent la garde auprès d'une dormeuse qui semble évanouie de terreur.

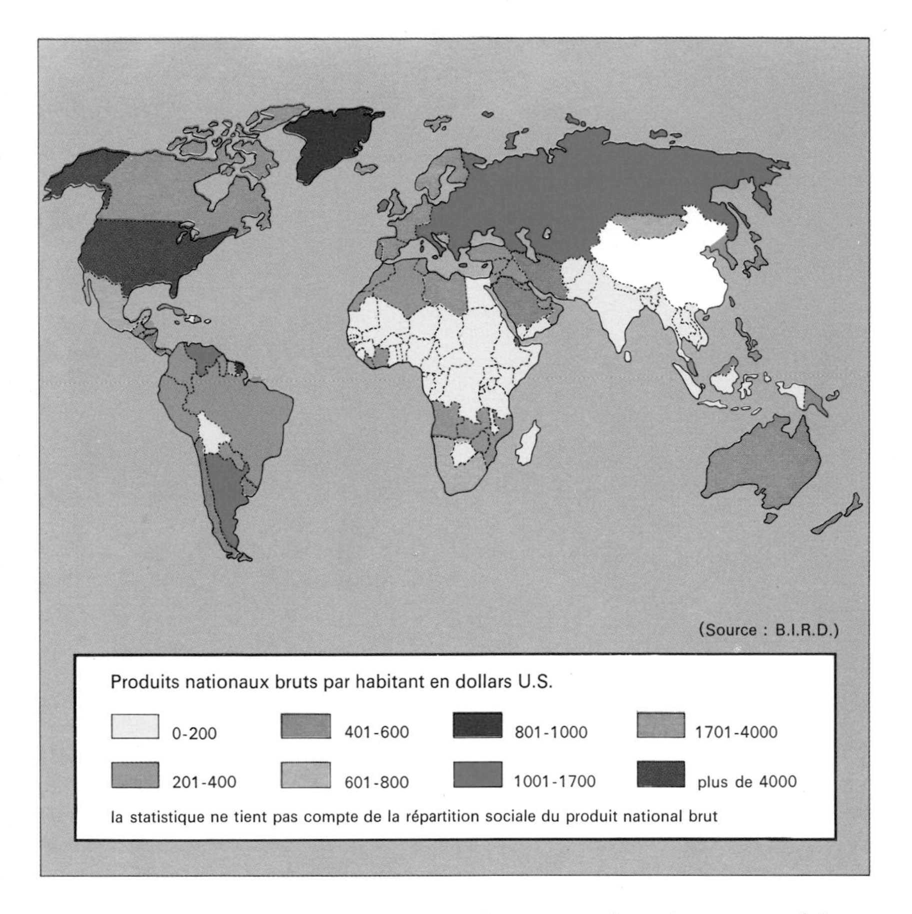

prouvent les expériences de Jouvet à Lyon, est lié au sommeil paradoxal (type de sommeil rapide, profond, avec « mouvements oculaires », se produisant un certain nombre de fois au cours de la nuit); il met en jeu des neurones appartenant à la région bulbo-pontique (rhombencéphale) et implique des mécanismes hormonaux (hormones hypophysaires). Si le rêve est observable chez tous les mammifères (où il a sa place parmi les cycles biologiques fondamentaux), il a une ampleur particulière chez l'homme (20 % de son temps de sommeil normal) en raison de la complexité des états psychologiques qu'il sous-tend. ■

REVENUS

● On appelle revenu d'un agent économique la somme totale des rémunérations qu'il perçoit au cours d'une période déterminée, par exemple une année. L'usage du pluriel, (déclaration des revenus, politique des revenus, etc...), peut être compris soit comme faisant référence à la multiplicité des agents bénéficiaires de revenus, soit à la variété des types de revenus que l'économiste a l'habitude de distinguer.

● Les revenus se constituent au terme de mouvements de distribution et de redistribution complexes, qu'on peut schématiser ainsi : rémunération par les entreprises des facteurs de production (travail et capital), concourant à la production de biens; transferts de revenus au profit de l'État (impôts directs sur le revenu, et impôts indirects sur les produits acquis); redistribution de revenus par l'État sous diverses formes d'allocations, de retraites et pensions, etc.

● On voit que la formation des revenus a lieu essentiellement au niveau de la production, et que leur classification peut être fondée sur celle des facteurs de production : les revenus du travail sont les salaires des ouvriers, des employés, des fonctionnaires, des ingénieurs, des professions libérales; les revenus du capital, ce sont toutes les formes de l'intérêt versé aux obligataires et créanciers de toutes sortes, les dividendes versés aux actionnaires, ainsi que les profits non distribués.

● Dans certains cas, il n'est pas possible de ventiler un revenu en fonction de ces critères. Ainsi, un artisan ou un agriculteur qui possèdent un peu de capital et travaillent de leurs mains, reçoivent un revenu mixte qui rémunère à la fois leur capital et leur travail.

● Le revenu national se répartissant en deux grandes catégories, revenus du travail et revenus de la propriété, la question se pose de savoir comment se fait cette répartition.

● Les économistes classiques ont mis au point une théorie selon laquelle un facteur de production quelconque est rémunéré selon son rendement propre. Il y aurait donc une justice distributive sécrétée par les mécanismes libéraux.

● Les économistes marxistes ont fait remarquer que le partage entre propriétaires du capital et travailleurs ne pouvait résulter que d'un rapport de forces. Il est exact que les facteurs de production coopérent pour la formation du revenu, que le travail sans capital, ou l'inverse, ne suffit pas à la production moderne. Mais au moment du partage, une lutte a lieu. Si les capitalistes ont accru leur capital, ce n'est que par une appropriation abusive des profits : « la propriété, c'est le vol », aux dires du socialiste français Proudhon.

● Qu'on se range dans l'une ou l'autre école de pensée, on doit constater que les salariés, d'une part, les entrepreneurs et possédants, de l'autre, se groupent en syndicats antagonistes et luttent pour la défense de leurs intérêts propres.

● L'augmentation des salaires est souvent répercutée sur les prix de vente. Il en résulte que les revenus réels des personnes dont les revenus ne s'élèvent pas aussi vite que les prix des marchandises qu'elles achètent, sont en fait, diminués. État de fait qu'exprime parfaitement la fameuse formule : « les prix montent par l'ascenseur

Par suite de l'inégalité entre les revenus, on trouve à côté de l'opposition entre l'Est (communiste) et l'Ouest (capitaliste) une opposition entre pays « riches » et pays « pauvres ». La récente revalorisation des prix de certaines matières premières (pétrole en particulier) a permis à certains États (Arabie Saoudite, Iran, Nigéria, Libye), jadis pauvres, d'échapper au sous-développement et de se doter de programmes d'équipement et d'industrialisation tandis que les autres pays continuent de s'appauvrir.

Boxers prisonniers des Occidentaux. En 1900, avec l'appui de l'impératrice Tseu Hi, les membres d'une société secrète, le Lotus Blanc, appelés Boxers par les Anglais, déclenchent le massacre des étrangers. La riposte militaire des 8 nations intéressées, sous le commandement du général allemand Waldersee, en vient à bout après 55 jours de lutte. Seule la défiance réciproque des Occidentaux les empêche alors de se partager la Chine.

et les salaires par l'escalier » : l'inflation profite aux riches.

● Si l'on veut éviter ces inégalités choquantes, tout en adaptant, d'ailleurs, la progression globale de revenus à celle du produit national, une politique des revenus s'impose.

● Il s'agit de faire admettre aux partenaires sociaux un certain éventail des salaires et des profits, tout en protégeant l'autofinancement des entreprises, nécessaire à la croissance et au plein emploi, cela tout en contrôlant l'inflation, c'est-à-dire en évitant que la demande (masse des revenus distribués) n'excède l'offre (masse des biens produits).

● La mise en œuvre de cette politique achoppe en France sur une difficulté : la méconnaissance des revenus exacts des différents agents économiques. Les salariés ont des revenus déclarés au centime près par les employeurs, mais qui connaît ceux des professions libérales, les profits des entreprises et des commerçants ?

● On comprend que ces évaluations difficiles entraînent de véritables luttes politiques. Tandis que la participation aux fruits de l'expansion, sans être passée dans les faits de façon absolue, a été appliquée çà et là, l'impôt sur les grandes fortunes (I.G.F.), institué par les gouvernements socialistes depuis 1981, essaie de parvenir à une meilleure répartition des revenus. L'intention est sans aucun doute louable! ■

RÉVOLUTION CHINOISE

● C'est dans une Chine séculaire qu'a eu lieu la dernière grande révolution prolétarienne. En fait il serait plus exact de parler de révolutions car la Chine a connu au XXe siècle tout un ensemble de bouleversements politiques, économiques, sociaux et culturels, qui ont fait d'un Empire millénaire et traditionnel un pays socialiste en pleine évolution.

● A la fin du XIXe siècle, la Chine était un empire paysan, dirigé par une aristocratie médiévale qui ne s'intéressait qu'à la guerre et écrasait un peuple misérable et résigné, auquel le confucianisme avait appris l'art de la résignation. L'administration impériale des mandarins était corrompue ou inefficace, et les seuls contacts avec le monde moderne étaient le fait de quelques colons occidentaux installés dans des concessions littorales et jouissant de considérables avantages commerciaux.

● Cette situation aurait très bien pu durer si le gouvernement avait agi avec plus de circonspection, mais le désastre de la guerre contre le Japon (1894-1895) secoua un peu la léthargie générale et incita à quelques réformes : par une tendance nouvelle vers un régime constitutionnel, par la réorganisation administrative, par la modernisation de l'enseignement, et par l'appel aux investissements étrangers, une bourgeoisie moderniste d'intellectuels, de fonctionnaires et de marchands put se développer et s'exprimer.

● La mort de l'impératrice Tseu Hi (1908) libère ces forces de rénovation menées par Sun Yat Sen qui organise une « Ligue jurée », noyau du futur Kouomin-tang (Parti national populaire). Ce jeune médecin défend trois principes : l'indépendance (à l'égard des Mandchous qui règnent à Pékin), un régime démocratique, le progrès économique. Inspirant de nombreuses actions insurrectionnelles, et profitant de l'indifférence des notables ruraux, il parvient à renverser l'empereur Pou-Yi et à se faire élire président de la nouvelle République chinoise, le 24 décembre 1911, à Nankin.

Un tribunal populaire à Canton, en 1926. A cette date, Mao Tse Toung y dirige l'Institut du mouvement des paysans et les communistes commencent à s'opposer à Chang Kaï-Chek.

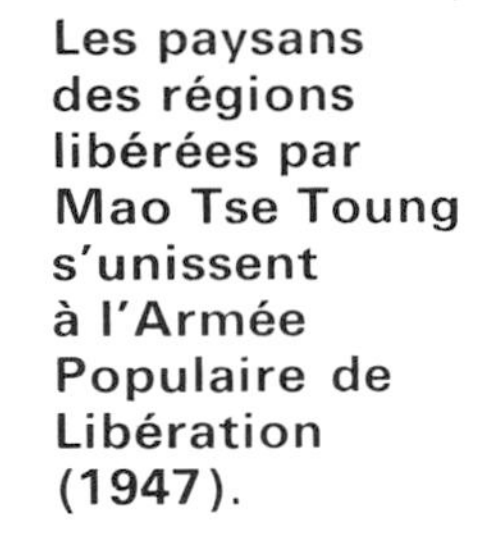

Les paysans des régions libérées par Mao Tse Toung s'unissent à l'Armée Populaire de Libération (1947).

● La lutte n'est pourtant pas finie car les notables se ressaisissent et remplacent Sun Yat Sen par Yuan Che Kaï, un militaire ambitieux qui rassure contre la menace d'une véritable révolution sociale; bien sûr, la république n'est pas abolie, mais le régime économique n'est pas transformé et les « seigneurs de la terre », les notables ruraux, dominent encore un pays de type féodal. A la mort de Yuan Che Kaï, en 1916, ils se livrent à de véritables guerres pour s'emparer du pouvoir.

● Les intellectuels et la bourgeoisie moderne se radicalisent, le Kouo-min-tang de Sun Yat Sen adopte les méthodes d'action du parti bolchevique russe et s'efforce de reconstituer la république à Canton. Aidé par un prolétariat industriel, peu nombreux mais actif, il lance le « mouvement du 4 mai » (1919) qui prend prétexte de l'attitude bienveillante des autorités à l'égard du Japon (cession d'importants territoires). C'est un échec, mais, désormais, la révolution s'oriente dans un sens socialiste.

● Un parti communiste chinois s'étant organisé dès 1921, Sun Yat Sen, maintenant adversaire du capitalisme occidental, fait adopter par le Kouo-min-tang le principe d'une alliance avec le P.C. Il se déclare même favorable à la donation de la terre aux paysans et de l'usine aux ouvriers, attitude qui lui permet d'obtenir le soutien de l'U.R.S.S. (janv. 1923). Il revient à Canton en février 1923 où il lève des milices syndicales, noyau d'une armée révolutionnaire confiée au général Tchang Kaï-Chek.

● A la mort de Sun Yat Sen (1925), Chang Kaï-Chek, qui a pris le titre de « Grand Maréchal » lui succède et achève la conquête de la Chine contre les seigneurs de la terre. Mais le soutien des masses paysannes et ouvrières soulevées l'effraie et il fait tout pour canaliser puis stopper le mouvement.

● Deux moyens s'offrent à lui : 1° obtenir la collaboration populaire par l'amélioration économique en édifiant toute une infrastructure économique (routes, chemins de fer) et en intensifiant la production de l'industrie lourde et cotonnière. Mais il le fait avec le concours des capitaux étrangers qui rendent la Chine totalement dépendante de l'Occident. 2° écraser les opposants en instaurant une dictature appuyée sur l'armée, et en rompant avec le P.C. et les syndicats contraints de vivre dans la clandestinité.

● C'est alors que, inspirée par Mao Tse Toung, une partie des communistes, menacés d'extermination, refuse la tactique des marxistes occidentaux qui donne le premier rôle au prolétariat urbain et à la propagande dans les masses, et se retire dans les plateaux du Nord-Ouest (Hou Nan, Kiang Si) où elle s'organise en soviets paysans. Ce réduit communiste résiste à plusieurs tentatives d'encerclement, mais en 1934, il doit céder, et les rescapés, 10 000 environ, partent pour une « Longue Marche » qui s'achève à Yenan où ils fondent une République Communiste chinoise. D'un côté donc un régime dictatorial coupé du peuple, de l'autre un régime populaire géographiquement isolé.

● L'agression japonaise de 1937 contre les côtes orientales allait remettre en cause cette étrange dualité. L'armée de métier du Kouo-min-tang ne suffit pas, et Chang Kaï-Chek doit faire appel aux troupes populaires de Mao Tse Toung (Armée Populaire de Libération). Alors que l'armée régulière se montre parfaitement incapable, les fidèles de Mao se livrent à une fructueuse guerre de guérilla qui leur permet de libérer des régions entières et de faire connaître à tous les doctrines marxistes.

● Après la capitulation japonaise de 1945, la guerre civile reprend, avec d'un côté le Kouo-min-tang bénéficiant de l'aide militaire américaine, et de l'autre les communistes qui jouissent de la confiance populaire et d'une grande expérience des combats de harcèlement. En 1949, les communistes sont maîtres de la Chine entière, et Mao Tse Toung devient

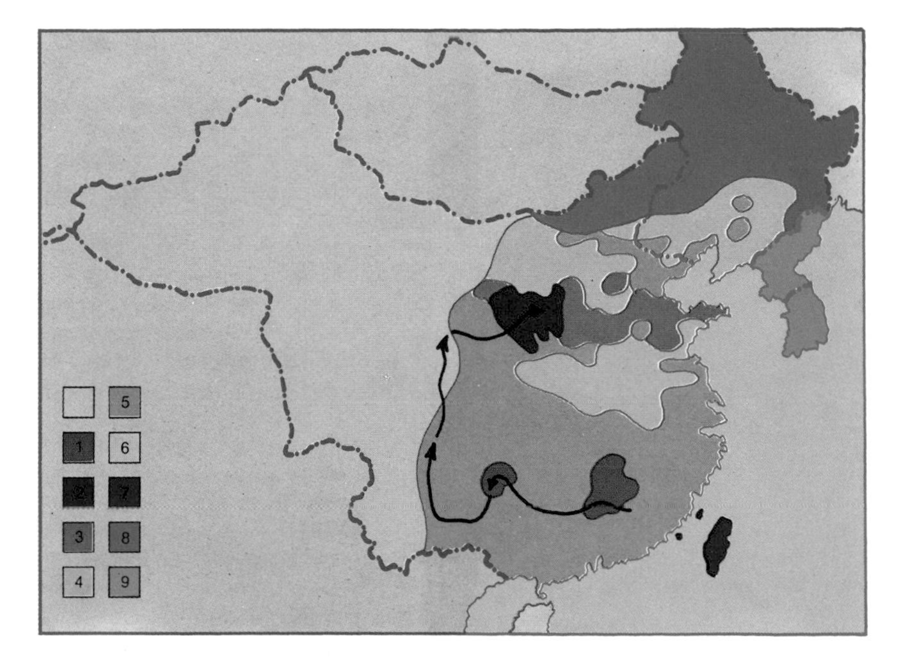

Carte de la révolution chinoise (1934-1950). Les différentes zones sous contrôle communiste : 1. en 1934 2. de 1936 à 1948 3. en avril 1947 4. en juillet 1948 5. en décembre 1949 6. en 1950 7. territoires contrôlés par le gouvernement nationaliste chinois à partir de 1949 8. zones contrôlées par les Russes de 1945 à 1948 9. Corée du Nord et du Sud. En noir : l'itinéraire suivi par l'Armée Rouge lors de la « Longue Marche » (1934-1936).

Mao Tse Toung fut l'un des fondateurs, en 1921, du parti communiste chinois, à Changhaï. Théoricien de la révolution paysanne, mis à l'index par le parti, il poursuivit sans relâche la conquête de la Chine, aidé par l'Armée Rouge, née en 1928 dans la clandestinité et sans cesse grossie par l'apport des masses rurales.

président de la république populaire de Chine, proclamée à Pékin le 1er octobre 1949. Chang Kaï-Chek doit se réfugier à Formose (Chine nationaliste).

● Mais la révolution ne faisait que commencer car il fallait non seulement reconstruire toute l'économie, mais le plus souvent aussi la créer de toutes pièces et réformer les structures sociales et les mentalités. C'est dans le domaine agraire que la révolution économique a connu ses succès les plus marquants : dès 1950, des tentatives d'organisation en coopératives eurent lieu, mais de façon très progressive, et la mise en valeur des terres fut entreprise.

● Le décollage industriel a été un peu plus tardif, mais le 1er plan quinquennal, à partir de 1953, a donné la priorité à l'industrie lourde : les objectifs ont été si rapidement atteints que le gouvernement crut le moment venu d'accélérer la réforme globale des structures économiques par la nationalisation des entreprises et la collectivisation des campagnes (en 1955-1956, 80 % des paysans furent regroupés en coopératives.

● Dès la fin de 1956, un nouveau plan de 5 ans fut mis en chantier, et en 1958, le gouvernement décida de mobiliser toute la population pour réaliser un « grand bond en avant »; les ruraux furent réunis en communes rurales populaires et des équipes de travail très spécialisées furent créées dans l'industrie.

● Mais cette tentative ambitieuse fut en grande partie un échec, et le gouvernement, réaliste, accepta une pause. Il n'en reste pas moins que la Chine a réussi à devenir en quelques années l'une des grandes puissances économiques mondiales.

● Plus importante encore est la révolution sociale et culturelle, car elle inspire bon nombre de révolutionnaires occidentaux. Opposé à la conception de la grande famille de type traditionnel, Mao a affranchi la femme (égalité totale des sexes, accès aux plus hautes fonctions) et favorisé la dislocation du groupe familial autoritaire. Il a éliminé ses principaux adversaires, s'appuyant sur les *gardes rouges*, armés et conditionnés idéologiquement. Intellectuels et cadres supposés dans l'oppostion sont persécutés et emprisonnés par des « comités révolutionnaires ».

● Après la mort de Mao, en octobre 1976, la bande des quatre (collaborateurs de Mao, parmi lesquels la propre femme de celui-ci) est arrêtée, on assiste au retour de Deng-Xiao-Ping, ancien collaborateur de Mao évincé et emprisonné en 1966. Deug-Xiao-Ping est réhabilité et exerce un pouvoir autoritaire. Le revirement de la situation amène de nouvelles « purges » et éliminations sur le plan politique. Mais surtout, à partir de 1984, le Comité central du Parti communiste chinois décide à l'unanimité la réforme du système économique, devant la faillite de la collectivisation à outrance. Les nouveaux dirigeants, tout en restant fidèles au marxisme, décident de laisser la place à l'initiative individuelle et à la libre entreprise et depuis le milieu des années 1980, la Chine a bénéficié d'un véritable renouveau économique.

● La politique extérieure elle-même a évolué. Un rapprochement avec Taïwan a été possible en 1986. Peut-on parler d'un nouveau visage du communisme? ■

Chœur d'enfants chinois. Nourris de la pensée de Mao contenue dans le *Petit livre rouge,* ils apportent à la Révolution une adhésion totale. En libérant la Chine de la faim et de l'oppression impérialiste, Mao est devenu le symbole de l'unité nationale.

▸ *CHANG KAI-CHEK / CHINE / KOUO-MIN-TANG / MAO TSE TOUNG / MARX ET MARXISME / SUN YAT SEN*

RÉVOLUTION D'ANGLETERRE

● Traditionnellement, le XVIIe siècle est considéré comme le siècle de l'absolutisme et de la récession économique. En Angleterre pourtant, deux révolutions aboutissent à une limitation du pouvoir royal, et une profonde mutation économique bouleverse ses structures pour en faire le premier des grands pays capitalistes. Si la comparaison s'impose avec les mouvements révolutionnaires qui ont agité l'Europe un siècle et demi plus tard, rien n'est tout à fait pareil dans cette île isolée, quatre fois moins peuplée que la France à la même époque (4,5 millions d'hab. contre 18 millions), où l'attachement aux valeurs traditionnelles ne va pas à l'encontre d'un souci très réaliste de progrès.

● Différence d'abord dans les structures économiques et sociales : l'Angleterre reste un pays essentiellement rural, mais les campagnes y sont en pleine transformation; pour rentabiliser et commercialiser la production, les gros propriétaires s'écartent du système ancien de l'assolement triennal et n'hésitent pas à clore leurs terres (enclosures) pour y élever intensivement les moutons producteurs de laine et favoriser le commerce du drap.

● Les petits paysans, qui menaient paître leurs bêtes sur les friches communales, ne le peuvent pratiquement plus, vendent ce qui leur reste et s'en vont à la ville où ils espèrent trouver du travail. Ils parviennent ainsi à s'employer dans les manufactures drapières, dans les mines de charbon, ou dans diverses industries qui se développent dans les ports et surtout à Londres; mais leur situation y est misérable, car l'essor industriel repose beaucoup moins sur des progrès techniques que sur l'exploitation même du travail humain.

● Toute la société anglaise s'en trouve profondément bouleversée : la vieille et riche aristocratie, très liée au roi dont elle attend des faveurs, somnole dans son luxe, alors qu'une active et déjà puissante gentry achète des terres, forme des compagnies par actions (parmi les premières au monde) pour l'industrie ou le commerce (Compagnie des Indes Orientales), et s'approprie toutes les charges administratives locales (juges de paix...) par lesquelles elle contrôle en fait tout le pays. Elle réclame un pouvoir politique qu'elle n'a pas et s'appuie sur tous les laissés pour compte de l'expansion, les petits paysans et les ouvriers misérables.

● Un fossé se creuse donc entre le roi appuyé sur une aristocratie dévouée, et la gentry montante appuyée sur le mécontentement populaire. Ce fossé est accentué par une division religieuse qui reflète les divisions sociales : face à l'anglicanisme dont le roi est le chef suprême, organisé suivant un strict modèle hiérarchique mais qui s'efforce souvent de protéger les plus pauvres, le puritanisme développe une doctrine de type calviniste favorisant des notions de type mercantile et remettant en cause les autorités. Les puritains souffrent à cette époque d'une terrible persécution, tout comme les catholiques d'ailleurs.

● Ces tensions vont se cristalliser sur le problème des pouvoirs royaux. Les Stuarts, Jacques Ier et Charles Ier, écossais d'origine, défendaient la toute-puissance royale, la Loi et le Parlement dépendant totalement du roi. Le Parlement au contraire, animé par de nombreux membres de la gentry et de la bourgeoisie urbaine, se fondait sur la Grande Charte (1215) et sur la coutume pour réclamer une part de la souveraineté conjointement avec le roi.

● Mais la réalisation de l'absolutisme exigeait une solide indépendance financière du souverain; Elisabeth Ire avait compris que seules de rigoureuses économies pouvaient lui assurer la prééminence; pour l'avoir méconnu, les Stuarts durent faire appel au Parlement qui, seul, pouvait leur accorder des subsides extraordinaires. Dès lors, il fallait ou accepter un contrôle parlementaire, ou plier le Parlement par la force.

● De 1629 à 1640, Charles Ier a pu gouverner sans Parlement, mais la désastreuse expédition d'Écosse, visant à écraser les presbytériens qui refusaient l'épiscopat anglican, le conduit à en demander l'aide financière. Le Parlement en profite pour élaborer un catalogue de doléances, la Grande Remontrance (23 nov. 1641); le roi accepte tout d'abord de sacrifier ses conseillers, Strafford en 1641, et Laud, l'archevêque de Canterbury, exécuté en 1645; il s'efforce ensuite de faire arrêter les chefs de l'opposition, puis plante son étendard de guerre sur la grande place de Nottingham et déclare

« C'est l'évidence même que le Roi est le maître de tous les biens. Il tire son droit de Dieu et n'a de comptes à rendre qu'à Dieu. Il ne relève que de sa conscience ».

Jacques Ier Stuart.

Exécution de Charles Ier Stuart décapité le 9 février 1649. Condamné comme traître à la patrie, le roi resta fidèle à ses principes politiques et religieux et conserva jusqu'à la fin une attitude noble et courageuse.

La Révolution doit s'achever à la perfection du bonheur.

Saint-Just

la guerre aux rebelles de Westminster.

● Le Parlement, mené par John Pym, recrute une armée, les Têtes rondes, qui, sous la direction d'Olivier Cromwell, écrase les « Cavaliers » à Marston Moor (1644) et à Naseby (1645). Le roi se réfugie en Écosse, mais il est livré et exécuté en 1649. Pour la première fois en Europe un grand État adopte un régime républicain.

● Mais ce régime parlementaire, représentant les classes riches, ne convient pas à l'armée, plus radicale; Cromwell épure plusieurs fois le Parlement, qui devient le Parlement croupion, et finit par instaurer une dictature puritaine en prenant le titre de Lord Protecteur. Il obtient d'importants succès contre les Hollandais (Acte de Navigation de 1651 rendant obligatoire le commerce sur des bateaux anglais) et contre l'Espagne, mais à sa mort, en 1658, son fils Richard ne parvient pas à conserver le pouvoir, et le général Monk rétablit la monarchie (1660).

● Sous Charles II, l'ancienne opposition Roi-Parlement réapparaît et deux partis s'ébauchent dans l'assemblée : les Whigs, bourgeois adversaires des Stuarts, et les Tories, anglicans fidèles au roi mais attachés aux prérogatives parlementaires. Souvent majoritaires, les premiers font voter le *Bill Habeas Corpus* (1679) qui protège les individus contre les arrestations arbitraires. Jacques II succède à son frère en 1685, mais il est beaucoup moins souple que lui, est imbu d'absolutisme, et surtout, c'est un fervent catholique.

● L'opinion anglaise, qu'elle soit anglicane ou puritaine, est obsédée par la crainte d'un retour au papisme (puissance du pape), et s'émeut à la naissance d'un héritier au trône, Jacques III, qui crée le danger d'une dynastie catholique durable. Alors que le roi s'entend avec Louis XIV pour obtenir des subsides, les chefs de l'opposition font appel au Stathouder de Hollande Guillaume d'Orange, époux de Marie, la fille aînée du roi. Le 5 novembre 1688, les troupes de Marie et de Guillaume débarquent à Torbay.

● Abandonné de tous, Jacques II se réfugie en France, pendant que le Parlement reconnaît les nouveaux souverains qui souscrivent à une Déclaration des Droits (*Bill of Rights*, 1689) garantissant les libertés individuelles et collectives. Cette glorieuse révolution, accomplie sans effusion de sang, marque une nouvelle étape de l'Angleterre vers le régime constitutionnel. Elle assure enfin l'accès au pouvoir de l'oligarchie marchande. ■

▶ *CROMWELL / GRANDE-BRETAGNE / PURITAINS*

RÉVOLUTION FRANÇAISE

● La Révolution française, traditionnellement limitée à la décennie 1789-1799, est un moment privilégié de l'histoire de France et du monde. Pourtant, elle fut précédée de plus d'un siècle par la révolution anglaise (1649, puis 1689), et intervint à une époque de profonds bouleversements révolutionnaires dans toute l'Europe (Irlande, 1780, Provinces Unies, 1783-1787, Genève, 1782, Pologne, 1788), et aux États-Unis, qui réussirent à se débarrasser des Anglais et à fonder une république avec un gouvernement constitutionnel (1770-1783). Qu'est-ce qui pouvait donc tant agiter les esprits en cette fin du XVIIIe siècle, et pourquoi le cas français a-t-il pris une telle importance?

● Pour faire une révolution, il faut des mécontents, un mécontentement, souvent d'origine économique, et une étincelle qui fasse sauter la poudre.

● Sur les 26 millions de Français, 500 000 l'étaient à part entière, alors que le Tiers État (près de 90 % de la population) supportait tout le poids des charges. Les privilégiés auraient dû être satisfaits, et pourtant tout n'allait pas pour le mieux dans leurs rangs.

14 juillet 1789 : prise de la Bastille et arrestation de son Gouverneur le marquis de Launay. Il sera lynché par la foule, et sa tête tranchée promenée au bout d'une pique jusqu'au Palais-Royal.

Le premier ordre, celui du clergé, la plus grande puissance financière du royaume, qui jouit encore d'un grand ascendant sur la population grâce aux établissements charitables et scolaires qu'il entretient, est miné intérieurement par deux facteurs : une crise dans le haut clergé, composé des cadets des familles nobles, comme le cardinal de Rohan ou Talleyrand, que leurs familles, plus que leur vocation, ont poussés dans les ordres; un fossé élargi entre ce haut clergé aristocratique et le bas clergé souvent misérable, très lié au peuple et véritable porte-parole des revendications paysannes.

- La noblesse bénéficie elle aussi de nombreux privilèges, parmi lesquels les droits seigneuriaux comme la corvée ou l'exemption de la taille; mais elle est divisée en noblesse de cour et noblesse provinciale, en haute et petite noblesse, et sa situation économique n'est pas à la hauteur du rang qu'elle prétend tenir. Les familles vivant à Versailles s'y endettent et souffrent du problème de la dérogeance qui leur interdit tout travail manuel, y compris la participation aux activités industrielles ou commerciales. Elles cherchent donc à s'approprier une partie des prérogatives royales afin de mieux pouvoir s'enrichir aux dépens des paysans et de la bourgeoisie.
- Face à ces classes dominantes divisées et appauvries, se dresse le Tiers État, très divisé socialement entre la bourgeoisie et le peuple, mais également dressé contre tous les privilèges. La bourgeoisie riche et active va s'efforcer de profiter de la revendication paysanne pour réclamer l'abolition du régime féodal qui l'opprime, et utiliser les ouvriers exploités comme fer de lance de sa révolution. Dans ces efforts, elle va profiter de la transformation des conditions économiques qui accroit le nombre des mécontents.
- La poussée démographique, commencée dès 1730, amène sur le marché du travail une masse de jeunes qui ne trouvent plus de terres à travailler et vont grossir dans les villes le groupe des chômeurs et des vagabonds. Dans les

Le pantalon (ou la jupe) de bure à rayures remplace désormais la culotte que les révolutionnaires considéraient comme le symbole de l'Ancien régime. Le terme de sans-culotte, inventé par les aristocrates, fut repris avec fierté par les patriotes et désigna par la suite les révolutionnaires les plus avancés.

campagnes, les tentatives de rationalisation qui tendent à supprimer les petites parcelles et les communaux, sur lesquels tous les petits paysans pouvaient mener paître leurs bêtes, accroissent la misère des plus pauvres et ne profitent qu'aux grands propriétaires.
- Dans les villes, la révolution industrielle ne fait que commencer, et la bourgeoisie est mécontente de la concurrence d'une Angleterre qui a plus de 20 ans d'avance.
- Ainsi, les transformations économiques créent un clivage de plus en plus net entre les pauvres, de plus en plus pauvres, et les riches, sans pourtant satisfaire une bourgeoisie écartée des grandes décisions politiques et économiques.
- Face à cette situation explosive, le régime en place n'avait à opposer que des structures vieillies et incohérentes. Le roi tout puissant était un faible débonnaire, entouré de courtisans avides, l'administration n'était pas unifiée (tout changeait en changeant de province), et le bénéfice des impôts allait aux fermiers généraux. Rien donc qui puisse permettre au roi de réagir en face d'une éventuelle menace.
- Il n'y avait plus qu'à attendre l'étincelle.
- Celle-ci devait être double : une série d'intempéries entraîna de sérieuses difficultés dans le monde paysan; en même temps, une crise industrielle touchait les manufactures, qui durent renvoyer une partie de leur personnel, aggravant le malaise dans les villes. Mais le Trésor public était à sec, et le roi devait lever de nouveaux impôts pour régler les dettes les plus urgentes; il n'était décemment pas possible de demander plus aux paysans et aux bourgeois, et les regards de nos grands argentiers d'alors se tournèrent vers les seuls exemptés, les privilégiés. Pour faire échouer la menace gouvernementale, les nobles allaient déclencher la tempête populaire.
- C'est en 1787, point de départ réel de la Révolution, que les nobles se lancent dans une fronde qui refuse la création d'un impôt auquel ils seraient soumis, la « subvention territoriale ». Pour y faire échec, ils réclament la convocation des États Généraux où ils ont la majorité (chaque ordre ayant une voix, les deux ordres privilégiés sont assurés des deux tiers), et vont même jusqu'à se faire les défenseurs des lois fondamentales du royaume, supérieures à la volonté royale, et de la liberté individuelle.
- Les États Généraux sont convoqués pour le 1er mai 1789, mais le Tiers État exige une représentation plus équitable, et Necker

A la veille de la Révolution, les *Cahiers de doléances* présentés par le tiers état traduisaient les aspirations justifiées et relativement modérées de ce corps ; les patriotes réclamaient une constitution tout en continuant de proclamer « l'amour du roi », et sans qu'il soit question d'abolir la monarchie.

Incarcéré avec sa famille à la prison du Temple depuis le 10 août 1792, Louis XVI fait ses derniers adieux avant de partir pour l'échafaud. La prison a été démolie en 1811.

obtient le doublement des députés du Tiers. Dès lors, l'aristocratie va s'efforcer de freiner l'agitation et d'empêcher que le doublement du Tiers ne corresponde à une puissance réelle accrue par le vote par tête et non plus par ordre.

● 1789 est marqué par la révolte ouverte de la bourgeoisie soutenue par le peuple. Prenant acte du refus royal d'accorder le vote individuel, le Tiers, considérant qu'il représente 98 % de la nation, déclare former une Assemblée nationale (17 juin). Le roi fait fermer la salle de réunion, mais les députés se rendent à la salle du Jeu de Paume et prêtent le serment de ne pas se séparer avant d'avoir établi une constitution (20 juin). Louis XVI ne s'incline pas de bonne grâce, et renvoie Necker le 11 juillet.

● Le peuple de Paris, exaspéré par la famine menaçante, redoutant un complot destiné à empêcher toute réforme, se soulève et s'empare de la prison de la Bastille, symbole de l'absolutisme, le 14 juillet 1789.

● Surpris par l'ampleur de la révolte, le roi rappelle Necker et rentre à Paris. Mais le processus révolutionnaire est déclenché, et le mouvement s'étend à toute la France : les paysans incendient les châteaux et réclament l'abolition des vieux droits féodaux. Une « grande peur » des brigands les incite à s'armer, et les députés effrayés, craignant une atteinte à la propriété privée, consentent des « sacrifices » pour endiguer le mouvement et décrètent dans la nuit du 4 août l'abolition des privilèges féodaux. Le régime féodal est mort en une nuit.

● Dès lors, la bourgeoisie va s'efforcer de stabiliser le régime : le roi accepte de ratifier les décrets du 4 août et la Déclaration des droits de l'homme; par la fête de la Fédération, on espère clore l'agitation en glorifiant ce qui a déjà été réalisé (14 juillet 1790). Mais c'était compter sans l'ardeur civique de certains députés à la Constituante, des membres des clubs, et de certains journaux tels que « l'Ami du peuple », de Marat.

Composée de 17 articles et précédée d'un préambule rédigé par Mirabeau et Mounier, la Déclaration des droits de l'homme représente, malgré ses lacunes, un document de portée universelle auquel se référeront tous les peuples épris de liberté et conscients des « droits naturels, inaliénables et sacrés de l'homme ».

● La politique de compromis entreprise par l'Assemblée constituante (sept. 1789-sept. 1791) se heurte donc à une opinion publique sensibilisée par les difficultés économiques et financières (les assignats créés à la fin de 1789 se déprécient déjà), et divisée sur l'attitude à l'égard du clergé dépossédé de ses richesses et réorganisé en corps de fonctionnaires payés par l'État (Constitution civile du clergé). L'échec est inéluctable après la fuite manquée du roi, rattrapé à Varennes le 21 juin 1791 : la Constituante laisse alors la place à une Assemblée législative plus divisée et plus jeune.

● La bourgeoisie croit qu'elle a mis fin à la révolution, mais tout est remis en cause par la poursuite de l'agitation intérieure et surtout par les menaces de guerre. Les sans-culottes, groupes formés d'artisans et de commerçants, réclament une égalité réelle et adoptent le bonnet rouge. Prise entre la réaction aristocratique encouragée par la Cour, et la poussée populaire, la bourgeoisie s'efforce de détourner l'attention sur les problèmes extérieurs et de mettre à profit l'hostilité croissante des souverains étrangers.

● Poussés par les émigrés français, inquiets du principe de la souveraineté populaire et de l'affirmation du droit des peuples à disposer d'eux-mêmes (une fête de la Fédération, en Autriche par exemple, serait inconcevable), le roi de Prusse et l'empereur d'Autriche adressent à la France le manifeste de Pillnitz (27 août 1791) par lequel ils se déclarent prêts à soutenir Louis XVI.

● L'Assemblée législative, qui espère résoudre la crise économique et stabiliser la révolution par une rapide victoire, déclare la guerre à l'Autriche (20 avril 1792). Mais cette guerre va déjouer tous les calculs car l'appel au peuple va ranimer le mouvement révolutionnaire et provoquer la chute du trône, puis celle de la bourgeoisie.

● Mécontent des premières défaites, le peuple suspecte avec raison l'attitude royale, et le 10 août 1792, envahit les Tuileries; le roi est suspendu et arrêté, une nouvelle assemblée constituante est élue au suffrage universel, la Convention, beaucoup plus expérimentée que la Législative. Par crainte de complicités avec les armées étrangères, les suspects sont arrêtés, et en septembre, un grand nombre sont exécutés.

● La victoire de Valmy (20 sept. 1792) amorce un retournement de la situation sur le front; la Convention se réunit et proclame la République; le roi est condamné à mort et exécuté le 21 janvier 1793; une levée de 300 000 hommes est décrétée pour propager la Révolution. Les pays européens prennent peur et décident de s'unir dans la Ire coalition.

● Les armées françaises sont vaincues et Dumouriez passe à l'ennemi. Les Girondins modérés qui dominent l'assemblée sont discrédités, les sans-culottes se révoltent et permettent la prise du pouvoir par la Montagne (juin 1793). Une dictature de salut public s'établit, avec une direction collégiale où domine Robespierre. Ce Comité de Salut Public décide de mener une politique très dure contre les ennemis de l'extérieur par la levée en masse, et contre les traîtres de l'intérieur : la Grande Terreur frappe d'abord les nobles, mais aussi les sans-culottes trop extrémistes (Hébert), et les révolutionnaires trop modérés (Danton).

● Les succès sont indéniables puisque les révoltes intérieures sont vaincues, et la victoire de Fleurus ouvre les portes de la Belgique. Mais dès lors, la Terreur est devenue inutile, et le Grand Comité est renversé par la Convention qui envoie Robespierre et ses amis à l'échafaud (9 thermidor an II, 27 juillet 1794). La révolution jacobine menée par et pour le peuple, est liquidée par les éléments bourgeois de la Convention. La réaction est très violente, et on assiste à une véritable terreur blanche, tout aussi meurtrière que la Grande Terreur et qui s'achève par l'extermination des sans-culottes (20 mai 1795). La Révolution est bel et bien morte, et le Directoire se charge de l'enterrer.

● Le Directoire formé de cinq membres qui s'installe au pouvoir en octobre 1795 n'a rien de plus pressé que d'abolir les lois sociales prises pendant la Terreur, et d'écraser les mouvements populaires comme celui des Égaux de Babeuf (sept. 1796). Pourtant, ce régime corrompu (les spéculateurs faisaient de considérables fortunes) ne rallie pas les royalistes. Prêts à prendre le pouvoir, ceux-ci en sont empêchés par l'armée sous l'impulsion de Bonaparte (massacre du 18 fructidor).

● Ce jeune général, qui a remporté de brillantes victoires en Italie et imposé à l'Autriche la paix de Campo Formio (oct. 1797), connaît une immense popularité en France. Le Directoire décide de l'écarter en l'envoyant en Égypte pour s'y opposer aux communications anglaises en Méditerranée. Sa flotte est anéantie par l'amiral Nelson dans la rade d'Aboukir, mais la popularité de Bonaparte reste intacte, et il profite de la deuxième grande coalition européenne pour rentrer en France et se présenter comme le sauveur providentiel, le seul qui puisse assurer la paix. Le 18 brumaire an VIII, 9 nov. 1799, il renverse le Directoire et instaure un Consulat dans lequel il prend la direction réelle du gouvernement.

Surmontés du bonnet rouge phrygien orné de la cocarde tricolore, les principes de base de la Révolution inscrits sur une affiche de l'époque.

● La Révolution était terminée, mais son empreinte devait demeurer ineffaçable, car elle avait assuré les conditions de la révolution industrielle par la fin du régime féodal et l'essor du libéralisme économique, profondément bouleversé la société par la substitution des classes sociales aux ordres, faisant de l'égalité de droit le fondement de la domination économique bourgeoise, remplaçant la notion traditionnelle de groupe social par celle d'individu isolé (le citoyen), révolutionnant les structures de l'État, devenu centralisateur, unificateur et dominateur (tout individu doit se soumettre à cet État qui se présente comme incarnant la volonté générale, traduite dans les élections). Mais, en transférant le pouvoir à la bourgeoisie, la Révolution française avait préparé la voie aux révolutions du XXe siècle. ■

En 1792 alors que fait rage autour de Nantes une guerre entre Blancs et Bleus d'une férocité jamais connue, Jean-Baptiste Carrier, envoyé par le Comité de Salut Public, décide d'écraser la révolte en vidant les prisons dans la Loire. Suspects, femmes, enfants nul ne sera épargné.

RÉVOLUTION RUSSE

● 1917, une révolution, politique d'abord, économique et sociale ensuite; 1917, point de départ d'une civilisation nouvelle, tournant fondamental dans l'histoire

Camarades, la révolution des ouvriers et des paysans, dont les bolcheviks n'ont cessé de montrer la nécessité, est réalisée.

Lénine, nov. 1917

russe et mondiale. 1917 a surpris les observateurs les plus lucides, non par l'événement lui-même (les ambassadeurs s'y attendaient), non par la forme de cette révolution, la dernière du XIXe siècle, mais par la profondeur du bouleversement.

● Les Occidentaux voyaient bien que quelque chose n'allait pas dans cette « Sainte Russie » qu'ils comprenaient si mal tant elle était vaste, uniforme et attardée. Et ce sentiment se nourrissait du curieux contraste observé entre des archaïsmes structurels et de puissants facteurs de changement. La conjoncture du début du siècle, et plus particulièrement la guerre de 1914, allait aggraver les tensions, provoquer l'effondrement du vieux système et faciliter l'éclosion d'une société différente.

● Les archaïsmes sont d'ordre politique et social. Politique, car le tsar dirige en souverain absolu plus puissant que ne le fut un Louis XIV. C'est un autocrate dont la toute-puissance est fondée sur deux éléments mal compris en Occident : la personne religieuse du souverain, chef de l'Église russe et défenseur de la foi; des rapports familiaux et mystiques entre le tsar et son peuple : les sujets sont des fidèles respectueux et aimants, le souverain est le petit père du peuple, qui aime bien mais qui châtie bien. Son autorité n'est pas soumise au respect d'une loi qui lui serait supérieure, puisque c'est lui qui incarne une loi qui s'exprime par sa volonté.

● Pourtant, le rôle imparti à cet État est conçu de façon moderne. Alors qu'en Europe, l'État était libéral et non interventionniste, en Russie il doit être inspirateur et exécutant. Pour mener à bien la gestion du pays, Pierre le Grand a créé artificiellement une bureaucratie à l'image occidentale; malgré tous les sarcasmes dont elle fut l'objet, la bureaucratie fut, au début du XXe siècle, la partie la plus vivante de la bourgeoisie russe, seule véritable armature du pays. Lorsque ce corps cessera de soutenir le régime, tout se disloquera.

● Ce vieux cadre politique régissait une société apparemment endormie dans un immobilisme séculaire. La paysannerie, qui rassemble encore plus des 4/5 de la population, est organisée en communautés villageoises, les mirs, qui s'efforcent de protéger les petits, mais imposent à tous des contraintes nuisibles à l'évolution des techniques.

● Pourtant, cette masse a été secouée par deux mesures politiques fondamentales : la suppression du servage en 1861, et la dissolution des mirs en 1906. Ces décisions mécontentent tout le monde sans satisfaire personne; par le décret de 1861, la noblesse conservait l'essentiel des terres, et celles qui lui étaient prises devaient être remboursées par les communautés villageoises. Les paysans ne comprennent pas qu'il leur faille payer des domaines qu'ils cultivaient déjà.

● Les nobles dilapident rapidement les profits réalisés, et seuls en profitent quelques paysans aisés qui agrandissent leurs possessions au détriment des plus pauvres. Ceux-ci se retrouvent sans la moindre défense après la dissolution des mirs, au moment où une forte natalité rend leur sort plus précaire.

● La noblesse, brisée politiquement par Ivan le Terrible, s'est ruinée par une vie fastueuse menée dans les grandes villes d'eau occidentales et a perdu son importance économique en vendant ses terres. La bourgeoisie n'a pas le même poids qu'en Occident car les villes sont peu nombreuses, et ce sont les étrangers qui contrôlent les secteurs clés de l'économie.

● Ces archaïsmes structurels sont pourtant fortement ébranlés par deux puissants facteurs de changement. Le gouvernement entreprend d'abord un considérable effort d'industrialisation, visant à faire de la Russie un pays à l'image de l'Occident. La Russie dispose des sources d'énergie (charbon du Donetz, pétrole de Bakou) et des matières premières (fer du Donetz) indispensables; elle bénéficie aussi d'une abondante main d'œuvre; mais il lui manque des capitaux et des cadres (ingénieurs...). A partir de 1860, elle fait appel aux capitaux belges, français, hollandais et allemands pour financer une infrastructure économique, et en premier lieu la construction de chemins de fer (Transibérien, 1891-1906).

● Les résultats sont brillants puisque le pays compte 30 000 entreprises et 2 500 000 ouvriers en 1913, alors qu'en 1870 il n'y avait que 3 300 entreprises et 20 000 ouvriers. Les incidences en sont capitales : c'est tout d'abord une concentration très poussée des entreprises (en 1917, 45 % des entreprises ont plus de 500 ouvriers, alors que cette proportion n'est que de 15 % en Allemagne)

Cosaques et junkers (élèves des écoles militaires) tirent sur la foule dans les rues de Petrograd et font 400 victimes. En dépit de cette impitoyable répression, le soulèvement populaire remporte un succès décisif par deux fois : en février, les émeutes victorieuses entraînent l'abdication du tsar Nicolas II ; en octobre, l'insurrection met fin au gouvernement provisoire et donne le pouvoir aux bolcheviks dirigés par Lénine.

Manifestation populaire à Kharkov, lors de la constitution du soviet de la ville. Les soviets, cellules composées de membres élus par les organisations ouvrières, forment en 1917 un vaste réseau. Ils existent dans les localités, les régions et les provinces.

qui facilitera considérablement la propagande marxiste. C'est aussi la formation d'une classe ouvrière peu qualifiée, miséreuse et durement traitée (les ouvriers sont parqués dans des dortoirs). C'est enfin une dépendance financière très lourde envers l'étranger.

● Tous ces bouleversements sociaux accélèrent la prise de conscience révolutionnaire du milieu intellectuel russe. Cette intelligentsia, formée par la jeune génération de la noblesse et des étudiants, souffre du refus gouvernemental de toute concession politique. Après une période de revendications réformistes, avec des « occidentalistes » comme Dostoïevski qui accepte les idées venues d'Occident en vue de libéraliser le régime, la position des intellectuels se durcit : en 1881, le tsar Alexandre II est assassiné par la fille du gouverneur de Saint-Pétersbourg, Sofia Pétrovskaïa. L'attitude aventuriste est condamnée par les marxistes qui veulent préparer la révolution et forment un groupe de la Libération du travail (1883) avec Plekhanov.

● De telles tensions, à l'origine du vaste mouvement révolutionnaire de janvier 1905, que ne peut pas canaliser un régime parlementaire inexistant (la Douma, créée en 1906, n'est qu'une assemblée aux pouvoirs très restreints et très peu représentative de la population), sont exacerbées par la guerre. Pour la Russie, le premier conflit mondial est un désastre à tous les points de vue. Les capitaux étrangers ne peuvent plus venir irriguer l'économie russe; en pleine période de décollage industriel, les usines doivent se reconvertir vers les industries de guerre; les exportations de produits agricoles cessent; la production est grevée par la mobilisation des travailleurs.

● Ces sacrifices ne sont pas suivis de récompense, et les armées allemandes affirment leur supériorité; en janvier 1917, 3 millions de Russes sont morts. Le mécontentement est général : la Douma se rallie à un programme bourgeois de réformes, les paysans déracinés souffrent au front, la misère du prolétariat ouvrier mal ravitaillé s'accroît. En janvier 1917, toutes les conditions sont donc réunies pour que la bourgeoisie, appuyée par le peuple, prenne la relève de l'autocratie défaillante.

● En janvier 1917, une contre-attaque russe sur Riga se solde par un échec meurtrier. L'exaspération populaire est portée à son comble, et le 3 mars 1917, l'usine Putilov se met en grève; le 8, il y a 100 000 grévistes dans Saint-Pétersbourg, et le 11, la foule s'est rendue maîtresse de la rue avec le soutien d'une partie de l'armée qui tire sur la police.

● Le 12 mars, se constituent deux organismes moteurs de la révolution : « le Soviet des ouvriers et soldats de Pétrograd », dont les membres sont élus par la base, un comité politique de la Douma, avec la tendance progressiste du prince Lvov et de Milioukov, des octobristes comme Gouchkov, et un socialiste, Kerenski. Le 15 mars, Nicolas II abdique sur l'insistance de son entourage. Dès lors, les différents soviets, qui se créent un peu partout, détiennent le pouvoir de fait, celui de la rue, alors que la Douma bourgeoise représente par sa fiction constitutionnelle le pouvoir de droit.

● Dès le 16 mars, un gouvernement provisoire, dirigé par le prince Lvov, est constitué pour entreprendre une libéralisation du régime et donner une constitution au pays.

● Mais il n'a aucune autorité : l'administration impériale s'est désagrégée, et il entend poursuivre une guerre très impopulaire. En fait, le pouvoir est aux mains des mencheviks qui ont réussi à supplanter les bolcheviks à la tête des soviets.

● Pour l'instant, la révolution bourgeoise n'a donc rien à craindre, puisque les mencheviks (marxistes minoritaires lors de la scission de 1903) sont partisans d'une alliance avec la bourgeoisie et d'une transformation progressive de la société. Tout va changer quand les bolcheviks vont développer leur audience populaire.

● En mars, les bolcheviks sont restés dans l'ombre car leurs chefs étaient exilés en Europe occidentale ou déportés. L'amnistie générale leur permet de rentrer, et Lénine revient de Suisse le 16 avril. A 47 ans, Lénine n'a pas

« Engagez-vous dans la cavalerie rouge ! » (affiche de 1920). Le pouvoir soviétique éprouve, à cette époque, de grandes difficultés à s'imposer et recrute des volontaires pour entraver la contre-révolution. L'Armée Rouge, en effet, doit faire face aux troupes tsaristes encadrées par les officiers de l'ancien régime.

Cosaques de l'Armée Rouge en patrouille. Paysans-soldats, les cosaques formaient depuis plusieurs siècles les troupes d'élite de la Russie des tsars. En échange de certains privilèges, ils assuraient la défense des marches de l'empire. Ils furent, dans leur grande majorité, hostiles au gouvernement bolchevik qui supprima, dès 1917, leur statut spécial. Certains d'entre eux, cependant, gagnés aux idées nouvelles se rallient à l'armée révolutionnaire et s'y distinguent par leur haute valeur militaire.

beaucoup agi, mais il a énormément écrit et pensé, et il a donné toute une théorie révolutionnaire à ceux qui refusaient une théorie marxiste trop strictement appliquée au cas russe, et niaient la nécessité de passer par un stade bourgeois durable avant la révolution populaire. Pour Lénine, la révolution prolétarienne suivra la révolution bourgeoise dans la foulée.

● Dès son arrivée, Lénine va s'efforcer d'amener la Russie à la deuxième étape : pour cela, il lui faut d'abord réorganiser le parti bolchevique moribond (il ne compte que 25000 militants), et le rallier à ses idées. Il écrit les *Thèses d'Avril* où il expose le programme d'une deuxième révolution : aucun soutien au gouvernement provisoire, mais le transfert immédiat du pouvoir aux soviets; rétablissement de la paix pour mettre fin à une guerre impérialiste; expropriation des grands propriétaires, nationalisation des banques et contrôle ouvrier sur les usines; nécessité de la propagande auprès des masses. Malgré certaines oppositions, ce programme est accepté par les membres du parti.

● Les événements jouent en faveur des bolcheviks car la situation militaire ne s'améliore pas et les conditions générales d'existence s'aggravent. Le gouvernement divisé accepte l'entrée de mencheviks dans la coalition, faisant du parti bolchevique le seul représentant de l'opposition. 25 000 en janvier, les partisans de Lénine sont 200 000 en juillet. Lénine croit le moment venu d'agir et organise contre le gouvernement un défilé semi-insurrectionnel et des manifestations exigeant la remise du pouvoir aux soviets. Les manifestants sont dispersés par l'armée et Lénine recherché doit se réfugier en Finlande.

● Après trois semaines de crise politique, Kerenski forme un ministère à majorité socialiste, sur les principes impopulaires de coalition et de défense patriotique. Comme il n'a pas d'appui à gauche ou dans les soviets, il recherche le concours de la droite et se livre aux mains des libéraux. Ceux-ci veulent en profiter, et le général Kornilov envisage de faire contrôler Pétrograd par la troupe; seuls les soviets ont montré leur détermination face à ce coup d'État qui échoue, prouvant qu'ils sont seuls aussi à pouvoir exercer le pouvoir.

● C'est Trotski qui prépare méthodiquement l'insurrection : vétéran de la révolution de 1905, revenu des États-Unis, travaillant en étroite collaboration avec Lénine, il est élu président du soviet de Pétrograd le 6 octobre et entreprend le noyautage des soviets par les bolcheviks pour assurer au parti une majorité au IIe Congrès des soviets prévu pour novembre. Il recrute une milice révolutionnaire, les gardes rouges, et s'assure le soutien de la garnison de Pétrograd. Lénine, revenu de Finlande, fait adopter par le comité central du parti le principe de l'insurrection armée pour le 7 novembre.

● Des délégués du comité militaire révolutionnaire sont placés à tous les points stratégiques, et le 24 octobre (6 nov.) le gouvernement se résout à l'épreuve de force en mettant les scellés sur l'imprimerie bolchevique. L'insurrection commence le 24 octobre à 21 heures avec moins de 10 000 hommes; les contingents ouvriers s'emparent des bâtiments publics, le cuirassé *Aurora* bombarde le Palais d'Hiver d'où Kerenski s'enfuit. La révolution prolétarienne n'a duré qu'une journée. Reste à la faire ratifier par les masses.

● Le congrès panrusse des soviets, qui s'ouvre le 25 octobre à 20 h 40, compte 390 bolcheviks sur 650 membres. Il ratifie l'insurrection et adopte tous les objectifs de Lénine, qui se voit confier la direction du nouveau gouvernement (Conseil des Commissaires du peuple). Trotski est placé aux Affaires Étrangères et Staline aux Nationalités. L'insurrection bolchevique reçoit donc une base légale, et le gouvernement peut prendre toute une série de décrets pour consolider le nouveau régime.

● La grande propriété foncière est abolie immédiatement sans aucune indemnité, ce qui assure le soutien paysan; le contrôle ouvrier sur les usines met fin aux grèves; tous les peuples de Russie sont déclarés égaux et souverains; des nationalisations et l'interdiction du commerce privé sont décrétées.

● Un armistice est signé avec l'Allemagne à Brest-Litovsk (15 déc.) et transformé en paix le 3 mars 1918. La Russie abandonne à l'Allemagne la Pologne, la Lithuanie et une partie de la Russie blanche; l'Ukraine, la Finlande et les Pays baltes deviennent indépendants. Il faut en outre payer

une lourde indemnité de guerre.
● Ces conditions étaient dures, mais seule la paix pouvait assurer la survie de la révolution. Dès lors, le parti bolchevique domine l'État et la dictature du prolétariat est consacrée, avec pour organe essentiel les soviets. La république soviétique trouve là son fondement et sa force; mais l'opposition des puissances occidentales, les problèmes économiques et sociaux et la guerre civile rendaient le nouveau régime encore précaire. ■

▶ *LÉNINE / MARX ET MARXISME / STALINE / TROTSKI / U.R.S.S.*

RHINOCÉROS

● Les rhinocéros actuels, à l'aspect d'animaux préhistoriques, forment un groupe bien déterminé dont les représentants se ressemblent beaucoup, bien qu'il en existe cinq espèces différentes, deux en Afrique et trois en Asie. Leur origine remonte à l'Éocène, époque à laquelle ils étaient représentés par de petits animaux sans cornes et aux pattes minces.
● Malgré les apparences, le rhinocéros se rapproche du cheval puisque, comme celui-ci, il fait partie des périssodactyles qui sont des animaux dont l'axe du membre passe par le doigt médian. Le rhinocéros a trois doigts qui se terminent chacun par un sabot corné.
● Les espèces africaines sont le rhinocéros blanc *(Ceratotherium simum)*, qui a des lèvres larges, presque carrées, et le rhinocéros noir, *(Diceros bicornis)*, un peu plus petit que le précédent et dont la lèvre supérieure est pointue et sert à la préhension. Tous deux sont pourvus de deux cornes. Le rhinocéros indien, *(Rhinoceros unicornis)*, le rhinocéros de Java, *(Rhinoceros sondaicus)* et le rhinocéros de Sumatra, *(Dicerorhinus sumatrensis)* sont les trois espèces asiatiques, dont seule la dernière est bicorne.
● Les rhinocéros sont les mammifères terrestres les plus grands après les éléphants. Les espèces africaines pèsent de 1 000 à 3 600 kg, et mesurent entre 1 et 2 m de hauteur au garrot. Ils atteignent une longueur de près de 4 m sans compter la queue qui mesure entre 60 et 76 cm. Leur aspect trapu, les courtes pattes et leur cuirasse donnent une impression de puissance invincible, surtout lorsqu'ils chargent droit devant eux.
● Moins cuirassé que son cousin asiatique, le rhinocéros africain a une peau au derme très épais mais glabre et dépourvue de glandes sudoripares, ce qui explique la fréquence des bains de boue que prennent ces animaux. La différence de couleur de la peau est due uniquement à la nature du sol boueux dans lequel ils se vautrent. Les cornes sont supportées par l'os nasal et, contrairement à ce que l'on pense habituellement, elles ne sont pas formées de poils agglomérés mais de petites baguettes de kératine très serrées et collées ensemble. Elles sont aussi dures et rigides qu'une corne osseuse.
● La corne antérieure est la plus longue. Le record de longueur chez le rhinocéros noir est détenu par une femelle du parc Ambosely dont la corne antérieure atteignait 138 cm de long. Celle du rhinocéros blanc est encore plus impressionnante puisqu'elle peut atteindre une longueur de 158 cm.
● Le rhinocéros vit dans la savane arbustive aux buissons denses, dans les clairières des régions sèches et chaudes, et fréquente parfois les régions semi-désertiques. Vivant à l'état isolé ou par petits groupes, ces animaux n'ont pas de territoire qu'ils défendent âprement mais se cantonnent dans un domaine vital très étendu dont ils marquent les sentes qu'ils fréquentent à l'aide d'urine et d'excréments.
● Le rhinocéros vit habituellement à l'écart de ses congénères mais entre en contact avec de nombreux autres animaux. Il craint les éléphants qui peuvent l'éventrer avec leurs défenses, les lions qui s'attaquent aux jeunes, et les crocodiles qui peuvent le noyer en l'entraînant au fond de l'eau par le museau. Il est également la proie de nombreux parasites dont deux alliés, le héron garde-bœuf et le pique-bœuf, débarrassent son épiderme.
● Le régime alimentaire du rhinocéros est surtout constitué de jeunes pousses, mais aussi de buissons épineux. Il laboure souvent le sol pour rechercher le sel dont il est très friand. Les rhinocéros sont dépourvus de canines et d'incisives et ne possèdent que 7 prémolaires et molaires par demi-mâchoire. Les incisives du rhinocéros blanc sont remplacées par 2 bourrelets cornés efficaces.
● La période de gestation.

Comme le montrent les peintures des cavernes préhistoriques, l'homme a combattu le rhinocéros dans les temps les plus reculés. Aujourd'hui encore, il est nécessaire de le protéger des chasseurs et des braconniers : le trafic des cornes de cet animal est, en effet, partiellement responsable du déclin de l'espèce. Pour tenter d'éviter sa disparition totale, le Fond mondial pour la Nature a aménagé des réserves territoriales où les rhinocéros peuvent vivre en toute tranquillité.

Le rhinocéros indien, *(Rhinoceros unicornis)* vit au Népal et en Inde. Le rhinocéros possède une force prodigieuse, mais sa myopie le rend vulnérable ; il est incapable de différencier un homme d'un tronc d'arbre, à 20 m.

Rhinocéros noir *(Diceros bicornis)* très répandu en Afrique. Sa corne antérieure peut atteindre quelque 80 cm de long; le record est détenue par Gertie une femelle du parc d'Ambroselie, dont la corne mesure 1,38 m.

comme chez la plupart des grands animaux, est très longue et dure de 15 à 17 mois. Les femelles ne mettent qu'un petit au monde par portée, qui ne pèse pas moins de 25 kg à la naissance. Quatre heures plus tard, il est en mesure de se déplacer et de têter. Il restera auprès de sa mère pendant 3 ans et demi.

● Le rhinocéros est doué d'une force prodigieuse mais d'une vue très mauvaise. Il est incapable de différencier un homme d'un tronc d'arbre à 20 mètres. Assez susceptible, il charge tête baissée sur tout ce qui l'intrigue. Son ouïe est par contre très développée et son odorat vaut celui du chien. Les affrontements entre rhinocéros se limitent à des combats ritualisés où les gestes de menace sont plus importants que les coups, car s'ils utilisaient la pleine puissance de leurs armes, l'espèce aurait depuis longtemps disparu.

● Les rhinocéros sont surtout dangereux dans les régions où ils sont chassés par des indigènes à l'aide de collets et de flèches empoisonnées. Ils ne craignent pas de s'attaquer aux voitures dont ils transpercent la tôle, et aux camions qu'ils sont en mesure de retourner. Sur de courtes distances ils peuvent courir à plus de 40 km/heure. Dans les réserves où on les laisse en paix, ils sont très complaisants et se laissent photographier. Ce sont des animaux qu'il faut protéger car il n'y a actuellement plus que 11 000 rhinocéros noirs en Afrique et encore moins de blancs. ■

▶ *MAMMIFÈRES*

RHODÉSIE (Zimbabwe)

Superficie : 390 580 km^2. Population : 9 400 000 hab. Capitale : Harare (900 000 hab.). Régime politique : république, pouvoir personnalisé. Religions : christianisme (60%), animisme. Unité monétaire : le *dollar zimbabwe*.

● La Rhodésie fut longtemps avec l'Afrique du Sud, un des derniers bastions du pouvoir blanc en Afrique australe mais, en 1980 elle fut débaptisée, elle se nomme maintenant Zimbabwe, et le premier ministre est un Africain, le docteur Mugabe. Tous les problèmes ne sont pas résolus pour autant. La ségrégation raciale, jusque-là élevée au rang d'institution n'a pas disparu des mentalités. Le nouvel État n'a pas encore trouvé son équilibre.

● A l'origine de la Rhodésie, se trouve le projet de Cecil Rhodes de relier Le Cap au Caire par un axe de territoires sous domination anglaise. C'est ce qui justifie la colonisation de cette partie de l'Afrique par la British South Africa Chartered Company, et explique les revendications de l'Angleterre au Congrès de Berlin, qui empêchent le Portugal de réunir ses colonies d'Angola et du Mozambique.

● Dès 1923, la Rhodésie jette les bases de son indépendance en refusant de s'intégrer à l'Union Sud-Africaine. A la fin de la Seconde Guerre mondiale, les colons s'inquiètent de la montée du nationalisme africain qu'ils décident de contrecarrer par une fédération réunissant la Rhodésie, la Zambie, et le Malawi entre 1953 et 1963.

● Lorsque ces deux pays deviennent des États noirs indépendants, la Rhodésie durcit ses positions. Les vagues de grèves et d'émeutes qui se succèdent, la création d'un nouveau parti nationaliste soutenu par les Nations Unies et l'Organisation de l'unité africaine, vont conduire les conservateurs blancs à proclamer unilatéralement l'indépendance, le 11 novembre 1965, de crainte de voir l'Angleterre céder à la pression des Africains. Boycottée par les Nations Unies, la Rhodésie voit peser sur elle des sanctions économiques, dont elle va éviter les dangereuses conséquences grâce à une stricte discipline et à la complaisance de l'Afrique du Sud et du Portugal.

● De 1965 à 1980 le pays a été le théâtre d'une série d'émeutes suivies de répression, tandis que les négociations avec la Grande-Bretagne connaissaient des fortunes diverses, et que les Africains engageaient une guérilla, au Nord, vers la frontière, avec la Zambie. Les élections de 1980 ont mis fin au pouvoir des Blancs. C'est le premier ministre M. Mugabe, qui exerce le pouvoir. En 1987 le parlement a entamé une procédure qui doit éliminer les 20 sièges réservés aux Blancs, que le gouvernement voudrait éliminer du pouvoir de décision.

● Pays continental, la Rhodésie se présente comme un vaste haut plateau cristallin, dont les points culminants sont situés au centre, dans une direction nord-est-sud-ouest, formant la ligne de partage des eaux entre le bassin hydrographique débouchant dans l'océan Indien, d'une part, et le bassin du Zambèze ou du Kalahari de l'autre.

● Le territoire est divisé, selon l'altitude, en trois zones, ou *veld* : le haut veld, à plus de 1 400 m, occupe la partie centrale, le moyen veld, les régions situées entre 700 et 1 400 m, et le bas veld s'étend entre le Zambèze et le Limpopo.

● Le climat tropical, modéré par l'altitude, est caractérisé par deux saisons : un été austral très pluvieux et un hiver sec.

● La composition de la population est marquée par l'énorme prédominance des Noirs (plus de 8 millions), en majorité d'origine bantoue, sur les Blancs (environ 150 000). Parmi les Africains, le

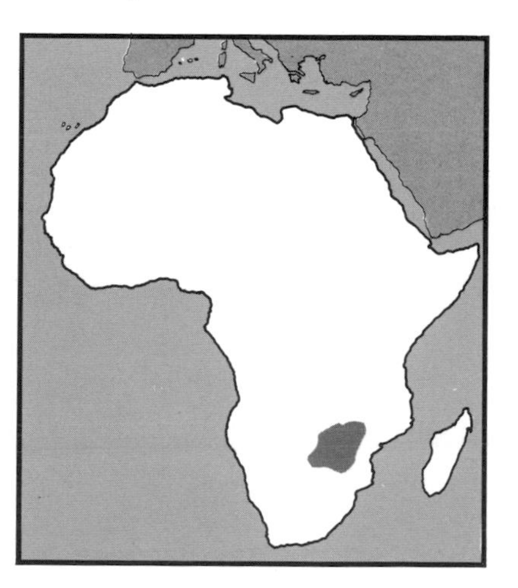

groupe le plus important est celui des Ndébélé qui occupent le haut Veld. Puis viennent les Shona qui résident dans la région Est. On trouve en outre quelque 10 000 Asiatiques, Pakistanais et Indiens, amenés par les colons britanniques et 23 000 *coloured,* métis descendant d'immigrés du Sud-Ouest africain, de Madagascar et de Malaisie.

● Le colonialisme a lourdement marqué le pays et a pesé sur son économie. Les Noirs ont dû lutter âprement pour acquérir leurs droits civiques et participer au gouvernement de leur pays. Ils n'ont été, jusqu'à l'indépendance, et même un peu après, que des tâcherons exploités soit en agriculture, soit dans les mines.

● L'agriculture est l'une des richesses les plus importantes du pays. Elle occupe 45 % de la population active. Elle présente un caractère dualiste très marqué : 4 300 fermiers blancs occupent 10 millions d'hectares de bonne qualité, 3 millions et demi de Noirs disposent de 20 millions d'hectares de mauvaises terres, mal mises en valeur. Le gouvernement, désireux de distribuer des terres aux Africains, prend des mesures prudentes afin de ne pas casser l'économie. Le maïs est de très loin la première culture du pays, qui produit aussi du millet, de l'arachide, de la canne à sucre, des légumes, un peu de coton. La principale culture industrielle est le tabac, dont le Zimbabwe est le 2e producteur mondial par habitant. L'élevage est très développé et la viande est largemen exportée. La balance agricole est très excédentaire quand les conditions climatiques ne mettent pas récoltes et troupeaux en péril, comme ce fut le cas au cours des années 1980-1983, dont les résultats ont compromis l'économie du pays.

● Si le Zimbabwe ne possède pas de gisements d'hydrocarbures, il a cependant d'importantes ressources minières, très diversifiées. Il a d'abord de l'or (15 tonnes en 1986); ensuite viennent l'amiante, le nickel, l'étain, le cuivre, le fer, le chrome, l'antimoine, ainsi que les pierres précieuses. Il possède, de plus, d'importantes mines de charbon (les 14e réserves du monde), souvent exploitées grâce à une main-d'œuvre venue des pays voisins.

Chrétiens du Zimbabwe. Si l'influence du christianisme est assez forte au Zimbabwe, c'est en grande partie grâce à l'action des missions protestantes. Les évêques représentent une autorité morale de poids. Ils ont toujours condamné la ségrégation raciale.

● Le Zimbabwe fait partie des nations les plus industrialisées d'Afrique, juste après l'Afrique du Sud. L'infrastructure industrielle est solide, car tous les secteurs, ou à peu près, sont représentés : sidérurgie, industrie pétrolière et chimique, cimenteries, papeteries, caoutchouc, textile, verre et industries alimentaires. Les ressources énergétiques sont considérables et proviennent surtout du barrage de Kariba sur le Zambèze, qui exporte même du courant jusqu'en Zambie, en Afrique du Sud et au Zaïre.

● L'industrie rencontre cependant des problèmes : d'abord l'obsolescence du matériel de production, qui, faute de capitaux, ne peut se moderniser; ensuite le manque de main-d'œuvre qualifiée avec le départ des cadres et techniciens européens, et que le gouvernement pallie peu à peu en faisant appel à de nouveaux apports étrangers.

● Le Zimbabwe bénéficie d'un excellent réseau de communication : 80 000 km de routes dont 3 500 macadamisés, 3 300 km de voies ferrées qui relient le pays à l'Afrique du Sud et aussi vers son principal débouché maritime, les ports mozambicains de Beira et de Maputo. Les transports aériens sont également bien organisés, la Rhodésie comptant plusieurs aérodromes de capacité internationale. ■

RHODODENDRONS

● Qui penserait en voyant la splendide floraison d'un massif de rhododendrons que cette espèce appartient à la même famille que les bruyères : celle des éricacées!

● Les rhododendrons sont des arbrisseaux, rarement des arbres, souvent couverts de poils, parfois glabres. Les feuilles sont alternes, souvent groupées au sommet des rameaux, entières et coriaces. Les fleurs sont grandes, disposées en corymbes au sommet des tiges. On trouve des espèces, peu nombreuses, à fleurs isolées. Les rhododendrons sont originaires des montagnes de l'Europe, de l'Asie, de l'Amérique du Nord, ainsi que de la Malaisie. On compte plus de 100 espèces.

● Dans les montagnes d'Europe, on trouve trois espèces spontanées. *Rhododendron ferrugineum* ou rose des Alpes pousse dans les Alpes et les Pyrénées. C'est un arbuste d'un mètre de haut environ, aux fleurs assez larges (2 cm), de teinte rouge foncé. Les feuilles sont vertes et luisantes sur le dessus, rouille en dessous.

● *Rhododendron hirsutum,* appelé nérium des Alpes, vit dans les éboulis et sur les pentes calcaires. Il est moitié plus petit que le précédent (50 cm de haut)

Fleurs de rhododendron, poussant sous des climats froids. Les horticulteurs ont obtenu des milliers de variétés en croisant les espèces sauvages.

et ses fleurs sont plus petites et roses. Comme la rose des Alpes, il forme des peuplements continus importants. Ses feuilles ont les bords pourvus de longs cils.

● *Rhododendron chamaecistus* est une espèce basse rampante des Alpes orientales, à fleurs roses. ■

RHONE-ALPES

● C'est une région comprenant le Dauphiné, le Forez, le Lyonnais, le Beaujolais, la Savoie, la Bresse, le Bugey, le Pays de Gex, les Dombes et le Vivarais. Elle regroupe les départements suivants : Ain, Ardèche, Drôme, Isère, Loire, Rhône, Savoie, Haute-Savoie. Elle a pour chef-lieu Lyon. C'est la deuxième Région de France par la superficie (43 694 km², 5 100 000 hab.).

● L'unité physique est absente. Au centre, s'allonge le sillon rhodanien, axe de communications privilégié reliant l'Europe du Nord à la Méditerranée : il donne sa cohérence à l'ensemble, qui n'a pas d'unité climatique. Au climat rude des Alpes, s'oppose le climat à tendance méditerranéenne de la zone sud.

● L'agriculture a un rôle modeste. L'élevage, associé dans les vallées à la polyculture, occupe la première place : élevage bovin surtout (produits laitiers, viande), ovin et porcin, volaille. La vallée du Rhône est le domaine de la vigne et des vergers. Les Alpes vivent en grande partie d'un fort tourisme hivernal.

● L'industrie est le secteur essentiel. Les activités sont très diversifiées. Les ressources énergétiques, abondantes, ont favorisé l'essor industriel. A l'hydroélectricité, s'ajoutent les énergies thermique (la houille, dont la production est en net déclin, est remplacée par le pétrole et le gaz naturel importés) et nucléaire. Les principaux secteurs sont la pétrochimie, les textiles chimiques, l'électrométallurgie, les industries mécanique, électrique et électronique. On note ces dernières années une stagnation du secteur secondaire, en raison de crises de longue durée

La région Rhône-Alpes a un remarquable réseau urbain. Sept villes sont particulièrement dynamiques : Lyon, Saint-Étienne, Grenoble, Valence, Annecy, Roanne et Chambéry. Ce sont des villes-carrefours industrielles et souvent touristiques.

(textiles traditionnels) ou conjecturelles. En revanche, le secteur tertiaire est en net progrès : l'amélioration du trafic fluvial, routier, ferroviaire et aérien assure de bonnes liaisons. ■

RICHARD CŒUR DE LION

● L'image du roi captif attendu avec fidélité par Robin des bois et tout un peuple lassé de la régence de son frère Jean sans Terre, ou celle du prisonnier délivré grâce à un trouvère chantant sous le cachot une romance composée autrefois avec lui, résumèrent bien la renommée laissée par Richard Cœur de Lion, roi d'Angleterre de 1189 à 1199. Sa notoriété, qu'on aime opposer à celle de Jean sans Terre, s'explique aisément par l'autonomie dont disposèrent les barons anglais face à un monarque intéressé principalement par ses possessions françaises, l'empire angevin.

● Déjà son père Henri II lui avait donné le gouvernement d'Aquitaine, ce qui n'empêcha point le fils de se joindre à la révolte de ses frères et de rechercher l'alliance des rois de France Louis VII et Philippe Auguste.

● Devenu roi d'Angleterre, Richard ne put évidemment plus compter sur l'appui d'un voisin français qui entendait battre la puissance anglaise sur le continent. Les deux monarques partirent néanmoins ensemble pour la 3e croisade, à la suite de l'empereur Frédéric Barberousse.

● La conquête de Chypre et la prise de Saint-Jean d'Acre (1191) furent autant de coups d'éclat où le talent militaire et l'arrogance de l'Anglais se mêlèrent étroitement pour indisposer non seulement Philippe Auguste mais aussi de nombreux princes européens.

● Rappelé en Angleterre à cause des intrigues nouées entre le Français et Jean sans Terre, Richard Cœur de Lion est fait prisonnier par le duc d'Autriche Léopold qu'il avait offensé. Livré pas celui-ci, en 1193, à l'empereur d'Allemagne Henri VI, il ne fut délivré qu'après avoir versé une énorme rançon.

● Enfin revenu au pays (1194) Richard se retourna contre Philippe Auguste qui, profitant de sa captivité, avait réintégré de nombreuses terres anglaises dans le royaume de France. Il se fit tuer devant le château de Châlus. ■

RICHELIEU 1585-1642

● Cardinal, homme d'État français, membre des États généraux, ministre de Marie de Médicis et de Louis XIII, Armand-Jean du Plessis de Richelieu suscita autant de haines que de dévouement et d'admiration.

● D'abord destiné à la carrière des armes, Richelieu entra dans les ordres en 1607 et géra son évêché de Luçon pendant sept ans. Il s'attira les grâces de la reine mère et de son favori Concini, lorsqu'il plaida en faveur du clergé aux États généraux de 1614, et fut nommé aumônier d'Anne d'Autriche, puis membre du Conseil.

● La chute de Concini entraînant la sienne et celle de la reine mère, il resta fidèle à celle-ci et réussit à la réconcilier avec son fils : en récompense, Marie de Médicis le fit nommer cardinal en 1622.

● Le cardinal arriva très vite à dominer les membres du gouvernement de Louis XIII et celui-ci lui fit entière confiance. En quelques mois, il réussit deux coups de maître : l'union d'Henriette de France avec Charles Ier d'Angleterre (1625) et l'annexion de la Valteline, vallée alpine qui ouvrait l'Italie aux troupes de l'Empereur.

● Mais l'agitation des grands autour du frère du roi, Gaston d'Orléans, et l'importance de plus en plus grande des protestants obligèrent Richelieu à intervenir activement.

● En 1627, le siège fut mis devant le port protestant de La Rochelle qui pactisait avec les Anglais; les assiégés furent coupés de la haute mer par la construction d'une digue et réduits à la famine.

● De plus en plus détesté pour son incroyable ascension, Richelieu fut l'objet d'intrigues et de complots, même de la part de la reine mère; mais Louis XIII le soutint face à sa mère qu'il disgrâcia en 1630, lors de la Journée des Dupes.

● Richelieu s'était efforcé de tenir le pays en dehors de la guerre de Trente Ans, mais le royaume fut envahi en 1635. Le roi et son fidèle ministre réussirent à rétablir la situation.

● Une conspiration fomentée par Cinq-Mars et Gaston d'Orléans, dans le Languedoc, fut déjouée : Cinq-Mars fut décapité et Gaston d'Orléans définitivement évincé du pouvoir.

● Ce fut la dernière mesure que prit Richelieu avant de mourir en 1642. Il laissait un royaume couvert de ruines, mais il avait accompli une œuvre incomparable : il avait créé des comptoirs au Sénégal, à la Martinique, au Canada, intéressé les nobles aux entreprises commerciales, institué l'Académie française. Il céda tout cet « héritage » à Mazarin. ■

▶ *LOUIS XIII / MARIE DE MÉDICIS*

Le cardinal de Richelieu, vu par Philippe de Champaigne. Principal artisan de l'unité territoriale française, Richelieu a donné à la monarchie la solidité nécessaire pour s'affirmer à l'intérieur comme à l'extérieur. Cette tâche rendue difficile par la puissance protestante et l'opposition de la noblesse lui valut beaucoup d'ennemis et une réputation d'intrigant.

RICIN

● Le ricin *(Ricinus communis)* est une plante herbacée originaire des zones tropicales et subtropicales d'Afrique, appartenant à la famille des euphorbiacées.

● Les feuilles sont larges, palmatilobées, à 7 lobes ou plus. Les fleurs sont unisexuées et réunies en grappe. L'ovaire est supère et divisé en 3 carpelles qui contiennent chacun un ovule; il est surmonté par 3 styles. Ses fruits sont des capsules couvertes de piquants; ils contiennent 3 graines, ressemblant par leur forme à des coléoptères.

● On cultive le ricin à titre ornemental, pour la beauté de ses feuilles (on l'appelle alors Palme du Christ), et du point de vue pratique, pour extraire de ses graines une huile (l'huile de ricin) à principes purgatifs. En outre, cette huile contient des substances toxiques, telles la ricinine et la ricine, qui sont respectivement un alcaloïde et une matière albuminoïde; c'est pour cela que l'ingestion d'une dizaine de graines peut avoir un effet mortel.

● L'huile de ricin est très visqueuse, peu inflammable, et elle résiste très bien aux températures extrêmes; c'est ce qui la fait utiliser comme lubrifiant pour les moteurs d'avions et d'automobiles de course, ainsi que dans la fabrication des savons, l'industrie du cuir et l'élaboration de certains colorants. ■

Fruit du ricin, capsule couverte de piquants contenant 3 graines dont on tire une huile à vertus purgatives.

RIMBAUD, Arthur (1854-1891)

● Le père de Rimbaud vit séparé de sa femme et le jeune garçon sera élevé par sa mère, dévote et dure, qui va développer en lui un goût naturellement très vif pour la révolte. Pourtant, ce futur « mauvais garçon » est d'abord le type même du bon élève : au collège de Charleville, sa ville natale, il se révèle si prodigieusement doué que ses compositions en vers latins sont publiées à Paris dans *le Moniteur de l'Enseignement secondaire*. Mais bientôt il multiplie les fugues : à Paris ou à Bruxelles, tantôt il voyage (sans billet), et tantôt il fait toute la route à pied.

● A l'âge de 17 ans, il écrit à Verlaine, son aîné de dix ans, qui, récemment marié, l'invite néanmoins à s'installer chez lui à Paris. Mieux encore, fasciné par ce cadet qu'il juge plus talentueux que lui-même, Verlaine quittera tout pour le suivre, en Belgique, en Angleterre; et lorsqu'un jour Rimbaud menace de mettre un terme à cette amitié passionnée, il tire sur lui et le blesse au poignet.

● Le bilan de cette nouvelle série de fugues est très positif pour l'œuvre de Rimbaud. Elle y a gagné en ampleur et plus encore

La plage de Copacabana, élégante station balnéaire proche de Rio. La ville, autrefois uniquement littorale, s'est peu à peu étendue vers l'arrière-pays hérissé de collines et de pics altiers aux formes étranges.

en audace : à ses premières poésies, vigoureuses mais encore traditionnelles dans leur forme (*le Bateau Ivre*, le sonnet des *Voyelles*) vont succéder des poèmes libérés de la versification (*Une Saison en Enfer*, publié en 1873, et *les Illuminations*, œuvre posthume, écrite de 1872 à 1873 ou un peu plus tard) selon un principe qu'il énonce lui-même en ces termes, dans une lettre adressée à un ami en 1871 : « Je dis qu'il faut être voyant... Le poète se fait voyant par un long, immense et raisonné dérèglement de tous les sens ».

● Selon Rimbaud, l'œuvre poétique doit renoncer à se nourrir d'idées, et ne vivre que d'images, placées l'une à côté de l'autre sans aucune préoccupation logique d'enchaînement, mais fulgurantes comme des hallucinations, des visions : « J'ai tendu des cordes de clocher à clocher, ...des chaînes d'or d'étoile à étoile; et je danse ».

● Rimbaud cesse d'écrire à l'âge de vingt ans. A cette précocité, sans exemple dans toute notre littérature, s'ajoute le mystère aussi insondable de cette interruption définitive dans une carrière aussi étonnamment commencée.

● Le fait est que Rimbaud renonce même à publier ses *Illuminations* (c'est Verlaine qui s'en chargera en 1886) et qu'il va vivre encore jusqu'à près de 38 ans la vie de l'« aventurier » : en Scandinavie, à Java, à Chypre (1874-1878), et, surtout, en Afrique (1880-1891) : à Aden d'abord, pour le compte de la maison d'exportation Bardey, qui l'envoie peu après au Harar, en Éthiopie, où il vend des peaux et du café.

● Mais aussi — pour son propre compte, cette fois —, il s'adonnera au trafic d'armes. En février 1891, une tumeur au genou l'oblige à s'embarquer pour Marseille, où, en mai, on l'ampute d'une jambe. Mais il meurt, quelques mois plus tard, sur ce même lit d'hôpital. ■

La baie de Guanabera, découverte un jour de janvier par un colon portugais qui pensait se trouver devant l'estuaire d'un cours d'eau ; c'est pourquoi il la nomma « rivière de janvier » (Rio de janeiro). L'énorme rocher de granite qui domine la mer porte le nom pittoresque de « pain de sucre ».

RIO DE JANEIRO

● Capitale du petit État méridional de Guanabara, la ville de Rio de Janeiro (« rivière de janvier »), ancienne métropole politique du Brésil jusqu'à la construction de Brasilia, en 1960, est née de l'initiative individuelle d'un modeste colon portugais, André Gonçalves.

● Il s'installa en 1529 sur la rive sud de la baie de Guanabara, frangeant l'océan Atlantique. Mais il fallut attendre, en fait, plus d'un siècle, pour voir se développer, à partir de l'humble maison du colon blanc (*carioca*), une véritable petite cité, avec l'arrivée d'une poignée de protestants émigrés de France. Rio de Janeiro fut officiellement baptisée le 1er avril 1564 par le Portuguais Estacio de Sao, et devint capitale du Brésil en 1763.

● Rio est très fortement marquée, tout d'abord, dans son paysage, par l'extrême originalité du site : la ville s'est progressivement évadée de son noyau initial littoral pour envahir un arrière-pays montueux, hérissé de collines aux versants « en demi-orange » (les *morros*) et de pics altiers, aux formes étranges, tel le célèbre Pain de Sucre. Les communications d'un quartier à l'autre, les relations intra-urbaines, s'effectuent encore aujourd'hui fréquemment par le biais de ponts ou de tunnels! Adossée à la monumentale chaîne de la Serra de Carioca, (qui culmine au Corcovado), Rio s'est ainsi étalée, depuis la Première Guerre mondiale, le long de la baie de Guanabara (Flamengo, Botafogo), et du littoral atlantique lui-même, jusqu'aux plages de Copacabana.

● En dépit du transfert — partiellement avorté — de la fonction de ville-capitale à Brasilia, Rio apparaît aujourd'hui comme l'un des pôles économiques vitaux du sous-continent d'Amérique latine. La palette de ses activités industrielles (de l'édition aux industries chimiques, des textiles aux constructions mécaniques, de l'ameublement aux industries alimentaires) n'est dépassée, dans le cadre brésilien, que par celle de Sao Paulo.

● Le rôle commercial de Rio est notamment souligné par le développement de son aire d'influence (couvrant l'ensemble de l'État de Guanabara, certes, mais s'étalant aussi largement sur celui de Minas Gerais et sur une partie de l'Espirito Santo); il est mis aussi en valeur par le dynamisme de ses complexes portuaires (huit kilomètres de quais; un trafic annuel de près de 15 millions de tonnes) et de ses deux aéroports internationaux, de Galeao et de Santos Dumont.

● Ses fonctions scientifiques, artistiques, culturelles (sans parler des fonctions sportives, dans cette véritable « Mecque du football ») sont illustrées, entre autres exemples, par la réputation de ses cinq universités, le rayonnement de son centre d'architecture, (Oscar Niemeyer), de son Musée national (installé dans l'ancien palais de São Cristovao) ou de la Bibliothèque nationale brésilienne, la première du sous-continent.

● Mais, au-delà d'une semblable panoplie, Rio n'est pas dépourvue de problèmes : problèmes communs aux grandes métropoles certes, des transports à la pollution, des équipements aux mouvements pendulaires; mais aussi, et surtout, problèmes spécifiques au milieu urbain des pays en voie de développement : si les gratte-ciel se multiplient au cœur de la cité, si les gouvernements successifs se sont attachés à accélérer le rythme de la rénovation des vieux quartiers (il ne reste plus guère de vestiges de la ville coloniale), les faubourgs anarchiques et les banlieues démesurées alignent leurs îlots de constructions pittoresques mais insalubres, les cabanes des *favelas*. Près des trois quarts de la population de Babilonia ou de Catacumba ignorent ainsi l'électricité et l'eau courante; plus de la moitié de celle de Cantagallo et de Mangueira se tasse dans des baraques indescriptibles de carton, de bois ou de fer blanc, accrochées aux versants des *morros!* En dépit des statistiques et du « miracle brésilien », la pérennité des favellas cariocas souligne, avec une regrettable vigueur, l'ampleur des questions sociales dans le Rio de Janeiro d'aujourd'hui. ■

▶ *AMAZONIE / BRÉSIL*

RISORGIMENTO ITALIEN

● La puissante poussée patriotique du Risorgimento italien commença à se dessiner à la fin du XVIIe siècle. Les conquêtes de l'armée napoléonienne avaient amené la création, en Italie, d'États tels que les Républiques cisalpine et cispadane, bientôt réunies, et la république romaine. Les Italiens prirent conscience qu'ils appartenaient à une même terre, morcelée par la domination étrangère.

● Mais la défaite de Napoléon Ier et le congrès de Vienne de 1815 dissipèrent tous les espoirs. La restauration revint à l'ordre précédent. Les anciens souverains remontèrent sur leurs trônes et rétablirent des régimes policiers. Des dizaines de barrières douanières resurgirent, rendant à l'Italie son aspect de puzzle.

● Cependant, les espérances suscitées par la Révolution française, puis par la conquête napoléonienne, n'étaient pas éteintes. Mais il fallait se cacher. C'est ainsi que naquit le carbonarisme (dont le rituel s'inspirait des coutumes des charbonniers), sans doute à Naples, vers 1810, d'où il se répandit dans toute l'Italie.

● Son objectif était de renverser les vieux gouvernements autoritaires rétablis par la Restauration et de créer un État constitutionnel. Les carbonari tentèrent plusieurs fois des actions violentes. En 1820 à Naples, en 1821 et en 1831 en Romagne, ils subirent un échec.

● Il fallait donc que la rébellion trouve une nouvelle voie. Giuseppe Mazzini et Vincenzo Gioberti pensèrent l'avoir découverte.

● Giuseppe Mazzini, intellectuel génois appartenant à une famille républicaine, et affilié au carbonarisme, mit en place le programme de la « Jeune Italie », association qu'il fonda et dirigea.

● A la différence du carbonarisme, cette association était ouverte à tous, intellectuels et ouvriers, employés, commerçants et militaires. Sa devise était « Pensée et action ». D'abord réfléchir, comprendre, puis agir pour mettre en pratique ses convictions et réaliser ses espoirs.

● D'autre part, Mazzini pensait que la liberté ne serait pas accordée spontanément par les princes, pas plus que par les puissances étrangères. C'est le peuple rebellé qui obtiendrait par la force sa liberté.

● Mais l'expédition des patriotes au Piémont, et celle de Attilio et Emilio Bandiera pour aider les révoltés de Cosenza, se terminèrent par des exécutions et

Risorgimento : mot italien signifiant résurrection symbolisait, en ce XIXe s., l'espoir des Italiens de retrouver un jour liberté et unité. Il fut popularisé par le poète Vittorio Alfieri.

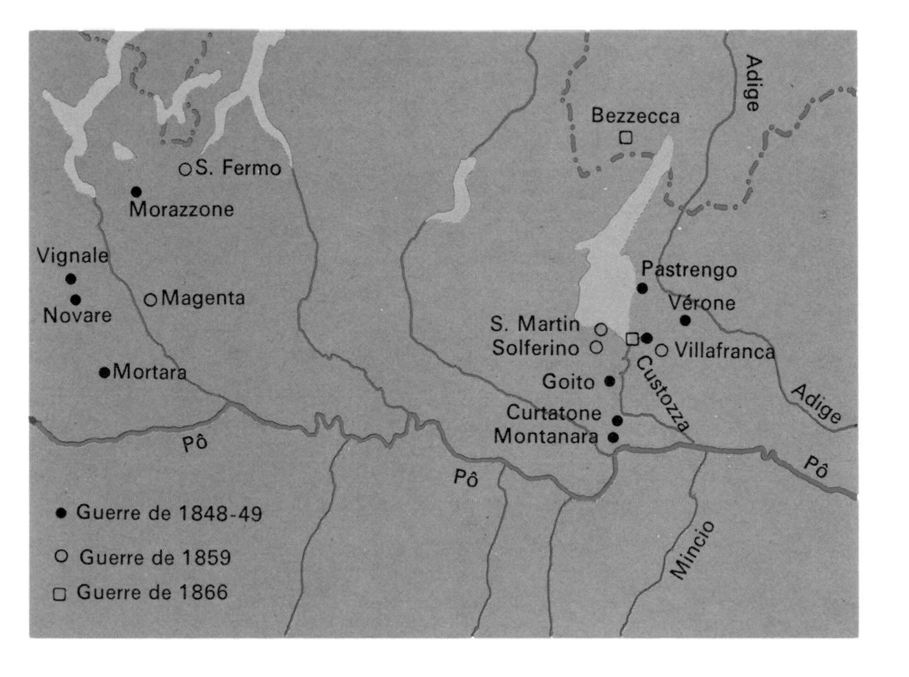

La région du lac de Gardes où l'armée autrichienne s'opposa à plusieurs reprises à l'armée piémontaise.

Par Domenico Induno, *Signature de la paix de Villafranca*, que l'empereur des Français se hâta de signer après les victoires de Rivoli et de Magenta.

Les espoirs de liberté qui animaient l'Italie tout entière furent diversement ressentis en France. Napoléon Ier fit obstacle à cette réunification, Napoléon III lui apporta son concours. Le premier annexa les républiques ligurienne et cisalpine et se fit couronner roi d'Italie en 1805, à Milan. Le second soutint la lutte de l'Italie du Nord contre l'Autriche ; en 1859, après la victoire de Magenta, il fit lui aussi une entrée triomphale à Milan, mais en libérateur.

des emprisonnements. Ces échecs portèrent un coup très dur à la thèse de Mazzini et favorisèrent, par contre, celle de Vincenzo Gioberti.

● L'abbé Gioberti adhéra un certain temps à la « Jeune Italie ». Mais il était opposé à la méthode insurrectionnelle du leader génois. L'Italie ne serait indépendante qu'à travers une fédération des États qui, tout en conservant une certaine autonomie, accepteraient des principes et des lois valables pour tous. Cette fédération ne serait possible qu'avec l'aide du pape qui en deviendrait le président.

● C'est dans cette situation assez confuse que parvint la nouvelle de la chute de Louis-Philippe, le 22 février 1848, et de la formation en France d'un gouvernement républicain provisoire. L'émotion grandit encore quand on apprit que, le 13 mars, les libéraux de Vienne, en Autriche, avaient obtenu le renvoi du réactionnaire Metternich.

● Le 17 mars, Venise se révolte et proclame la république. Le 18, les premières barricades des « Cinq jours » s'élèvent à Milan. Parme et Modène chassent leurs souverains. Des volontaires se lèvent partout. De pressants appels sont lancés au pape et à Charles-Albert. Mais le pape, pressé par l'Autriche, fait marche arrière. L'armée piémontaise est battue à Custoza. En dépit de la fuite du pape à Gaete et de la proclamation de la République romaine, en un an les espoirs d'indépendance s'éteignent. Les deux thèses avaient donc échoué.

● On en vient donc à penser que seule l'armée piémontaise, avec l'aide d'une grande puissance étrangère, pourrait faire l'unité. Pour le comte de Cavour, président du Conseil piémontais, cette puissance est la France. Pour obtenir son appui futur, Victor-Emmanuel II envoie une armée en Crimée en 1855, où la France et l'Angleterre se battent contre le tsar Nicolas Ier.

● Quand l'Autriche, provoquée par le Piémont, déclare la guerre à celui-ci, Napoléon III intervient à ses côtés. La guerre est rapide, mais, après les victoires de Rivoli et de Magenta, l'empereur des Français se hâte de signer la paix de Villafranca, la Prusse mobilisant sur le Rhin. Le Piémont acquiert ainsi la Lombardie.

● Mais les gouvernements de Florence et de Romagne se rebellent lors du retour de leurs anciens souverains. Une armée de volontaires est formée. Mazzini retrouve tout son prestige alors que les patriotes les plus impatients se tournent vers Garibaldi, lui demandant d'aider les Siciliens révoltés contre les Bourbons.

● Garibaldi s'embarque avec mille hommes le 5 mai 1860 et, accueilli par l'enthousiasme de la population, fait une marche triomphale de la Sicile à Teano, petite ville proche de Naples. Victor-Emmanuel II, assez inquiet des succès de Garibaldi, accourt vers lui, afin de détourner à son compte cet enthousiasme. Le général doit renoncer à son rêve républicain et il accueille le souverain, le 26 octobre 1860, par ces mots : « Majesté, je salue en vous le roi d'Italie ».

● Le Piémont annexait la Sicile, Naples, les Marches et l'Ombrie. A la demande des Français, pour rassurer le pape, Florence est déclarée capitale. En 1866, la Vénétie est annexée à son tour. En 1870, Napoléon III ayant été contraint de retirer ses troupes de Rome, celle-ci est prise et devient la nouvelle capitale du royaume. Le jour où l'Italie devait retrouver sa liberté et son unité était enfin arrivé.

▶ *ITALIE / NAPOLÉON III*

RIZ

● Le riz *(Oryza sativa)* est une graminée, originaire de l'Inde et de l'Indochine. Il est cultivé surtout en Asie Méridionale où il constitue l'essentiel de l'alimentation. Environ 90 % de la récolte annuelle se fait en Asie, où la consommation annuelle est de l'ordre de 100 à 200 kg par personne. En Chine, on cultive le riz depuis plus de 4 000 ans.

● Le riz est une plante annuelle, à fleurs hermaphrodites, réunies en grappes ou panicules au sommet du chaume. Chaque fleur est protégée par deux glumes et deux glumelles. La fécondation est autogame, c'est-à-dire que le pollen féconde l'ovule appartenant à la même fleur. Les fruits sont des caryopses blancs, restant revêtus après le battage par les glumelles (son du riz). Le cycle biologique de la plante varie selon le climat et la variété, mais dure de 100 à 200 jours et peut être divisé en quatre périodes : germination, pousse, levée et maturation.

● Le riz est très sensible au froid, les jeunes pousses sont tuées par des températures basses. Au moment de la pousse (ou tallage) apparaissent des bourgeons secondaires à partir de la tige principale, ce qui permet d'accroître le rendement. Le riz est cultivé dans l'eau, par semis direct à la machine (dès que les températures sont supérieures à 12° C, sinon la germination ne se fait pas) ou repiqué à partir de semis sous châssis. Cette méthode permet d'obtenir une récolte supplémentaire.

● Les rizières sont asséchées deux fois pendant la culture : au moment de l'enracinement et au moment du tallage. Les mauvaises herbes sont éliminées par des désherbants épandus par hélicoptères.

● Le riz a besoin d'une fumure azotée abondante pour se développer. Le grain de riz est revêtu par les glumelles. Le riz consommé en Europe est obtenu par polissage et glaçage, procédés consistant à débarrasser le grain de ses enveloppes. Celles-ci sont riches en vitamines (surtout du groupe B). Une consommation abondante du riz blanc peut provoquer des troubles graves et des maladies comme le béri-béri. ■

ROBESPIERRE 1758-1794

● Né à Arras dans une famille de petite noblesse, avocat à 22 ans, Maximilien s'intéresse comme tout le monde à la philosophie des Lumières et à Rousseau. Il est élu en 1789 député du Tiers État d'Artois aux États généraux.

● Dès ce moment, il se montre soucieux de bâtir une société nouvelle inspirée des idées de Rousseau s'appuyant sur la bonté du peuple pour réclamer le suffrage universel direct, l'égalité des droits, et la lutte contre l'injustice. La fermeté de ses prises de position, le caractère précis de ses exposés, l'imposent vite comme l'un des chefs des démocrates. Sa probité, sa vie ascétique dans un logis modeste, en font très tôt une figure presque légendaire de la révolution naissante : après l'insurrection du Champ de Mars, le 17 juillet 1791, il est acclamé par la foule comme « l'incorruptible défenseur du peuple ».

● De septembre 1791 à septembre 1792, son action s'exerce surtout au club des Jacobins. Il s'oppose en vain à la déclaration de guerre qui ne peut profiter qu'au roi ou à des généraux ambitieux; il joue un rôle effacé dans les mouvements populaires du 10 août qui conduisent à la chute du roi. Élu dans la Commune insurrectionnelle de Paris, moteur de la révolution populaire, il entre à la Convention.

● Après la mort du roi (21 janvier 1793), il s'attaque aux Girondins, bourgeois fortunés et égoïstes, qu'il élimine le 31 mai avec l'aide de Danton et des sections populaires parisiennes. Les menaces étrangères sur les frontières, les trahisons des généraux (Dumouriez), l'agitation des contre-révolutionnaires, le conduisent à mener une politique radicale qui s'appuie sur les sans-culottes. Il obtient la création d'un Comité de Salut public (avril 1793) instituant un gouvernement de type collégial.

● Il voulait édifier une société qui fût fondée sur la vertu et le culte de l'Être Suprême s'inscrivant dans le cadre d'une république de petits propriétaires libres et égaux en droit. Mais pour imposer cette vision très légaliste et bourgeoise des choses, il devait s'appuyer sur les démocrates et les sans-culottes qui réclamaient des mesures beaucoup plus radicales. Il dut ainsi accepter d'imposer le maximum des prix et une législation contre les accapareurs.

Maximilien de Robespierre acclamé par la foule en 1791 comme « l'Incorruptible défenseur du peuple » connut une énorme popularité jusqu'en 1794. Mais lorsque la Terreur s'avéra inutile après les victoires militaires, il fit figure de tyran et ne trouva aucun défenseur lorsqu'il fut condamné à l'échafaud le 10 thermidor.

Craignant, d'ailleurs, d'aller trop loin en ce sens, il n'hésita pas à se débarrasser de la fraction radicale des hébertistes (24 mars 1794). Pour rétablir l'équilibre, il élimina les dantonistes trop « indulgents ».

● Dès lors, la chute était inévitable : mal soutenu par le peuple que déconcerta l'élimination d'Hébert, haï par les bourgeois de l'Assemblée et par les membres du Comité de Sûreté générale qui exagéraient la politique d'exécutions pour déconsidérer Robespierre, abandonné par le centre qui ne voyait plus la nécessité de la Terreur après les victoires militaires, épuisé par un travail constant, il crut bon de se retirer du 12 juin au 21 juillet. Pendant ce temps, une coalition menée par Fouché, Tallien, Fréron et Carnot, avait eu le temps d'agir et, lorsque Robespierre reparut à la Convention le 8 thermidor (26 juillet), il ne put même pas parler.

● Le 9, il est décrété d'accusation, mais la Commune de Paris se soulève et le ramène à l'Hôtel de Ville. Robespierre, pourtant, refuse de passer outre aux décisions de l'Assemblée. La foule se disperse sous la pluie et les gardes nationaux, sous la conduite de Barras, en profitent pour s'emparer de lui. Maximilien tente de se suicider, mais il échoue et est guillotiné l'après-midi même, avec une vingtaine d'amis. C'était la fin de la Révolution et les débuts d'une réaction qui ne dédaigna pas non plus la violence . ■

▶ *RÉVOLUTION FRANÇAISE*

ROBOTIQUE ET ROBOTS

● Après la mise en place des chaînes de montage au début du siècle, puis le développement des machines-outils, la robotique présage la troisième transformation ergonomique du monde industriel. L'électronique et l'informatique sont des supports de cette technologie du futur.

● Qu'est-ce qu'un robot? Un automatisme pouvant se substituer

Il existe actuellement 2 grands types de robots : d'une part, les téléopérateurs qui sont des véhicules téléguidés capables de se déplacer sur tout terrain ; d'autre part, les machines industrielles qui emmagasinent des informations et les traduisent sous forme de travail programmé.

à l'homme pour effectuer certaines opérations. Cette définition est incomplète et concerne les machines-outils programmées et répétant inlassablement les mêmes « gestes ». Le robot est un automatisme capable de s'adapter aux situations nouvelles lorsque les circonstances l'exigent; il peut surtout réaliser des opérations plus élaborées. L'industrie automobile a saisi très tôt le parti qu'elle pourrait tirer de la robotique. Américains, Japonnais, Suédois et Allemands lui ont consacré des budgets importants. En France, la Régie Renault fut la première à réagir et à mener, dès 1974, des expériences qui se sont avérées rapidement concluantes. Après les premiers essais sur les chaînes de R. 30, ce sont toutes les unités d'assemblage des R. 18, à Flins, qui bénéficient des services de robots. Les premiers conçus furent les « robots-soudeurs » dont le rendement est un point par seconde avec une précision de 0,5 mm. Depuis, ce sont les « robots-peintres » installés devant les chaînes sur lesquelles défilent les voitures; certains d'entre eux peuvent opérer à l'intérieur des véhicules. Chcz Peugeot, on utilise des robots « Trallfa » importés de Norvège, lesquels disposent d'une gamme de 18 teintes et « d'yeux » photoélectriques leur permettant de discerner le type de modèle à peindre.

● Le champ d'application de la robotique ne cesse de croître et elle gagne peu à peu les autres secteurs industriels. Le groupe Olivetti a mis au point les machines Sigma pour le montage des composants de machines à écrire. La société française New Mat a conçu pour une firme horlogère japonaise une unité de contrôle et d'alimentation des platines de montre, à raison de 45 pièces à la minute.

● Déjà les recherches s'orientent vers les robots dits de deuxième génération, susceptibles dans une situation donnée de prendre des décisions qui s'imposent et capables, par exemple, d'effectuer une sélection de pièces dans une collection donnée. Ces perspectives inquiètent. Pourtant, les robots les plus sophistiqués resteront toujours de pâles caricatures de la nature humaine. Par contre, ils contribueront à l'amélioration des conditions de travail et, dans un avenir proche, libèreront l'homme des tâches très pénibles qui sont encore siennes, en particulier dans l'industrie lourde. ■

▶ *INFORMATIQUE*

ROCHES

● On appelle roche tout matériau de l'écorce terrestre présentant le même caractère d'ensemble sur une superficie importante. Les roches sont généralement formées par l'association de minéraux. Cependant, il existe quelques roches qui ne contiennent qu'une seule espèce minérale : c'est le cas du calcaire, qui est composé uniquement de calcite.

● Les roches constituent une part importante de l'écorce terrestre; elles représentent pour l'homme un bien précieux : non seulement elles donnent, en se désagrégeant, la couverture de terre arable qu'il cultive, mais encore, elles contiennent toutes les ressources indispensables, à notre civilisation : matériaux de construction (ardoise, pierre de taille, sable, etc.), minerais (fer, plomb, zinc, étain, aluminium, etc.), sources énergétiques (charbon, pétrole, lignite, etc.), ainsi que des substances utiles directement transformées à partir des roches, telles que les briques, le ciment, la chaux, le plâtre, le verre, la porcelaine...

● Les roches ont des propriétés très différentes suivant leur origine, leur composition minéralogique, l'arrangement interne des constituants; il est donc nécessaire d'étudier leurs caractères physiques, chimiques et mécaniques pour pouvoir les classer. Les géologues y distinguent trois catégories : les roches éruptives, les roches sédimentaires et les roches métamorphiques.

● Les *roches éruptives,* ou encore magmatiques, ou cristallines, proviennent de la solidification d'un magma. Leur contenu minéralogique témoigne de la composition chimique du magma originel : si elles contiennent en abondance des minéraux clairs, riches en silicium et en aluminium (quartz, feldspaths sodiques et potassiques), ce sont des roches éruptives proprement dites; si elles sont caractérisées par la présence de minéraux foncés, riches en fer, magnésium et calcium (amphiboles, pyroxènes et olivine), ce sont des roches éruptives basiques.

● Les roches éruptives peuvent se solidifier en grandes masses à l'intérieur de la croûte terrestre (roches intrusives), ou bien peuvent monter jusqu'en surface, débordant sous forme de coulées de laves sous-marines ou subaériennes, pour se consolider ensuite (roches effusives).

● Les roches intrusives sont généralement compactes et massives. Elles se présentent comme un assemblage régulier de minéraux souvent bien cristallisés. Les cristaux sont à peu près de la même dimension et visibles à l'œil nu; on parle de structure grenue.

● Les roches effusives, au contraire, à cause du refroidissement brutal du magma, sont généralement formées par un entrelacs d'éléments cristallins, noyés dans une pâte de fond vitreuse, amorphe, ou même constitués de

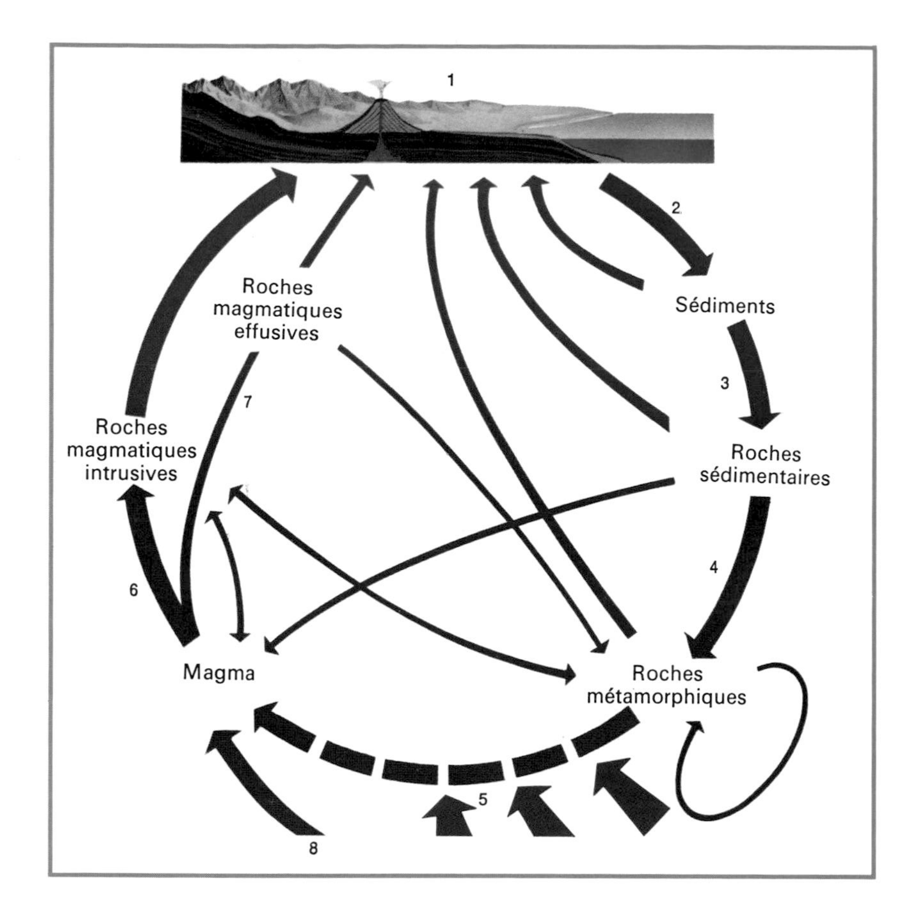

Le cycle de formation des roches. 1. Roches exposées à la désagrégation par les agents extérieurs 2. Érosion, transport et dépôt 3. Lapidification ou diagenèse 4. Recristallisation et déformation dues à la pression et à la chaleur 5. Fusion plus ou moins complète, sous l'effet d'une augmentation de chaleur, avec apport éventuel de fluides provenant des profondeurs 6. Cristallisation due à un lent abaissement de température, en présence de fluides sous pression 7. Consolidation due à un abaissement rapide de température 8. Nouvel apport de magma provenant du manteau.

cristaux si petits qu'ils ne sont visibles qu'au microscope. Parfois, le refroidissement a été si subit qu'il se forme de véritables verres volcaniques, comme les obsidiennes, à la structure vitreuse. Lorsque le magma originel contenait d'importantes quantités de gaz, les roches effusives sont bulbeuses et vacuolaires, parfois si légères qu'elles flottent sur l'eau (pierres ponces).

- Il existe, entre les roches intrusives et les roches effusives, des roches de type intermédiaire, à structure microgrenue, que l'on appelle roches éruptives de semi-profondeur (filons).
- Les roches pyroclastiques (tufs) se forment par l'accumulation de fragments de laves ou de roches projetés par des volcans, au cours d'éruptions accompagnées d'explosions. Elles sont généralement stratifiées, et contiennent souvent des fossiles, contrairement à toutes les autres roches magmatiques.
- Les roches effusives les plus communes sont les basaltes, alors que les granites prédominent nettement dans les roches intrusives; les autres types de roches sont beaucoup plus rares.
- Les *roches sédimentaires* constituent seulement une petite fraction de la totalité de la croûte terrestre (soit environ 5 %), mais couvrent une grande partie des continents et des fonds marins. Les matériaux constitutifs des roches sédimentaires proviennent ou dérivent de roches initiales qui ont subi une érosion de caractère physique (désagrégation) et chimique (altération sur place), due aux agents atmosphériques et aux eaux courantes.
- Les produits de cette destruction peuvent être transportés par le vent, les glaciers et les cours d'eau, jusqu'aux plaines ou à la mer, où ils se déposent (sédimentation). La plus grande partie de ce qui a été arraché aux terres émergées arrive plus ou moins rapidement à la mer, soit sous forme de particules solides transportées en suspension par le vent ou par les cours d'eau, soit sous forme de substances chimiques dissoutes dans les eaux courantes.
- Les fragments (blocs, cailloux, sable, argile) se déposent plus ou moins près des côtes, en fonction de leur taille, de leur poids et de la force des courants marins. Les substances chimiques (surtout le bicarbonate de calcium) précipitent dans certaines conditions, ou bien augmentent la quantité de sels dissous dans l'eau de mer. Ceux-ci sont assimilés par des animaux et des plantes marines qui s'en servent pour fabriquer leur coquille, leur squelette et leurs tissus.
- Les sédiments, au cours des ères géologiques, se déposent couche par couche, et peuvent atteindre des épaisseurs de plusieurs kilomètres. Sous le poids croissant des couches superposées, ils tendent à se comprimer, à se cimenter, et parfois à recristalliser partiellement, se transformant peu à peu en des roches compactes et stratifiées. Ce processus de durcissement, dû à des phénomènes physico-chimiques très variés, a reçu le nom de *diagenèse*.
- On peut classer d'une manière différente les roches sédimentaires suivant que l'on prend en considération leur mode de dépôt et leur agent de transport (milieu marin, milieu continental) ou leur nature chimique (roches calcaires, roches siliceuses, roches carbonées, etc.) ou encore suivant l'origine de leurs différents composants (détritique, chimique, biochimique, organique). Il est certain qu'aucune de ces classifications n'est parfaite; certaines roches détritiques sont souvent consolidées par un ciment d'origine chimique, et certains calcaires, classés dans les roches d'origine chi-

Échantillon de microcline ou feldspath potassique commun.

GRANULOMÉTRIE ET COMPOSITION DES ROCHES DÉTRITIQUES			
Classe des roches	Taille	Sédiments	Roches consolidées
Rudites (éléments grossiers)	32 à 2 mm	blocs, galets, graviers	conglomérats (brèches, poudingues)
Arénites (éléments moyens)	2 à 0,03 mm	sables grossiers moyens ou fins	grès
Pélites (éléments fins)	0,03 à 0,002 mm	sablons, limons argiles, boues	grès très fins, siltites, argilites

miques, sont formés par l'agglomération de restes d'animaux. En général, on divise les roches sédimentaires en roches détritiques, chimiques, biochimiques, et en roches organogènes ou biogènes. Il est encore plus simple de ne distinguer que les roches détritiques des roches chimiques et biochimiques.

● Les roches détritiques dérivent de fragments de roches préexistantes. Elles sont meubles ou cohérentes. Les roches chimiques sont formées, soit par précipitation de certains sels (en particulier bicarbonate de calcium) en trop grande concentration dans les eaux (calcaires, dolomies, roches phosphatées), soit par évaporation d'eau saumâtre (gypse, sel gemme).

● Les roches organogènes, biogènes ou encore biochimiques, se forment soit par accumulation de restes organiques animaux (calcaires à entroques, lumachilles), ou végétaux (tourbe, lignite, charbons), ou mixtes (pétrole), soit encore par l'activité d'organismes constructeurs comme les coraux coloniaux ou les algues calcaires.

● Les géologues étudient tout particulièrement les roches sédimentaires, car elles leur permettent de reconstituer l'histoire de la Terre, et de retrouver les variations du paysage terrestre ainsi que l'évolution de la vie.

● Les *roches métamorphiques* sont bien représentées sur les socles continentaux. Elles sont issues de roches sédimentaires ou magmatiques, ou métamorphiques, qui ont subi le métamorphisme. Les nouvelles conditions de température et de pression entraînées par le métamorphisme produisent de profondes transformations dans les roches d'origine, favorisant

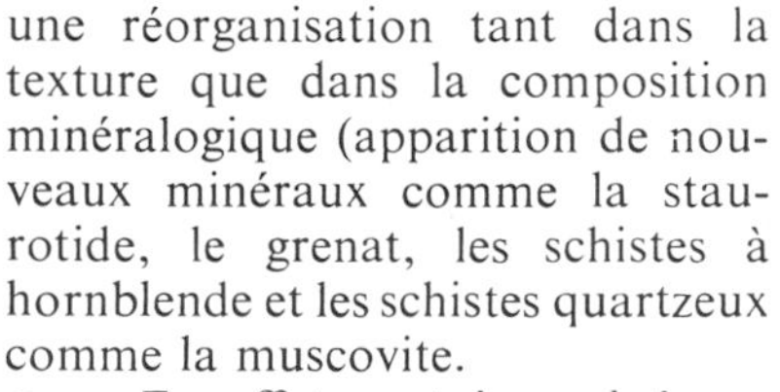

une réorganisation tant dans la texture que dans la composition minéralogique (apparition de nouveaux minéraux comme la staurotide, le grenat, les schistes à hornblende et les schistes quartzeux comme la muscovite.

● En effet, certains minéraux tendent à se recristalliser et d'autres à donner naissance à de nouveaux minéraux, compatibles avec les nouvelles conditions de milieu qui sont différentes suivant le type de métamorphisme. Ainsi, une roche donnée peut engendrer des roches métamorphiques différentes, suivant l'intensité plus ou moins grande du métamorphisme qu'elle a subi.

● Il existe toutefois des cas de roches, comme les calcaires purs, où les effets du métamorphisme se réduisent essentiellement à une recristallisation donnant des marbres proprement dits.

● Les roches qui ont subi le métamorphisme présentent fréquemment un aspect feuilleté, et sont facilement clivables selon les plans préférentiels, parallèles entre eux, que l'on reconnaît souvent à leur éclat particulier. En effet, les minéraux phylliteux (micas, par exemple) et les minéraux allongés (amphiboles) s'orientent suivant les plans de schistosité.

● La classification des roches métamorphiques est très complexe pour différentes raisons. Les critères les plus communs et les plus utilisés sont ceux qui tiennent compte non seulement de leur composition minéralogique et des rapports existant entre les diverses espèces de minéraux, mais aussi de l'intensité du métamorphisme qui peut être très variable.

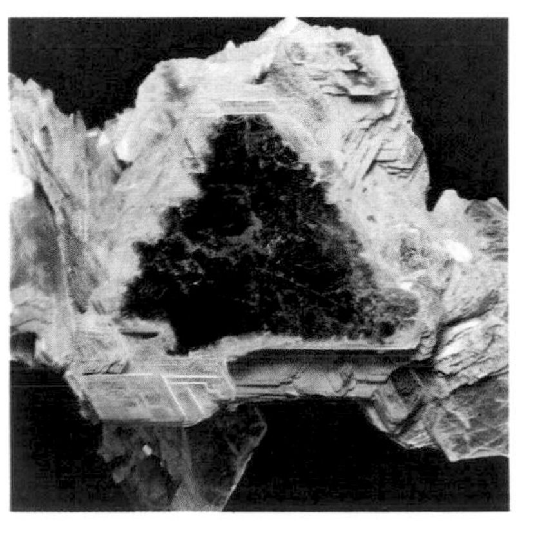

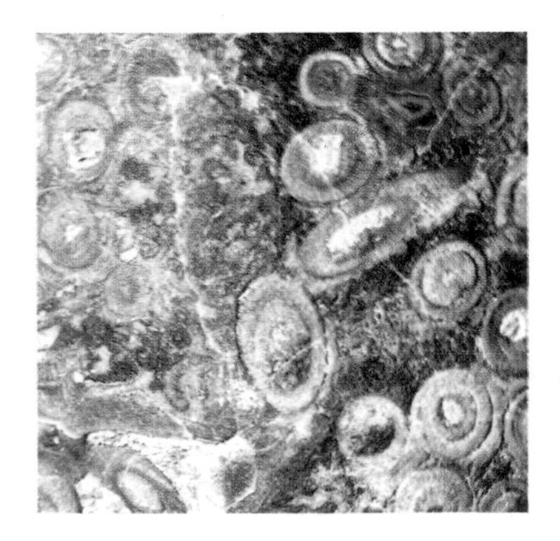

Échantillon de muscovite (à gauche) utilisée comme vitre en Moscovie ; cette roche métamorphique appartient à la famille des micas ; ses gisements peuvent former des empilements de plusieurs tonnes (en Inde).

Cristaux de tourmaline (au centre) ; gemme transparente très commune, la tourmaline présente des couleurs diverses (brun, jaune, noir) selon la nature des minéraux qui entrent dans sa composition.

Algues fossiles calcaires jouant un rôle de premier plan dans la formation des roches calcaires et des dolomies.

• Les processus métamorphiques peuvent en effet transformer les masses rocheuses de façon si radicale qu'ils leur confèrent tous les caractères d'un granite ou d'autres roches qui, à première vue, sembleraient de véritables roches magmatiques bien qu'elles ne soient jamais passées par le stade de la fusion.

• Ainsi se présente la croûte terrestre, qui ne peut plus paraître fixe et immuable. Elle est en effet soumise à de lentes et continuelles transformations, selon un grand cycle que parcourent toutes les roches magmatiques, sédimentaires et métamorphiques qui la composent. ■

▶ *MAGMA / MÉTAMORPHISME / MINÉRALOGIE / SÉDIMENTATION / VOLCANS ET VOLCANISME*

RODIN, Auguste (1840-1917)

• Issu d'une famille de la petite bourgeoisie, Auguste Rodin fréquenta entre 1854 et 1857 l'École impériale de dessin, devenue par la suite l'école des Arts Décoratifs, où il eut notamment Carpeaux pour professeur. Après trois essais infructueux pour entrer aux Beaux-Arts (sa trop grande liberté d'exécution déplaît au jury), il doit se résigner, pour des raisons financières à travailler pour des décorateurs.

• La première œuvre qu'il envoie au Salon en 1864, l'*Homme au nez cassé*, est refusée. Malgré cet échec, Rodin persévère. Outre les besognes alimentaires du jour, il suit le soir les cours du sculpteur animalier Barye. En 1871, son travail de décorateur l'amène en Belgique où il restera cinq ans, ornant de ses œuvres plusieurs immeubles et monuments bruxellois. Un bref voyage en Italie en 1875 lui fait découvrir Michel-Ange qui, selon sa propre affirmation, le délivre de l'académisme.

• En 1877, le réalisme expressif de son envoi au Salon, *L'Age d'airain*, fait l'objet de vives attaques. On accuse Rodin d'avoir moulé son œuvre et les querelles se déchaînent entre ses partisans et ses détracteurs. Ce petit scandale est pourtant bénéfique à Rodin puisqu'il lui permet de sortir de l'ombre. Désormais soutenu par un groupe d'admirateurs inconditionnels, il force peu à peu les barrages des académistes.

Le Penseur, l'œuvre la plus célèbre de Rodin, figure depuis 1922 dans le musée consacré au grand sculpteur Intitulée d'abord *le Poète,* elle devait dominer le tympan de la *Porte de l'Enfer.* Bien que le plâtre ait été achevé dès 1880, la statue de bronze telle que nous la connaissons ne fut exposée au salon qu'en 1904. En 1906 une place d'honneur lui était attribuée devant le péristyle du Panthéon.

• Collaborateur à la Manufacture de Sèvres, il reçoit de l'État en 1880 la commande d'une porte monumentale destinée au Musée des Arts décoratifs. La *Porte de l'Enfer*, à laquelle il travailla toute sa vie sans parvenir à l'achever, résume l'ensemble de son œuvre. Chaque détail se révèle soit un motif traité antérieurement à part entière comme *le Penseur* (1880), soit la base d'une sculpture ou d'un groupe ultérieurs comme *le Baiser* (1886). Bien que fortement influencée par l'art gothique et Michel-Ange, la Porte de l'Enfer constitue l'une des créations les plus originales de la sculpture au XIXe siècle, qu'il faudrait analyser à l'aide des récents travaux sur l'esthétique symboliste.

• Énergie virile, dynamisme, la puissante personnalité de Rodin subjugue et effraie ses contemporains. Exécuté entre 1884 et 1886 le groupe des *Bourgeois de Calais*, commandé par la municipalité de cette ville, ne sera érigé que dix ans après son achèvement. Quant au *Balzac* il fut purement et simplement refusé par ses commanditaires, la Société des Gens de Lettres, et ce n'est qu'en 1939, lorsque les polémiques qu'il souleva se furent apaisées, qu'on put lui trouver un emplacement au carrefour Raspail-Montparnasse, à Paris.

• En 1900, l'exposition que Rodin organise lui-même dans un pavillon place de l'Alma l'impose définitivement comme le plus grand sculpteur français de son temps. Lié avec l'élite intellectuelle et artistique, ainsi qu'avec des hommes politiques influents, Rodin continue son labeur avec acharnement. D'innombrables études modelées, des dessins, des aquarelles témoignent d'une recherche constante du mouvement qui simplifie les formes jusqu'au schématisme et refuse le « fini » pour préserver l'expression dans son intensité maximale.

• Cette liberté représentera le point de départ de toute l'évolution de la sculpture moderne. Encore mal étudiée et mal comprise, l'œuvre de Rodin a régénéré un art enlisé dans une fonction commémorative qui le vouait à la répétition des mêmes poncifs, encouragée par l'indigence de l'esthétique dominante. ■

La figure humaine (silhouette et physionomie) dans ce qu'elle a de vivant et d'expressif, constitua le thème favori de Rodin.

ROITELETS

• Les plus petits oiseaux chanteurs de nos régions font partie de la famille des régulidés et du vaste ordre des passériformes. Ces petits oiseaux que l'on peut apercevoir lors des froides journées d'hiver, sans cesse en mouvement, voletant dans la ramure dénudée des buissons et des arbrisseaux, sont les roitelets. Leur chant débute en général par un léger gazouillis de notes ascendantes et descendantes, et se termine en trilles sonores, voire fanfarons.

En temps normal, le roitelet huppé, qui pèse environ 6 g, absorbe 2 g de nourriture par jour (le tiers de son poids) ; une buse de 900 g se contente d'une ration quotidienne de 100 g (le 1/10 de son poids).

● La rotondité de leur corps, qui mesure entre 8,5 et 9,5 cm, est encore accentuée par le léger ébouriffement des plumes et une queue très courte. La livrée des roitelets est dans les tons bruns et gris-vert, avec des bandes transversales noires, particulièrement sur les ailes. Le dessus de la tête présente des stries longitudinales jaunes et orangées, bordées de noir. Le nom de « roitelet » vient du fait que les mâles de toutes les espèces ont une sorte de petit diadème de plumes jaunes, orangées ou rouges sur la tête.

● Les roitelets habitent dans les zones boisées de conifères de la région holarctique de l'Ancien et du Nouveau Monde. Bien que la plupart des espèces soient plutôt migratrices, il existe quelques races des régions tempérées chaudes qui sont sédentaires. Le genre le plus important est le genre *Regulus* dont on rencontre deux espèces dans nos régions : *Regulus regulus* ou roitelet huppé et *Regulus ignicapillus* ou roitelet à triple bandeau.

● Le roitelet huppé vit en montagne dans d'épaisses forêts de conifères. Lors de la mauvaise saison, il descend dans la plaine, fréquentant alors les champs cultivés, les jardins buissonneux et les parcs. Il se nourrit d'insectes, de larves et de graines. Mâle et femelle construisent ensemble leur nid sur des branches de pins. Ce nid est sphérique, construit avec de la mousse, de l'herbe, des feuilles sèches et consolidé avec des toiles d'araignées puis tapissé de plumes et de poils. La femelle y couve 7 à 11 œufs pendant 12 à 16 jours. Après l'éclosion, le mâle partage les soins apportés à sa progéniture avec la femelle. Il y a deux couvées par an.

● Les roitelets huppés qui se reproduisent en Europe centrale passent l'hiver dans le sud de l'Europe et sont remplacés chez nous par des races plus nordiques qui hivernent dans nos régions. A l'époque des migrations on les voit souvent en compagnie de troupes de mésanges. Ils sont inlassablement à la recherche d'insectes car, à cette époque de migration, les roitelets doivent absorber en moyenne leur propre poids en

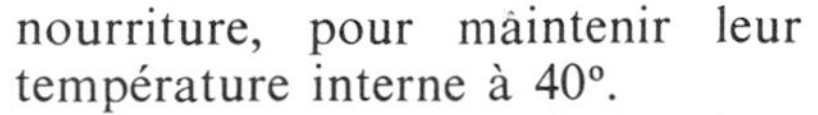

nourriture, pour maintenir leur température interne à 40°.

● Le roitelet à triple bandeau habite également dans des forêts de conifères mais moins denses que l'espèce précédente de laquelle il ne diffère que par sa livrée plus vivement colorée. Ses mœurs sont semblables à celles du roitelet huppé. Le roitelet à triple bandeau est sédentaire chez nous. ■

▶ *OISEAUX / PASSÉRIFORMES*

ROMAINE, CIVILISATION : l'histoire

● Au VIIIe siècle av. J.-C., alors que l'Égypte est affaiblie, que la Grèce, agitée par des guerres civiles, se lance sur la Méditerranée et fonde ses premières colonies, un petit village se crée au centre de l'Italie, Rome, qui va partir à la conquête du bassin méditerranéen, qu'il réorganisera totalement.

● L'Italie, encore plus que la Grèce, fut un carrefour de peuples. Les Ligures s'y installèrent à une date indéterminée, dans les massifs montagneux, rejoints par les Samnites, peuples indo-européens qui envahirent la péninsule dans la deuxième moitié du IIe millénaire. On désigne sous le nom d' « Italiotes » ces premiers peuples, ainsi que les Sabins et Latins qui s'installèrent dans quelques plaines côtières marécageuses comme le Latium. Surtout bergers et guerriers, ils défendaient âprement leurs terres.

● Deux grands foyers de civilisation se développent alors, l'un au Sud à partir des colonies grecques, l'autre en Toscane où dominent les Étrusques dont l'origine demeure encore mystérieuse (origine asiatique sans doute) et l'écriture indéchiffrable. Les premiers temps de l'histoire de Rome n'ont été connus pendant longtemps que par des documents iconographiques ou des récits plus ou moins légendaires de poètes et historiens latins, comme Tite-Live.

Le troglodyte mignon *(Troglodytes troglodytes)* vit dans les régions tempérées de l'Ancien Monde. Par erreur, on l'assimile souvent au roitelet auquel il ressemble beaucoup. Sa queue presque verticale, ses gestes affairés et nerveux lui donnent des airs de jouet mécanique.

La Louve du Capitole que l'on attribue à un artiste étrusque du VIe siècle av. J.-C., fut transférée à Rome où elle devint le symbole de la ville. Le groupe des jumeaux, tel qu'on peut le voir, date de la Renaissance, mais il existait sans doute dès l'origine.

● La légende rapporte que le Troyen Enée débarqua dans le Latium après la chute de Troie. Il épousa la fille du roi local et leur fils fonda la ville d'Albe. Deux de ses descendants, les jumeaux Romulus et Remus, abandonnés sur le Tibre pour être écartés du trône, furent sauvés par une louve qui les nourrit comme ses enfants.

● En 753 av. J.-C., Romulus fonde la ville qui porte son nom, après avoir tué son frère. Il attire dans la ville bergers et pillards, leur donnant comme épouses des Sabines enlevées au cours d'une fête. Dès lors, la ville est gouvernée alternativement par des rois latins et sabins avant de l'être par des rois étrusques (au VIe siècle av. J.-C.).

● Les sciences actuelles (archéologie, ethnologie...) permettent de mieux connaître la réalité historique. Des villages latins et sabins, organisés en confédération, vivant d'élevage et de culture, occupent le site des sept collines de Rome dès le Xe siècle av. J.-C. Au VIIe siècle av. J.-C., les Étrusques envahissent le Latium et réunissent les villages en une vraie ville avec des temples, une place publique, un mur d'enceinte, un égout.

● Ils transmettent aux Romains leur art de construire les voûtes, les murailles, d'assécher les marais, et leurs coutumes religieuses. A la fin du VIe siècle av. J.-C., ils sont battus par les Grecs de Campanie tandis que le peuple latin se révolte, les chasse et fonde la république.

● La société romaine de ces premiers siècles est inégalitaire. Les patriciens (du mot *pater*, chef de famille) descendants des fondateurs de Rome, sont divisés en *gentes*, ou clans, issus d'un même ancêtre à qui ils rendent un culte. Ils portent en général trois noms : le *praenomen* correspond au prénom actuel, le *nomen*, équivalant au nom de famille, indique la *gens*, et le *cognomen*, sorte de surnom, utilise une caractéristique physique ou morale (*scaurus* : pied-bot; Cicéron, de *cicer* : pois chiche).

● Le père a droit de vie et de mort sur tous les membres de sa famille. La mère s'occupe des affaires domestiques, de ses enfants et des esclaves. Les patriciens sont riches en terre, ils peuvent ainsi entretenir des « clients », anciens esclaves ou pauvres gens qui bénéficient de leur protection et leur servent d'hommes de main, en période d'élections par exemple.

● Les plébéiens, étrangers, descendants des peuples vaincus, anciens petits paysans, pratiquent divers métiers : entre autres, ils sont artisans ou commerçants. Enfin, les esclaves assurent l'entretien des patriciens. Ils sont considérés comme des objets et ne peuvent retrouver leur liberté que s'ils sont affranchis par leur maître.

● La république, instaurée au VIe siècle, est en fait une république aristocratique dominée par les patriciens. Ils ont seuls les moyens de se procurer des armes et de participer aux guerres. Leur puissance économique et militaire est à la base de leur pouvoir politique. Les premiers siècles de la république furent marqués par une série de luttes internes menées par les plébéiens pour obtenir l'égalité juridique et politique.

● En recourant aux « sécessions » (le peuple sortait de la ville et organisait ses propres assemblées), ils obtiennent le droit d'avoir leurs représentants, les tribuns de la plèbe, qui peuvent s'opposer au vote d'une loi et garantir le sort des plébéiens, et qui bénéficient de l'inviolabilité : quiconque tentait de porter la main sur eux était passible de peine de mort.

● Ils obtiennent encore la codification des lois des Douze Tables, base du futur droit romain, la participation au Sénat et l'accès à toutes les magistratures. Pour éviter le retour au pouvoir personnel, le régime a été établi sur le partage des pouvoirs et l'équilibre entre trois organes politiques qui se contrôlent mutuellement.

● Les comices, ou assemblées du peuple, votent des lois et élisent les magistrats. En principe, elles sont l'expression de la souveraineté du peuple, en fait la prépondérance appartient aux riches. Les magistrats exercent leur charge un an, collégialement (en équipes). Le candidat doit auparavant avoir fait preuve de sa compétence et parcouru dans un ordre bien établi toute une série de grades (le *cursus honorum*) qui comportent des insignes et privilèges particuliers (*licteurs* portant des faisceaux, sièges curules).

● La première de ces charges était celle de questeur. Le questeur s'occupait des finances, de l'administration de la ville et de l'armée. Les édiles assuraient la police, l'entretien de la voierie, le contrôle du commerce, l'approvisionnement de la ville, la construction

La lutte entre patriciens et plébéiens, qui sévit pendant plus de deux siècles, aboutit à l'égalité politique à Rome. Les plébéiens acquirent d'abord le droit de devenir consuls (367 av. J.-C.) ; plus tard, ils purent accéder aux autres magistratures.

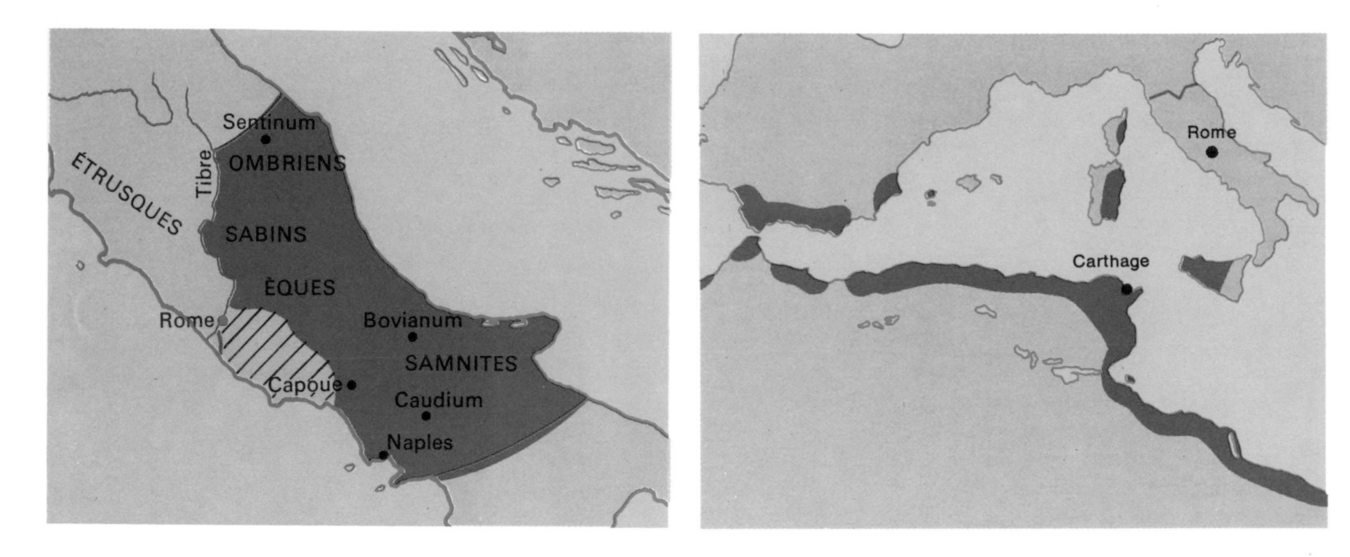

Sur la carte de gauche, le territoire de Rome avant (zone hachurée) et après les longues guerres samnites (343-291 av. J.-C.).

A droite, les possessions respectives de Rome et de Carthage à la veille de la première guerre punique (264-241).

des routes et des édifices publics, l'organisation des jeux. Les préteurs rendaient la justice et pouvaient remplacer les consuls absents.

● Les consuls exerçaient la magistrature la plus importante. Héritiers des rois, ils cumulent le pouvoir militaire, en assurant le commandement de l'armée, et le pouvoir civil; ils convoquent et président le sénat et les comices. Ils donnent leur nom à l'armée et à l'année de leur mandat, et portent la robe ornée de pourpre (toge prétexte) comme les sénateurs.

● Les censeurs, derniers grades du *cursus honorum*, choisis parmi les anciens consuls, s'occupent du recensement des citoyens, de leur fortune et surveillent la moralité publique. Enfin la dictature est une magistrature exceptionnelle: en cas de danger ou d'urgence, le dictateur dispose de tous les pouvoirs.

● Le Sénat, troisième organe politique de la République romaine, était composé des chefs des familles patriciennes (d'où le nom de *patres* qui leur était attribué). Il existait déjà au temps des rois. Sous la République, il comprend 300 membres recrutés parmi les anciens magistrats. Il surveille la religion nationale, les finances, l'administration du territoire public, il fixe les effectifs de l'armée, contrôle l'action des militaires, dirige la politique extérieure. Ses avis *(senatus consultes)* n'ont pas caractère de loi, mais sont en général suivis. Il est le principal organe du gouvernement.

● Pendant que ses institutions se mettent en place, Rome défend au Vᵉ siècle av. J.-C. ses positions contre ses voisins. Il faut presque un siècle aux armées romaines pour arrêter les offensives des Étrusques, Eques, Volsques, Sabins, Samnites qui leur font subir l'humiliante défaite des Fourches-Caudines racontée par Tite-Live. (IX.6). Ils subissent aussi les assauts des Gaulois, Celtes redoutables qui s'emparèrent de Rome à l'exception de la citadelle et laissèrent au cœur des habitants une terreur tenace.

● A partir du milieu du IVᵉ siècle av. J.-C., les Romains prennent à leur tour l'offensive; profitant des leçons de leurs défaites antérieures ils battent d'abord les Samnites, puis s'attaquent aux Grecs du Sud qui appellent à l'aide le roi d'Épire, Pyrrhus. Après des batailles indécises, celui-ci retire. En un siècle (milieu du IIIᵉ siècle av. J.-C.) l'Italie péninsulaire devient romaine.

● Contrairement à l'histoire grecque, l'unité de l'Italie se fait au profit d'une seule ville : Rome. Les peuples vaincus ont un sort d'autant plus enviable qu'ils se montrent dociles. Certains sont groupés dans des « colonies romaines » et bénéficient des mêmes droits que les Romains. Les « municipes » possèdent un droit de cité incomplet. Les « attres » ne sont pas citoyens romains. Ils sont obligés « d'avoir les mêmes ennemis que Rome ». Mais tous, municipes et alliés, deviennent progressivement citoyens complets. Un remarquable réseau de voies permet aux vainqueurs d'administrer et de surveiller leurs conquêtes.

● Vers 264 av. J.-C., Rome commence à conquérir le bassin méditerranéen. Elle dispose, pour cela d'un outil efficace : l'armée.

● L'armée romaine, comme l'armée grecque, n'est pas une armée de métier permanente. Elle ne le devient qu'au début du IIᵉ siècle av. J.-C., sous Marius. Dès que la patrie est menacée, tous les hommes libres de 17 à 60 ans sont mobilisés, sauf les prolétaires, non possédants, qui n'ont d'autres biens que leurs enfants *(proles)*. Des troupes auxiliaires sont recrutées parmi les alliés. Cela représente 300 à 400 000 hommes environ sous l'Empire, exceptionnellement 900 000.

● L'armée romaine est essentiellement terrestre. La marine restera toujours une faiblesse de l'équipement militaire romain. L'unité de base est la légion qui comprend sous Marius 4 200 fantassins et 300 cavaliers. Elle est commandée par le consul. Chacune est divisée en « centuries », subdivisées en manipules, qui sont dirigées par des « centurions ».

● Ce sont eux qui sont « l'armée de l'armée romaine », et « la plaque tournante » de la promotion sociale pour l'armée. Plus que les consuls, ils sont doués d'une grande technicité et ils ont assuré la parfaite efficacité de l'armée.

L'épisode des oies du Capitole est un des faits les plus connus de l'invasion de Rome par les Gaulois (390) : consacrées à Junon et enfermées dans le Capitole, les oies se mirent à crier la nuit, avertissant les Romains de l'imminence d'une attaque gauloise.

● Celle-ci est caractérisée par sa discipline implacable. Les généraux ont droit de vie et de mort sur leurs soldats. En cas de recul devant l'ennemi, l'armée est décimée : un homme sur dix tiré au sort est décapité devant tous. Les récompenses sont nombreuses, butin, décorations, et surtout le triomphe, procession solennelle du général vainqueur jusqu'au temple de Jupiter sur le Capitole.

● L'organisation de l'armée est remarquable. Les divers éléments de l'armement ont été astucieusement empruntés par les Romains à leurs adversaires (épée courte espagnole, cotte de mailles et boucliers gaulois...). Le légionnaire, lourdement chargé (40 kg) est capable de faire 25 km par jour, car il subit un entraînement poussé. A chaque étape, il doit construire un camp fortifié suivant un plan rigoureux, toujours identique.

● L'ordre de bataille comprend 3 lignes; la première est formée des plus jeunes, les « hastates », puis viennent les « principes », plus âgés. Tous lancent le javelot avant de combattre corps à corps. La dernière ligne des « triaris », ou vétérans, sert de réserve. La tactique est très variée selon les terrains, les ennemis, les moments du combat. Les légionnaires sont fort expérimentés dans l'art des sièges et des fortifications. Des travaux de fortification considérables, en effet, furent effectués sous l'Empire en vue de protéger les frontières, sur des centaines de kilomètres : « cimes » de Grande-Bretagne, du Rhin, de Numidie, de l'Euphrate.

● La conquête du bassin méditerranéen fut très rapide par rapport à celle de l'Italie (IIIe siècle av. J.-C.-Ier siècle av. J.-C.), et se fit par étapes.

● Rome commence par s'attaquer à Carthage, cité maritime rivale, ancienne colonie phénicienne : ce fut l'occasion de mettre sur pied une marine de guerre. Ces guerres « puniques » (*Poenus* : Carthaginois) mettent en présence une armée de citoyens romains et une armée carthaginoise formée de nombreux mercenaires, et des chefs militaires de grande valeur, le Carthaginois Hannibal et le consul romain Scipion. Au terme d'âpres luttes et d'une humiliante invasion carthaginoise, Rome est victorieuse, Carthage est prise et rasée en 146 av. J.-C.

● Les États orientaux, désunis mais puissants grâce à leurs richesses, attirent les hommes politiques romains. Cette fascination et l'ambition des généraux toujours avides de gloire expliquent en partie la conquête de l'Asie faite au cours des IIe et Ier siècles av. J.-C. La Macédoine, la Grèce deviennent des provinces romaines, puis l'Égypte, enfin l'Asie Mineure. L'Asie assure la gloire des généraux Paul-Émile, Sylla et Pompée.

● En outre, à la même époque, commençait en Occident la conquête de l'Espagne. La Gaule cisalpine (plaine du Pô) est conquise également, puis la Narbonnaise pour assurer la liaison entre ces deux régions. Alors (58 av. J.-C.), veillant à son avenir politique, Jules César, proconsul de la Gaule, pays prospère, met en jeu toutes ses forces militaires pour anéantir toute résistance dans ce pays et, pour ce faire, joue sur l'opposition de certaines tribus et sur leur incapacité à s'unir.

● Pourtant, en 59, la résistance est organisée par un jeune noble, chef de la tribu arverne, Vercingétorix, qui réussit à réunir une armée de 80 000 Gaulois. Fuyant devant les Romains, pratiquant la tactique de la « terre brûlée », il tient César en échec pendant un an. Finalement il se laisse enfermer dans Alésia, où il doit capituler

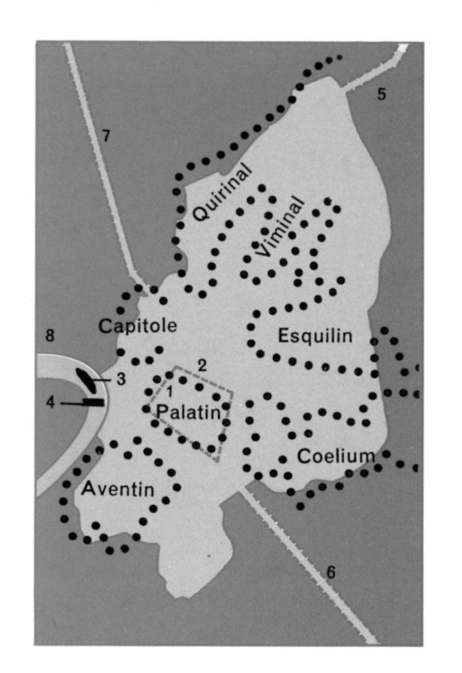

Le site de la Rome antique : 1. la Rome « carrée », village fortifié construit sur le mont Palatin 2. l'enceinte de Rome à la fin de la royauté 3. l'île Tibérine 4. le pont Sublicius 5. la via Nomentana 6. la via Appia 7. la via Flaminia 8. le Tibre.

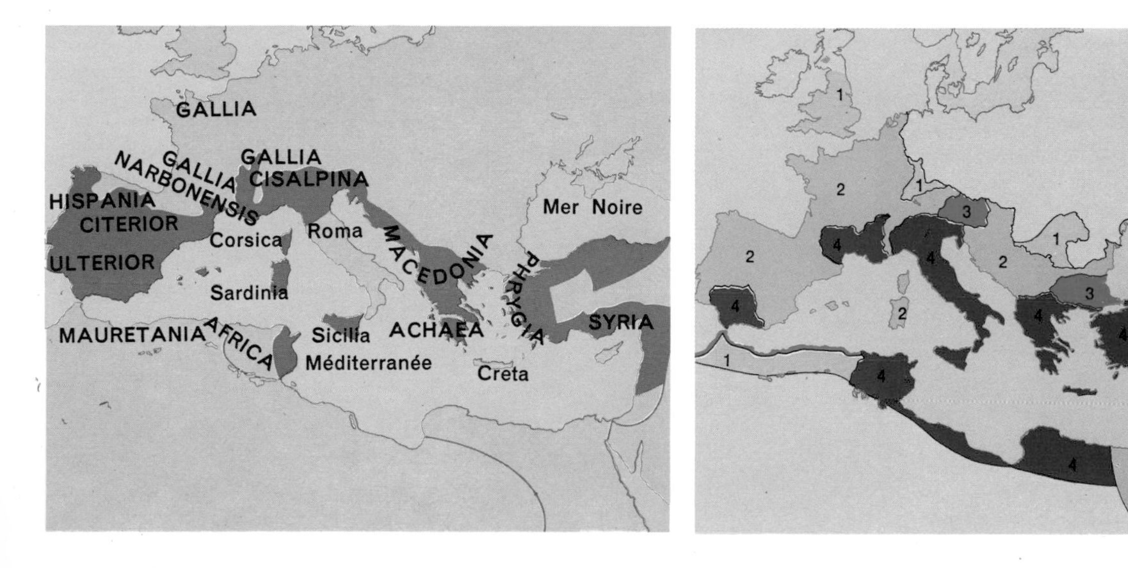

A gauche : les possessions de Rome en 60 av. J.-C. (premier triumvirat). Délimités par une mince ligne rouge, les territoires sous l'influence de Rome.

A droite : l'extension de l'empire romain d'Auguste à la mort de Trajan (117 ap. J.-C.) 1. nouvelles conquêtes 2. provinces impériales 3. États vassaux 4. provinces sénatoriales.

Enseignes de manipules (mains ouvertes au sommet de la hampe), encadrant sur un bas-relief, une enseigne de légion (surmontée de l'aigle aux ailes déployées). L'enseigne du milieu porte une *corona muralis,* distinction accordée à celui qui escaladait le premier les remparts d'une ville ennemie.

en septembre 52 av. J.-C. César l'emmène à Rome et le fait figurer à son triomphe, avant de le faire étrangler, six ans plus tard.

● Les conquêtes de la République s'étendent sur le pourtour de la Méditerranée, *mare nostrum* disent les Romains (notre mer). Certains pays (Gaule, Grèce) sont totalement conquis. D'autres gardent des zones de résistance (Espagne). Enfin, des secteurs de la côte nord, nord-ouest de l'Afrique, ainsi que de la côte orientale, échappent au contrôle romain.

● Les territoires soumis sont divisés en provinces confiées à des magistrats qui ont pouvoir militaire et civil. Ces conquêtes permirent à Rome de s'enrichir considérablement. Le butin de guerre, les indemnités versées par les vaincus, les tributs annuels en nature ou en espèces prélevés régulièrement, les confiscations de territoires (terres, mines...) effectuées par le Sénat, constituent un transfert de richesses considérables, provenant notamment de l'Orient.

● Ces biens enrichissent le trésor public (les mines d'argent d'Espagne rapportent 250 000 deniers par jour) ou des particuliers, tels que les consuls, (Paul-Émile recueille 70 millions en or et en argent) les proconsuls ou propréteurs gouverneurs de province, qui profitent de l'année où ils sont en fonction pour s'enrichir de façon éhontée comme Verrès en Sicile, les publicains, qui ont l'affermage des impôts et réalisent d'énormes fortunes. Tous considèrent les provinces comme leur propriété personnelle. L'incapacité de la République d'établir un régime administratif à l'échelle de l'Empire est une des raisons de sa chute.

● Cet afflux de richesses bouleverse la société. A côté des anciens riches propriétaires terriens qui constituent la noblesse sénatoriale apparaissent les « chevaliers » qui s'enrichissent par les affaires. Ce sont des « hommes nouveaux », qui réclament des responsabilités politiques.

● Les petits propriétaires terriens, qui constituaient la base de l'ancienne société romaine, sont ruinés par la guerre. Au retour, ils trouvent leurs terres dévastées, abandonnées. Ils doivent emprunter pour les remettre en état, ou les vendre à bas prix pour essayer d'aller trouver du travail dans la capitale. Là, souvent au chômage, ils attendent l'aumône des riches ou de l'État à qui ils réclament « du pain et des jeux » pour les sortir de l'oisiveté. Rome grandit considérablement. Les esclaves de guerre s'y multiplient et assurent diverses fonctions (domestiques, lettrés, secrétaires ou pédagogues, esclaves de luxe pour distraire leurs maîtres, ouvriers).

● La vie quotidienne se modifie. La nourriture, les vêtements, le mobilier, la maison témoignent d'un luxe et d'un confort de plus en plus grands. L'influence des mœurs et de la civilisation grecque se manifeste également dans le goût nouveau de l'élite romaine pour la littérature et pour l'art.

● Les conquêtes n'ont pas profité également à tous. Deux frères, Tiberius et Caïus Gracchus (dits les Gracques) se font élire tribuns au IIIe siècle av. J.-C. pour défendre les petits propriétaires, victimes des conquêtes. La réforme agraire qu'ils proposent vise à reconstituer cette classe sociale terrienne, en demandant une plus juste répartition des terres conquises, confisquées et accaparées par les grandes familles. L'opposition de la majorité de la noblesse sénatoriale entraînera l'échec et la mort des Gracques.

● Après eux, la violence s'installe à Rome. Le régime républicain, qui confie le pouvoir civil et militaire aux mêmes mains, s'avère inadéquat à gouverner l'Empire.

Esclaves affectés au service du vin. Ce bas-relief figure sur un tombeau romain édifié au IIIe siècle, à Igal, près de Trêves. Les autres bas-reliefs représentent des scènes analogues de la vie domestique.

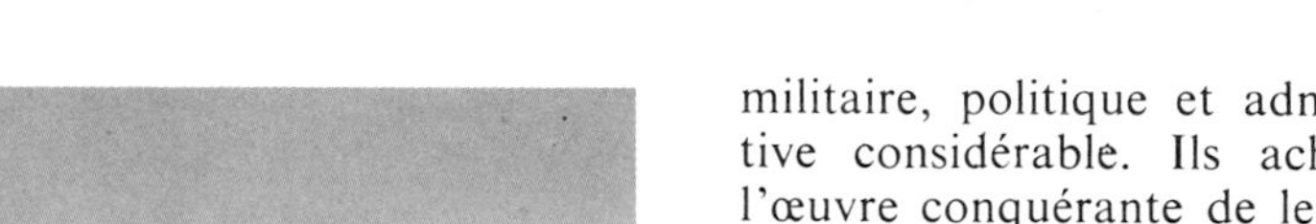

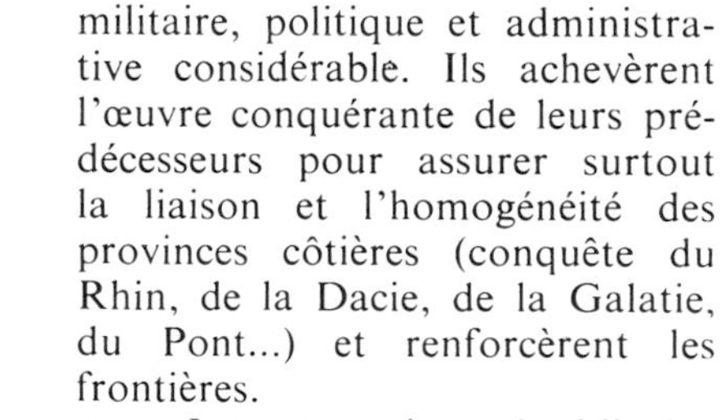

Lorsqu'ils colonisèrent la Sardaigne, les Romains découvrirent les traces d'une civilisation qui les avait précédés dans l'île. Construits pendant l'âge de bronze, les *nuraghi* servaient de refuge ou de forteresse.

Les généraux victorieux cherchent à utiliser les forces armées pour servir leur ambition politique personnelle. Des affrontements très violents opposent successivement Marius et Sylla, Pompée et César, Antoine et Octave. Chacun se cherche des appuis dans le parti sénatorial homogène, ou le parti populaire, coalition de chevaliers révoltés contre les privilèges de la noblesse sénatoriale, citoyens pauvres des campagnes, plèbe urbaine...

● Cette dernière assure notamment le succès de C. Julius César. Nommé dictateur à vie, ses pouvoirs lui permirent de réaliser de profondes réformes, mais accusé de vouloir rétablir la monarchie à son profit, il est assassiné en 44 av. J.-C.

● A sa mort, les guerres civiles reprennent entre les deux généraux Antoine et Octave. Ce dernier l'emporte sur son adversaire en 31 av. J.-C. Le Sénat lui octroie alors le titre « d'Auguste » que l'on réserve aux dieux et sous lequel il est désormais désigné.

● Il maintient en apparence les institutions républicaines, mais il concentre en réalité tous les pouvoirs en sa main (pouvoirs législatif, judiciaire, militaire, financier, religieux). C'est en fait la restauration du pouvoir monarchique qui concentre les pouvoirs entre les mains d'un seul, le « Prince » (de *princeps :* le premier entre ses égaux); ce régime a été appelé « Principat ».

● Entouré d'excellents collaborateurs (Agrippa, Mécène), Auguste (27 av. J.-C.) doué du sens du bien public, de réalisme, de grande puissance de travail, cherche à réorganiser et à développer les territoires conquis. Il crée de nouveaux organes d'administration qui ne relèvent que de lui, (bureaux, hauts fonctionnaires...) et assure la défense et la sécurité de l'Empire. Il restaure les cultes traditionnels et instaure un nouveau culte de Rome associé à celui de sa propre personne.

● Avec ses successeurs, l'Empire se consolide. Quatre dynasties règnent de 14 (date de la mort d'Auguste) à 255 (assassinat d'Alexandre Sévère, avènement de Maximin Ier d'origine barbare).

● Les Julio-Claudiens (14 à 68 ap. J.-C.), tous membres de la famille d'Auguste, ont longtemps eu une fort mauvaise réputation. Leur histoire nous est connue par des historiens latins, porte-paroles des sénateurs pleins de rancune contre les empereurs. En fait, malgré les tares psychiques indéniables de certains (Caligula, Néron), ils furent en général de bons administrateurs.

● Les Flaviens (de 69 à 96) mais surtout les Antonins (de 96 à 192) accomplirent une œuvre militaire, politique et administrative considérable. Ils achevèrent l'œuvre conquérante de leurs prédécesseurs pour assurer surtout la liaison et l'homogénéité des provinces côtières (conquête du Rhin, de la Dacie, de la Galatie, du Pont...) et renforcèrent les frontières.

● Les pouvoirs républicains traditionnels disparaissent les uns après les autres. Le Sénat, persécuté, tenu en bride, devient une sorte de conseil municipal de Rome. La centralisation et la bureaucratisation s'accentuent (création du conseil du prince). L'Empire assure ainsi aux provinces la paix, grâce à une administration saine sous la direction de fonctionnaires honnêtes et compétents. La population et la production des provinces s'accroissent. Leur prospérité économique concurrence l'économie italienne, chaque province se spécialisant suivant ses conditions naturelles.

● La péninsule et Rome continuent à accaparer une bonne partie de leurs richesses. Les ports provinciaux sont équipés à cette intention (Boulogne, ports espagnols...) ainsi que Ostie, qui accueille les produits les plus variés (minerais de Grande-Bretagne ou d'Espagne, textiles asiatiques, céréales d'Afrique...). Cependant, se développe entre les provinces un courant commercial qui échappe totalement à l'Italie.

● L'importance politique de celles-ci grandit également. Trajan (98-117), le premier empereur provincial (Germanie), achève une évolution commencée sous César, qui tend à intégrer les provinciaux dans l'État romain. Avec l'empereur philosophe Marc-Aurèle (161-180), il est une des figures les plus remarquables de cette période d'apogée de l'Empire romain.

● La dynastie des Sévères (193 à 235) marque le début d'une crise qui s'aggrave à partir de 235 ap. J.-C., date à laquelle l'empereur Alexandre Sévère est assassiné par des militaires. Une période d'anarchie militaire et de périls extérieurs s'ouvre (le Bas-Empire).

● L'empereur Dioclétien (284-305 ap. J.-C.) essaie de résoudre le problème du gouvernement d'un

Sous Titus (empereur de 79 à 81), les produits fabriqués dans les provinces étaient déjà très appréciés dans la péninsule. Un exemple parmi d'autres : les caisses de vaisselle provenant de la Gaule, découvertes à Pompéi.

Vestige de l'immense basilique de Maxence, dite aussi de Constantin (306-313), dernier grand ouvrage édifié pendant la période où la Rome impériale était à l'apogée de sa splendeur. Douze siècles plus tard, Bramante s'en inspire pour les plans de la basilique Saint-Pierre.

empire si vaste et menacé par les barbares depuis le IIe siècle ap. J.-C. Il associe quatre personnes à la direction de l'Empire et transforme le pouvoir impérial en une monarchie absolue à l'orientale, avec une étiquette stricte et un cérémonial pompeux.

● Les besoins financiers énormes entraînent la création de nouveaux impôts qui pèsent sur une population en pleine régression. Une grave crise économique s'annonce, qui nécessite le contrôle de l'État sur les prix et les industries. Le développement récent du christianisme oblige encore Dioclétien à intervenir sur le plan religieux (persécution des chrétiens).

● Ses successeurs doivent faire face à tous les problèmes. Constantin (306-337) décrète la liberté de tous les cultes, délaisse Rome et fonde Constantinople. L'empereur Théodose fait du christianisme la religion officielle de l'Empire qu'il divise cette fois définitivement en deux (Orient - Occident). Chacun de ces Empires a désormais son histoire propre. L'Empire d'Occident s'effondre en 476 ap. J.-C., à la suite de la prise de Rome par les barbares. Les insignes impériaux sont renvoyés à Constantinople. L'Empire d'Orient subsistera pour sa part jusqu'au milieu du XVe siècle.

● L'héritage romain transmis aux régions du bassin méditerranéen fut considérable, Rome ayant su à la fois imposer sa propre civilisation aux pays conquis, et rester ouverte aux apports originaux de ces peuples. ■

Au IVe siècle, à l'heure où le christianisme triomphe dans les villes et les bourgades du monde romain, le peuple des campagnes reste encore attaché à la religion traditionnelle : c'est l'origine du mot « païen » (du latin *paganus* = paysan).

ROMAINE, CIVILISATION : Religion et arts

● La religion romaine s'est répandue progressivement dans tous les pays conquis. Les Romains, à l'origine peuple de paysans, ont gardé longtemps une religion de type animiste. Très superstitieux, ils se croyaient entourés de forces mystérieuses favorables ou défavorables, les *numina* innombrables (peut-être 30 000). Il suffisait d'attirer les faveurs des premiers et de repousser les seconds par des actes précis, d'où le formalisme durable et caractéristique de la religion romaine.

● Le culte familial honorait par exemple les Mânes (esprits des ancêtres défunts), les Lares (esprits de la maison), les Pénates (dieux des provisions), le Génie (protecteur du père de famille). Plus tard, au contact des Étrusques, puis de la Grèce et de l'Orient, ces forces surnaturelles prirent le visage humain des dieux grecs.

● Ces principaux dieux de la cité sont : Jupiter (Zeus, maître des dieux), Junon (Héra, déesse du mariage), Minerve (Athéna, déesse de l'intelligence), Mars (Arès, dieu de la guerre), Cérès (Déméter, déesse de la moisson), Mercure (Hermès dieu du commerce). Vesta, sans doute une des rares divinités, avec Janus (dieu des portes), d'origine italique, est la protectrice du feu sacré de la cité.

● La religion romaine est une religion d'État, dirigée par le grand Pontife (c'est l'empereur qui remplit ce rôle à partir d'Auguste) assisté de pontifes, de prêtres attachés à un dieu, d'haruspices qui étudient les entrailles des animaux sacrifiés et d'augures qui sont spécialisés dans l'observation des présages. Le culte public comprend des prières, des offrandes, des sacrifices et des jeux publics.

● Rome n'a cessé d'adopter avec tolérance les dieux étrangers. Les cultes de Cybèle, d'Isis (déesse égyptienne), de Mithra (dieu perse), les religions ésotériques (mystères d'Eleusis, de Dionysos) connurent un grand succès dans toutes les classes de la société à la suite des conquêtes.

● Ce changement de sensibilité religieuse correspond également au développement croissant de l'influence des écoles philosophiques grecques (stoïcisme, épicurisme, pythagorisme...). Un subtil syncrétisme s'effectue parfois dans les provinces entre les dieux locaux et les dieux romains (Baal, Saturne par exemple en Afrique). Quelques pays restèrent cependant réfractaires à cette assimilation, ainsi que les campagnes d'une façon générale.

● A partir d'Auguste, le culte impérial rendu à Rome et à l'empereur prime tous les autres et se répand dans toutes les provinces où il est un puissant facteur d'unification. L'opposition des chrétiens à ce culte est une des principales causes de l'hostilité du pouvoir et des masses à leur égard. A partir de saint Paul, les chrétiens furent distingués des juifs et furent parfois intransigeants et agressifs contre les cultes païens et la vie romaine. L'opinion publique leur reprochait alors leur peu de participation à la vie de la cité, et les bruits les plus invraisemblables circulaient dans les classes populaires (accusations d'anthropophagie, d'infanticide...).

● Pourtant, le christianisme se

répandit vite dans les diverses couches de la société car il parlait plus au cœur qu'à la raison. Malgré les persécutions locales de certains empereurs (Néron, Dioclétien), il s'impose et il est reconnu comme religion d'État au IVe siècle ap. J.-C. Son expansion dans le cadre de l'Empire romain bénéficie des structures administratives provinciales qui servent de modèle à l'organisation de l'Église (division en diocèses, métropoles...).

● Le christianisme, à son tour, devient ainsi élément d'unification, en Occident tout au moins. Le droit représente aussi un grand apport des Romains au monde méditerranéen.

● La science juridique de « ce fier législateur de toutes les nations » (Herder), atteint son apogée au IIe siècle ap. J.-C. La supériorité des écoles de droit romain qui se créent à cette époque est reconnue même en Orient. Le droit est alors unifié et humanisé. Le droit public comprenait le droit civil issu de la Loi des Douze Tables, qui servit longtemps de texte de lecture aux écoliers, et le droit étranger né de la conquête. Ce droit public se distinguait du droit privé qui réglait les rapports entre les membres de la famille et plus tard ceux entre les citoyens.

● Les États modernes ont emprunté au droit romain une grande partie de leur vocabulaire politique, juridique... (préfet, magistrat...) ou de leur propre droit (droit de propriété, de prédominance du père de famille...).

● Si le sens du concret et du réalisme des Romains s'est particulièrement manifesté dans les œuvres de leurs grands juristes, il s'est illustré également dans certains genres littéraires, malgré la supériorité des Grecs dans le domaine artistique et intellectuel. L'éloquence, favorisée par l'agitation et la concurrence politique sous la République, fut portée au rang d'un véritable art par Cicéron.

● L'histoire fut également mise à l'honneur par de très grands auteurs. Le respect inné des Romains pour le passé, leur amour pour leur pays, la fierté de leur réussite, expliquent le grand nombres d'œuvres historiques, caractérisées souvent par leur esprit partial, le souci de la forme et leur intérêt psychologique. César, Salluste, Tite-Live, Suétone, Tacite, sont les principaux historiens du Ier siècle av. J.-C.

● L'héllénisme se généralisant à Rome à partir du IIe siècle av. J.-C., le métier d'écrivain, considéré jusque là avec mépris, fut encouragé. Les Romains passèrent vite de l'imitation à la création. Ce fut sous l'Empire, grâce à l'appui de Mécène, le favori d'Auguste, protecteur des lettres et des arts, que la littérature latine donna ses plus grands chefs-d'œuvre avec Horace et Virgile. Un peu plus tard (milieu du Ier siècle, début du IIe siècle ap. J.-C.) fleurit pour peu de temps une forme originale de l'expression latine, la satire, avec Juvénal et Martial.

● L'art dans lequel les Romains excellèrent fut certainement l'architecture, étroitement liée au développement des villes dans l'Empire romain. Les cités, « boulevard de l'Empire » dit Cicéron, furent l'élément essentiel de l'unification du monde romain. Elles furent le siège d'une fonction politique (centre de l'administration), d'une fonction économique (centre de communication et d'échanges), d'une fonction sociale (centre de promotion sociale et de fusion des communautés différentes), d'une fonction religieuse (centre régional du culte impérial). Par elles se transmettaient la langue, les institutions, la civilisation romaine.

● En Orient, les Romains n'eurent qu'à compléter l'œuvre de leurs prédécesseurs. En Occident leurs créations furent innombrables : « Le monde entier semblait en fête » rapporte un contemporain. Les vestiges sont encore nombreux et imposants (Nimes, Arles, Orange, Lyon en Gaule, Volubilis au Maroc, Leptis Magna en Lybie), même aux confins du désert (Timgad en Algérie).

● Parmi les villes les mieux conservées et les mieux restaurées, Pompei et Herculanum, ensevelies par une violente éruption du Vésuve en 79 ap. J.-C., montrent quels étaient les caractères de l'urbanisme romain. Le plan des villes

La tradition scolaire a longtemps présenté des anciens Romains une vue idéalisée, faisant d'eux des modèles de courage et de civisme. L'histoire suffit à nous détromper : dans les dernières années de la République notamment, la vie politique fut à Rome d'une rare violence, la ville étant livrée à l'affrontement souvent sanglant de bandes rivales.

Jeune fille fouettée et bacchante, détail des Mystères dionysiaques, peinture de la villa des Mystères à Pompéi (début du 1er siècle après J.-C.).

Dans la Rome impériale, les Thermes constituent les lieux de rencontre favoris d'une population en majorité oisive. Le bain est une opération complexe et le plan de l'édifice très étudié : vestiaire, pièce tiède, étuve sèche où l'on transpire, baignoires chaudes, piscine froide, solarium pour la belle saison, jardin enfin pour le jeu et les causeries.

est en général en damier, tout comme le camp romain qui fut à l'origine de certaines villes d'Occident.

● Au centre, on trouve le forum, place entourée des monuments publics, la curie où siège le sénat local, la basilique où s'installent les marchands et où l'on rend la justice, enfin le temple de Jupiter. Les monuments sont nombreux et identiques, arcs de triomphe élevés en l'honneur des conquérants, théâtres, amphithéâtres, thermes réservés aux jeux et aux distractions.

● C'est vers les villes que convergent les innombrables voies romaines sillonnant l'Empire d'un bout à l'autre. Un soubassement massif supporte les lourdes dalles de pierre qui constituent la chaussée. Il a permis la remarquable durée de ces voies que l'on peut encore admirer dans bien des pays. Le génie architectural des Romains leur a encore permis d'élever ces aqueducs monumentaux qui desservaient les villes en eau (le pont du Gard dans le midi de la France, l'aqueduc de Zaghouan à Carthage, de 132 km de long).

● Cette romanisation par l'urbanisation n'a pas été totale. En Occident, la population, en majorité rurale, résiste à l'assimilation et garde sa langue locale, ses cultes : tel est le cas pour l'ouest de la France, pour l'Espagne où des zones de résistance permanente subsistèrent, de même qu'en Afrique du Nord où la romanisation fut très superficielle et disparut vite avec la chute de l'Empire.

● Mais le vrai cœur de l'Empire c'est « la Ville », Rome, la plus vaste, la plus peuplée, la plus riche, ville impériale enfin. Son cadre monumental porte la marque des grands empereurs. Chacun a tenu à laisser son empreinte et la trace de ses conquêtes (Trajan) ou de sa richesse (Néron). Le vieux forum a été prolongé par les forums impériaux où se trouvent les édifices de la vie politique, religieuse, économique (basiliques, temples, marchés...).

● Ville impériale, Rome l'est encore par les luxueuses résidences impériales qui couvrent le Palatin. Enfin, les hauts fonctionnaires, la noblesse sénatoriale, constituèrent une élite sociale caractéristique de la société romaine. Les problèmes sont nombreux dans la Rome impériale qui groupe de 1 à 2 millions de personnes : problèmes de logement, de circulation, de ravitaillement, de police, de bruit, que Juvénal et Martial raillèrent dans leurs satires.

● A Rome s'est élaboré un style de vie de labeur et d'oisiveté, reflet des splendeurs et des misères de l'Empire, qui fait partie de l'héritage des civilisations méditerranéennes. ■

Arc romain (début de notre ère) à Palmyre, Syrie. Ville-oasis qui devint, grâce à sa situation géographique, un centre commercial important et le point de rencontre de nombreux courants artistiques, elle fut colonisée par les Romains au IIIe siècle et détruite par les Arabes en 634.

ROMAN

● Mode d'expression artistique, ce genre littéraire qu'est le roman a produit, depuis 2 000 ans environ, des œuvres aussi différentes que *la Princesse de Clèves* et *la Recherche du Temps perdu*, *les Liaisons dangereuses* et *les Mystères de Paris*. Mais qu'il s'agisse d'un récit d'action ou d'atmosphère, d'une nouvelle psychologique, qu'il soit épique ou poétique, réaliste ou irréaliste, le roman a toujours eu un caractère populaire et social. Accessible à tous, le roman reflète également la société dans laquelle évolue son auteur, et l'histoire du roman pourrait être aussi l'histoire des différentes sociétés qui se sont succédé depuis le Moyen Age.

● Le mot *roman* désignait au Moyen Age une œuvre destinée au « laïc », c'est-à-dire au profane, par opposition aux œuvres concernant le lettré, ou « clerc »; ces dernières étaient écrites en langue latine, surtout connue des clercs, alors que les premières étaient en langue romane, parlée par le peuple. Et tout au long de son histoire, le roman va conserver ce caractère de genre littéraire populaire, compris par tous d'une façon immédiate.

● Souvent orienté vers le thème de l'amour et de la beauté, le roman, au XIIe siècle, a réussi à atteindre, dans un style d'écriture raffinée, un sommet en tant que forme d'art, avec *le Chevalier au Lion* et *Perceval*, subtils chefs-d'œuvre du poète Chrétien de Troyes, puis, un peu plus tard, avec *le Roman de Tristan et Yseut* (ou plutôt les deux romans, l'un étant de Béroul, l'autre de Thomas).

● Malgré les quelques récits, aussi brefs que rares, que nous a laissés l'Antiquité gréco-latine (*Daphnis et Chloé* par exemple), c'est au Moyen Age que remontent les premiers véritables romans, récits d'aventures extraordinaires, mettant en valeur la vaillance et la grandeur d'âme des héros. Le roman sera donc une sorte de poème héroïque, au Moyen Age et au début de la Renaissance italienne, avec l'épopée en vers de l'Arioste : le *Roland furieux*.

● Ressortissent également au mode héroïque, les grands romans du XVIIe siècle : l'*Astrée* d'Honoré d'Urfé, *le Grand Cyrus* de Madame de Scudéry, et surtout *la Princesse de Clèves* de Madame de La Fayette. Qu'ils soient hommes ou femmes, les personnages sont des être doués de pouvoirs hors du commun. Totalement désœuvrés, ils n'ont ici-bas d'autre occupation que de poursuivre sans fin l'objet de leur amour et de pourfendre leurs odieux rivaux.

● C'est de cet aspect chimérique du roman qu'est né précisément l'adjectif « romanesque », qui définit à merveille les mérites et tout à la fois les limites de ce nouveau genre littéraire. Aussi une réaction se fait-elle jour, peu à peu, au nom de la « vérité » et de la réalité, sous l'appellation de roman « burlesque » avec le *Don Quichotte* de Cervantès au début du XVIIe siècle, qui va devenir le modèle même du roman picaresque.

● Le résultat inattendu de cette opposition du roman héroïque et du roman réaliste fut la fusion des deux formules au siècle suivant. L'Angleterre libérale et parlementaire, moins inféodée que ses voisins au régime d'ostentation qu'avait institué l'absolutisme en Europe, devait inaugurer avec Richardson *(Pamela)* et Fielding *(Tom Jones)* cette nouvelle conception du roman fondée sur l'observation de la réalité, tant individuelle que sociale. De ce jour, le roman veut être un humble et fidèle reflet du monde, de la vie « telle qu'elle est ».

● Le XIXe siècle ne pourra que reprendre cette formule et la mener plus loin avec Hugo, Stendhal, et surtout Balzac, qui ne prétendait rien moins que de restituer dans son intégralité la *Comédie Humaine*, peinture des mœurs de la société parisienne et provinciale, bourgeoise et noble de ce XIXe siècle. Mais dans le même temps, le vaillant Alexandre Dumas maintenait les droits de l'imagination pure avec ses romans de cape et d'épée, une fantaisie joyeuse et vigoureuse qui est la dernière résurgence du roman héroïque.

Portrait de Marie Duplessis, plus connue sous le nom de Marguerite Gautier. Alexandre Dumas fils fit d'elle l'héroïne de *la Dame aux Camélias*, roman paru en 1848 et qui continue d'être un best-seller.

● Dès lors, de Balzac à Zola, le roman deviendra le miroir du XIXe siècle, inventant et faisant vivre les mythes nouveaux d'un monde en plein changement. Le roman d'observation prend alors conscience de sa force et revendique, en quelque sorte, son droit à l'exclusivité. Au milieu du XIXe siècle, l'école du *réalisme*, qui s'annexera, à tort d'ailleurs, le nom glorieux de Flaubert (et dont le « chef d'école » en titre fut le pâle Champfleury) posera pour principe que le romancier n'invente rien, mais se borne à décrire, à décalquer le spectacle qu'il a devant lui.

● A la génération suivante, cette doctrine est poussée à ses plus extrêmes conséquences par l'école naturaliste, qui va jusqu'à envisager la littérature comme une annexe de la science. Aux côtés de Zola, qui se fait le théoricien enthousiaste de ce mouvement, figurent en bonne place Maupassant, Huysmans et les frères Jules et Edmond Goncourt.

● Mais la modification progressive de la société et de son idéologie impliquait la transformation du roman. Las de vouloir « retracer l'image » du monde réel qui se trouve devant ses yeux, le romancier se souvient qu'il est aussi et d'abord un créateur et décide de rendre la liberté à son imagination, c'est-à-dire à ses rêves, à ses chimères, à son univers mental.

● Il faudra attendre Gide et surtout Proust pour que cette métamorphose se réalise. Roman d'un roman, la *Recherche du Temps perdu* n'était plus soutenu par une intrigue, mais rendait compte de la totalité d'une expérience; plus de héros, mais un monde d'images et de sensations, la reconstitution de « la planète où moi seul j'ai vécu » nous dit l'auteur.

● Ainsi le roman s'affranchit peu à peu de toutes les servitudes inhérentes au genre depuis ses origines, et, à partir de 1920, vont se succéder des romans de forme et de contenu différents, selon les « engagements » aussi bien so-

Depuis le début du siècle, de nombreux prix littéraires ont été créés pour récompenser le talent des romanciers nouveaux ou confirmés : Goncourt (1903) ; Fémina (1904) ; Prix du roman de l'Académie Française (1914) ; Renaudot (1925) ; Interallié (1930) ; Médicis (1958).

De même que les chrétiens du Moyen Age manifestèrent par le pélerinage leur désir d'aller vers le Christ, de ne pas rester assis, installés dans la vie terrestre, de même certaines églises furent édifiées en dehors de la ville afin de bien signaler le caractère sacré du lieu, illustrant cette phrase de l'Épître aux Hébreux : « Jésus a souffert hors de la porte ; par conséquent, pour aller à lui, sortons en dehors de chez nous. »

ciaux que littéraires, de leurs auteurs, depuis la grande fresque des *Thibault* de Roger Martin du Gard, jusqu'aux romans engagés, écrits devant les menaces du fascisme (Malraux, Aragon, Giono). Les romans existentialistes *(les Chemins de la liberté* de Sartre, *les Mandarins* de Simone de Beauvoir et *la Peste* de Camus) sont les derniers de cette « tradition » maintes fois remise en question.

● Le nouveau roman, apparu vers 1960, influencé par les techniques nouvelles comme le cinéma, était une forme nouvelle de récit impliquant une réflexion critique sur ce genre littéraire. Nathalie Sarraute l'inaugure avec *l'Ère du Soupçon.* Cette fin du romanesque ouvre tout un ensemble de tentatives, de recherches sur une nouvelle écriture avec Robbe-Grillet *(les Gommes, Dans le Labyrinthe)*, Michel Butor *(la Modification)* et Roland Barthes *(le Degré zéro de l'Écriture)* : autant d'essais pour opposer au roman traditionnel un langage narratif qui porte tout son poids sur le niveau du formel.

● Mais à côté de ces recherches sur l'écriture et l'activité créatrice, qui pour beaucoup figurent « l'avant-garde » de la littérature, pullulent des romans au sens le plus traditionnel du terme, favorisés par la diffusion du livre de poche, et qui font les beaux jours des éditeurs : chaque année des prix, le Goncourt, le Renaudot, le Femina, couronnent le « meilleur » roman de l'année et permettent à l'éditeur de tirer ces best-sellers entre 100 000 et 300 000 exemplaires.

● Cette crise que traverse, de nos jours, le roman a permis tout au moins de prendre conscience d'une double nécessité qui est propre à ce genre littéraire : garder, d'une part, ses distances avec la réalité, puisque seul le roman peut nourrir notre besoin de « fiction », et, d'autre part, maintenir le contact avec le lecteur, puisque, parmi tous les genres littéraires, le roman a su rester le plus populaire de tous. ■

▶ *LIVRE / NATURALISME / POLICIERS, ROMANS*

ROMAN, Art

● L'expression art roman apparaît au début du XIXe siècle, lorsque le Romantisme redécouvre l'art médiéval à l'intérieur duquel il opère une classification stylistique sommaire. Il croit alors découvrir dans l'art des XIe et XIIe siècles un héritage direct des traditions romaines, d'où ce nom de « roman ».

● Aujourd'hui on reconnaît un mélange plus complexe d'influences antiques, barbares et orientales, qui se greffe sur un substrat constitué aux époques carolingienne et ottonienne, entre la fin du VIIIe et le Xe siècles. A cet art pré-roman succède, à la faveur des progrès techniques et de modifications apportées au plan des édifices religieux pour les nécessités du culte, un style nouveau qui s'épanouiera au cours du XIe siècle et d'une grande partie du XIIe siècle.

● Mais de nombreuses variantes locales empêchent de se prononcer globalement sur ces limites chronologiques, et l'on constate dans bien des cas des survivances qui prolongent l'art roman au-delà du XIIe siècle. L'Italie, par exemple, ne compte que de rares réalisations gothiques, et passa presque sans transition de l'art roman à la Renaissance.

● Aux alentours de l'an mille, l'Occident connaît un grand essor de l'architecture religieuse dont témoigne un texte du moine Raoul le Glabre : « Vers la troisième année de l'an mille, dans tout l'univers mais surtout en Gaule et en Italie, les basiliques sacrées furent complètement remises à neuf... On eût dit que le monde entier avait dépouillé ses haillons pour se couvrir d'un blanc manteau d'églises ».

● Ce renouveau correspond sans doute à celui de la ferveur religieuse, en ces temps où l'on craignait une apocalypse marquant la fin du Ier millénaire, mais aussi à une relative amélioration des conditions de vie. Les Barbares se sont stabilisés; les Arabes sont peu à peu refoulés hors d'Espagne; de grands ensembles politiques se constituent et les échanges reprennent, les pirates sarrazins ayant été expulsés de l'aire commerciale méditerranéenne. La population s'accroît sensiblement et les villes se multiplient, suscitant l'apparition, à côté de la noblesse et de la paysannerie, d'une couche sociale moyenne d'artisans et de commerçants.

● Les circonstances sont donc favorables à l'éclosion d'une nouvelle expression artistique que viennent faciliter la création de nouveaux ordres monastiques et l'action de fortes personnalités

Intérieur de la cathédrale de Pise (1063-1118), imposant édifice qui révèle le goût italien pour les vastes tribunes, les colonnes, les surfaces polychromes.

Église Sainte-Foy (XIIe siècle) à Conques, Aveyron ; détail de la partie gauche du tympan. On y voit illustré le thème du Jugement dernier : la Vierge et saint Pierre précèdent un cortège d'abbés et de donateurs. En bas à gauche, sainte Foy, prosternée, reçoit la bénédiction de la main de Dieu ; à droite, les morts sortent de leurs tombes.

ecclésiastiques ou laïques qui font bâtir des abbayes, des chapelles ou des édifices fortifiés. La plupart des œuvres laïques, constructions privées ou éléments décoratifs, ont été détruites et l'analyse du style roman ne peut s'appuyer que sur des œuvres religieuses, que la foi a préservées au cours des siècles. Mais il serait faux de penser que l'art roman n'est que religieux, et que les artisans n'ont travaillé que pour le clergé.

● Le XIe siècle s'avère être une période capitale d'innovations qui vont déterminer les grandes lignes du style roman. Ce premier âge roman est caractérisé par des constructions en petit appareil de pierres éclatées au marteau, et par une ornementation extérieure formée de bandes verticales plates, reliées entre elles par un feston de petites arcatures. Ce type apparaît d'abord en Italie du Nord, mais il se répand rapidement dans toute l'Europe méridionale.

● Le plan, simple, dérive des formules antérieures basilicales ou centrales; il se termine par une abside voûtée, et est recouvert par un toit en charpente. Mais, bientôt, la voûte, jusqu'alors réservée aux cryptes et aux sanctuaires, s'étend sur la totalité de la nef. Les trois types de voûtes déjà connus dans l'Antiquité, mais dont on avait perdu le secret, sont retrouvés par les maîtres d'œuvre : voûte en berceau, chaque travée comportant des arcs doubleaux; voûte d'arête divisée en quatre quartiers; coupole sur trompes surmontant la croisée régulière du transept.

● Bientôt, le champ de l'art roman s'étend à la France, à l'Italie, l'Allemagne, aux îles Britanniques, au nord de la péninsule ibérique, aux pays scandinaves, à la Pologne, à l'Europe centrale et à la Yougoslavie. Des particularismes régionaux transforment parfois les méthodes de construction ainsi que les plans. Ainsi, l'Europe germanique reste fidèle à la structure basilicale ottonienne, alors qu'au sud, on adopte le plan en croix latine en développant le transept. Les pays de la Loire voient naître une nouvelle solution architecturale répondant au développement du culte des saints : le déambulatoire à chapelles rayonnantes.

● Les chantiers sont confiés à des ateliers qui possèdent chacun leurs méthodes de construction, et se déplacent dans différentes régions. Ainsi s'explique l'expansion des styles, qui est aussi favorisée par les grands pèlerinages, (le plus fameux est celui de Saint-Jacques-de-Compostelle), dont la route est jalonnée d'églises. Ces voyages saints sont, pour la plupart, organisés par les moines de Cluny : sous leur impulsion se développe la sculpture monumentale.

● Les premiers essais, encore malhabiles, tentent de renouer avec l'Antiquité en copiant des œuvres byzantines et gallo-romaines, s'inspirant également d'objets en ivoire, en métal et des motifs des tissus orientaux. La gaucherie des premières exécutions est encore manifeste, mais déjà apparaît une des constantes de la sculpture monumentale médiévale : l'adaptation au cadre architectural, qui plie l'image et la déforme afin de lui faire épouser les limites de la partie qu'elle décore.

● C'est à partir de la vallée de la Loire que se diffuse la traditions des chapiteaux historiés. Un véritable programme iconographique s'y dessine, ainsi que sur les façades, selon certains thèmes choisis en fonction de l'emplacement des sculptures. Celui de l'Apocalypse prédomine aux portails.. Les compositions sont régies par la répétition symétrique ou alternée des motifs. Autour du Christ en majesté, les anges, les Apôtres ou les animaux symboliques des Évangélistes, tandis que les voussures s'ornent de figures humaines stylisées, de monstres fabuleux ou de motifs floraux.

● Les sculpteurs ont à leur disposition des schémas géométriques à partir desquels ils dessinent leurs figures selon certains canons. Les proportions sont calculées en fonction de la localisation de l'œuvre, mais aussi d'une hiérarchie spirituelle, le Christ étant plus grand que les anges et les saints, qui sont eux-mêmes plus grands que les humains. Les deux Testaments et les vies de saints sont illustrés sur les chapiteaux des églises et des cloîtres. On y

Longue de 64 m, large de 12, haute de 18, la nef de l'église de la Madeleine à Vézelay présente, une série de voûtes en arête soutenues par de puissants doubleaux aux claveaux alternativement clairs et foncés.

L'église d'Aulnay de Saintonge (seconde moitié du XIIe siècle) se dresse au milieu d'un ancien cimetière romain où demeurent quelques stèles de légionnaires. Malgré les verticales du clocher, des piliers, des contre-forts, la façade, surmontée d'un vaste toit de faible pente, frappe par son aspect massif et son allure de paisible maison, autrefois refuge du pélerin égaré, guidé dans la nuit par le fanal allumé aux lanternons.

trouve également les anciens motifs géométriques et linéaires de l'art barbare, ainsi qu'un bestiaire étrange venu des steppes asiatiques. La plupart de ces sculptures, de même que les reliquaires et les christs en croix qui faisaient partie du mobilier des églises, étaient peintes. Au début du XIIe siècle s'affirme dans les régions méridionales un courant antiquisant qui prépare l'art gothique.

● La peinture murale jouait un rôle dont nous mesurons mal l'importance, car d'innombrables fresques ont été détruites. On a, jusqu'à présent, beaucoup étudié l'architecture et la sculpture romane, mais il est probable que la peinture prédominait. Malheureusement, les œuvres qui subsistent sont très abîmées ou ont fait l'objet de restaurations malencontreuses, et les manuscrits enluminés sont dispersés dans des bibliothèques, d'accès souvent difficile. Le trait caractéristique de la peinture est qu'il n'y a pas eu de rupture au cours des invasions, et que les maîtres et les modèles ont perpétué, depuis les premiers siècles de notre ère, une technique et des motifs qui n'ont cessé de s'enrichir.

● La peinture est le plus souvent anonyme, à l'exception de quelques manuscrits qui indiquent parfois une provenance ou le nom du commanditaire. Les fresques sont réalisées par des groupes d'artistes itinérants composés de moines ou de laïcs; les enluminures sont au contraire exécutées dans les *scriptoria* des monastères. De même que la sculpture, la peinture murale s'adapte à son cadre architectural, l'intrados des arcs comportant des figures incurvées, et les parois du chœur ou des nefs des scènes narratives qui se succèdent, séparées par un trait ou des motifs décoratifs.

● Le chromatisme est limité au blanc, au noir, au rouge, au vert, au bleu et à l'ocre, les couleurs étant posées en à-plat à l'intérieur des contours, sans souci du modelé, qui se borne à de simples hachures lorsqu'il est indiqué. Les traits sont expressifs quoique très schématisés.

● L'enluminure est dans l'ensemble d'une moins grande qualité qu'aux périodes carolingienne et ottonienne : les commandes se multiplient, et les peintres, surchargés de travail, sont souvent conduits à la répétition stéréotypée des mêmes thèmes. Mais la peinture romane enrichit le programme carolingien : illustration complète des Évangiles et de la Bible, traités théologiques, sermons, récits hagiographiques mais aussi calendriers, bestiaires, encyclopédies, actes juridiques, chroniques, fabliaux et chansons de geste. ■

▶ *ARCHITECTURE / BESTIAIRES / ENLUMINURE / GOTHIQUE / MOYEN AGE / VÉGÉTATION*

ROMAN DE RENART

● Au XIIe siècle, la bourgeoisie réclame une littérature qui lui plaise, amusante, satirique, antichevaleresque, et même grivoise. On assiste alors à la naissance d'une littérature réaliste qui va s'opposer à la littérature courtoise. Le Roman de Renart correspond tout à fait au goût populaire de l'époque.

● En fait, il ne s'agit pas d'un roman mais de l'ensemble de récits, appelés « branches », dont le héros principal est le goupil. Renart est le nom propre, devenu commun, de cet animal. L'auteur de ces nouvelles? Il y en a sans doute plusieurs, certains sont connus, d'autres sont anonymes. Ces auteurs ont dû se souvenir de vieilles traditions folkloriques et des récits des auteurs anciens, comme Phèdre et Esope.

● C'est toute une société animale qui va vivre devant nous, d'une façon très humaine. Les animaux sont humanisés, et chaque espèce est représentée par un animal dont le nom quelquefois suffit à évoquer son caractère : Tardif, le limaçon, Couard le lièvre, Noble le lion, Chantecler le coq. Et les deux ennemis éternels : Renart le goupil, et Ysengrin le loup. Renart ne cesse de tendre des pièges à Ysengrin, qui bêtement se laisse prendre. C'est le combat épique de la ruse contre la force stupide. La fertilité d'invention de Renart est sans bornes, il a toujours dans son sac mille et une ruses pour tromper Ysengrin.

● Ces animaux, doués de caractères qui en font des symboles vivants d'humanité, sont organisés sur le modèle de la société de l'époque. Noble le lion ressemble étrangement à Philippe Auguste, à Charlemagne ou Arthur. Il tient une cour, entouré d'animaux qui occupent chacun une fonction. Brun l'ours dira les prières, avec Brichemer le cerf, Bruyant le taureau creusera les tombes. Tibert le chat et Grimbert le blaireau se voient confier des missions de haute importance par l'empereur Noble.

● Mais la satire est partout présente. La réalité contemporaine, sous sa forme littéraire, sociale ou tout simplement humaine, est attaquée plus ou moins violemment. Les auteurs du Roman de Renart s'amusent à singer la littérature courtoise ou épique des chansons de geste. Ainsi les animaux exotiques et païens livrent bataille à Noble qui convoque immédiatement ses barons. L'archiprête Bernard, l'âne, bénit les combattants, comme le faisait Turpin dans la Chanson de Roland.

● La parodie de la vie religieuse, des mœurs féodales, se fait sentir çà et là. Renart l'hypocrite veut échapper au jugement du Roi, en le suppliant de le laisser partir en Terre Sainte, comme pèlerin, pour se racheter de ses fautes. L'auteur veut ainsi railler les chrétiens qui font de même, et qui bien souvent ne reviennent pas meilleurs de ces pèlerinages.

● Tous les types humains sont représentés dans ces animaux. Renart, en premier lieu, le parjure, le cynique, qui prend plaisir à tromper et à se venger, Chantecler l'orgueilleux, la Lionne coquette, la Mésange téméraire. C'est aussi l'occasion pour l'auteur de peindre la vie de la campagne et les mœurs villageoises. En fin de compte, Renart a fait bonne école : La Fontaine s'en est souvenu. ■

XIIe siècle : triomphe de la féodalité mais aussi naissance des communautés urbaines ; face aux chansons de geste, émanation d'une société aristocratique, le *Roman de Renart* marque l'origine d'une littérature bourgeoise, réaliste et railleuse.

ROMANTISME

● Au contraire du classicisme, que cernent bien les notions de mesure, de cohérence, d'harmonie et surtout de rationalité, le romantisme est difficile à définir. Il implique en effet le surgissement dans la littérature, dans l'art, dans la vie, de ce qui n'est pas classable ou quantifiable, de ce qui échappe à la logique et à l'analyse.

● Loin de refouler l'effusion et la passion, l'homme romantique les exalte. A l'aise dans l'irrationnel, amoureux des orages comme des lumières violentes, il croit au pouvoir révélateur de la souffrance ou de la communion, de l'angoisse ou de l'illumination.

● Les ruines, tout autant que la mort, le fascinent; mais plus que quiconque, il éprouve l'ivresse de vivre, l'éblouissement de l'instant et les plaisirs des sens, il chante l'accord profond, dans le tumulte ou la joie, de l'âme et de la nature. Peut-être est-ce à ses contradictions, qu'il cultive avec délice, qu'on le reconnaît le mieux.

● Pour qui veut définir le romantisme, l'histoire de ce mouvement à la fois littéraire, artistique, musical, et de ses métamorphoses dans le temps (d'environ 1775 jusqu'au-delà de 1850) et l'espace (toute l'Europe, mais chaque pays ayant ses dates marquantes) ne simplifie pas les choses. Et cela d'autant plus que les légendes, comme il était normal pour un mouvement nourri des vieilles mythologies et avide d'en susciter de nouvelles, sont venues se greffer sur l'histoire et la troubler.

● Par exemple, le romantisme, souvent accordé dans ses périodes de gestation avec un regain de religiosité et un goût très vif pour la résurrection des gestes et des sagas nationales, a fortement aidé au cours du XIXe siècle à la prise de conscience des entités nationales et nourri les luttes patriotiques des peuples soulevés pour leur indépendance ou pour leur liberté.

● Grands poètes romantiques, l'Anglais Byron est mort pour l'indépendance de la Grèce et le Hongrois Petöfi fut tué en 1849 dans les combats révolutionnaires menés par les Hongrois contre l'Empire autrichien. Enfin Victor Hugo, qui passa d'abord pour un fils spirituel du royaliste Chateaubriand, ne fut sans doute jamais plus romantique que sous le Second Empire tandis qu'exilé sur le rocher de Jersey, il appelait de ses vœux la République. A travers les aventures de ses poètes et de ses héros, hantés par le passé et fous de progrès, apparaissent aussi les contradictions du romantisme.

Les Funérailles d'Atala, **tableau de Girodet illustrant une scène du célèbre roman de Chateaubriand ; cette œuvre réunit trois thèmes chers au romantisme : l'amour, la mort, la religion. Gravé sur la paroi de la grotte, ce verset d'un psaume de David : « J'ai passé comme la fleur, j'ai séché comme l'herbe des champs. »**

L'adolescent, en proie au vague à l'âme, portant son cœur en écharpe et accablé de nostalgie, n'est qu'une caricature de l'idéal romantique. En réalité, le poète romantique est animé par un optimisme fondamental : il croit qu'en des moments privilégiés, par la voie de l'intuition ou du rêve, lui seront révélées l'Essence et l'Unité du monde.

● Chaque génération romantique incarne une des figures du romantisme, parfois difficilement conciliable avec les autres. En France, les histoires littéraires tendent à confondre le romantisme avec l'école littéraire dont Chateaubriand fut le précurseur et qui, animée par Victor Hugo, Lamartine, Vigny, Musset, s'imposa lors de la bataille et du triomphe d'*Hernani* en 1830.

● Le drame romantique tel que l'illustraient alors les œuvres d'Alexandre Dumas et de Victor Hugo se caractérisait surtout par le refus des règles littéraires du classicisme (notamment de la célèbre règle des trois unités) et mettait l'accent sur le pittoresque ou la somptuosité des décors, la vigueur de l'action, le mélange du tragique et de la bouffonnerie, de la violence et de la sentimentalité. Ses auteurs se référaient à Shakespeare, mais aussi aux *Brigands* de Schiller ou aux romans anglais de Lewis ou d'Ann Radcliffe pleins d'ossements et de fantômes.

● Dans le même temps, romans et poèmes véhiculaient volontiers toute une imagerie exotique et clinquante, cherchaient selon les cas à provoquer chez le lecteur le dépaysement, le frisson, les larmes ou l'enthousiasme. Ce romantisme de façade, volontiers affiché dans les manifestes, en cachait un autre plus profond, plus secret, plus proche des courants romantiques anglais et allemands.

● Musset face à son double dans les *Nuits*, Vigny dans ses poèmes d'inspiration cosmogonique, Hugo quand il écoute ses voix intérieures, surtout Baudelaire et Nerval confrontés à l'expérience, l'un du gouffre, l'autre de la folie, témoignent que le romantisme n'est pas un jeu littéraire, mais bien une manière d'être au monde, de le comprendre ou de le réinventer.

● Sainte-Beuve, qui participa aux premières manifestations du romantisme français, se moque un peu de ses anciens amis lorsqu'il dit : « Le romantique a la nostalgie, comme Hamlet; il cherche ce qu'il n'a pas et jusque par delà les nuages; il rêve, il vit dans les songes. » Mais il ne voit pas qu'il dit juste et que, pour Nerval, le rêve est moyen d'aller au delà des apparences, moyen de connaître ce dont la science ne saurait rendre compte.

● Plus encore que les romantiques anglais qui, avec Byron et Shelley (deux des modèles de Lamartine et de Hugo) exaltèrent les pouvoirs de l'imaginaire, les poètes et conteurs allemands, Jean-Paul, Novalis, Tieck et leurs successeurs, Arnim, Brentano et surtout Hoffmann exprimèrent l'essence du romantisme. A l'Anglais Coleridge qui disait : « Et c'est de l'âme elle-même que doit sortir une voix mélodieuse et magique, à la naissance spontanée, vie et principe de tous les sons mélodieux », Novalis fait écho : « Celui qui a un sens exact de l'emploi du langage, de son rythme, de son esprit musical, celui qui perçoit le mouvement de sa nature intérieure et bouge sous sa force et sa langue et sa main, sera prophète. »

● Et cependant il va plus loin. En effet le poète — et pour Novalis le poète ne peut être que romantique — ne doit pas se contenter d'être à l'écoute de soi et de dire mélodieusement les mots dictés par l'inspiration. Le poète doit tenter de dire à la fois, le visible et l'invisible, le monde et ses secrets, la réalité et ce qui l'anime.

● « Rêver et ne pas rêver en même temps, synthétiser, c'est là l'opération du génie. » C'est aussi l'objectif du romantisme, qui ne se veut pas seulement effusion lyrique ou abandon aux passions tumultueuses, mais expérience de l'existence et quête inépuisable du monde, y compris de l'ailleurs et de l'impossible. Et c'est par cette place accordée au rêve, par ce sens de l'infini qu'il manifeste que le romantisme est irréductible au classicisme. ■

Le Départ des Volontaires de 1792, communément appelé *la Marseillaise* (arc de Triomphe de l'Étoile) fut exécuté par François Rude entre 1833 et 1835. Il y révèle une maîtrise parfaite du mouvement où l'élan romantique est tempéré par l'équilibre de la composition.

ROMANTIQUE, Art

● Dans le dernier quart du XVIIIe siècle, l'Allemagne puis l'Angleterre connurent une métamorphose du goût qui gagna progressivement toute l'Europe et les États-Unis. D'essence littéraire, le romantisme, transposé sur le plan plastique, ne créa pratiquement pas de formes nouvelles, se contentant de revaloriser des expressions anciennes et méprisées par le classicisme, par opposition auquel il se définit tant par ses thèmes que par son esthétique.

● En réaction contre le culte de la raison, le romantisme instaure la suprématie de l'affectif sur l'intellect, privilégiant la sensualité et l'expression de l'inconscient. Parallèlement, il rejette les thèmes antiques pour recourir à ceux qui sont issus des cultures nationales. La réédition de vieilles légendes et des œuvres de Dante, de Shakespeare ou de Walter Scott va fournir un répertoire considérable de sujets pour les artistes, d'autant plus que les livres sont de plus en plus illustrés de lithographies qui fournissent une base d'inspiration.

● On redécouvre le Moyen Age que le classicisme considérait comme une période d'obscurité et de barbarie. Le mélange des styles médiévaux et « renaissance » va donner naissance à ce que l'on a appelé le « style troubadour », qui se manifeste surtout en architecture et dans les arts décoratifs. On restaure des châteaux-forts et des cathédrales, mais on construit aussi de fausses ruines « gothiques » dans les jardins « à l'anglaise ». Ceux-ci ont perdu l'ordonnance géométrique des parterres au profit d'un savant « naturel » qui s'efforce de créer dans un espace réduit un microcosme montrant en abrégé tous les points de vue de la terre. On y accumule des temples, des constructions exotiques et des ponts qui enjambent des cascades.

● Un nouveau sentiment de la nature se fait jour, sous l'influence de Jean-Jacques Rousseau, qui se traduira dans la peinture de paysage que l'on commence à traiter pour lui-même et non comme fond du tableau. Le paysage devient un sujet; les montagnes perdent leur caractère effrayant; professionnels et amateurs rapportent de leurs voyages des peintures ou des aquarelles reproduisant les sites sauvages qui les ont impressionnés. En Angleterre, en Allemagne, en Suisse comme aux États-Unis ou en Scandinavie, le peintre s'efforce de décrire un état émotionnel plus que la réalité objective, ce qui explique l'importance accordée aux effets de lumière qui, tour à tour, apaisent ou dramatisent l'ensemble de la composition. Cet examen de ses propres états d'âme conduit le peintre romantique à la transcription de ses visions et de ses fantasmes, sous un aspect macabre ou caricatural. Le fantastique constituera l'un des principaux ressorts de l'art romantique.

● Malgré la diversité des personnalités que rassemble ce courant, on ne peut manquer d'être frappé par l'unité de l'esprit qui

Jeunes femmes faisant l'aumône à une gardienne de vaches près d'Ornans **(1851) par Courbet. G. Courbet (1819-1877) fut un des premiers peintres à rompre avec le sentimentalisme et les conventions de l'art académique, rupture concrétisée ici par la façon réaliste de traiter le paysage, non plus support de la scène mais sujet réel du tableau.**

les anime. Idéalistes, les romantiques recherchent cette expression ultime de l'être qui synthétisera et dépassera toutes les autres. Beaucoup d'artistes auront l'ambition de créer une œuvre d'art totale, réunissant tous les modes possibles d'expression, tentative évidemment vouée à l'échec.

● Cette quête de l'absolu débouche sur l'élaboration par les théoriciens d'un véritable système de correspondance entre les sens et les arts ainsi qu'entre les modes artistiques, notamment entre la musique et la peinture, privilégiées par le romantisme. ■

ROME

● Fondée selon la légende en 753 av. J.-C. par Romulus, Rome devait devenir la Ville par excellence, l'*Urbs*, qui porte témoignage de vingt-sept siècles de civilisation. Capitale de l'Italie depuis quatre-vingt-dix ans, la Ville Éternelle, chantée par les plus grands poètes, est aujourd'hui encore l'objet d'un culte, d'une vénération, de la part de milliers de personnes venues du monde entier, fervents catholiques ou simples amateurs d'art.

● La Rome primitive était un marché déjà important à l'embouchure du Tibre, et malgré les violentes luttes internes de la république naissante, elle acquit au IIIe siècle av. J.-C. la suprématie sur le Latium, et en 270 av. J.-C., sur toute l'Italie péninsulaire. Dominant toute la Méditerranée, grâce aux deux guerres puniques en particulier, Rome régnait, au IIe siècle av. J.-C. sur l'Orient et l'Occident.

● La ville elle-même connut une décadence sous le régime impérial en cessant d'être la résidence des empereurs et perdit son influence sur le cours des événements. Mais elle connut un nouvel essor en devenant la métropole de la chrétienté, siège du premier évêque catholique, successeur de saint Pierre.

● Au milieu du VIe siècle ap. J.-C., Rome n'était politiquement qu'une ville de l'empire byzantin. Et, bien que capitale du pouvoir temporel des papes, son histoire s'unit, deux siècles plus tard, à celle de l'empire franco-carolingien, puis du Saint-Empire romain germanique.

● Créée en 1143, la commune romaine fut perpétuellement en conflit avec la papauté et la noblesse féodale. Elle fut réduite à une simple municipalité au début du

Rappelons le nom des sept collines de Rome : Quirinal, Viminal, Esquilin, Palatin, Aventin, Capitole et Coelius.

L'île Tibérine, seule île du Tibre dans Rome, abrite l'église de Saint-Barthélemy, édifiée sur les ruines du temple consacré à Esculape. Elle est reliée à la ville par les ponts Fabricius et Cestius (Ier siècle avant J.-C.).

XVe siècle, après le retour des papes d'Avignon. Elle devint alors la capitale de la monarchie pontificale et, grâce au Saint-Siège, représenta à nouveau un grand centre culturel et artistique qui, de nouveau, rayonna à travers toute l'Europe.

● Les différentes éclipses du pouvoir temporel, dues à la Contre-Réforme, puis aux retombées de la Révolution française, redonnèrent à Rome son importance politique; en 1809, sous Napoléon, elle fut proclamée « seconde capitale de l'Empire ».

● En 1846, Rome devint le centre d'un mouvement nationaliste : en 1848, Pie IX s'enfuit de Rome et la République romaine fut proclamée, avec Mazzini comme chef de gouvernement. Mais l'armée française, qui entra à Rome en juillet 1849, restaura le pouvoir pontifical, dont l'autorité se trouva limitée au Latium. Enfin, l'armée italienne de Garibaldi pénétra dans la Rome pontificale en 1870 et la réunit à l'Italie.

● La loi des Garanties (mai 1871) permit à la Rome « italienne » de vivre avec la Rome « pontificale », réduite à l'État du Vatican. Sortie à peu près intacte de la Seconde Guerre mondiale, Rome devint la capitale de la République italienne proclamée en 1946.

● Née de l'agglomération de plusieurs villages, la Rome primitive n'était qu'une forteresse située sur le Palatin et dominait les six autres collines. Les murs d'enceinte construits par Servius Tullius témoignent de l'extension prise par la ville au IVe siècle. Entre les guerres puniques et les guerres civiles, les murailles « serviennes » cessèrent de délimiter l'agglomération, qui s'étendit au-delà, vers le champ de Mars (entre le Quirinal et le Tibre); la ville elle-même changea de physionomie, grâce au triomphe de l'hellénisme : des temples furent construits en pierre (le temple de la Fortune virile), des voies plus larges remplacèrent les rues étroites.

Symbole de la Rome antique, l'amphithéâtre Flavien, ou Colisée, frappe par sa majesté et ses dimensions imposantes ; ayant la forme d'une ellipse dont les axes mesurent 187 et 155 m, il pouvait contenir 100 000 spectateurs. Inauguré par Titus en 80 ap. J.-C., il était consacré aux jeux du cirque, combats de fauves, de gladiateurs, et même aux joutes navales.

● L'âge classique de l'architecture romaine prit naissance avec l'Empire. Jules César inaugura la série des forums impériaux qui englobaient des temples, des bibliothèques, des colonnes et des arcs. De nouvelles constructions apparurent : les palais de Domitien au Palatin, les marchés de Trajan, les thermes de Caracalla, de Dioclétien. A la fin du IIIe siècle, pressentant la menace des invasions barbares, Aurélien fit construire une enceinte de 18 km.

● La Rome chrétienne apparut bientôt, remplaçant la Rome païenne. Sous l'influence byzantine, les nouvelles églises se couvrirent de mosaïques (Sainte-Pudentienne, Sainte-Agnès). L'architecture basilicale du haut Moyen Age (Saint-Marc, Sainte-Cécile) persista pendant la période romane, avec ses marbres et ses mosaïques polychromes (XIIe et XIIIe siècles).

● Pendant la Renaissance, toute la production artistique se concentra autour de la cour pontificale : les premières fresques de la Sixtine furent exécutées pour Sixte IV. Au XVIe siècle, le pape Jules II fit travailler Bramante, Raphaël, Michel-Ange au grand ensemble architectural du Vatican et de Saint-Pierre. A l'extérieur du Vatican, églises et palais se multiplièrent : San Eliglio degli Orefici, le palais Vidoni (Raphaël), le palais Farnèse. La coupole de Saint-Pierre fut exécutée par Michel-Ange.

● La Rome baroque, dominée par Le Bernin, se couvre de nouveaux bâtiments (colonnade de Saint-Pierre, piazza Navona). La villa Borghèse, les fontaines (fontaine de Trevi) et les escaliers de la place d'Espagne, introduisent le style rococo.

● La « Rome italienne » ne produisit que très peu de monuments, comparée à la Rome pontificale; si, en effet, elle continua de prospérer en tant qu'école artistique, elle avait cependant perdu sa puissance créatrice. ■

▶ *ITALIE / ROMAINE, CIVILISATION / VATICAN*

RONGEURS

● Les rongeurs forment un ordre qui renferme près de la moitié des espèces des mammifères placentaires. Ils ont peuplé toutes les régions du globe : on les trouve aussi bien en montagne, dans les déserts, les prairies, les forêts que dans les marécages, les étangs ou les cours d'eau. Dans certaines îles comme la Nouvelle-Zélande, ils ont été introduits grâce au développement des moyens de communication.

● Les rongeurs ont su s'adapter à des modes de vie extrêmement variés. On rencontre des formes fouisseuses aux yeux réduits et aux petites oreilles mais dont les incisives et les ongles sont bien développés et servent à creuser des galeries. La gerboise est un rongeur des régions steppiques et se caractérise par des yeux bien développés et de grandes oreilles. Les écureuils évoluent avec aisance dans les arbres grâce à leur panache servant de balancier, aux griffes acérées et au pouce opposable qui leur permettent de grimper. Le castor est adapté à la vie aquatique avec ses pattes plus ou moins palmées et sa queue écailleuse aplatie.

● La plupart des rongeurs sont de petite taille. Les uns ne sont pas plus grands qu'une musaraigne, alors que d'autres comme le cabiaï ou capybara mesurent 90 cm. Ils se caractérisent par la présence de deux incisives taillées en biseau sur chaque mâchoire. Elles sont à croissance continue et seule leur face antérieure est recouverte d'émail. Un diastème les sépare des prémolaires dont l'abrasion continue compense les effets de la croissance.

● Les rongeurs sont omnivores ou végétariens mais certains n'hésitent pas à dévorer d'autres petits mammifères. Ils entassent souvent les aliments qu'ils veulent transporter dans deux poches situées latéralement au niveau de la tête, les abat-joues. Le hamster, par exemple, emmagasine des feuilles de laitue entières, qui soigneusement pliées, trouvent leur place.

● Les organes des sens sont toujours adaptés au mode de vie de l'animal. La vue, habituellement médiocre, est compensée par une ouïe fine et un odorat bien développé. Les pattes antérieures sont terminées par 5 doigts griffes qui servent à maintenir les aliments le temps que les incisives entrent en action.

● Les rongeurs font souvent preuve d'une intelligence remarquable, associée à une résistance exceptionnelle qui leur permet de survivre dans des conditions particulièrement néfastes. Certaines espèces restent actives sous des températures nettement inférieures à zéro degré et creusent des galeries dans la neige. L'hétérocéphale des déserts d'Afrique, pour sa part, creuse son terrier dans le sable brûlant.

● Bien qu'ils constituent les principaux éléments de l'alimentation des petits carnivores, les rongeurs possèdent très peu de moyens de défense. Leurs dents sont bien plus adaptées à ronger qu'à mordre leurs ennemis. Néanmoins, leur potentiel de survie est considérable car ils compensent leur vulnérabilité par une capacité de reproduction très élevée. Ils sont très rapidement aptes à se reproduire et cela plusieurs fois par an. La souris domestique *(Mus musculus)* a chaque année 4 à 6 portées.

● Ce taux élevé de reproduction entraîne parfois une surpopulation qui, chez certaines espèces comme le lemming, provoque des émigrations massives. Il est connu que les lemmings se « suicident » périodiquement. La densité de population croît selon un cycle de 3 à 4 ans jusqu'à atteindre un maximum qui entraîne de profondes modifications dans l'organisme et le comportement. Il existe en effet une forte concurrence en ce qui concerne le problème de l'alimentation, l'agressivité interindividuelle augmente et les lemmings émigrent vers des contrées plus favorables. C'est au cours de ces déplacements qu'un grand nombre d'entre eux se noient en essayant de traverser les cours d'eau, les lacs ou même des bras de mer ; en fait, ils ne se « suicident »

Les rats vivent en communautés organisées. Lorsque l'on essaie de les exterminer avec des appâts empoisonnés, un ou deux individus goûtent une petite quantité de cette nouvelle nourriture ; s'ils tombent malades ou s'ils en meurent, aucun autre membre du groupe ne touchera plus à cet appât.

Ce jeune rat est doué d'une intelligence supérieure. Il possède de remarquables facultés de discernement, de ruse et une excellente mémoire. Ces dons et le sens qu'il a de la vie en société organisée font de lui un redoutable adversaire de l'homme.

Blanches ou grises, les souris ne suscitent guère en dépit de leur aspect amusant, l'indulgence des hommes, et seul Walt Disney a su les présenter sous un jour attrayant. L'homme leur livre une guerre aussi impitoyable que leurs ennemis naturels, chats, buses, éperviers, hiboux. Malgré tous ces adversaires, l'espèce n'est pas menacée ; les souris se reproduisent très rapidement (5 à 6 portées par an).

CLASSIFICATION DES RONGEURS

Famille des sciuridés	écureuil, marmotte, chien de prairie, castor.
Famille des cricétidés	rat et souris américains, hamster, lemming, campagnol.
Famille des muridés	rat des moissons, mulot, rat noir, souris.
Famille des gliridés	loir, muscardin, lérot.
Famille des dipodidés	gerboise.
Famille des éréthizontidés	porc-épic américain.
Famille des caviidés	cobaye.

pas mais meurent accidentellement.

● Chez la souris blanche de laboratoire on a observé un phénomène analogue : lorsque la densité dans une grande cage devient trop élevée, le taux des naissances diminue brutalement et la mortalité augmente, même si la nourriture et l'eau sont distribuées à profusion.

● Les rongeurs ont une incidence considérable sur l'économie humaine. Ils dévastent les cultures, pillent les greniers et favorisent la propagation d'épidémies qui touchent aussi bien les hommes que les animaux, en transmettant des germes pathogènes. Malgré tous les efforts déployés, il est difficile de les éliminer complètement et même dans les villes modernes les rats sont nombreux. Ils élisent domicile dans les égouts et sur les terrains vagues, et comme ils ne sont actifs que la nuit, nous ne les voyons guère.

● On peut subdiviser les rongeurs en trois grands groupes : les sciuromorphes, les myomorphes et les hystricomorphes.

● Les sciuromorphes regroupent les écureuils, les marmottes, les chipmunks et les castors. Il existe de nombreuses espèces d'écureuils arboricoles qui construisent des nids globuleux dans les branches des arbres ou transforment de vieux nids de corvidés où ils passeront l'hiver après avoir constitué des réserves alimentaires.

● L'écureuil commun est roux mais de nombreuses espèces possèdent une fourrure tachetée ou rayée. La marmotte des Alpes a un corps trapu qui pèse environ 7 kg. Sa queue est courte et ses oreilles sont très petites. Elle vit en colonies et se nourrit de plantes. Tout comme les chiens de prairie, la marmotte surveille continuellement les alentours en se dressant sur les pattes postérieures.

● Les myomorphes renferment 1 200 espèces, regroupées en 225 genres. Les deux familles les plus importantes de ce groupe sont les cricétidés, avec les rats, les souris du Nouveau Monde, les campagnols, les hamsters et la souris des moissons, et les muridés, avec les rats et les souris de l'Ancien Monde.

● Les souris présentent une incroyable variété de formes dont la plus connue est la souris domestique *(Mus musculus)*. Elles peuvent survivre dans les conditions les plus difficiles et envahissent tout, y compris les habitations de l'homme. Les dégâts qu'elles causent sont cependant moins importants que ceux occasionnés par les rats. Elles nous débarrassent de nombreux insectes. La souris blanche de laboratoire est une variété albinos de *Mus musculus*.

● Le rat noir *(Rattus rattus)* et le rat d'égout ou rat gris *(Rattus norvegicus)* représentent de véritables fléaux pour l'homme, tant par les ravages qu'ils font que par les maladies qu'ils transmettent et la résistance qu'ils opposent à toute tentative d'extermination. Le rat noir, introduit en Europe lors des Croisades, mesure entre 16 et 25 cm sans la queue, qui est à peu près aussi longue que le corps. Le rat d'égout est un peu plus grand mais pèse presque le double, soit environ 500 grammes. C'est un bon nageur, qui provient également d'Asie et a envahi l'Europe vers les années 1700.

● Le groupe des hystricomorphes renferme des espèces aussi différentes que les porcs-épics, les cobayes, les cabiaïs, les pacas, les agoutis, les tucos tucos fouis-

Souris domestique *(mus musculus)*. Dotée d'un appétit insatiable, la souris n'hésite pas à s'attaquer aux objets les plus divers : bois, papier, nourriture, linge.

Le tamia est un petit rongeur qui vit dans les forêts du nord de l'Amérique. Il appartient à la famille des sciuridés. Son nom vient du mot grec *tamia* qui veut dire « économe ».

seurs et les chinchillas dont la fourrure gris perle est l'une des plus chères. ■

▶ *MAMMIFÈRES*

RONSARD (1524-1585)

● Enfant du terroir vendômois, Pierre de Ronsard a goûté pendant les douze premières années de sa vie le calme d'une nature riche et verdoyante. De ce séjour délicieux, il gardera la nostalgie. Grâce à ses origines nobles, il peut mener une existence dorée. Attaché comme page à la cour de France, puis à celle d'Écosse, il participe aux fêtes brillantes et son imagination s'emplit d'images colorées, de costumes chatoyants.

● Quelques années plus tard, Pierre de Ronsard est frappé d'une demi-surdité et revient dans son cher Vendômois, décidé à se consacrer à la poésie. Sous la direction du maître Dorat, il apprend le grec et s'initie à la culture antique. Bientôt ses amis, Joachim du Bellay et Antoine de Baïf, se joignent à lui au collège de Coqueret. Ensemble ils veulent renouveler la poésie française. Le sérieux de leur entreprise est marqué dans le nom même de leur groupe : la Brigade. Ronsard en devient le chef incontesté, tout en affirmant peu à peu son génie.

● C'est en 1550 que Ronsard publie sa première œuvre, les *Odes,* inspirées par Pindare. Sauf pour quelques érudits, elles furent difficiles à lire, chargées qu'elles étaient de mythes, d'allusions savantes, de métaphores gréco-latines. Le poète sentit bien que pour toucher un plus large public, il lui fallait se tourner vers Pétrarque et la mode italienne.

● Au mois d'avril 1545, à l'occasion d'une fête au château de Blois, Ronsard rencontre une toute jeune fille de treize ans dont il tombe amoureux. Cassandre ne semblait-elle pas venir de l'antiquité classique ? Il ne reverra pas la jeune fille, qui se mariera l'année suivante. La vision fugitive de cette jeune beauté lui inspirera ses vers les plus célèbres. « Mignonne allons voir si la Rose... » Dans l'esprit de Ronsard, la Cassandre charnelle s'identifie à la figure féminine de la littérature, la Laure de Pétrarque. Soupirs, désirs, regrets animent *les Amours* (composés en 1552).

● La forme du sonnet souvent adoptée par Ronsard dans sa poésie se prête admirablement à son souci d'harmonie. Un nouvel amour favorisera sa recherche de simplicité. Il s'éprend d'une paysanne du Val de Loire, Marie, « fleur angevine de quinze ans ». *La Continuation des Amours* (1555) la célèbrera dans une poésie sans complications littéraires, mais pleine de sincérité, de délicatesse, de naïveté amoureuse et de charme.

● La renommée de Ronsard s'étend. Le groupe de la Brigade prend le nom de la Pléiade. Leur chef est unanimement reconnu « prince des poètes ».

● Il n'a d'ailleurs pas renoncé à la grande poésie des odes pindariques. Il est devenu poète officiel de la cour. Ses *Hymnes,* écrits en alexandrins, célèbrent un être humain ou une grande idée comme l'éternité ou la philosophie. Il met plus de vingt ans à composer la *Franciade* sur le modèle de l'Iliade et de l'Odyssée. Mais alors il s'aperçoit qu'il s'est engagé dans une impasse. Les quatre premiers livres paraîtront en 1572, la suite ne verra jamais le jour.

● Reprenant le thème de l'amour, il retrouve toutes les dimensions de son talent. Les sonnets *Sur la mort de Marie* (1578) immortaliseront cette humble paysanne. Catherine de Médicis demande au poète de célébrer Hélène de Surgères, inconsolable d'avoir perdu son fiancé à la guerre. Peu à peu, malgré la différence d'âge, Ronsard s'éprend de son inspiratrice et les *Sonnets à Hélène* ne sont que doux propos, confidences tendres, mélancolie discrète.

● Travaillant sans relâche à rééditer ses œuvres, il se retire dans l'un de ses prieurés, à Saint-Cosme. Il meurt le 27 décembre 1585. Sur sa tombe, nous trouvons cette inscription qui résume bien l'ensemble de son œuvre : « Le vert trésor de l'homme est la verte jeunesse. » ■

Ronsard joue un rôle important dans l'histoire de la poésie française. Tout d'abord par son œuvre qui, bien avant le romantisme, a triomphé dans le genre lyrique. Ensuite par sa technique artistique qui le pose en précurseur de la poésie future. En restaurant l'alexandrin et en précisant les règles de rythme et de rimes en versification, Ronsard ouvre la voie à l'art classique du XVIIe siècle.

ROOSEVELT, Franklin Delano (1882-1945)

● En promettant à une nation en proie à la crise économique et au chômage « une nouvelle ère, une nouvelle distribution des cartes » *(a new era, a new deal)*, Franklin Delano Roosevelt (1882-1945) fut élu président des États-Unis à une majorité sans précédent (42 États sur 48).

● Une telle confiance devait se mériter de la part de cet ancien gouverneur démocrate de New York, issu d'une riche famille de propriétaires et cousin du président Théodore Roosevelt dont il épousa la nièce, Eléanor. Aussi, c'est avec une énergie identique à celle qu'il avait déployée pour surmonter la poliomyélite qui le priva de l'usage de ses jambes, que Roosevelt s'attela à la tâche, aidé par son état-major de conseillers, le *brain-trust* (trust de cerveaux).

● Combattant les méfaits de la crise économique de 1929, il promut une série de mesures connues sous le nom de *New Deal,* tendant à améliorer le pouvoir d'achat des classes les plus défavorisées.

● Une telle politique bousculant les traditions sociales du pays et provoquant une intervention du gouvernement fédéral devait susciter une réaction hostile qui s'exprima dans le refus de la Cour Suprême de valider les mesures les plus importantes du New Deal.

● Profitant de sa réélection triomphale en 1936, Roosevelt tenta vainement de restreindre les pouvoirs de la haute assemblée, mais le conflit s'apaisa par la démission des membres les plus conservateurs de la Cour.

Roosevelt photographié en compagnie de Staline lors de la conférence de Yalta, en 1945, à laquelle participait également Churchill. Les trois chefs d'État tentèrent de se mettre d'accord sur les problèmes posés au monde entier par la guerre qui touchait à sa fin.

● Plutôt « homme des expériences » que théoricien, Roosevelt put alors poursuivre sa politique intérieure, accentuant les mesures sociales tout en conservant la confiance d'une opinion publique qu'il entretenait par ses multiples « causeries au coin du feu » à la radio.

● Dans le domaine des relations internationales, le président démocrate fit preuve du même pragmatisme, accordant l'accession à une réelle indépendance pour Cuba, Panama et les Philippines et reconnaissant le régime soviétique. Hostile à Mussolini et à Hitler, Roosevelt dut cependant tenir compte de l'opinion américaine franchement isolationniste.

● Se préparant à toute éventualité par un réarmement et l'établissement de la conscription, il put aider la Grande-Bretagne et l'Union Soviétique qui, grâce à la loi du *prêt-bail,* reçurent du matériel de guerre. L'attaque de Pearl Harbor (7 décembre 1941) permit enfin l'entrée des États-Unis dans la Seconde Guerre mondiale.

● Collaborant étroitement avec Churchill, il rencontra plusieurs fois Staline, notamment au cours d'entretiens à Téhéran (1943) et à Yalta (1945) où l'Américain, vieilli et malade, sut difficilement s'opposer aux desseins du Russe, abandonnant à ce dernier les Balkans et l'Asie extrême-orientale.

● En fait, Roosevelt croyait fermement en la dynamique de la liberté et de la démocratie. Dans la Charte de l'Atlantique, élaborée avec Churchill, il affirmait le droit des peuples à disposer d'eux-mêmes, principe qu'il renouvela dans le plan de Dumbarton Oaks (1944) qui jeta les bases de la future Organisation des Nations-Unies.

● Réélu pour la troisième fois en 1940, bénéficiant d'un quatrième mandat présidentiel en 1944, Roosevelt mourut l'année suivante sans avoir pu voir la victoire toute proche. Jamais aucun président n'avait été aussi longtemps à la tête des États-Unis et l'on peut dire que les douze ans de gouvernement continu de Roosevelt marquent le développement sans retour du pouvoir présidentiel. ■

Branche de ronce avec ses fruits, akènes charnus dont on fait des confitures et des sirops.

ROSACÉES

● La grande famille des rosacées compte plus de 3 000 espèces. Ce sont des plantes arborescentes, arbustives, herbacées et parfois rampantes, principalement distribuées dans les régions tempérées de l'hémisphère boréal, mais il en existe aussi dans les zones tropicales et en Australie.

● Les feuilles sont de différentes formes, simples ou composées, habituellement à stipules bien développées; leur marge n'est pas entière et elles sont insérées en ordre épars sur la tige. Les fleurs de l'églantier *(Rosa canina)* ou rosier de chien, plante buissonnante qui a donné son nom au groupe, sont des fleurs régulières, avec un calice à 5 sépales dont les bords sont pourvus de fins appendices repliés vers le bas après la floraison; la corolle comporte 5 pétales blanchâtres, et d'innombrables étamines, parfois plus de 40.

● Les sépales, les pétales et les étamines sont parfois réunis en tube, autour des ovaires. Ces derniers donnent autant de petites nucules (vrais fruits), recouverts de poils et renfermés dans le réceptacle qui devient rouge et charnu à maturité (faux fruit ou cynorrhodon).

● La division des rosacées en différents groupes est fondée sur le type de fruit formé. Les spiroïdées ont des follicules ou des capsules. Certaines espèces herbacées de cette famille sont spontanées *(Spiraea ulmaria)*, d'autres, cultivées, sont des plantes ornementales.

● Chez les rosoïdées, les fruits sont des akènes enfermés dans un réceptacle charnu. Déjà connue des Babyloniens, des Grecs et des Romains, la rose est cultivée pour la décoration ou pour la fabrication de l'essence de rose. Au même groupe appartiennent le fraisier, le framboisier *(Rubus idaeus)* et la ronce *(Rubus fructicosus)*, utilisés pour faire des confitures ou des sirops.

● Les pomoïdés produisent un pseudo-fruit, que les botanistes appellent pomme. Le poirier et le pommier sont des arbres fruitiers très répandus. Le néflier d'Allemagne *(Mespilus germanica)* et le néflier du Japon *(Eriobotrys japonica)* donnent aussi des fruits comestibles.

● On cultive communément dans nos régions, et plus particulièrement dans le midi de l'Europe, le cognassier *(Cydonia vulgaris)* dont les fruits servent à préparer des marmelades et des gelées, ainsi que le sorbier *(Sorbus domestica)* et l'aubépine épineuse.

● La famille des prunoïdés, à laquelle appartiennent l'amandier, le cerisier, le pêcher, le prunier et l'abricotier, donne des fruits en forme de drupes. Très importants dans l'alimentation, ces arbres font l'objet d'une culture intensive. ■

La rose a de tout temps été célébrée par les poètes. Ses nuances raffinées, sa carnation satinée et fragile, son parfum suave font d'elle un symbole de beauté et de perfection. Elle sert ainsi d'emblème et d'allégorie en littérature, en peinture comme en architecture ou en héraldique.

ROSSIGNOL

● Le rossignol est un oiseau de l'ordre des passériformes et de la famille des turdidés dans laquelle se classent également les merles, les grives, les rouges-gorges et les rouges-queues. Ces oiseaux, du genre *Luscinia,* sont très proches des rouges-gorges et comprennent de nombreuses espèces réparties dans la partie nord de l'Ancien Monde, parmi lesquelles le rossignol philomèle *(Luscinia megarhynchos)*, qui mesure environ 16 cm.

● De la Grande-Bretagne à l'Afrique du Nord et du sud-ouest de la Sibérie à l'Asie centrale, le rossignol est célèbre par son chant particulièrement pur et harmonieux. Dans les bois, au milieu des buissons, ce petit passereau fait entendre son chant flûté, mêlé de sons rauques et durs, inlassablement jour et nuit. Sa présence se fait malheureusement de plus en plus rare pour différentes causes dont l'homme est plus ou moins responsable.

● Le plumage du rossignol, d'une extrême sobriété, est brun avec le dessous plus clair et la queue roussâtre. Cet oiseau se tient de préférence à proximité du sol, dans des buissons denses et bas. Parmi les feuilles tombées il recherche les vers, les insectes, les larves et les araignées qui constituent sa nourriture.

● Le mâle possède un territoire, parfois bien délimité, ce qui expliquerait qu'il chante jour et nuit pour avertir les autres de sa présence et leur interdire ainsi l'accès de son territoire. Au centre de ce territoire, la femelle construit un nid avec des feuilles sèches et y couve seule 4 à 5 œufs pendant 13 jours environs. Le mâle participe néanmoins à la nutrition de la progéniture pendant les deux premières semaines. Les jeunes quittent le nid avant de savoir correctement voler.

● Le rossignol arrive dans nos régions en mars-avril, et y niche pendant l'été dans les bois et les parcs. Dès septembre, il repart pour l'Afrique où il passera l'hiver.

● Le rossignol progné *(Luscinia luscinia)* est commun dans le nord et l'est de l'Europe ainsi que dans le nord-ouest de la Sibérie. Sa livrée est brun-olive et il est légèrement plus gros que l'espèce précédente. Il se tient de préférence dans des contrées humides. Il hiverne également en Afrique. Son chant est plus puissant mais moins modulé que celui du rossignol philomèle. ■

► *OISEAUX / PASSÉRIFORMES*

Le rossignol est célèbre pour la limpidité de sa voix. Son chant très puissant s'entend à plus d'un kilomètre de distance. Ses sifflements sont si variés que l'on a pu, en les transcrivant avec des lettres de l'alphabet, écrire une sorte de poème de 27 vers tous différents.

ROUGE-GORGE

● Pendant la belle saison, le rouge-gorge vit à l'ombre des bois de feuillus et de conifères, jusqu'à 2 000 mètres d'altitude. En hiver il descend vers les régions cultivées,

Le rouge-gorge, paré ici de son plumage d'hiver. A la fin du printemps, certaines plumes prennent sur sa poitrine une couleur brun-beige, qui lui permet de se cacher plus facilement pendant l'été. En automne, une seconde transformation lui redonne son aspect hivernal.

les parcs et les jardins, fréquentant les abords des maisons et n'ayant pas peur de s'aventurer dans les villes. C'est un passériforme de la famille des turdidés, comme le rossignol ou le merle. Il est très répandu, des îles Britanniques aux Canaries et jusqu'à l'ouest de la Sibérie. Quelques espèces voisines du rouge-gorge *(Erithacus rubecula)* vivent en Afrique et dans le nord de l'Asie.

● Le rouge-gorge mesure en moyenne 13 cm de longueur. Sa poitrine et sa gorge sont rouge orangé et le reste de sa livrée brun olivâtre. Chez les juvéniles, le rouge est remplacé par des taches fauves, grisâtres et brunâtres. Ayant l'habitude de soulever ses pennes, ce qui gonfle son petit corps, il donne l'impression d'être trapu.

● Cet oiseau est sédentaire et niche dans nos régions. A l'époque des passages annuels et en hiver, l'effectif augmente lorsque les rouges-gorges du nord de l'Europe viennent hiverner chez nous ou sont de passage vers l'Afrique du Nord. Certaines observations ont permis de constater que le rouge-gorge est un oiseau très intolérant. Il possède souvent un territoire de 8 000 m² dont il interdit l'accès par son chant et certains comportements au cours desquels la couleur rouge de sa gorge et de sa poitrine s'intensifie nettement.

● La femelle construit son nid dans des trous du sol, sur des talus, sous des souches d'arbres ou des racines, parfois même dans un trou de souris ou un trou de mur. Elle y pond 5 à 6 œufs qui sont couvés pendant 12 à 15 jours. Mâle et femelle nourrissent les jeunes qui quittent le nid au bout de 15 jours mais sont néanmoins encore alimentés par les parents pendant environ 3 semaines.

● Le rouge-gorge se nourrit d'insectes, d'araignées, de graines, de petites baies et de vers. C'est un oiseau utile, protégé par la loi, mais cependant chassé par des braconniers. Aussi se fait-il de plus en plus rare, phénomène renforcé par l'action des pesticides répandus dans les champs. ■

▶ *OISEAUX / PASSÉRIFORMES*

ROUGETS

● Les rougets sont des poissons téléostéens, faisant partie de la famille des mullidés qui regroupe plus de 40 espèces réparties dans les mers tropicales et tempérées. Ils vivent près du fond, le long des côtes en été et dans les grandes profondeurs de l'automne au printemps.

● Les rougets se caractérisent par la présence de deux barbillons mentonniers, situés en arrière de la mandibule et pouvant se loger dans une gouttière longitudinale. Ces barbillons sont pourvus de nombreuses cellules sensorielles tactiles et gustatives et permettent ainsi aux rougets de rechercher sur le fond les crustacés, vers et mollusques qui constituent leur nourriture.

Un rouget de roche *(mullus surmuletus)*, fréquent dans les eaux de la Méditerranée et dont la chair est très appréciée des gourmets.

● Le corps, peu comprimé, est recouvert d'écailles à peine dentelées. La bouche est petite et protractile, les dents fines et petites. Les deux nageoires dorsales, assez distantes, sont courtes, tout comme la nageoire anale. La nageoire caudale est légèrement fourchue. Ces poissons, surtout ceux qui fréquentent les récifs coralliens, sont très colorés, dans les tons rouges ou roses.

● La ponte se fait dans l'eau. Les larves ont une livrée bleue qui disparaît au cours d'une métamorphose correspondant au passage de la vie pélagique à la vie benthique des adultes. Les rougets proprement dits appartiennent au genre *Mullus* et vivent en Méditerranée, en mer Noire et dans l'Atlantique. Leur mâchoire supérieure est dépourvue de dents qui se localisent sur le vomer et les palatins.

● Le rouget de vase *(Mullus barbatus)* se tient de préférence sur les fonds sableux ou vaseux. Sa région antérieure se caractérise par une bouche en position infère, un front tombant et un museau raccourci.

● Le rouget de roche ou surmulet *(Mullus surmuletus)* a un museau allongé, une bouche terminale et mesure une quarantaine de centimètres. Sa livrée est rose vif avec des lignes longitudinales de couleur jaune. Il vit sur les fonds pierreux ou sableux assez grossiers.

● Ces deux espèces sont aptes à se reproduire dès l'âge de 2 ou 3 ans. Elles frayent en été, le long des côtes, et dès l'automne, les jeunes rougets gagnent les grandes profondeurs.

● Les rougets des côtes atlantiques, de la Norvège aux Canaries et à Madère, sont voisins de *Mullus surmuletus*. Ils migrent des grandes profondeurs vers les côtes en été. Au fur et à mesure qu'ils vieillissent, ils gagnent des profondeurs de plus en plus grandes. Ce sont des poissons moins sédentaires que les rougets de la Méditerranée. ■

▶ *POISSONS*

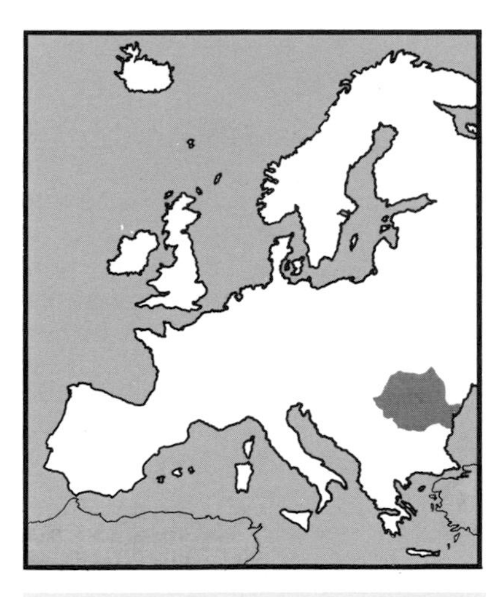

ROUMANIE

● Carpatique et danubienne, la République socialiste de Roumanie est un îlot de latinité au sein de l'océan slave couvrant l'Europe orientale. État jeune, aux frontières nées du deuxième conflit mondial, cet ancien pays des Daces fut livré, au XVIIe siècle, aux convoitises impériales de l'Autriche et de la Russie, mais a réussi au sein du bloc communiste à trouver une voie originale entre l'obédience soviétique et l'impossible soumission aux puissances capitalistes.

● Comme l'attestent la colonne trajane à Rome, et le trophée de Trajan, la Roumanie succède à une Dacie conquise en 105 ap. J.-C. pour son or. Sa création paraissait susceptible d'assurer la prospérité de la *Pax Romana.* Cette Roumanie correspondait géographiquement, pour l'essentiel, à l'actuelle Transylvanie, clef de voûte effondrée du système carpatique.

● Entre Transylvanie et Moldavie, les Carpates orientales juxtaposent des lacs glaciaires appartenant à un noyau cristallin culminant vers 2 305 m à des couches de flysch plissées et disloquées à l'est, des filons de minerais non ferreux et des sources thermales liées au volcanisme à l'ouest.

● Entre Transylvanie et Valachie, les schistes cristallins, plus massifs, des Carpates méridionales dont les plates-formes s'étagent jusqu'à 1 800 m d'altitude, possèdent les plus hauts sommets tels que le Moldoveanul (2 543 m) et accueillent des milliers d'ovins transhumants au-dessus des forêts de hêtres et de conifères. A l'ouest, Banat et Bihor forment les principaux ensembles des Carpates occidentales où l'omniprésence des failles accompagne un volcanisme ancien.

● Au-delà des remparts de ce bastion transylvain, conservatoire et refuge de la langue roumaine léguée par les premiers envahisseurs, Moldavie, Valachie et Dobrogea étendent leur glacis de plaines sillonné par les eaux nées des Carpates, ceinturé par le Prut, le Siret et le Danube.

● La coexistence de villages aux rues sinueuses, aux maisons de bois dispersées parmi les jardins et les vergers, et de villages aux rues perpendiculaires, rappelle souvent les anciennes colonisations magyare et germanique, tandis que le minaret de Constanta évoque la longue domination ottomane.

● Malgré l'éphémère succès de Michel le Brave réunissant la Valachie et la Moldavie en un seul royaume de 1593 à 1601, ces principautés vivaient sous le joug étranger, assimilant quelques éléments slaves en Transylvanie, construisant quelques églises d'inspiration byzantine sur les piémonts des Carpates (Podgoria), payant tribut au Turc triomphant qui choisissait parmi les grandes familles du quartier du Phanar, à Constantinople, les Hospodars, soumettant les paysans au servage, puis aux corvées et à l'impôt.

● Grâce à l'appui de Napoléon III, le « régime phanariote » disparut avec la formation de la principauté moldo-valaque, dirigée par le prince Cuza puis par le prince Carol, issu de la famille des Hohenzollern. Ainsi naquit, en 1881, la Roumanie indépendante au sein de laquelle se développa l'extraction pétrolière contrôlée par des sociétés étrangères — Bucarest fut la première ville d'Europe à être éclairée à l'huile de pétrole — tandis que les surfaces cultivées doublaient, de 1860 à 1900.

● Pourtant, les petits propriétaires s'endettaient de plus en plus alors que les boyards constituaient de véritables latifundia, répliques des grands domaines hongrois qui couvraient la Transylvanie depuis 1867.

● La Première Guerre mondiale et l'application du principe des nationalités engendrèrent une Roumanie nouvelle, associant au royaume moldo-valaque, la Dobrogea, la Bucovine, le Banat et la Transylvanie. En doublant son territoire et sa population, le pays dut affronter le problème agraire : 5 % des propriétaires détenaient 60 % des domaines de plus de 10 ha.

● A une série de lois est due la redistribution de la terre; en 1927, 84,5 % des propriétaires possédaient... moins de 5 ha! A cet émiettemant excessif succéda un mouvement de reconcentration des terres au profit des « chiaburi », les futurs « koulaks » roumains.

● La Deuxième Guerre mondiale donna au pays ses frontières actuelles. Y participant aux côtés de Hitler jusqu'en août 1944, la Roumanie dut céder une partie de la Bucovine et la Bessarabie à l'U.R.S.S. après l'armistice. Dès lors, après l'intervention du Soviétique Vynchinski, fut formé un gouvernement où les communistes occupaient les postes clés, forçant le roi Michel à abdiquer et proclamant la République populaire le 30 décembre 1947.

Superficie : 237 500 km².
Population : 23 200 000 hab.
Capitale : Bucarest (2 000 000 hab.)
Religion : orthodoxe.
Régime politique : république socialiste.
Unité monétaire : le *leu*.

Église de Sucevita (fin du XVIe s.) en Moldavie. Berceau historique du nationalisme roumain au XIXe s., la Moldavie n'en est pas moins partagée, aujourd'hui, en deux parties ; l'une forme une république socialiste rattachée à l'U.R.S.S., l'autre est une province de Roumanie.

Paysannes roumaines dans un marché de la région des Carpathes. Malgré un développement industriel récent, la Roumanie demeure fortement rurale et les traditions profondément vivantes, comme en témoignent les costumes de ces paysannes.

● Réformes agraires, nationalisations et planification calquée sur le modèle soviétique transformèrent l'économie de ce pays rural. Dès 1945, les domaines de plus de 50 ha furent expropriés et, en 1949, la collectivisation s'ébaucha avec les premières « associations agricoles ». Désormais, les G.A.S., exploitations agricoles d'État fréquentes en Dobrogea et en Valachie, voisinent avec les C.A.P. (Coopératives agricoles de production) qui succèdent aux « associations agricoles ». Aussi, le secteur individuel, survivant en montagne, occupe-t-il moins de 10 % des terres.

● Cet ancien grenier européen jouit de conditions naturelles moyennes : si les sols bruns forestiers sont fréquents et le tchernoziom présent, le climat continental se manifeste par ses amplitudes thermiques annuelles de 24 °C, son crivet, vent sec du nord-est, ses 660 mm de pluies qui laissent le pays dans l'angoisse régulière de la sécheresse toujours possible. Aussi, 200 000 ha sont-ils irrigués et les plans prévoient-ils l'extension de l'irrigation sur plus d'un million d'ha en Valachie tandis que de nouvelles terres seraient gagnées sur la Balta (lit majeur du Danube) et le delta du grand fleuve où les esturgeons et les oiseaux migrateurs se réfugient à l'ombre des roseaux.

La Roumanie possède une tradition musicale originale, dominée par les célèbres flûtes de Pan de ses bergers. Cet instrument dont l'origine remonte à l'antiquité grecque, comprend vingt tubes de bambou plus ou moins longs. On en tire des sons expressifs et émouvants qui célèbrent les moments importants de la vie villageoise : deuils, fêtes et danses populaires.

● L'agriculture représente 23 % de la population active. Elle est socialisée, mal équipée et a de mauvais rendements. La classe paysanne est extrêmement pauvre. La Roumanie produit du maïs, du blé, de l'orge, mais a également des vignobles et des vergers. L'élevage de bovins, d'ovins, de porcins, est développé mais de qualité médiocre.

● De l'aveu même de N. Ceausescu, la Roumanie est un pays « en cours de développement ». Ses fondements énergétiques sont très solides : après les champs de derricks de Campina, près de Ploesti, le pétrole est tiré des nouveaux gisements de l'Arges et d'Olténie. Le donjon transylvain s'est révélé riche en méthane, véhiculé dans tout le pays, en Hongrie et en U.R.S.S.

● De nouvelles mines de charbon et de lignite assurent une production houillère toujours dominée par les veines cokéfiables de Petrosani et du Banat, alimentant les complexes sidérurgiques de Hunedoara et de Resita. Toutefois, la structure du commerce extérieur, symbolisée par le trafic du port de Constanta, révèle l'insuffisance de la production des biens de consommation.

● Le barrage des Portes de Fer, sur le Danube, que la Roumanie partage avec la Yougoslavie, fournit un apport sérieux d'énergie; malgré ces richesses considérables, la Roumanie manque d'énergie.

● L'industrie roumaine est récente, elle est d'ailleurs la fierté du gouvernement et permet de dire que la Roumanie est un pays pauvre, certes, mais pas un pays sous-développé. L'industrie lourde et le raffinage ont été prioritaires; les firmes de montage de voitures étrangères se sont installées dans le pays (Renault à Pitesti). Mais l'industrie légère prend une place importante dans le pays et, grâce à une main-d'œuvre de qualité, et efficace, de nombreuses industries font du travail à façon pour l'Europe occidentale (textiles, bas Dim, Adidas). Mais les problèmes de l'industrie roumaine sont dus au manque d'énergie et au poids excessif des décisions politiques.

● Le tourisme occupe une place importante dans l'économie; à côté d'un tourisme de plages « à l'américaine », sur la mer Noire, il existe un tourisme plus élitiste (monastères du Nord de la Moldavie par exemple).

● L'Albanie mise à part, la Roumanie est le plus pauvre des pays de l'Est, bien qu'il possède toutes les richesses naturelles : agricole, minière, énergétique. Mais le problème de la Roumanie est celui de son gouvernement. L'équipe au pouvoir, avec le président Ceausescu, impose une politique aux vues étroites qui ruine le pays. ■

ROUSSEAU, Jean-Jacques

● « Par J.-J. Rousseau, citoyen de Genève »; cette précision que donnait l'écrivain-philosophe (1712-1778), débutant, sur la première page de telle ou telle de ses œuvres, était tout à son honneur et il le savait fort bien. Ressortissant d'un État étranger, il fut accueilli avec empressement dès son arrivée à Paris par l'élite intellectuelle des « salons », invité en outre par plus d'un aristocrate (Mme d'Epinay, le maréchal de Luxembourg, et pour finir, le comte de Girardin) à s'installer chez eux « à demeure » pour y écrire ses ouvrages.

● La raison en est que la *Cité de Genève*, en ce siècle des

Lumières, représente, avec l'Angleterre libérale et parlementaire, un des pôles spirituels, ou mieux encore, un des « phares » de l'Europe. Elle est l'image de la vertu civique, de la pureté des mœurs. Image un peu trop parfaite même, austère jusqu'à la rigidité, et que chacun rêve sans doute, d'imiter, de suivre un peu, mais pas de trop près.

● Rousseau naît donc en 1712, dans cette ville « exemplaire » où il passera toute son enfance et une grande partie de son âge adolescent. De très humble origine, il est orphelin (presque de naissance) et sera élevé pour l'essentiel par des parents éloignés, entre autres un pasteur, ce qui influera sur toute son évolution morale ultérieure.

● Un jour qu'au retour d'une promenade, il a trouvé fermées les portes de la ville, il décide de « lui tourner le dos ». Il a seize ans. Commencent pour lui, dès lors, ces interminables « années d'expérience » qui vont l'amener presque jusqu'à la trentaine. Un curé, d'abord, qui semble s'intéresser à son sort misérable, le recommande à une de ses amies, Mme de Warens, jeune veuve de Chambéry qui s'occupe de convertir au catholicisme les enfants « huguenots ». Elle fera bien davantage pour Jean-Jacques, qu'elle trouve à son goût et qu'elle va adopter, pour ainsi dire, pendant plusieurs années.

● De ce séjour à Chambéry, puis aux Charmettes, non loin de la ville, Jean-Jacques tire du moins quelque profit en lisant tous les livres qu'il peut trouver. Mais il paresse plus encore et rêve à perte de vue. C'est en vain que Mme de Warens — « maman », comme il dit — s'évertue à lui trouver quelque emploi lucratif.

● C'est ainsi qu'il sera, entre autres, professeur de musique, secrétaire d'un ambassadeur à Venise, précepteur, etc. Ce sont là autant d'échecs. Pourtant, quand une fois après tant d'autres il s'en va chercher de nouveau refuge chez « maman », celle-ci le congédie. Il s'en va alors tenter sa chance à Paris.

● C'est bien une chance, en effet, que ses premiers pas dans la capitale l'aient amené à fréquenter Diderot, fils du peuple comme lui, et qui s'éprend aussitôt de ce Genevois encore fruste et franc, maladroit mais plein de chaleur et de sensibilité. Déjà très introduit pour sa part dans les milieux littéraires, Diderot favorise les premiers succès de son ami qui, d'ailleurs, sont aussi éclatants qu'immédiats.

● Dans ses deux *Discours*, Rousseau soutient successivement (ce qui est proprement scandaleux, au beau milieu du siècle des Lumières) que les progrès des lettres, des arts et des sciences, bien loin d'améliorer l'homme, l'ont corrompu, et que les institutions, qu'elles soient sociales ou juridiques, ont rendu « égoïste et mauvais » un être « naturellement bon ».

● Position philosophique si paradoxale que les « philosophes » eux-mêmes, et Voltaire le premier, ne tardèrent pas à s'en alarmer. (Mais c'est surtout à la fin de sa vie que Jean-Jacques, muré dans sa misanthropie, verra se dresser contre lui, outre l'Église et le Parlement, la coalition de ses amis philosophes).

● Toutes les œuvres de Rousseau désormais, ses véritables chefs-d'œuvre (le roman *Julie, ou la Nouvelle Héloïse*, 1761, *Émile ou De l'Éducation*, 1762, et, la même année, *le Contrat Social*) ne vont être qu'une seule et même amplification, éloquente et harmonieuse, de ce thème : l'homme était bon lorsqu'il sortit des mains de la nature, mais hors de la nature il ne peut y avoir que perversion et ce qu'on appelle civilisation n'est en vérité que dégénérescence. Ses œuvres intimes, elles aussi, *(Confessions, Rêveries d'un promeneur solitaire)* développent cette unique « idée ».

● Fort heureusement, une telle plaidoirie n'est pas seulement le fait d'un ardent moraliste mais aussi celui d'un poète. Alors même qu'il nous démontre la vertu de l'homme à l'état de nature, Jean-Jacques évoque la nature elle-même, telle qu'elle était, pensait-il, aux premiers jours de la Création. Dans *la Nouvelle Héloïse*, par exemple, il chante les lieux miraculeusement préservés, les quelques rares paysages qui aient échappé à l'enlaidissement grâce à la foncière simplicité, à la « naïveté de cœur » de leurs habitants (ainsi, les petites communautés pastorales établies dans la région de Vevey, au bord du lac Léman).

Portrait de Jean-Jacques Rousseau par Quentin de la Tour. Personnage paradoxal à bien des égards, Rousseau, le plus français des écrivains helvétiques, trouva dans la littérature la gloire qu'il recherchait dans la musique.

● Et c'est là ce que son siècle (ainsi, d'ailleurs, que le suivant, qui fut celui du romantisme) et la postérité toute entière, jusqu'au vingtième siècle même, ont retenu de lui. Ce n'est pas tant le *Contrat Social* (dont la première Révolution et surtout les révolutions ultérieures devaient révéler le caractère trop théorique et trop entaché de « sensiblerie »), ni l'*Émile* (singulière méthode d'éducation par le rejet absolu des livres), qui restent vivants dans cette œuvre immense, mais seulement l'idée de base, naïve elle aussi, sans doute, mais aujourd'hui très féconde. L'homme, nous dit-il, ne saurait sans risques mortels, tant pour son corps que pour son esprit, *perdre tout contact avec la nature;* bien au contraire, il doit sans cesse se tourner vers ses origines pour y retrouver la source de jouvence. ■

ROUTES ET AUTOROUTES

● Le terme route s'applique aux chemins établis en rase campagne et aux voies suburbaines, le terme autoroute, aux axes réservés aux seuls véhicules automobiles et aménagés à leur usage.

● Le premier système cohérent

Il y a trois types d'autoroutes : les autoroutes inter-régions, les voies de dégagement des grandes agglomérations et les voies urbaines rapides, que l'on assimile souvent aux boulevards périphériques et qui ont été présentées pour la première fois par Le Corbusier en 1930.

de routes est dû, en Europe, aux Romains : avant eux, les Chinois et les Incas ont réalisé des réseaux routiers. Dès le IVe siècle avant J.-C., des routes sont construites à partir de Rome; à la fin de l'Empire, elles couvraient un total de 77 000 km.

● En France, c'est Louis XI qui crée le réseau routier (Édit de 1464) avec Paris pour centre. Sous Henri IV, Louis XIV et surtout Louis XV (création de l'École des ponts et chaussées et du corps de ses ingénieurs, institution d'un Bureau des cartes routières), se manifeste le souci d'améliorer les communications.

● Au cours du XIXe siècle, la route, jusqu'alors axe essentiellement « politique », puisqu'elle permet à l'État centralisateur d'assurer sa domination (de là les liaisons privilégiées avec Paris), affirme sa fonction économique en raison de la multiplication des échanges; les constructions s'intensifient et répondent souvent à des besoins économiques. La concurrence des chemins de fer, apparus au milieu du XIXe siècle, ne porte pas, en fait, atteinte au réseau routier, lequel, grâce au développement des véhicules automobiles, connaît une nouvelle prospérité au XXe siècle.

● La floraison des automobiles entraîne, après la deuxième guerre mondiale (sauf en Italie et en Allemagne, États précurseurs), la création d'autoroutes, qui « doublent » les axes les plus fréquentés. La construction de ces autoroutes, fort coûteuse, a amené l'État, en 1955, à opter pour une double solution : le financement par celui-ci des *autoroutes de dégagement* (autour des grandes agglomérations) et l'appel à des sociétés d'économie mixte, moyennant la perception d'un péage, pour les *autoroutes de liaison* (voies destinées à réunir les diverses régions d'un pays.)

● D'après les statistiques de 1987, la France possède un réseau routier d'une longueur totale de 803 000 km, sans compter bien sûr, les chemins ruraux. Le réseau d'autoroutes est de 5 180 km, auxquels il faut ajouter 1 400 km d'autoroutes urbaines. Le réseau routier français est le plus dense d'Europe. ■

***La prise de Juliers* par Rubens (musée du Louvre). Le robuste lyrisme de Rubens se fait jeu des thèmes les plus conventionnels auxquels il confère une inégalable vitalité. La richesse des coloris, tempérée par de subtils effets de lumière, lui permet de célébrer le culte de la femme épanouie. Rubens aime éblouir et étonner par un art de cour plein de faste où triomphent le colossal et le majestueux. Il parvient à merveille à exprimer le mouvement.**

RUBENS (1577-1640)

● Peintre flamand, Rubens dépasse par son génie foisonnant, son puissant dynamisme et la liberté de son style, les limites d'une école locale pour incarner à lui seul l'esprit baroque. D'une intelligence extrême, alliant l'invention à une profonde culture, jouissant d'une fortune égale à sa renommée, il sut évoluer dans tous les milieux et glorifier avec la même étourdissante virtuosité les souverains, le triomphe de l'Église catholique, la beauté d'une femme travestie en déesse antique ou la générosité de la nature, créant un immense répertoire de formes où puiseront largement les générations suivantes.

● Fils d'un avocat anversois exilé pour des raisons politiques, Pierre Paul Rubens est né en Westphalie, mais en 1589 sa famille revient à Anvers où il fait des études classiques. Très jeune, il se lie d'amitié avec l'héritier de la célèbre imprimerie Plantin pour laquelle il exécutera de nombreux frontispices et illustrations. En 1593 il entre dans l'atelier d'Adam Van Noort, où il reste quatre ans, puis dans celui d'Otto Vaenius qui l'encourage à se rendre en Italie. En même temps qu'à la peinture, Rubens s'initie à la gravure.

● En 1598, il est inscrit à la guilde des peintres d'Anvers et, deux ans plus tard, il part pour Venise. Il y découvre Titien, Véronèse, le Tintoret et le Corrège. Cette peinture théâtrale, aux somptueux effets colorés, le séduit et la prenant pour modèle, il gagne de l'assurance. Son talent fougueux et original le fait remarquer par le duc de Gonzague qui l'engage à la cour de Mantoue en qualité de portraitiste, paysagiste et copiste, fonctions auxquelles s'ajoute en 1603 celle d'ambassadeur.

● Il se rend à plusieurs reprises en Espagne, visite les collections de l'Escorial à Madrid, copiant à plusieurs reprises des œuvres de Titien et parcourt toute l'Italie. En 1605 il termine son premier travail pour les Jésuites de Mantoue, la décoration de la chapelle de la Trinité qui marque le début d'une longue collaboration avec la Compagnie de Jésus.

● Rubens gagne ensuite Rome où il peut étudier les antiques et les œuvres de Raphaël et des Carrache; il travaille pour des banquiers gênois qui lui commandent des portraits et des peintures religieuses. En 1609 Rubens, estimant n'avoir plus rien à apprendre en Italie, revient à Anvers. Il épouse Isabelle Brandt, fille d'un juriste et humaniste de la ville et achète une vaste maison (aujourd'hui transformée en musée) où il rassemble une grande collection de sculptures, de peintures et de dessins.

● Nommé peintre officiel de la cour du gouverneur des Pays-Bas, il est sollicité de toutes parts et doit s'entourer d'une équipe de collaborateurs sur qui il se décharge de l'exécution de ses vastes toiles, ajoutant la touche finale qui donne à l'œuvre son caractère et son brio.

● Dans les années 1610-1618 il doit encore se plier aux exigences de sobriété du goût dominant mais peu à peu sa célébrité lui permet de se libérer des contraintes. Le programme de la Contre-Réforme auquel il participe en exécutant de nombreuses œuvres pour les Jésuites et les Carmélites d'Anvers, d'Alost, de Malines et de Madrid est favorable à son style éloquent et pompeux qui dans d'innombrables miracles, martyrs, vocations ou extases de saints, disloque la composition au gré d'un vent d'apothéose qui convulse la nature entière et déchire les cieux.

● En 1621 il reçoit la commande d'une série de grandes toiles pour le palais du Luxembourg sur un thème alors d'une brûlante actualité : la réconciliation de Marie de Médicis avec son fils Louis XIII, évoquée dans un mélange de portraits et d'allégories tenant à masquer le caractère proprement politique de cette décoration. Les vingt et un tableaux (musée du Louvre) furent achevés en 1625 pour le mariage d'Henriette de France et de Charles I d'Angleterre.

● La même année sa femme meurt. Sans cesser de peindre, Rubens joue un rôle diplomatique de plus en plus important au service des archiducs d'Anvers. Il est envoyé à Madrid, à Paris et à Londres, s'acquittant de ses missions avec une habileté et une sagesse qui lui valent une considération générale. A cinquante-trois ans, au faîte de sa gloire il se remarie avec une jeune fille de seize ans, Hélène Fourment, qui va devenir son modèle favori et lui donnera cinq enfants. L'âge et les attaques de goutte dont il souffre depuis plusieurs années déjà ne diminuent en rien sa vitalité et sa joie de vivre. Sa couleur s'empreint d'une sensualité triomphante pénétrée de lumière. Les bacchanales et les kermesses des dernières années de sa vie magnifient le désir et l'amour avec générosité.

● Lorsqu'il meurt en 1640, il laisse une œuvre immense : plus de 1 300 tableaux, des centaines de dessins d'esquisses et de gravures. Héritier de la Renaissance, Rubens a renouvelé tous les genres et contribué à la restauration du sentiment de la couleur.

● Créateur du baroque septentrional, son style sera diffusé dans toute l'Europe par la gravure dont il avait très tôt compris l'importance à la fois comme moyen de propagation et de protection contre les faussaires. C'est encore sous son influence que la gravure s'orientera vers un traitement essentiellement pictural au cours des XVIIe et XVIIIe siècles. ■

► *BAROQUE*

Créateur du baroque en Europe du Nord Rubens laissa une œuvre immense : 1 300 tableaux, des centaines de dessins d'esquisses et de gravures. Son style fut très tôt connu dans toute l'Europe et influença les siècles suivants.

RUGBY

● Au cours d'un match de foot-ball, en 1823, William Webb Ellis, élève au collège de Rugby en Angleterre, s'était emparé du ballon avec les mains et l'avait porté en courant jusqu'aux buts adverses. Cette infraction aux règles du football est à l'origine d'un jeu d'équipe autorisant à la fois l'action des mains et des pieds et utilisant un ballon ovale.

● La Fédération Internationale de Rugby donna au rugby sa réglementation. Le tournoi des cinq nations auquel participent l'Angleterre, l'Écosse, le Pays de Galles, l'Irlande et la France, est l'épreuve la plus populaire.

● Le terrain de jeu, gazonné et

Le rugby a fait son apparition en France en 1872 où il s'est répandu surtout dans le Sud-Ouest. La Fédération française de rugby, créée en 1920, compte plus de 210 000 adhérents. Chaque année, l'équipe nationale française dispute le Tournoi des Cinq Nations. Ici, Serge Blanco, un des meilleurs arrières du monde, soutenu par Pierre Barbizier va marquer un essai aux Anglais.

Chaque équipe de rugby possède son emblème: le Coq pour la France, le Poireau pour le Pays de Galles, le Chardon pour l'Écosse, la Rose pour l'Angleterre, le Trèfle pour l'Irlande et la Fougère argentée pour la Nouvelle-Zélande.

parfaitement plat, mesure 95 à 100 m de long et 66 à 68 m de large. Une ligne transversale (la ligne des 50 m) partage le terrain en deux parties égales, elles-mêmes divisées en plusieurs zones par la ligne des 10 m et la ligne des 22 m, parallèles à la ligne de but. Situé au centre de la ligne de but, le but est constitué de deux poteaux en bois, hauts de 4 m, distants de 5,65 m et réunis à 3 m au-dessus du sol par une traverse. La ligne de ballon mort, tracée 22 m au-delà de la ligne de but, marque la limite du terrain. Les grands côtés du terrain sont appelés lignes de touche.

● Le rugby se joue avec un ballon ovale. Le principe est de marquer des *essais* et de les transformer en buts ou bien de taper des *drops*.

● Chaque équipe se compose de quinze joueurs portant chacun un numéro cousu sur le maillot. Ils sont répartis en huit avants, cinq arrières et deux demis. En première ligne deux piliers (1 et 3) encadrent le talonneur (2); en deuxième ligne deux joueurs, généralement de haute taille, (4 et 5) plus spécialement chargés de récupérer les balles en touche; en troisième ligne, un centre (8) et deux flankers (6 et 7). Ces huit avants jouent la phase de force pure, appelée mêlée.

● Vient ensuite un demi de mêlée (9) chargé d'introduire le ballon en mêlée puis de le récupérer avant de le transmettre le plus rapidement possible à un second demi se tenant en retrait, le demi d'ouverture (10).

● Il appartient alors au demi d'ouverture d'orienter le jeu vers la droite ou vers la gauche en expédiant la balle à l'un de ses centres (12 et 13) qui doivent transmettre à leur tour le ballon vers les ailiers (11 et 14) qui par débordement des joueurs adverses vont tenter, en utilisant leur vitesse au maximum de poser le ballon dans l'en-but de l'autre camp. Enfin ultime défenseur, mais souvent dans le jeu moderne, attaquant supplémentaire, l'arrière (15). Une partie se dispute en deux mi-temps de 40 mn séparées par un intervalle de 5 mn.

● La rencontre est dirigée par un arbitre, secondé par deux juges de touche. Le coup de pied marquant le début de la partie est suivi par les attaques que les joueurs effectuent en se transmettant le ballon. Quand un joueur parvient à poser le ballon dans l'en-but adverse, son équipe marque un essai de 4 points; la transformation de cet essai (qui a lieu lorsque le ballon est envoyé par un coup de pied entre les poteaux adverses) rapporte 2 point supplémentaires. Enfin, le but, réalisé après un coup de pied de pénalité (accordé à la suite d'une faute commise par l'équipe adverse), un drop (un joueur botte, après un rebond, le ballon qu'il tenait en mains), un coup franc ou arrêt de volée (attribué à un joueur ayant attrapé au vol le ballon botté par un joueur adverse) vaut trois points.
Le ballon doit toujours franchir le but en passant par-dessus la barre transversale.

● Lorsqu'il y a eu passe en avant du ballon, l'arbitre impose une mêlée. Les deux premières lignes se faisant face, épaule contre, sont renforcées par les deuxièmes lignes, elles-mêmes soutenues par les troisièmes lignes. C'est dans le tunnel formé entre les deux premières lignes que sera lancé par le demi de mêlée, bénéficiant de l'avantage de l'introduction, le ballon. Soutenu par la poussée de sa mêlée qui cherchera à faire reculer la mêlée adverse, il appartiendra alors au talonneur de ratisser sa balle avec le pied pour l'amener vers ses deuxièmes lignes, qui devront, toujours au pied, la diriger vers les troisièmes lignes afin d'être récupérée, à la main, par le demi de mêlée qui la transmettra le plus rapidement possible à son demi d'ouverture pour lancer ainsi l'attaque.

● Le joueur porteur du ballon qui court vers le but peut-être bloqué (placage) par un joueur de l'équipe adverse au niveau des genoux, de la taille.

● Le rugby, jeu « correct mais viril », « sport de voyous pratiqué par des gentlemen » selon les expressions consacrées, demeure, en dépit de certains excès, un des plus merveilleux sports d'équipe. On peut toutefois regretter que ce sport d'universitaires britanniques, tout aussi bien pratiqué par les mineurs gallois que par les fermiers écossais, adopté par la France méridionale, ait été un peu victime de son succès et amène parfois joueurs et spectateurs à des débordements violents, qui n'ont rien de sportif.

● Grâce à des joueurs d'exception plus qu'à une politique cohérente de ses dirigeants, le rugby est l'un des rares sports français à figurer parmi l'élite mondiale; c'est aussi bien à des avants tels que Lucien Mias, Benoit Dauga, Walter Spanghero qu'à des joueurs de lignes arrières tels que Pierre Villepreux, les frères André et Guy Boniface, Jo Maso ou Serge Blanco qu'il le doit, même si ces derniers n'ont pas toujours été prophètes en leur pays. ■

Aux États-Unis, le rugby se pratique avec quelques variantes et prend le nom de football américain. Le passage du ballon en avant est autorisé et les coéquipiers peuvent protéger le joueur qui tient le ballon, en le précédant. En outre, les dimensions du terrain sont légèrement inférieures (91×49 m).

Une case, isolée dans la savane rwandaise. Une maigre plantation sert à l'alimentation de la famille. La majorité de la population pratique ainsi une agriculture de subsistance.

RWANDA

● Au cœur de l'Afrique des Grands Lacs, le Rwanda est un petit pays francophone qui partage avec son voisin, le Burundi, une même histoire et des problèmes identiques, tant sur le plan humain et social que sur le plan économique.

● Premiers habitants de cette région, les Twas apparentés aux Pygmées, furent submergés par une vague d'envahisseurs Hutus cultivateurs d'origine bantoue. Au XVIe siècle, ceux-ci durent se soumettre à leur tour à d'autres envahisseurs nilotiques, les Tutsis, qui imposèrent une organisation hiérarchique et un mode de vie pastoral, les agriculteurs Hutus leur étant désormais inféodés. Guerriers redoutables, les Tutsis interdirent la région aux Arabes ainsi qu'aux Européens.

● Le pays échoit pourtant en partage aux Allemands en 1890. Il ne sera exploré que progressivement, et la tutelle allemande se révèlera extrêmement souple. L'Allemagne vaincue à l'issue de la Première Guerre mondiale, la colonie passe aux Belges qui perpétuent la politique de leurs prédécesseurs en favorisant les Tutsis. Ceux-ci conservent donc leur suprématie, et leur roi gouverne le pays en accord avec les Belges.

● Mais, en 1957, les Hutus relèvent la tête et commencent à s'organiser; un manifeste réclame des réformes concrètes. En vain. Deux ans plus tard, c'est la révolte et le massacre dans le Nord-Ouest — ils y sont minoritaires — des Tutsis par les Hutus. En 1961, les Hutus prononcent la déchéance du roi Tutsi et proclament la république.

● L'année suivante, le Rwanda devient indépendant sous l'autorité d'un gouvernement Hutu et se détache du Burundi avec lequel il avait formé jusqu'alors une seule colonie : le Rwanda-Urundi. Ayant récupéré le pouvoir après plusieurs siècles de contrainte, les Hutus organisent une sévère répression. Un grand nombre de Tutsis gagnent l'étranger d'où ils organisent plusieurs tentatives de retour au pouvoir qui se solderont par autant de massacres. Depuis les années 80, les deux ethnies semblaient être parvenues à coexister de façon plus pacifique.

● Le Rwanda offre un relief extrêmement contrasté qui enchevêtre plaines, massifs cristallins et volcans. Le pays est traversé par une crête nord-sud qui sépare les bassins du Congo et du Nil, surplombant le lac Kivu qui forme la frontière avec le Zaïre. Le centre est occupé par un haut-plateau parsemé de collines aux sommets arrondis; les vallées sont marécageuses et occupées par des tourbières.

● Cette partie est la plus peuplée du Rwanda. La partie septentrionale est constituée par des dépôts d'origine volcanique. Sur la partie orientale, une série de dépressions est occupée par des rivières et des étendues lacustres.

● Le climat est, dans l'ensemble, de type tropical, malgré les compartimentages du relief qui le divisent en de nombreux microclimats. La température moyenne est de 19° C. Deux saisons sèches s'étendent de janvier à février et de juin à septembre, et deux saisons humides de mars à mai et d'octobre à décembre.

● Des trois ethnies qui se partagent le territoire, les Hutus sont les plus nombreux et représentent 85 % de la population. Les Tutsis ne sont que 10 %. Quant aux Twas, pygmoïdes, ils ne sont que 60 000 environ, localisés dans les forêts où ils pratiquent la chasse et la cueillette. Le Rwanda est un pays pauvre, un des plus densément peuplés d'Afrique, et cette forte densité (238 habitants au km²) est l'un des problèmes majeurs de l'économie du pays.

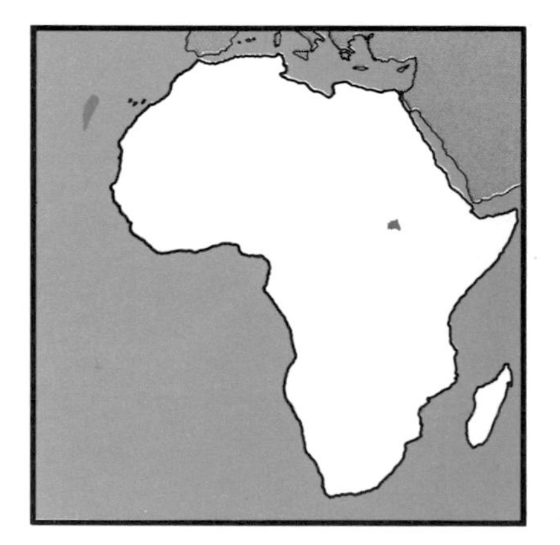

Superficie : 26 338 km².
Population : 6 300 000 hab.
Capitale : Kigali (200 000 hab.).
Religion dominante : catholicisme.
Régime politique : république, pouvoir autoritaire.
Unité monétaire : le *franc rwandais*.

● L'agriculture occupe 82 % de la population active. C'est la première ressource du pays qui souffre cependant de la parcellisation des sols. Les principales cultures sont vivrières : haricots secs, sorgho, patates douces, maïs, manioc, dont les rendements sont bons. Le café est la première culture commerciale du Rwanda, ce qui rend cet État tributaire des fluctuations du cours mondial, comme les pays africains voisins (Éthiopie, Kenya, Burundi,

Marché traditionnel rwandais où les indigènes échangent les denrées locales (haricots, sorgho, pois, café, thé) et les produits d'artisanat.

Ouganda). Aussi l'assistance internationale a-t-elle développé la culture du thé, et accessoirement celle du coton. L'élevage reste secondaire, surtout pratiqué par les Tutsis, sur les hauts plateaux. La pêche occupe une place importante dans l'alimentation.

● Le Rwanda a peu de ressources minières. Pendant longtemps on a exploité la cassitérite, dont on tirait l'étain, mais la faillite des mines a mis fin, en 1986, à cette exploitation. Il est question de reprendre cette activité sous forme artisanale. Le Rwanda extrait un peu de wolfram, de béryl et d'or.

● L'industrie est très peu développée et n'occupe que 6 % de la population active; elle consiste en raffineries du méthane sur les bords du lac Kivu, en plus d'un secteur agro-alimentaire et d'un secteur textile vraiment embryonnaires.

● Le développement des transports — routes essentiellement car le Rwanda ne possède aucune voie ferrée — est entravée par les difficultés du relief mais le pays possède deux aéroports internationaux, à Kigali et à Cyangugu.

● Mais l'économie rwandaise est relativement saine. Malgré le fort taux de chômage, l'enclavement du pays et surtout son manque d'atouts majeurs, les comptes nationaux sont sains, l'équilibre de l'offre et de la demande est assuré, et le niveau de vie s'accroît régulièrement, mais à une cadence faible. ■

RYTHME

L'homme a un sens inné du rythme car il le ressent au plus profond de lui-même par les battements de son cœur et la cadence de sa respiration. Il le perçoit et l'exprime par la musique et par la danse, accordant à celle-ci depuis les temps les plus anciens un sens sacré.

● « Au commencement était le Rythme » (Hans de Bulow). Le rythme est l'ordre dans le mouvement. La plupart des philosophes se sont interessés au rythme, dans la mesure où ils réfléchissaient sur ce que sont le temps et la durée. Selon Quintilien, « le temps est la mesure du mouvement et de l'arrêt; le rythme est un ensemble de temps disposés selon un certain ordre ».

● Dans le langage courant, il est fréquent de confondre rythme et mesure, rythme et tempo, rythme et accentuation. La mesure est « la division d'une série de notes

en temps d'égale durée » (René Dumesnil). Elle est un cadre formel dans lequel peuvent se couler de nombreuses figures rythmiques. La mesure est un repère graphique commode pour la lecture de la polyphonie et pour la direction d'orchestre. La barre de mesure inscrit un repère visuel.

● Mesure et figure rythmique peuvent coïncider ou non. Dans une mesure à trois temps, avec la noire comme unité de temps, un rythme régulier de valse peut s'inscrire, et le premier temps de la mesure correspond au premier élément rythmique accentué.

● Il n'en va pas toujours ainsi. Les leitmotive des opéras de Wagner, qui possèdent un rythme invariable, s'inscrivent dans les mesures les plus diverses. Dans la polyphonie du XVIe siècle, à l'écriture contrapuntique qu'on pourrait qualifier de polymélodique, chacune des voix possède bien souvent son rythme propre.

● On parle de rythme rapide ou de rythme lent. Mais seul le tempo peut l'être (lento, largo, adagio andante, allegro, presto...). Un même rythme, parce qu'il est indépendant de la vitesse, peut, de soi, être exécuté sur divers *tempi*, sans rien perdre de ce qui le constitue comme rythme. Ce qui ne signifie pas qu'il gardera le même caractère esthétique ici ou là; il y a en effet de profondes différences, dans les rythmes binaires, par exemple entre un galop, une marche militaire et une pavane.

● L'accentuation est un élément de l'exécution et de la perception d'un rythme. A propos de l'accentuation, des controverses ont surgi entre partisans du temps fort et partisans de l'indépendance du rythme et de l'intensité.

● Un rythme, soit une figure rythmique, un rythme élémentaire, peut être décomposé en deux éléments essentiels : l'arsis et la thesis. Ces deux mots d'origine grecque ont pour équivalents : élan et repos ou retombée, anacrouse et désinence. On y ajoute parfois l'apex, qui représente le « sommet » du rythme, c'est-à-dire la fin de la phase d'élan, après laquelle commence la retombée ou cadence. Ces éléments appartiennent à toutes les variétés de rythmes.

● Ainsi parlera-t-on de l'accentuation du premier temps d'un rythme de valse. Seulement, comme le chef d'orchestre baisse la main quand il bat la mesure à trois temps qui dirige cette figure, une confusion est née. Ce mouvement de haut en bas ne signifie pas qu'il y a thesis (retombée), il correspond bien à une arsis (un élan), un temps « fort », quoiqu'il ne le soit pas nécessairement quant à son intensité (temps fort du rythme signifie temps accentué ou temps d'élan, mais pas nécessairement temps plus intense en force sonore).

● L'orgue ou le clavecin, qui ignorent les variations ordinaires de l'intensité, ne peuvent être accusés de méconnaître les élans rythmiques. Dans une phrase musicale qui comporte plusieurs mesures, il existe un rythme complexe de cette phrase; elle peut être analysée en éléments d'élan et éléments de cadence. Plusieurs phrases entre elles pourront également être ordonnées et analysées comme constituant un grand rythme. Pour cette raison, on dira que le concept de rythme est un concept analogique et non univoque. C'est ce que signifiait Boris de Schloezer : « Le rythme musical est la structure d'un système sonore organique conçu sous la catégorie du devenir ». ■

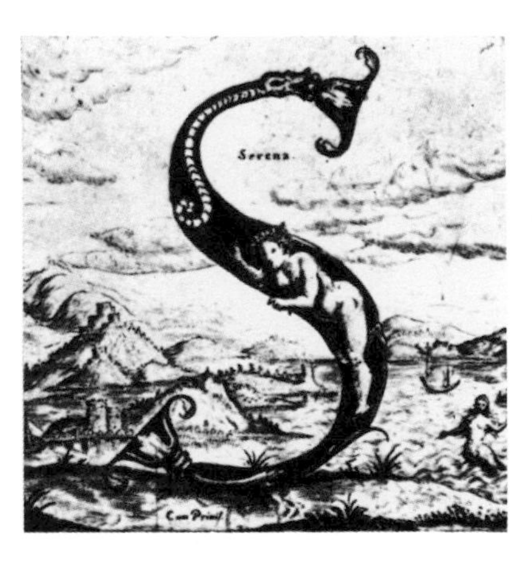

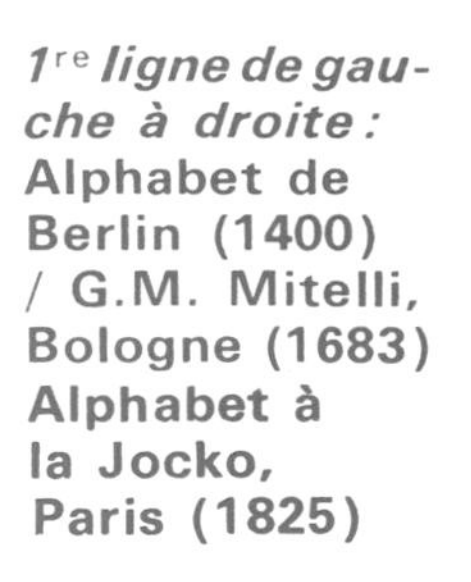

1re ligne de gauche à droite : Alphabet de Berlin (1400) / G.M. Mitelli, Bologne (1683) Alphabet à la Jocko, Paris (1825)

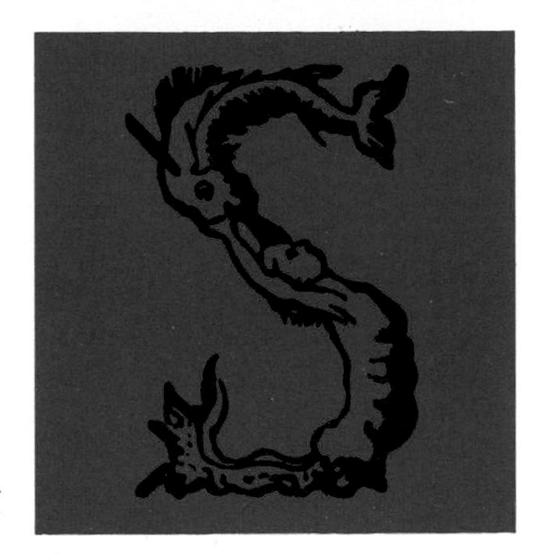

2e ligne de gauche à droite : Alphabet hiéroglyphique de C.V. Noorde, Pays-Bas (1751) Alphabet de personnages, Caulo, Paris (1856) Alph. de Daumier, Paris (1836).

3e ligne de gauche à droite : Alphabet « Forestière », J. Midolle, Strasbourg (1834) / Alphabet diabolique, J. Midolle, Strasbourg (1834) / G.C. Lassada, Bologne (1850)

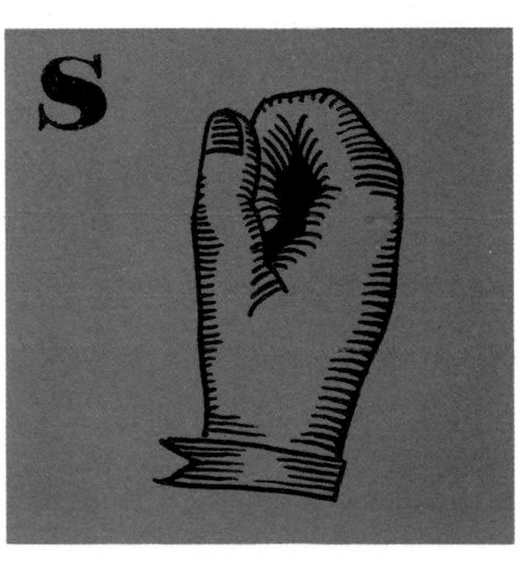

4e ligne de gauche à droite : Alphabet chromolithographique, Vosges (1891) / Alph. d'animaux, Silvestre, Paris (1834) / Alphabet dactylologique des sourds-muets, (Paris).

Lettre S - ORGINE DES ILLUSTRATIONS

A.P.N. : 2813 / G. Arvati : 2786, 2787 supérieur, 2788, 2789, 2798, 2799s, 2800 / Atlas-Photo : Doumic, 2719 / M. de Biasi : 2780 inférieur / B.N. : 2819 / Boudot-Lamotte : 2711, 2829 / Bulloz : 2835 / Camera Press : 2797 / P. Candusso : 2740 / A. Carrara Pantano : 2794s / Carrese Foto : 2722i 2725s, 2750s, 2764s, 2765i, 2787i, 2824s, 2828s / C. delle Cese : 2827 / P. Cozzaglio : 2713s, 2756i, 2812i / A. Cozzi : 2778s, 2807 / R. Crespi : 2783, 2791 / R. Curiel : 2754, 2758, 2759, 2804s / Edistudio-Pucciarelli : 2741s, 2761 / U. Fontana, : 2821 / F. Frezzato : 2715s / General Electric : 2790 / Giraudon : 2731, 2746, 2834 / Italsider : 2766, 2767 / Keystone : 2734s, 2830, 2832 / Archives Robert Laffont : 2793 / P. Lalande : 2708 / Magnum : 2709 ; C. Manos, 2739i ; 2749s, 2750i ; Rodger, 2801i ; 2816s, 2823s, 2837s, 2838 / Terence Maloney : 2724 / A. Margiocco : 2717, 2718i, 2727i, 2753, 2755s, 2756s, 2769, 2771s, 2779, 2817i / G. Mazza : 2711i, 2712, 2726, 2727s, 2728, 2738, 2745, 2780s, 2806 / G. Minelli : 2714i, 2743s, 2749i, 2796s, 2801s, 2823i, 2826i, 2831i, 2837i / Archives Mondadori : 2736, 2737, 2739s, 2794i, 2810, 2833 / S. Papa : 2725i / Perceval : 2782 / Foto Pictor : 2760, 2770s, 2772, 2773, 2778i, 2808, 2809, 2815, 2824i, 2825, 2826s, 2828i / M. Pistoia : 2721 / M. Pucciarelli : 2722s, 2723, 2730, 2757, 2762, 2777i, 2811, 2812s / F. Quilici : 2748, 2751, 2765s, 2776, 2777s, 2795s / A.-M. Random : 2763 / Rapho : De Sazo, 2729 ; 2744 ; C. Michaud, 2804i / Réunion des Musées Nationaux : 2820s / Ricciarini : N. Cirani, 2752, 2755i, 2771i, 2802 ; F. Simion, 2785 / Réalités : 2818 / Roger-Viollet : 2710i, 2735i : Baudin, 2783 / F. Roiter : 2720s, 2741i, 2747, 2781, 2795i, 2803, 2816i, 2817s, 2812i / Savio : 2742 / Scala : 2710s, 2784, 2818i / SEF : 2707, 2714, 2718s, 2720i, 2764i, 2796i, 2799i, 2805 / R. Segattini : 2768 / Snark : 2774, 2775 / Spadem : 2743i / Sven : 2820i / Top : 2735s, 2836 / Tournus : 2732 / Usis / 2792, 2822.

NOUVELLE ÉDITION 1989

F. Ivaldi (a, a, a) 2606 / G. Gorgoni (Cosmos) 2634.

Le poisson qui frétille et le crochet qui blesse :
Petits s.

S — Consonne et dix-neuvième lettre de l'alphabet. S correspond au grec sigma, venant lui-même du sémitique sikm.

SAGAS NORDIQUES

● A l'origine récits transmis par voie orale, pendant des siècles, les sagas (du norvégien *segja* qui signifie « raconter ») furent transcrites, surtout en Islande, aux XIIe et XIIIe siècles. Elles traitent des grands événements de la colonisation de l'Islande ainsi que de l'histoire de la Norvège à la même époque dans un style et un langage simples.

● Ari Fródi Thorgilsson (1107-1148) fut le premier « historien » islandais. Son *Livre des Islandais* et son *Livre des colonisateurs* contiennent les principaux faits racontés par les sagas. Quelques récits de ce genre furent aussi écrits en latin.

● Parmi les plus anciennes sagas, citons les quelque quarante *Sagas des Islandais*, la vingtaine de *Sagas des rois*, la *Saga de Sverrir* (écrite par ordre du roi de Norvège Sverrir), la *Saga des meurtres sur le haut-plateau*, la *Saga des frères d'armes*. Les sagas de Hallfrödr, Wi Kormàkr et d'Egill Skallagrímsson racontent la vie de poètes. La *Reykdaela*, la *Eyrbyggja* et la *Vatnsdaela* rapportent l'histoire de familles entières. La *Laxdaela* traite de la rivalité entre Kjartan et Gudhrún. Plus tard parurent les sagas de Gunnlaugr, de Njalr, de Grettir, les *Sagas du passé*, les *Sagas des chevaliers* et les *Sagas mensongères*, fables qui se terminent sur une note joyeuse.

● La saga est généralement le récit des aventures d'un homme ou d'une lignée. Les faits sont rapportés par le poète comme s'il y avait directement assisté, en une langue simple et réaliste. Le style, impersonnel, donne parfois une impression de monotonie. Les auteurs, en présentant les faits, annoncent le dénouement, car seul les intéresse le récit de l'accomplissement d'un destin inéluctable.

● Des éléments apparemment sans importance, comme un songe, un défi, une querelle d'héritage, sont à l'origine d'un enchaînement tragique de vengeances, racontées en un crescendo dramatique.

● Mais d'autres thèmes sont également traités : la générosité, la vulgarité du parvenu, l'habileté verbale du vieil Ofeifr défaisant les chefs qui avaient voulu s'emparer des richesses de son fils *(Saga des chefs)*, les aventures d'Éric le Rouge, colonisateur du Groenland, et de son fils Leif, découvreur de l'Amérique *(Saga d'Éric le Rouge)*, la vie des cinq premiers évêques islandais *(Sagas des Évêques)*.

● Enfin, il existe une saga semblable par sa forme et son esprit à la saga classique, mais conçue comme une véritable œuvre historique, la *Heimskringla* de Snorri Sturluson. Elle comprend un ensemble de sagas qui racontent la vie des rois norvégiens depuis Harald Ier à la Belle Chevelure, fondateur du royaume, jusqu'à Magnús V, premier roi norvégien sacré à Bergen en 1164, et les guerres civiles du temps du roi Sverrir et de la bataille de Ré en 1177. ■

Véritables chansons de geste, les sagas relatent l'arrivée des moines irlandais en Islande au VIIIe s., l'invasion du pays par les vikings païens aux IXe et Xe s., la découverte du Groenland par Eric le Rouge au Xe s., et la conversion de l'Islande au christianisme

SAÏGON

● Saïgon est l'ancien nom de la capitale du Sud Viêt-Nam, Hô Chi Minh-ville, qui s'étend au nord-est du delta du Mékong. Avec la ville chinoise de Cho Lon et le faubourg de Gia-Dinh, Hô Chi Minh-ville comprend environ 3 500 000 habitants. Comme la plupart des villes du Sud-Est asiatique, elle a un climat chaud, la moitié du temps sec et l'autre humide avec les pluies des moussons entre mai et novembre.

● Située au milieu d'une riche plaine de grandes rizières, elle est un important centre de communications doté d'un réseau ferroviaire, routier et fluvial bien adapté, d'un aéroport international et d'un port fluvial assurant les relations à l'intérieur du pays et avec le monde entier.

● L'activité industrielle de cette ville de fonctionnaires et de commerçants repose essentiellement sur le traitement des produits agricoles : usines de décorticage du riz, distilleries, sucreries, manufactures de tabac, huileries, fabriques de caoutchouc. Les usines textiles et les chantiers navals forment également un secteur important. A côté des écoles et des instituts culturels, Hô Chi Minh-ville des centres de recherches

A l'est des bouches du Mékong, le port fluvial se trouve à 5 km de la mer de Chine, dont il est séparé par un lacis de rivières et d'arroyos.

Hô Chi Minh-ville compterait actuellement près de deux millions d'habitants, l'agglomération trois millions et demi. Tout autour, l'immense rizière du delta s'étend sur près de trois millions d'hectares.

spécialisés, surtout en agronomie et en riziculture.

● La ville présente deux visages bien distincts. Le quartier occupé par les Français en 1858 ressemble à une ville occidentale : larges avenues ombragées se coupant à angle droit, édifices majestueux comme la cathédrale ou le Palais de Justice. Les jardins sont nombreux et bien entretenus. Le reste de la ville, habité par les classes les plus pauvres, présente l'aspect de confusion cosmopolite propre à tant de villes orientales avec des maisons basses et irrégulières au milieu desquelles s'ouvrent une multitude de rues étroites et malsaines. Certaines familles habitent encore sur des sampans (embarcations manœuvrées à la godille ou à l'aviron) ou sur des barques amarrées le long du fleuve.

● A une dizaine de kilomètres environ se trouve le pittoresque port de Cho Lon, sur l'arroyo chinois, véritable ville construite sur des barques et des pilotis.

● Malgré la signature du cessez-le-feu en janvier 1973 et le retrait complet des troupes américaines, les combats continuent : c'est en avril 1974 que le Gouvernement Révolutionnaire Provisoire occupe Saïgon et la rebaptise Hô Chi Minh Ville. La rapide « réunification » des deux Viet-Nam, la tension avec la Chine et l'exode de la population sont l'écho d'un terrible conflit qui est loin d'être résolu. ■

▶ *VIET-NAM*

SAINT-EMPIRE ROMAIN GERMANIQUE

Le Saint-Empire romain germanique à la mort de Frédéric Barberousse. C'est sous les empereurs saxons (911-1024) que le Saint-Empire sera le plus puissant. A partir de 962, Othon Ier (936-973) prend le titre d'*Imperator Romanorum Augustus ;* il poursuit la politique de Charlemagne et l'Église défend l'unité de ses États. Othon III (995-1002) prétendra se rattacher à l'empire romain.

● L'Empire romain d'Occident disparu en 476, restauré par Charlemagne en 800, fut relevé par Otton Ier, roi d'Allemagne, en 962 et prit dès lors le nom de Saint-Empire romain germanique. La faiblesse de l'empire byzantin au VIIIe siècle avait favorisé le couronnement de l'an 800. Cependant, Byzance n'accepta pas ce transfert du pouvoir impérial, et la division entre l'Orient et l'Occident fut définitive.

● « Oint du Seigneur » par le sacre et le couronnement, l'empereur est le suprême protecteur de l'Église *(advocatus ecclesiae)* et de la chrétienté. Il doit assurer la paix en particulier en Italie, « ce beau jardin de l'Empire », dit Dante, et veiller sur le pape « Roi en son pouvoir... prêtre dans ses sermons... »; il doit aider l'Église à répandre la foi. L'empereur dispose du « glaive temporel » (pouvoir politique) et le pape du « glaive spirituel » (pouvoir spirituel).

● Les limites de leurs pouvoirs respectifs ne sont pourtant pas clairement définies. L'un et l'autre peuvent prétendre à la direction de la chrétienté. De cette confusion naquit une rivalité, source de nombreux conflits caractéristiques de l'histoire de l'Occident chrétien.

● Le prestigieux titre impérial, restauré par Charlemagne, avait subi par la suite une irrémédiable décadence. Otton Ier duc de Saxe, roi de Germanie en 936, le releva à nouveau dans les mêmes conditions que Charlemagne. Il assura d'abord son pouvoir en Germanie, puis étendit sa suzeraineté à l'est de l'Elbe et de l'Oder, en Bourgogne, en Italie du Nord où il se fit proclamer roi des Lombards en 951. Il apporta également son aide militaire au pape Jean XII menacé par les Lombards incomplètement soumis. Il dégaga Rome et se fit couronner empereur le 2 février 962.

● L'Italie et surtout l'Allemagne, patrie d'Otton, constituent les bases essentielles de cet Empire chrétien qui exclut la France, et que l'on appelle désormais « Saint-Empire romain germanique ».

● Malgré son apparente force, l'Empire comporte bien des faiblesses. Elles proviennent d'abord de la fragilité des institutions germaniques. La couronne royale élective dépend des princes laïcs ou ecclésiastiques. Le roi de Germanie se pare aussitôt élu du titre de « roi des Romains » avant d'être couronné par le pape à Rome. Cela permet au pape et aux princes allemands d'exercer toutes sortes de pressions pour l'élection.

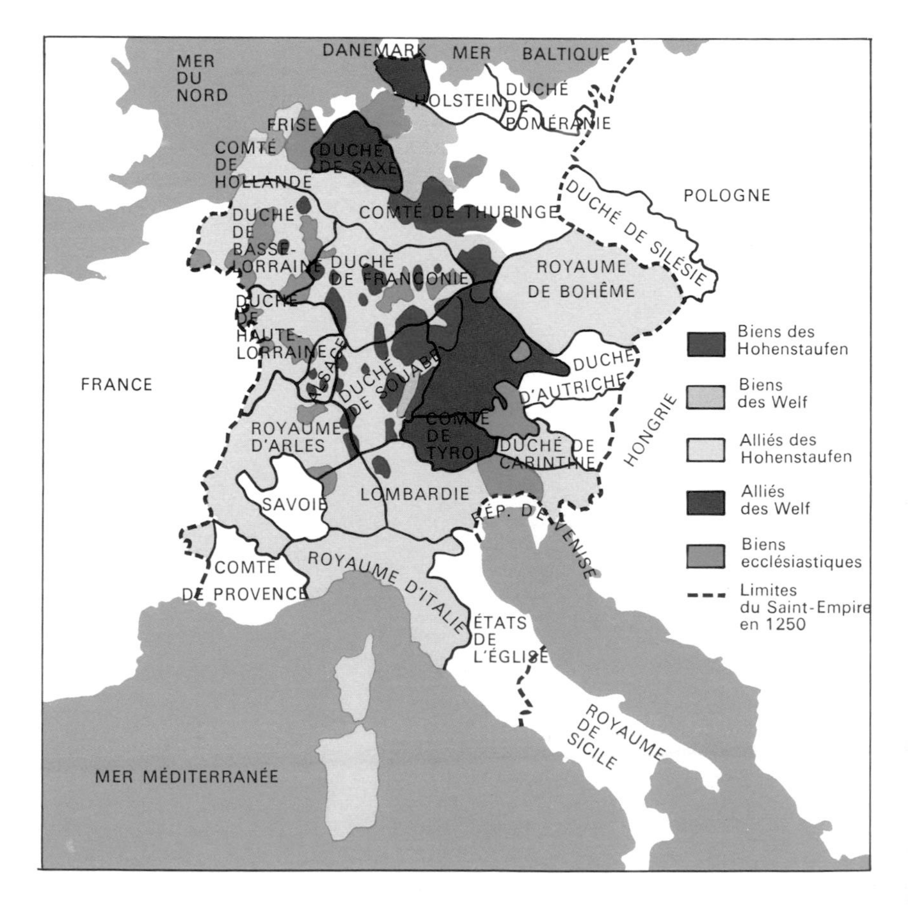

● Les successeurs d'Otton Ier échouent dans leurs efforts pour rendre la couronne héréditaire. Le pouvoir de l'empereur est, en plus, forcément limité par la dispersion de ses possessions territoriales. Il lui est bien difficile d'obtenir l'obéissance réelle de ses lointains vassaux.

● Le problème italien est encore plus grave. Le pouvoir de l'empereur y est encore plus contesté. Élu par les princes allemands, il est considéré comme un conquérant et un étranger. Les riches villes italiennes peuvent disposer de l'appui pontifical pour faire obstacle aux prétentions impériales. En effet, depuis 962, les empereurs imposent aux papes, qu'ils font et défont à leur guise, un serment de fidélité, acte de soumission fort mal supporté bien entendu. Les empereurs doivent donc faire face sur tous les plans, politique, militaire, idéologique, à de vives oppositions.

● Le Xe siècle ou période des Otton (Otton Ier, dit Le Grand, Otton II, Otton III) fut particulièrement brillant. C'est pratiquement la seule période de l'histoire médiévale où la civilisation allemande éclipsa les autres. L'architecture d'abord, puis la sculpture, l'enluminure, la littérature religieuse, fleurirent. Le Saint-Empire romain germanique n'était pas alors une « chimère » mais une réalité vivante et la suprématie de l'empereur était incontestée.

● Plus tard, au XIe siècle, la papauté, sous l'impulsion de papes énergiques comme Nicolas II (1059-1061) et surtout de Grégoire VII (1073-1085), se révolta contre la domination de l'empereur. Les papes revendiquèrent entre autres la liberté d'élire les évêques et se proclamèrent seuls héritiers légitimes des droits des anciens empereurs romains.

● Ce long conflit (querelle des Investitures) oppose les papes et les empereurs jusqu'au Concordat de Worms en 1122. Il s'aggrave aux XIIe-XIIIe siècles (lutte du sacerdoce et de l'Empire), sous les règnes de Frédéric Ier Barberousse et de Frédéric II notamment. Frédéric Ier fut élu en 1152 pour concilier les factions rivales des Gibelins (ou partisans de la famille souabe des Hohenstaufen) et des Guelfes (ou partisan de la famille bavaroise des Welfs) auxquelles il était allié.

La couronne couverte de saphirs, symbole du Saint-Empire romain germanique et de la puissance de son empereur. Au Xe siècle, la civilisation allemande atteint son apogée et, pour la première fois, éclipse toutes les autres.

● Il avait les qualités physiques et morales du chevalier médiéval, qui lui permirent de s'imposer à ses pairs. Il apaisa les querelles, rétablit la paix et consolida l'autorité impériale en Allemagne. Il y arriva en contrôlant la désignation des évêques, en gouvernant avec la haute aristocratie princière et en exilant les plus récalcitrants.

● En Italie, il s'opposa au pape et aux villes lombardes. Sa mort accidentelle à la croisade (1190) favorisa la naissance d'une légende selon laquelle Frédéric, dont le corps n'avait pas été retrouvé, était endormi dans une grotte de Thuringe d'où il sortirait pour diriger à nouveau l'Allemagne.

● Son successeur, Frédéric II, roi de Sicile en 1197, empereur à partir de 1202, fut un des hommes les plus originaux et les plus discutés de son temps par sa culture, sa curiosité d'esprit et ses conceptions politiques. Il a sans doute rêvé de faire de l'Italie le centre de son empire. Sa cour de Palerme devint une vraie cour orientale par la richesse et le cérémonial. C'est dans la cathédrale de cette ville que Frédéric repose dans un magnifique sarcophage en porphyre rouge sombre encadré de lions.

● Il décida de donner à ses États italiens méridionaux une administration moderne et modèle. Dans ce dessein, il rédigea les *Constitutions de Melfi* (1231) qui établissaient une monarchie bureaucratique centralisée, appuyée sur un dense réseau de forteresses et un corps d'officiers contrôlant étroitement le pays. Frédéric II échoua en voulant étendre son autorité au reste de l'Italie. D'autre part, l'Allemagne, délaissée et mal gouvernée, lui échappa.

● Le morcellement du pouvoir s'accentua ainsi considérablement. La cruelle lutte qui opposa le pape Innocent III (1243-1254), aidé de la ligue lombarde formée par les villes italiennes du Nord, et l'Empereur, se termine par la défaite de ce dernier; c'est la ruine de son grand projet sur l'Italie.

Henri V (1081-1125) signa avec le pape Calixte II le concordat de Worms, mettant fin à la Querelle des Investitures. Ce document faisait une distinction entre les fiefs des évêques ou *temporaria* et leurs pouvoirs spirituels ou *spiritualia*.

***Charles Quint* (1500-1558) par Bernard Van Orley (1492-1542), peintre bruxellois. Roi d'Espagne à 16 ans sous le nom de Charles Ier, empereur germanique à 19 ans, Charles Quint porte ici le grand collier de la *Toison d'or*, ordre créé en 1430 par Philippe le Bon, duc de Bourgogne. Il ne s'en séparera que le jour de son abdication.**

● A sa mort l'Italie échappe à l'autorité impériale. L'Empire disparaît en tant qu'institution. Désormais, il se confond avec le royaume germanique. Or ce royaume est faible. Le pouvoir n'est pas centralisé. Les empereurs sont pauvres et leur puissance provient surtout de leurs possessions personnelles.

● A partir de Charles IV de Luxembourg (1316-1378), l'empereur est élu par sept princes électeurs (les archevêques de Trèves, Cologne, Mayence, le comte palatin du Rhin, le duc de Saxe, le margrave de Brandebourg, le roi de Bohême) suivant des règles fixées dans la Bulle d'or de 1356. Ces princes deviennent les vrais arbitres du pouvoir impérial. L'empereur ne peut prendre aucune décision sans l'accord de la Diète (assemblée de plus de 300 princes, laïcs et ecclésiastiques).

● Charles Quint (1500-1558) reprit sérieusement les prétentions impériales. Maître d'immenses domaines, il intervint partout en Europe. Il lutta contre les païens et soutint l'unité des chrétiens. Pour appuyer ses prétentions il établit, comme Charlemagne et Otton avant lui, un pouvoir fort sur une grande étendue géographique et pratiqua des interventions directes dans les affaires temporelles et spirituelles de l'Église.

● Les opinions des historiens contemporains sur les mobiles profonds de Charles Quint diffèrent. Pour certains, il aurait agi essentiellement par désir de rétablir la monarchie universelle « signe temporel de l'unité des chrétiens ». Pour d'autres, il aurait désiré renforcer avant tout les assises de sa dynastie.

● En fait, l'Empire n'existe plus en tant que réalité. Seul, le prestige du titre d'empereur explique l'âpreté de la compétition entre Charles Quint, roi d'Espagne, et François Ier pour l'attribution de la couronne, en 1519. Après le succès de la Réforme, le titre d'empereur n'a plus qu'une valeur symbolique. En effet, les divisions religieuses aggravent les divisions politiques.

● Depuis le XVIe siècle, les religions catholique et luthérienne ont été reconnues et les princes peuvent imposer à leurs sujets la religion qu'ils ont eux-mêmes choisie. Pourtant, Ferdinand II (1578-1637) essaie à son tour de renforcer l'autorité impériale en rendant l'empire héréditaire dans la famille de Habsbourg dont il est issu. C'est la dernière tentative de restauration de la puissance impériale. Les ambitions de Ferdinand II sont une des causes essentielles de la Guerre de Trente Ans. Le traité de Westphalie (1648) qui mit fin à ce conflit consacre la défaite totale de l'empereur.

● Le morcellement de l'Allemagne, cause importante de la faiblesse impériale, est maintenu et aggravé. L'empereur est élu par 8 électeurs. Les 360 princes qui composent la Diète sont désormais indépendants et peuvent conclure des alliances avec les souverains étrangers. La France et la Suède peuvent aider militairement ces princes à faire respecter leur indépendance.

● L'Empire n'est plus qu'une fiction politique. L'empereur est avant tout souverain d'Autriche (base de la puissance de la maison de Habsbourg). La Révolution française et Napoléon mirent fin à l'existence de l'Empire. En 1804, François II prit le titre d'empereur d'Autriche et renonça définitivement à la couronne impériale d'Allemagne (1806). ■

▶ *ALLEMAGNE / CHARLES QUINT / FRÉDÉRIC BARBEROUSSE / FRÉDÉRIC II / HABSBOURG / INVESTITURES, QUERELLE DES / ITALIE*

SAINT-EXUPÉRY (1900-1944)

● Ses camarades pilotes de l'Aéropostale, encouragés par sa chaleureuse et inépuisable bonhomie, l'appelaient familièrement « Tonio », et à peine savaient-ils qu'il était écrivain. En effet, les succès littéraires de Saint-Exupéry ne le décidèrent jamais à abandonner son premier métier. « Pour moi, voler ou écrire, c'est tout un », dit-il. Et c'est en qualité de pilote, encore, qu'il devait mourir, quelques jours avant la Libération.

● Né à Lyon, le jeune Antoine de Saint-Exupéry avait longtemps hésité, au sortir du collège, entre l'École navale et l'École des Beaux-Arts. Pour finir, c'est en faisant son service militaire dans l'aviation qu'il découvrira sa voie véritable.

● Rendu à la vie civile, il décide de devenir pilote de ligne. A cette époque, l'aviation n'en est encore qu'à sa « période héroïque », et la liaison France-Amérique, même par la voie du sud qu'emprunte l'Aéropostale, est riche en périls.

● Les premiers livres de Saint-

Saint-Exupéry tenait avant tout à son titre de « pilote de ligne ». Trop prodigue de son argent, il devient journaliste et écrivain pour subvenir à ses besoins. Son ouvrage *Pilote de guerre*, publié en Amérique en 1942, eut une très grande diffusion dans le monde entier.

Exupéry ne seront pas autre chose que le récit des exploits courageux de ses camarades, les Guillaumet, les Mermoz, qui, comme lui, « risquent leur vie très simplement et quotidiennement » : c'est à lire dans *Courrier Sud* (1929), *Vol de nuit* (1931).

● Mais déjà, dans *Terre des Hommes* (1939), le ton strict et sans apprêt du reportage s'amplifie peu à peu et s'élève, jusqu'à la méditation lyrique, voire philosophique. Tendance qui va s'accentuer encore dans *Citadelle* (paru en 1948), ouvrage monumental que la mort viendra interrompre.

● Non content d'avoir servi de 1939 à 1940 *(Pilote de Guerre,* publié en 1942), il rallie bientôt les Forces Libres à Alger, en 1943, et demande que lui soient confiées des missions dangereuses. C'est au cours d'un vol de reconnaissance qu'il meurt, en juillet 1944.

● Ainsi se termine, en plein ciel, la carrière exemplaire de cet homme simple, cordial et bon; le « Tonio » des premières années a reçu de la nouvelle génération un autre surnom, plus noble, un nom d'archange : elle a choisi de l'appeler Saint-Ex. ■

SALADIN (1137-1193)

● Sultan d'Égypte et de Syrie, Salah al-Din Yousouf fut, en tant que maître absolu de l'Égypte, l'adversaire le plus dangereux qu'aient jamais connu les États chrétiens d'Orient.

● Issu d'une grande famille kurde, émigrée en Syrie, celui que les Occidentaux surnommèrent Saladin devint grand vizir lorsque l'Égypte, jusqu'alors dominée par la dynastie fatimide, fut occupée par le prince Nour al-Din. Pour instaurer son autorité, Saladin fit régner la terreur sur son pays : il commença par déposer la dynastie fatimide, se proclama calife et fonda la dynastie Ayyoubides, du nom de son père, Ayyoub.

● A la mort de Nour al-Din, Saladin s'empara de ses territoires : il entra dans Damas en 1174, et occupa la Syrie. Le roi de Jérusalem, Baudouin IV, essaya d'arrêter l'avance de Saladin; mais il mourut en 1185 et le calife s'empara de Tibériade en 1187.

Vue de la forteresse d'Alep construite par Saladin. Située au sommet d'un rocher à pic, cette construction massive résista à tous les assauts.

● Saladin infligea aux Francs une rude défaite à Hattin, faisant prisonnier Guy de Lusignan et Renaud de Châtillon, le Grand Maître de l'ordre du Temple. Grâce à cette brillante victoire, il occupa les places fortes et entra dans Jérusalem le 2 octobre 1187.

● A l'annonce de la prise de la Ville Sainte, le pape Grégoire VI incita les Occidentaux à organiser la première croisade. Frédéric Barberousse répondit à cet appel et partit pour la Terre Sainte; mais il périt noyé en Asie Mineure, débarrassant ainsi Saladin d'une redoutable menace.

● Cependant, Richard Cœur de Lion, roi d'Angleterre, et Philippe Auguste, roi de France, partirent à leur tour et se rejoignirent devant Saint-Jean-d'Acre (1189); grâce aux flottes de Pise et de Gênes et au courage de Richard Cœur de Lion, la ville fut prise en 1191.

● Cependant, Philippe Auguste parti, Richard, malgré la victoire d'Arsouf, ne put s'emparer de Jérusalem et signa avec Saladin une trêve de trois ans. Le calife permettait ainsi aux Occidentaux d'aller en pélerinage dans la Ville Sainte et leur abandonnait les places côtières, de Tyr à Jaffa.

● A sa mort, en 1193, Saladin régnait sur un immense empire qui s'étendait des côtes de la Tripolitaine au Tigre et de l'Arménie à l'Arabie méridionale. Il faisait d'ailleurs figure de héros aux yeux des Occidentaux car sa loyauté, sa générosité et son esprit chevaleresque étaient, grâce aux récits des croisés, devenus légendaires. ■

▸ *CROISADES / ÉGYPTE*

La personnalité chevaleresque de Saladin (1138-1193) lui valut l'estime de ses adversaires les rois occidentaux. Ces relations loyales traduisent le rapprochement des deux grandes civilisations chrétienne et musulmane au XIIe siècle. A cette époque en effet, soumis à leur influence réciproque, le monde latin et la société arabe s'enrichissent mutuellement dans de nombreux domaines.

SALAMANDRES

● La classe des amphibiens renferme les anoures, les urodèles et les gymnophiones. Les salamandres se classent parmi les urodèles, dont elles constituent la famille la plus importante, celle des salamandridés.

● Les urodèles sont des amphibiens au corps allongé, porté par 4 pattes et se terminant par une queue généralement aplatie verticalement. Leur forme rappelle un peu celle des lézards. Les membres antérieurs ont 4 doigts et les postérieurs 5 orteils. Les yeux sont petits, saillants et pourvus de paupières chez les salamandres. La mâchoire, la voûte palatine et la mandibule portent des dents, petites et pointues.

● Le cœur est plus primitif que

Salamandre rouge *(Pseudotriton ruber)*, qui vit dans l'est des États-Unis.

En dépit de leurs mœurs paisibles, les salamandres ont servi de thème à des légendes fantastiques. Au Moyen Age, on leur attribuait un pouvoir surnaturel : ces animaux vivaient dans le feu, disait-on, comprenaient le grec et adoraient Dieu. Ces « esprits du feu » furent souvent représentés sur un brasier et crachant des flammes ; c'est sous cette forme que François Ier l'ayant choisi comme emblême, fit figurer la salamandre sur ses armes.

celui des anoures, les deux oreillettes étant incomplètement séparées. De ce fait, les sangs artériel et veineux se mélangent en partie. La fécondation est interne mais sans qu'il y ait accouplement. Le mâle des salamandres dépose un spermatophore à l'orifice cloacal de la femelle. Les larves sont semblables à l'adulte mais dotées de branchies externes. Elles sont dépourvues de membres lorsqu'elles sortent de l'œuf et c'est la paire antérieure qui se développe d'abord.

● La métamorphose est moins importante que chez les anoures. Les urodèles sont bons nageurs mais se déplacent difficilement sur terre ferme. On les rencontre essentiellement en Europe, Asie et Amérique du Nord. Les urodèles se répartissent en deux groupes distincts, qui diffèrent par la présence ou l'absence de paupières, de maxillaire supérieur et de branchies à l'état adulte.

● La famille des salamandridés renferme, entre autres, les salamandres et les tritons, qui ont des dents aux deux mâchoires, des paupières, et sont dépourvus de branchies à l'état adulte. Les salamandres sont terrestres, vivipares et la section de leur queue est circulaire. Les tritons sont aquatiques, ovipares et possèdent une queue comprimée latéralement. Parmi les espèces que l'on rencontre en France, nous citerons la salamandre commune ou salamandre terrestre, la salamandre noire et la salamandre à lunettes.

● La salamandre terrestre, *(Salamandra salamandra)* mesure entre 19 et 32 cm, suivant les régions et se rencontre presque partout en France jusqu'à une altitude de 1 200 mètres dans les Alpes. Elle est abondamment répandue en Europe centro-méridionale, en Asie mineure, en Syrie et dans le nord-ouest de l'Afrique. Son corps est d'un noir luisant tacheté ou rayé de rouge ou de jaune brillant.

● Le jour elle reste cachée dans des anfractuosités humides ou sous des végétaux, et ne sort que la nuit pour rechercher sa nourriture constituée de vers et de limaces. Il lui arrive parfois de sortir de sa retraite pendant la journée mais seulement lorsqu'il pleut ou fait très humide. A la période de reproduction, qui se situe au printemps et en été, plus exceptionnellement encore en automne, lorsque les conditions climatiques sont particulièrement favorables, le mâle dépose un spermatophore au voisinage du cloaque de la femelle.

● Les 10 à 50 jeunes que la mère met au monde dans les eaux peu profondes, mesurent 2 à 3 cm de long et sortent immédiatement des membranes ovulaires qui les entourent. Les membres sont déjà développés et ils sont pourvus de branchies externes. La métamorphose a lieu au bout de 2 à 3 mois. L'espèce est capable de se reproduire à l'âge de 4 ans. Cette salamandre est facile à élever et vit environ 25 ans en captivité. Elle a servi d'emblème à François Ier.

● La salamandre noire, *(Salamandra atra)* mesure entre 11 et 15 cm de long. Son corps est uniformément coloré d'un noir brillant, sans aucune tache claire. Elle ne vit que dans les Alpes, entre 850 et 3 000 mètres d'altitude. Elle se distingue de l'espèce précédente par le fait qu'elle met au monde des jeunes absolument identiques aux adultes, au nombre de 2 et mesurant 5 cm de long. Les juvéniles sont aptes à se reproduire au bout de 3 à 4 ans. Cette espèce peut vivre jusqu'à l'âge de 12 ans. Étant vivipare, elle n'a pas besoin d'eau pour y pondre ses œufs. Ses mœurs sont plus terrestres que celles de la salamandre commune.

● La salamandre à lunettes, *(Salamandria terdigitata)* qui mesure 10 cm de long, est propre à l'Italie. Elle se reconnaît facilement à ses pattes postérieures tétradactyles, à une tache claire en V entre les yeux et à sa région ventrale blanche avec des taches rouges et noires. De mœurs terrestres, cette salamandre recherche les lieux humides et ombragés, évitant la chaleur et la sécheresse.

● Les insectes et les myriapodes constituent l'essentiel de sa nourriture. La femelle pond ses œufs dans les eaux lentes, les petites sources ou les puits limpides. Ils sont déposés un à un

La salamandre tachetée est une salamandre terrestre qui reste cachée le jour et sort, la nuit, pour chercher sa nourriture.

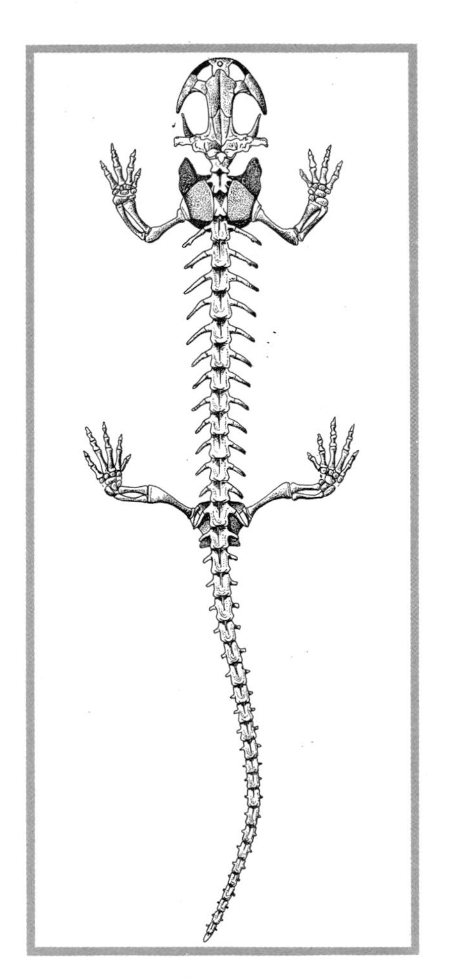

Squelette de la salamandre maculée. Les vertèbres thoraciques sont pourvues de côtes. Les vertèbres caudales sont fusionnées en une pièce unique et longue, l'urostyle. La forme des membres postérieurs permet à la salamandre de faire des bonds en avant très rapides.

et souvent réunis en une masse gélatineuse qui s'attache aux pierres et à la végétation aquatique. Les larves se métamorphosent au bout de 2 mois. Les poumons des adultes sont assez rudimentaires et la plus grande partie de la respiration se fait par la peau. En captivité la salamandre à lunettes est délicate à élever et ne vit habituellement que jusqu'à l'âge de 4 ans. On la nourrit de moucherons.

● Les tritons, qui font partie de la même famille que les salamandres, sont de mœurs aquatiques. Ils se reproduisent par oviparité. Au printemps, les mâles se distinguent aisément des femelles par leur livrée plus vivement colorée et la présence d'une crête dorsale plus ou moins développée. Dans certaines localités on a pu observer des tritons qui ont conservé des caractères larvaires à l'âge adulte et sont néanmoins en mesure de se reproduire. C'est un phénomène dit de néoténie.

● Parmi les espèces que l'on rencontre en France nous citerons : le triton à crête *(Triturus cristatus)* qui mesure 16 cm, le triton marbré *(Triturus marmoratus)*, un peu plus petit et qui peut donner une forme hybride par croisement avec l'espèce précédente, le triton alpestre *(Triturus alpestris)* qui ne mesure que 12 cm de long, le triton ponctué ou triton vulgaire *(Triturus vulgaris)* et le triton palmé *(Triturus helveticus)*, qui est le plus petit (8 cm) et le plus commun de nos tritons. ■

▶ *AMPHIBIENS*

SALOMON (970-931 av. J.-C.)

● La sagesse de Salomon est proverbiale, comme en témoigne le jugement resté célèbre : deux femmes vinrent le trouver, revendiquant chacune le même nouveau-né; le roi proposa de partager l'enfant en deux, mais la vraie mère refusa et l'enfant lui fut remis. « Et tout Israël ayant su le jugement qu'avait donné le roi... ils reconnurent qu'il y avait eu en lui une sagesse divine. »

● Qui fut donc ce grand roi dont la Bible dit « qu'il surpassa en richesse et en savoir tous les rois de la Terre »? Le *Livre des Rois* nous rapporte l'histoire de la fidélité de ce roi à l'alliance conclue par Dieu avec le peuple d'Israël et la dynastie de David.

● Troisième roi d'Israël, fils de David et de Bethsabée, Salomon devint roi à la mort de son père, en 970 av. J.-C., après avoir fait mettre à mort son frère aîné, Adonias. Il fut le roi le plus brillant de la dynastie de David, et sa cour, une des plus fastueuses.

● Pour favoriser le commerce, Salomon créa une flotte en mer Rouge et construisit des forteresses destinées à protéger les caravanes marchandes. Mais ses entreprises commerciales et maritimes ne furent pas toujours couronnées de succès et pour payer ses dettes, Salomon dut céder vingt villes au roi de Tyr.

● Pour s'allier les faveurs de l'Égypte, Salomon épousa la fille du pharaon. Pour défendre les territoires acquis, il renforça l'armée, la dotant de chars, ainsi que la cavalerie. Les écuries de Meggido qu'il fit construire pouvaient abriter 450 chevaux.

● Grand bâtisseur, Salomon fit construire le grand Temple de Jérusalem, où furent transportées les Tables de la Loi remises par Dieu à Moïse, et le palais royal. Mais tout cela coûtait beaucoup d'argent et l'augmentation des impôts et des corvées lui valurent une certaine impopularité. A sa mort, le royaume, qui avait atteint sous son règne son étendue maximale, se divisa entre Israël et Juda, marquant ainsi la fin de l'unité du peuple hébreu.

● Auteur d'œuvres poétiques, Salomon s'est vu également attribué trois livres de la Bible : *Proverbes*, *Ecclésiaste* et le très pur chant d'amour qu'est le *Cantique des Cantiques*. ■

▶ *BIBLE / HÉBREUX, HISTOIRE DES / ISRAEL*

SALVADOR

● Le Salvador, petit État d'Amérique centrale riverain de l'océan Pacifique, limité au nord-ouest par le Guatemala et, pour le reste de son territoire, par l'État du Honduras, tire pour une bonne part son originalité de la

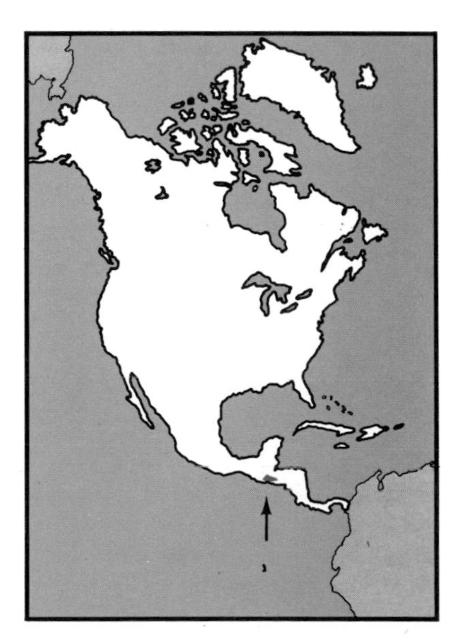

Superficie : 21 300 km². Population : 4 900 000 hab. Capitale : San Salvador (1 200 000 hab.). Religion : catholicisme. Régime politique : république. Unité monétaire : le *colon*.

Jour de marché à San Salvador, marché traditionnel de l'Amérique latine, où la foule grouillante et colorée vient vendre ou acheter les produits locaux.

Capitale du plus petit État d'Amérique centrale, San Salvador, dont la fondation remonte à la conquête espagnole, fut détruite quatre fois : d'abord par les Indiens, révoltés contre la domination des hommes de Cortès, puis à trois reprises par des tremblements de terre au cours du XVIe siècle.

nature de son milieu physique et de l'importance de l'occupation humaine.

● Le relief est, en effet, fortement marqué par la présence de la monumentale dorsale montagneuse méridienne, courant du Mexique (Sierra Madre del Sur) aux confins du Costa Rica, et développant de beaux massifs volcaniques qui grimpent au-delà de 3 000 m d'altitude (Métapan).

● Sa densité démographique (235 habitants au km^2) est exceptionnellement élevée pour le continent latino-américain : songeons que sur un territoire de plus de 21 000 km^2 (soit le vingtième de l'ensemble des cinq républiques d'Amérique centrale), se regroupent désormais près du quart de la population totale, quelque 5 000 000 habitants en 1986.

● Ce paradoxe apparent (la nature relativement défavorable des données orographiques ne justifiant guère un tel taux d'occupation) s'explique largement par les données de l'histoire (colonisation hispanique), et un contexte socio-économique très particulier : la totalité de l'espace cultivable est utilisé, dans ce petit pays, depuis le siècle dernier, dans le cadre de structures agraires de type féodal, et sous la domination tyrannique des « Quatorze Familles ». Ces grands propriétaires latifundiaires détiennent la majorité des terres cultivées, ne laissant aux autres agriculteurs que les terres arides. Le droit des agriculteurs à la propriété des terres qu'ils cultivent est l'enjeu de luttes politiques qui nuisent à l'équilibre politique du pays; la paix intérieure risque en effet de rester une utopie tant que ce problème ne sera pas résolu.

● Cette omniprésence de « l'oligarchie ibérique » des Duenos, Vilanova Quinonez, Melendez, Menendez Castro et autres Deinniger rend compte de la persistance de structures archaïques et de la gamme, désormais classique, des fléaux du sous-développement. Citons par exemple, sur ce plan, l'importance de l'analphabétisme (l'État de Salvador se caractérise en ce domaine par un taux supérieur à 50 %), la multiplicité des maladies de carence (sous-nutrition, mais aussi malnutrition : la plupart des paysans sans terres, les *peones*, ne mangent jamais de viande) ou la médiocrité du revenu de la masse des San Salvadorians : moins de 1 000 dollars de revenu annuel... moyen!

● Le Salvador est avant tout un pays agricole puisque 50 % de sa population vivent des activités de la terre. Les cultures vivrières, le maïs surtout qui, sous forme de galettes, constitue la nourriture de base des classes pauvres, mais aussi les haricots, le riz, le sucre, les céréales, ont des rendements faibles. La culture industrielle par excellence est le café, produit par les grandes plantations latifundiaires de la région de Santa Anna, et pour lequel le Salvador occupe le 7e rang mondial.

● A l'exception de quelques gisements d'or et d'argent, le Salvador ne possède pas de ressources minières. Il possède un complexe hydro-électrique sur le fleuve Lemma, qui assure largement sa production, d'autant plus largement que son développement industriel est faible. L'industrie n'occupe en effet que 18 % de la population active; elle est destinée à alimenter le marché local. Seul le secteur agro-alimentaire est actif et transforme les productions nationales.

● En 1987 des travaux importants d'infrastructures ont été entrepris : routes, ponts, irrigation, eau potable, et pour réparer les dégâts du terrible séisme de 1986.

● L'économie salvadorienne est sapée par l'extrême-droite et la guérilla. Les agriculteurs viennent en masse se réfugier dans les villes où sévit un taux de chômage élevé. Le Salvador est, comme les pays de cette région du globe, victime des extrémismes. ■

SAND George (1804-1876)

● Une jeunesse bien sage a mené George Sand à une existence très libre, et aux yeux de certains, scandaleuse. Aurore Dupin, fille d'un officier d'Empire et d'une fille du peuple, passe son enfance dans le Berry, à Nohant. En 1822, elle épouse le baron Dudevant, mais se détache de lui très rapidement; les hommes vont dès lors se succéder dans sa vie.

● Sa carrière littéraire commence avec les romans *Indiana* et *Valentine,* qui paraissent en 1832 sous le pseudonyme de George Sand. Elle s'y pose en défenseur de la femme et attaque le principe sacro-saint de la famille. On y devine les remous de sa vie amoureuse, de la passion qu'elle a vécue avec Alfred de Musset à Venise, ainsi que celle qu'elle connut avec Chopin. *Lélia* (1833) et *Mauprat* (1837) sont aussi des romans d'amour, d'action et d'atmosphère.

● Pour George Sand, le livre est le moyen d'exprimer ses sentiments, ses idées et les thèses qu'elle a adoptées. L'inspiration mystique elle-même ne lui est pas étrangère , ainsi que l'atteste *Consuelo,* écrit en 1842. Elle se lie avec la plupart des défenseurs de la démocratie, Barbès, Blanc, Lamennais. C'est l'époque de ses romans d'esprit socialiste, *le Compagnon du tour de France* (1841), *le Meunier d'Angibault* (1845). Elle est prise d'un grand enthousiasme pour la révolution de 1848 et se lance dans l'action politique, conseillant Ledru-Rollin. Les journées de Juin, pendant lesquelles la révolte ouvrière fut écrasée, l'ont profondément désabusée, et elle revient s'installer à Nohant.

● George Sand s'intéresse maintenant à ses paysans, elle écrit des romans champêtres et régionalistes : *la Mare au diable* (1846), *François le Champi* (1847), *La Petite Fadette* (1848), *les Maîtres sonneurs* (1853). Elle restera pour ses paysans « la bonne dame de Nohant ». Le charme des romans champêtres de George Sand tient à la simplicité de l'intrigue et à la peinture des personnages dans le cadre d'une vie rustique et pittoresque. Ce sont des hommes au cœur pur et à l'âme noble. George Sand reproduit l'atmosphère des veillées villageoises au cours desquelles un conteur rapportait des histoires merveilleuses.

● Assagie par l'âge, George Sand publiera ses souvenirs, *Histoire de ma vie* (1854) et des romans d'atmosphère bourgeoise et mondaine. Régnant sur son peuple de Nohant, elle met en pratique son idéal humanitaire. Après la fougue de ses années romantiques, George Sand a su allier les charmes de son imagination au réalisme de son observation. ■

Un portrait romantique de George Sand, qui, en dépit d'une vie sentimentale agitée et d'une carrière d'écrivain peu commune à cette époque, restera pour les paysans de son domaine, la « bonne dame de Nohant ».

SANG

● Le sang est un tissu dont le ciment intercellulaire est remplacé par un liquide *(plasma)*, composé en grande partie d'eau et renfermant de nombreuses substances dissoutes. Les cellules qui le composent sont de trois types : les globules rouges, les globules blancs et les plaquettes. Le sang, qui irrigue les organes de tous les vertébrés mais aussi de nombreux invertébrés, est un liquide visqueux et alcalin qui mousse aisément. Chez les vertébrés, sa couleur est due à la présence des globules rouges dont la fonction essentielle est le transport de l'oxygène et du gaz carbonique.

● Le sang entraîne les produits de la digestion pour les distribuer aux différents tissus, apportant l'oxygène nécessaire au processus d'oxydation (source d'énergie) tout en éliminant le gaz carbonique et les autres déchets. La circulation de ce « tissu liquide » permet également la distribution des hormones sécrétées par les glandes endocrines, et intervient dans la régulation de la température corporelle.

● Le plasma est un liquide jaune clair qui renferme de nombreux électrolytes (sodium, potassium, calcium; des bicarbonates, des phosphates et des sulfates), des protéines et diverses matières organiques comme des lipides, de l'urée, du glucose, du cholestérol, de l'acide lactique et de l'ammoniaque.

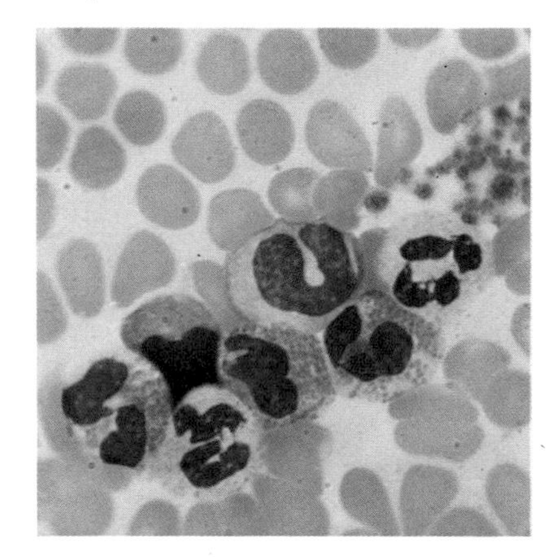

Globules blancs et globules rouges, vus au microscope et grossis 1 000 fois. Les globules rouges représentent 45 % du volume sanguin chez l'homme. Leur durée de vie limitée implique une régénération continuelle : le sang est renouvelé tous les deux ou trois mois.

● Un millimètre cube de sang humain renferme entre 4 500 000 et 5 000 000 de globules rouges ou hématies (encore appelés érythrocytes).

● Ces cellules, spécifiques du sang des vertébrés, représentent 45 % du volume sanguin chez l'homme. Les globules rouges des mammifères sont dépourvus de noyau, et ressemblent à de petits disques biconcaves de 7,5 microns de diamètre. Leur couleur rouge est liée à la présence d'une protéine renfermant du fer, l'hémoglobine, qui est le principal transporteur de l'oxygène et du gaz carbonique.

● L'absence de noyau cellulaire dans les globules rouges est responsable de leur durée de vie limitée (120 jours). Ceci implique une régénération continuelle, qui s'effectue au niveau de la moelle osseuse et de la rate. Le sang est totalement renouvelé en l'espace de 2 ou 3 mois. Les membranes des hématies possèdent des propriétés héréditaires spécifiques qui ont permis de définir les groupes sanguins, au nombre de quatre : AB, O, A et B.

● Il existe dans le plasma

Un individu conserve toute sa vie le groupe sanguin déterminé à sa naissance, même s'il subit plusieurs transfusions d'un autre groupe.

Le groupe 0 tire son appellation du fait que ses réactions très faibles ont été découvertes tardivement.

Afin d'améliorer le traitement de la leucémie, un fichier géant, le « Grand Livre des globules blancs » vient d'être ouvert à l'hôpital Saint-Louis à Paris. Y figurent le nom et les caractéristique cellulaires de 3 000 donneurs, prêts à répondre à tout moment à l'appel du centre d'hémobiologie de l'hôpital.

COMPOSITION DU PLASMA

(produits les plus couramment dosés, pour 1 litre d'eau)

Glucides : 90 à 110 mg
Protides : 70 000 à 80 000 mg
Lipides : 4 000 à 6 000 mg
Sels minéraux : 7 000 à 9 000 mg
Calcium (Ca) : 100 mg
Phosphore (P) : 80 à 100 mg
Sodium (Na) : 3 300 à 3 400 mg
Cholestérol : 1 700 à 2 000 mg
Urée : 250 à 500 mg
Acide urique : 20 à 40 mg
Acide lactique : 100 mg

des substances assimilables à des anticorps que l'on appelle agglutinines, et qui peuvent, par un phénomène assimilable à l'allergie, réagir avec les agglutinogènes des hématies, comparables à des antigènes. A chaque agglutinine correspond un agglutinogène dont la combinaison entraîne une agglutination des globules rouges et leur destruction.

● Il faut donc éviter, lors des transfusions sanguines, que les agglutinogènes du donneur correspondent aux agglutinines du receveur. Il existe chez l'homme deux agglutinogènes A et B auxquels correspondent les agglutinines plasmatiques alpha et béta. Le plasma des individus du groupe AB (3 %) ne contient pas d'agglutinines, ce qui en fait des receveurs universels. Le plasma des donneurs universels (groupe O, 44 %) renferme les deux agglutinines alpha et béta, mais les globules rouges sont dépourvus d'agglutinogènes. Les sujets du groupe A (45 %) sont pourvus de l'agglutinogène A et de l'agglutinine béta, ceux du groupe B (8 %) ont B et alpha.

● Il est également nécessaire, pour éviter les accidents de transfusion sanguine, de connaître la nature du facteur Rhésus, rhésus positif ou rhésus négatif, correspondant à un autre système d'antigènes provoquant l'agglutination des globules rouges. Les groupes érythrocytaires M, N, P, S et s, ont moins d'importance. Il existe enfin des groupes dépendant de protéines sériques (gamma globulines) et des groupes dépendant d'enzymes érythrocytaires dont les rôles sont beaucoup plus modestes. L'hémotypologie renseigne précisément, sur les caractères sanguins d'un individu.

● A l'inverse des hématies, les globules blancs, ou leucocytes, ne renferment pas d'hémoglobine, sont de forme variable et possèdent tous un noyau. On en compte entre 5 000 et 10 000 par mm de sang.

● Alors que les hématies sont endiguées par le système circulatoire, les leucocytes ont la faculté de traverser les capillaires sanguins pour se disperser dans la lymphe circulant dans les espaces interstitiels. Les globules blancs mesurent de 8 à 20 microns et peuvent être classés en plusieurs types tels que les lymphocytes (21 %), les monocytes (6 %) et les granulocytes ou polynucléaires dont le noyau est multilobé, et que l'on peut subdiviser en éosinophiles, neutrophiles et basophiles.

● La fonction essentielle des globules blancs est de protéger l'organisme contre l'envahissement des bactéries et autres agents pathogènes. Leur membrane se déprime au contact des corps étrangers pour former une vacuole, par un processus de phagocytose qui englobe l'agent pathogène. Par la suite, le leucocyte déverse des enzymes digestives dans cette vacuole, ce qui a pour effet de détruire la bactérie. Jouant le rôle d'« agents de voierie », les leucocytes éliminent également les érythrocytes morts tout en respectant ceux qui sont vivants, ce qui implique l'existence d'un mécanisme de reconnaissance. En cas de lésion, les leucocytes se concentrent au niveau de la blessure pour lutter contre l'infection microbienne.

● Ces cellules très actives ont une durée de vie limitée qui ne dépasse pas 3 à 4 jours. La régénération s'effectue au niveau des ganglions sympathiques, de la rate et de la moelle osseuse.

● Les plaquettes sanguines, ou globulins, sont des éléments cellulaires typiques des mammifères. Tout comme les globules blancs, ils sont incolores, mais dépourvus de noyau. Leur forme est changeante. Ces petites cellules qui ne mesurent que 2 microns ne vivent qu'une huitaine de jours, mais sont très nombreuses : 300 000 par mm de sang chez l'homme.

● Toute blessure entraîne immédiatement la coagulation du sang et la formation d'un caillot. Cette réaction, qui se déclenche à la suite de tout contact entre le sang et un corps étranger, l'air ou un autre tissu, est en partie sous la dépendance des plaquettes sanguines; elle correspond à la transformation d'une protéine soluble, le fibrinogène, en une protéine insoluble, la fibrine, sous l'action d'une enzyme appelée thrombine. Les fibres protéiques ainsi formées emprisonnent toutes les cellules sanguines.

● D'autres facteurs plasmatiques interviennent également dans le processus de la coagulation et leur absence, comme c'est le cas dans l'hémophilie, se manifeste par une grave maladie : toute blessure provoque une hémorragie qui peut vider l'individu de son sang. Cette affection héréditaire touche en particulier les sujets de sexe masculin. ■

▶ *ALLERGIE / CIRCULATION DU SANG / GÉNÉTIQUE*

HÉMOGRAMME (individu adulte)

Globules rouges	4 000 000 à 5 400 000 mm³
Globules blancs	4 000 à 10 000 mm³
lymphocytes	1 500 à 4 000/mm³
monocytes	100 à 700
éosinophiles	50 à 300
basophiles	10 à 50
neutrophiles	2 000 à 7 500
Plaquettes	200 000 à 400 000/mm³

SANGLIERS

● Le sanglier est un mammifère de l'ordre des artiodactyles, du sous-ordre des suiformes, qui se subdivise en trois familles : les suidés (porc, sanglier, phacochère, potamochère...), les hippopotamidés (hippopotame) et les tayassuidés (pécaris).

● Le sanglier *(Sus scrofa)*, ancêtre des races européennes de porcs domestiques, est largement répandu dans tout l'Ancien Monde, depuis l'Europe occidentale jusqu'en Chine, en Inde et en Afrique du Nord. On distingue plusieurs races différentes, qui se caractérisent par leur pelage et leur taille. Les individus des régions froides ont une fourrure épaisse. Certains vieux mâles des Carpates atteignent facilement un poids de 300 kg, alors que les espèces des régions chaudes sont plus petites et ne dépassent guère un poids de 100 kg. Leur peau est presque glabre.

● De tous les suiformes, le babiroussa est le plus grotesque. Il peuple les Célèbes et les Moluques. Le mâle a des défenses de 40 cm qui poussent vers le haut, après avoir transpercé la lèvre supérieure. D'autres défenses, du même profil, sortent de chaque côté des joues.

● Le sanglier de nos régions mesure entre 1,30 m et 1,70 m. Sa grosse tête au museau allongé se termine par un boutoir ou groin toujours humide et pratiquement dépourvu de poils. Il est percé par deux narines et supporté par deux os, propres aux représentants des suidés, qui sont attachés aux prémaxillaires et aux nasaux. Les yeux sont de petite taille. La vue des sangliers, très médiocre, est compensée par une ouïe fine et un odorat très fin.

● Les pattes sont courtes et pourvues de 4 doigts, dont seuls les sabots des doigts III et IV touchent le sol. La dentition du sanglier comprend 44 dents peu spécialisées, adaptées au régime alimentaire, très éclectique, de cet animal. Il se nourrit de toutes sortes de végétaux, d'insectes et d'amphibiens, parfois de poissons ou de charognes et, à l'occasion, de reptiles, petits rongeurs ou lapins. La seule particularité de sa denture est le développement des canines en défenses recourbées vers le haut et à croissance continue, surtout chez les mâles. Les canines supérieures sont plus courtes que celles de la mâchoire inférieure contre lesquelles elles s'usent par frottement.

● Le corps du sanglier est recouvert d'une épaisse fourrure constituée uniquement de poils de jarre ou soies, plus longs sur le dos et formant une sorte de crinière ou crête qui peut se dresser en certaines circonstances. La couleur du pelage n'est pas toujours bien visible chez ces animaux qui aiment particulièrement se vautrer dans la boue. Elle varie habituellement du brun-roux au brun foncé chez les adultes. La livrée des jeunes est striée longitudinalement de bandes claires et devient de couleur uniforme à l'âge de 6 mois.

● Le sanglier est un animal intelligent qui a su s'adapter à bien des biotopes, manifestant cependant une préférence pour les régions forestières. On ne le rencontre pas souvent car il est très farouche et ses sens bien développés lui permettent de détecter toute approche. Peu agressif en temps normal, le sanglier devient dangereux quand il est blessé ou s'il s'agit d'une laie avec ses petits. Le sanglier se repose le jour dans des bauges creusées à même le sol et tapissées de feuillage. Pour se débarrasser des parasites et, paradoxalement par soucis de propreté, il se vautre fréquemment dans la boue.

● Les sangliers vivent en hardes constituées par une ou plusieurs femelles et leurs petits. Les mâles vivent très souvent en solitaires. Les petits naissent au printemps après une gestation d'environ 5 mois. Il y a en moyenne 2 à 8 petits par portée. ■

▶ *MAMMIFÈRES*

Le sanglier, considéré depuis toujours comme un gibier de choix, est chassé soit à courre soit à tir; les veneurs apprécient cet adversaire pour son endurance et son courage, les chasseurs à tir l'estiment pour son agressivité qui exige de leur part fermeté et sang-froid.

SANGSUES

● La sangsue est un ver qui fait partie de l'embranchement des annélides et de la classe des hirudinés ou achètes. Ces derniers se distinguent des autres annélides par l'absence de soies et de parapodes et la présence de deux ventouses fixatrices. Le nombre de segments ou métamères est constant (33 + prostomium). Ce sont des vers hermaphrodites qui vivent surtout dans les eaux douces, certaines espèces cependant peuplent les terrains humides, d'autres préfèrent le milieu marin.

Les sangsues ont longtemps été utilisées pour effectuer des saignées locales. L'incision qu'elles font avec leur trois mâchoires leur permet de sucer le sang (jusqu'à 60 gr) et d'injecter dans la plaie une substance anti-coagulante, l'hirudine.

● La sangsue commune *(Hirudo medicinalis)* se rencontre dans les mares et les cours d'eau. Son corps, aplati dorso-ventralement, long d'une douzaine de centimètres, est vert foncé sur la face dorsale, avec des taches sombres et 6 bandes longitudinales orangées, et vert olive avec 2 bandes longitudinales orangées sur la face ventrale. Chaque segment, à l'exception des deux premiers, se subdivise extérieurement en anneaux. Du 7e au 22e métamère on compte 5 anneaux par segment. Les 7 derniers segments constituent la ventouse postérieure.

● Le tube digestif est rectiligne et se poursuit tout le long du corps. La bouche, en position ventrale, est entourée de 3 lèvres et pourvue de 3 mâchoires qui alternent avec les lèvres. Chaque mâchoire chitineuse est bordée de nombreuses dents de calcite. Lorsque la sangsue se fixe sur la peau d'un hôte, elle provoque une blessure en Y avec ses mâchoires et injecte sa salive contenant une substance anticoagulante, sécrétée par ses nombreuses glandes salivaires.

● La reproduction se fait par accouplement réciproque. Les œufs sont pondus dans une sorte de manchon, sécrété par le clitellum dans la région des orifices génitaux, qui formera un cocon abandonné dans la vase ou sur un support. L'éclosion a lieu au bout de 8 semaines environ. La sangsue qui sort de l'œuf ressemble à l'adulte, mais croît très lentement, pendant environ 5 ans.

● La sangsue adulte se nourrit du sang des mammifères, parfois de poissons ou de grenouilles. C'est un parasite temporaire qui se fixe sur l'hôte le temps qu'il faut pour absorber jusqu'à 5 fois son poids en sang, puis s'en détache et met plusieurs mois à digérer son repas. Comme elle vit au maximum une vingtaine d'années, la sangsue ne fait que peu de repas durant son existence. Le nombre de repas est, semble-t-il, fixe chez certaines espèces. On n'utilise plus les sangsues pour faire des saignées à cause des parasites et germes pathogènes qu'elles peuvent transmettre par leur morsure. ■

Deux sangsues médicinales. La médecine moderne n'utilise plus ces annélides achètes (dépourvues de soies), de même qu'elle a de moins en moins recours aux saignées.

▸ *ANNÉLIDES*

SANTÉ PUBLIQUE

● Tout comme l'agriculture ou l'industrie, la santé dans la mesure où elle concerne l'ensemble d'une population, et non plus les individus, emprunte les voies du développement économique et social.

● Il est, en ce sens, possible d'opposer les pays développés, caractérisés par une faible mortalité infantile et une espérance de vie importante (70 ans pour l'ensemble de l'Occident), aux pays du Tiers monde où la forte mortalité infantile vient limiter une démographie galoppante, et où l'espérance de vie ne dépasse pas, en moyenne, 43 ans.

● La lutte contre la mortalité s'est organisée autour d'un véritable arsenal de mesures de protection de la santé publique : vaccinations obligatoires, déclaration des maladies contagieuses et vénériennes, lutte contre l'alcoolisme, les accidents du travail, traitement des toxicomanes. Toutes ces mesures, qui nécessitent une infrastructure coûteuse : dispensaires, hôpitaux, organismes de prise en charge des frais, ne peuvent être envisagées que sur le plan national. C'est ainsi que chaque État a été amené à prévoir un budget des dépenses de santé. Dans ce domaine encore, l'opposition entre pays riches et pays sous-développés se confirme. Si la France consacre en moyenne 20 % de son budget annuel aux dépenses de santé, le

Les règles de la diététique et de l'hygiène alimentaire ne semblent pas encore être parvenues jusqu'à ce marché bolivien où la nourriture est exposée en plein air aux passants.

Pakistan et l'Angola, par exemple, restent très en dessous de 5 %.

● Alors que les pays en voie de développement ne peuvent, en dépit de l'aide internationale, augmenter que faiblement leur budget de santé publique, les grandes démocraties industrielles, depuis deux décennies, affichent le paradoxe de ce que certains appellent la « surconsommation médicale ». Ainsi les dépenses de santé des Français qui, étaient de près de 4 milliards en 1980, se sont élevées à 7,25 milliards en 1986.

● « Ce que l'on ne peut guérir, c'est la vie » : si les progrès de la médecine et l'essor de la consommation médicale ont éliminé du monde occidental les maladies d'origine parasitaire (D.D.T.), infectieuse (antibiotiques) ou de carences (vitamines), la médecine préventive et, plus récemment, la médecine curative, en assurant une survie prolongée, multiplient les cas de maladies longues et coûteuses où s'alimente le progrès des techniques médicales.

● En ce sens, la consommation médicale est ce que les économistes appellent une consommation « terminale » qui, à partir d'un niveau relatif de bien-être, n'a pas à se justifier selon les critères de la rentabilité économique. De ce point de vue, d'ailleurs, le raccourcissement des délais moyens de guérison, l'abaissement de la mortalité adulte et le meilleur état sanitaire des travailleurs sont des facteurs puissants de productivité, qu'on pourrait opposer à la faible productivité des pays dénutris, ou en proie aux maladies parasitaires ou infectieuses. Le coût social d'une maladie grave peut être élevé au niveau de l'individu, en ce que l'on met en œuvre des techniques curatives complexes (réanimation, radiothérapie, rein artificiel, opérations cardiaques). Mais cette charge individuelle doit être rapportée à l'état général d'une population. En France, en 1961, 50 % des assurés sociaux dépensaient seulement 10 % des frais remboursés, tandis que 10 % des assurés absorbaient 50 % des frais médicaux.

● Cette amélioration dans la qualité de la prestation médicale soulève d'ailleurs des problèmes démographiques nouveaux. Les enfants de moins de deux ans sont de grands « consommateurs médi- Il est évident que ce sont ces deux classes d'âge qui nécessitent le plus de dépenses de santé.

● La médecine, sur la base des progrès passés, et en tenant compte du secteur de la recherche médicale, qui se développe dans tous les domaines, voit donc s'ouvrir à elle un avenir brillant. Le nombre de médecins pour 10 000 habitants est d'ailleurs en augmentation constante : 19 aux U.S.A., 16 au Canada, en Argentine, 15 en Égypte, 12 au Mexique, 28 en France (où cette profession a ses chômeurs). Citons, à l'opposé, les proportions de la Corée du Sud : 6, de l'Inde : 3, du Pakistan : 2.

● La profession médicale, enviée pour ses revenus relativement élevés et pour le prestige social qui s'attache à ses membres, est, en France, organisée par l'Ordre des médecins. Pour s'établir, un médecin soit lui demander son accord; toute son activité est soumise à une moralité professionnelle (déontologie) dont l'Ordre reste juge.

● Les études médicales sont effectuées dans des établissements spécialisés (Facultés de médecine) et, pour la pratique, dans les services des centres hospitaliers universitaires (C.H.U.). A l'issue de deux années préparatoires qui constituent une sorte de tronc commun des sciences biologiques (et peuvent faciliter l'éventuelle reconversion des candidats malheureux), les « carabins » suivent durant quatre ans des études spécialisées sanctionnées, chaque année, par un examen de contrôle. Dès le 5e semestre du deuxième cycle, les études sont rémunérées. Les étudiants en médecine peuvent ensuite aborder un troisième cycle en préparant le concours d'internat des hôpitaux. S'ils veulent dépasser le niveau de la médecine générale, ils feront des études spécialisées (deux ans en général) qui leur permettront de s'établir cardiologues, pédiatres, oto-rhino-laryngologistes, etc.

— Celui, de la complexité de la médecine moderne, fondée sur les examens, les prélèvements, les soins spécialisés, etc. Face aux responsabilités qu'il doit assumer, et sur lesquelles le public est au jourd'hui particulièrement vigilant, le médecin généraliste tend de plus en plus à s'entourer de spécialistes, à adresser le patient à des centres médicaux complexes où sont réunis les moyens d'exploration et de thérapeutique.

— Celui, d'autre part, d'une médecine plus humaine : le médecin n'est pas seulement un « technicien du corps ». La révolution psychanalytique nous a appris à écouter, au-delà des faits, le psychisme.

— Reste enfin le problème des modalités du travail médical. Au médecin de campagne surmené, confident et ami de la famille, a inévitablement succédé une médecine d'équipe. La « maison médicale), associant généralistes, radiologues, laboratoire d'examen, etc, tout en offrant aux malades des secours plus rapides, plus efficaces et plus constants, assure à l'équipe médicale une plus grande sérénité dans le suivi d'une clientèle nombreuse. L'« antenne », l'équipe médicale à l'écoute radio, le fichier médical sur ordinateur, autant d'images d'une médecine aujourd'hui confrontée aux exigences sanitaires du public et aux problèmes sociaux de notre temps.

● Dans les pays du Tiers Monde en dépit des Médecins sans frontières et des autres associations manquent médecins, soignants et médicaments. ■

► *CHIRURGIE / FAIM DANS LE MONDE / MALADIES*

Les dépenses de santé augmentent chaque année plus vite que l'accroissement du produit national : en 1980, elles représentent 8,5 % du P.N.B. français pour 5,7 % en 1970, soit en 10 ans une progression de près de 50 %.

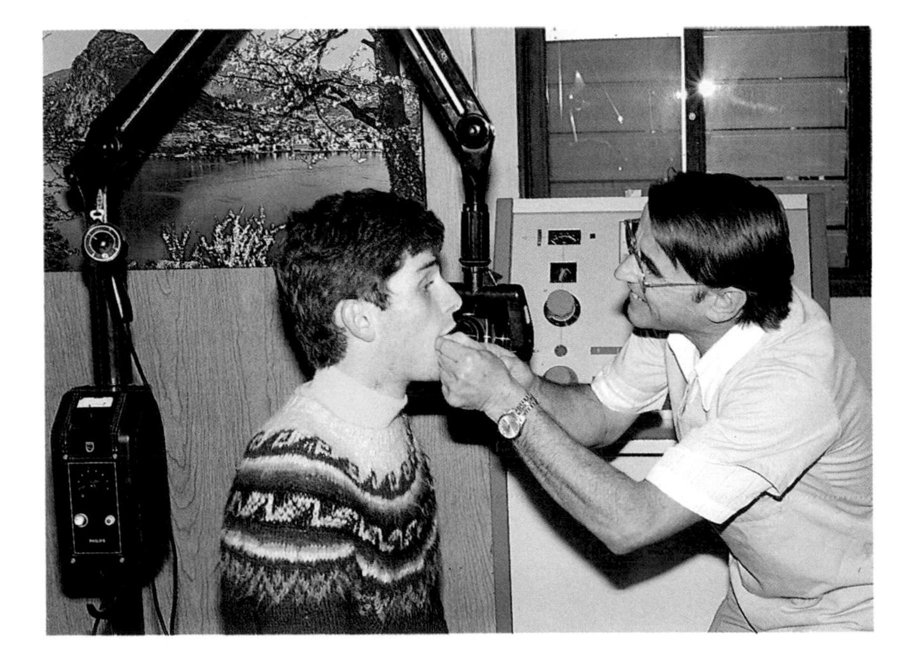

Souvent mal acceptée par le patient qui préfère avoir avec le médecin des rapports plus personnalisés, la consultation à l'hôpital fournit généralement un diagnostic rapide permettant de traiter la maladie avec plus d'efficacité.

Une vue du quartier des affaires à Sao Paulo. Cette ville, la première du Brésil par sa population, rappelle, à bien des égards, les grandes cités des États-Unis : au centre, un triangle où sont réunis les buildings des sociétés importantes et des banques ; autour, des maisons d'habitation aux dimensions plus traditionnelles ; puis, une zone suburbaine industrielle.

SÃO PAULO

● São Paulo, capitale de l'État de São Paulo, développé le long de la côte atlantique, dans le Sud-Est brésilien, créée par les Jésuites en 1555 (fondation de Pateo Colégio) resta confinée jusqu'à la fin du siècle dernier dans une modeste fonction de centre commercial local et de base de départ des aventuriers tentant l'exploration et l'occupation des territoires de l'intérieur : les *bandeirantes*.

● Mais, à partir de 1870, (date à laquelle Laville recensait 25 000 habitants), avec l'essor de la spéculation caféière et le déplacement des fronts pionniers vers le Sud-Est, São Paulo va rapidement s'épanouir en organisant l'exportation du café, puis, au lendemain de la Première Guerre mondiale, en s'ouvrant délibérément à l'industrialisation.

● Sur ce plan industriel, en fait, le rôle des immigrants s'est avéré fondamental : banquiers libanais (les « turcs »), commerçants allemands, immigrants italiens surtout, dont les plus célèbres furent (et demeurent) les Matarazzo (qui contrôlent aujourd'hui plus de quatre cents firmes industrielles), les Siciliano et les Lunardelli... Avec l'expansion des industries alimentaires, textiles, de la petite métallurgie et des constructions mécaniques, São Paulo atteint ainsi rapidement le stade de ville-capitale et franchit le cap des 2 millions d'âmes dès 1939.

● Aujourd'hui, avec plus de 5 millions d'habitants pour la ville elle-même et plus de 12 millions pour son agglomération, São Paulo constitue sans doute l'exemple le plus spectaculaire, le symbole de la réussite brésilienne. L'industrie a été revitalisée par l'implantation de firmes multinationales dans les domaines de l'électromécanique (Philips, Telefunken, General Electric ou Olivetti), du caoutchouc (Firestone, Goodyear ou Pirelli) et de l'automobile (Ford, General Motors, Renault, Mercedes-Benz ou Volkswagen).

● Par effet d'entraînement, les dernières décennies ont vu également apparaître les industries de base (port pétrolier de São Sebastia, raffinerie de Cubatao, sidérurgie littorale de la Cosipa, équipement électrique de la Cesp ou du monumental complexe de Urubupunga).

● Le rôle de São Paulo est ainsi devenu régional (l'aire métropolitaine s'étend désormais jusqu'à près de 60 kilomètres dans l'intérieur, jusqu'à Jundias) et national. Plus que Rio de Janeiro, São Paulo fait figure de grande métropole économique, dressant orgueilleusement ses multiples buildings « à l'américaine », doté d'équipements commerciaux, comme de ceux du tertiaire supérieur, ce qu'illustrent par exemple son luxueux tourisme de front de mer, son réseau autoroutier, ses parcs et ses stades, ses trois universités, l'Institut Butantan, ou l'étonnant musée d'Art, à l'architecture grandiose et au rayonnement international. ■

➤ *BRÉSIL*

SAPINS

● Les sapins sont des arbres à feuilles persistantes, formant un ensemble généralement serré et conique, dont l'extrémité rigide se dresse vers le ciel. Beaucoup d'entre eux fournissent en abondance du bois de charpente et de la pulpe à papier. D'autres donnent des produits divers utilisés en pharmacie et dans les travaux de laboratoire; d'autres enfin sont appréciés comme arbres d'ornement ou arbres de Noël.

● Le genre *Abies* qui groupe environ 40 espèces a, dans notre flore spontanée de montagne, un seul représentant, le sapin pectiné *(Abies pectinata);* il appartient à la famille des abiétacées et à l'ordre des conifères.

● Le sapin pectiné peut atteindre 50 mètres de hauteur et 2 à 3 mètres de diamètre. Le tronc, à l'écorce grise, est toujours droit et élancé. Son feuillage lui donne un aspect pyramidal. Les principales branches sont réparties en verticilles sur le même plan, et les feuilles y sont disposées comme les dents d'un peigne. Elles sont persistantes, linéaires, vert sombre au-dessus, marquées de deux stries blanc argenté de chaque côté de la nervure centrale du dessous.

● Les inflorescences sont des châtons de coloration vert jaunâtre pour les mâles, presque violette pour les femelles. Le pseudo-fruit, communément appelé pomme de pin ou pigne, est un strobile ou cône, cylindrique, d'environ 10 à 15 cm. Il est formé de larges écailles charnues et caduques. Le cône est solitaire sur la branche et se présente toujours dressé.

Une forêt de sapins blancs *(Abies alba)*. On les utilise surtout pour la menuiserie d'intérieur et comme bois de charpente.

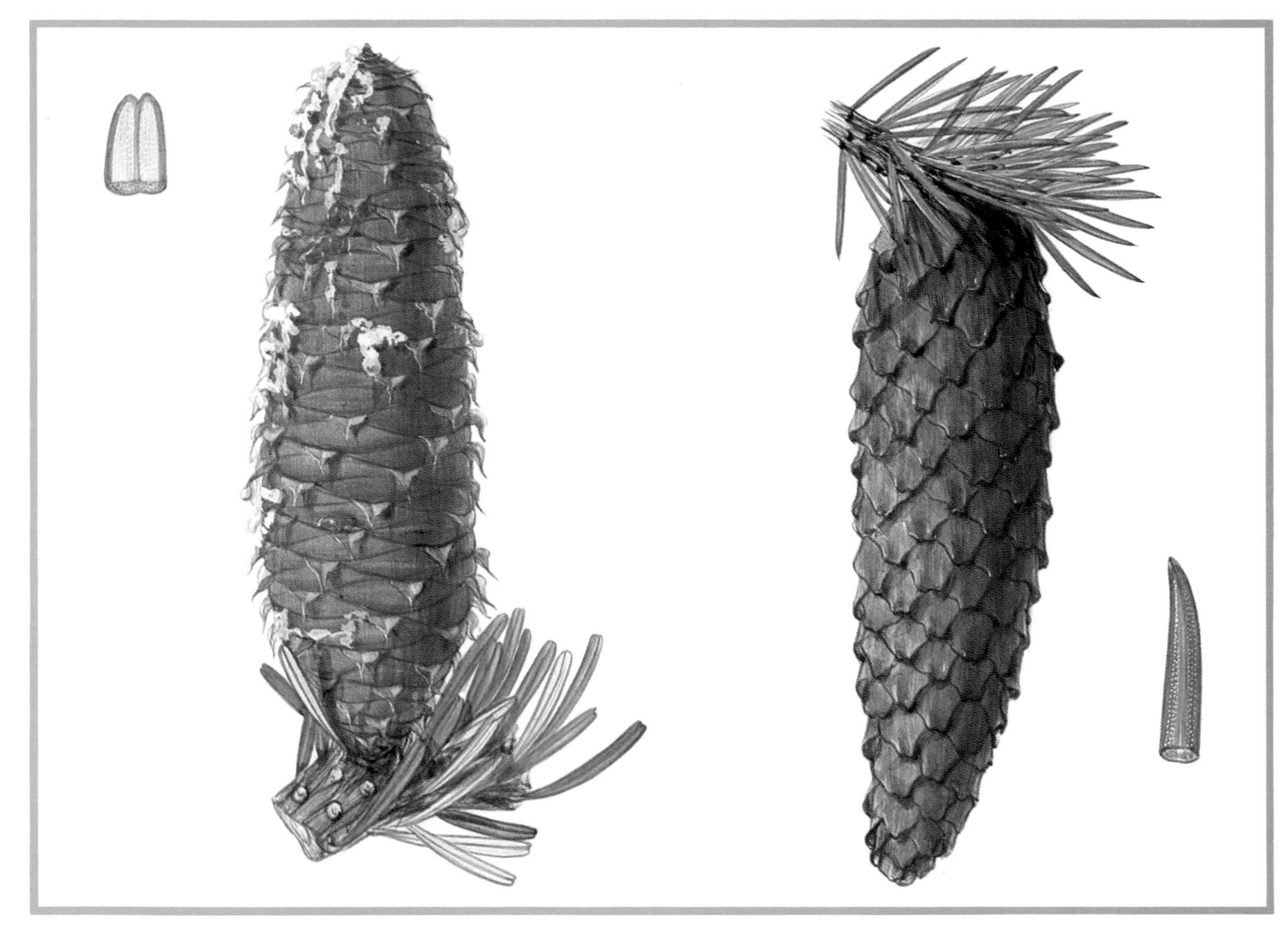

Deux cônes de sapin, celui du sapin blanc *(Abies alba)* à gauche, et celui de l'épicéa *(Picea excelsa)* à droite. Alors que les fruits sont très différents, les aiguilles de ces deux espèces sont parfaitement semblables, comme le montre la coupe transversale de cette aiguille, commune aux deux sapins

● Différentes par la forme et la disposition des aiguilles surtout, les autres espèces de sapins sont : *Abies nobilis*, très grand conifère (60 m) de l'Amérique du Nord; *Abies lasiocarpa*, originaire de Californie; *Abies nordmanniana*, d'Asie mineure et que l'on appelle sapin du Caucase, d'où il est originaire; *Abies cephalonica* ou *Abies graeca; Abies pinsapo*, typique de certaines régions montagneuses d'Espagne et dont les feuilles piquantes et serrées sur les branches sont caractéristiques. Enfin, il faut citer aussi *Abies nebrodensis*, propre à la Sicile où il est en voie d'extinction.

● *Abies alba* et l'épicéa *(Picea excelsa)* forment souvent des forêts mixtes, notamment avec les mélèzes, les hêtres et le pin cembro. Ils ne sont pas très exigeants quant au sol, mais, en ce qui concerne le climat, ils supportent mal des températures estivales élevées. Tous deux ont une grande importance économique de par leur bois. Ils sont essentiels pour les reboisements et ils jouissent d'un certain engouement en tant qu'arbres décoratifs. ■

▶ *CONIFÈRES*

SAPROPHYTES

● Les saprophytes sont des plantes et des animaux qui trouvent leur nourriture dans les matières organiques mortes. Ces plantes et ces animaux détruisent les substances complexes des matières organiques en décomposition et les transforment en substances plus simples, comme le gaz carbonique, l'ammoniac et les nitrates, qui peuvent être utilisés par les plantes vertes.

● Les champignons sont les plantes saprophytes les plus caractéristiques; ils développent des hyphes mycelliens dans des résidus végétaux (feuilles, brindilles) en décomposition, et se nourrissent grâce à l'absorption des produits en décomposition. Les myxomycètes sont des champignons très inférieurs, rouges, violets ou jaunes, qui vivent sur l'écorce des arbres et sur les feuilles mortes. Les champignons à chapeau et les vesses de loup poussent en abondance autour des souches d'arbres et participent à leur décomposition.

● Les bactéries qui se développent sur les plantes mortes et sur les animaux, provoquent leur putréfaction et ainsi restituent au sol des éléments utiles. Les animaux saprophytes, comme les protozoaires, appartiennent également au groupe inférieur.

● Tous ces êtres vivants ont donc une énorme importance dans le cycle du carbone, car la destruction des cadavres et des débris organiques est la cause principale de la restitution du gaz carbonique, ce dernier étant indispensable à la formation de produits par la photosynthèse. ■

▶ *CHAMPIGNONS / PARASITISME / PHOTOSYNTHÈSE*

On trouve des saprophytes à la surface de la peau et des différentes muqueuses du corps humain (intestins, appareil respiratoire, etc.). Ils n'y exercent aucune action pathogène ; cependant, leur prolifération, déclenchée dans certains cas précis, peut provoquer une affection : par exemple, la pullulation des colibacilles dans l'intestin occasionne une maladie : la colibacillose.

SARDAIGNE

● Seconde île de la Méditerranée et troisième région d'Italie par sa superficie de 24 090 km², la Sardaigne présente des caractères physiques et humains originaux.

● Les reliefs sont constitués de massifs discontinus, isolés, se succédant du nord au sud, entre lesquels s'intercalent des hauts plateaux et des plaines. Le sommet le plus élevé, la Punta la Marmora, dans les monts du Gennargentum, atteint 1 834 m.

Entrée d'une mine de plomb en bordure de la mer. Longtemps exploité, le sous-sol sarde ne joue plus aujourd'hui qu'un rôle secondaire dans l'économie de l'île. Mais les sites d'une sauvage beauté et le climat privilégié favorisent le développement du tourisme.

● La moitié nord de la Sardaigne est également traversée par une longue chaîne montagneuse suivant une direction sud-ouest nord-est. Au sud, les reliefs dépassent rarement 1 000 m. Outre les grandes plaines du Campilano et de la Nurra il faut citer quelques autres plaines côtières, telles celles d'Olbra, de Tortoli, de Palmas.

● Les cours d'eau, nombreux et de longueur médiocre, ont un régime irrégulier rappelant celui des torrents. Les plus importants sont le Tirso, le Coghinar, le Flumendosa, le Mannu. Des lacs artificiels ont été aménagés pour régulariser les crues, produire de l'énergie et irriguer le sol.

● Le climat est de type méditerranéen. Les températures moyennes annuelles varient entre 14° et 18°. L'influence de la mer se fait sentir même dans les régions de l'intérieur. Les précipitations, concentrées à la fin de l'automne et au début du printemps, augmentent avec l'altitude; au-dessus de 900 m elles dépassent 100 mm.

● La végétation spontanée recouvre une grande partie de l'île. Les bois de chênes (particulièrement de chênes verts) et de châtaigniers occupent 13 % de la superficie. Le maquis (olivier sauvage, laurier-rose, arbousier) est très répandu.

● La prospérité de la Sardaigne, due en particulier à la richesse de son sous-sol, attira de bonne heure (à partir du XIIe siècle av. J.-C.) et pendant longtemps les étrangers : Phéniciens, Phocéens, Carthaginois, Romains, Vandales, Goths, Pisans, Gênois, Aragonais (1322). Sous les Aragonais, la Sardaigne, coupée de l'Italie, s'hispanisa fortement. En 1714 elle devint possession des Habsbourg, puis elle revint au duc de Savoie, Victor-Amédée II en échange de la Sicile.

● Devenue dépendance d'un État dont le Piémont constituait le centre, la Sardaigne développa son économie mais perdit de son importance politique, jusqu'à ce que son souverain s'y réfugie (1799-1814) à la suite de l'annexion par la France des territoires continentaux appartenant à la Savoie.

● Désormais l'histoire de la Sardaigne fut liée à celle des États de la Maison de Savoie : rattachée au Piémont elle fut ensuite intégrée au royaume d'Italie. Aujourd'hui l'île, divisée administrativement en 3 provinces, est une région autonome, dotée d'un gouvernement particulier désigné par une assemblée régionale.

● Sassari (107 200 h.) et Cagliari (224 449 h.) en sont les seules grandes villes. La densité de la population est une des plus basses d'Italie (60 h. au km²) et l'émigration se poursuit malgré les efforts faits pour développer les ressources locales.

● L'économie subit de profondes transformations. Les secteurs traditionnels (élevage des moutons, mines) sont en difficulté tandis que l'agriculture, améliorée par les travaux de bonification et d'irrigation, emploie 27 % de la population active. La Sardaigne produit du blé, du riz, de la vigne et des oliviers.

● Les gisements minéraux (plomb, zinc) situés dans l'Iglesiente ne sont plus aussi rentables qu'autrefois du fait de l'appauvrissement du minerai et des grandes profondeurs atteintes. Le charbon extrait des mines du Sulas n'est pas de bonne qualité, il sert à produire de l'énergie électrique.

● Du fait de la rareté des

Porto-Cervo, principal centre touristique de la Costa Smeralda, au nord de l'île.

Dans le nord de la Sardaigne, la petite ville d'Osilo domine, à 600 mètres d'altitude, toute la région de Sassari.

capitaux locaux, la région est encore faiblement industrialisée, malgré les efforts accomplis par l'État dans le cadre de l'équipement du Mezzo Giorno.

● Le tourisme, concentré principalement dans le nord, le long de la Costa Smeralda, pourrait constituer une ressource intéressante. Le réseau routier dépasse 10 000 km. Le réseau ferroviaire est insuffisant. Les principaux ports sont : Cagliari, Porto Torres et Olbra. ■

▶ *ITALIE*

SARRASINS

● Sarrasin est le nom donné, en Occident, aux musulmans d'Espagne et d'Afrique du Nord, pendant le Moyen Age; il vient de l'arabe *xarqui* qui signifie : oriental, originaire de l'Arabie. Lors des Croisades, il servira à désigner l'ensemble des musulmans.

● Dès la mort de Mahomet, la cavalerie légère des tribus bédouines, unifiées par le Prophète, se lance à l'assaut des vieux Empires byzantin et perse, bénéficiant d'un effet de surprise total. Fidèles à la tradition de la *razzia* (coup de main limité pour s'approprier une partie des ressources d'une tribu voisine), rendue nécessaire par les conditions précaires de l'économie nomade, les Arabes se jettent sur les riches pays méditerranéens. Ils multiplient leurs raids à partir de quelques bases, préparant ainsi leur établissement définitif. Les régions conquises servent à leur tour de relais pour une extension nouvelle.

● Le rythme rapide, mais irrégulier, de l'expansion arabe s'explique aisément. La Tunisie, par exemple, est razziée à partir de la Tripolitaine, elle-même fruit d'une conquête organisée par les Arabes vainqueurs de l'Égypte. Cette implantation, qui aurait pu être éphémère, s'est avérée durable, car elle libérait des masses, opprimées par une aristocratie exigeante; une pauvreté commune les rapprochait des Bédouins, qui, du reste, se sédentarisent rapidement.

● Au début du VIIIe siècle, dans un nouvel élan, les Arabes dépassent l'Indus et l'Amou-Darya à l'Est; ils atteignent l'Atlantique à l'Ouest, dominant toute l'Afrique du Nord. La mer ne les a pas arrêtés; ils ont créé une flotte puissante, capable de rivaliser avec celle de Byzance. Mais ce nouvel Empire a désormais atteint ses limites extrêmes. La guerre, cette guerre sainte, qu'on a pu définir comme la « justification idéologique du pillage », n'est plus seulement le fait des Arabes mais aussi des musulmans non arabes.

● Venus des montagnes ou des déserts frontaliers : Arméniens, Kurdes, Iraniens, Turco-Mongols plus tard, Berbères, vont prendre le relais des Arabes; ceux-ci, fixés et urbanisés, ont perdu leur mobilité, élément fondamental de leur puissance militaire. L'armée qui conquiert l'Espagne en 711 comprend plusieurs milliers de Berbères et... 300 Arabes.

● Des bandes de musulmans organisent des raids dans la Gaule mérovingienne : prise de Narbonne en 719; d'Autun en 725. En 732, elles décident de piller l'abbaye de Saint-Martin de Tours. Charles Martel, maire du palais d'Austrasie, appelé au secours par un chef franc qui a résisté en vain, se porte à leur rencontre. A Poitiers, pendant 7 jours, les deux armées s'observent; lors de la bataille qui s'arrête avec la nuit, les Francs, serrés les uns contre les autres, soutiennent le choc impétueux des musulmans dont le chef est tué. Les Sarrasins — c'est ainsi que les Francs les appellent désormais — se sont repliés immédiatement, abandonnant leurs tentes.

● Cet épisode, relativement secondaire, n'en constitue pas moins la première défaite de l'Islam et annonce la reconquête des siècles futurs. Dès 759, Pépin Le Bref, fils du vainqueur de Poitiers, reprend Narbonne. L'Islam a devant lui une puissance en plein essor : celle de l'Occident carolingien. Oriental et méditerranéen, son Empire s'étend dans la zone tempérée chaude et sur les franges des déserts subtropicaux. Il se heurte donc en outre à un milieu naturel très différent.

● Une lutte incessante va opposer, sur terre et sur mer, les Sarrasins et les chrétiens d'Europe, aux frontières mouvantes de l'Empire. Certes la pression sarrasine ne peut plus mettre en cause l'existence de la chrétienté; mais des raids terribles et dévastateurs, organisés par les Sarrasins, les Hongrois et surtout les Normands, s'abattent sur une Europe terrorisée, incapable de réagir.

● En Méditerranée occidentale, les Sarrasins exercent une suprématie totale, contrôlant la

Dans les chansons de geste médiévales, les sarrasins jouent le rôle des « méchants ». Guerriers impitoyables, volontiers pillards, ils semaient la terreur au même titre que les envahisseurs barbares qui les avaient précédés. Mais l'Occident chrétien bénéficia largement de leur civilisation, découvrant avec eux un nouvel art de vivre et surtout prenant conscience de ce qui pouvait faire leur unité : une foi commune.

Saturne et ses célèbres anneaux, véritable ceinture d'astéroïdes couverts, semble-t-il, d'une gelée blanche.

Dix satellites gravitent autour de Saturne. Le dernier d'entre eux a été découvert, le 1er janvier 1967, par un astronome français, Audoin Dollfus. Depuis l'observatoire du Pic-du-Midi, celui-ci réalise des photographies de la planète grâce à un dispositif ingénieux qu'il a imaginé ; il parvient à supprimer un effet aveuglant en incorporant dans le télescope des éléments opaques. Les documents obtenus permettent de prouver l'existence du dixième satellite et d'en déterminer l'orbite avec précision.

plupart des îles (Sicile — 837 —, Malte, Baléares, Sardaigne, Corse). Dès 694, un arsenal était installé à Tunis; guerriers et marins s'entraînent dans des camps fortifiés : les Ribat-s. En 840, ils s'installent en Italie du Sud, systématiquement pillée. Le sac de Rome (846) n'est pas le seul : Nice, Marseille, Arles, Gênes subissent le même sort. Venise a pu craindre pour sa sécurité. Les Sarrasins ou Maures ont établi une base permanente sur la côte provençale, à la Garde Freinet : ils iront jusqu'en Suisse.

● Le butin de ces pirates alimente les échanges du monde musulman : armes, textiles, esclaves surtout. Les populations s'enfuient et se réfugient sur les hauteurs, dans des villages fortifiés. Mais les Sarrasins sont en même temps des marchands; ils établissent des liens réguliers, directement ou par l'intermédiaire des juifs, avec les ports italiens.

● A partir du XIe siècle s'amorce la contre-offensive chrétienne. L'Italie, sous la direction des villes et des papes, se libère. En 1063, le pape envoie la bannière de saint Pierre au comte normand Roger, qui se prépare à attaquer la Sicile prise en 1085. Ainsi, peu à peu se précise, dans les mentalités, l'idée d'une guerre sainte contre les Infidèles, même si, en Espagne et en Sicile, une extraordinaire tolérance locale permet des contacts culturels fructueux. Les chansons de geste exaltaient déjà ce thème de la guerre sainte.

● Cet idéal militaire et religieux s'exprimera dans la Croisade qui redonne à l'Europe le contrôle de la Méditerranée et profite, avant tout, aux grandes villes commerçantes italiennes. Un Empire musulman occidental, englobant l'Afrique du Nord et l'Espagne, tente en vain de se reconstituer. Les Almoravides (Berbères du Sahara occidental) et leurs successeurs les Almohades ne peuvent progresser qu'en direction de l'Afrique Noire. Les Sarrasins deviennent alors des corsaires, les fameux « pirates barbaresques » de l'époque moderne. Dès 1284, l'île de Djerba, au large de Tunis, était victime d'un raid européen. l'Islam, qui vivait des échanges, ne pouvait désormais, en Occident, que se replier sur lui-même. ■

▸ *ARABES / CROISADES / ISLAMIQUE, CIVILISATION / MÉDITERRANÉE*

SATURNE

● On a souvent dit que la planète Saturne, avec ses magnifiques anneaux, était la « merveille du système solaire ». Dans l'Antiquité, elle symbolisait le dieu du temps, à cause de la lenteur de son déplacement à travers les constellations du Zodiaque. En effet, son année sidérale, c'est-à-dire sa durée de révolution autour du Soleil, est 29 fois et demi plus longue que celle de la Terre. Sa distance moyenne au Soleil est de 1 426 000 km, presque le double de celle qui le sépare de la planète Jupiter. Son diamètre équatorial est de 119 300 km, alors que son diamètre moyen ne vaut que 115 000 km, à cause du fort aplatissement polaire qui donne à Saturne un aspect nettement elliptique, plus accentué encore que celui de Jupiter; cela est dû à la brièveté de la période de rotation axiale, le « jour » saturnien ne durant que 10 h 14 mn à l'équateur.

● La Terre paraîtrait bien misérable si elle était placée à côté de Saturne : il en faudrait 744 pour former un globe du même volume. Cependant, il ne faudrait que 94 Terres pour en équilibrer la masse, les matériaux qui composent cette planète étant très légers : sa densité moyenne est, en effet, inférieure à celle de l'eau.

● Nous ne savons que peu de choses sur sa structure interne, mais il semble qu'elle présente de très grandes analogies avec celle de Jupiter. Il doit exister un noyau d'hydrogène comprimé entouré de couches gazeuses contenant de grandes quantités de méthane et d'ammoniac, ce que nous révèle la spectroscopie. La surface que nous voyons au télescope est la partie la plus externe de cette enveloppe de gaz. Comme celle de Jupiter, elle paraît formée de bandes parallèles à l'équateur (ce qui indique la présence de courants atmosphériques), mais ces bandes sont plus estompées, moins vivement colorées, avec des taches moins nombreuses. Les mesures de température donnent, pour le sommet des couches nuageuses, une valeur extrêmement basse : 180 °C au-dessous de zéro. Toutefois, comme sur Jupiter, il doit exister en profondeur une chaleur résiduelle capable de produire les faibles mouvements atmosphériques décelés grâce aux bandes et aux taches.

● Les magnifiques anneaux qui brillent au-dessus des nuages opaques d'ammoniac n'ont pas une structure compacte. Ce sont des ensembles de minuscules corpuscules, des essaims de satellites infinitésimaux qui donnent à l'œil l'impression d'unité à cause de leur éloignement. Il s'agit de blocs d'ammoniac congelé dont les dimensions vont de celle du grain de sable à celle d'une montagne. Tous ces micro-satellites sont réunis en anneaux concentriques.

● Les sondes américaines *Voyager 1* et *2* passèrent la première à 124 000 km en novembre 80 et l'autre à 101 000 km en août 81. Elles nous transmirent de nombreux renseignements sur les satellites et les anneaux de Saturne.

● Le système d'anneaux de Saturne est gigantesque, son diamètre extérieur atteignant 600 000 km. Toutefois, par un étrange contraste, son épaisseur est faible : on l'évalue à environ 1 km. Par suite de l'inclinaison accentuée de l'axe de la planète sur le plan de son orbite, nous voyons alternativement une face et l'autre des anneaux : en 1966, ils parurent de profil, tel un mince fil, puis ils se penchèrent en montrant de plus en plus leur côté austral, jusqu'à atteindre une ouverture maximale en 1973. En 1981, le système a été vu comme un mince fil, et il s'inclinera ensuite sur son côté septentrional.

● Saturne a 23 satellites. Le plus grand, Titan, est plus grand que notre Lune et a une atmosphère de méthane. Les autres sont beaucoup plus petits, et certains d'entre eux ne sont probablement que de très gros blocs d'ammoniac congelé. ■

Un buisson de romarin, plante qui appartient à la même famille que la sauge et qui pousse spontanément dans le midi de la France. Son parfum agréable fait de cette plante un condiment apprécié en cuisine et une essence utile à l'industrie de la parfumerie.

SAUGES

● Les sauges *(Salvia)* appartiennent à la famille des labiées, qui regroupe environ 500 espèces réparties dans les régions tempérées et chaudes du globe. Ce sont des plantes herbacées et des sous-arbrisseaux dont certaines sont cultivées pour leurs fleurs décoratives, de couleur éclatante, et d'autres pour leurs propriétés aromatiques.

● La fleur de la sauge est un calice irrégulier, formant deux lèvres qui se continuent en un tube plus ou moins profond. Les anthères ont un connectif filiforme, portant une loge à une extrémité et un petit renflement (loge avortée) à l'autre. Ce dispositif permet la fécondation par les insectes, qui se couvrent automatiquement de pollen en entrant dans la fleur.

● La sauge des prés *(Salvia prateneis)*, très répandue dans les prairies et les pâturages, mesure entre 30 et 80 cm de haut et possède des feuilles ovales, crénelées sur les bords, rugueuses au toucher. Les fleurs sont groupées en cymes, formant des épis; elles ont une grande corolle bleue, parfois rose ou blanche, mais sont peu odorantes.

● La sclarée *(Salvia sclarea)*, appelée encore orvale ou toute-

Fleurs de la sauge splendide *(Salvia splendens)*. Toutes les fleurs de sauge donnent un miel très apprécié.

La sauge officinale intéresse surtout la médecine : elle contient, en effet, une essence camphrée aux vertus antiseptiques et stimulantes. On l'utilise dans certaines préparations pharmaceutiques.

bonne, est plus rare. Elle se distingue de la précédente par des bractées beaucoup plus grandes, ciliées et dépassant les calices. Les fleurs sont roses ou lilas et odorantes.

● On cultive dans les jardins la sauge officinale *(Salvia officinalis)* qui pousse dans les lieux secs sous climat de type méditerranéen. Elle forme des buissons pouvant atteindre un mètre de hauteur. Ses feuilles ovales, très odorantes, pointues, vert argenté, sont utilisées en cuisine.

● La sauge splendide *(Salvia splendida)*, originaire du Brésil, a de grandes fleurs rouges très décoratives, et sa culture en massif dans les jardins et les parcs est très répandue. ■

Sauge des prés *(Salvia pratensis)* en pleine floraison.

SAUMONS

Très recherchés des gastronomes, les saumons font l'objet d'une pêche active. En mer, on les capture au filet, en eau douce, au lancer. On pêche le saumon de préférence à l'époque du frai ; sa chair, très rose à cette époque, est aussi très savoureuse.

● Le saumon est un poisson osseux (téléostéen), de l'ordre des salmoniformes et de la famille des salmonidés, qui renferme également les truites. Le corps, recouvert de petites écailles, est fusiforme et pourvu de deux nageoires dorsales dont la seconde est adipeuse. La bouche est largement fendue et contient une robuste denture.

● Le saumon commun *(Salmo salar)* est largement répandu en mer du Nord, dans la Baltique et dans le nord de l'océan Atlantique. Son effectif a cependant considérablement diminué avec la pollution des fleuves et les modifications de leur cours. Il atteint parfois la taille considérable de 1,50 m, ce qui correspond à un âge d'environ 10 ans. Le saumon est un poisson migrateur, qui vient se reproduire en eau douce et dont les jeunes retournent à la mer.

● La période de la reproduction varie suivant les régions, novembre-décembre en Europe centrale, un peu plus tôt dans des contrées plus au nord, (mi-septembre) et seulement vers février dans d'autres régions. Les frayères se situent dans le cours supérieur de rivières limpides, froides, bien oxygénées, rapides, dont le fond est constitué de gravier.

● Le saumon regagne l'embouchure d'un fleuve qu'il remonte en franchissant des obstacles tels que cascades ou barrages, afin de retrouver les eaux claires des frayères où la femelle déposera ses œufs. Auparavant, elle creuse une cavité longue d'un mètre et profonde d'une vingtaine de centimètres, en effectuant de rapides et forts mouvements latéraux avec la partie caudale de son corps. Les mâles se tiennent à proximité mais aucun n'aide la femelle dans cette tâche.

● Ponte et fécondation peuvent s'étendre sur plusieurs jours. Suivant sa taille, une femelle pond entre 10 000 et 30 000 œufs, en moyenne 500 à 2 000 par kilogramme de son poids. L'alevin éclôt au printemps et restera en eau douce jusqu'à l'âge de 2 ou 3 ans avant de regagner la mer, effectuant ainsi le trajet inverse de celui qu'ont effectué ses parents. Certaines espèces originaires d'Amérique et d'Europe septentrionale sont sédentaires et demeurent dans les eaux intérieures sans jamais accomplir de migration.

● Au cours de leur période de vie marine, les saumons se nourrissent exclusivement de poissons, alors qu'en eau douce ils mangent également des insectes et des crustacés. Après un long séjour dans l'Océan, un saumon adulte est capable de retrouver l'embouchure du fleuve par lequel il est parvenu à la mer. Cette orientation serait essentiellement fondée sur des stimuli chimiques. Certains saumons meurent peu après s'être reproduits, alors que d'autres effectuent plusieurs fois le voyage au cours de leur existence.

● La chair des saumons est très appréciée. On les pêche avec des filets spéciaux lorsqu'ils remontent les fleuves. ■

▸ *POISSONS*

SAUTERELLES

● Les sauterelles sont des insectes qui font partie des orthoptères, ordre qui comprend environ 15 000 espèces et se subdivise en deux sous-ordres, les ensifères et les caelifères. Les principales caractéristiques des orthoptères consistent dans la présence de pattes postérieures adaptées au saut, nettement plus allongées que les deux paires antérieures, la possibilité d'émettre un « chant » et de capter des sons, et, enfin, pour certaines espèces, la faculté de se multiplier en populations immenses qui représentent, encore de nos jours, l'un des pires fléaux naturels pour l'agriculture de certains pays tropicaux.

● Les orthoptères ont un corps cylindrique, souvent allongé et un peu aplati latéralement. Sur la tête, souvent conique et bien développée, se trouvent deux grands yeux plus ou moins hémisphériques et trois ocelles, une paire d'antennes filiformes dont l'épaisseur et la longueur sont variables, plus longues que le corps chez les ensifères, courtes (20 à 30 articles) et grosses chez les caelifères, et un robuste appareil buccal masticateur.

● Le prothorax est particulièrement développé. Il est formé d'une partie dorsale qui s'allonge vers l'arrière et qui, parfois, est munie de deux plaques verticales en carène, recouvrant plus ou moins complètement les parties latérales du segment.

● Les ailes antérieures ou faux élytres, longues et plus ou moins épaissies, protègent au repos les

La *Locusta migratoria,* dans son comportement grégaire, forme parfois des essaims de millions d'individus. Les locustiens au corps vert ou verdâtre se tiennent d'ordinaire sur les arbres et les plantes ; les espèces grises ou brunâtres se rencontrent sur les pierres et les herbes sèches. D'autres espèces, aptères et décolorées, vivent dans les cavernes.

ailes postérieures qui sont larges et se replient en éventail. Les nervures sont nombreuses. Chez certaines espèces, les ailes sont réduites ou absentes. L'abdomen de la femelle se termine par un oviscapte allongé, en forme de sabre chez les ensifères, court chez les caelifères.

● Les orthoptères adultes peuvent émettre des sons à l'aide d'organes stridulatoires qui diffèrent dans les deux sous-ordres. Ce sont habituellement seuls les mâles qui en sont pourvus. Chez les ensifères, la stridulation est produite par le frottement du bord interne des deux élytres. La nervure dite « archet » (anale) possède une rangée de petites papilles cornées dont le frottement fait vibrer l'autre élytre.

● Les sons émis par les orthoptères sont rythmés, de fréquence élevée, caractéristiques pour chaque espèce et compris dans les fréquences audibles pour l'homme ou dans les ultra-sons. Ils sont perçus par des organes tympaniques formés d'une membrane tendue ou tympan, qui délimite une cavité formée par l'expansion d'une trachée et contenant des terminaisons sensitives. Les organes tympaniques sont situés sur la base dilatée des tibias antérieurs chez les ensifères, et des deux côtés du premier segment abdominal dans le sous-ordre des caelifères.

● Le développement des orthoptères est hétérométabole. Les œufs, allongés et parfois aplatis, sont pondus, soit à l'intérieur des végétaux (nombreux ensifères), soit dans le sol (caelifères). Dans ce dernier cas, ils sont groupés et protégés par une substance produite par les glandes accessoires de l'appareil génital femelle, qui se mêle à des débris du sol pour constituer une enveloppe protectrice (oothèque).

● Les sauterelles de nos régions ont habituellement une ponte par an, avec hibernation au stade œuf. De celui-ci naît au printemps une larve d'aspect vermiforme, entourée d'une membrane mince qu'elle abandonne très rapidement pour prendre l'aspect d'une petite sauterelle. Par la suite, l'insecte augmente de taille, au cours de mues successives, sans subir de changements notables de forme. Les ailes apparaissent graduellement et se présentent comme des lobes de plus en plus grands.

● Quelques espèces de sauterelles ou locustes, qui vivent dans les régions intertropicales essentiellement, forment de temps à autre des populations considérables. Dès l'Antiquité, l'apparition de ces essaims d'insectes était considérée comme l'un des pires fléaux. Dans le livre de l'Exode de la Bible on peut d'ailleurs lire la description de l'invasion qui eut lieu à l'époque des pharaons de la XIXe dynastie (1300-1200 av. J.-C.) plus connue sous la dénomination de « huitième plaie d'Égypte ».

● Les principales sauterelles grégaires sont *Locusta migratoria* et *Schistocerca gregaria.* Lorsque les sauterelles sont groupées, elles acquièrent des caractères nouveaux et présentent après une phase solitaire, une phase grégaire. C'est sous la forme grégaire que ces insectes sont le plus nuisibles, car ils sont pourvus d'un appétit féroce. Pour que la phase grégaire se déclenche, certaines conditions sont nécessaires : la pullulation des sauterelles dans un endroit humide en période de sécheresse, puis un grand nombre d'éclosions par suite de pluies abondantes après la période de sécheresse.

● Les modifications que l'on peut observer en comparant les individus solitaires et les grégaires concernent la proportion du corps par rapport aux ailes, la pigmentation et le dimorphisme sexuel, des différences physiologiques et éthologiques. Les solitaires sont peu mobiles, recherchent la chaleur et sont peu influencés par la lumière. Les grégaires, au contraire, sont très agités, recherchent leurs congénères et imitent leurs mouvements, supportent mieux le froid et migrent massivement.

● Parmi les ensifères les plus

L'Anacridium aegyptium **se déplace en vols énormes qui peuvent dévaster complètement les récoltes de régions entières. La sauterelle fait des sauts de 1,20 m de long et de 40 cm de haut. Pour la grandeur du bond comparée à sa taille, elle vient immédiatement après la puce.**

connus et les plus répandus se trouve la sauterelle verte *(Tettigonia viridissima)*, longue d'une cinquantaine de millimètres, qui doit son nom à la belle couleur verte de sa livrée, parfois tachetée de brun jaunâtre. Elle pond ses œufs dans le sol, contrairement aux *Phaneroptera falcata* et *quadripunctaria*, qui les introduisent dans le parenchyme des feuilles à l'aide de leur long oviscapte.

● Les éphippigères sont très caractéristiques avec leurs ailes réduites ou totalement absentes et le prothorax élargi et soulevé postérieurement en forme de selle. Les grillons *(Gryllus)* et les courtilières *(Gryllotalpa)* sont également des ensifères. Les *Troglophilus* et les *Dolichopoda* sont des espèces cavernicoles.

● Les acridiens ou criquets, souvent appelés à tort « sauterelles » comme les tettigonides, sont les insectes les plus représentatifs des caelifères. Alors que les ensifères sont plus ou moins carnassiers, les criquets sont uniquement herbivores. ■

▶ *COURTILIÈRES / GRILLONS / INSECTES*

SAVONAROLE (1452-1498)

Dans ses *Sermons*, Savonarole avait prédit comme faits certains l'invasion de l'Italie par Charles VIII et la chute des Médicis. La réalisation de ces prophéties, ajoutée à la sainteté de sa vie, lui permirent d'instaurer une véritable dictature à Florence.

● Frère dominicain, né à Ferrare, Girolamo Savonarole vécut à Florence pendant le règne de Laurent de Médicis. Il montra très jeune les signes d'une grande piété et commença à prêcher à Florence, avec une ardeur qui enflammait les foules, contre les richesses et la corruption des grands et contre les abus du clergé.

● Ses *Sermons* déchaînaient l'enthousiasme des foules, mais n'inquiétaient nullement Laurent de Médicis. Pourtant l'invasion française et l'entrée de Charles VIII à Florence éliminèrent du pouvoir les Médicis et, à la faveur de cette agitation politique, Savonarole imposa à la ville une véritable dictature.

● Les jeux et les mascarades qui faisaient les belles nuits de Florence furent proscrits et remplacés par des fêtes religieuses. Les statues furent détruites, les œuvres de Pétrarque et de Boccace brûlées ainsi que les bijoux et les objets précieux. Mais son fanatisme l'entraîna trop loin.

● Florence fut bientôt divisée en deux partis : les *piagnoni* (les pleureurs) qui se lamentaient de l'immoralité des grands et acceptaient les réformes imposées, et les *arrabiati* (enragés) qui les refusaient.

● Lorsque Charles VIII, qui le soutenait jusqu'alors, quitta l'Italie, Savonarole fut excommunié par Alexandre Borgia. Le moine répondit au pape par une *Épître à tous les chrétiens*, dans laquelle il dénonçait les abus de la papauté.

● Le peuple, qui commençait à douter de son prophète, lui demanda des miracles. Sa popularité baissait et il fut pris par la foule dans le couvent de Saint-Marc assiégé. Jugé, déclaré hérétique, Savonarole fut condamné au bûcher et fut brûlé sur la place de la Seigneurie; ses cendres furent jetées dans l'Arno. ■

▶ *FLORENCE / MÉDICIS /*

Deux espèces de saxifrages. Poussant sur les rochers, ces plantes forment des sortes de coussinets de petites rosettes stériles.

SAXIFRAGES

● Les saxifrages *(Saxifraga)* sont les représentants les plus importants de la famille des saxifragacées, à laquelle elles ont donné leur nom. Il en existe environ 300 espèces, qui poussent essentiellement dans les régions froides et tempérées de l'hémisphère boréal. Ce sont des plantes herbacées, qui vivent dans des milieux très différents, aussi bien sur les rochers que dans des lieux arides ou humides, sur les murs ou encore le long des ruisseaux de montagne.

● Les feuilles des saxifrages sont simples, rondes et plus ou moins allongées ou même linéaires; leur marge est entière ou découpée de différentes façons. Les fleurs, régulières, sont habituellement réunies en inflorescences (corymbes, racèmes ou grappes, panicules); elles ont un calice gamosépale, une corolle à 5 pétales diversement colorés, 10 étamines et 2 pistils. Les fruits sont des capsules dont la forme diffère selon les espèces.

● La saxifrage des rochers, toujours verte *(Saxifraga aizoon)* forme sur les rochers des coussinets de petites rosettes stériles, portant une tige haute de 10 à 40 cm, à inflorescences blanches. La saxifrage cotylédon, appelée aussi orpin des jardiniers, pousse sur les rochers à haute altitude; elle a une tige haute de 10 à 70 cm, ramifiée, formant une riche panicule pyramidale de fleurs blanches.

● Il est d'autres saxifrages de taille plus petite, comme la saxifrage jaune des montagnes *(Saxifraga aizoides)*, à fleurs jaunes ou orange pourpré, qui vit dans les lieux pierreux humides.

● D'autres encore sont naines ou à peu près, comme la saxifrage bleuâtre *(Saxifraga caesia)* des rochers et pâturages calcaires; ou la saxifrage bleue ou à feuilles opposées *(Saxifraga oppositifolia)*, à fleurs roses ou pourprées, habitant les plus hautes altitudes; ou enfin la saxifrage à-trois-doigts (la célèbre perce-pierre, *Saxifraga tridactylites*), des lieux secs ou humides, qu'ils soient de mer ou de montagne. ■

SCAPHANDRES

● Le tourisme sous-marin et l'exploration des profondeurs marines à des fins utilitaires est une découverte que l'on doit à un Français : le commandant Le Prieur. Il fut en effet le premier au monde à mettre au point, en 1935, un scaphandre autonome utilisable par des amateurs. Seuls, en effet, quelques professionnels, engoncés dans un habit de toile imperméabilisée, coiffés d'un casque de cuivre à hublot vissé au col, chaussés de plomb, alimentés en air depuis la surface par une pompe à main d'où partait l'indispensable et combien fragile tuyau qui les maintenait en vie, se risquaient jusque-là à descendre à quelques mètres sous la surface de l'eau.

● L'invention du commandant Le Prieur devait tout changer. Avec son ami Jean Painlevé, il devait fonder le premier club sous-marin, le Club des scaphandriers et de la vie sous l'eau.

● Cependant le véritable développement de cette activité ne date que de 1946, si l'on exclut les utilisations non pacifiques des équipements de plongée. A cette date fut commercialisé un nouveau type de scaphandre autonome, plus simple et plus efficace : le scaphandre Cousteau-Gagnan.

● Dans ce scaphandre, l'air comprimé est chargé dans des bouteilles métalliques que le plongeur porte attachées sur son dos. La pression de l'air dans ces réservoirs est de 180 kg. Leur contenance peut varier entre 1,6 et 2,1 m³ d'air à la pression atmosphérique. Par mètre cube, l'autonomie est de 22 minutes à 5 mètres, de 7 minutes à 25 mètres et de 2 minutes à 50 mètres. Toutes ces bouteilles sont équipées d'une réserve qui permet de garantir une remontée normale vers la surface.

● Un détendeur abaisse la pression de l'air à environ 25 kg. Un autre détendeur, dit secondaire, à membrane, se trouve branché sur le détendeur primaire, et assure la communication avec les poumons du plongeur par l'intermédiaire d'un tuyau et d'un embout buccal.

● A chaque inspiration, la membrane, soumise à la pression de l'eau sur sa face extérieure, s'abaisse et ouvre la communication avec le détendeur primaire. L'air entre, se détend à la pression ambiante et va ventiler les poumons.

● A l'expiration, l'air vicié est dirigé de la bouche vers un second tuyau, symétrique du premier et débouchant sur une soupape, dite « bec de canard ».

● L'effort s'est porté sur le remplacement de l'embout buccal par un masque complet. Ce dispositif plus confortable laisse la bouche libre pour l'utilisation éventuelle d'un appareil d'intercommunication sous-marine. Mais l'emploi d'un tel masque pose des problèmes difficiles à résoudre, tel que l'élimination totale de l'air vicié.

● Actuellement, les scaphandres autonomes sont des appareils simples, robustes et efficaces, procurant une sécurité absolue dans la mesure où ils sont bien entretenus et où les règles de plongée sont bien observées. ■

▶ *SOUS-MARIN, SPORT*

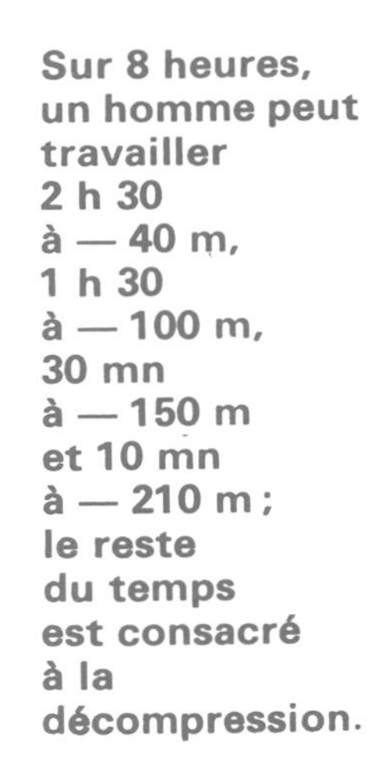
Sur 8 heures, un homme peut travailler 2 h 30 à — 40 m, 1 h 30 à — 100 m, 30 mn à — 150 m et 10 mn à — 210 m ; le reste du temps est consacré à la décompression.

SCHILLER, Friedrich

● Penseur, poète et dramaturge allemand, Friedrich Schiller (1759-1805) est né à Marbach dans le Wurtemberg. Son père était un officier sorti du rang, tout acquis à son souverain. Bien qu'il destinât Friedrich à la théologie, le duc l'obligea à l'envoyer à la Karlsschule où il étudia le droit et la médecine. La discipline militaire en fit un révolutionnaire, et il s'enflamma pour l'œuvre de Jean-Jacques Rousseau.

● Dès cette époque il écrit son premier drame *les Brigands* et il déserte pour assister à la première représentation à Mannheim. Celle-ci enthousiasme le public. C'est un plaidoyer pour la nature, la liberté de l'homme, le rejet de

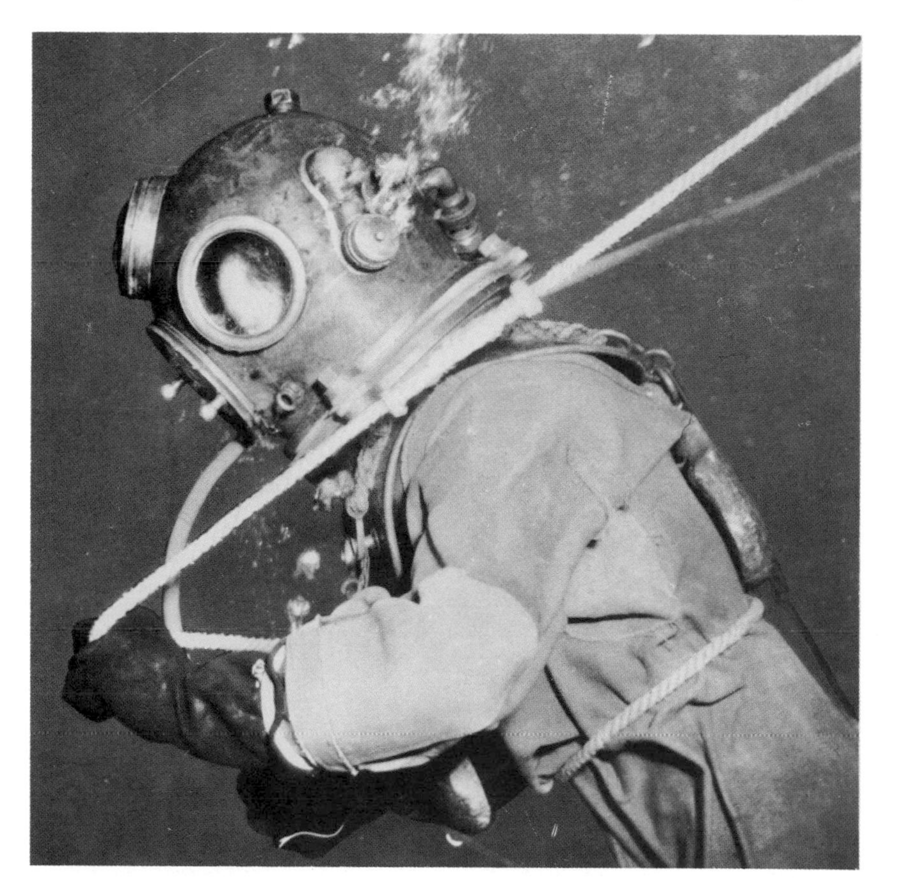

Les tâches des scaphandriers sont multiples : construction ou réparation de digues et de piles de pont, révision des carènes de navires, recherche d'épaves. Au-delà de — 60 m, ce type de scaphandre doit être remplacé par un équipement rigide muni d'articulations.

Une mise en scène moderne de *Marie Stuart,* drame écrit par Schiller en 1800. Sur un fond de forêt stylisée traitée volontairement d'une façon froide et abstraite, se déchaînent les passions opposant deux femmes : Marie, héroïque et résignée, et la cruelle et hypocrite Élizabeth.

la tradition et des conventions dramatiques, dans l'esprit du *Sturm und Drang,* mouvement suscité par un groupe de poètes qui se réunissent autour de Goethe. Ce souffle de révolte indispose le duc de Wurtemberg, qui lui interdit dorénavant toute activité littéraire.

● Alors la rupture est consommée et c'est l'exil et l'insécurité. Schiller exprimera sa rancœur contre le duc en écrivant *la Conjuration de Fiesque* (1783) qui s'élève contre la tyrannie, *Intrigue et Amour* (1784) qui attaque violemment les préjugés sociaux et *Don Carlos* (1787), tout imprégné de républicanisme. Ce travail le clouera au lit et désormais la maladie sera la compagne de sa vie.

● Mais ce sera aussi l'heure de l'amitié, celle de l' « hymne à la joie » dont Beethoven se servira pour sa neuvième symphonie. Schiller sera bientôt nommé professeur d'histoire à l'université d'Iéna (1789).

● Il se détache alors peu à peu des événements révolutionnaires et se met à rédiger l'*Histoire du soulèvement des Pays-Bas* (1788) et l'*Histoire de la guerre de Trente Ans* (1791-1793). Pressé par Körner qui lui avait offert l'hospitalité, il aborde Kant. Il y trouvera la notion d'un jugement esthétique entièrement libre et de là naîtront son essai *Sur l'art tragique* (1792), ses *27 Lettres sur l'éducation esthétique de l'homme* (1793-1794) et son autre essai *Sur la poésie naïve et sentimentale* (1795).

● La Révolution française, qui a fait Schiller citoyen d'honneur, déçoit le poète. La liberté, à ses yeux, ne peut s'épanouir dans la violence, seul le plaisir esthétique peut donner naissance à une société où l'on vive sans contrainte. Cette conception lui attire l'amitié de Goethe, auprès de qui il s'installe en 1799. Ils écrivent alors en collaboration *les Xénies* et dirigent la revue *les Heures.* Il publie des ballades et des poésies où il exprime son espérance en une humanité transformée : *le Gant, l'Anneau de Polycrate, le Plongeur.*

● Mais c'est au théâtre qu'il se consacre surtout. Il est devenu

moins fougueux, s'efforçant de comprendre les événements historiques et d'exprimer ses idées par le truchement des personnages de l'histoire. La trilogie de *Wallenstein* (1796-1799) a pour toile de fond la guerre de Trente Ans et met en scène le fameux général de ce nom qui tenta de s'emparer de la couronne impériale. Wallenstein, devant son échec, accède à une expression véritablement tragique de la douleur. C'est là l'un des meilleurs drames du poète allemand.

● Après *Marie Stuart* (1800) et *la Pucelle d'Orléans* (1801), Schiller fait jouer *La Fiancée de Messine* (1803), admirable par la simplicité de l'action. Sa dernière œuvre, *Guillaume Tell* (1804), marque un retour à un théâtre plus populaire, si proche de la nature qu'il est destiné à être joué en plein air. Ce drame en cinq actes, qui a inspiré l'opéra de Rossini, prend pour thème la nation tendue vers la conquête de l'indépendance et, parallèlement, celui de l'individu en conflit avec la société.

● A sa mort, Goethe dira : « Voici que je perds un ami et, avec lui, la moitié de ma vie... il était sans tache et sans reproche, bien plus aristocratique que moi-même... Chaque semaine il était un autre homme, plus parfait. » ■

▶ *ROMANTISME*

SCHISME D'OCCIDENT

Le grand schisme d'Occident dura de 1378 à 1417, 39 ans pendant lesquels Rome et Avignon abritèrent chacune un pape; l'anarchie fut à son comble lorsque Benoît XIII et Grégoire XII refusèrent de se démettre après l'élection d'Alexandre V, en 1409.

● Avec le retour à Rome de la papauté, qui avait fui devant l'anarchie croissante de la population, pour se replier en Avignon en 1305, la chrétienté espère que les problèmes de l'Église catholique vont se résoudre. Or, quelques mois plus tard, en 1378, la mort prématurée du pape Grégoire XI en mars, l'élection mouvementée de son successeur en avril, ouvrent une nouvelle crise, annonciatrice de la Réforme du XVIe siècle.

● Le Conclave (collège des cardinaux électeurs du pape) se déroule dans une « atmosphère d'émeute ». Le peuple manifeste car il veut : « un pape romain ou du moins italien ». Il redoute le choix d'une assemblée qui compte 11 cardinaux français sur 16 membres; 9 cardinaux proposent d'élire un archevêque italien très estimé; mais il manque une voix de majorité.

● La foule, excitée et impatiente, veut prendre d'assaut le Vatican; affolés, les cardinaux revêtent en hâte l'un d'entre eux — un Romain très populaire — des ornements pontificaux et le présentent à la masse avant de se sauver, non sans être parfois malmenés, selon des témoignages. Finalement l'archevêque italien est élu, sous le nom d'Urbain VI, par 12 électeurs qui ont pu se rassembler.

● Cette élection est acceptée par les autorités civiles — y compris le roi de France Charles V — et religieuses. Cependant le caractère difficile du pape entraîne rapidement une brouille avec les cardinaux français : Urbain VI a reproché publiquement au cardinal de Lagrange, conseiller du roi, son goût du luxe. Mettant en doute, certes tardivement, la régularité de l'élection pontificale, les cardinaux quittent Rome non sans emmener dans leurs bagages la tiare papale. Ils organisent une nouvelle élection; le second pape, le cardinal de Genève, devenu Clément VII, s'installe en Avignon en 1379.

● Avec cette double élection commence le Grand Schisme. Qui est le véritable pape? C'est la question qui se pose aux chrétiens et qui va les diviser en deux camps. Les princes, au départ, et principalement le roi « très chrétien » Charles V, qui s'est rallié au pape français, sont responsables de la situation. Par intérêt politique, ils reconnaissent l'un ou l'autre pape. L'opinion publique — seuls, les juifs sont exclus de la société — réagit avec une émotion qui témoigne du véritable drame des consciences : l'Église institutionnelle a une structure aussi hiérarchisée que la société civile qu'elle entend contrôler.

● Une crise d'autorité laisse les croyants désemparés; on s'est battu autour des grands saints, dont les positions se sont opposées. Des prélats rivaux, titulaires d'une même charge, engagent des bandes armées.

● Les luttes qui vont opposer les deux papes, leurs successeurs respectifs et leurs alliés politiques, le désarroi de la chrétienté scandalisée, le rôle de plus en plus important joué par les universités — les intellectuels des facultés de théologie ne soutiennent qu'avec réticence le pouvoir civil — soulignent la carence de la papauté désormais discréditée, et débouchent sur une contestation radicale de l'Église dans ses structures et dans ses dogmes.

● L'Église est devenue une monarchie autoritaire et centralisée, nantie d'une administration financière exigeante et efficace. La théorie conciliaire remet en cause la primauté pontificale. Des évêques français et italiens prennent l'initiative de convoquer à Pise en 1409 un concile, c'est-à-dire une réunion de tous les évêques, qui dépose les deux papes, accusés d'hérésie, et désigne à leur place Alexandre V. L'échec de cette solution — les deux papes sont d'accord pour refuser les décisions d'un concile qu'ils n'ont pas présidé — ne fait qu'aggraver le désordre : il y a trois papes.

● En 1414, Jean XXIII, successeur d'Alexandre V, de réputation du reste douteuse, réunit, avec l'aide d'un candidat à l'Empire, un concile à Constance, qui siège jusqu'en 1418. Pour la première fois, l'assemblée compte, à côté des évêques, nombreux et représentatifs de toute l'Europe, un nombre égal de théologiens, munis du droit de vote. Les « Pères » affirment la supériorité des conciles sur le Saint-Siège; c'est à eux qu'il revient de gouverner l'Église et de contrôler le pape, car leurs décrets sont infaillibles.

● Ces initiatives révolutionnaires : gouvernement collégial de l'Église, système représentatif introduit dans cette dernière par le théologien Nicolas de Cues, qui la définit comme : « l'ensemble des fidèles représentés par le Concile », restèrent sans lendemain pratique, hormis la déposition des trois papes et l'élection de Martin V. Le Schisme était terminé. Mais l'effacement de la papauté a favorisé, en outre, au moment où peuples et royaumes prennent conscience de leur identité propre, phénomène sensible à la fin de la guerre de Cent Ans, la constitution d'Églises nationales, soucieuses de leur indépendance financière et administrative; les souverains entendent profiter de cette importante évolution.

● L'Église, enfin, s'était révélée incapable de répondre aux questions posées par la piété ardente et angoissée des fidèles; elle avait renoncé à l'idéal de la pauvreté évangélique. Ces exigences des chrétiens, la culture humaniste les développe, entraînant de leur part des prises de position, rejetées par l'Église comme hérétiques. En Angleterre, Wyclif réclame une Église égalitaire et pauvre, un culte épuré des pratiques superstitieuses. En Bohême, Jan Hus — héros national — demande un retour aux sources du christianisme et traduit la Bible en langue vulgaire.

● Une réforme de l'Église s'impose si celle-ci veut maintenir son unité déjà compromise (en 1439,

L'*hérésie* est une dissidence au niveau des dogmes (calvinisme, jansénisme, manichéisme) ; le *schisme* est la scission provoquée par un refus de reconnaître l'autorité spirituelle de l'Église.

Clément VII entouré de ses évêques et de ses cardinaux. Ce pape, qui inaugura la période du Grand Schisme, était soutenu par la France, l'Écosse et la Castille. Son homologue romain, le pape Urbain VI était reconnu par l'Allemagne, l'Italie, la Hongrie l'Angleterre et la Scandinavie.

Lors de la clôture du Concile Vatican II, en 1965, le pape Paul VI et le patriarche Athénagoras ont levé les interdits respectifs, prononcés en 1504, qui avaient amené la rupture de l'unité des chrétiens.

le schisme grec est devenu définitif), son autorité et sa vitalité. L'appel à Jésus, seul chef de l'Église, lancé par Jan Hus, condamné au bûcher, en 1415, par le concile de Constance devant lequel il avait accepté, protégé par un sauf-conduit impérial, d'exposer ses idées, ne pouvait rester sans écho ni réponse. ■

▶ *CONCILE / PAPAUTÉ*

SCHISME D'ORIENT

● Le schisme d'Orient (du grec ecclés. *skhrisma,* séparation), appelé encore schisme grec, a séparé au XIe siècle ap. J.-C. l'Église chrétienne byzantine, aujourd'hui dite « orthodoxe », de l'Église catholique romaine. Dès le IVe siècle, on trouve les causes originelles de ce schisme.

● A partir de l'empereur romain Constantin (IIIe siècle ap. J.-C.), ses successeurs intervinrent fréquemment et abusivement dans les affaires de l'Église, même dans les questions de foi, d'organisation ou de discipline ecclésiastique. Le clergé oriental leur était plus directement soumis depuis que Constantinople était devenue la capitale de l'Empire. Il prit donc l'habitude de s'adresser à eux plutôt qu'à l'évêque de Rome.

● D'autre part, les empereurs encouragèrent directement les ambitions des prélats orientaux en décernant à Constantinople le titre de « Nouvelle Rome ». Prenant prétexte de ce titre, les évêques essayèrent, avec ténacité, de se rendre égaux à l'évêque de Rome en passant sous silence la véritable raison de sa prééminence, c'est-à-dire la succession apostolique de saint Pierre. Ils s'appuyèrent sur le « synode permanent », sorte de tribunal ecclésiastique qui leur permit d'exercer une juridiction supérieure sur tout le clergé d'Orient.

● Leur résistance et parfois leur désobéissance au pape, leur usurpation successive de droits sur l'Église orientale, entamèrent très tôt l'unité de l'Église chrétienne.

Un épisode de la vie de saint Augustin (354-430) par un artiste du XVe s. Saint Augustin est l'un des sept Pères de l'Église. Grand philosophe, il a laissé 103 ouvrages, dont les plus connus sont *la Cité de Dieu* et les *Confessions.*

Cette unité n'existait d'ailleurs guère plus à la base. Avant même la naissance du christianisme, les Latins affichaient leur supériorité morale sur les Orientaux, qui leur opposaient leur supériorité intellectuelle et artistique.

● Les antipathies ethniques, les orgueils nationaux engendrèrent la méfiance et parfois la haine, qui se manifestèrent dans les rapports politiques et théologiques entre l'Orient et l'Occident. La diversité des langues aggrava l'ignorance réciproque des valeurs religieuses et de la théologie de chacun de ces mondes. Le grec, employé dans l'Église romaine jusqu'au milieu du IIIe siècle, fut abandonné après les invasions barbares. Les Orientaux, arguant de la pauvreté du latin, se dispensaient de l'apprendre. De nombreux malentendus s'ensuivirent dans les controverses religieuses. Celles-ci furent d'autant plus violentes que l'Église d'Orient et celle d'Occident divergeaient dans les domaines théologique, liturgique et canonique.

● La théologie grecque, obligée de se défendre contre les hérésies d'origine philosophique, négligea la réflexion et la pensée et se sclérosa à partir du Xe siècle, alors que la théologie latine, avec saint Augustin (IVe siècle), s'était appuyée davantage sur la philosophie pour éclairer les mystères de la foi. Sur le plan liturgique, les divergences portaient sur les formules de prière et même la forme de certains sacrements. Enfin, certains points de la discipline canonique, comme le célibat ecclésiastique, le jeûne, étaient contestés par les Orientaux.

● La croyance en la primauté du droit divin de l'évêque de Rome, successeur de saint Pierre, la vénération des Orientaux pour Rome, gardienne des tombeaux de saint Pierre et de saint Paul, le rôle unificateur du monachisme byzantin agirent, malgré les oppositions, comme de solides forces de cohésion, mais ne purent éviter la séparation.

● Dès le IXe siècle, le patriarche de Constantinople, Photius, refuse l'ingérence du pape dans les affaires de l'Église d'Orient; il est excommunié, il traite le pape d'anathème et consacre la rupture définitive avec l'Église d'Occident.

● Les empereurs byzantins envenimèrent ou apaisèrent le conflit suivant leurs intérêts et leurs rapports avec l'empereur d'Occident. Au XIe siècle, le patriarche de Constantinople (1043-1058), Michel Kiroularios (Michel Cérulaire), ascétique, intelligent, ambitieux désireux d'assurer sa suprématie en Orient et de maintenir son autonomie vis-à-vis de Rome, lança, avec l'appui de sa cour, une violente campagne de pamphlets contre le pape et les Latins.

● Le légat et secrétaire du pape, le cardinal Humbert, accumule les maladresses. Il lit une déclaration agressive contre les Grecs et dépose une sentence d'excommunication contre Michel Cérulaire sur l'autel de Sainte-Sophie. Malgré l'intervention de l'empereur, la violence des réactions et les émeutes populaires poussent Michel Cérulaire à réunir un synode où il brûle la bulle d'excommunication (25 juillet 1054). Il consacre dans les faits la désunion des cœurs et transforme l'état latent d'hostilité, la rupture de relation, en état de guerre déclarée, avec l'appui tacite du peuple et du clergé oriental.

● Ces événements furent souvent considérés par les contemporains comme de simples incidents. Ils rompirent pourtant définitivement l'unité des chrétiens. Les essais d'union entre les papes et l'Orient furent très nombreux de la fin du XIe siècle au milieu du XVe siècle, mais ils échouèrent constamment pour des raisons politiques et religieuses, dont certaines se maintenaient depuis le IVe siècle. Du même coup le fossé de la séparation s'élargissait car chaque échec multipliait les griefs, les divergences.

● A l'époque moderne, l'union fut encore plus compromise par la multiplication des Églises autonomes consécutives à la dislocation de l'Empire byzantin. A la fin du XVIe siècle, des essais de rapprochement s'amorcèrent qui sont repris de nos jours. ■

▶ *CATHOLICISME / ŒCUMÉNISME / ORTHODOXES, ÉGLISES / PAPAUTÉ*

Lame de micaschiste muscovitique vue au microscope avec un grossissement 15. On distingue nettement les granules gris de quartz et les paillettes de muscovite, mica incolore contenant du potassium, ici irisées sous l'effet de l'éclairage.

SCHISTES

● Le schiste est une roche à l'aspect feuilleté qui peut facilement se diviser en lames. Les schistes peuvent être des schistes sédimentaires, d'origine détritique, ce sont les schistes argileux ou argilites, ou des roches métamorphiques.

● Les particules argileuses qui forment les argilites peuvent parfois être consolidées : lorsqu'elles ne le sont pas, la roche est appelée argile, qui imprégnée d'eau devient plastique. Les schistes argileux peuvent aussi contenir des grains de sable ou de calcaire; lorsque le schiste est en partie composé de calcaire, il prend le nom de marne.

● Formés dans des eaux calmes, les schistes argileux se présentent généralement en lits fins et réguliers, de couleur grise ou noirâtre. Schistes argileux et argiles se forment à partir de roches riches en feldspaths, qui en fournissent la matière argileuse, mélange complexe de certains silicates d'alumine appelés minéraux des argiles.

● Produits d'un métamorphisme poussé, les schistes donnent une roche résistante où l'apport de minéraux nouveaux est important. Ils se présentent alors en feuillets parallèles plus ou moins clivables : ce caractère, appelé schistosité, est en rapport avec leur formation : sous l'effet de la pression subie, les cristaux aplatis se disposent perpendiculairement à cette pression.

● Les micaschistes sont des argilites particulièrement métamorphisés, à base de quartz et de paillettes de mica : leur structure est fine ou grenue.

● De couleur foncée, les schistes à hornblende renferment de la hornblende et du quartz; les chlorito-schistes contiennent, à la place du mica, de la chlorite, qui leur confère une couleur verdâtre. Quant aux schistes quartzeux, ils sont faits de quartzite impure métamorphisée.

● Les schistes bitumineux sont des schistes argileux consolidés, contenant des hydrocarbures solides. Ils sont gris, bruns ou noirs; on peut en retirer le pétrole par distillation, mais cette opération n'est pas rentable. ■

▶ *ARGILE / MÉTAMORPHISME / MICAS / QUARTZ*

Échantillon de biotite du Canada. La biotite, mica noir, brun ou verdâtre, contient du fer et du magnésium. C'est le mica le plus répandu dans les granites, les schistes et les gneiss.

SCHÖNBERG Arnold (1874-1951)

● Continuateur, à ses débuts, du romantisme postwagnérien, comme le furent Mahler, Reger, Wolf et Strauss, — des œuvres telles que *la Nuit transfigurée* (1899) et les *Gurrelieder* (1900-1901) en témoignent —, Schönberg

Avant d'en arriver à l'économie de moyens qui caractérise son style musical, Schönberg, composa une symphonie grandiose, les *Gurrelieder,* qui exigeait la participation de 150 musiciens, de 3 chœurs masculins à 4 voix chacun, et d'un chœur mixte à 8 voix.

(1874-1951) est cependant lié à l'une des phases principales de la dissolution de la tonalité : à ce titre, il occupe une place capitale dans la musique de la première moitié du xxe siècle.

● Après avoir travaillé dans la banque de son père, il s'adonna entièrement à l'activité musicale, sans jamais avoir eu de vraie formation scolaire en la matière. Il fut à peu près totalement autodidacte.

● Il fait un séjour à Berlin comme chef d'orchestre au Buntes Theater, puis il enseigne à Vienne (1903) et recrute ses deux plus illustres disciples, Anton von Webern et Alban Berg, dont les noms sont associés au sien, pour former l'École de Vienne.

● C'est au cours des années 1908-1909 que Schönberg va abandonner dans ses œuvres tout recours au principe tonal. On mesurera l'importance de cet événement si l'on se souvient que ce principe régissait depuis trois siècles l'écriture musicale. Le *Deuxième quatuor à cordes,* op. 10, marque ce tournant.

● Jusqu'en 1919, Arnold Schönberg écrit dans un style qu'on peut qualifier de dodécaphonisme atonal; autrement dit, chacun des demi-tons de la gamme occidentale a une fonction identique à celle des autres. Il n'y a plus ni tonique, ni dominante, ni sensible, avec les conséquences harmoniques qui en découlent.

● Datent de cette période des œuvres comme le *Pierrot lunaire, l'Échelle de Jacob* (oratorio inachevé), *Erwartung*. Parmi les trouvailles musicales, mentionnons le fameux *Sprechgesang,* ou « chant parlé », sorte de récitatif libre. En outre, Schönberg explore le domaine du timbre en cherchant des associations d'instruments inédites et en abandonnant les grandes formations orchestrales traditionnelles. Cette économie instrumentale ouvre nettement la voie aux musiciens des années qui suivront la Seconde Guerre mondiale.

● La systématisation de l'écriture schönbergienne apparaît pour la première fois avec la *Suite pour piano,* op. 25. Le principe sériel qui va organiser le dodécaphonisme

voit alors le jour (*Cinq pièces pour piano,* op. 23, *Sérénade,* op. 24). C'est l'époque de l'opéra inachevé, *Moïse et Aaron.*

● La série est une suite librement choisie par le compositeur; elle comprend les douze notes de la gamme chromatique; on n'entend à nouveau une de ces notes qu'après l'audition des onze autres. De plus, la série peut être renversée (un intervalle de tierce devient un intervalle de sixte, un de quarte un de quinte, etc.); on use de la forme rétrograde (dite aussi récurrence ou écrevisse), soit de la série en commençant par la dernière note et en revenant jusqu'à la première; enfin, du renversement de la série rétrogradée.

● Parmi les grandes œuvres sérielles, citons le *Quintette pour instruments à vent,* op. 26, la *Suite pour sept instruments,* op. 29, le *Troisième Quatuor*, op. 30 et surtout les *Variations pour orchestre*, op. 31.

● Après l'arrivée de Hitler au pouvoir, Schönberg, qui était d'origine juive, s'exila aux États-Unis; il y devint citoyen américain en 1940 et resta jusqu'à sa mort. Cette période dans l'activité du compositeur se signale par une grande liberté d'invention. On constata même un certain retour à une écriture voisine de la tonalité. Citons notamment le *Concerto pour violon,* op. 36 (1934-1936), le *Quatrième Quatuor à cordes,* op. 37, (1936).

● Ayant renoué avec la religion de ses ancêtres, le compositeur écrivit plusieurs pages d'inspiration religieuse, la cantate *Un survivant de Varsovie* (qui contient la mélodie de la liturgie juive, *Schema Israël*), le *Kol Nidre* pour récitant, chœur et orchestre, ainsi qu'un *De Profundis* et le *Psaume moderne,* sur un texte qu'il écrivit lui-même.

● Il était normal que Schönberg mit par écrit l'essentiel de ses recherches en matière musicale. De ses ouvrages théoriques on retiendra le *Traité d'harmonie* (1911 et 1921), les *Fonctions structurelles de l'harmonie* (1954) et *Style et Idée* (1950) qui contient le seul texte écrit par Schönberg à propos de composition dodécaphonique. ■

▶ *DODÉCAPHONISME*

SCHUBERT, Franz (1797-1828)

L'inspiration venait à Schubert aux moments les plus inattendus : en promenade, à l'hôpital au chevet d'un ami malade, lors d'une rencontre de hasard ; alors, il transcrivait les notes sur le champ. On prétend même qu'il dormait avec ses lunettes pour ne pas perdre de temps à les chercher au cas où une idée lui viendrait pendant son sommeil.

● Quand, en cette fin d'automne 1828, on porte en terre le corps d'un jeune musicien de trente et un ans nommé Franz Schubert, c'est le troisième compositeur que la musique perd en trois ans, après Beethoven et Weber. La première vague du romantisme allemand vient de s'éteindre; la seconde se profile à peine à l'horizon, celle des musiciens nés autour de 1810, qui vont s'inscrire dans les perspectives nouvelles ouvertes par leurs prédécesseurs (Mendelssohn, Chopin, Schumann, Liszt, Wagner).

● C'est aussi une merveilleuse source de musique qui se tarit : mille œuvres en une quinzaine d'années de vie créatrice. Mozart, mort presque aussi jeune, avait pu parcourir une trajectoire accomplie, laissant une impression achevée.

● Schubert, au contraire, disparaît au moment où il a atteint la maturité, où il va pouvoir, pense-t-il, donner sa pleine mesure. De ses dix symphonies (dont l'*Inachevée*), il considère la dernière, la « Grande » en ut majeur, comme sa véritable première symphonie, après des essais de jeunesse...

● Que de chefs-d'œuvre, pourtant, en cette jeunesse! C'est un petit sous-maître d'école de la banlieue viennoise, un adolescent de dix-sept ans, qui écrit la ballade de *Marguerite au rouet* d'après le *Faust* de Goethe : le lied romantique allemand vient de naître, par un coup de maître.

● Tout est trouvé d'emblée : un certain ton d'intimité, l'apparente simplicité populaire cachant un art subtil et savant, la densité d'un opéra ramené aux proportions de la musique de chambre, le traitement du piano explorant les zones d'ombre du poème qu'il révèle dans ce qu'il a de plus essentiel.

● Véritable créateur du lied, qui est l'expression parfaitement juste de son univers intérieur, Schubert en est aussi le plus grand compositeur : 630 lieder jalonnent les minutes de cette existence tragiquement brève, jusqu'au cycle poignant des 24 lieder du *Voyage d'hiver*, chants de solitude et d'errance du jeune poète dans un monde hostile et glacé.

● Autres chants de l'âme solitaire, toujours, ces quatuors et quintettes, ces sonates pour piano, et même ces *Moments musicaux* qui agrémentent les chaleureuses réunions amicales.

● Mais il est bien rare que ses moments les plus insouciants ne laissent pas transparaître la présence d'une meurtrissure; comme il est rare aussi que le musicien ne tempère pas ses pages les plus endolories d'un sourire — éclaircie en majeur, apparition d'une danse, douce mélodie intérieure. Car tout est chez lui expression lyrique, par opposition aux conflits dramatiques de Beethoven, le grand maître qui le fascine et qu'il n'ose approcher.

● Et avec ce lyrisme, un type particulier de développement symphonique, de déroulement temporel (les « divines longueurs » dont parlera Schumann), de renouvellement des idées, d'éclairages harmoniques — tout ce qui fait l'originalité de son langage, tout ce qui permet à sa voix fraternelle de vaincre la mort. ■

SCHUMANN, Robert (1810-1856)

● « Il y a deux âmes, hélas! en ma poitrine », s'exclame le Faust de Goethe. Ce cri a pu être celui de bien des artistes romantiques; à aucun il n'a mieux convenu qu'au musicien Robert Schumann.

● Deux âmes déchirées, dès sa jeunesse, dans sa propre vocation. Sera-t-il homme de lettres ou musicien? Il lui faut des années pour en décider. Mais sa musique ne cessera de renvoyer à la littérature (lieder, thèmes littéraires de la musique de piano). Et parallèlement à sa vie de compositeur, il mènera une carrière active de journaliste et critique musical, scrupuleusement honnête, souvent très clairvoyant.

Un portrait romantique de Schumann. Pianiste accompli, désirant mieux jouer encore, Schumann eut la curieuse idée d'immobiliser son majeur afin de développer l'agilité de ses autres doigts. Il en résulta une atrophie musculaire irréversible qui l'obligea à abandonner la carrière de virtuose et à se tourner vers la composition.

● Dans son premier article, il s'incline devant un tout jeune génie inconnu, Chopin; et dans son tout dernier, il découvre un futur grand compositeur, Brahms. Dans la *Nouvelle Revue musicale*, qu'il a fondée (et qui existe toujours), il signe ses articles des noms de personnages imaginaires qui forment la Ligue des Compagnons de David, menant la guerre sainte contre les Philistins, bourgeois repus hostiles à l'art. Il y endosse une double personnalité, celle de Florestan, l'artiste extraverti, éloquent, énergique, et celle d'Eusebius, le poète rêveur à l'écoute des voix intimes.

● Ce dédoublement de la personnalité mène loin. Dans ses chefs-d'œuvre pour piano, ce grand pianiste s'exprime totalement, y multipliant en autant de voix les personnages de son monde intérieur, masques de contes fantastiques : *Carnaval*, op. 9, *Carnaval de Vienne*, *Kreisleriana* hantées par Kreisler, le maître de chapelle fou de Hoffmann, *Papillons*, nouveau bal masqué où dialoguent les deux « moi » de Jean-Paul Richter, Vult et Walt...

● Pièces à double face, où s'affrontent le monde clair du jour et l'univers trouble et mystérieux de la nuit (*Nachtstücke*, *Novellettes*, *Scènes de la forêt*). Et c'est à la fin d'un Carnaval que Schumann se jette dans le Rhin, à Düsseldorf (repêché, il mourra

Schubert jouant ses propres œuvres au cours d'une soirée musicale. Celui que Liszt appelait « le musicien le plus poète qui fût jamais » nourrissait bien souvent son œuvre de ses propres souffrances. Au terme de sa vie il écrivait: « ma musique naît de mes chagrins et ce sont mes pires malheurs qui m'ont inspiré les œuvres que le public préfère. »

deux ans plus tard, d'anorexie mentale, dans un asile d'aliénés).

● Ces masques, sa musique les porte aussi sous son aspect le plus technique. Schumann s'est imposé deux modèles : la rigueur de pensée de Jean-Sébastien Bach, dont il s'astreignait à travailler les fugues avant de composer, et la simplicité de Mendelssohn, sa limpidité éloignée de toute métaphysique et si opposée à son propre caractère.

● Contradictions aussi dans la forme souvent abrupte et imprévue, pleine de sautes d'humeur, de ruptures, de certaines œuvres, de musique de chambre notamment (trois quatuors à cordes, un quatuor et un quintette pour piano et cordes), dans l'inégalité sonore de son orchestre (quatre symphonies, ouverture de *Manfred)*.

● Mais c'est peut-être aussi le secret de l'admirable poème de l'âme qu'est son *Concerto pour piano.*

● Et dans ses quelque deux cents lieder, c'est l'amour malheureux et la mort que Schumann chante le plus souvent, le désarroi d'un artiste qui a demandé à la musique de rassembler les débris épars de son être. ■

SCIENCE-FICTION

● Il est difficile de cerner une telle notion dont les deux termes sont apparemment en complète contradiction : en effet, comment une science peut-elle être fictive et, inversement, comment une fiction peut-elle être scientifique? La notion d'imagination est pourtant fondamentale dans la recherche scientifique, car le véritable chercheur ne se repose pas sur des bases immuables, la fiction lui est nécessaire pour découvrir : Léonard de Vinci fut, en ce sens, l'un des créateurs de la science-fiction; et certains chercheurs contemporains — Norbert Wiener, Julian Huxley —, exposent des idées, trop audacieuses pour être officiellement acceptées, par le biais de nouvelles de science-fiction.

● C'est, en somme, avec la prise de conscience du fait scientifique apparu au XIXe siècle, avec la remise en question de catégories établies par les philosophes, que la science-fiction a vu le jour. Elle est fille de l'industrialisation et de la mécanisation.

● Edgar Allan Poe, Villiers de l'Isle Adam ont traduit les premiers l'angoisse que procure l'accélération historique de la connaissance. Jules Verne avait annoncé ce que pouvait être le merveilleux scientifique, en rupture directe avec celui des légendes et des fables, en raison de son contenu logique. Herbert Georges Wells a exprimé dans une série de romans, qu'un siècle n'a pas vieillis, comment l'homme et la société pouvaient se transformer en fonction des nouveaux critères qui apparaissaient. *La Guerre des mondes, les Premiers Hommes dans la lune, la Machine à explorer le temps*, autant de romans qui allaient éveiller l'imagination et le talent d'une innombrable descendance.

● A ce point de l'histoire, il faut une date et un nom. En 1911 un Luxembourgeois émigré aux États-Unis, Hugo Geernsback, écrit un livre, *Ralph 124 C 41*, et publie une revue en 1929, *Amazing*. Cet homme est responsable, par son goût de missionnaire scientifique, de l'exclusion de la science-fiction de la littérature. Alors qu'en

Imaginatives ou prophétiques, les œuvres de Wells se révèlent aujourd'hui d'une profonde réalité. Obsédé par l'éventualité de la fin du monde, Wells défendait la nécessité pour l'homme d'un équilibre écologique, d'une harmonie parfaite avec son milieu.

Illustration du roman de Jules Verne *De la Terre à la Lune.* Après avoir exploré la Terre, des pôles jusqu'au fond des mers, les héros de Jules Verne inventent la première fusée spatiale et partent à la découverte de l'Univers.

France, à la même époque, des écrivains de talent et d'orientations aussi différentes que Raymond Roussel, Claude Farrère, Maurice Renard, Jacques Spitz, faisaient de la science-fiction sans le savoir, leurs confrères, aux États-Unis, élaboraient l'âge mythologique de la science-fiction, et publiaient dans les revues, les collections de romans, par milliers d'exemplaires, des œuvres populaires qui reléguaient la science-fiction au même rang que le roman policier ou le western.

● La science-fiction, en fait, contient tous les genres, il peut y avoir une science-fiction politique, policière, médicale, littéraire, psychologique, car son champ d'exploration est infini.

● La plupart des récits américains de cette époque sont marqués par l'image d'une éternelle femme nue, inlassablement poursuivie par un monstre aux yeux pédonculés sur une planète d'épouvante. Cependant, il reste de cet âge mythologique un goût sauvage de découvrir, un onirisme inventif tempéré par le souci d'une certaine logique scientifique. Ces tendances sont jetées pêle-mêle dans ces récits à l'écriture bâclée, palpitants d'une fièvre de l'imagination, où s'illustrent Edmond Hamilton, Jack Williamson, Kathleen Moore, Abraham Merritt.

● Cette période s'achève en 1936, avec la naissance de la revue *Astounding* d'abord, puis de *Galaxy* en 1950, et l'apparition d'une deuxième génération d'auteurs, qui appartiennent à ce qu'il est convenu d'appeler « l'âge d'or de la science-fiction ». Libérée des phantasmes de son enfance, celle-ci s'intéresse à la métaphysique. Si ces nouveaux auteurs ne sont pas tous des stylistes, ils ont assimilé les leçons de la littérature américaine en plein développement, de Dos Passos à Hemingway, voire Faulkner.

● Ces nouveaux auteurs vont explorer tous les thèmes qui existaient déjà en pointillé chez leurs prédécesseurs; le temps, d'abord, thème fascinant s'il en est, car si l'on conçoit qu'il possède une épaisseur, une longueur et une largeur, on peut imaginer qu'il

Autodafé dans *Farenheit 451*. Ce film de science-fiction, mis en scène par F. Truffaut, imagine un monde nouveau dans lequel la culture, sous toutes ses formes, est prohibée, un monde froid où les gens apprennent à ne plus penser, à ne plus lire, un monde de robots...

coexiste, parallèlement à notre planète, d'autres univers, habités par d'autres hommes (*l'Univers en folie* de F. Brown), créatures extraterrestres qui s'apprêtent à envahir notre planète (*Marionnettes humaines* de R. Heilein) ou au contraire, qui sont colonisées par les humains (*la Faune de l'espace* de A.E. van Vogt). L'être humain, d'autre part, n'a pas encore développé toutes ses facultés; son cerveau possède des dons extraordinaires comme la télépathie, la télékinésie; comment ces « mutants » pourront-ils s'intégrer dans la société actuelle ou future (*Cristal qui songe* de T. Sturgeon), dans ce monde des machines où l'électronique fait des progrès inquiétants (*Robot* d'I. Asimov)? Les ordinateurs géants sont grands comme des villes (*le Lendemain de la machine* de G. Rayer), mais dès l'instant où ces mécanismes deviennent responsables, la folie les guette (*l'Univers* de Robert Sheckley).

● L'œuvre de Howard Philips Lovecraft se situe à la limite de la science-fiction et du fantastique; la donnée logique de ses récits repose sur le fait que la Terre fut, jadis, peuplée par des races extrahumaines, et qu'il en reste des traces, sinon des survivants!

● Après Van Vogt, Clarke, Asimov, Bradbury, de nouveaux auteurs (Silverberg, Brunner) vont marquer leur défiance vis-à-vis de la technologie qui a conduit à l'utilisation de la bombe atomique.

● Les années 60 amènent la Nouvelle Vague anglaise (Moorcock, Ballard). Par le biais d'univers imaginaires, la science-fiction aboutit à une réflexion et aborde de nouveaux thèmes, comme l'écologie, la sexualité, la politique.

● Après 1950, les premières œuvres américaines sont publiées en France. Comment rattraper toutes ces années d'imagination au pouvoir? Des auteurs français s'y attellent en tentant d'explorer les thèmes d'un point de vue psychologique et formel. De nouveaux écrivains s'imposent : Gérard Klein, Jean-Pierre Andrevon, André Ruellan, Philippe Curval. Dans les années 75-80, les collections de science-fiction fleurissent en France ainsi que les albums de bandes dessinées avec des auteurs comme Druillet, Forest ou Mœbius. Aujourd'hui, on note une stagnation de la production française. Il se dégage cependant un petit groupe d'écrivains de science-fiction (Jouanne, Volodine, Barbéri...) plus préoccupés d'esthétisme littéraire que d'exploration de nouveaux espaces imaginaires.

● Le renouveau de la science-fiction est venu ces dernières années avec une génération d'auteurs connus sous le nom de « cyberpunks », croisement de cyber (...nétique) et de punks (pas fréquentables). Ils s'appellent William Gibson, Greg Bear, Howard Waldrop, W.J. Williams, entre autres. Leurs héros sont directement extrapolés de notre société moderne, des anti-supermen, des anti-robots, des paumés. S'inspirant de l'informa-

Dans *le Meilleur des mondes*, anticipation hardie de la biologie, le romancier anglais Aldous Huxley (1894-1963) imagine un monde clos où vivent, sous la surveillance des savants qui les ont fabriqués en laboratoire, des êtres humains au comportement défini à l'avance.

Le venin des scorpions est analogue à une toxine. Il est formé de protéines qui agissent sur le système nerveux. En France, les arachnides dont le venin est dangereux pour l'homme sont : le scorpion languedocien, l'araignée appelée veuve noire et, dans une moindre mesure, la tarentule.

tique, des trafiquants de puces et des pirates de logiciels, les cyberpunks ont créé un nouvel univers : on y peint l'esthétique de la fin de notre siècle, une esthétique presque organique, dont les viscères d'acier s'épandent entre de nombreux bricolages de récupération. On retrouve le monde cyberpunk dans les bandes dessinées, le cinéma *(Mad Max, Alien, Blade Runner)* et le rock. ■

SCORPIONS

● Les scorpions font partie de la classe des arachnides et forment un ordre qui regroupe environ 600 espèces, vivant surtout dans les régions tropicales, mais dont il existe également quelques formes européennes. Ce sont des animaux nocturnes, très carnassiers, qui se nourrissent d'insectes et d'araignées et aiment les endroits secs et ensoleillés. Ils vivent dans un petit terrier, sous les pierres, et peuvent rester plusieurs mois sans manger.

● Le corps des scorpions se divise en trois parties bien distinctes, le céphalothorax ou prosome, le préabdomen, ou mésosome, et la queue ou postabdomen ou métasome. Le prosome est protégé dorsalement par un bouclier curiculaire, très dur, où se situent une paire d'ocelles médians et 2 à 5 paires d'ocelles latéraux disposés marginalement.

● Cette région antérieure du corps porte 6 paires d'appendices : une paire de petites pinces ou chélicères situées au-dessus de la bouche, une paire de pédipalpes qui se terminent par de grosses pinces à deux mors servant à la capture des proies, et 4 paires de pattes.

● Sur la face ventrale du métasome, qui est formé de 7 segments, il y a l'orifice génital, une paire de « peignes », appendices riches en terminaisons sensorielles et 4 paires d'ouvertures respiratoires ou stigmates, en relation avec les « poumons ». La queue est formée de 5 segments et d'une partie terminale piriforme, équipée d'une fine pointe où débouchent les glandes à venin. L'anus est porté par le dernier segment.

● Les scorpions sont des animaux vivipares. A la naissance, les petits sont semblables aux adultes et montent sur le dos de leur mère, où ils demeurent sans prendre de nourriture jusqu'à la première mue, soit environ une semaine.

● La taille des scorpions varie entre 1,3 cm, taille de *Microbuthus*, et 20 cm pour les espèces plus grandes, comme le genre *Pandinus* ou le *Scorpio imperator*, qui vit au Gabon et en Afrique du Nord.

***Heterometrus cyaneus*, ou scorpion indo-malais. Il vit d'ordinaire dans des galeries souterraines. Très carnassier, il mange sa proie vivante. Après l'avoir immobilisée, il la met en pièces avec ses pédipalpes et ses appendices buccaux, puis en aspire les parties molles et les liquides somatiques au moyen d'un pharynx musclé.**

● Le scorpion jaune du Languedoc *(Buthus occitanus)* mesure jusqu'à 7,5 cm. Sa piqûre est très douloureuse et peut provoquer des troubles généraux, mais n'est pas mortelle. *Androctonus australis* d'Afrique du Nord et *Centrurus* du Mexique peuvent provoquer la mort. Le venin a un effet fulgurant sur les proies habituelles tandis que pour l'homme il varie selon les espèces.

● A côté de ces espèces xérophiles, il en existe d'autres, qui préfèrent les lieux humides, tel que *Euscorpius flavicaudis* ou scorpion à queue jaune de Provence. Le seul scorpion aveugle est du genre *Belisarius* que l'on peut rencontrer dans le Midi. Il est carnivore. ■

▶ *ARAIGNÉES ET ARACHNIDES*

SCOTT, Walter (1771-1832)

● Des romans historiques riches en aventures, en événements dramatiques, souvent en mystères, qui mettent en scène des grands seigneurs mais aussi des gens du commun dans des décors du passé minutieusement restitués, voilà qui allait plaire en ce début du XIXe siècle, à une époque où le passé était à la mode (poèmes d'Ossian). Un nouveau genre littéraire était né.

● L'Écossais Walter Scott avait commencé à s'intéresser aux ballades et aux légendes d'Écosse, qu'il se met alors à recueillir. Ses *Chants de la frontière écossaise* (1802) connaissent un grand succès. Puis il publie des poèmes : *le Lai du dernier ménestrel* (1805), *Marmion* (1808), *la Dame du lac* (1810) et *Rokeby* (1813). Mais, la gloire de Byron éclipsant la sienne, Scott décide de changer de genre. Il écrira désormais des romans, vingt-neuf en tout jusqu'à sa mort.

● A la fin du XVIIIe siècle le passé est à la mode, mais à la différence de ses prédécesseurs (Madame de La Fayette avec *la Princesse de Clèves* et Horace Walpole avec *le Château d'Otrante*)

l'histoire, chez lui, n'est plus une simple toile de fond. Elle est le sujet même du roman, d'où l'importance des descriptions alors que les intrigues amoureuses deviennent secondaires. Enfin Scott n'est pas intéressé par la psychologie de ses personnages qui dépendent de tout un complexe social.

● Beaucoup de ses romans se passent en Écosse, comme *Waverley* (1814), qui est accueilli très favorablement, *Rob Roy* (1818), la *Légende de Montrose* (1819). La vie écossaise du passé est décrite avec une incomparable exactitude dans des romans comme *la Prison d'Edimbourg* (1818), *Guy Mannering ou l'astrologue* (1815) et *l'Antiquaire* (1816).

● D'autres se passent en Angleterre, comme *Ivanhoé* (1820) qui traite de l'opposition qui existait au XIIe siècle entre les Normands et les Saxons et de l'assimilation progressive de ces derniers, *Kenilworth* (1821), qui se passe sous le règne d'Elisabeth Ire, *Woodstock* (1826), dans lequel Scott dépeint l'époque de Cromwell. *La Jolie Fille de Perth* (1828) évoque, quant à elle, les luttes bourgeoises du XIVe siècle.

● Walter Scott connut une immense gloire et devint très riche. Mais la faillite des éditions Constable dans lesquelles il avait des intérêts l'obligea à un travail incessant jusqu'à la fin de sa vie. Son influcncc se manifesta en Europe dès 1825. Manzoni en Italie, Gogol et Pouchkine en Russie, Vigny, Mérimée, Hugo et Balzac en France lui durent beaucoup et s'en inspirèrent parfois. ■

SCOUTISME

● Le scoutisme est une méthode pratique de vie en plein air, d'épreuves, de jeux, de recherches, etc., à travers laquelle un jeune garçon, après avoir prononcé un engagement solennel devient un scout, ce qui signifie : explorateur, pionnier.

● Le scout exerce son esprit d'initiative et son sens des responsabilités tout en apprenant à aider son prochain et à devenir plus tard un membre actif de la société.

● Lord Robert Baden-Powell, général anglais, qui s'était distingué en Afrique du Sud dans la guerre contre les Boers, est à l'origine de ce mouvement. Revenu dans sa patrie après 25 années de vie militaire, il commença à s'intéresser au problème de l'éducation des enfants. Après avoir écrit un « guide de l'exploration » destiné aux adultes mais très apprécié par les enfants, il organisa en 1907 dans l'île de Brownsea (dans la Manche) son premier camp scout, auquel participèrent une vingtaine de garçons appartenant à diverses classes sociales. En 1908, six articles publiés dans une revue pour la jeunesse deviendront le texte fondamental du mouvement. L'idéal proposé était double : se suffire à soi-même et aider le prochain.

● Des groupes de scouts naquirent spontanément en Grande-Bretagne d'abord puis, très vite, en Europe et dans les pays de l'Empire britannique. En France, c'est en 1911 que furent créés, presque en même temps, les *Éclaireurs de France et* les *Éclaireurs unionistes de France*. Le Mouvement scout mondial était né.

● Baden-Powell décida d'abandonner la carrière militaire pour se consacrer exclusivement à l'organisation scoute. En août 1920 eut lieu à Londres la première réunion scoute internationale, le « Jamboree », qui réunit dans un climat de fraternité des garçons du monde entier. Le Mouvement scout, créé pour les garçons de 12 à 17 ans, les éclaireurs, fut ensuite étendu aux enfants de 8 à 11 ans,

Au cours d'une « entreprise », des scouts milanais prennent leur orientation. Les scouts français ont tendance à abandonner l'uniforme ; les étrangers le conservent jalousement.

Baden-Powell avait créé en Afrique du Sud, vers 1900, un corps de cadets de 12 à 16 ans pour servir d'éclaireurs à l'armée lors de la défense de la ville de Mafeking contre les Boers. La discipline et l'esprit d'initiative de ces cadets l'étonna et, plus tard, lui donna l'idée de se consacrer entièrement aux jeunes en fondant les Scouts.

Patrouille scoute au camp. La table et les bancs ont été confectionnés sur place.

Il y a environ 18 millions de scouts dans le monde (12 millions de garçons et 6 millions de filles), répartis dans 102 nations. La France en compte plus de 210 000 groupés en une Fédération rattachée au scoutisme mondial. A la suite d'une réforme de la méthode scoute, décidée en France vers 1964, de nombreux groupes fidèles à la méthode de Baden-Powell sont nés à Paris, entre autres des mouvements de scoutisme européen.

les louveteaux, et aux jeunes de plus de 17 ans, les routiers, les activités pratiquées étant adaptées aux exigences de chaque âge.

● Le noyau de base de l'organisation scoute est constitué par la *patrouille*, composée de 6 à 8 enfants, placée sous la responsabilité d'un garçon du même âge mais ayant plus d'expérience : le chef de patrouille. Chacun a des tâches particulières dont il doit répondre auprès de son chef de patrouille. 2 à 5 patrouilles forment un groupe dirigé par un adulte expérimenté. Chaque groupe a un équipement, des activités et des traditions qui lui sont propres.

● Quand un enfant veut devenir scout, il s'inscrit à un groupe où il est admis comme novice. Après une période d'apprentissage qui comprend, notamment, des épreuves de vie en plein air, d'observation, d'orientation, de civisme, etc., il est admis à faire la *promesse solennelle* par laquelle, librement, il *s'engage sur son honneur à accomplir son devoir envers Dieu et sa patrie, à aider son prochain et à observer la loi scoute.*

● La loi comprend dix articles. Sens de l'honneur, loyauté, amitié et ouverture aux autres, courtoisie, respect de la nature, autodiscipline, sérénité dans les difficultés, diligence et pureté d'intentions sont les caractéristiques que le scout acquiert en observant la loi.

● L'activité la plus importante de l'année est le camp d'été, durant lequel les scouts passent 10 à 20 jours en plein air, couchant sous la tente, cuisinant seuls leurs repas, construisant cuisines, réfectoires et autres commodités avec le matériel trouvé sur place. Au cours de l'année les autres activités les plus importantes sont les *entreprises*, qui comprennent notamment des explorations, des enquêtes, des recherches et des travaux divers.

● En France il existe six associations reconnues par le Bureau international du scoutisme, dont le siège est à Londres. Les *Éclaireurs de France*, laïcs, ouverts aux filles et aux garçons. Les *Éclaireurs unionistes de France*, protestants, pour les garçons seuls. Les *Scouts de France*, catholiques, et les *Éclaireurs israélites de France*, tous deux réservés aux garçons. Les *Guides de France*, catholiques, et la *Fédération française des éclaireuses*, laïque, sont réservées aux filles.

● En dépit de son « uniforme », d'ailleurs de plus en plus abandonné, le scoutisme n'a jamais été une méthode disciplinaire collective.

● Les instincts de l'enfant, sans être brimés, sont orientés vers un idéal, qu'il a lui-même accepté. ■

SCULPTURE

● Proche de l'artisanat par le travail qu'elle opère sur le matériau et pourtant pour cette même raison, transcendante, la sculpture occupe une place particulière dans le système des arts. Alors que la peinture est, selon le mot de Léonard de Vinci, une « chose mentale » créant des espaces imaginaires, inventant des mises en scène irréelles, la sculpture, elle, ordonne une matière informe.

● Il ne s'agit plus, dans la démarche du créateur, de concevoir mais d'occuper un espace, et la sculpture met en cause une certaine conscience du corps humain : figurative ou abstraite, classique ou primitive, elle possède, de par sa tri-dimensionnalité, un poids, une réalité indéniable qui renvoie à eux-mêmes le sculpteur comme le spectateur. Une sculpture existe matériellement, tangiblement, alors que le décor, les personnages ou les lignes de force d'un tableau restent virtuels, illusoires, illusionnistes. C'est pourquoi le besoin, impossible, irréalisable, de lui donner une âme, une vie autonome, est aussi violemment ressenti. La sculpture serait-elle réceptacle éventuel d'un esprit qui l'habiterait? c'est ce qui expliquerait son importance dans l'art des sociétés magiques, et les mythes qu'elle véhicule, depuis celui d'Adam, façonné à partir de la glaise, jusqu'à celui de Pygmalion.

● La sculpture existe, en tant que telle, comme une succession de rythmes, comme compression ou dilatation de volumes, comme surfaces convexes ou concaves où jouent éventuellement des différences de matière ou des plages colorées. Elle se définit comme un jeu entre les pleins et les vides, ajustés de façon à recevoir un sens. Jusqu'au XXe siècle, la prédominance des uns sur les autres relève des conceptions culturelles dans lesquelles l'œuvre s'insère. Ainsi, les philosophies orientales, qui ont conféré à la notion de vide une qualité spirituelle particulière, ont-elles suscité des œuvres où les intervalles, les creux, sont ressentis comme aussi importants que les volumes positifs. Par contre, les systèmes de pensée occidentaux ont privilégié la réflexion sur le réel et les modes d'action sur celui-ci : dans la pensée occidentale, le vide ne fait pas problème, tout simplement parce qu'il est assimilé à l'inexistant. Et la sculpture, depuis l'Antiquité, est d'abord une affaire de volumes pleins, porteurs d'une charge énergétique, ou sensuelle, selon les cas envisagés.

● Mais toujours, dans la sculpture figurative, l'œuvre vaut pour celui qu'elle représente, elle remplace sa présence effective, ce qui explique l'importance de la sculpture commémorative : effigies de souverain dressées aux carrefours, sur les places et symbolisant son autorité; portraits funéraires qui éternisent le défunt. Il ne s'agit jamais d'un décor gratuit; même les stucs baroques « peuplent » les plafonds ou les murs, alors que la peinture « orne ».

● L'art abstrait va bouleverser ces données, la sculpture devenant un simple jeu de volumes esthétiques, se rangeant parmi les objets ordinaires : elle perd son caractère essentiel mais se distingue pourtant à ce qu'elle est un objet gratuit fait pour la contemplation. De même que la peinture, la sculpture non-figurative a désormais pour vocation d'« orner ». Mais, coûteuse et privative d'un certain espace qui pourrait être utilisé « rationnellement » (dans la logique d'une société qui spécule sur des surfaces estimées en mètres carrés), elle devient doublement indésirable. Ce qui explique les difficultés que connaissent aujourd'hui la jeune sculpture et les jeunes sculpteurs.

Cette *Cariatide*, sculptée par Rodin, s'oppose par ses contorsions et son aspect inachevé à la statuaire classique et suggère avec brutalité les tempêtes des passions humaines.

● Bien que certains matériaux, tels le marbre ou le bronze, aient été de tous temps considérés comme plus nobles que d'autres, la sculpture ne néglige aucun support, et la diversité des matériaux et des techniques y est plus grande que dans les autres arts. Le choix des techniques et des matières dépend donc de facteurs surtout personnels : habileté particulière dans tel ou tel procédé, goût pour telle matière, et... moyens financiers. Mais l'emplacement auquel est réservée l'œuvre joue aussi un certain rôle, une sculpture destinée à être exposée aux intempéries devant être exécutée dans un matériau plus résistant que celle qui doit prendre place dans une collection d'amateur parisien.

● Les matériaux les plus fréquemment employés sont la pierre, le marbre, l'argile, le bois, l'ivoire, le plâtre, le stuc (mélange de poussière de marbre et de colle) et le bronze. Mais il est difficile de les énumérer tous car on trouve aussi bien des sculptures en pierres semi précieuses qu'en fer, en plomb, en papier mâché, en laque ou en cire.

● Les procédés sont plus limités. Le plus ancien est la taille directe, qui s'applique surtout à la pierre et au bois. Partant d'un bloc brut le sculpteur procède par

Sculpture découverte à Teotihuacàn, vestige de la civilisation pré-colombienne, à 50 km de Mexico. Cette statue représente Tlaloc, génie de la Pluie, identifiable à ses grosses lunettes et à ses crocs saillant hors de la bouche.

La sculpture peut être réalisée en ronde-bosse lorsque l'œuvre n'est pas assujettie à un fond et se détache entièrement dans l'espace, en haut-relief lorsque les figures sont fixées sur un fond mais s'en détachent presque complètement, ou en bas-relief lorsque les motifs, fixés au fond, ne présentent qu'une légère saillie.

extraction, par soustraction de morceaux, en s'aidant d'une esquisse ou d'un modèle. Les étapes principales sont l'épannelage, le dégrossissage, l'ébauche des plans principaux et intermédiaires, et enfin, la finition et le polissage. Dans le cas du bois (voire aussi de l'ivoire), plusieurs pièces peuvent être assemblées, collées ou chevillées pour constituer l'ensemble.

● Nécessitant un moindre effort physique, le modelage remonte aussi aux temps les plus reculés. L'argile peut demeurer crue ou être cuite, ce qui augmente sa résistance et permet de l'émailler. A partir d'une forme originale on peut réaliser un moule qui prend en creux les reliefs et inversement, et qui permettra de tirer par estampage ou par coulage plusieurs exemplaires identiques d'une même œuvre. Cette technique connaît un regain d'intérêt avec l'apparition des nouvelles matières synthétiques.

● La fonte s'apparente au moulage : elle s'effectue de même à partir d'un modèle original dont on prend un moule; on y coule le bronze, et l'œuvre est exécutée d'une seule pièce ou par assemblage de plusieurs, selon ses dimensions, sa forme et sa complexité.

● Matériau très apprécié aujourd'hui, le métal est soudé, forgé, martelé, repoussé, plaqué, etc. Deux autres procédés connaissent également une certaine vogue : la compression d'éléments métalliques et le coulage spontané, sans l'intervention de moule, de matières en fusion comme la pâte de verre ou les résines synthétiques.

● Un des problèmes majeurs de la sculpture reste celui de l'original. Qu'est-ce en effet qu'un original en sculpture? Une œuvre est parfois « tirée » à plusieurs exemplaires, comme une gravure, et l'on peut, en ce cas, recourir, pour sa multiplication, au tour de main d'un simple praticien, sans qu'intervienne désormais le sculpteur. C'est le cas de la fonte, du moulage, mais aussi celui de la sculpture en pierre qui peut être reproduite telle quelle ou agrandie, à l'aide d'appareils munis d'un système de repérage automatique. Lorsque des artistes apportent à Carrare des originaux de quelques dizaines de centimètres, dont un ouvrier anonyme tire un marbre identique — mais cette fois de plusieurs mètres de haut —, peut-on appeler cette sculpture « originale »? Il en est de même des bronzes, parfois tirés plusieurs années après la mort de l'artiste. Surtout si l'on en fait de véritables « éditions », même limitées. Et si l'on sait ce qu'est un faux en peinture, reste à déterminer ce qu'est un faux en sculpture; la question demeure posée, même si l'on répond que l'important n'est pas l'exécution, mais l'idée directrice, ce que l'on nomme la créativité. ■

La Paix et la Guerre (1965-1968). Détail de _la Paix._ Bas-relief moderne ornant la porte de la façade de la cathédrale de Rotterdam.

SÉCESSION, Guerre de

● Une guerre civile, qualifiée par les Français de « guerre de Sécession », qui déchira les États-Unis de 1861 à 1865, fut le premier grand conflit du XXe siècle, prélude aux hécatombes de 1914-1918.

● On a trop souvent dit que la cause principale de la guerre de Sécession était la lutte des États du Nord contre l'esclavage pratiqué dans le Sud; cette interprétation humanitariste justifie peut-être la combativité des soldats nordistes mais elle ne rend pas compte du déclenchement même et de la violence du conflit.

● Harriet Beecher Stowe, dans la *Case de l'oncle Tom*, a décrit avec indignation les grands marchés de Noirs qui peuplaient encore les États-Unis en 1850. Mais la situation matérielle et morale des 4 millions d'esclaves n'était pas si catastrophique, et bien des ouvriers des grandes entreprises de la côte nord-est auraient pu les envier. Logés dans une cabane entourée d'un jardinet qu'ils peuvent cultiver, recueillis par leurs maîtres en cas de maladie ou de difficultés passagères, ils étaient protégés jusqu'à leur mort.

● En fait, le problème de l'esclavage renvoie à une division économico-sociale fondamentale des États-Unis. Alors que dans le Sud, la grande culture du coton exige une main-d'œuvre très abondante et constamment disponible, dans le Nord, l'organisation capitaliste des entreprises industrielles qui se développent appelle la création d'un prolétariat salarié, source du profit des entrepreneurs. Il revient moins cher de sous-payer

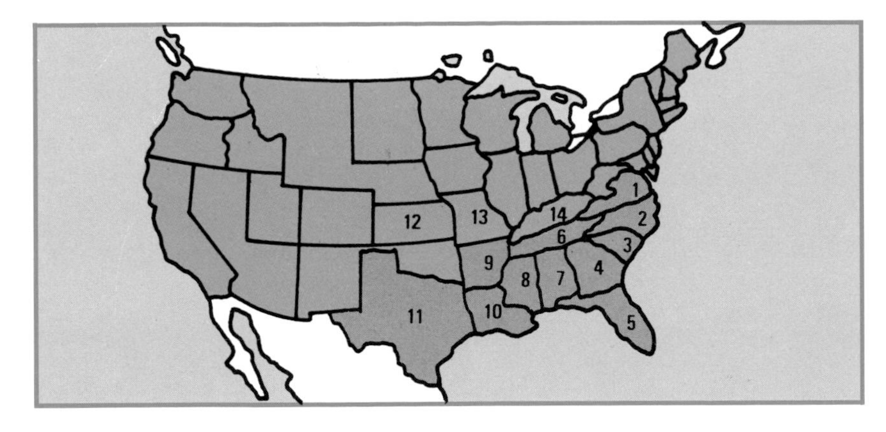

Les États-Unis à l'époque de la guerre de Sécession.
1. Virginie
2. Caroline du Nord
3. Caroline du Sud
4. Georgie
5. Floride
6. Tennessee
7. Alabama
8. Mississippi
9. Arkansas
10. Louisiane
11. Texas
12. Kansas
13. Missouri
14. Kentucky.

un employé que de l'entretenir correctement! Et c'est bien la différence de structure économique qui est le fondement même de la guerre.

● Alors que les hommes d'affaires du Nord, inscrits au parti républicain, ont besoin d'une politique protectionniste pour développer sans concurrence leur activité, les grands propriétaires du Sud ne peuvent survivre sans le libre échange qui leur permet d'exporter leur coton. Ces divergences économiques se doublent d'un fossé psychologique infranchissable : les Yankees bourrus et brutaux du Nord ne comprennent pas l'aristocratie raffinée et libre pensante du Sud.

● N'ayant guère plus rien de commun avec ceux du Nord, les 11 États esclavagistes du Sud envisagent, au sein du parti démocrate, de se séparer de la confédération, ou tout au moins d'accroître leur autonomie. Cette solution n'est pas acceptable pour le Nord dont l'industrie naissante et non encore exportatrice a besoin des capitaux procurés par les exportations de coton pour se développer.

● Après l'élection du républicain Abraham Lincoln, un ancien bûcheron devenu avocat, puis député de l'Illinois, à la présidence des États-Unis, les 11 États du Sud forment les États confédérés d'Amérique, dont la capitale est Richmond et le président J. Davis. Cette attitude était conforme à la constitution, et personne dans le Sud ne prévoyait une réaction brutale du Nord. Mais Lincoln craint de perdre le bénéfice de la victoire républicaine, et somme les États du Sud de rentrer dans l'Union; ces derniers refusant, les hostilités s'engagent le 15 avril 1861.

● La Confédération du Sud luttait à un contre trois : ses 200 000 hommes devaient lutter contre plus de un million de Nordistes; sa richesse était grande mais elle ne lui servait à rien puisque la marine édifiée dans les chantiers navals du Nord entreprit le blocus des côtes; elle n'avait pas l'équivalent des trains blindés et des fusils à répétition sortis des usines du Nord. Pour l'emporter, il fallait donc une guerre très courte, rendue envisageable par le général Lee.

● Jusqu'en décembre 1862, Lee réussit à contenir les Nordistes, et même à tenter des percées audacieuses en direction de Washington. Mais il est écrasé par le nombre à Gettysburg le 3 juillet 1863 (en Pennsylvanie), et le 4, le général Grant s'empare de Vicksburg et attaque par l'ouest le territoire des Confédérés. La résistance reste acharnée, mais le général Sherman s'empare d'Atlanta en septembre 1864, détruisant tout sur son passage, atteint Savannah en décembre, puis remonte vers le nord pour prendre Lee à revers. Le 9 avril 1865, le général Lee encerclé capitule à Appomattox et se rend à Grant.

● La Sécession prenait fin, mais le Sud sortait ravagé d'un conflit qui s'était déroulé sur son seul territoire. Ces quatre années de guerre avaient coûté la vie à plus de 600 000 personnes dont beaucoup moururent dans les camps de prisonniers ou par suite des épidémies.

● L'Union était sauvée, mais la blessure était ouverte pour longtemps et le Sud ne pouvait plus espérer relever son économie cotonnière dévastée, et se trouvait incapable de résister à la concurrence égyptienne et indienne. Le Nord au contraire sortait économiquement vivifié par l'essor des industries de guerre et des productions annexes. Des fortunes colossales s'édifièrent, et les républicains au pouvoir se crurent autorisés à exploiter à fond leur victoire.

● Lincoln, réélu en novembre 1864, était pourtant partisan de la réconciliation générale, et le 13e amendement à la constitution (31 janvier 1865), qui supprimait l'esclavage, devait être la seule mesure prise à l'encontre des planteurs du Sud. Son assassinat par un Sudiste fanatique, Both, le 14 avril 1865, ouvrait la voie aux excès, alors que, de leur côté les Noirs souffraient plus que jamais du racisme et de la ségrégation. ■

Pendant les deux dernières années de la guerre, le général nordiste Sherman mena, en Georgie et en Caroline, une campagne au cours de laquelle ses troupes semèrent la terreur et dévastèrent toutes ces régions. Le général se justifiait ainsi : « Si l'on proteste contre ma barbarie, je répondrai que la guerre c'est l'Enfer. S'ils veulent la paix, qu'ils arrêtent la guerre ».

▸ *ÉTATS-UNIS*

SÉDIMENTATION

● Toutes les roches qui affleurent sur les terres émergées sont continuellement soumises à des processus de dégradation dus à l'attaque chimique et physique

En creusant de profondes entailles dans les hauts-plateaux du Colorado, le fleuve a mis en évidence les différentes couches sédimentaires dont on voit nettement la superposition.

A l'origine, la plupart des sédiments sont formés d'une boue plastique. Pour devenir des roches solides, ils subissent une modification très lente *(diagenèse)*. Ils éliminent leur eau, deviennent compacts, se durcissent et se cimentent. Ils peuvent aussi recristalliser, recevoir des apports chimiques, ou, par *métasomatose,* absorber des minéraux nouveaux qui se substituent aux anciens.

des agents atmosphériques auxquels elles sont exposées.

● Les produits de l'altération des roches peuvent rester sur place ou être emportés ailleurs en solution, en suspension ou entraînés par des cours d'eau, des glaciers, le vent, les vagues ou les courants marins.

● On appelle sédiments les dépôts de matériaux résiduels qui se sont accumulés. Les sédiments, s'entassant couche après couche avec le temps, peuvent rester séparés (sables, graviers, boues calcaires, etc.) ou bien subir une cimentation (grès, conglomérats, calcaires, etc.). Dans un cas comme dans l'autre, des roches sédimentaires naissent. Les premières sont dites roches incohérentes ou meubles, les secondes roches cohérentes ou consolidées.

● Les caractéristiques d'un sédiment et, par conséquent, une grande partie des caractéristiques de la roche sédimentaire qui en dérivera sont déterminées par : le type des matériaux transportés (fragments de roche ou de minéraux et leur composition) et les modalités du transport lui-même (traînage, suspension, solution); les caractéristiques locales de sédimentation du matériau, les conditions climatiques de la région où s'opère le dépôt, les caractéristiques de l'agent de transport, les organismes animaux et végétaux qui vivent en ce lieu, etc.

● Toutes les caractéristiques locales énumérées plus haut sont comprises dans le concept de milieu sédimentaire. C'est l'ensemble des conditions morphologiques, chimiques, physiques et biologiques dans lesquelles s'effectue le dépôt.

● Il existe de nombreux types de milieux sédimentaires. On distingue habituellement les milieux continentaux, qui se rapportent aux dépôts sur des terres émergées, des milieux marins, constitués de tous les milieux compris entre les lignes de marée basse et les plus grandes profondeurs océaniques.

● Les uns et les autres présentent, naturellement, de grandes variétés de types : les milieux fluviatile, glaciaire, lacustre et désertique pour les milieux continentaux; les milieux côtier, de récif, des abîmes, d'autre part. Il existe aussi un groupe de milieux sédimentaires ayant une position et des caractéristiques intermédiaires et que l'on appelle milieux de transition. Ce sont les milieux de delta, de lagune, de plage et d'estuaire.

● Les types de sédiments qui se forment aussi bien dans les milieux continentaux que marins ou de transition sont multiples. On peut toutefois les réunir en trois groupes principaux : sédiments détritiques, sédiments organogènes et biochimiques et, enfin, sédiments chimiques.

● Les sédiments détritiques sont formés de fragments, arrachés aux roches par des agents extérieurs, qui tombent, sous l'effet de la pesanteur, au pied des parois montagneuses et qui sont ensuite entraînés par les torrents, les rivières, les glaciers ou le vent, rejoignant parfois la mer.

● A l'exception du cas d'un glacier qui accumule de façon chaotique les matériaux durant sa progression, tous les autres agents de transport effectuent une « sélection » des fragments. C'est ainsi que, par exemple, les eaux d'une rivière qui, venant du pied des monts, pénètrent en plaine, perdent graduellement leur capacité de transport et ne peuvent plus entraîner les gros cailloux ou autres matériaux, qui se déposent.

● Au fur et à mesure de son cheminement vers son embouchure, la rivière abandonnera des matériaux de plus en plus fins (graviers et sables) et seuls parviendront à la mer les fractions détritiques les plus légères (sables fins, limons et argiles), ainsi que les sels dissous dans l'eau.

● Le vent, lui aussi, se comporte comme un bon agent de « sélection ». On connaît bien, aussi, une autre forme de transport et d'accumulation due au vent. Il s'agit des dunes qui se forment le long des côtes basses et dans les déserts de sable.

● Les exemples les plus significatifs des sédiments organogènes et biochimiques proviennent des milieux marins. Une partie des sels transportés vers la mer par les rivières, est utilisée par des animaux et des végétaux pour se constituer un squelette, une coquille ou un support de calcite, d'aragonite, de silice, etc. A la mort de ces organismes les parties minéralisées s'accumulent sur le fond, formant les sédiments organogènes.

● L'activité biologique des végétaux peut provoquer, indirectement, des phénomènes sédimentaires. On considère, par exemple, les algues calcaires comme l'un des groupes d'organismes marins constructeurs de roches organogènes les plus actifs. En effet, les algues contribuent non seulement directement, avec leurs tissus minéralisés, à la formation de dépôts calcaires, mais aussi, de façon indirecte, car elles provoquent, en absorbant de l'anhydride carbonique pour leur fonction chlorophylienne, la précipitation du carbonate de calcium dissous dans l'eau de mer.

● Les bactéries, enfin, ont également une fonction de première importance dans la formation de dépôts de fer, de soufre, de carbone, d'hydrocarbures et de phosphates.

● Les eaux de mer contiennent en dissolution des millions et des millions de tonnes de sels minéraux. Nous venons de voir qu'une partie de ces substances est utilisée par les animaux et les végétaux pour se confectionner des coquilles, des squelettes et des tissus. Mais une autre partie peut précipiter sur le fond à la suite de réactions chimiques simples dues à des conditions particulières de température, de pression, d'acidité, etc., de l'eau, donnant naissance à des sédiments chimiques.

● Les évaporites sont des dépôts particuliers d'origine chimique. Parmi les sédiments chimiques de milieu à forte évaporation, citons le gypse, le sel gemme et certains calcaires.

● Enfin, les incrustations carbonatées qui se forment dans les grottes, près des sources thermales et de certaines cascades sont également des dépôts chimiques.

● Dans la plupart des cas la sédimentation est mixte, c'est-à-dire que l'on a simultanément sédimentation de matériaux d'origine détritique, organogène et chimique diversement associés. ■

▶ *ARGILE / CALCAIRE / GRÈS / ROCHES*

SEICHES

● La seiche est un mollusque céphalopode, très commun, qui fait partie de l'ordre des décapodes comme les calmars. Elle vit dans les zones littorales des mers tempérées ou chaudes sur les fonds sablonneux, à une centaine de mètres de profondeur, et se nourrit de crustacées et de mollusques qu'elle saisit avec ses tentacules puis broie de ses mâchoires cornées (ou bec de perroquet). C'est un céphalopode bon nageur, surtout actif la nuit. Son organisation générale est semblable à celle de la plupart des céphalopodes.

● La seiche *(Sepia officinalis)*, mesure au maximum 30 cm de longueur. Son corps, légèrement aplati dorso-ventralement et ovale est bordé d'une nageoire continue, présentant une échancrure médiane et se confondant avec le manteau en arrière et en avant. La couleur de la seiche est brune sur la face supérieure et blanchâtre sur la face inférieure, parfois grisâtre, marbrée ou rayée de bandes transversales, suivant le fond sur lequel elle se trouve.

● Ces changements de coloration sont dus à la dilatation ou à la contraction de chromatophores. Les changements les plus voyants sont en rapport avec le comportement. Durant la chasse, des ondes colorées passent sur le dos de la seiche qui a repéré une proie, ce qui distrait cette dernière et favorise ainsi la capture. Claire sur les fonds sablonneux, foncée sur les fonds rocheux, elle prend une teinte verdâtre dans les herbes aquatiques.

● La région céphalique est pourvue de deux gros yeux latéraux et d'une bouche ventrale entourée d'une couronne de 10 tentacules, ou bras, couverts de ventouses pédiculées. Deux de ces bras sont plus longs et plus grêles et ne portent de ventouses qu'à la face interne de l'extrémité renflée en massue. Ils peuvent se rétracter dans des poches.

● La coquille ou os de seiche n'est pas visible extérieurement. C'est une masse ovale, cornée, aux bords coupants, très épaissie sur la face ventrale par de nombreuses couches calcaires superposées. Elle joue un rôle en tant qu'organe de soutien et de flottement car entre les couches calcaires se trouvent un gaz et un liquide produits par l'animal. La pression du gaz est toujours constante, mais la quantité de liquide peut varier.

● La seiche possède deux branchies, un cœur formé de deux oreillettes et d'un ventricule, et deux reins. A l'appareil digestif est annexée la poche du noir qui sécrète la *sepia*, sorte d'encre qui dissimule l'animal à la vue de ses ennemis et que l'on utilise encore actuellement en peinture et en médecine. Le système nerveux est caractérisé par sa concentration céphalique.

● Les sexes sont séparés. Le mâle dépose les spermatophores dans la cavité palléale de la femelle à l'aide de son bras hectocotyle.

La seiche se confond généralement avec le sable dans lequel elle est enfouie ; mais dès qu'elle se sent en danger, elle se zèbre de noir. Ce réflexe est dû à la présence de chromatophores, cellules chargées de pigments foncés qui se dilatent.

La seiche se déplace en remplissant d'eau sa cavité palléale et en l'expulsant ensuite violemment. Pour nager lentement, elle fait onduler la nageoire continue qui entoure son corps.

Les œufs, revêtus d'une substance visqueuse brune, sont pondus séparément mais fixés aux plantes marines en grappes, d'où la dénomination de « raisins de mer » que l'on donne habituellement à cette ponte. ■

▶ *MOLLUSQUES*

SEIGNEURIES MÉDIÉVALES

Analogue à celle de l'esclave dans la civilisation romaine, la condition du serf ne s'améliora que lentement. En France, la Révolution y mit un terme ; en Russie, le servage ne fut aboli qu'en 1861.

● La seigneurie est la base de l'organisation économique, sociale et politique de la société féodale. Elle comprend un ensemble de terres et un ensemble de pouvoirs et de droits sur les habitants.

● L'élément fondamental de la seigneurie est le « domaine » ou exploitation rurale. Semblable à l'ancienne « villa » du Bas-Empire et du haut Moyen Age, le domaine vit en autarcie, produisant tout ce qui est nécessaire à la vie quotidienne (cultures complémentaires, artisanat).

● La « réserve » ou domaine propre du seigneur en constitue la part la plus vaste et englobe les terres les plus fertiles. Elle est cultivée par les serviteurs du seigneur qui vivent avec lui dans le château, auxquels s'adjoint la main-d'œuvre d'appoint des paysans de la seigneurie.

● Le seigneur dispose directement des produits qu'il utilise pour l'entretien de sa famille et de son entourage; il peut vendre les surplus pour faire face à ses grandes dépenses militaires et à ses multiples dons. Les autres terres de la seigneurie constituent les « tenures » ou « domaine utile », qui sont concédés à des paysans « tenanciers », « manants », « rustres », « vilains ». Le seigneur a la propriété « éminente », c'est-à-dire supérieure, des tenures, les paysans en ont la propriété « utile », soit une possession et une utilisation restreintes.

● Riches « laboureurs » qui disposent d'un attelage, ou pauvres « manœuvriers » qui travaillent à la houe. tous doivent payer, à titre de loyer, le « cens » en argent ou en nature (blé, vin, volaille... suivant les régions et les saisons) en plusieurs fois, aux grandes fêtes religieuses de l'année. Ils doivent encore les « corvées », jours de travail obligatoire que le seigneur utilise pour faire cultiver la réserve, effectuer les charrois, monter la garde, réparer le château, entretenir les chemins.... Seuls les « allentiers » échappent à ces prestations. Ils possèdent une terre en pleine propriété, leur nombre varie suivant les régions et les époques, mais il n'est jamais prédominant.

● Tous ces paysans sont des hommes libres. Même les tenanciers jouissent en principe d'une certaine liberté de mouvement que contredit le terme de « manants » sous lequel on les désigne à partir du XIe siècle (du latin *manere*, rester). Ils n'en payent pas moins des charges caractéristiques et la dépendance des personnes : le chevage, ou somme d'argent, payé par tête, le formariage, payé pour pouvoir se marier, enfin la mainmorte ou droit de succession.

● On a longtemps cru que ces charges ne pesaient que sur les « serfs ». Un seigneur possède, en effet, héréditairement, un certain nombre de dépendants directs, ses « hommes de corps »; non libres, ceux-ci ne peuvent devenir clercs; ils peuvent être vendus, séparés de leur famille; surtout, leur condition inférieure constitue une marque infamante transmise héréditairement. Les droits seigneuriaux pèsent encore plus lourdement sur eux. En fait, cette condition juridique du servage s'est étendue progressivement à la plupart des paysans aux Xe et XIe siècles et disparut ensuite par affranchissement. La dépendance personnelle céda le pas à la dépendance économique.

● Au XIe siècle, à la seigneurie foncière où seigneurs et tenanciers entretenaient essentiellement des rapports économiques, s'est surimposée la seigneurie « banale », conséquence de la dissolution du pouvoir royal. Les seigneurs ont exploité leur pouvoir de commander ou « droit de ban »; ils font la loi, organisent l'administration, assurent la sécurité, rendent la

Extraite des *Très riches Heures* du duc de Berry, cette scène fournit un vivant reflet des inégalités sociales au Moyen Age. Vêtus de parures chatoyantes, les seigneurs s'en vont à la chasse, le faucon au poing, tandis que serfs et manants s'activent à la moisson.

justice, exercent donc un pouvoir politique, militaire, judiciaire, sur tous les habitants de leur territoire. En échange, ils imposent à leurs sujets des prestations variées.

● Un seigneur « banal » perçoit la taille, redevance tout à fait arbitraire et variable suivant les seigneurs et les régions; il se réserve des monopoles économiques et commerciaux, il oblige les habitants à utiliser son four, son moulin, son pressoir, et leur fait payer pour leur usage des droits ou « banalités »; il perçoit des taxes sur les échanges commerciaux ou sur la circulation des marchandises; il exige hospitalité et entretien pour lui et les siens, suivant ses besoins; enfin il perçoit maintes amendes pour le plus futile motif. Lorsque le seigneur est un membre du clergé, il perçoit en plus la « dîme », c'est-à-dire pour les paysans le dixième de leur récolte, pour faire face à ses devoirs d'assistance charitable.

● Toutes ces charges pèsent excessivement lourd et finissent par constituer l'essentiel des ressources seigneuriales. Le prix de la location des terres, la « cens », restant fixe en de nombreuses régions, se déprécie et ne rapporte plus beaucoup au XIIe siècle. Les corvées deviennent de moins en moins nécessaires avec l'amélioration des techniques et du matériel agricole. Par contre les droits banaux sont transformés par les seigneurs avides d'argent en redevances pécuniaires; ils deviennent « coutumes » et « exactions » qui sont exigées avec âpreté.

● L'évolution des charges et du régime seigneurial fut favorisée dès le XIe siècle par les villes. Les bourgeois, qui devinrent plus nombreux avec l'intensité croissante du commerce, supportaient mal les obligations banales qui s'accommodaient difficilement avec leurs activités professionnelles. Ils s'unirent en associations ou « communes » pour arracher au seigneur, au besoin par la force, la limitation de leurs obligations et parfois la liberté administrative complète.

● Ce mouvement naquit d'abord en Flandre et en Italie où se trouvaient les seules grandes villes industrielles, et s'étendit ensuite en Europe. En Italie, certaines de ces villes, enrichies par une industrie et un commerce très prospères, sont à l'origine de vraies républiques autonomes (Venise, Milan, Florence) dont le gouvernement fut accaparé par des dynasties de riches familles de marchands (les Médicis par exemple). Ce fut dans le cadre de ces seigneuries italiennes que s'ébaucha la Renaissance.

● Dans l'ensemble de l'Europe le régime seigneurial fut surtout battu en brèche par la croissance du pouvoir royal. En France, le comte de Paris, Hugues Capet, est un seigneur dont le domaine est semblable à celui de nombreux seigneurs français, mais des mieux situé et d'une richesse certaine. C'est en assurant d'abord le plein exercice de leurs droits seigneuriaux sur leur domaine que les Capétiens créèrent les conditions favorables à leur ambition politique.

● Rassembleurs de terres pour agrandir ce domaine, utilisant systématiquement les ressources du droit féodal, contractant astucieusement des alliances profitables, ils récupérèrent peu à peu leur pouvoir de commandement. Avec la guerre de Cent ans où s'affrontent les derniers grands princes féodaux, comme le roi de France, le duc de Bourgogne et le duc d'Aquitaine, l'époque des petites seigneuries s'achève. Au XIIIe siècle, si le cadre politique de la seigneurie était disloqué, par contre, le cadre rural et certains droits qui lui étaient attachés se maintinrent jusqu'à la nuit du 4 août 1789, pendant laquelle furent abolis les derniers privilèges féodaux. ■

▶ *FÉODALITÉ / MOYEN AGE*

SEL MARIN

● Notre organisme a besoin de sodium, que l'alimentation introduit par l'intermédiaire du sel marin ou chlorure de sodium. Il est très abondant, soit dans la mer d'où on l'extrait par évaporation des marais salants, soit dans des gisements de sel gemme. Le gros sel est du sel marin dont les cristaux sont assez développés. Si nous les observons attentivement, nous constatons que les faces voisines sont à angle droit. Les cristaux peuvent être considérés comme s'ils étaient formés par la juxtaposition de cubes très petits, ce qui conduit à des formes simples parmi lesquelles on trouve souvent des *trémies*, pyramides creuses dont les parois sont faites de ces cubes.

Tas de sel le long de marais salants. Le sel marin est obtenu par évaporation de l'eau de mer sous l'effet du soleil et du vent, dans de vastes bassins de faible profondeur, remplis aux époques de grande marée ou alimentés par pompage. On extrait environ 30 kg de sel par m^3 d'eau de mer.

● Débarrassé de son eau, le chlorure de sodium fond à température élevée : 80° C. Il est très soluble dans l'eau : un litre d'eau peut en dissoudre près de 360 grammes à 20° C. Par évaporation de l'eau, la solution saturée, c'est-à-dire contenant le maximum de sel dissous, laisse déposer celui-ci en cristaux d'autant plus gros que la vitesse d'évaporation est plus faible.

● On peut aussi bien faire refroidir la solution au lieu de la laisser s'évaporer à la température ambiante. On arrive alors à des résultats curieux. Si la solution contient peu de chlorure de sodium, par exemple 200 grammes par litre, c'est de la glace et non du sel qui se forme au refroidissement, et la température d'apparition de la glace est inférieure à 0° C. Si, au contraire, la solution est riche

Le sel peut être produit dans des salines qui exploitent directement le sel gemme des gisements ou l'obtiennent en faisant évaporer des eaux saturées provenant du sous-sol. Les principaux gisements français de sel gemme se trouvent en Meurthe-et-Moselle, dans le Jura et dans les Basses-Pyrénées.

Bassins de décantation de marais salants, où le sel se cristallise. Le moulin à vent sert au pompage de l'eau de mer.

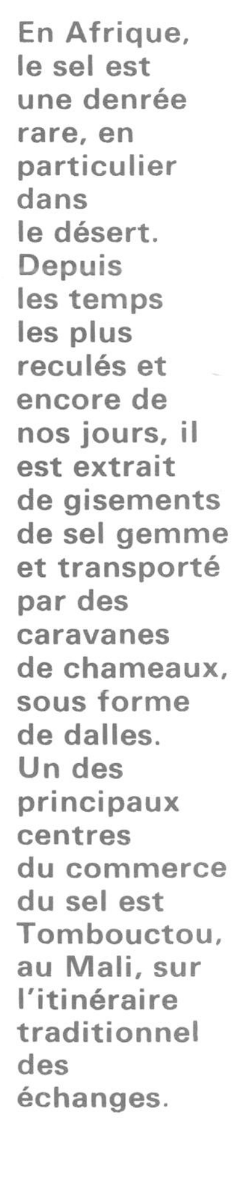

En Afrique, le sel est une denrée rare, en particulier dans le désert. Depuis les temps les plus reculés et encore de nos jours, il est extrait de gisements de sel gemme et transporté par des caravanes de chameaux, sous forme de dalles. Un des principaux centres du commerce du sel est Tombouctou, au Mali, sur l'itinéraire traditionnel des échanges.

en sel, c'est lui qui se dépose.

● En étudiant ainsi toutes les solutions possibles, on constate que la solution qui contient 23,3 grammes de sel pour 76,7 grammes d'eau ne se congèle qu'à — 21° C : ce mélange particulier est le mélange *eutectique*, dont la cristallisation donne un enchevêtrement de cristaux de glace et de sel. Cette propriété explique le rôle du sel comme dégivrant.

● Les cristaux de chlorure de sodium sont formés d'ions sodium Na^+, et d'ions chlorure Cl^-, placés alternativement aux sommets de cubes extrêmement petits, juxtaposés dans toutes les directions possibles. Cette structure ionique fait que la solution de chlorure de sodium est un électrolyte, ainsi que le chlorure de sodium fondu. Mettons par exemple une solution de chlorure de sodium dans un tube en forme de U et immergeons dans les deux branches des électrodes de charbon reliées respectivement aux deux pôles d'une source de courant continu (telle qu'une batterie de piles ou d'accumulateurs).

● Des bulles se dégagent : chlore sur l'anode, reliée au pôle +, et hydrogène à la cathode, reliée au pôle —. Si nous avons mis de ce côté du tube quelques gouttes de phénol-phtaléine, primitivement incolore, l'apparition d'une teinte violacée témoigne de l'existence d'un milieu basique : il s'est formé de la soude. En opérant dans un récipient plus simple, de façon que les solutions voisines de l'anode et de la cathode puissent se mélanger, on obtient de l'eau de Javel.

● Le chlorure de sodium fondu, sans eau, est aussi un électrolyte. Son électrolyse fournit du chlore et du sodium. Dans l'industrie, on réalise cette réaction à 550° C environ, au lieu de 801° C, en faisant fondre le chlorure de sodium avec du chlorure de calcium.

LE COMMERCE MÉDIÉVAL DU SEL

● Le sel a joué un grand rôle dans l'histoire en raison de son utilité alimentaire. Il est à l'origine du nom de nombreuses villes européennes (Salines, Hallstatt, Salzbourg). Il fut aussi très longtemps le seul procédé de conservation des denrées périssables avec la fumaison, au moins pour les régions nordiques qui n'avaient pas d'huile.

● Au Moyen Age on obtient

le sel de plusieurs façons : il y a le sel marin, le sel de source obtenu par ébullition et concentration d'eau, le sel de cendre provenant de la lixiviation ou lessivage des cendres, enfin le sel gemme tiré des mines.

● C'est le seul produit que les paysans doivent acheter ou au moins se procurer par troc. Il entre donc dans le circuit commercial du haut Moyen Age et l'importance de son trafic ne fait que croître jusqu'à l'époque moderne. Du IXe au XIIe siècle, le sel est exploité et circule essentiellement dans le cadre des seigneuries. A partir du XIIIe siècle, il constitue un des pôles d'intérêt de l'activité commerciale, en particulier du commerce maritime.

● Les énormes besoins fiscaux des gouvernants du XIVe siècle les poussent à établir des impôts extraordinaires ou ordinaires sur le sel, comme le fit Philippe VI de Valois en créant la gabelle (1341-1345). Dès lors en France, entre les lieux de production et les « greniers », ou leurs succursales les « chambres à sel », le sel dut suivre des itinéraires terrestres fixes et surveillés, pour éviter la contrebande des faux-sauniers entre les régions de sel cher et celles de sel bon marché.

● Les contrastes climatiques surtout, qui s'accentuèrent au XIVe, XVe siècles, favorisèrent les régions méditerranéennes, généralement ensoleillées, et qui purent ainsi continuer à fournir une quantité abondante et économique de sel marin. Cependant au Nord (salines du Lincolnshire ou des Fens anglais), le climat, devenu plus froid et plus humide, réduisant la production des marais salants, et la production du sel de source ou de cendre étant plus limitée et plus coûteuse, la demande augmenta.

● Les grands centres de production et de distribution se situent en France et dans les pays méditerranéens. En France, il s'agit de la côte atlantique, du Languedoc, Bas-Rhône, Roussillon, de la côte sud-est; d'autres gisements sont situés dans la péninsule ibérique (côte ouest, Cadix, côte est). Là se développent les ports du sel : Brouage, Bourgneuf, Nantes, sur la côte atlantique française, Setubal au Portugal, Ivica aux Baléares, Hyères, Lavalduc, sur la côte méditerranéenne française, Gênes et Venise sur l'Adriatique.

● De certains de ces ports partent des lignes régulières, vers la Baltique notamment, où le sel était ensuite redistribué par les villes hanséatiques dans tout l'arrière-pays allemand. Le développement de la pêche, en particulier celle du hareng ou de la morue en Baltique, en mer du Nord, ou dans la Manche à la fin du XIVe - début du XVe siècle, explique l'énorme besoin de sel des régions nordiques. Quant aux ports de l'Ouest méditerranéen, ils envoient leur sel vers la Crète ou la Méditerranée orientale.

● Comme en bien d'autres domaines, la découverte de l'Amérique fut déterminante car elle étendit à la fois l'offre et la demande, donc le commerce du sel, au début de l'époque moderne. ■

▸ *ACIDES ET BASES / CHLORE / ÉLECTROLYSE / HYDROGÈNE / ION, IONISATION / SODIUM / SOUDE*

SÉNÉGAL

● Parmi tous les pays qui constituaient autrefois l'A.O.F. (Afrique occidentale française), le Sénégal se distingue par l'ancienneté de la présence française sur son sol et les relations privilégiées qu'il entretient avec son ex-métropole, tant sur le plan économique que culturel.

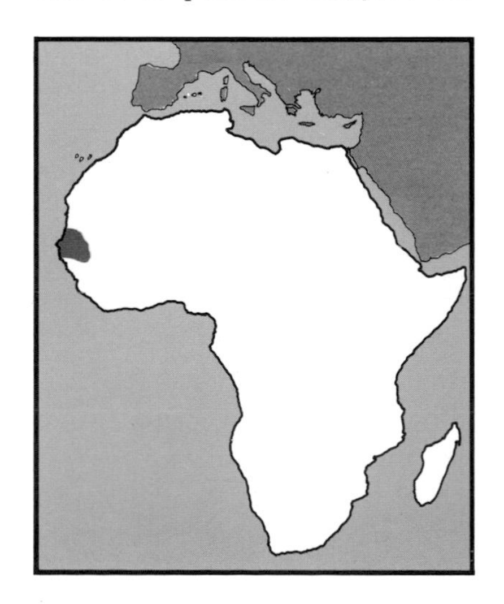

Sénégalais comptant les sacs d'arachides destinées à être exportées. La production d'arachides représente 23 % de la production totale du Sénégal. Elle intervient pour 42 % dans l'industrie du pays (huile, tourteaux, arachides décortiquées).

● L'Islam y pénètre très tôt à la faveur des conquêtes des Almoravides venus de Mauritanie. L'emprise de cette religion, une histoire troublée, au cours de laquelle de petits royaumes s'entre-déchirent sous l'œil du colonisateur qui applique le vieil adage « diviser pour régner », et une acculturation plus grande que dans les autres pays africains (l'emprise intellectuelle européenne a été moindre, d'où une aliénation moins marquée) confèrent son originalité à la société sénégalaise d'aujourd'hui.

● Celle-ci s'avère contradictoirement nationaliste, féodale et progressiste. Ambiguïtés que le président Senghor s'efforce de dissoudre dans le « socialisme africain », doctrine officielle qui demeure, en raison des contradictions profondes de la structure sociale, un vain mot.

● Lorsque les premiers Européens abordent les côtes du Sénégal, au XVe siècle, le royaume Dyolof s'étend entre le fleuve Sénégal et le cap Vert, et les Peuls viennent de s'installer dans le Fouta Toro. Un siècle plus tard, quatre royaumes se partagent le sol sénégalais : le royaume du Dyolof dans la province du Waalo, le royaume de Cayor, le royaume Serer et celui

Superficie 196 192 km².
Population. 7 000 000 hab.
Capitale : Dakar (1 150 000 hab.).
Langues : français, ouolof.
Religions : islam (84 %), catholicisme, animisme.
Régime politique : République présidentielle.
Unité monétaire : le *franc C.F.A.*

Chalands et barques de pêche à l'entrée du port de Dakar, où existe une importante industrie de conserves de poissons. Entre le cap Vert et le golfe de Guinée, où les pêcheurs se donnent rendez-vous, le thon apparaît en surface. Pour un thonier basé à Dakar, et pêchant à l'appât vivant, il y a quatre thoniers congélateurs venus de France, qui pêchent à la senne tournante.

du Fouta Toro. D'abord limitées à la traite des Noirs les relations avec les Français s'étendent au commerce de la gomme arabique qui assurera la prospérité de Saint-Louis du Sénégal, comptoir fondé en 1658. Anglais et Français vont se disputer, pendant presque un siècle, les comptoirs de la côte, mais dès 1815, la France récupère ses établissements. Pendant la première moitié du XIXe siècle, une résistance s'organise dans l'arrière pays autour d'El-Hadj-Omar et de la confrérie musulmane Tidjane, mais vaincu, El-Hadj-Omar se suicide.

● L'influence française sera consolidée par Faidherbe qui pacifie le pays, développe la culture de l'arachide, fonde Dakar et Rufisque. En 1895, Dakar devient le siège du gouvernement français d'A.O.F. Le Sénégal est le seul pays africain à être représenté à la Chambre des députés à Paris, et les Sénégalais ont droit à la citoyenneté française.

● Devenu république autonome au sein de la communauté en 1958, le Sénégal tente une brève fédération avec le Mali. Mais c'est un échec et, en 1960, il devient république indépendante, gardant à sa tête, pendant plus de 20 ans, Léopold Sedar Senghor, qui a mené à bien le processus de décolonisation. Il cède volontairement le pouvoir à Abdou Diouf, en décembre 1980.

● Le territoire sénégalais marque la transition entre la steppe sahélienne et la forêt soudanienne. Il présente une certaine unité, étant constitué par une vaste plaine dont l'altitude moyenne ne dépasse pas 200 m, relevée à l'est par des bourrelets montagneux précédant le massif du Fouta Djalon.

● On distingue 4 zones climatiques : la région côtière au nord de Dakar, aux hivers frais, où les pluies tombent de juin à août; la région sahélienne chaude et sèche, recouverte d'une végétation d'arbustes et d'acacias, où il pleut de juillet à octobre; la région soudanienne plus arrosée et à la végétation plus abondante; enfin la Casamance, dotée d'un climat de type guinéen, où il pleut 90 jours par an et où les températures sont moins élevées.

● Le nord et le centre sont dans l'ensemble mal irrigués car ils ne possèdent pas de véritable réseau hydrographique. Au sud, le Sénégal, principale voie de pénétration vers l'intérieur de l'Afrique de l'Ouest, est encore peu mis en valeur malgré l'élaboration de nombreux projets.

● La population du Sénégal est composée en majeure partie par le groupe Wolof, seul à être localisé exclusivement sur le territoire sénégalais. Les autres groupes, Peul, Sérere, Diola, Manding et Toucouleur, dépassent les frontières et peuplent en partie aussi la Mauritanie, le Mali et les deux Guinée.

Habitations le long de la côte sénégalaise. Le style européen, déjà démodé, des constructions témoigne de la longue présence française.

● Comme dans toute l'Afrique de l'Ouest, l'économie sénégalaise est marquée par l'importance de l'agriculture qui occupe environ 70 % de la population. Toutefois la production vivrière est insuffisante et la monoculture de l'arachide entraîne, sur le plan des cultures industrielles, des difficultés énormes pour l'économie sénégalaise. La colonisation avait en effet développé la production arachidière au détriment des cultures de mil et de sorgho.

● Dans les premières années de l'indépendance, cette situation s'est révélée désastreuse, le Sénégal ne parvenant pas à suffire à sa propre consommation tandis que les cours de l'arachide baissaient sur le marché mondial. Les plans de développement ont tenté, depuis 1973, de réaliser un meilleur équilibre entre cultures vivrières et cultures industrielles. La principale culture reste l'arachide, pour laquelle le Sénégal occupe le 2e rang dans le monde, mais le pays produit aussi beaucoup de millet; la culture du riz s'est développée en Casamance, ainsi que celle du maïs, des légumes et du coton.

● La construction du barrage anti-sel de Diama, pour empêcher le sel de remonter le fleuve Sénégal, a permis l'irrigation de grandes surfaces où la culture de la canne à sucre réussit très bien. Le plan de 1985-89 a modernisé les installations de pêche et les conserveries de poisson dans le but d'augmenter le revenu du monde rural, et de résorber le déficit alimentaire. L'élevage reste peu florissant.

● Le sous-sol sénégalais est surtout riche en gisements de phosphate au nord de Dakar, d'alumine; il possède un peu de tourbe en Casamance. Les prospections de pétrole, au large de la Casamance, n'ont donné des résultats que pour le gisement de Dome-Flore. Mais c'est surtout l'hydro-électricité que le gouvernement veut exploiter sur les fleuves Sénégal et Gambie; les barrages de Diama, de Manantali ont déjà développé la production d'énergie et l'irrigation.

Danseurs sénégalais. Au Sénégal, peuplé de 80 % de musulmans, les danses ancestrales n'ont plus qu'un caractère folklorique.

● L'industrie est surtout axée sur la transformation des produits de base : arachide, phosphates. Le secteur manufacturier produit des tissus, des cuirs, et des produits de consommation courante.

● Cette infrastructure bénéficie d'un bon réseau de communication : 14 500 km de routes, 1 186 km de voies ferrées, un réseau navigable, des aéroports dont l'aéroport international de Dakar. De plus ce réseau de communications devrait permettre l'extension du tourisme. ■

▶ *AFRIQUE*

SEPT ANS, Guerre de

● L'expansion européenne dans le monde qui aboutit, à partir du XVIe siècle, à la constitution d'empires coloniaux, constitue le fait majeur des Temps Modernes. La colonisation, conçue au bénéfice exclusif de la métropole, entraîne un essor économique sans précédent et le développement du grand commerce maritime; de ce fait, les conflits entre les grandes puissances maritimes auront un prolongement outre-mer. Le plus important opposa l'Angleterre et la France, soutenue en vain par l'Espagne en déclin, de 1756 à 1763. Il se termina au profit de l'Angleterre qui put jeter les bases de la domination exercée par elle sur le monde au XIXe siècle.

● Jusque vers 1740, l'Europe jouit d'une paix relative; cependant deux États en désirent la rupture : l'Angleterre et la Prusse. L'Angleterre, à l'aube de sa révolution technique, a besoin de matières premières et de débouchés pour son industrie. « La politique britannique, c'est le commerce britannique » déclare le Premier ministre William Pitt.

● La marine hollandaise, qui menaçait l'hégémonie anglaise, a été vaincue au XVIIe siècle. Mais elle prend ombrage de l'essor colonial français, même si elle réussit à battre en brèche le monopole commercial de l'Espagne dans son empire américain. (En 1704, elle a obtenu, pour trente ans, le monopole de la fourniture des esclaves aux colonies d'Amérique et de façon définitive celui du commerce entre le Portugal et le Brésil.) Le commerce de contrebande se développe, avec une base permanente anglaise au Honduras.

● Au XVIIIe siècle, les seules colonies qui comptent vraiment sont les colonies tropicales; elles fournissent à l'Europe des produits irremplaçables : tabac, coton, café, cacao, canne à sucre surtout. Les Antilles françaises jouissent d'une prospérité incomparable (près des 3/4 de la production mondiale de sucre proviennent de la Martinique et de la Guadeloupe en 1789), grâce au travail de 200 000 esclaves. Les planteurs anglais, qui obtiennent de maigres récoltes sur des sols épuisés, voudraient bien se les approprier.

● Si, au Canada, le rêve de Colbert, qui souhaitait établir une Nouvelle-France, a échoué en partie, faute d'une population suffisante — 25 000 habitants en 1715 —, les Français sont par ailleurs installés sur un vaste territoire, de part et d'autre du Mississippi, jusqu'au golfe du Mexique. Alliés des Indiens, les Français sont des cultivateurs comme leurs voisins anglais, nombreux dans leurs 13 colonies côtières (1 320 000 Blancs et 330 000 Noirs). La France, plus riche de territoires que d'hommes, bloque les Anglais; ils veulent desserrer l'étreinte.

Le métissage, sur lequel Colbert comptait pour peupler le Canada, n'avait donné aucun résultat. Les unions régulières se limitaient à 94 en 1715 et les fils naturels des blancs et des indigènes s'étaient éloignés de la civilisation.

● En Inde, très divisée, Français et Anglais possèdent des comptoirs sur la côte où les compagnies de commerce se disputent l'achat, au meilleur prix, de denrées multiples. Les initiatives de Dupleix, qui cherche à profiter des rivalités indigènes pour faire de l'Inde un protectorat français, se heurtent à l'hostilité des directeurs de la compagnie anglaise, soutenus... par le gouvernement français, car ce dernier ne veut pas mécontenter les Anglais.

● En 1754, un accord intervient : les compagnies se limiteront à l'avenir à leur rôle économique. La compagnie anglaise ne perdait rien; la compagnie française perdait un empire. Les Anglais, qui ont eu peur, sont décidés à prendre les devants. William Pitt estime que le moment est venu d'affaiblir la France en Europe afin de l'éliminer outre-mer. Il s'entend avec le roi de Prusse Frédéric II, épris de gloire militaire, allié traditionnel de la France. Frédéric II dispose d'une armée de 90 000 hommes bien entraînés, à la mesure de ses ambitions; il cherche par tous les moyens à agrandir ses territoires morcelés et à remplacer les Habsbourg en Allemagne.

En Inde, la Compagnie, sans soutenir les opérations militaires de Dupleix, lui assura un effectif permanent de 2 200 hommes, supérieur à celui des Anglais, mais elle lui refusa des renforts. Il eût suffi d'une victoire du gouverneur pour changer le cours des événements.

● La France, puissance à la fois maritime et continentale,

Bien qu'il assurât à l'Angleterre l'hégémonie en Amérique, le traité de Paris (1763), en donnant de l'assurance aux colons anglais, est à l'origine de l'indépendance américaine. Les tensions croissantes entre Londres et la colonie conduiront à des émeutes, à la cessation du commerce avec la métropole, puis à la guerre. Vingt ans plus tard, au traité de Versailles (1783), les États-Unis seront indépendants.

tombe dans le piège tendu par les Anglais : « en feignant de protéger l'équilibre sur terre que personne ne menace, les Anglais anéantissent absolument l'équilibre sur mer que personne ne défend ». La France se laisse entraîner dans la guerre continentale, sans prendre conscience que son véritable ennemi n'est plus la maison d'Autriche mais l'Angleterre. La Prusse et l'Angleterre entament les hostilités sans déclarer la guerre (arraisonnement de 300 navires marchands par les Anglais en 1755).

● La France, isolée, accepte l'alliance que lui propose l'impératrice Marie-Thérèse d'Autriche qui entend reprendre la Silésie, conquise, lors de la guerre précédente, par Frédéric II, grâce à l'appui militaire français. Les opérations se déroulent simultanément sur mer, aux colonies et en Allemagne.

● D'abord battu, Frédéric II est victorieux à Rossbach; mais, écrasé par les Russes, alliés de la France avec les princes allemands et la Suède, il échappe de justesse au désastre. Le nouveau tsar Pierre III, qui l'admire, lui propose une paix séparée. Les Français, épuisés, déposent les armes. Louis XV a sacrifié 200 000 hommes en Allemagne, tandis qu'il n'a envoyé, au secours des colonies assaillies par les Anglais, que des renforts dérisoires : 326 soldats partent de France, 30 000 soldats partent d'Angleterre pour le Canada.

● Le blocus des côtes françaises par la marine anglaise, il est vrai, ne facilitait pas les choses. Les Canadiens français, submergés par le nombre, évacuent la vallée du Saint-Laurent : Québec, où le marquis de Montcalm est tué, (1759), Montréal (1760) sont perdues. En Inde, Pondichéry capitule (1761); la France avait obtenu l'appui de la flotte espagnole en vain : l'Angleterre en profite pour s'emparer de Cuba et de la Floride.

● La France est battue sur tous les fronts « notre rôle a été extravagant et honteux ». — « Londres va pouvoir conquérir l'Amérique en Allemagne », avait dit Pitt. Au traité de Paris (1763), la France garde les Antilles mais elle cède à l'Angleterre : le Canada, les territoires situés à l'est du Mississippi (ceux de l'ouest sont acquis par l'Espagne qui abandonne la Floride aux Anglais). Ces derniers obtiennent une liberté d'action totale en Inde. L'Autriche par ailleurs renonce à la Silésie.

● Le traité de Paris consacre la puissance maritime de l'Angleterre et la puissance continentale de la Prusse. En France, l'opinion publique ne pense avoir perdu que « quelques arpents de neige ». Elle ne s'émeut guère. ■

▶ *FRANCE / FRÉDÉRIC II / GRANDE-BRETAGNE / PITT, WILLIAM*

Sequoias géants de la Sierra Nevada (Californie). Les 2 espèces de séquoias sont protégées, mais le *Sequoia sempervirens* est aussi exploité pour son bois rouge sombre.

SÉQUOIAS

● Les séquoias sont des arbres célèbres pour leur taille gigantesque et leur longévité; ils peuplent les forêts de Californie d'où ils sont originaires. De nombreux fossiles témoignent de la présence probable dans presque tout l'hémisphère boréal, au Jurassique, d'une quarantaine d'espèces. Il ne subsiste aujourd'hui que deux espèces de séquoias, le séquoia géant *(Sequoia gigantea)* et le séquoia toujours vert *(Sequoia sempervirens)*, appartenant tous deux à la famille des taxodiacées.

● Le séquoia géant pousse entre 1 200 et 2 400 mètres d'altitude sur les versants occidentaux de la Sierra Nevada, au centre et au sud de la Californie. L'écorce de cet arbre est brun rougeâtre et assez fissurée; ses feuilles, persistantes, courtes et linéaires, ont l'aspect d'écailles pointues se chevauchant à la base. Il porte des cônes ovoïdaux, de 5 à 7 cm, qui n'abritent pas de graines avant l'âge de 150 à 200 ans. Le séquoia géant le plus élevé est « l'arbre du général Sherman », dans le Sequoia National Park : il est âgé de 4 000 ans, son diamètre dépasse 10 m à la base et il atteint 90 m de haut.

● Plus répandu, le séquoia toujours vert ne pousse que sous des climats plus humides et plus doux, le long des côtes du sud-

Serpent des mangroves *(Boiga dendrophila)*, qui vit dans les marais saumâtres des côtes malaises. C'est une couleuvre arboricole, répandue de l'Afrique tropicale à l'Indonésie, dans les formations de palétuviers des côtes plates envahies par les marées et dans les baies aux eaux calmes.

Couleuvre vipérine *(Natrix maura)* avalant un crapaud. Ce serpent d'Europe, d'Afrique du Nord et d'Asie occidentale reste toujours au voisinage de l'eau et se nourrit surtout de poissons. Il demeure le plus souvent sur la berge pour se chauffer au soleil.

ouest de l'Oregon et au nord de la Californie. Ses feuilles, aplaties, ressemblent à des aiguilles. Le plus grand séquoia toujours vert est le Founder Tree, près de Dyerville en Californie; il a 120 m de haut et 5 m de diamètre.

● D'autres arbres de la famille des taxodiacées poussent en Chine, à Formose, dans le nord de Bornéo et en Tasmanie. ■

SERPENTS

● Les serpents sont des reptiles de l'ordre des squamates, qui constituent le sous-ordre des ophidiens. On en dénombre actuellement plus de 2 300 espèces qui se répartissent en 3 super-familles, les typhlopïdés, les boïdés et les colubrïdés, suivant le squelette de la tête et la présence ou l'absence de vestiges de la ceinture pelvienne. A peu près un tiers de ces espèces sont venimeuses mais à des degrés divers et il semble qu'il n'y ait que 7 % de serpents qui soient mortels pour l'homme.

● Il semble que les serpents dérivent de sauriens fouisseurs dont les membres se sont atrophiés puis ont disparu au cours de l'évolution, étant devenus inutiles. Ils datent du Crétacé mais ne se sont vraiment développés qu'avec l'apparition des petits mammifères qui constituaient leur nourriture.

● Le corps des serpents, dont la longueur varie entre 10 cm et 10 m, est toujours allongé, cylindrique ou légèrement comprimé et recouvert d'écailles cornées qui se chevauchent. Ce sont soit de grandes plaques, soit de petites scutelles qui recouvrent la tête et l'ensemble du corps. Leur disposition est utilisée pour la détermination des espèces. Les proportions de la queue par rapport à l'ensemble du corps sont variables, elle est tantôt très courte et conique comme chez les typhlopidés ou les leptotyphlopidés, tantôt modérément allongée ou longue comme chez les colubridés, ou aplatie en palette (hydrophinés).

● La longueur de la queue peut également varier suivant le sexe, elle est souvent plus longue chez le mâle que chez la femelle. Il en est de même pour la tête, dont la forme et les proportions sont très variables; elle est parfois large et courte, ou encore longue et étroite, triangulaire, de même largeur que le cou ou plus large.

● La coloration de la livrée des serpents est souvent vive, parfois différente dans les deux sexes, et en relation étroite avec l'habitat. Les espèces qui vivent dans les arbres ont une livrée dont la couleur se rapproche de celle du feuillage alors que les fouisseuses ou celles des régions sablonneuses ou rocheuses sont plutôt grisâtres ou couleur sable.

● Il existe des serpents inoffensifs qui imitent la livrée de serpents venimeux. Ainsi parmi les nombreuses espèces de serpents « corail » d'Amérique du Sud, seuls les élapidés sont extrêmement venimeux.

● Le squelette des ophidiens montre certaines particularités en relation avec leur mode de vie. Par suite de la présence d'un ligament élastique qui unit les deux moitiés de la mandibule, de la mobilité des palatins, la cavité buccale est capable d'énormes distensions. Elle constitue alors un appareil préhensile qui permet aux serpents d'engloutir d'énormes proies.

● Les dents sont portées par les maxillaires, les palatins, les dentaires et les ptérygoïdes. Ce sont des crochets plus ou moins recourbés et forts qui sont soumis au remplacement et servent à maintenir la proie et non à la mâcher. Les dents sont fixées directement sur l'os.

● Les serpents dits « aglyphes » n'ont pas de dents venimeuses, le venin s'écoule dans la cavité buccale et se mêle à la salive (pythons, couleuvres et boas). Les dents venimeuses des « opisthoglyphes », implantées sur l'arrière du maxillaire supérieur, sont plus ou moins profondément cannelées

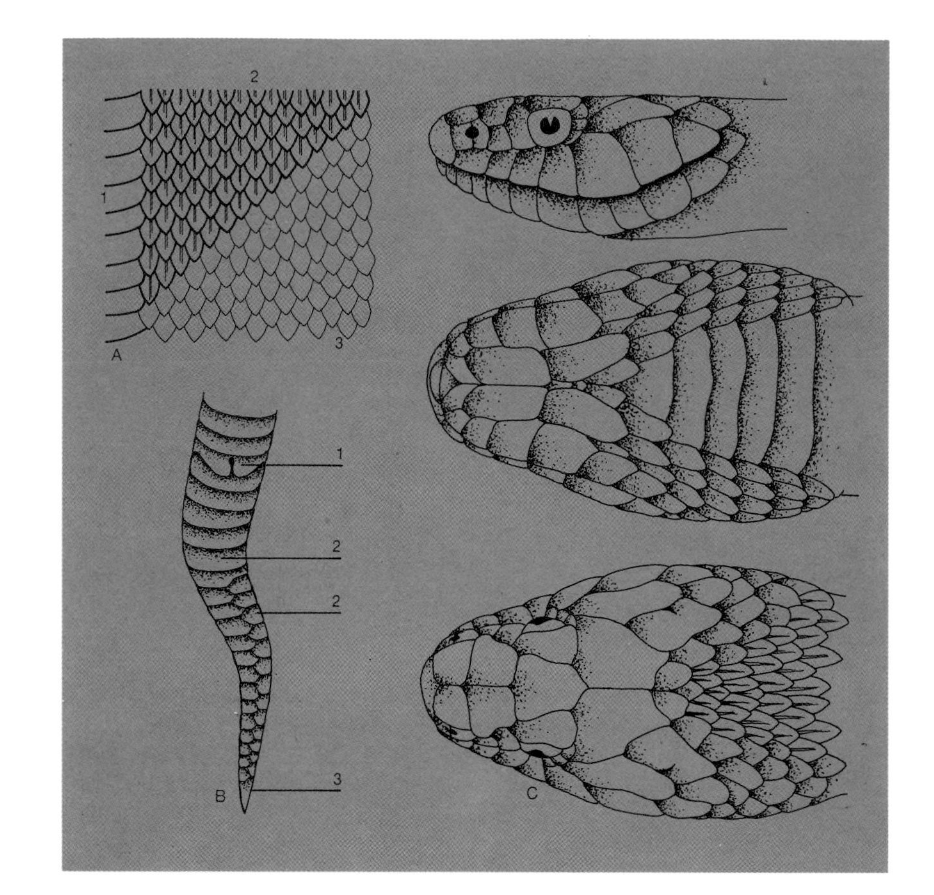

Caractères extérieurs des serpents. A - Détails du dos et du ventre. 1. Écailles ventrales ou gastrostèges 2. Écailles dorsales disposées en séries transversales obliques et portant des carènes de renforcement 3. Écailles dorsales lisses. B - Détails de la face ventrale de la queue. 1. Plaque anale ou cloacale 2. Écailles sous-caudales ou urostèges, paires et impaires 3. Écaille terminale. C - Tête de natrix, vue de profil, de dessous et de dessus ; les plaques céphaliques, temporales, labiales, préfrontales, internasales et susoculaires sont paires, alors que la plaque frontale et la plaque rostrale sont uniques.

et le venin qui s'écoule le long de ces dents ne peut être inoculé qu'à une proie déjà engagée dans la cavité buccale. En France le seul représentant des « opisthoglyphes » est la couleuvre de Montpellier. Les crochets venimeux des « protéroglyphes » sont placés sur les maxillaires supérieurs, à l'avant. Ils sont entourés d'un repli de la gencive où débouche le canal venimeux. Ces serpents sont tous dangereux, leur venin étant très toxique (najas, elaps, mambas, hydrophinés).

● Les vipéridés typiques ou « solénoglyphes » ont des crochets canaliculés, projetés en avant lorsque l'animal ouvre la bouche. Au repos, les deux énormes crochets se rabattent en arrière contre le palais, dans une sorte de sac formé par un pli de la gencive. Les « aglyphes » et les « opisthoglyphes » doivent mâcher leur victime pour lui inoculer le venin, contrairement aux « protéroglyphes » et aux « solénoglyphes » qui frappent leur proie avec les crochets et en même temps inoculent le venin. Les proies ne sont ingérées que lorsque le venin aura produit son effet. Les najas ou « serpents cracheurs » d'Afrique peuvent projeter leur venin vers une éventuelle proie ou un adversaire à une distance de 3 mètres.

● Les venins sont des mélanges de substances ayant chacune sa toxicité propre. Les neurotoxines agissent sur les centres nerveux et produisent des dérèglements ou un arrêt cardiaque ou respiratoire, ainsi que des paralysies partielles ou totales pouvant conduire à la mort (naja, cobra). Les hémorragines sont des substances qui agissent sur les parois internes des vaisseaux sanguins et sur le système vasculaire en général, provoquant un ralentissement de la circulation sanguine qui peut occasionner la mort (vipéridés). Les hémolysines font éclater les globules rouges, et plusieurs enzymes dont la coaguline (vipère) provoquent des caillots de sang dans les artères et peuvent ainsi entraîner la mort.

● Les venins des serpents ont toujours un effet néfaste et d'une extrême gravité sur l'homme et les animaux. On fabrique des vaccins avec les protéines des venins, puis on les inocule à des doses non mortelles et répétées pour que l'organisme de l'animal auquel on inocule ce vaccin élabore des anticorps protecteurs.

● La colonne vertébrale est formée d'un grand nombre de vertèbres à peu près toutes identiques (180 chez les petites vipères et plus de 400 chez les pythons et colubridés) qui, exception faite pour les deux premières et les caudales, portent toutes une paire de côtes allongées et mobiles. Par suite de l'absence de sternum, ces côtes sont « flottantes », c'est-à-dire libres à leur extrémité ventrale.

● L'organisation interne est comparable à celle des autres reptiles mais en diffère toutefois par le fait que les différents organes sont obligés de se loger dans un corps allongé et étroit.

● Les yeux des serpents se distinguent de ceux des lézards par l'absence de paupière mobile, remplacée par une écaille transparente, la « lunette », qui tombe à chaque mue.

● Les organes olfactifs sont peu développés mais l'olfaction joue néanmoins un rôle important dans le comportement des ophidiens. La langue cumule les fonctions gustative et tactile. Elle est allongée, étroite, plus ou moins aplatie et longuement bifide à l'extrémité.

● La nutrition dépend essentiellement du mode de vie, les espèces arboricoles mangent des œufs et des oiseaux, les espèces fouisseuses des vers, des insectes, des myriapodes, d'autres consomment des petits mammifères, des serpents ou des poissons, des amphibiens et des mollusques (espèces aquatiques). Il existe chez les serpents divers modes de capture et de mise à mort des proies ; les uns les étouffent avant de les manger (boïdés), d'autres les saisissent et les avalent aussitôt (*Natrix*), d'autres enfin comme les vipéridés mordent la proie pour inoculer le venin et attendent qu'elle soit morte pour l'avaler.

● Chez les serpents la fécondation est interne et s'effectue à l'aide d'une paire d'hémipénis (organes copulateurs mâles), souvent garnis d'épines, un seul étant utilisé à chaque copulation. A l'époque de la reproduction, peu après l'hiver, les femelles émettent une odeur spéciale qui attire les mâles. L'accouplement n'a lieu qu'après un comportement de cour. On rencontre parmi les serpents des espèces ovipares (couleuvre à collier) qui pondent les œufs quelque temps après l'accouplement, et des espèces ovovipares (vipère) dont les œufs demeurent dans les voies génitales femelles jusqu'au terme de leur développement.

- Les jeunes naissent entourés d'une membrane ovulaire mince. On peut rencontrer dans un même genre les deux modes de reproduction, oviparité ou ovoviviparité, *(Natrix)*. Les serpents pondent un grand nombre d'œufs, 30 à 40 chez le cobra *Naja naja*, une centaine chez le python, la vipère aspic mettant au monde de 4 à 18 jeunes qui mesurent entre 18 et 25 cm de long.
- Les œufs des serpents ont une enveloppe parcheminée, adhèrent souvent les uns aux autres, et renferment une grande quantité de vitellus (jaune). Pour y déposer ses œufs, la femelle recherche des anfractuosités de sol, un trou de mur, un tas de fumier, de feuilles ou de mousse. L'emplacement choisi doit constituer un abri et fournir la chaleur nécessaire à l'incubation, car la mère abandonne les œufs dès qu'ils sont pondus. Quelques espèces cependant s'occupent de leur progéniture, la femelle du python s'enroule autour des œufs pour les protéger.
- Les typhlopidés sont de petits serpents, d'une vingtaine de cm de long, répandus dans toutes les régions chaudes du globe. Ils sont inoffensifs, ovipares, de mœurs fouisseuses et insectivores. *Typhlops nigroalbus*, de la péninsule malaise et de Sumatra, mesure 36 cm de long.
- C'est dans le groupe des boïdés que se classent les « géants » : python, eunectes (anaconda) et boa. Ils ne sont pas venimeux mais redoutables par leur puissance de constriction. Ces serpents sont répandus dans toutes les régions intertropicales du globe. Ils se nourrissent d'oiseaux et de mammifères, les uns sont ovipares (pythons), d'autres, comme les boas, sont ovovivipares. On rencontre dans ce groupe des espèces fouisseuses, arboricoles et aquatiques.
- L'anaconda, dont la longueur ne dépasse pas 9 m, a un corps très massif. Pour un tour de taille de 90 cm et une longueur de 6 m, son poids peut atteindre jusqu'à 110 kg. Bon nageur, ovovivipare, l'anaconda sc nourrit de mammifères et d'oiseaux et non de poissons.
- Les uropeltidés sont fouisseurs et mesurent une cinquantaine de cm. Limités aux Indes et à Ceylan, ils sont ovovivipares et se nourrissent de vers et autres animaux qu'ils trouvent dans le sol. Leur queue se termine par une écaille plate, assez grande et munie d'épines.
- La plupart des genres et des espèces d'ophidiens appartiennent à la famille des colubridés qui domine tous les continents, exception faite pour l'Australie où les cobras l'emportent. D'après leur denture on les subdivise en « aglyphes », comprenant les genres *Coluber*, *Elaphe* (couleuvre d'Esculape), *Natrix* (couleuvre à collier), *Coronella*, (coronelle lisse) et *Dasy-*

Crotale ou serpent à sonnettes d'Amérique du Sud. Très irritable, il est justement redouté pour la toxicité de son venin. Le crotale est muni d'un renflement caudal qu'il maintient verticalement et agite quand il est surpris. Ce bruiteur, formé de segments cornés dont les derniers s'usent et tombent, augmente de longueur à chaque mue.

Serpent royal d'Amérique du Sud. Ce serpent carnivore s'attaque aux lézards, aux petits mammifères et surtout aux autres serpents, même vénimeux.

peltis (serpent oophage d'Afrique) et en « opisthoglyphes », avec les genres *Malpolon* (couleuvre de Montpellier), *Hyspirhana* (Sud-Est asiatique), *Thelotornis* (Afrique), *Heterodon et Farancia* (Amérique).

● Les élapidés sont des serpents venimeux très proches des colubridés par leur structure. On les rencontre dans toutes les régions chaudes du globe. Ce sont les cobras ou najas, terrestres, parfois arboricoles et semi-aquatiques. Parmi les plus connus citons : le serpent à lunettes *(Naja naja)*, (Asie tropicale), le cobra royal *(Naja hannah)*, qui est le plus grand des serpents venimeux et des cobras (4 à 5 mètres de long). Le mamba noir est le plus grand serpent venimeux d'Afrique. Les serpents corail sont également des élapidés qui vivent en Afrique, Asie et Australie, mais les vrais habitent en Amérique du Sud et en Amérique centrale.

● Les hydrophinés sont des serpents marins qui vivent près des côtes dans les mers chaudes. Leurs narines sont pourvues de valves qui empêchent l'eau d'entrer.

Cobra royal d'Asie tropicale *(Ophiophagus hannah)*. Sa taille peut atteindre 6 m. Il se nourrit presque exclusivement de grandes couleuvres terrestres et de pythons. Son venin, très toxique, peut tuer un éléphant. Le cobra royal attaque tous les importuns, même l'homme.

La queue est en forme de rame. La plupart mesurent entre 1 m et 1,50 m. Leur venin est très toxique mais ils ne peuvent s'attaquer à l'homme.

● Les vipéridés sont les serpents qui sont le mieux adaptés à la fonction venimeuse par le perfectionnement de leur système de morsure et d'injection du venin. On les subdivise en vipérinés, ou vipères typiques, et en crotalinés (serpents à sonnettes).

● L'histoire des serpents est liée à celle de l'homme. Dans certains pays, on leur attribue des pouvoirs surnaturels et ils sont souvent adorés ou tiennent une place importante dans des cérémonies magico-religieuses. Au Moyen Age chaque organe du serpent était sensé guérir une maladie. Le symbole de la profession médicale, le caducée, utilisé encore actuellement, consiste en deux serpents enroulés sur un bâton. ■

▶ *BOA / PYTHON / REPTILES / VIPÈRES*

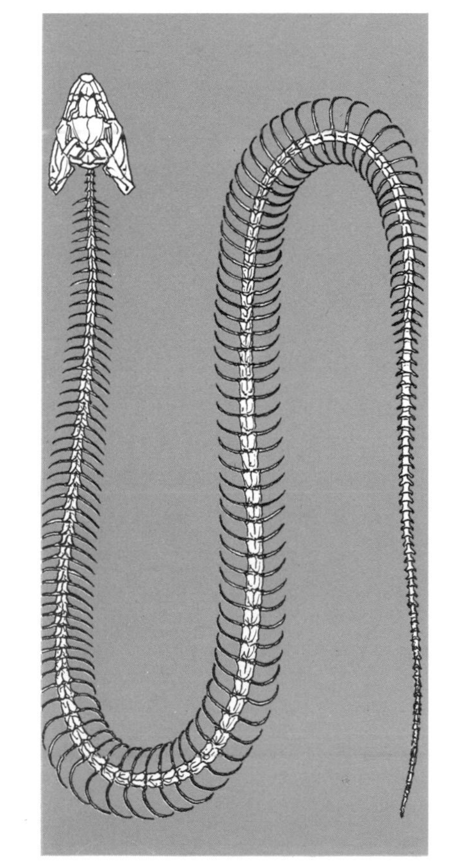

Squelette de couleuvre à collier, un des serpents les plus communs en France. Elle possède plus de 170 vertèbres, dont une cinquantaine de vertèbres caudales. Les serpents n'ayant pas de sternum, la partie libre des côtes est rattachée par des muscles aux écailles ventrales.

SÈVE

● Les végétaux, à l'image des animaux, possèdent un système de circulation permettant d'apporter aux cellules les éléments nutritifs dont elles ont besoin. Le liquide parcourant ce système s'appelle la lymphe.

● On distingue communément la lymphe brute de la lymphe élaborée. La lymphe brute correspond au liquide ascendant, composé des éléments absorbés par les racines dans le sol. Il s'agit surtout d'eau dans laquelle sont dissous des sels minéraux. Cette lymphe brute doit parcourir toute la plante pour aboutir aux feuilles et y être transformée. Le liquide résultant de cette transformation est la lymphe élaborée (ou descendante).

● Grâce à la photosynthèse, des réactions chimiques complexes ont lieu, donnant des sucres et des protéines. Ces substances sont vitales pour les cellules dont elles assurent la nourriture.

● La lymphe, brute ou élaborée, circule dans les faisceaux vasculaires. Ceux-ci sont constitués de longs tubes, les vaisseaux, qui parcourent la plante, des racines aux feuilles. On distingue deux types de vaisseaux : les vaisseaux ligneux et les vaisseaux criblés. Les vaisseaux ligneux conduisent la lymphe brute. Ils sont constitués de cellules le plus souvent cylindriques ou prismatiques et forment un long tuyau continu, car les membranes cellulaires que l'on devrait trouver transversalement ont disparu. Les vaisseaux ligneux forment le bois.

● Les vaisseaux criblés, ou libériens, servent à conduire la lymphe élaborée. Dans ces vaisseaux, la membrane transversale séparant deux cellules existe toujours, mais elle est percée de nombreux petits trous. L'ensemble des vaisseaux criblés constitue le liber. D'habitude, bois et liber forment des anneaux concentriques. On distingue des classes végétales, suivant que les faisceaux sont isolés ou forment des faisceaux fibro-vasculaires.

● Les faisceaux isolés, ou faisceaux ouverts, se rencontrent surtout chez les dicotylédones et les gymnospermes. Les faisceaux fibro-vasculaires ou faisceaux clos sont représentés chez les monocotylédones. ■

▶ *PHOTO-SYNTHÈSE / VÉGÉTAUX*

SÉVÈRES, LES

● Cette dynastie romaine, qui compta cinq empereurs entre 193 et 235 av. J.-C., fut fondée par Septime Sévère qui inaugurait ainsi la série des empereurs militaires autocrates, portés au pouvoir par les légions, et qui gouvernaient sans se soucier ni du Sénat, ni de Rome.

● Proclamé empereur par ses légions, Septime Sévère fit bénéficier l'armée de toutes ses largesses, la réorganisa en créant un corps auxiliaire, les *numeri*, constitué de barbares et de provinciaux. Natif de Leptis, ville de Tripolitaine, Septime Sévère fut très influencé par les goûts et les mœurs des Orientaux : l'Empire devint ainsi une monarchie à l'orientale et le panthéon romain s'ouvrit à de nombreux dieux de l'Orient (Baal et Mithra).

● Bon administrateur, homme sage et cultivé, Septime Sévère arrive à maintenir l'ordre dans l'Empire pendant 18 ans; il remporte d'éclatants succès dans les campagnes contre les Perses en Mésopotamie et contre les Scots en Grande-Bretagne; il trouve la mort au cours de l'expédition d'York. Une seule tache sur son règne, mais d'importance : la cruelle répression du christianisme.

● C'est son fils Caracalla qui lui succède, mais qui hélas lui ressemble bien peu : ce déséquilibré féroce fit assassiner son propre frère et plus de 20 000 personnes durant les cinq années de son règne (211 à 217).

● Héliogabale, petit-neveu de Septime Sévère, ne restera pas davantage au pouvoir (218 à 222). D'une beauté légendaire, celui-ci était grand-prêtre du dieu-soleil en Syrie lorsque la légion d'Émèse en fait un empereur : il a seulement 14 ans, et à 18 ans, il est assassiné et jeté dans le Tibre par les prétoriens.

● Cousin d'Héliogabale, Alexandre Sévère n'a lui aussi que 14 ans lorsqu'il arrive au pouvoir. Il a cependant la sagesse d'écouter les avis éclairés de sa grand-mère et de son célèbre jurisconsulte, Ulpin. Il défend la Mésopotamie contre Artaxerxès avant d'aller combattre les Germains. Mais il sera mis à mort à l'âge de 29 ans, par le Trace Maximin, qui met ainsi fin à cette sinistre dynastie. ■

▶ *ROMAINE, CIVILISATION*

Sous la dynastie des Sévères commence une période d'anarchie militaire et de crise économique qui devait durer jusqu'à la fin du IIIe siècle. En moins de 100 ans, Rome eut 24 empereurs dont 10 périrent assassinés. La monnaie se déprécia, les prix augmentèrent et les relations commerciales cessèrent. Les constructions grandioses, comme les Thermes de Caracalla, s'expliquent par le nombre croissant d'esclaves de la société romaine.

Vestiges du théâtre de Leptis Magna, en Libye, où naquit Septime Sévère. C'est aux empereurs sévériens que l'on doit les plus belles constructions dont le forum à portiques sur lequel donnent un temple et une basilique.

SÉVIGNÉ, Madame de

● Madame de Sévigné (1626-1696) fut sans doute la plus grande journaliste, le chroniqueur le plus animé du XVIIe siècle. Tous les événements contemporains nous sont rapportés dans les *Lettres*, non seulement ceux qui la concernent personnellement, mais aussi ceux de l'actualité, la grande et la petite histoire. Pourtant elle ne se destinait pas, semble-t-il, à la littérature, mais une sensibilité très vive et un talent remarquable en ont fait une épistolière sans égale.

● Orpheline à 7 ans, Marie de Rabutin-Chantal est élevée par son oncle, l'abbé de Livry. Elle épouse en 1644 le marquis de Sévigné, gentilhomme brillant mais prodigue et débauché qui la laisse veuve à vingt-cinq ans avec deux enfants. Désormais, Madame de Sévigné se consacre à leur éducation. Jeune et séduisante, elle compte de nombreux admirateurs et fréquente les salons précieux de l'époque, comme l'hôtel de Rambouillet où elle rencontre La Rochefoucault. Madame de La Fayette qui est de ses amies est déjà célèbre. Madame de Sévigné passe sa vie entre Paris, le château des Rochers en Bretagne et, bientôt, le Midi de la France : elle s'enthousiasme pour la Provence.

● Depuis son veuvage, elle exerce son talent épistolaire, et ses lettres sont goûtées pour leur style et leur esprit. En 1664, par exemple, elle envoie au marquis de Pomponne des relations presque quotidiennes du procès Fouquet.

● « Vos lettres font tout le bruit qu'elles méritent, lui écrit-on. Il est certain qu'elles sont délicieuses, et vous êtes comme vos lettres. » Madame de Sévigné n'ignore pas qu'on prend copie de ses lettres, et que ces copies passent de main en main, qu'on en fait des lectures dans certains salons, qu'on leur donne des titres. Elles enthousiasment même Saint-Simon : « c'est un torrent

Le mongolisme résulte d'une aberration chromosomique caractérisée par la présence d'un chromosome supplémentaire (le 47e), plus petit que les autres. Les risques d'avoir un enfant mongolien augmentent en même temps que l'âge de la mère (1/3 000 à 20 ans, 1/100 à 40 ans). Au-delà de 45 ans, les risques sont encore plus grands.

d'esprit naturel, aisé, facile, agréable et gai, qui ne se piquait de rien et qui s'ignorait lui-même, d'ailleurs, juste, sage et plein de bonté... »

● Sa fille chérie épouse en 1669 le comte de Grignan, qui vit en Provence. La correspondance devient pour Madame de Sévigné le seul moyen de se sentir proche de sa fille. Et ce ne sont que des lettres passionnées où nous la voyons pleurer et souffrir. Son extrême sensibilité lui fait revoir tous les moments et tous les détails qui ont précédé la séparation. Son inquiétude est à son comble quand elle imagine sa fille et son gendre traverser le Rhône à Avignon par temps d'orage, quand souffle le mistral.

● Mais un rien suffit à réveiller sa gaîté. N'y a-t-il pas un incendie dans une maison voisine? Elle en fait un récit amusant, décrivant Monsieur et Madame de Guitaut à moitié nus dans la rue, en pleine nuit. Elle se joue d'une maladresse, d'une allure, d'une situation. Les plaisanteries sont nombreuses et même l'humour noir ne lui est pas étranger. Elle s'amuse un instant à manier le râteau et nous en donne le récit dans une lettre pleine d'agrément et de jeunesse : « Faner est la plus jolie chose du monde; c'est retourner du foin en batifolant dans une prairie. »

● Mais elle aborde aussi des sujets d'une actualité plus sérieuse. La mort de Turenne qui frappe la France entière fait l'objet de plusieurs lettres; chacune apporte quelque détail nouveau, et la dernière est la plus habilement écrite et la plus organisée. Elle sait aussi piquer la curiosité : l'annonce du mariage princier de l'année est d'un style éblouissant. Lorsqu'elle raconte la représentation d'*Esther* de Racine par les demoiselles de Saint-Cyr, plus que la critique littéraire, ce qui l'intéresse est ce qui se passe dans la salle, et surtout l'attention du Roi à son propre égard. Toutes ses lettres forment la chronique littéraire, politique et mondaine de cette époque.

● La langue colorée et mouvementée de Madame de Sévigné, la virtuosité de sa plume, la finesse de son esprit et de ses émotions, la richesse de sa culture font de cette grande dame un grand écrivain, et justifient l'opinion de Voltaire : « Madame de Sévigné, la première personne de son siècle pour le style épistolaire. » ■

▶ *CLASSICISME / LITTÉRATURE / PRÉCIOSITÉ*

SEXUALITÉ

● Tout être vivant est construit selon un plan inscrit dans ses cellules, au niveau de ses chromosomes, sous la forme de séquences de bases azotées le long de la molécule d'A.D.N. (Acide désoxyribonucléique) qui les compose. Toute modification de cette séquence entraîne une modification de la structure, de la physiologie et du comportement de l'individu. Il est, de ce fait, indispensable, pour conserver les caractéristiques de l'espèce, que la molécule d'A.D.N. reste immuable. Mais les conditions de vie ont changé au cours des temps géologiques, ce qui a nécessité une évolution des diverses espèces. Cette évolution n'est rendue possible que par une modification continuelle de la structure des êtres vivants, c'est-à-dire de la structure de l'A.D.N. Nous nous trouvons en face d'un double problème, l'immuabilité de la molécule d'A.D.N., d'une part, et son évolution d'autre part.

● La solution se trouve dans l'échange de ces molécules d'A.D.N. entre deux individus de la même espèce, afin de permettre l'échange des caractères héréditaires éventuellement nouveaux qui apparaissent par le mécanisme des mutations, tout en empêchant des modifications radicales qui feraient disparaître l'espèce. Cet échange entre le matériel génétique de deux individus correspond à la reproduction sexuée.

● Chez les êtres vivants pluricellulaires, animaux ou végétaux, la reproduction sexuée correspond à la fusion de deux types de cellules issues de deux lignées différentes, mâle et femelle (gamètes), et qui forment un œuf dont le développement aboutira à la constitution d'un nouvel individu. Les cellules somatiques étant généralement *diploïdes* (2 chromosomes de chaque type), la formation de ces cellules reproductrices nécessite une réduction chromatique, qui devrait les rendre *haploïdes* (composées de 1 chromosome de chaque type).

● La cellule mâle, ou spermatozoïde, se distingue morphologiquement et génétiquement de la

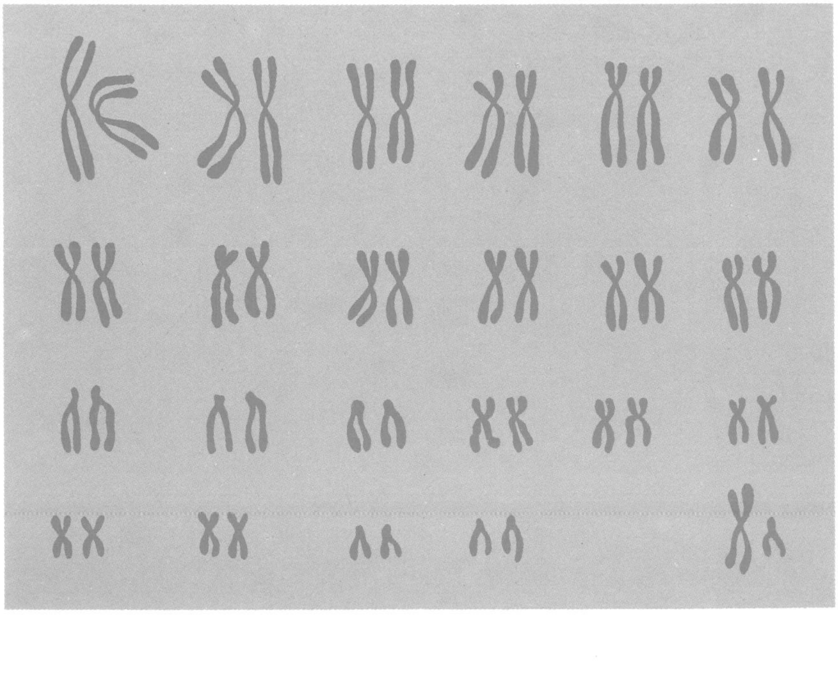

Garniture chromosomique d'une cellule masculine : on distingue sur le schéma les 22 paires d'*autosomes* (chromosomes quelconques) et, en bas à droite, la paire d'*allosomes* (chromosomes sexuels) dont les deux éléments présentent des formes distinctes (X et Y).

Garniture chromosomique d'une cellule féminine. Les chromosomes sexuels de la femme sont identiques (X et X).

cellule femelle ou ovule. Le spermatozoïde est petit, très mobile et dépourvu de réserves. L'ovule, au contraire, est pratiquement immobile, et son cytoplasme renferme les réserves nécessaires au développement de l'embryon. La différence entre les deux sexes donnant naissance à ces deux types de cellules s'observe également au niveau des organes génitaux qui distinguent les individus mâles des individus femelles. Cette distinction, basée sur les caractères sexuels primaires (appareil reproducteur et annexes), est accentuée par l'existence de caractères sexuels secondaires tels que la taille, la pilosité, le timbre de la voix, la présence de cornes, de plumes colorées, etc.

● Chez la plupart des espèces, la détermination du sexe est basée sur la présence de chromosomes sexuels ou hétérochromosomes qui, chez l'homme, sont les chromosomes X et Y. Nous possédons 23 paires de chromosomes (autosomes) et une paire de chromosomes sexuels qui sont appelés XX chez la femelle et qui sont identiques l'un à l'autre, et XY, parce que différents, chez le mâle. Cette différence d'ordre génétique détermine, au cours du développement de l'individu, l'apparition des caractères sexuels primaires et secondaires.

● Au moment de la formation des gamètes, par réduction chromatique, chaque cellule ne renfermera plus qu'un seul chromosome de chaque paire. Les ovules renfermeront tous un chromosome X, alors que nous aurons deux types de spermatozoïdes, l'un comportant un chromosome X, l'autre un chromosome Y. Ce dimorphisme chromosomique a pour conséquence de maintenir une proportion à peu près équivalente à 50 % de chaque sexe dans une population donnée.

● Le principe de la reproduction sexuée permet l'évolution de l'espèce par le polymorphisme des individus, tout en maintenant une certaine stabilité par le brassage des caractères. Il s'observe déjà chez les êtres vivants primitifs tels que les virus et les bactéries, même s'il n'y a pas de dimorphisme sexuel apparent. Chez ces micro-organismes, on parle de « para-sexualité », car il existe une recombinaison génétique sans qu'il soit nécessaire de passer par une réduction chromatique.

● Un virus se présente sous la forme d'une molécule d'A.D.N. ou dans certains cas d'A.R.N. (virus de la mosaïque du tabac) entourée d'une enveloppe protectrice. Le virus, se fixant sur une bactérie, injecte sa molécule génétique dans celle-ci. Cette molécule, en se multipliant, effectue des recombinaisons avec les molécules d'autres virus, et reforme de nouveaux individus qui iront infester d'autres bactéries. Chez certains protozoaires, on trouve deux noyaux dont l'un est destiné à la régulation des mécanismes cellulaires, alors que l'autre n'intervient que dans la reproduction. Chez les multicellulaires, apparaissent des cellules reproductrices spécialisées.

● Habituellement, le sexe génital d'un individu coïncide avec son sexe génétique. Il faut cependant signaler l'existence d'inversions sexuelles partielles ou totales, car le déterminisme du sexe génital est sous l'influence de sécrétions hormonales des gonades ou d'autres glandes endocrines, comme les surrénales. Certaines espèces sont hermaphrodites, c'est-à-dire à la fois mâle et femelle. Lorsque les sexes sont nettement séparés, les caractères sexuels primaires apparaissent au cours du développement embryonnaire.

● Après la naissance, on

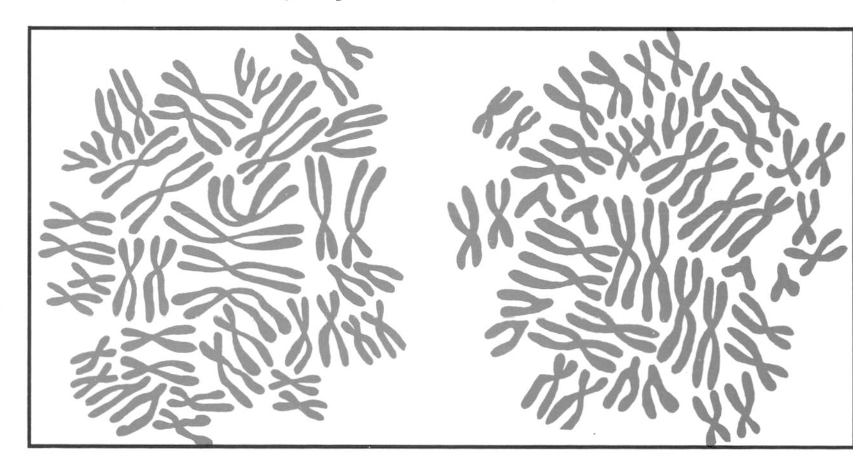

Garnitures chromosomiques d'un homme (à gauche) et d'une femme (à droite) telles qu'elles apparaissent dans les préparations observées au microscope. Les chromosomes sont surtout visibles au moment de la division cellulaire.

Le bonheur et l'équilibre des couples se ressentent profondément de la réussite de leur vie sexuelle. Des organismes comme le planning familial ont été créés pour informer et guider en matière d'éducation sexuelle, de contrôle des naissances et de lutte contre la stérilité.

observe une période plus ou moins longue où, apparemment, il ne se passe rien sur le plan sexuel; en fait, du point de vue comportemental, il s'agit de la phase la plus importante.

● Les caractères sexuels secondaires se développent, quant à eux, au moment de la puberté, chez l'homme, ou de la maturation sexuelle, chez les animaux, en même temps que se manifestent les premiers comportements liés à la reproduction. Le développement des caractères sexuels secondaires peut être modifié par la castration ou l'administration d'hormones. Il est possible d'obtenir une inversion totale du sexe chez les insectes, une gonade de chaque type chez les oiseaux ou un pseudo-hermaphrodisme chez les mammifères. Chez ces derniers l'inversion ne se situe qu'au niveau des organes génitaux externes, jamais au niveau des gonades. La castration d'un jeune coq empêche le développement de la crête, effet qui peut être compensé par l'injection d'hormones mâles.

● Les hormones sexuelles jouent un rôle important chez l'adulte, notamment en modifiant le tractus génital au cours du cycle ovarien chez la femelle. L'œstradiol (hormone femelle) développe le tractus génital, les glandes mammaires, et modifie le comportement de l'individu. La progestérone agit pendant la deuxième phase du cycle, en favorisant la prolifération de la muqueuse utérine et l'implantation de l'œuf. Le cycle ne peut se dérouler normalement que s'il y a une harmonie fonctionnelle entre ces deux hormones dont la sécrétion est sous la dépendance de facteurs hypophysaires. Il en est de même pour les hormones mâles.

● Si la période entre la naissance et la puberté semble peu importante sur le plan de l'anatomie et de la physiologie sexuelle, il n'en va pas de même pour le comportement. Konrad Lorenz a ainsi observé des modifications dans le comportement des oies lorsqu'elles sont élevées par l'homme. Quand la jeune oie sort de l'œuf, elle reçoit une « empreinte », sorte de « fixation psychique » sur le premier objet mobile qui apparaît dans son champ visuel, et qui est normalement sa mère. Ce phénomène n'a apparemment aucune relation avec le comportement reproducteur. Mais Lorenz est parvenu à remplacer la mère auprès de jeunes oies dès la naissance. Or, il se trouve qu'arrivées à l'âge adulte, les oies mâles essayèrent de prendre Lorenz comme partenaire sexuel!

● Le phénomène d'empreinte, qui apparaît dès l'éclosion, avant même que ne se manifeste le moindre comportement sexuel, est donc en mesure de déterminer celui-ci chez l'animal adulte. Le même phénomène s'observe chez les canards. Le jeune caneton aperçoit normalement comme premier objet mobile sa mère; si on la remplace par un canard mâle adulte, les jeunes canetons présenteront un comportement homosexuel lorsqu'ils seront en âge de se reproduire et choisiront les mâles de leur espèce comme partenaire sexuel.

● Le comportement reproducteur d'un animal est génétiquement déterminé, mais il est possible de le dévier, comme le montrent les expériences effectuées sur le rat. Si l'on injecte de l'hormone mâle à une jeune rate pendant les trois premiers jours suivant sa naissance, elle manifestera à l'état adulte un comportement de mâle, tout en étant morphologiquement, physiologiquement et génétiquement une femelle. Ces quelques observations montrent que la période « silencieuse » séparant la maturité sexuelle de la naissance n'est pas insensible à diverses stimulations, qui peuvent modifier le comportement reproducteur ultérieur d'une espèce.

● On a remarqué que chez plusieurs espèces, les jeux apparemment innocents des jeunes permettent l'établissement du comportement sexuel adulte. Lors de l'accouplement, le putois mâle saisit la femelle à la nuque pour l'immobiliser. Des jeunes putois élevés isolément et n'ayant pas pu, de ce fait, jouer avec leur congénères, ne connaissent pas cette prise. Le macaque mâle saisit les mollets de la femelle à l'aide de ses pattes postérieures lors de l'accouplement.

● Cette posture très stéréotypée est inconnue des macaques qui n'ont pas eu la possibilité de jouer avec des congénères lors de leur jeune âge. Secondairement, l'accouplement acquiert une signification de relation sociale indépendante de l'acte de procréation.

● L'action des hormones sur le comportement reproducteur et l'importance du jeu montrent qu'un certain nombre de circuits nerveux se mettent en place pendant la période séparant la naissance de la maturité sexuelle bien avant que ne se manifeste le comportement reproducteur d'adulte.

● C'est à Sigmund Freud (1856-1939) que revient le mérite d'avoir souligné l'importance de la sexualité infantile du point de vue psychique. Dans *Trois Essais sur la théorie de la sexualité*, il montre que la sexualité de l'adulte est conditionnée par des événements de son enfance. L'un des premiers, aussi, il voit aux troubles de la sexualité une origine psychologique.

● Cependant, l'hypothèse de Freud selon laquelle l'instinct sexuel, qu'il désigne du terme de *libido*, serait la seule force motrice de l'individu est rejetée par la psychanalyse moderne. ■

▶ *GÉNÉTIQUE / MAMMIFÈRES / REPRODUCTION*

SHAKESPEARE (1564-1616)

● Dans la littérature universelle, peu d'auteurs ont connu la gloire de Shakespeare. Sa renommée est-elle due à l'abondance de son œuvre, à la diversité des thèmes qu'il aborde? Il éclipse tous les autres auteurs, surtout, semble-t-il, par la richesse de sa personnalité et la maîtrise de ses dons poétiques. Il avait « une excellente imagination » disait son contemporain Ben Jonson, « de belles idées et de suaves expressions, mais elles coulaient de lui avec tant de facilité qu'il était quelquefois nécessaire de l'arrêter. »

● Shakespeare est né à Stratford-sur-Avon, petite ville du centre de l'Angleterre. Son père, commerçant aisé, semble avoir eu des revers de fortune. Aussi le jeune William dut-il quitter l'école assez rapidement. Il se marie à dix-huit ans, a trois enfants et se rend bien vite à Londres pour y commencer une éblouissante carrière. Il restera toujours attaché à Stratford, où il fait de nombreux séjours dans une belle maison qu'il a achetée; il s'y retire lors de la peste de 1592. A partir de 1613 il y vit dans une honnête aisance, car ce génie poétique sut aussi être avisé en affaires.

● En effet, si dès le début il ne fut qu'un acteur, médiocre selon certains, très tôt il commence à revoir et réécrire des pièces, puis devient actionnaire de la compagnie des King's Men, qui possède le théâtre du Globe. C'est à la fois le plus beau théâtre et la meilleure compagnie de Londres. Bientôt il ouvre avec cette troupe un nouveau théâtre, celui des Blackfriars, où sont jouées les dernières pièces écrites. Après la mort de la reine Élisabeth, le roi Jacques Ier leur accorde son patronage et ils partent très souvent en tournée. La vie de Shakespeare se confond désormais avec celle du théâtre. La guerre civile et la victoire des puritains (1649) font que l'on possède très peu de renseignements sur Shakespeare. Cependant rien ne nous permet de croire qu'il ne fut, comme certains le prétendent, que le prête-nom d'un grand personnage.

● Les terribles épidémies de peste qui avaient entraîné la fermeture des théâtres ont-elles poussé Shakespeare vers une poésie différente du genre dramatique? Il nous est resté de lui deux grands poèmes : *Vénus et Adonis* (1593) où la virtuosité littéraire l'emporte sur l'expérience personnelle; c'est l'affrontement entre la volupté et la chasteté, l'histoire d'Adonis frigide et d'une Vénus sensuelle. Le second poème *le Viol de Lucrèce*, laisse entrevoir le génie tragique que deviendra Shakespeare. Mais c'est encore une œuvre précieuse qui s'adresse à un public raffiné.

● A partir de 1590 Shakes-

Malgré les protestations des spécialistes, l'identité de Shakespeare a été contestée à plusieurs reprises par les historiens. Selon leurs thèses, peu convaincantes, diverses personnalités de l'époque, dont le philosophe Francis Bacon, auraient écrit les œuvres éclectiques attribuées à l'acteur de Stratford-sur-Avon.

Une représentation du *Roi Lear*, pièce écrite entre 1602 et 1608, traduisant l'ingratitude filiale et les haines familiales. De cette même période datent *Othello* et *Macbeth*, deux autres pièces dites « sombres ».

Plusieurs metteurs en scènes ont porté à l'écran les œuvres de Shakespeare. Parmi eux : Sir Laurence Olivier *(Hamlet, Richard III, Henri V)*, Orson Welles *(Othello, Macbeth, Falstaff)* Mankiewicz *(Jules César)* et Zeffirelli *(Roméo et Juliette, la Mégère apprivoisée)*.

peare réécrit de vieux drames, comme *Henri VI* et *Titus Andronicus*. Puis il écrit des comédies : *Peines d'amour perdues, les Deux Gentilshommes de Vérone, la Comédie des erreurs* et *la Mégère apprivoisée*. Mais surtout, c'est l'époque où il commence à écrire ses grands drames historiques : *Richard III, le Roi Jean, Henri IV* et *Henri V*. Rappeler les vicissitudes de l'histoire est l'occasion pour Shakespeare de faire briller les vertus qui assurent la paix et la stabilité d'un pays. C'est une histoire de famille où tout le monde se reconnaît, du roi au valet, où le prince héritier fréquente les truands sans rien perdre de sa dignité royale. Avec *Jules César*, le sujet est romain et atteint ainsi une plus grande universalité.

● Alors, le théâtre de Shakespeare va changer, suivant en cela l'évolution des événements et les goûts du public. A l'enthousiasme juvénile qui correspondait à la grandeur élizabéthaine succède une ironie amère plus en rapport avec les difficultés de la fin du règne de la reine et de celui de son successeur Jacques Ier. C'est le sommet de la carrière de Shakespeare, illustré par de grandes tragédies et des comédies : *Hamlet, Troïlus et Cressida, Tout est bien qui finit bien, Mesure pour mesure, Othello, le Roi Lear, Macbeth, Antoine et Cléopâtre, Coriolan, Timon d'Athènes*. Le conflit se situe alors au cœur même de l'âme humaine. La passion criminelle, l'assujettissement de la conscience au mal, le combat que conduit l'homme se confine au plan individuel et c'est la lucidité qui rend la tragédie insupportable.

● Puis vient la période des drames romantiques. Le poète semble s'être apaisé dans *Cymbeline, Périclès, la Tempête, le Conte d'hiver* et *Henri VIII*. Shakespeare s'attache dans ces pièces aux péripéties d'une action romanesque. Il se laisse aller à une certaine douceur. Les monstres ne se montrent plus qu'épisodiquement et sont toujours ridicules. Il penche vers le pardon des offenses. Les justes sont récompensés, les méchants punis. Il accepte d'être « de l'étoffe dont les rêves sont faits ». C'est le triomphe du bien. Tout récemment on a retrouvé ce qui est sans doute sa dernière pièce, *les Deux Nobles cousins*, œuvre écrite en collaboration avec Fletcher qui devait lui succéder comme auteur de la troupe des King's Men.

● La langue de Shakespeare est d'une richesse inépuisable. Elle comporte plus de quinze mille mots, et prend absolument dans tous les vocabulaires, le langage populaire, celui des métiers, celui des sciences, les dialectes provinciaux, l'argot de la pègre et le langage cru des bas-fonds. Il y a même des scènes en langues étrangères. Chaque personnage parle comme il le fait dans la vie. Il est donc très difficile de le comprendre pour qui ne parle pas l'anglais et ignore celui de l'époque de Shakespeare. C'est le langage parlé, c'est la vie même mise sur la scène. Le jeu de mots, le calembour, le double sens sont choses courantes dans ses pièces. Ne lui arrive-t-il pas même d'inventer des mots ? Mais toujours il les imprègne d'émotion et de pensée. Nous pouvons y découvrir toutes les nuances du cœur humain, de la fantaisie au pathétique le plus absorbant, des idées claires aux suggestions les plus diffuses.

● C'est que Shakespeare, acteur, tenait compte du public auquel il s'adressait : les nobles étaient amateurs de traits d'esprits, de romanesque, d'une certaine délicatesse, les gens du peuple goûtaient la farce et une certaine violence. Il comprit instinctivement la nature humaine et il en exprima les vérités les plus profondes. On lui doit des personnages très divers, qui sont devenus autant de symboles : Hamlet, Othello, le roi Lear, Falstaff ou Ophélie sont connus désormais dans le monde entier. Leurs caractères et leurs aventures nous sont familiers.

● Shakespeare ne s'est pourtant pas préoccupé de sa gloire future. Il écrivait des pièces pour qu'elles soient jouées sur les tréteaux, et non pour les éditer. Ce sont des amis qui en 1623 publièrent un recueil de ses pièces d'après « les vraies copies originales ». Mais ces copies étaient souvent des manuscrits difficiles à déchiffrer. D'autres éditions paraîtront en 1632 et 1663. On ne s'attacha véritablement à établir un texte correct qu'au début du XVIIIe siècle.

● La gloire de Shakespeare n'a guère connu d'éclipse en Angleterre, mais ce n'est qu'au XVIIIe siècle qu'on le découvre sur le continent, notamment grâce à Voltaire. Si on lui a reproché de ne pas suivre la règle des trois unités, cette licence n'était pas pour gêner les romantiques qui en firent leur idole. Aussi joua-t-il un très grand rôle dans le renouvellement du théâtre français à cette époque.

***Jules César* (1599) : la séance du Sénat au cours de laquelle les conjurés, dont Brutus, assassinent César. Brutus, le véritable héros de la pièce, se trouve écartelé entre ses sentiments filiaux et les exigences de son idéalisme.**

Il est maintenant à l'affiche de tous les grands théâtres du monde entier. Le cinéma lui-même participe à l'engouement général pour ce génie universel. ■

SHINTOÏSME

● Le shintoïsme ou shinto (la « voie des dieux ») est une vieille religion animiste qui, à travers diverses et successives élaborations, est devenu à partir de 1868 la religion officielle du Japon, s'opposant en cela au bouddhisme considéré comme la religion importée de l'étranger.

● En fait, les deux religions, malgré quelques vicissitudes, ont cohabité harmonieusement dès l'époque Nara jusqu'à former un syncrétisme connu sous le nom de *ryobu-shinto*. Ce n'est qu'à la moitié du XIXe siècle, avec l'ère Meiji, que le gouvernement nippon, en reconnaissant le shintoïsme comme seule religion d'État (le *kokka-shinto*), prétendit s'en servir comme d'un instrument de propagande dans sa politique de nationalisme et d'expansion en Extrême-Orient.

● En effet, le culte de certaines divinités, les *kamis*, réinterprété, justifia l'obéissance absolue à l'empereur, véritable dieu vivant descendant de la déesse du Soleil Amaterasu. Les dieux, selon cette interprétation officielle du shintoïsme, auraient à tel point privilégié le Japon qu'ils rendaient légitime la lutte des fidèles pour conduire le pays au-dessus de tous les autres. Après la défaite subie lors de la dernière guerre mondiale et l'abandon des desseins impérialistes qui s'ensuivit, le shintoïsme perdit son caractère de nationalisme exacerbé pour reprendre sa configuration primitive.

● A l'origine, le shintoïsme est une religion polythéiste typique, culte d'agriculteurs sensibles à toute manifestation utile ou extraordinaire de la nature. Les êtres divins sont la personnification des forces naturelles : cours d'eau dont chacun avait son dieu particulier, inondations, arbres, vent, pluie, feu, montagnes et animaux.

Cérémonie shinto. Un prêtre purifie les fruits de la terre offerts à la divinité. Les principaux dieux du shintoïsme sont *Amaterasu,* déesse du Soleil, *Okuninushi,* dieu de la fécondité et *Susano,* dieu de l'orage et de la force. Le shinto actuel comprend plusieurs sectes dont les plus importantes sont le *Shûha Shinto* (16 millions de fidèles) et le *Jinja Shinto* (36 millions d'adeptes).

● A côté de ces divinités étaient placés les ancêtres qui déjà en Chine étaient vénérés. Les temples de la baie d'Ise, reconstruits tous les vingt ans, perpétuent les formes originelles des modestes cabanes qui servaient de sanctuaires, où les produits de l'agriculture, offerts au dieu, étaient consommés par les fidèles au terme de la cérémonie. La fête annuelle de l'offrande du riz nouveau à laquelle l'empereur avait l'habitude de participer, revêtait une solennité particulière.

● Bien qu'il ait perdu sa situation privilégiée, le shintoïsme représente dans le Japon d'aujourd'hui une force religieuse au moins aussi importante que la religion bouddhiste. ■

▶ *JAPON*

SIBÉRIE

● De l'Oural au Kamtchatka, cette terre du froid est l'un des plus riches réservoirs d'énergie et de matières premières du globe. Peu à peu, les pionniers soviétiques entreprennent la mise en valeur de la taïga et de la toundra, anciens bagnes où l'isolement et la distance étaient les meilleurs gardiens.

● Lorsque les troupes moscovites et les cosaques du Don commencent la conquête de l'espace sibérien au XVIe siècle, ils découvrent les civilisations ancestrales de Sibérie méridionale, berceau de la civilisation des métaux de l'Altaï, creuset du nomadisme, capitale éphémère de cavaliers dominateurs dont les descendants seront les Turcs seldjoukides.

● Au nord, la conquête russe fut plus facile, face aux Samoyèdes anthropophages, aux Toungouses, aux Tchouktches ou aux Yakoutes, ce peuple de Transbaïkalie chassé de sa terre natale par les Bouriates-Mongols. Pays des trappeurs, la Sibérie reste, jusqu'au XIXe siècle, une terre parcourue par les rennes cherchant quelques lichens sous une pellicule de neige glacée, bordée de mers poissonneuses attirant les populations ichtyophages à l'embouchure de l'Amour.

● Comme l'Alaska, la Sibérie connut la ruée vers l'or de la Léna et de l'Aldan, dans la région de Bodaïbo. L'impulsion décisive date de 1891 : la construction du Transsibérien inaugurait la véritable colonisation de ce « Far East ». Dès lors, passées les portes de Tiumen ou de Tobolsk, les villes champignons d'un pays neuf s'édifièrent sur les richesses minières : Norilsk, près de l'embouchure de l'Iénissei, devint la cité du platine, du cuivre et du nickel, tandis qu'une énorme conurbation surgissait sur 900 milliards de tonnes de charbon dans le Kuznetsk.

● A côté de Novosibirsk est née la cité des savants, Akadem-

Les forêts de Sibérie représentent le quart de la réserve mondiale de bois, et le sous-sol sibérien renferme 58 % des réserves mondiales de minéraux.

Troupeau de rennes dans le paysage désolé de la toundra sibérienne, où l'hiver dure une grande partie de l'année. Les rennes se nourrissent de lichens qu'ils arrachent au sol gelé et à la neige. Ils fournissent à l'homme le lait, la viande, la fourrure et le cuir. Ils servent aussi d'animaux de trait.

gorodok, spécialisée dans l'étude et la prospection du milieu sibérien. Des travaux gigantesques barrèrent l'Angara où fut construite, à Bratsk, la plus puissante centrale hydroélectrique du monde, complétant l'équipement de cet émissaire du lac Baïkal où des phoques, chassés de l'Arctique par les glaciations quaternaires, ont trouvé refuge à côté d'espèces issues de l'ère tertiaire, voire secondaire!

● L'Extrême-Orient soviétique, grâce au plomb et à l'étain de Sikkota-Alin, aux hydrocarbures de Sakhaline, à l'ardeur des jeunes pionniers communistes qui peuplèrent Komsomolsk, s'est industrialisé le long de l'Amour et de l'Oussouri, où le Birobidjan devait accueillir les Juifs du monde entier. Fondé en 1860, Vladivostok (Porte de l'Orient) reste la base stratégique fermée à l'œil étranger, tandis que se développe le port industriel de Nakhodka.

● Au total, sur 12 722 000 km² ne vivent que 25 600 000 personnes, surtout concentrées dans les villes de Sibérie méridionale, cherchant souvent à émigrer malgré les doubles salaires et les primes. Outre la relative insuffisance des équipements sociaux, l'hostilité du milieu naturel explique la réticence des Russes et des Ukrainiens. Sous les conifères de la taïga où le pin sylvestre et l'épicéa sont dominés par le *Larix dahurica* (mélèze), les podzols se prêtent mal à une agriculture réduite à un été bref dont s'accommodent des blés au cycle végétatif ralenti par les agronomes. Plus au nord, la toundra et son sol gelé en profondeur, la merzlota, réduisent l'espace cultivé à quelques stations expérimentales tandis qu'Oïmiakon, où l'on enregistra — 80° C, représente le pôle du froid de l'hémisphère Nord.

● Malgré les fleuves au long cours — l'Ob mesure 4 070 km — les communications sont réduites à l'avion, puisque l'embâcle s'étend de septembre à mars, et au seul Transsibérien dans lequel on peut voyager sept jours et sept nuits! Peu empruntée, la route maritime du nord reliant les ports de Mourmansk et de Vladivostok, reste une expédition scientifique et un exploit technique que réalisent d'énormes brise-glace, tel le *Lénine*.

● Pourtant les richesses semblent intarissables : chaque année apporte une découverte nouvelle et le sous-sol sibérien recèle les plus vastes bassins houillers du globe. Le bassin de l'Ob est désormais exploité pour ses hydrocarbures de Berezovo — expédiés vers l'Oural, et de Surgut — alimentant par oléoduc les raffineries d'Omsk ou d'Irkoutsk.

● Malgré la présence de mammouths pris dans la glace, la Sibérie peut être considérée comme un pays neuf, désormais convoité. L'immensité reste pourtant à vaincre et les Soviétiques font appel à l'aide nippone et même américaine pour exploiter ce réservoir de prospérité. Perdus dans la toundra, quelques éleveurs de rennes poursuivent leurs migrations, ignorant sans doute les richesses qu'ils foulent. ■

SICILE

● Proche de la côte calabraise, la Sicile est la plus grande île de la Méditerranée et la plus grande région d'Italie; avec les petites îles qui l'entourent, elle couvre une surface de 25 708 km².

● La côte tyrrhénienne de la Sicile, haute et découpée, comprend de nombreux golfes, de même que la côte ionienne entre Messine et la plaine de Catane; ailleurs les côtes sont basses et parfois marécageuses. Dans l'ensemble, l'île est plus élevée dans la partie nord-ouest, plus basse

Orangeraies au cap Tyndare, à l'ouest de Messine. Pays montagneux, la Sicile ressemble à la Grèce dans sa partie tournée vers la mer ionienne. Sa côte méridionale s'apparente à celles d'Afrique du Nord.

La colonnade dorique d'un des trois temples de Sélinonte, reconstruite récemment avec ses matériaux d'origine. Sélinonte, à l'ouest de la côte méridionale de la Sicile, était une colonie grecque, fondée par la ville corinthienne de Mégare, vers le VIIe siècle avant J.-C.

et avec des reliefs plus doux dans le reste du pays.

● Entre les Monts Peluritani, situés au sud de Messine et la plaine de Catane s'élève l'Etna, le plus haut volcan en activité d'Europe. Les cours d'eau, nombreux, ont un régime irrégulier avec des crues hivernales et un maigre débit en été; ceux du versant tyrrhénien sont très courts.

● Le climat de type méditerranéen varie beaucoup d'une région à l'autre de l'île; les différences sont surtout très nettes entre la côte et l'intérieur. Pendant l'hiver, qui dure peu de temps, la température peut descendre en-dessous de 0° C; en été, elle dépasse fréquemment 35° C. Les précipitations sont concentrées dans le semestre hivernal. Le maquis couvre une grande partie de la Sicile; dans les régions les plus méridionales, il cède la place à un genre de steppe. Sur les reliefs, alternent chênes, châtaigners, hêtres et conifères.

● Avant de connaître le statut de région autonome dont elle jouit aujourd'hui, la Sicile, boisée et fertile, fut l'objet de maintes occupations et de maintes invasions de la part des Phéniciens, des Grecs, des Carthaginois, des Romains, des Vandales, des Byzantins, des Arabes et des Normands.

● L'influence gréco-romaine laissa de nombreuses traces comme en témoignent les sites archéologiques encore visibles aujourd'hui à Agrigente, Ségeste, Sélinonte, Syracuse. Avec les Normands, la Sicile devint le centre d'une monarchie prospère et le siège d'une civilisation florissante.

● Par alliance, le royaume passa entre les mains de la famille impériale germanique des Hohenstaufen, avant de revenir aux Angevins, puis aux Aragonais. Après l'annexion du royaume péninsulaire par Alphonse V le Grand, naissait le royaume des Deux-Siciles, à nouveau divisé à sa mort en 1458. La Sicile connut encore la domination des Espagnols, des Savoyards, des Autrichiens et des Bourbons. Occupée par les Mille de Garibaldi, elle fut finalement rattachée au Piémont (1860).

● Aujourd'hui, la région est divisée en neuf provinces. Le chef-lieu en est Palerme. La densité moyenne de population, 181 hab. au km², est supérieure à la densité nationale. Dans le Sud, elle dépasse 500 hab. au km².

● L'économie présente des caractères semblables à ceux des autres régions de l'Italie méridionale. La culture du blé est très répandue. Sur le pourtour de l'île, on cultive des agrumes. Légumes, vigne, oliviers, amandes, noisettes sont les principales productions.

● Parmi les industries extractives, celle du sel de potasse alimentant l'industrie des engrais est en plein développement, celle du soufre est en baisse. La découverte d'hydrocarbures (à Gela et dans la province de Raguse) et l'augmentation de la production d'énergie grâce aux centrales de Termini Imerese, Porto Empedocle, Gela et Augusta ont facilité l'apparition de nouvelles industries. Le long du golfe d'Augusta se sont concentrées des industries chimiques et pétrochimiques. Une autre zone industrielle s'est constituée au sud de Catane. Les industries relatives à l'agriculture sont très importantes.

● Le trafic maritime est intense dans les ports d'Augusta, Gela, Milazzo, Palerme. Le trafic ferroviaire est actif le long des côtes. ■

▶ *GARIBALDI / ITALIE*

Pêcheurs siciliens. La pêche est très active sur les côtes de Sicile. En plus des crustacés, on capture l'espadon dans le détroit de Messine, et le thon dans les eaux de Syracuse, sur la côte orientale, ainsi qu'au voisinage de Trapani, sur la côte occidentale.

Vilbrequin de machine de navire. Les énormes dimensions de ces pièces d'acier rendent leur équilibrage difficile.

Avec une production annuelle moyenne de 18 000 000 t d'acier et de 14 000 000 t de fonte, la sidérurgie française vient au 7e rang dans le monde. La production mondiale d'acier qui s'élevait à 720 millions de tonnes en 1985 s'élèvera à 2 milliards en l'an 2000.

Forgeage d'une roue de wagon. Après cette opération, la roue sera équilibrée par usinage à froid.

SIDÉRURGIE

● La sidérurgie est l'ensemble des traitements permettant d'obtenir le fer et ses alliages, c'est-à-dire la métallurgie du fer. Les minerais de fer sont essentiellement des oxydes comme les hématites à base d'oxyde ferrique Fe_2O_3, et la magnétite à base d'oxyde magnétique Fe_3O_4, ou encore des carbonates comme la sidérose, qui comprend du carbonate ferreux $FeCO_3$. On peut y ajouter la pyrite contenant du sulfure FeS_2, mais le soufre est ici gênant; celle-ci est plutôt utilisée comme minerai de soufre. Ces matériaux sont entourés de matières terreuses, la gangue, à base d'argile (silicates d'aluminium) ou de calcaire (carbonate de calcium).

● Une première opération consiste à griller les minerais, c'est-à-dire à les faire fortement chauffer : cela élimine l'eau et décompose les carbonates et les sulfures : on obtient alors des oxydes de fer. Il faut donc réduire ces oxydes pour

obtenir le fer. L'opération est réalisée dans un haut fourneau, énorme cuve d'une trentaine de mètres de hauteur dans laquelle on entasse des couches alternées de coke et d'oxyde de fer; on ajoute aussi des produits destinés à faire

fondre la gangue, le fondant, à base de calcaire si la gangue est argileuse, à base de silice ou d'argile si la gangue est calcaire.

● De l'air chaud est envoyé à la base du haut-fourneau par des tuyères et le coke se trouve porté à l'incandescence et s'oxyde en monoxyde de carbone CO; ce gaz remonte , traverse la couche d'oxyde de fer où il est oxydé une nouvelle fois en dioxyde de carbone CO_2 par l'oxyde de fer qui, perdant son oxygène, se transforme en fer. Le dioxyde de carbone, rencontrant une nouvelle couche de coke, réagit sur ce corps et se transforme en monoxyde de carbone, le coke donnant aussi naissance à du monoxyde de carbone, et ainsi de suite.

● On obtient finalement des liquides qui proviennent de la gangue et du fer; ces liquides retombent dans le creuset, partie inférieure du haut-fourneau, et se séparent en deux couches : à la partie supérieure, les laitiers provenant de la gangue, et à la partie inférieure la fonte, dans laquelle le fer retient du carbone. Ces deux liquides s'extraient séparément par deux trous de coulée. Les gaz qui s'échappent à la partie supérieure du haut-fourneau sont récupérés car ils sont chauds et leur chaleur peut servir à échauffer les gaz entrants, c'est-à-dire l'air, et ils contiennent du monoxyde de carbone dont on se sert comme combustible, toujours pour échauffer l'air envoyé dans les tuyères.

● La fonte obtenue a pu aussi dissoudre d'autres constituants du minerai à cause de la température atteinte, voisine de 1 500° C. C'est ainsi qu'elle contient des impuretés telles que le manganèse, le silicium, le soufre, le phosphore... Il convient de rejeter ces impuretés, ainsi qu'une grande partie du carbone. Cela constitue l'affinage de la fonte.

● La coulée de la fonte a fourni des barres, les gueuses, dont l'aspect n'est pas le même selon les températures de fonctionnement du haut-fourneau. On distingue les fontes blanches, à cassure blanche, obtenues en allure froide, c'est-à-dire à des températures relativement peu élevées, contenant un composé de carbone et de fer, la cémentite Fe_3C; elles sont cassantes mais extrêmement dures et difficiles à travailler ou à mouler : on les réserve à l'affinage. Il y a aussi les fontes grises dans lesquelles des grains de graphite se sont formés par décomposition de la cémentite, ce qui donne la couleur, beaucoup moins dure, se travaillant et se moulant facilement; ces fontes sont utilisées pour la fabrication de poêles, de radiateurs, de socles de machines...

● La fonte blanche va maintenant subir l'affinage, au cours duquel il est possible d'introduire de nouveaux éléments en vue d'obtenir des aciers particuliers. Chimiquement, l'affinage consiste à oxyder les impuretés à éliminer soit par de l'air (procédé Bessemer-Thomas), soit par l'oxygène provenant d'oxyde de fer que fournissent des minerais, des déchets de fer rouillés (procédé Martin).

● Le convertisseur Bessemer est une grande cornue basculante dont le revêtement intérieur est choisi de telle façon qu'il réagisse avec les impuretés, qui forment alors des scories; habituellement, c'est un revêtement acide, à base de silice; le procédé Thomas emploie un revêtement basique, constitué d'oxydes de calcium et de magnésium, pour éliminer le phosphore que l'on trouve par exemple dans le minerai lorrain : on obtient des scories de déphosphoration.

● Le four Martin est un grand four à sole, cuve à fond plat, avec voûte réfractaire revêtue de briques siliceuses; le chauffage se fait par combustion de gaz de gazogènes à l'intérieur même du four, dans un compartiment annexe, la voûte permettant de renvoyer la chaleur vers la masse en fusion : c'est un four à réverbère.

● Les divers produits introduits dans ces fours et les quantités nécessaires sont l'objet de déterminations précises, grâce à des analyses fréquentes. On obtient finalement des aciers ordinaires, alliages fer-carbone à faible teneur en carbone (jusqu'à 1,5 et 2%), ainsi que des fontes spéciales, fontes au manganèse, au chrome ou au nickel.

● A côté des aciers ordinaires, on fabrique des aciers fins et des aciers spéciaux dont la composition et les propriétés sont encore mieux définies. Pour cela, on a recours à des minerais choisis parmi les plus purs, comme la magnétite de Suède; la fonte obtenue est ensuite traitée dans un four à arc ou un four à induction, de façon à ne pas introduire d'autres éléments que ceux qu'on a soigneusement dosés.

● Les aciers peuvent encore subir des traitements thermiques parmi lesquels la trempe joue un rôle important : il s'agit d'un refroidissement rapide, plus ou moins brutal. Ce traitement permet de conserver à la température ordinaire une structure et des constituants qui ne seraient stables qu'à température élevée. Cela donne des aciers plus durs et plus élastiques, mais plus cassants; on règle donc soigneusement le traitement thermique en vue d'obtenir la qualité désirée.

● Parfois, on a besoin de fer pur, entièrement débarrassé d'éléments étrangers, même de carbone. Pour cela, on peut réaliser l'électrolyse d'une solution de sulfate ferreux, l'anode étant constituée par la fonte ou l'acier que l'on veut purifier. On emploie également la formation puis la décomposition par la chaleur d'un gaz, le fer pentacarbonyle, obtenu par action de monoxyde de carbone sur le fer impur.

● Signalons qu'une sidérurgie à l'hydrogène, sans coke, est actuellement à l'étude. ■

▶ *ACIER / ALLIAGES / CARBONE / ÉLECTROLYSE / FER / MAGANÈSE / MÉTALLURGIE / OXYDO-RÉDUCTION*

Fabrication d'un tube. La tôle est d'abord mise en forme par une presse, puis soudée par procédé électrique. La machine à souder se déplace en suivant le joint. En même temps, elle dévide un fil de métal de 3,2 mm à 5 mm suivant l'épaisseur de la tôle et crée un arc électrique entre cette dernière et le fil dont la fusion produit le cordon de soudure. L'apport simultané d'une poudre à base de silice et de magnésium permet d'obtenir une soudure homogène et en assure la protection thermique pendant le refroidissement.

SILICATES

● Les silicates constituent une grande famille de minéraux, qui représente à elle seule 95 % de la croûte terrestre. La silice est un bioxyde de silicium anhydre ou hydraté. Elle se présente le plus souvent dans la nature en combinaison avec d'autres oxydes et forme les silicates.

● Ainsi que l'a prouvé l'analyse chimique, les rapports existant dans les silicates entre le silicium et l'oxygène sont quelque peu variables. On a donc proposé un classement fondé sur les critères structuraux. Dans les silicates, l'atome de silicium est toujours entouré de quatre atomes d'oxygène, qui se trouvent aux sommets d'un tétraèdre; selon le mode de

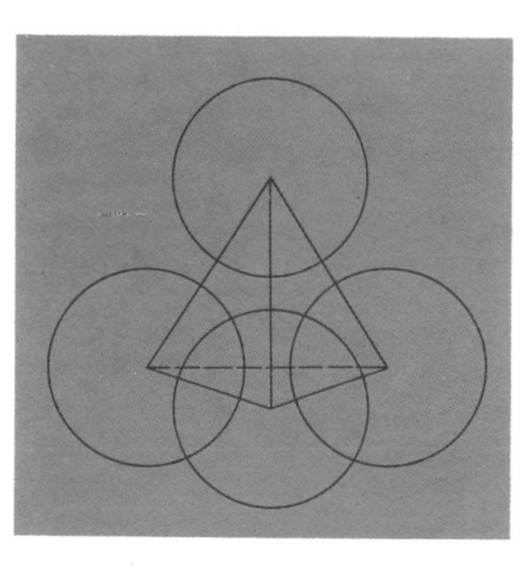

Schéma du tétraèdre Si O_4, unité fondamentale de tous les silicates.

Les chimistes ont constaté que le classement d'après des critères chimiques, adopté pour les autres minéraux, convenait mal aux silicates. D'après la nomenclature, ils seraient des sels d'acides siliciques, qu'on ne rencontre pas dans la nature et qui ne peuvent pas être obtenus en laboratoire, à l'exception de l'acide ortho-silicique, H_4 Si O_4. On a donc adopté pour ces sels un classement fondé sur leurs caractères structuraux.

liaison des tétraèdres entre eux, dans les cellules élémentaires, on a pu établir cinq grands groupes de silicates.

- Les nésosilicates (du grec *nesos*, île) sont caractérisés par le fait que les tétraèdres SiO_4 ne peuvent s'associer pour mettre en commun un atome d'oxygène, et restent au contraire isolés dans la structure (justement comme des îles); la liaison des uns aux autres est assurée par des cations, qui représentent des ponts entre les tétraèdres. Dans le cas de la forstérite, SiO_4Mg_2, terme magnésifère de la série isomorphe des olivines, la liaison entre tétraèdres est constituée par des atomes de magnésium. Les nésosilicates les plus communs comprennent les olivines et les grenats.
- Les sorosilicates (du grec *soros*, groupe) et cyclosilicates sont caractérisés par leurs « îles » qui, au lieu d'être constituées par un unique tétraèdre, en comptent 2 (sorosilicates), 3, 4 ou 6 (cyclosilicates), reliés les uns aux autres par un ou deux de leurs sommets, où ils sont en commun un atome d'oxygène. Dans ce cas également, comme pour les nésosilicates, la liaison entre les groupes se fait par des cations se reliant aux atomes d'oxygène restés libres. La tourmaline et le béryl sont des exemples de sorosilicates
- Les inosilicates (du grec *is-inos*, chaîne) sont des silicates où les tétraèdres SiO_4 sont directement liés les uns aux autres et forment une chaîne, dans une direction préférentielle, à laquelle correspond habituellement un développement prismatique des cristaux. Les deux séries les plus importantes de ce groupe sont les pyroxènes et les amphiboles; la liaison entre les chaînes adjacentes de tétraèdres est réalisée par des cations comme Ca, Mg, Fe, Al et d'autres encore.
- Les phyllosilicates (du grec *phyllon*, feuille) sont les silicates dont les tétraèdres forment des couches. Chaque tétraèdre met en commun trois oxygènes avec trois autres tétraèdres, les oxygènes restant libres étant toujours tournés du même côté, comme les épis d'un champ de blé.
- Chez la plupart des phyllosilicates, deux de ces couches se présentent avec leurs oxygènes libres face à face, et la liaison d'une couche à l'autre est le fait de cations comme Fe, Mg, Al. Cet ensemble est nommé empilement : dans les principaux phyllosilicates, comme les micas, il existe d'innombrables empilements superposés, reliés à leur tour entre eux par des atomes de K, Na, Ca. Les autres groupes importants de phyllosilicates sont les chlorites, le talc et les principaux minéraux des argiles.
- Chez les tectosilicates (du grec *tecktonikè*, architecture) chaque tétraèdre met en commun ses quatre atomes d'oxygène avec quatre autres tétraèdres égaux, ce qui donne un véritable échafaudage dans toutes les directions de l'espace, différant par la structure des inosilicates et phyllosilicates, où le développement spatial a lieu dans une direction préférentielle ou selon une surface plane. Les feldspaths et feldspathoïdes, qui font partie des tectosilicates, comptent au nombre des plus importants minéraux. ■

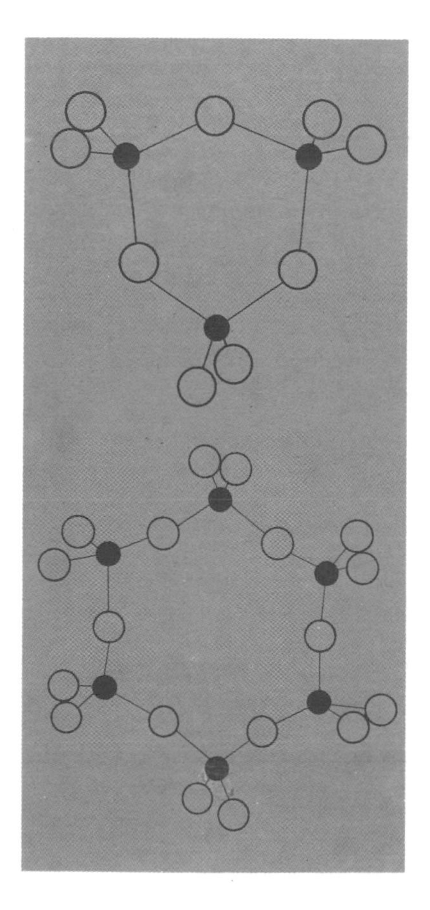

Groupements de trois et de six tétraèdres dans les soro-silicates.

▶ *AMPHIBOLES / ARGILES / FELDSPATHS / MICAS / MINÉRAUX / PIERRES PRÉCIEUSES / ROCHES*

SILICIUM

- Le silicium est très abondant sur terre où il existe dans beaucoup de roches à l'état de silicates ou de silice. La technique moderne l'a fait connaître du grand public par l'intermédiaire de certains transistors.
- C'est un corps gris très dur, fondant à 1 420° C. Dans les cristaux de silicium, les atomes sont répartis régulièrement dans l'espace, chacun d'eux étant entouré symétriquement par quatre autres, eux-mêmes entourés de la même façon. Cette structure est identique à celle du carbone dans le diamant. Voilà une analogie qui se traduit par une grande ressemblance entre les atomes de carbone et de silicium.
- Cette analogie se retrouve dans les composés à base de carbone, c'est-à-dire les composés organiques, et ceux à base de silicium. Par exemple, le composé hydrogéné du carbone le plus simple est le méthane CH_4; de même, avec le silicium, on a le composé de formule analogue SiH_4, qui est le premier silane.
- On fabrique actuellement des composés dans lesquels on trouve des chaînes très longues où des atomes de silicium et d'oxygène alternent : ce sont les silicones, avec lesquels on fabrique des huiles, des composés élastiques,

Le gorille (à gauche) est un grand primate d'Afrique centrale. Le mâle peut mesurer plus de 1,50 m. Ce mammifère vit en famille. Il construit des abris sur les arbres pour y dormir mais, pendant le jour, reste à terre où il marche à 4 pattes.

Orang-outan avec son petit. Ce singe anthropoïde habite les forêts vierges de Sumatra et de Bornéo. Il vit en famille et se nourrit de fruits. Ses membres antérieurs développés en font un véritable trapéziste volant. Il s'apprivoise facilement.

des isolants intéressants par leur caractère hydrofuge, c'est-à-dire ne se laissant pas imprégner par l'eau.

● Cette possibilité de liaison multipliée avec l'oxygène est une des caractéristiques du silicium. On la retrouve dans la silice constituant le quartz où chaque atome de silicium est entouré de quatre atomes d'oxygène, chacun de ceux-ci faisant le pont entre deux atomes de silicium. Cela donne un corps de formule globale SiO_2, très dur, ne fondant qu'à 1 710° C.

● On fait, avec la silice fondue, un verre très apprécié au laboratoire et dans l'industrie car il est à la fois réfractaire et bon isolant thermique et électrique; en outre, son coefficient de dilatation est très faible, c'est-à-dire que ses déformations lors d'un échauffement ou d'un refroidissement sont minimes, à tel point qu'elles n'entraînent pas, même si elles sont brutales, de rupture de l'objet, comme ce serait le cas avec du verre.

● La silice réagit avec la soude en solution bouillante pour former du silicate de sodium, ou verre soluble. Ajoutons à une solution de silicate de sodium de l'acide chlorhydrique, un précipité gélatineux de silice hydratée se forme : c'est un gel de silice, acide faible dont les sels sont les silicates. La silice s'emploie dans la fabrication des divers types de verres et d'émaux. Le verre ordinaire s'obtient en faisant fondre ensemble du sable, qui contient de la silice, du calcaire et du carbonate de sodium. Le verre Pyrex, au bore, est un verre intéressant, peu sensible aux variations brutales de température.

● Les ciments sont aussi fabriqués à partir de silicates d'aluminium naturels. ■

▶ *ATOMES / CIMENTS / CHIMIE ORGANIQUE / MÉTHANE / MOLÉCULES / TRANSISTOR*

SINGES

● Les singes ou simiens forment le groupe le plus évolué des mammifères et constituent avec les prosimiens (lémuriformes, tarsiiformes et lorisiformes) et les hominiens (australopithèque, pithécanthrope et homo), l'ordre des primates.

● Les primates renferment 14 familles avec environ 200 espèces adaptées essentiellement à la vie arboricole grâce à leurs membres propres à saisir des branches. Ils ont peuplé les régions chaudes de tous les continents, sauf l'Australie. Leur taille varie de celle d'une souris à celle d'un gorille.

● Les primates se sont développés à partir des insectivores. Certains prosimiens sont étroitement apparentés à ce groupe, à tel point que certains auteurs classent les tupaïas parmi les insectivores tandis que d'autres les considèrent comme des prosimiens. Cette absence de frontière nette est due au fait que les caractères distinctifs ne se sont pas développés en même temps.

● D'après les fossiles que l'on a pu trouver, les ancêtres des primates seraient des insectivores proches des gymnures. Leurs membres étaient pentadactyles, les yeux petits et latéraux et l'olfaction bien développée. L'adaptation à la vie arboricole a entraîné un développement des yeux et l'augmentation du champ visuel binoculaire stéréoscopique, indispensable pour apprécier les distances quand on évolue de branche en branche. En même temps le cerveau s'est développé et les aires olfactives se sont réduites.

● La croissance du pouce et du gros orteil, opposables aux autres doigts, a également facilité les déplacements dans les arbres. Les griffes, devenues inutiles, se sont transformées en ongles plats. Les griffes des singes du Nouveau-Monde ne sont en fait que des ongles très allongés. Il subsiste néanmoins une griffe au deuxième orteil des prosimiens, griffe ser-

Cercopithèque à ventre jaune. Ces singes, dont on compte de nombreuses espèces, ont tous une longue queue non prenante, et certains une barbe blanche ou colorée. Leur taille dépasse rarement 50 cm, queue non comprise. Ils vivent en troupes dans les forêts tropicales d'Afrique. Ils s'adaptent très bien à la captivité.

vant essentiellement au toilettage.

● Les fossiles les plus anciens furent découverts en Europe et en Amérique du Nord dans des terrains du Paléocène. D'après ces traces il est possible de dire qu'il existait déjà des lignées différentes au Tertiaire, les unes apparentées aux lémuriens actuels, d'autres aux tarsiidés. On n'a cependant pas trouvé de fossiles, datant de cette époque, en Asie et en Afrique.

● Par la suite, les primates colonisèrent d'autres régions du globe. Une lignée se développa en Amérique du Sud, une autre dans l'Ancien Monde. Les lémuriens colonisèrent Madagascar, les loris et les galagos l'Asie et l'Afrique, les tarsiidés le Sud-Est de l'Asie. C'est dans l'Ancien Monde qu'il faut rechercher l'origine des anthropomorphes et avec eux les ancêtres de l'homme.

● Les prosimiens ont des formes très diversifiées, les uns ressemblant aux insectivores, d'autres à des singes. Ils ont cependant tous un museau allongé et une queue longue, souvent touffue, exception faite pour loris et indris. Leur taille se situe entre celle d'un hamster et celle d'un renard. Animaux nocturnes, ils possèdent d'énormes yeux. Leur odorat est peu développé. Ils ont des doigts libres et le pouce opposable.

● Les makis, comme *Lemur catta*, dont le pelage est blanc et brun et la queue annelée, sont les lémuriens les plus connus. Ces prosimiens vivent à Madagascar et mesurent entre 11 et 50 cm, sans compter la queue dont la longueur se situe entre 12 et 70 cm. Le plus petit primate actuel fait partie de ce groupe, il s'agit

Babouin et son petit. Les babouins sont de grands singes dont la tête ressemble à celle d'un chien. Ils habitent les forêts d'Afrique, en troupes commandées par un vieux mâle. Ils sont sociables, intelligents et capables de travailler pour l'homme, par exemple de cueillir des fruits.

de *Microcebus murinus*, mesurant entre 11 et 13 cm, auxquels il faut ajouter une queue de 12 cm. Les indriidés sont les plus grands prosimiens, leur taille moyenne est de 90 cm, mais leur queue ne dépasse pas 5 cm de long.

● Le propithèque (indriidé) est un animal diurne très agile dont le régime alimentaire est très spécialisé, car il ne mange que les feuilles de certaines essences. L'aye-aye est le seul représentant des daubentoniidés qui s'écarte un peu des autres prosimiens par sa morphologie.

● Les lorisiformes sont des prosimiens qui vivent en Asie et en Afrique. On les subdivise en lorisidés, pourvus d'une queue courte, et en galagidés, qui possèdent une queue allongée.

● Les tarsiiformes vivent en Malaisie. Ils doivent leur nom à l'important développement du tarse des membres postérieurs. Animaux de petite taille (15 à 18 cm + 20 cm de queue) ils ont des yeux gigantesques atteignant presque chacun le volume du cerveau. Ils se distinguent des autres prosimiens par la présence de griffes aux 2e et 3e orteils. Ils se nourrissent d'insectes, de lézards, de poissons et de crabes.

● Les simiens, ou singes vrais, ont atteint au sein des primates le degré le plus élevé de perfectionnement anatomique et morphologique et un développement psychique parallèle tout aussi élevé. C'est un vaste groupe qui a des représentants dans toutes les régions chaudes du globe, à l'exception de l'Océanie. Pour l'ensemble des simiens, en dépit de la variabilité des formes, on observe une plus grande évolution chez les espèces de l'Ancien Monde, ou catarrhiniens, que chez celles du Nouveau Monde, ou platyrrhiniens.

● Les simiens ont une taille qui varie de celle d'un écureuil à celle d'un gorille. Le poids oscille entre 70 grammes et 250 kg. Les yeux sont dirigés vers l'avant et permettent ainsi une excellente vision binoculaire. L'augmentation de la taille du cerveau est encore plus accentuée que chez les prosimiens. Ce sont surtout les centres d'associations qui prennent de l'importance et permettent aux singes de mieux s'adapter à des situations nouvelles et de faire preuve de cette plasticité de comportement qui leur est propre. Proportionnellement au poids du corps, le cerveau d'un callithricidé (patyrrhinien) est trois fois plus développé.

● Pour se déplacer, les singes utilisent leurs membres et parfois, comme c'est le cas de certains platyrrhiniens, la queue prenante. Le premier type de singes, le type « grimpeur normal » (platyrrhiniens et cynomorphes) a un mode de vie presque exclusivement arboricole. Les membres antérieurs sont à peine plus longs que les postérieurs et le tronc peu incliné. Le type « marcheur » (cercopithèques par exemple) se caractérise par des membres d'égale longueur et un tronc horizontal. Le type « brachial ou suspendu », propre surtout aux singes anthropomorphes, montre un allongement des membres antérieurs en rapport avec l'habitude qu'ont ces animaux de se déplacer en se balançant de branche en branche avec leurs seuls bras.

● La peau des singes est pigmentée de gris noirâtre. Leur fourrure, dont les couleurs les plus fréquentes sont le brun-noir et le brun-roux, est épaisse chez de nombreuses espèces, moins fournie chez d'autres (anthropomorphes). Elle peut être absente à certains endroits du corps (face, fesses) qui sont parfois pigmentés de couleurs vives, bleues ou rouges (mandrill).

● Les femelles ont deux mamelles pectorales et ne mettent en général qu'un petit au monde par portée. La croissance des jeunes est assez lente, les cynomorphes n'atteignent leur maturité que vers 7 ans, et les anthropomorphes entre 9 et 12 ans. La longévité de certaines espèces est de 45 ans.

● Les singes sont souvent omnivores, mais montrent parfois une préférence pour les végétaux.

● On subdivise les simiens en platyrrhiniens, ou singes du Nouveau Monde, dont les narines sont largement séparées, ouvertes vers l'avant et l'extérieur, et les catarrhiniens, ou singes de l'Ancien Monde, dont les narines rapprochées s'ouvrent vers le bas. Certaines espèces ont un véritable nez proéminent.

● Les platyrrhiniens comprennent trois familles, plusieurs sous-familles et de nombreuses espèces d'aspect différent. Les callimiconidés et les callithricidés regroupent les petits singes que l'on appelle communément tamarins et ouistitis. Ce sont des singes de taille moyenne avec une queue longue, des moustaches, favoris et touffes de poils aux oreilles, qui leur donnent un aspect comique. Ils se nourrissent de fruits et de viande. La famille des cébidés comprend cinq sous-familles dont les principaux représentants sont : les titis, les sakis et ouakiris, les saimiris et les capucins, les singes hurleurs, les lagotriches, ou singes laineux et les singes araignées.

● Les catarrhiniens se répartissent en deux grands groupes : les cynomorphes et les anthropomorphes. Dans l'ensemble, ce sont des animaux plus grands que les singes américains, à queue réduite ou tout au plus de la longueur du corps, et jamais préhensile.

● Les cynomorphes se subdivisent en deux familles, les colobidés et les cercopithécidés. La distinction entre ces deux familles est fondée sur des particularités anatomiques. Parmi les colobidés on classe les doucs, les presbytinés, les rhinopithèques, les nasiques qui vivent en Asie du Sud jusqu'au pied de l'Himalaya, et les colobes d'Afrique. Ces derniers sont peut-être les plus beaux singes, qui ont malheureusement été victimes de leur magnifique pelage. On les trouve au Sénégal, en Éthiopie et jusqu'en Angola.

Espèce cercopithèque à livrée gris-vert. Ces singes ironiques sont souvent élevés dans les ménageries.

Le chimpanzé *(Pan troglodytes)*; grand singe anthropoïde originaire d'Afrique tropicale. C'est celui qui se rapproche le plus de l'homme. Il a une intelligence supérieure à celle de tous les autres animaux (indice de développement cérébral : 0,75 contre 2,82 pour l'homme et 0,40 à 0,50 pour les autres espèces de singes). Le chimpanzé peut se dresser sur les pattes postérieures et communiquer avec ses semblables par des sons ressemblant à la parole.

● Les cercopithécidés sont des singes au régime varié, presque omnivores, dont certaines espèces ont presque totalement abandonné la vie arboricole pour coloniser la terre ferme. Les principaux représentants de cette famille sont les cercopithèque, cynopithèque nègre, mangabey, pata, babouin, gélada, mandrill, macaque.

● Le gibbon, le gorille, le chimpanzé et l'orang-outan constituent le groupe des singes anthropomorphes. ■

▶ *CHIMPANZÉS*

SKI

● Pour se déplacer rapidement sur les surfaces enneigées les skieurs chaussent des patins longs et étroits en bois (hickory, frêne), en matière plastique, en fibre de verre ou en métal. L'extrémité antérieure des skis est relevée en forme de spatule; des rainures (une seule pour les skis de descente, plusieurs pour les skis de fond) pratiquées sous la semelle des skis améliorent leur tenue en ligne droite; les côtés du ski, ou carres, sont munis de lames métalliques apparentes ou incorporées, permettant aux skis de mieux mordre sur la neige; les fixations, placées à mi-longueur de chaque ski, reçoivent et maintiennent les grosses chaussures de ski par un système de leviers et de lanières. L'usage des fixations dites de sécurité se généralise, limitant sen-

En 1986 le docteur Jean-Louis Étienne alla seul à skis de l'île de Wardhunt au pôle Nord (750 km) en 63 jours, en tirant un traîneau de 50 kg. Le record officiel du saut est détenu par le Finlandais Matti Nykaenen qui, en 1985 à Planica (Yougoslavie) fit un saut de 191 m.

siblement le nombre des fractures et des entorses.

● Les dimensions des skis varient avec la taille et le poids du skieur et avec la spécialité à laquelle ils sont destinés. Leur longueur se situe entre 1,60 m et 2,20 m; leur largeur oscille entre 10 et 15 cm. Les skis de saut sont plus larges, les skis de fond plus étroits. Pour ne pas perdre sa vitesse dans les replats et pour garder son équilibre en descente, le skieur s'appuie sur des bâtons, autrefois en bambous, aujourd'hui en métal ou en fibre de verre. L'extrémité inférieure de chaque bâton est munie d'une rondelle, située à 8 ou à 10 cm de la pointe, empêchant le bâton de s'enfoncer trop profondément dans la neige.

● Pour empêcher la neige de coller aux skis, on étale sur la semelle du ski des substances spéciales, les farts, à base de cire ou de paraffine. Il en existe de diverses sortes pour le fond, la descente, le saut. On les choisit en fonction de la qualité de la neige (poudreuse, lourde, « gros sel », « soupe », selon la saison).

● Plusieurs siècles av. J.-C., le ski était déjà adopté par les populations du Nord, d'Asie et de l'Europe comme moyen de locomotion. En Europe, les peuples nordiques employèrent même des bataillons spéciaux de soldats exercés à guerroyer à ski. L'histoire officielle du ski en tant que sport de neige ne débuta réellement qu'en 1860, année de la course légendaire organisée à Christiania (Oslo), en Norvège, qui comprenait des épreuves de ski et de tir à la cible. Sept ans plus tard fut rédigé, en Norvège toujours, le premier règlement s'appliquant aux épreuves de ski exclusivement. La première compétition eut lieu à Brunkeberg (Norvège)

● Au cours de ces dernières années, la technique du ski a connu de nombreuses modifications dans la négociation des virages : le *chasse-neige* fut suivi par le *stemm-christiania* puis par la *godille*. Certaines innovations, comme la position de l'œuf en descente libre, connurent un vif succès avant d'être à leur tour remplacées.

● On distingue deux grandes catégories de disciplines. Les premières, dites alpines, ont lieu sur des parcours relativement courts, à forte déclivité; les secondes, dites nordiques, se déroulent sur des parcours plus longs, comprenant des replats et des pentes douces. Alors que le ski alpin requiert des réflexes très rapides, le ski nordique nécessite une grande résistance à l'effort prolongé (fond) ou des dispositions pour l'acrobatie (saut).

● *Les disciplines alpines* comprennent deux spécialités : descente libre et slalom. Spectaculaire et dangereuse, la *descente libre* exige beaucoup de courage en même temps qu'une robuste constitution. Longs de trois kilomètres, les parcours présentent 800 à 1 000 mètres de dénivellation. La vitesse atteinte dépasse souvent 100 km/h. Pour mieux indiquer le tracé et pour éviter des vitesses excessives le parcours est jalonné de quelques « portes » (passages obligatoire entre deux piquets distants de quelques mètres).

● Le *slalom* est un parcours, jalonné par des portes, composé d'une succession de virages imposés : dénivellation comprise entre 140 et 200 mètres, avec franchissement de 55 à 75 portes, course en deux manches, pour le *slalom spécial;* dénivellation plus accentuée, portes moins nombreuses, course en deux manches pour le *slalom géant;* dénivellation pouvant aller jusqu'à 650 mètres, portes peu nombreuses, course en une seule manche, pour le *super-géant,* créé en 1982. C'est l'adresse qui est déterminante dans le slalom.

● *Les disciplines nordiques* comprennent des épreuves de fond disputées sur 15, 30, 50 km, le relais 4 × 10 km, le saut et le combiné nordique. Les parcours empruntés pour les épreuves de fond présentent de rares dénivellations. Les skis étroits et légers sont munis de fixations laissant libre l'arrière du pied.

● Les épreuves de saut, impressionnantes, ont lieu à partir d'un tremplin incliné à 35° et se terminant par une courte plate-forme. Le saut achevé, le skieur se pose sur la piste située en dessous. Dans le compte des points entrent en

En 1988 s'est révélé en slalom un irrésistible phénomène italien : Alberto Tomba. Il fut immédiatement surnommé : « La Bomba », titre difficile à porter au quotidien sur plusieurs saisons.

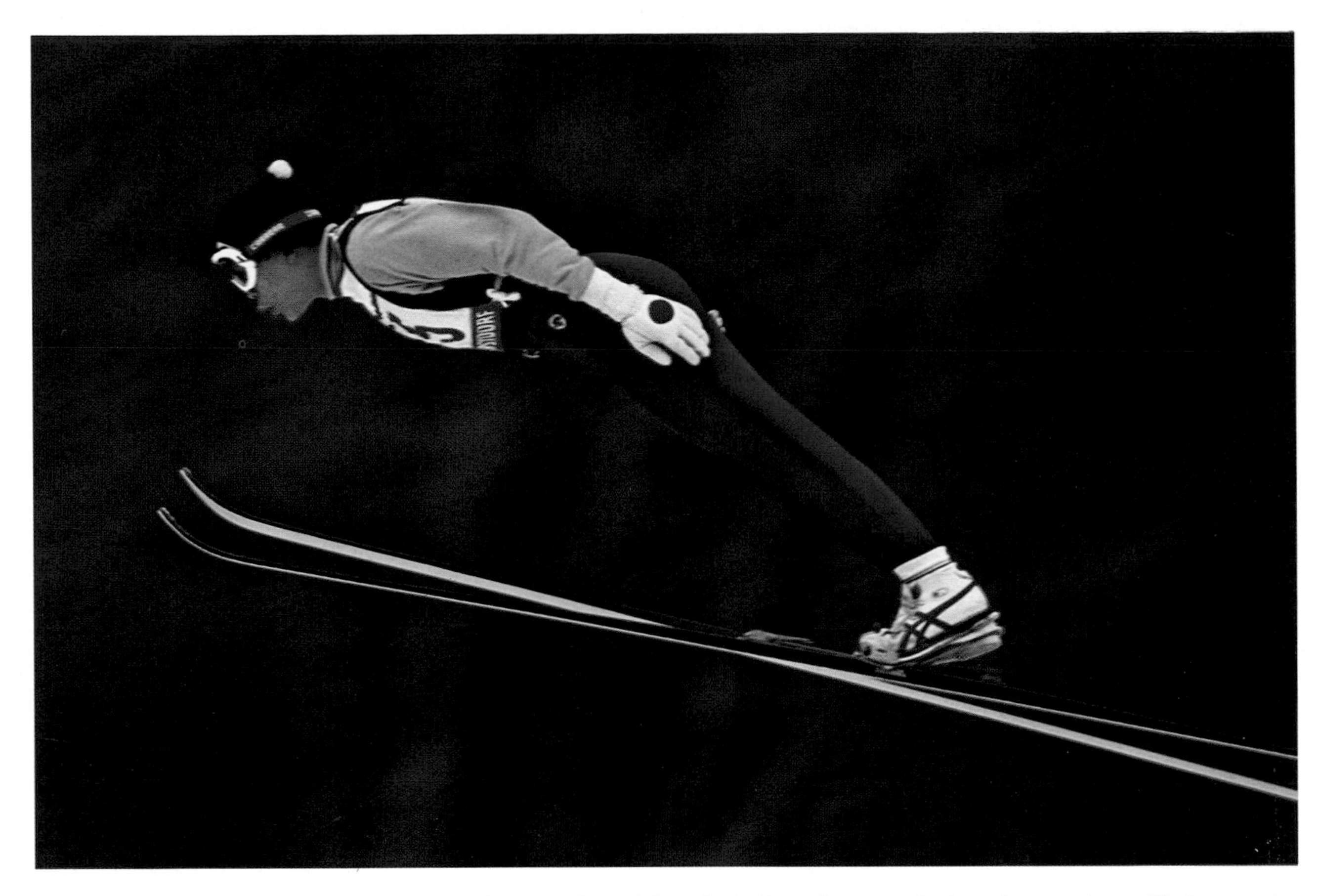

Attaché à ses skis par la pointe de ses chaussures, ce champion, photographié « en plein vol », exécute un saut parfait. A Planika (Yougoslavie) à Kulm (Autriche) à Obersdorf (Allemagne) des tremplins géants permettent de réaliser des vols supérieurs à 120 m.

jeu la longueur du saut, la qualité du style, la stabilité du vol et la sûreté de l'atterrissage. On appelle combiné nordique l'ensemble des épreuves de fond et de saut.

● Les plus grandes compétitions internationales sont la Coupe du monde, les Championnats du monde et les Jeux Olympiques d'hiver. ■

SLAVES

● Géographiquement, les Slaves occupent en Europe occidentale et centrale un domaine très étendu, de l'Adriatique à l'Oural. Les individus appartenant à ce groupe ethnique ne présentent pas de caractères physiques particuliers, du fait des nombreux métissages dont ils résultent. Par suite des rivalités entre tribus et de la variété des religions, les Slaves ne parviennent pas à former une nation unique et le rêve panslaviste ne se réalisera jamais.

● Originaires d'une région située au nord des Carpates (vallée du San, du Pripiat, de la Berezina, du Dniepr moyen), les Slaves vivaient pauvrement des produits de la chasse, de la pêche, de l'élevage, parfois de la culture du millet. Désignés sous le nom de Vénèdes par les auteurs du monde gréco-romain (Pline, Tacite, Ptolémée), et sous celui de Wendes par les Germains, ils ne s'attribuèrent le nom de Slaves qu'à partir du VIe siècle.

● Au cours du Moyen Age, de grandes migrations aboutirent à une différenciation des divers groupes slaves qui tantôt assimilèrent la population indigène et tantôt s'intégrèrent à elle. La création d'États slaves (Croatie, Serbie, Bosnie, Pologne, Bohême) se heurta souvent aux ambitions des Germains et des Magyars (Xe et XIe siècles).

● Dans le même temps, l'expansion du christianisme contribua à scinder le monde slave en deux groupes de religion et de culture distinctes. Polonais, Tchèques, Slovaques, Slovènes, Croates furent rattachés à l'Église romaine; Russes, Ukrainiens, Bulgares et Serbes furent évangélisés par les Byzantins (dont Cyrille, originaire de Thessalonique) et dépendirent de l'Église orthodoxe.

● A la fin du Moyen Age, la poussée des barbares venus d'Asie vint modifier la situation. La Russie parvint à se libérer des Tatars (XVe siècle); en revanche, les Slaves du Sud durent s'incliner devant la domination ottomane, tandis que la Bohême et la Croatie étaient réunies aux possessions des Habsbourg.

● Au XIVe siècle, les Slaves se tournèrent sans succès vers le tsar pour échapper à l'oppression ottomane et autrichienne. Mais ils durent se libérer seuls. En 1885 renaissait la Bulgarie, en 1918 la Pologne; la Yougoslavie et la Tchécoslovaquie furent créées en 1918. En vertu de la solidarité slave, l'U.R.S.S. s'est adjugée aujourd'hui un rôle très important dans la vie politique des États slaves, devenus ses satellites. ■

▶ *BULGARIE / POLOGNE / TCHÉCOSLOVAQUIE / YOUGOSLAVIE*

SOCIALISME

Les philosophes n'ont fait qu'interpréter diversement le monde : il s'agit maintenant de le transformer

Karl Marx.

● Le mot socialisme apparaît vers 1820 pour désigner une revendication des « prolétaires », de ceux qui ne possèdent pas les instruments de production, contre les « capitalistes », dans des sociétés fondées sur la division du travail. Ces sociétés sont liées au développement du capitalisme industriel, et les idées des sans-culottes de la Révolution, ou celles d'un Babeuf, s'apparentaient déjà au socialisme.

● Mais le socialisme en tant que doctrine est surtout le fait d'intellectuels, bourgeois dans leur majorité, qui, prenant conscience de la misère ouvrière, aspirent à transformer l'ensemble du système économique et social, dans un but de justice. D'après Marx, il existe deux grandes doctrines socialistes : le socialisme utopique et le socialisme scientifique.

● Contre le laissez-faire prôné par certains économistes anglais comme Adam Smith, responsable des écarts croissants des fortunes par la course au profit, les « utopistes » envisagent des coopératives de production et de consommation. Suivant les théories de Richard Owen, les pionniers de Rochdale, aux États-Unis, s'organisent pour n'acheter les produits qu'au prix de gros.

● Allant plus loin, le Français Charles Fourier (1772-1837) imagine une communauté parfaite, le phalanstère, dont les membres seraient choisis en fonction de l'harmonie de leur caractère, et où tout serait fait pour satisfaire les passions de chacun.

● Moins idéaliste, le comte de Saint-Simon élabore tout un système d'organisation de la société admettant l'intervention de l'État contre le libéralisme et la propriété privée (*le Catéchisme des industriels*, 1823). Proudhon enfin (1809-1865), grâce à son origine ouvrière et à la fougue de ses écrits *(Qu'est-ce que la propriété ?)*, eut une très grande influence sur le socialisme en France : il préconise la formation de compagnies ouvrières où l'entraide serait permise par des sociétés de secours mutuel et un système de crédit populaire.

● Mais ces théories se sont révélées inapplicables lorsque certains pionniers, aux États-Unis par exemple, ont entrepris de les mettre en pratique. Selon Marx, cette inadaptation à la réalité serait due à une méconnaissance des mécanismes profonds du capitalisme. Il ne s'agit pas de condamner notre système économique et social au nom de valeurs humanitaires vagues, puis d'imaginer une société idéale répondant à des critères subjectifs ; il faut que la construction d'une nouvelle organisation découle de l'analyse rationnelle du capitalisme lui-même et des contradictions qui doivent en permettre le remplacement. Ce socialisme se veut donc scientifique.

● Fils d'un avocat allemand, Karl Marx s'est fixé par la suite en Angleterre, après un bref séjour en France. Témoin des conséquences sociales de la révolution industrielle anglaise, il élabore avec son ami Engels, fils d'un riche manufacturier, une doctrine socialiste cohérente, exposée pour la première fois dans une brochure, *le Manifeste du parti communiste*, (1848), puis développée et précisée dans *le Capital*, dont le premier volume est publié en 1867 et le dernier en 1894.

Au « Petit Sou » (ainsi nommé parce qu'il coûtait 5 centimes) collaborèrent des socialistes de toutes tendances et de toutes origines. Parmi eux : J. Allemane (ouvrier typographe), P. Brousse (médecin), J. Guesde (ancien expéditionnaire de Préfecture devenu journaliste), L. Tailhade (écrivain).

● Toute son analyse repose sur la prise de conscience de l'aliénation des travailleurs et de la lutte des classes qui en découle. Grâce à la plus-value, tout le profit va au capitaliste, alors que le salaire permet tout juste la subsistance des travailleurs ; cette division profonde de la société se reflète dans la superstructure politique qui assure la domination de la bourgeoisie. Pour en sortir, et pour répondre à la loi de l'évolution historique qui veut, pour le matérialisme dialectique, que le capitalisme meure sous les coups conjugués de ses contradictions et de l'action des prolétaires, il faut déposséder les capitalistes et transférer aux prolétaires la possession des instruments de production et les collectiviser. Cette transformation ne peut se faire que par la révolution et l'établissement de la dictature du prolétariat, qui préviendra toute résistance de la bourgeoisie. L'État devenu inutile sera enfin supprimé.

● Tous les mouvements socialistes ne sont définis par rapport à ces deux grands courants. En France, Paul Lafargue (1842-1911), époux de la fille de Karl Marx, traduit l'œuvre de son beau-père et ne tarde pas à l'imposer. Cependant, le courant anarchiste reste très puissant, avec Pelloutier et Vaillant qui envisagent de renverser cette société par la grève générale. Les rapports entre les deux courants se dégradent rapidement : à la Ire Internationale créée à Londres en 1864, Marx et l'anarchiste Bakounine se heurtent violemment, et Marx doit demander sa dissolution en 1876.

● En 1889, la fondation à Paris de la IIe Internationale, d'inspiration marxiste, assure une grande audience au socialisme scientifique. Dix ans plus tard, la plupart des grands partis socialistes européens

sont marxistes. Jules Guesde fonde en France le Parti ouvrier français, et affirme contre le Parti ouvrier socialiste révolutionnaire (P.O.S.R.) d'Allemagne que la primauté revient à la conquête du pouvoir politique et non à l'action syndicale et à la grève. Quant au Parti socialiste révolutionnaire (P.S.R.) d'Édouard Vaillant, il s'inspire des idées de Blanqui, d'un communisme actif; quelques socialistes indépendants, comme Millerand ou Jaurès, font preuve de plus d'opportunisme et s'attachent aux progrès électoraux. Ceux-ci ne sont d'ailleurs pas négligeables puisque les socialistes obtiennent 12 sièges en 1889 et 43 en 1902.

● En avril 1905, ces partis se regroupent dans la S.F.I.O., rattachée à la IIe Internationale, très bien implantée dans le Nord et dans les régions industrielles, et dominée par la personnalité de Jaurès. La S.F.I.O. connaît d'importants succès aux élections, et à la veille de 1914 ses 103 députés auraient pu entraver sérieusement la politique belliciste du gouvernement si Jaurès n'avait été assassiné en juillet, ne pouvant empêcher le ralliement de tous à l'Union sacrée contre l'Allemagne. Cette transformation d'un parti révolutionnaire en parti de gouvernement se retrouve dans tous les autres pays.

● En Angleterre, le marxisme n'a d'abord rencontré aucun succès dans les associations d'ouvriers, les Trade-Unions, qui, loin de vouloir abattre le capitalisme, voulaient en tirer parti pour améliorer la situation des masses. Les idées plus socialisantes de la Fabian Society, avec Sidney Webb et G.B. Shaw, sont adoptées par le Parti travailliste indépendant fondé par Keir Hardie en 1893, mais le Labour Party (parti travailliste) qui en est issu en 1906 soutient encore souvent le parti libéral. Le pays le plus tôt industrialisé n'a donc connu qu'un socialisme très édulcoré.

● La situation est très différente en Allemagne où la social-démocratie fut longtemps un modèle pour tous les partis socialistes européens. En septembre 1863, Ferdinand Lassalle fonde à Leipzig l'Association générale des travailleurs allemands, premier parti socialiste, qui lutte en faveur du suffrage universel, mais reste très nationaliste et admet l'intervention de l'État dans la création des coopératives de production. Alors que Lassalle s'entend avec Bismarck, Liebknecht et August Bebel fondent le Parti social-démocrate des travailleurs allemands.

● Les deux partis finissent par s'unir au congrès de Gotha, en 1875, sur un programme très lassallien, critiqué par Marx. Malgré la répression, le parti parvient à se développer, et Karl Kautsky le réorganise en 1890, dans un sens plus marxiste, pour en faire le Parti social-démocrate allemand. Mais le révisionnisme l'emporte bientôt au sein de cette énorme organisation, et le nationalisme en vient à dominer les efforts révolutionnaires malgré les mises en garde de Rosa Luxembourg et R. Hilferding.

● Dans l'Empire austro-hongrois, Victor Adler parvient à faire triompher la tendance marxiste proche de Kautsky au sein du Parti social-démocrate autrichien, créé au congrès de Neudorff en 1874. Mais il souffre des divisions ethniques de l'Empire, et se divise en groupes nationaux distincts et même opposés.

● En Russie, dominée par la paysannerie, le marxisme est introduit par Plekhanov, et se heurte au populisme qui s'efforçait de concilier le socialisme utopique et la tradition russe. Trois partis adhèrent à la IIe Internationale, mais le plus actif est le Parti ouvrier social-démocrate de Russie (P.O.S.D.R.) créé au congrès de Minsk en 1898, divisé en bolcheviks (majoritaires au congrès de Londres en 1903) et mencheviks (minoritaires). Sous la direction de Lénine, les bolcheviks se donnent une organisation autonome au congrès de Prague (1912), et triomphent en 1917 lors de la révolution d'Octobre. Le socialisme arrivait

Sincère et optimiste, Jean Jaurès croyait profondément au triomphe de la Paix et de la Justice. Il déploya toutes les ressources de sa puissante personnalité pour servir le monde ouvrier et la victoire finale du socialisme. En 1904, il fonda *l'Humanité*.

Au congrès de Tours (déc. 1920) fut consommée la rupture entre socialistes et communistes. Dès lors, les deux familles politiques furent vouées à vivre séparément leur destin, ne se retrouvant qu'épisodiquement lors du Front Populaire (1936), de la Libération (1945) et plus récemment en élaborant un programme commun de gouvernement.

au pouvoir dans le pays le moins doué industriellement, là où le mouvement socialiste était le plus divisé et le plus entravé par la répression.

● Avec la guerre de 1914-1918, pendant laquelle socialistes et bourgeois collaborèrent, et la révolution russe qui amenait pour la première fois les socialistes au pouvoir, les perspectives changent et deux courants de pensée divergents se font jour. Pour les uns le socialisme doit s'instaurer progressivement par des réformes pouvant s'effectuer légalement au sein de la démocratie bourgeoise. La plupart des partis socialistes européens s'inspirent de cette doctrine, mais en France, l'échec du programme commun aux dernières élections et l'écrasement du gouvernement légal socialiste d'Allende au Chili, lui ont porté de graves coups.

● Pour les autres, qui considèrent les précédents comme des réformistes, seule la révolution, comme elle eut lieu en Russie ou en Chine, peut établir le socialisme. Cette attitude est celle de la plupart des partis communistes, quand les « nécessités » de la tactique politique ne les conduisent pas à s'entendre avec les classes moyennes pour ne pas les effrayer. ■

▶ *COMMUNISME / INTERNATIONALES SOCIALISTES / LÉNINE / MARX ET MARXISME*

Femmes et enfants zoulous en habits de fête dans leur habitation. La polygamie est traditionnelle au sein de la famille, les liens de descendance sont de type patrilinéaire. Plusieurs familles ayant une origine commune constituent un clan.

SOCIÉTÉ

Opérée dans la sympathie, l'union ne limite pas, elle exalte les possibilités de l'être. Une totalité de libertés, agissant librement, finit toujours par trouver son chemin.

Teilhard de Chardin.

● Le milieu dans lequel « évolue » tout être vivant n'est pas seulement naturel; il est pénétré, bouleversé, transformé par lui. On appelle environnement la partie du milieu externe aménagée par et pour un individu ou un groupe d'individus; l'environnement physique et matériel est la zone de l'espace de vie aménagée en fonction des besoins et des moyens (techniques), l'environnement social représente le champ relationnel (lieu des inter-actions).

● Dans ce second type d'environnement, tout groupement d'individus structuré, constituant une « unité fonctionnelle » (permettant à l'espèce de survivre et de se perpétuer) et présentant un degré suffisant d'organisation (lois collectives, attitudes communes et réciprocité) a droit au nom de « société ».

● Les zoologistes ont démontré, à tous les niveaux de l'échelle animale, l'existence de phénomènes sociaux. Chez les êtres doués d'un certain degré de système nerveux, apparaissent des groupements permanents se livrant à des activités collectives complexes et bien coordonnées : il existe une hiérarchie sociale et une division du travail chez les termites, les abeilles, les guêpes et les fourmis; une simple visite au zoo nous fait découvrir l'organisation familiale des singes; les « chasseurs d'images » nous ramènent des safaris les preuves de l'existence de relations d'esclavage et de domestication chez les grands animaux...

● De tous les êtres, l'homme est pourtant celui qui mérite le mieux le titre d'« animal social ». Sa psychologie (et non plus seulement sa morphologie) est profondément marquée par la vie sociale qu'il ne cesse en retour de perfectionner par les apports d'une « culture » qui lui est propre, reflétant ses capacités d'invention (le langage, les outils, les institutions...).

● Des tribus errantes de l'âge de pierre (étudiées par la paléontologie) aux complexes technologiques de l'ère industrielle (domaine de la sociologie contemporaine), en passant par les cités et empires antiques (ressuscités par l'archéologie), l'homme n'a cessé d'affirmer qu'il est non seulement social, mais aussi « civilisé ».

● Si, en effet, comme le souligne Gurvitch, une société peut être définie par ses éléments constitutifs (groupements de parenté, d'activité, de localité...), par son histoire (combinaison, intégration, désintégration de ces éléments), par le « vécu social » (« types de sociabilité »), les sociétés humaines se distinguent entres elles surtout par leurs traits culturels et notamment par les traits matériels de « civilisation » (techniques, outils artisanat et art, vêtement, habitat...

● C'est la notion de culture, « tout complexe englobant la connaissance, la croyance, l'art, la morale, le droit, les coutumes et toutes les autres possibilités et pratiques acquises par l'homme comme individu social », qui a poussé les anthropologues à parler de « sociétés primitives » (ou archaïques) et de « sociétés évoluées » (ou avancées).

● Se constituant à l'époque de la révolution industrielle et de l'expansion coloniale et fortement influencée par l'économie politique anglaise (civilisation = travail = Occident), l'anthropologie européenne s'est empressée de dresser une typologie des sociétés fondée sur le critère de l'avancement industriel. S'inspirant des théories évolutionnistes de Darwin, elle fit de l'histoire de l'humanité un passage de la brutalité animale à la sauvagerie, de la sauvagerie à la barbarie, de la barbarie à la civilisation.

● Selon cette conception, encore partagée par quelques ethnologues, certains groupements actuels (peuplades d'Australie, de Nouvelle-Guinée, de Bornéo, d'Amazonie) seraient particulièrement « attardés », étant fixés à un stade primitif du développement (époque paléolithique, remontant à trente mille ans).

● L'ethnocentrisme européen a eu pour conséquences le racisme et l'ethnocide. C'est à l'anthropologie culturelle (après 1950) que revient le mérite d'avoir défendu le pluralisme socio-culturel et d'avoir montré que, les différentes cultures étant non pas des étapes d'un « long processus de transformation continue se déroulant à partir de formes simples », mais des « totalités orientées dans des directions différentes » (pour répondre à des nécessités historiques et géographiques), les sociétés humaines ne peuvent pas être évaluées, jugées en termes de supériorité ou d'infériorité.

● Les éléments constitutifs des sociétés humaines peuvent être classés et répertoriés de nombreuses manières. Les divers groupements (âge, sexe, résidence, spécialisation professionnelle...) sont de véritables réseaux ou systèmes qui se chevauchent, s'enchevêtrent ; il est donc difficile d'isoler un système du tout structuré que représente l'organisme social (il en est de même en sociologie et en physiologie).

● Le problème des systèmes de parenté est au centre des préoccupations de l'anthropologie sociale contemporaine *(structuralisme)*. Il a particulièrement retenu l'attention du sociologue français Claude Levi-Strauss ; celui-ci montre que la parenté se situe dans un ensemble d'opérations et de relations (pour ainsi dire mathématiques) se développant dans le temps sous une multitude d'aspects et incluant prestations de travail, faits d'entraide et d'obligations réciproques.

Masque de boue océanien élaboré à l'occasion d'une fête. Allusion à la genèse du monde ou représentation d'ancêtres réels ou mythiques, l'art océanien est toujours la projection d'un monde mystérieux et surnaturel.

● Suivant les sociétés, le groupement de parenté peut se concevoir sous forme patrilinéaire (descendance paternelle), matrilinéaire (descendance maternelle) ou bilatérale (double descendance). La famille conjugale élémentaire, telle que nous la concevons en Europe (le père, la mère et les enfants) n'est pas une donnée universelle : ainsi, en Afrique noire, la famille est un vaste groupement coopératif, où coexistent plusieurs générations (« famille élargie »).

● Les règles matrimoniales revêtent également des formes multiples : il peut y avoir endogamie (mariage permis seulement entre les individus d'un même groupe) ou exogamie (mariage interdit dans le lignage), polygamie (un homme et plusieurs femmes) ou polyandrie (une femme et plusieurs hommes); seule la prohibition de l'inceste apparaît comme une loi universelle (Freud, dans *Totem et Tabou*, lie le phénomène au « complexe d'Œdipe »).

● Dans toute organisation sociale, une hiérarchisation est observable, que ce soit au niveau des classes d'âge (en Afrique on passe d'une étape à l'autre de la vie par une série d'épreuves initiatiques), des castes (Inde), des

Célébration de la Fête-Dieu dans les environs de Rome ; sur le sol, un immense tableau représentant la Cène réalisé avec des fleurs. Des traditions analogues existent en France où, dans certaines régions, des processions traversent le village tandis que les enfants lancent des pétales de rose.

Tableau descriptif des neuf grosses planètes qui tournent autour du Soleil et dont le diamètre dépasse 5 000 km. Les autres planètes du système solaire (on en compte environ 100 000) sont appelées astéroïdes.

Nom	Diamètre (en km)	Distance par rapport au Soleil (en km)	Satellites
Soleil	1 392 000		
Mercure	4 800	5 800 000	
Vénus	12 300	108 000 000	
Terre	12 756	149 500 000	1
Mars	6 790	228 000 000	2
Astéroïdes		400 000 000	
Jupiter	142 850	780 000 000	16
Saturne	119 300	1 426 000 000	23
Uranus	50 800	2 871 000 000	15
Neptune	48 600	4 500 000 000	2
Pluton	2 500	5 900 000 000	

l'on appelle le système solaire.

● Jusqu'à la première moitié du XVIIIe siècle, le système solaire est resté fort mal connu des astronomes qui avaient recensé 5 planètes (Mercure, Vénus, Mars, Jupiter et Saturne) depuis l'Antiquité et ignoraient pratiquement leurs tailles et leurs distances respectives. Quant aux hypothèses formulées au sujet des origines du monde, elles n'étaient guère plus fondées que celles de la mythologie grecque, égyptienne ou assyrienne. Avec les travaux théoriques de Képler puis, surtout, de Newton, les observations de Halley démontrant la périodicité du retour de certaines comètes, puis la découverte de la planète Uranus par Herschel en 1781, l'astronomie prit en moins d'un siècle un essor extraordinaire, et les chercheurs s'attaquèrent alors au problème des origines du système solaire.

● Les travaux de Newton avaient éveillé l'intérêt pour une cosmogonie scientifique, et, avec une étonnante modernité, le philosophe Kant élabora, à la fin du XVIIIe siècle, une théorie selon laquelle le Soleil, puis les planètes, se seraient formés par concentration et fragmentation d'un immense nuage primitif de poussières froides, mais le manque de données mathématiques et expérimentales ne permettait pas de dépasser le niveau des spéculations.

● C'est en 1796 que le mathématicien Laplace publia sa désormais célèbre hypothèse cosmogonique, dans un livre intitulé *Exposition sur le système du monde*. Selon lui, à l'emplacement du système solaire se trouvait primitivement une nébuleuse de gaz chauds tournant autour d'un axe central ; en vertu des lois de la gravitation, cette nébuleuse se serait contractée, ce mouvement ayant pour effet d'accélérer sa rotation (de même, on peut constater que, si l'on fait s'enrouler autour de son doigt une ficelle à l'extrémité de laquelle se trouve attaché un petit objet, celui-ci tourne de plus en plus vite au fur et à mesure que la longueur de la ficelle libre diminue : l'objet, comme les particules de la nébuleuse de Laplace, suit la loi dite de conservation du moment cinétique). Cette accélération devait elle-même avoir une conséquence : les forces centrifuges, s'accroissant proportionnellement à la vitesse de rotation, auraient fragmenté la nébuleuse en anneaux qui formèrent ensuite les planètes, tandis que le noyau serait devenu le Soleil.

● Cette théorie n'a plus guère qu'une valeur générale, car des calculs précis, effectués dès le milieu du XIXe siècle, montrèrent que la répartition des moments cinétiques entre les différents astres du système solaire ne peut s'accorder avec les valeurs nécessaires au modèle de Laplace. De plus, on s'est aperçu que le sens de rotation de certaines planètes ou de satellites inconnus du temps de Laplace est incompatible avec la théorie selon laquelle tous les astres du système solaire devraient se mouvoir dans le même sens sur leurs orbites respectives.

● Compte tenu des découvertes relatives aux planètes, certains astronomes du XIXe siècle ont préféré chercher l'origine du système solaire en invoquant des phénomènes tout-à-fait différents : l'une des hypothèses les plus audacieuses fut celle de Moulton et Chamberlain, développée par l'astronome anglais Jeans au début de ce siècle. Pour Jeans, le système solaire doit être une formation presque exceptionnelle dans l'Univers : il serait né de l'éjection d'une masse de gaz par le Soleil, du fait de l'attraction exercée sur celui-ci par une autre étoile passant fortuitement à sa proximité. La matière ainsi arrachée par un effet de véritable marée, mais restant dans la zone de gravitation solaire, se

Représentation schématique de la position des planètes par rapport au Soleil (tache lumineuse) ; Mercure est la plus proche, Pluton la plus éloignée ; au centre la grosse boule de Jupiter et Saturne entouré de son anneau.

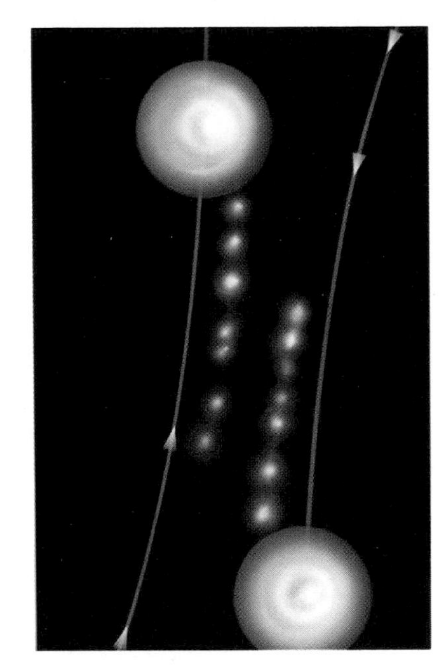

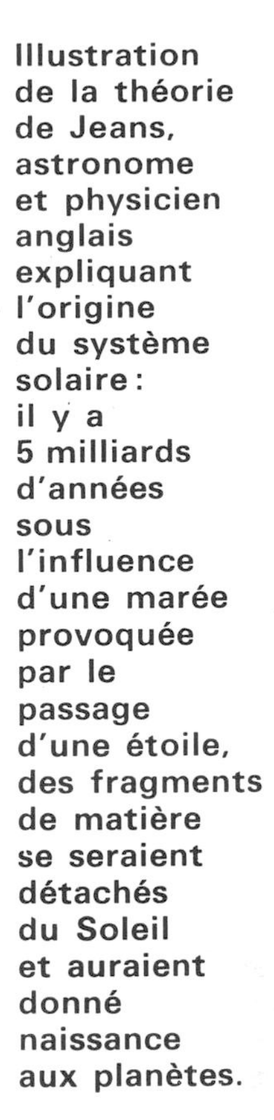

Illustration de la théorie de Jeans, astronome et physicien anglais expliquant l'origine du système solaire : il y a 5 milliards d'années sous l'influence d'une marée provoquée par le passage d'une étoile, des fragments de matière se seraient détachés du Soleil et auraient donné naissance aux planètes.

serait ensuite condensée et divisée en planètes. Cette thèse, séduisante a priori, n'a pu résister à la critique fondée d'une part sur la comparaison des moments cinétiques des planètes et du Soleil, d'autre part sur les calculs d'astrophysiciens tels que Lyman Spitzer, qui montrèrent que le gaz ainsi éjecté du Soleil aurait dû se dissiper dans l'espace, et non se condenser.

● A l'heure actuelle, la plupart des astrophysiciens admettent comme point de départ général l'hypothèse de Laplace, considérant que, voici quelque 5 milliards d'années, une nébuleuse formée essentiellement d'hydrogène (et, en bien moindre proportion d'autres atomes, de poussières et de molécules) s'est condensée sous l'effet de ses forces gravitationnelles internes. Diverses réactions chimiques durent se produire dans les couches les plus externes de l'immense sphère de gaz qui se comprimait, tandis que la pression et la température s'élevaient dans la zone centrale, jusqu'à amorcer les réactions thermonucléaires que l'on connaît. Ainsi apparut le Soleil, tandis que se répartissaient en un gigantesque disque autour de son équateur les matériaux qui constituaient précédemment son « atmosphère ». Sans cesse enrichi par les particules émanant de l'étoile, mais aussi repoussé dans l'espace par ces radiations, le disque se serait rapidement refroidi et fragmenté; les matériaux qui le constituaient, s'agglomérant par gravitation dans les zones de densité maximale, auraient ainsi formé les planètes, les météorites et les comètes que nous connaissons. ■

SOLANACÉES

● L'importante famille des solanacées comprend plus de 2 000 espèces qui poussent dans les régions chaudes et tempérées du globe. Ce sont des plantes herbacées, annuelles ou biennales, dont la tige peut être dressée, prostrée et même rampante; certaines espèces sont arbustives, d'autres arborescentes. Nombreuses sont celles qui possèdent des tiges souterraines, tubercules ou rhizomes.

● Leurs feuilles, alternes et non stipulées, sont simples ou composées, et à bord entier ou découpé. Les fleurs, solitaires ou réunies en inflorescences diverses, possèdent 5 pétales qui forment des corolles en forme de cloche, de tube, ou encore bilabiées. L'androcée se compose de 5 étamines, insérées sur le tube de la corolle entre les pétales. Il arrive que les longues anthères soient soudées les unes aux autres, formant en ce cas une sorte de manchon autour du style ; l'ovaire se développe en un fruit qui est une baie ou une capsule.

● La famille des solanacées a une grande importance d'un point de vue économique et thérapeutique. La pomme de terre, la tomate, le tabac, le piment *(Capsicum annum)*, tous d'origine américaine, et l'aubergine *(Solanum melongena)*, originaire d'Asie, sont les solanacées les plus répandues. La belladone *(Atropa belladona)*, plante herbacée, est spontanée en Europe, dans les forêts fraîches; ses baies noires sont très vénéneuses.

● La jusquiame noire *(Hyosciamus niger)*, également vénéneuse et médicinale, dégage une odeur désagréable; elle possède des fleurs jaunâtres et croît le long des chemins, sur les plages. On peut, par contre, manger sans danger les baies jaunes ou orangées de l'alkékenge ou physalis *(Physalis alkekengi)* dont on fait des confitures.

● La stramoine ou datura *(Datura stramonium)*, originaire d'Amérique du Nord, pousse dans les décombres et les lieux abandonnés; c'est une espèce annuelle vénéneuse, haute de plus d'un

Deux types de solanacées : des poivrons, fruits du piment annuel *(Capsicum annuum)* employés comme condiments, et des alkékenges appelées aussi coquerelles ou lanternes, dont les clochettes rouge-orangé sont très décoratives.

mètre, à grandes fleurs blanches et à capsules ovoïdales épineuses, dont l'odeur est très désagréable.

● Espèce ornementale, le pétunia *(Petunia violacea)* est une plante annuelle, cultivée sous forme de nombreuses variétés et hybrides pour ses vives couleurs et sa longue floraison. ■

SOLEIL

● A plus de 149 millions de kilomètres de la Terre, distance que la lumière elle-même met 8 minutes à franchir, se trouve notre étoile, le Soleil. Depuis environ 5 milliards d'années, car tel serait son âge d'après les estimations les plus récentes, cet astre brille sans changements appréciables, sauf ceux qui eurent lieu au début de son évolution.

● Son diamètre est de 1 392 000 km, et son volume vaut 1 303 800 fois celui de la Terre. Mais, étant donné que le Soleil est composé de matériaux plus légers que ceux qui constituent notre planète, sa masse équivaut « seulement » à 332 946 fois celle du globe terrestre; à sa surface, la pesanteur est 28 fois plus élevée que la nôtre, c'est-à-dire qu'un homme adulte y pèserait environ deux tonnes.

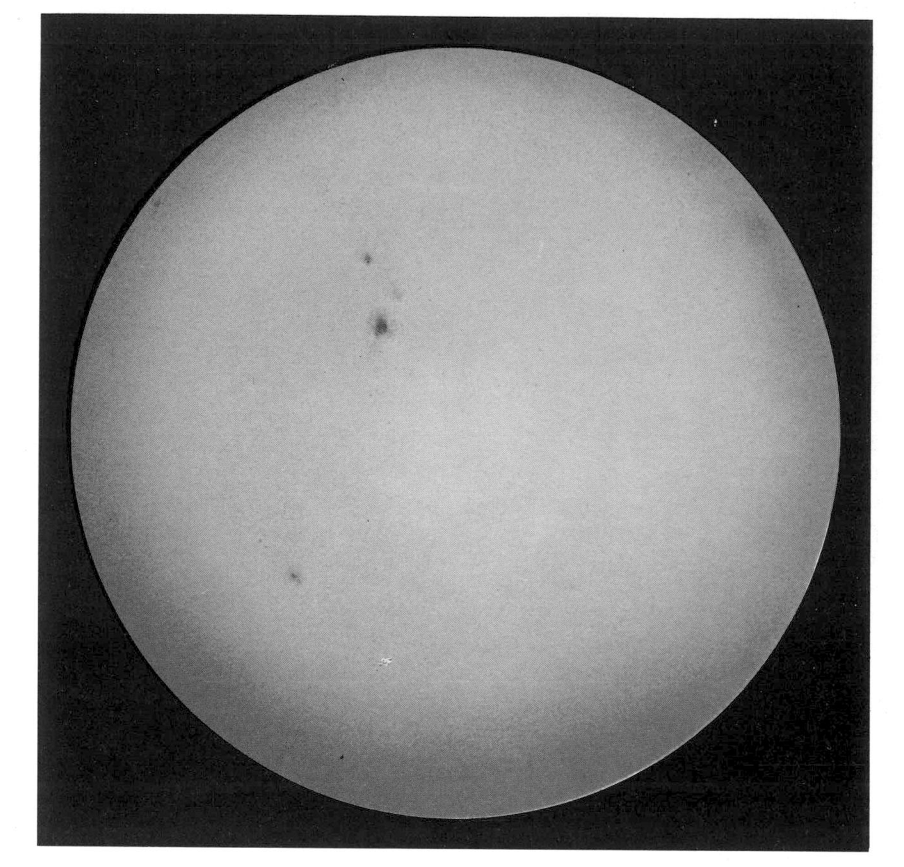

Le disque solaire et ses taches tel qu'il apparaît, observé au télescope. Les taches sont des phénomènes temporaires dont la durée varie de quelques jours à quelques semaines.

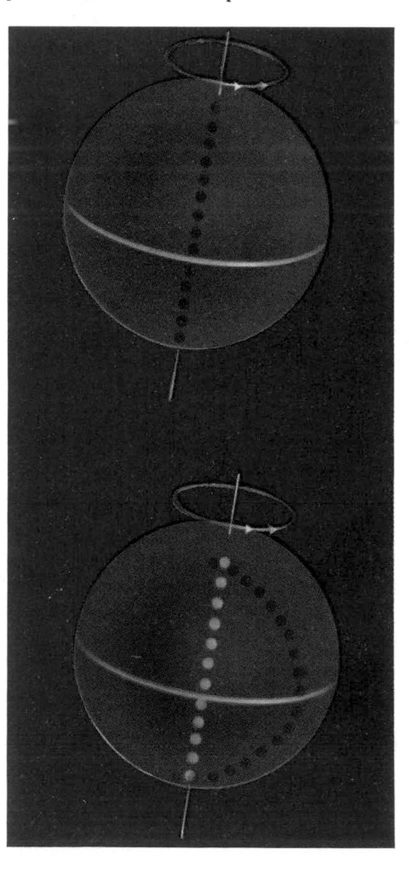

La rotation ne s'effectue pas d'une façon uniforme en tous les points de la sphère solaire : elle est plus rapide à l'équateur et plus lente aux pôles.

● Grâce à l'astrophysique et à la spectroscopie, on a pu étudier la composition du Soleil, le considérant comme une sphère de gaz incandescents. A la surface visible de l'astre, celle que l'on discerne à l'œil nu ou au télescope (la *photosphère*), règne une chaleur intense : environ 6 700 °C. Plus on pénètre à l'intérieur de cet astre ardent, plus la température et la pression augmentent : on a calculé que, dans le noyau solaire, doit régner une température de 14 millions de degrés centigrades.

● On sait aujourd'hui que, au cœur de l'astre, des atomes d'hydrogène se fondent ensemble continuellement, produisant des atomes d'hélium. Lors du processus, une partie de la masse de matière existante subit une transformation en énergie pure : ce qui se produit dans les profondeurs solaires est tout à fait semblable aux réactions énergétiques mises en œuvre dans une bombe à hydrogène. Toutefois, la violence de la réaction est contenue par les quantités gigantesques de gaz comprimé se trouvant autour du noyau. En transformant l'hydrogène en hélium, le Soleil perd 4 millions de tonnes de matière par seconde, intégralement transformées en radiations; mais l'astre est tellement massif que, au rythme actuel des pertes, il continuera de briller pendant au moins 6 milliards d'années.

● L'énergie produite dans le noyau revêt la forme de rayons gamma : si ceux-ci se répandaient directement dans l'espace, toute trace de vie disparaîtrait de la Terre. Heureusement, en remontant du noyau vers la surface du Soleil, ces rayons gamma sont dégradés dans les immenses couches de gaz, perdant lentement de leur énergie; ils sont progressivement transformés en rayons X et en rayons ultraviolets, dans une grande enveloppe interne où le noyau répand encore de l'énergie par rayonnement. Plus à l'extérieur, il existe une enveloppe où des courants chauds montent jusqu'à la photosphère. Depuis cette surface, l'énergie est rayonnée dans l'espace sous une forme très atténuée; malgré cela, ces radiations stériliseraient notre globe si celui-ci n'était protégé par son atmosphère.

● Pour observer le Soleil aux instruments, il faut être très prudent, car il y a risque pour la vue, même si l'on utilise des filtres de verre fumé. La seule façon correcte d'effectuer de telles observations est de projeter l'image du Soleil sur un écran blanc, en utilisant le télescope ou la lunette comme un projecteur de diapositives.

● On observe ainsi des granulosités sur la photosphère, les « grains de riz » produits par le sommet des courants de gaz très chauds qui montent des profondeurs, et des trouées sombres qui semblent rompre momentanément le délicat tissu des granules : ce sont les taches. Bien qu'elles soient en fait plus brillantes qu'une lampe à arc, elles semblent presque noires sur l'image, car leur température est beaucoup plus faible que celle de la photosphère alentour (l'écart est d'environ 2 000 °C). De plus, leur niveau se situe 800 à 10 000 km au-dessous de celui de la surface moyenne. Selon la plupart des astronomes, les taches ont la forme de cratères, avec une partie centrale plus basse et plus sombre appelée « ombre » et une partie périphérique filamenteuse plus claire, la « pénombre ».

● Selon les idées actuelles, les taches du Soleil sont dues aux altérations produites dans la distribution des gaz photosphériques par les lignes de force de gigantesques champs magnétiques qui existent à l'intérieur de l'étoile. Les dimensions des groupes peuvent être parfois énormes : on a observé des groupes de taches s'étendant sur 300 000 km, presque la distance de la Terre à la Lune! Leur observation a permis de mesurer la période de rotation du Soleil, et l'on a ainsi trouvé que la grande sphère ne tourne pas à une vitesse uniforme. Sa durée de rotation est de 25,4 jours à l'équateur, et elle augmente en allant vers les pôles, pour atteindre près de 30 jours aux latitudes les plus élevées. Pour une raison encore mal connue, les taches solaires passent d'un nombre maximal à un nombre minimal tous les 11 ans; ce cycle, dit undécennal, fait lui-même partie d'un cycle d'une durée de 22 années, au cours duquel le magnétisme solaire inverse totalement sa polarité.

● Au-dessus de la photosphère s'étend une enveloppe de gaz plus ténus qui irradient une lumière rouge rosée : c'est la *chromosphère*, constituée principalement d'hydrogène et d'hélium. Elle est moins lumineuse que la photosphère, et est totalement transparente : notre œil ne peut donc la percevoir que durant les courts instants des éclipses totales de Soleil. De la chromosphère jaillissent de gigantesques « flammes » de gaz incandescents (surtout de l'hydrogène) : ce sont les protubérances, en forme de panaches, de ramifications, de cumulus, expulsées à une vitesse de plusieurs centaines de kilomètres par seconde. Quand le Soleil est éclipsé, on peut les voir directement à l'œil nu ou avec une longue-vue, pareilles à des fontaines de pourpre pétrifiées.

● En dehors des protubérances, il se produit sur le Soleil des éruptions d'hydrogène sous forme d'explosions d'intensité inimaginable : ce sont les éruptions chromosphériques (en anglais *flares*). Elles apparaissent de façon imprévue sur plusieurs millions de kilomètres carrés, et disparaissent après un laps de temps de quelques minutes à plusieurs jours; de leur sein se déchaînent des flux de radiations à ondes courtes et de particules chargées électriquement.

● D'autre part, le Soleil émet de façon continue un flux de particules, appelé vent solaire, qui « repousse » les queues des comètes en les faisant s'étendre dans l'espace. Une partie de la masse solaire est ainsi continuellement dispersée, avec les radiations, mais elle est vraiment infinitésimale par rapport à la masse totale de l'astre. Une grande quantité de particules libres entourent en permanence le Soleil, s'éloignant insensiblement dans l'espace et formant l'enve-

D'ici 5 milliards d'années, le Soleil aura atteint son échauffement maximum. La température sur Terre, voisine de 100 °C, empêchera toute forme de vie de s'y développer.

Le Soleil contient un noyau central dont la température est voisine de 14 millions de degrés; là ont lieu des transformations nucléaires libérant l'énergie projetée à l'extérieur après avoir traversé les couches intermédiaires. Jaillie de la chromosphère, la flamme d'une protubérance.

De nombreux corps changent d'état lorsque la température varie. C'est le cas de l'eau, solide (glace) au-dessous de 0 °C, liquide entre 0 °C et 100 °C, gaz (vapeur) au-dessus de 100 °C.

loppe la plus extérieure, appelée *couronne*. Cette zone est une radio-source intense, ce qui fait que la radio-astronomie a beaucoup contribué à sa connaissance.■

▶ *ASTROPHYSIQUE / ATMOSPHÈRE / COMÈTES / ÉTOILES / MAGNÉTISME / RADIOACTIVITÉ*

SOLIDE, Physique du

● Si la notion de solide fait partie de l'expérience ordinaire, la physique du solide, elle, est une science toute récente. Son objet? connaître au niveau le plus poussé, c'est-à-dire au niveau des atomes, l'organisation de la matière dite solide et expliquer, à partir de cette connaissance, les propriétés détaillées des différents solides.

● Dans la seconde moitié du XXe siècle, la physique de l'état solide s'est imposée par quelques réalisations spectaculaires comme la fabrication, pour l'industrie électronique, de cristaux de germanium longs, parfois, de deux mètres, par la mise au point des semi-conducteurs ou transistors, et surtout par l'invention du *laser* : son éclair lumineux, cent mille fois plus brillant que la surface du Soleil, permet de transpercer une lame d'acier ou de mesurer à 5 m près la distance de la Terre à la Lune.

● Mais vous connaissez déjà la physique du solide à travers des effets depuis longtemps entrés dans la vie quotidienne : la conduction de l'électricité par les métaux, la production de lumière par les corps fluorescents ou phosphorescents, l'effet photo-électrique qui permet de mettre en marche les escaliers roulants, ou la piézo-électricité que produit le cristal contenu dans le bras de votre électrophone. Tous ces effets se déduisent de l'organisation des particules dans un solide. Mais il y a solides et solides.

L'ÉTAT SOLIDE

● La matière se présente sous trois états fondamentaux : ceux de gaz, de liquide et de solide. Seul, le solide conserve, en l'absence d'une contrainte extérieure, sa forme et son volume. A cette définition encore toute proche de l'apparence, la physique classique ajoute des propriétés bien connues : tout comme les liquides, les solides sont fort peu compressibles mais facilement dilatables sous l'effet de la chaleur; ils ont une chaleur spécifique (énergie qu'il faut fournir à une masse donnée de solide pour élever sa température de un degré); elle distingue enfin les solides conducteurs de la chaleur ou de l'électricité des solides isolants.

● Si l'on y regarde de plus près, cette définition reste cependant incertaine. Comparons, par exemple, un morceau de verre à un grain de sel (chlorure de sodium) : les particules constituant le verre sont orientées au hasard, dans toutes les directions, comme dans un liquide. Dans le cas du chlorure de sodium, au contraire, chlore et sodium se répartissent en une construction ordonnée et partout semblable, chaque atome de sodium étant entouré de six atomes de chlore, et inversement. Le verre n'est qu'un liquide particulièrement visqueux ou, si l'on préfère, un solide amorphe. Un solide vrai se solidifie ou fond à température fixe, alors qu'un solide amorphe devient dur ou pâteux.

● Pour définir un solide, il faut faire appel à des propriétés plus fines, inscrites dans l'agencement intime de la matière, ce que l'on peut résumer en disant qu'il a l'organisation d'un cristal. En ce sens, le sel gemme ou la glace, le sodium ou le fer sont tous des cristaux, donc des solides.

LA STRUCTURE CRISTALLINE

● Comme toute matière, les molécules des solides sont constituées d'atomes : autour des noyaux atomiques chargés positivement, des électrons négatifs assurent la neutralité; certains d'entre eux s'associent aux noyaux, formant ainsi des ions, les autres sont liés entre eux. Dans l'organisation même du cristal, les atomes, les ions ou les molécules sont disposés

Organisation d'un réseau cristallin observé au microscope électronique. Le motif principal provient de la disposition régulière des atomes, qui se répète dans tout le cristal.

de façon régulière, périodique. On remarque des rangées dans lesquelles les noyaux des atomes sont tous également espacés. Ces rangées définissent des plans, les plans réticulaires, parallèles les uns aux autres et équidistants : ils forment le réseau cristallin. L'ensemble a une telle régularité qu'à un point du cristal correspond une infinité d'autres points indiscernables du premier; de n'importe lequel de ces points, on voit le même « paysage », dans les mêmes directions.

● Tous les cristaux n'ont pas les mêmes propriétés. Chez certains, comme les métaux ou le chlorure de sodium, le réseau cristallin est formé d'ions. Chez d'autres, le réseau est formé d'atomes, et en ce cas, un atome donné est souvent lié à un petit nombre d'atomes voisins plus fortement qu'aux autres. Des groupements d'atomes peuvent enfin conserver une individualité dans le réseau et sont alors liés les uns aux autres de façon beaucoup plus lâche. Ce phénomène explique que le réseau se rompe suivant certaines directions correspondant précisément aux liens lâches des groupements d'atomes : le graphite ou le mica se rompent en feuillets parallèles.

DES IMPERFECTIONS DANS LES RÉSEAUX

● Mais les cristaux réels ne sont pas aussi parfaits; ils présentent divers défauts de nature physique ou chimique. Lorsque, par refroidissement, le solide prend naissance à partir du liquide, le cristal se développe depuis plusieurs points à la fois. Quand deux cristaux voisins se rencontrent, l'un limitant la croissance de l'autre, on a un « joint de grain ». En cet endroit, les plans réticulaires ne sont plus parallèles; la solidité du cristal s'en trouve amoindrie, d'autres propriétés sont également modifiées. En d'autres endroits, la croissance n'a pas été parfaite : par exemple, une partie du cristal manquant d'assise lors de la croissance subit un basculement; les plans réticulaires se courbent dans certaines régions et l'on a une dislocation.

Échantillon de pyrite, dont les cristaux présentent des reflets dorés. La pyrite (sulfure naturel de fer ou de cuivre) appartient au système cubique. On l'utilise pour fabriquer de l'acide sulfurique; les plaques de pyrite, polies, servaient de miroirs aux Incas.

● Certains défauts, enfin, peuvent être de nature chimique. Des atomes étrangers sont venus s'insérer dans le cristal, soit à la place d'un atome normal (substitution) soit dans une position où, normalement, l'on ne rencontre pas d'atome (insertion). Même si elles se présentent en très petites quantités, ces impuretés modifient considérablement les propriétés du cristal. Tout d'abord parce qu'elles rompent la régularité de l'empilement cristallin, ce qui se fait sentir à grande distance dans le réseau. Imaginez un empilement de briques où l'on aurait remplacé l'une d'elles par un pavé. A une distance du pavé égale à plusieurs dizaines de briques, on se rend encore compte que l'empilement n'est pas parfait. Surtout, la nature chimique de ces impuretés peut apporter des propriétés nouvelles au cristal.

● La métallurgie est la principale bénéficiaire de ces connaissances. Faire un alliage, par exemple, consiste à remplacer dans le cristal certains atomes par d'autres, en créant de nouvelles liaisons qui modifieront les propriétés mécaniques du métal. On peut ainsi inventer à la demande des alliages nouveaux et calculer, par exemple, le nombre moyen d'électrons de liaison qu'il faut donner à un laiton, en jouant sur la population d'électrons disponibles dans le cuivre et le zinc qui le composent. Une opération comme le laminage à froid étire les grains métalliques de l'acier, disloquant, au niveau atomique, le réseau cristallin : on évalue cet effet à mille milliards de dislocations au millimètre carré. Le brusque refroidissement d'un alliage (« trempe ») ou son lent réchauffement (« recuit ») permettront alors de recristalliser l'alliage et d'améliorer les qualités globales du métal.

LA CONDUCTIBILITÉ ÉLECTRIQUE

● Pourquoi les métaux conduisent-ils l'électricité? Un courant électrique n'est rien d'autre qu'un flux d'électrons. Si chaque atome du réseau métallique peut libérer un ou plusieurs électrons susceptibles de se déplacer dans le réseau, l'application d'un

Cristaux prismatiques d'apatite (système hexagonal). L'apatite ou phosphate de calcium naturel est présente dans les tissus osseux. Elle est utilisée en l'agriculture.

champ électrique va déclencher un courant d'électrons à travers tout le réseau. Si, au contraire, les électrons sont liés aux noyaux atomiques, ils ne peuvent se déplacer, et l'on est en présence d'un corps isolant.

● En réalité, le réseau cristallin comporte des *bandes d'énergie permises*. Les électrons d'un atome quelconque s'organisent en couches concentriques caractérisées par des niveaux d'énergie discontinus; dans le cristal, la matière est très dense, les noyaux voisins les uns des autres et les niveaux d'énergie s'étalent pour former des bandes. Selon le remplissage de ces bandes, on aura un réseau conducteur, isolant ou semi-conducteur.

● Ce qui est moins connu, c'est que la conductibilité du métal augmente quand la température diminue. Les atomes du réseau cristallin, en effet, ne sont pas fixes : par rapport à une position dite d'équilibre, ils vibrent et l'amplitude de leur vibration croît

A 1400°C, une « amorce » est plongée dans un bain de germanium fondu, et va engendrer le cristal qui peut atteindre une longueur de 2 mètres.

avec la température. Ils freinent ainsi le déplacement des électrons. Mais ils le freineront d'autant moins que l'amplitude de leur vibration sera plus faible, donc que la température sera plus basse. Le phénomène ne se poursuit d'ailleurs pas régulièrement jusqu'au zéro absolu.

● A partir d'une certaine température, variable d'un métal à l'autre, la résistance du métal s'annule brutalement, sa conductibilité devient infinie ; les électrons se déplacent dans le réseau sans rencontrer aucune gêne : c'est le phénomène de supraconductibilité.

Tous les métaux ne peuvent devenir supraconducteurs et notamment pas les métaux susceptibles de conserver une aimantation, comme le fer ou le nickel (métaux ferromagnétiques). Une application? On étudie actuellement des aimants supraconducteurs infiniment plus puissants que nos aimants habituels, qui assureront la suspension des trains futurs.

● Les impuretés abaissent considérablement la température, déjà très basse, au-dessous de laquelle apparaît la supraconductibilité; il est donc nécessaire d'utiliser des métaux de grande pureté. Matériaux de grande pureté aussi pour réaliser des semi-conducteurs, ces corps normalement isolants à basse température et dont la conductibilité croît avec la température. Mais ici la présence d'impuretés bien déterminées, et en quantité très faible, favorise la conductibilité. La technique de mise au point de ces impuretés a permis la fabrication industrielle des transistors.

UNE OPTIQUE DE L'ÉTAT SOLIDE

● Les phénomènes optiques sont particulièrement intéressants dans les cristaux. Le plus simple est celui de la couleur. Un atome, isolé ou dans un cristal, possède une certaine énergie. Sous l'effet d'un rayonnement, d'un choc, son énergie peut augmenter, mais selon des quantités parfaitement définies, caractéristiques de cet atome. Le résultat, c'est qu'un atome peut exister à différents niveaux d'énergie, qu'il peut passer de l'un à l'autre, en gagnant ou en perdant de l'énergie, mais qu'il ne peut exister dans un état d'énergie intermédiaire entre deux niveaux.

● Si le niveau d'énergie d'un atome n'est pas le plus bas possible, l'énergie de l'atome peut diminuer. L'atome passe alors d'un état de plus grande énergie (état dit *excité*) à un état de plus faible énergie qui peut être le plus bas possible (état *fondamental*). Le passage est souvent spontané; l'énergie perdue par l'atome est expulsée sous forme de lumière, dont la couleur est bien déterminée et ne dépend que de la différence des niveaux d'énergie avant et après l'émission de lumière.

● Ainsi s'explique l'éclat particulier caractéristique d'un métal. La couleur d'un cristal « transparent » est celle de la lumière qu'il n'absorbe pas; une partie est absorbée, tandis que les atomes passent du niveau d'énergie fondamental à un niveau supérieur excité. Parfois, les impuretés jouent un grand rôle dans la couleur. Ainsi pour le rubis. C'est un cristal d'alumine (oxyde d'aluminium) contenant des ions chrome. Seuls, les ions chrome absorbent la lumière visible, surtout dans la région du vert. La partie non absorbée donne sa couleur au rubis qui est rouge. C'est pourquoi tous les rubis n'ont pas une coloration aussi intense : celle-ci dépend en effet de la quantité de chrome présente dans l'alumine.

● Dans l'effet *laser*, production d'un faisceau de lumière dont les vibrations sont synchrones, on utilise aussi un cristal d'alumine enrichi d'impuretés calculées. Les atomes d'impuretés sont portés dans un état excité par un flash. Un faisceau de lumière de faible intensité traversant le cristal provoque le retour des atomes d'impuretés dans leur état fondamental, ce qui s'accompagne de l'émission d'un faisceau intense de lumière. L'effet *laser* est susceptible de nombreuses applications et ouvre sans doute une ère nouvelle dans la transmission des informations à distance.

● Ceci n'épuise pas les interactions possibles entre lumière et cristaux. Certains cristaux isolants, comme le sulfure de cadmium, sont photoconducteurs. La photoconductibilité est l'accroissement de la conductibilité électrique d'un cristal isolant sous l'action de la lumière. Celle-ci apporte une énergie suffisante pour que certains électrons des atomes soient arrachés. Le déplacement de ces électrons constitue un courant électrique, qui est d'autant plus intense que l'intensité de la lumière est plus grande. L'effet photoconducteur a trouvé des applications pratiques dans les caméras

de télévision et les photomètres des photographes.

● La physique du solide a renouvelé l'étude du magnétisme, de la chaleur spécifique des solides, ou de la conduction thermique. C'est une science mouvante qui réinterprète dans un cadre nouveau des faits déjà connus et en tire de nouvelles techniques. ■

▶ *ATOME / CRISTAL / FROID ET CRYOPHYSIQUE / IONS / LASER / MAGNÉTISME / PHOTO-ÉLECTRICITÉ PIÉZOÉLECTRICITÉ / QUANTA / RAYONS X / TRANSISTORS*

SOLIMAN (1494-1566)

● Dénommé « Le Magnifique » par les Européens et Kanounic, « Le Législateur » par les Turcs, Soliman, sultan de 1520 à 1566, porta l'Empire ottoman à son apogée. Conquérant et partisan d'une politique expansionniste, il fit de l'Empire turc un des plus grands empires européens, digne continuateur de la puissance byzantine, conquérant 200 villes et 7 royaumes, dont celui de Trébizonde, la Perse et l'Égypte.

● Sur mer, Soliman domina toute la Méditerranée grâce à l'efficacité de ses pirates commandés par Barberousse. Mais son plus cher désir consistait dans la conquête de l'Inde et la domination du monde chrétien.

● Grand guerrier, mais aussi fin diplomate, il réussit à faire entrer l'Empire ottoman sur la scène politique européenne. Après avoir conquis la Syrie et l'Égypte, il s'empare de Belgrade, d'une partie de la Hongrie, et de l'île de Rhodes, malgré l'héroïque défense des chevaliers de Malte.

● Profitant des hostilités entre François Ier et Charles Quint, Soliman conclut avec la France les Capitulations, qui ouvraient le commerce avec l'Orient et qui furent en vigueur jusqu'après la Première Guerre mondiale.

● Malgré plusieurs sièges successifs et l'enthousiasme de ses janissaires, le sultan ne réussit pas à prendre Vienne. Il se tourna alors vers la Perse, s'empara de Tauris et de Bagdad, et battit les Vénitiens à Prevenza. Échouant devant Corfou, il s'attaqua à Nice (1543), puis de nouveau aux Perses (1547), soumit le Chirvan et la Géorgie. Mais il fut battu devant Malte.

● Soliman trouva la mort au cours du siège de Sziget en Hongrie (1566), sans doute à la suite d'une crise cardiaque. Outre ses nombreuses conquêtes, Soliman a doté l'Empire ottoman d'une administration centralisée et d'institutions encore en vigueur au début du XIXe siècle. Il embellit Constantinople et favorisa le développement des lettres et des arts. ■

▶ *TURQUIE*

Soliman le Magnifique et ses janissaires franchissant le Danube. A trois reprises, en 1529, 1530 et 1532, Soliman vint mettre le siège devant Vienne sans parvenir à la prendre.

SOLS

● Le sol est la partie superficielle de l'écorce terrestre qui a subi, au contact de l'atmosphère, une transformation physique et chimique, et qui est le siège d'une activité biologique plus ou moins intense. Il est donc le produit de l'altération, du remaniement et de l'organisation des couches supérieures de la croûte terrestre sous l'action de la vie, du climat et des échanges d'énergie qui s'y manifestent. On a ainsi un milieu organisé qui est à la fois le résultat et le siège de processus complexes.

● L'étude de la formation, de l'évolution, de la répartition et des caractères des sols fait l'objet de la pédologie.

● Cette jeune science fait appel non seulement à la géologie mais aussi à la physique, à la chimie, à l'agronomie et à la biologie. C'est donc une science

L'entourage de Soliman s'efforça de dissimuler sa mort survenue au cours du siège de Sziget, en Hongrie. Sous la tente du sultan, les dépêches continuèrent d'arriver, et les repas d'être servis ; on le ramena à Constantinople, assis sur son divan.

La hêtraie, forêt à feuilles caduques, caractérise les régions européennes au climat tempéré. A l'époque glaciaire, la hêtraie s'est substituée à partir de 1 000 m à la chênaie qui montait auparavant jusqu'à 1 500 m. Ce type d'association végétale croît aussi bien sur les sols calcaires que siliceux. Sous les arbres poussent des plantes herbacées dont l'aspérule odorante.

carrefour, tant descriptive que synthétique.

● Pour les pédologues, la formation et l'évolution des sols sont liées à un certain nombre de facteurs : le matériau, le climat, la topographie, le temps et les êtres vivants.

● Des propriétés physiques, mécaniques, chimiques et minéralogiques du matériau, ou roche mère, dépendent en partie la profondeur du sol et son contenu de matières minérales.

● Le climat est un facteur de désagrégation et d'altération du matériau. De plus les conditions de pluviosité et de température influent sur les réactions chimiques qui permettent les échanges de matière au sein de la roche mère.

● La formation et l'évolution d'un sol sont conditionnées par le facteur temps. En effet un sol évolue plus ou moins vite selon la nature du matériau et surtout selon la durée pendant laquelle la roche mère est exposée aux attaques climatiques. C'est ainsi qu'un sol passe toujours par un stade de jeunesse, puis de maturité et enfin de vieillesse.

● Les facteurs biologiques qui tendent à différencier les sols sont les animaux, les végétaux, les micro-organismes et l'homme. Ces êtres vivants sont les transformateurs de l'énergie chimique qui permet au sol d'évoluer ; ils utilisent aussi en partie cette énergie à des transports. C'est ce que l'on appelle l'activité biologique, qui se traduit par une minéralisation des matières organiques fournies par les végétaux et les animaux, ainsi que par une aération du sol.

● L'homme enfin est un facteur souvent très important dans l'évolution du sol car il a une action directe sur lui en prélevant les matières dont il a besoin, et en modifiant la nature et la topographie du sol par ses travaux (labour, défoncement, etc.).

● Le degré d'évolution du sol suivant les conditions de milieu se traduit sur le terrain par la différenciation de strates horizontales, appelées horizons. Les niveaux successifs d'un sol constituent un profil pédologique et plus ces niveaux seront nombreux, plus le sol sera évolué.

● Les sols jeunes sont très superficiels et très proches de la roche saine en place. Ils n'ont pas d'horizon différencié. Les sols faiblement évolués ne sont caractérisés que par une couche plus ou moins épaisse, humifère, appelée horizon A. Si l'évolution se poursuit on observe un niveau d'altération (B) dépourvu de matière organique sous l'horizon A. On a alors un profil A (B) C. Enfin, si le sol est très évolué, il se produit un horizon d'accumulation B, surmonté par un niveau de départ des matières A_2. On appelle horizon B un horizon illuvial, et horizon A_2 un horizon éluvial.

● Les différents horizons sont constitués d'éléments très divers qui sont définis par leur dimension et leur nature chimique : ces éléments sont les cailloux, fragments de roches de diamètre supérieur à 2 cm; les graviers, de 2 cm à 2 mm; les sables, de 2 à 0,05 mm; les limons et les argiles.

● Suivant la proportion des éléments fins et des éléments grossiers, le sol possèdera des propriétés physiques (perméabilité, cohésion, plasticité) plus ou moins accentuées. On appelle texture du sol l'ensemble de ces propriétés physiques.

● Certains éléments constituent le squelette minéral du sol (quartz, minéraux lourds), calcaire, sulfates, oxydes de fer et de manganèse.

● D'autres éléments ont des propriétés colloïdales. Ce sont l'argile et l'humus : leur union constitue le complexe argilo-humique, ou complexe absorbant, sur lequel peuvent se fixer des produits organiques ou minéraux. Ces colloïdes peuvent floculer (gel) ou se mettre en suspension (sol) suivant les conditions physico-chimiques. L'eau, les produits solubles forment enfin les autres constituants du sol.

● Les constituants du sol, le

Collines et montagnes du Frioul. Les ressources sont maigres (élevage porcin). Des travaux de bonification ont été entrepris pour améliorer le rendement agricole dans la plaine alluviale.

Village de Haute-Volta dans les environs de Ouagadougou. Avec ses sols ferrugineux tropicaux, lessivés à concrétions, la Haute-Volta comme la plupart des pays subsahariens est vouée à l'agriculture pauvre : sorgho, maïs, arachide.

nombre et la nature des horizons, l'épaisseur du sol, la couleur, la porosité, l'hydromorphie sont autant de critères qui définissent un type de sol. En utilisant une classification génétique, les pédologues français ont défini douze classes de sols.

- La classe des minéraux bruts regroupe tous les sols formés sur des matériaux très récents (alluvions récentes) ou sur des roches pratiquement nues. Ce sont les sols des déserts chauds et froids (lithosols, regosols).
- La classe des sols calcimagnésiques regroupe tous les sols développés sur les roches calcaires. Ils ont un pH supérieur à 7, un complexe absorbant saturé en calcium et possèdent une bonne stabilité structurale. La rendzine est le type représentatif de cette classe. Elle est peu épaisse (30 à 35 cm) et souvent grise ou blanche. Les sols de ce type sont fréquents dans le bassin parisien (Champagne par exemple) et dans toute l'Europe (Pologne).
- Les terres noires des steppes appartiennent à la classe des sols isohumiques. Ils se forment dans les zones semi-arides à climat continental, où la végétation spontanée comprend surtout des graminées vivaces. Le type en est le tchernoziom qui comporte en général un horizon unique A, d'épaisseur variable (0,50 à 1,50 m) ; son taux de matière organique est généralement compris entre 6 et 10 %. Il est saturé en calcium et en magnésium. Les plus typiques ont été définis dans les plaines d'Ukraine, mais il en existe en Roumanie, en Chine, au Turkestan, aux États-Unis.
- La classe des sols podzolisés regroupe tous les sols évolués à humus grossier ou brut. Le type représentatif de la classe est le podzol. On observe de haut en bas un horizon constitué de matière organique mal minéralisée, suivi d'un mince horizon humufère surmontant lui-même un horizon cendreux. Au-dessous, l'horizon d'accumulation comprend deux strates : un horizon enrichi en matière organique humifère et un horizon ocre rouille d'oxyde de fer, souvent durci.
- Le podzol naît de la formation d'un complexe avec la matière organique ou le fer, avec les acides fulviques plus ou moins stables ; celui-ci peut migrer vers la base du profil dans certaines conditions. Ces sols que l'on trouve dans la forêt de Fontainebleau, aux environs de Paris, la forêt de Fougères, en Bretagne, mais surtout dans les pays froids (Scandinavie et Russie), sont recouverts de forêts de conifères ou de landes à bruyère.
- Les sols évolués à humus doux se sont constitués grâce au processus de brunification. Il se forme un complexe argile-humus-fer relativement stable ; l'humus se minéralise très vite et, dans certaines conditions de déséquilibre, l'argile et le fer, à l'état colloïdal, peuvent migrer vers la base du profil. Les sols bruns lessivés dont le pH est voisin de 7 sont très répandus et constituent les meilleurs sols de culture en France (Beauce, Brie, Aisne, Oise, etc.).
- Les sols qui se développent entre les tropiques et dans les zones à climat méditerranéen ont toujours des couleurs rouges ou brun-rouge très accusés. Ils sont particulièrement riches en fer, en aluminium, en manganèse, etc. Suivant la constitution des argiles et éléments minéraux amorphes qui les composent et suivant les propriétés du complexe absorbant, on distingue les sols rouges et bruns méditerranéens (France, Algérie, Maroc, Tunisie, Espagne) des sols ferrugineux tropicaux.
- Les sols ferrallitiques se forment dans les zones tropicales comportant une saison sèche et une saison de pluies (Guinée, Sud Viêt-nam, Madagascar) où la décomposition de l'humus est rapide et celle des silicates et de l'argile peut être totale. Les bases et la silice sont évacuées par hydrolyse et il ne reste finalement que les oxydes de fer et d'aluminium hydratés. Ces oxydes peuvent don-

Raisins mis à sécher au soleil de Cappadoce en Turquie ; jadis pays d'élevage réputé pour ses moutons et ses chevaux, la Cappadoce possédait aussi d'importantes forêts peu à peu disparues au fil des siècles.

ner des concrétions ou bien une couche continue ou cuirasse. Les matériaux ainsi constitués sont les latérites de couleur rouge ou jaune suivant l'hydratation de l'oxyde de fer. Ces sols sont très pauvres en éléments nutritifs et ont une acidité élevée. Les sols ferrallitiques se forment en général sous forêt dense, sur des roches basiques.

● La classe des sols halomorphes, ou sols salés, est bien représentée en Algérie, au Maroc, au Koweït, lorsqu'ils se développent sur une roche mère riche en sels solubles : chlorures et sulfates de sodium, carbonates de sodium, potassium, calcium et magnésium. Les premiers proviennent de l'eau

Paysage des Carpates aux sommets arrondis recouverts d'épaisses forêts et de quelques alpages. La formation des Carpates, antérieure à celle des Alpes, est contemporaine de celle des Pyrénées.

de mer dans les plaines littorales et les roches salines, le troisième est fréquent dans les bassins dominés par des roches éruptives à minéraux sodiques.

● Les sols hydromorphes, présents partout où il y a un excès d'eau, entraînent ce que l'on appelle l'hydromorphie. Elle peut être temporaire ou permanente. Pour les pédologues un sol est hydromorphe lorsqu'un (ou plusieurs) de ses horizons a été soumis à un engorgement tel que les caractères des autres classes n'apparaissent plus.

● On appelle gley un horizon d'engorgement prolongé où les phénomènes de réduction (fer réduit) l'emportent sur l'oxydation. On parle de pseudo-gley pour un horizon qui est engorgé temporairement et où il y a alternance de phases de réduction et d'oxydation.

● Lorsque l'engorgement est général, permanent, et se produit jusqu'à la surface du sol, la matière organique reste à l'état de tourbe.

● L'étude scientifique et minutieuse des sols et la mise en évidence des lois de leur répartition permettent aux pédologues d'acquérir une meilleure compréhension des processus complexes qui s'opèrent dans la nature. Les résultats de leurs investigations sont portés sur des documents cartographiques, ou cartes pédologiques. Ces cartes servent à la résolution des problèmes de mise en valeur, d'aménagement du territoire, etc. qui préoccupent aussi bien les agronomes, les ingénieurs des travaux publics que les architectes et les urbanistes. ■

▸ *HUMUS / ROCHES*

SOMALIE

Superficie : 637 657 km^2.
Population : environ 5 millions d'habitants, dont 70 % de nomades.
Capitale : Mogadiscio.
Langues : somali, arabe, italien, anglais.
Religion : musulmane.
Régime politique : république.
Unité monétaire : *shilling*.

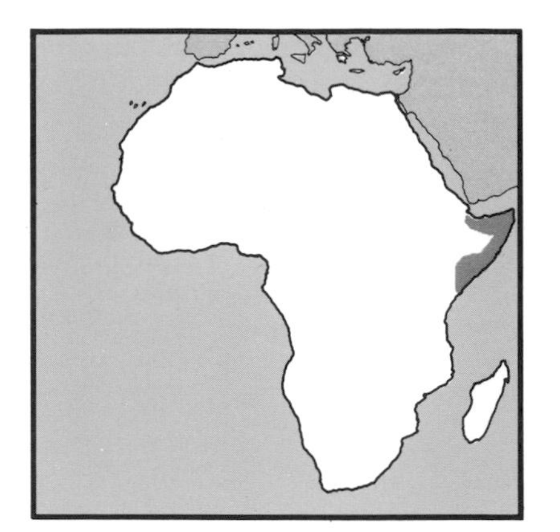

● Située dans la « corne » de l'Afrique, la Somalie actuelle regroupe l'ancienne colonie italienne de la Somalia et l'ex-Somaliland britannique. Les anciens Égyptiens appelaient cette contrée « le pays de Pount » et s'y fournissaient en encens et en aromates que cultivaient les Habasha, fondateurs du royaume d'Axoum en Éthiopie.

● Très tôt, les Arabes installent des comptoirs commerciaux sur les côtes du golfe d'Aden, puis sur celles du Bénadir. Leur influence contrecarre celle de l'Éthiopie et peu à peu l'Islam bat en brèche le christianisme qui s'était implanté là vers le VIe siècle.

● La Somalie a connu un seul grand royaume : celui des Zendj (III-XIIIe siècles), peuplade d'origine bantoue qui fut finalement repoussée par les Galla vers le Kenya. Mais plusieurs tribus se partageaient le territoire. L'origine des Somalis, qui peuplent aujourd'hui le pays, est encore mal déterminée. Leur progression commence au XVIe siècle et s'effectue du nord au sud et des côtes vers l'intérieur; elle s'achève au début du XXe siècle, les Britanniques réussissant à la contenir au nord du Kenya.

● Ces derniers avaient établi, en 1887, un protectorat sur le Somaliland bordant le golfe d'Aden, qui leur permettait de contrôler la route des Indes. La Somalie italienne fut créée en 1905, lorsque le gouvernement italien racheta, sur la côte de l'océan Indien, une série de sociétés privées qui avaient fait faillite. C'est de cette colonie, agrandie en 1925, que partit en 1934-1935 l'agression contre l'Éhiopie.

● Les deux territoires accèdent à l'indépendance en 1960 et s'unissent pour former la République de Somalie. En 1969, quelques jours après l'assassinat du président Ali Shermake, l'armée s'empare du pouvoir « pour lutter contre la corruption des classes dirigeantes ». La République démocratique de Somalie s'oriente alors vers des voies socialistes.

● La morphologie du territoire somalien divise celui-ci en deux régions. Au Nord, les prolongements du plateau éthiopien confèrent au paysage un aspect tourmenté. Les sols sont pauvres, entamés par l'érosion et recouverts d'une maigre végétation de steppe qui se dégrade vers la côte, où le climat est particulièrement aride. Au Sud et à l'Est le relief s'incline doucement vers l'océan Indien, formant une plaine littorale plus hospitalière, que traversent deux grands fleuves, le Juba et le Shebele.

● La flore est plus riche, forêt galerie le long des cours d'eau, savane ailleurs. Le climat chaud et sec (température moyenne : 26° C) est marqué par deux moussons, l'une sèche de novembre à février, venant du nord-est, l'autre humide d'avril à septembre, venant du sud.

● Pays pauvre, la Somalie est aussi l'un des moins peuplés d'Afrique. Le groupe dominant est celui des Somalis, qui composent 90 % de la population et se rattachent ethniquement aux Éthiopiens. On trouve également sur le littoral des Arabes et, dans les villes, des Indiens et des Européens, d'origine italienne et britannique.

● Les ressources principales du pays proviennent de l'agriculture et de l'élevage. Mais la Somalie ne possède guère plus de 8 000 hectares de terres arables et 28 000 hectares de pâturages. L'agriculture et l'élevage occupent 65 % de la population active, dont 45 % sont des éleveurs nomades et 20 % des agriculteurs sédentarisés. Le cheptel est très important et diversifié : caprins, ovins chameaux (dont la Somalie est le premier producteur mondial), bovins, au total 40 millions de têtes. Ces bêtes sont vendues dans les pays riches du Golfe.

● Les principales cultures sont le sorgho, le maïs, le sésame, qui constituent les éléments de base de la nourriture de la population, et, dans le sud du pays, la banane, élément d'exportation. Riz, haricots, légumes, arachides, tabac, kapok, encens, myrrhe, complètent, à un moindre degré, l'éventail des productions agricoles. Les ressources de la pêche sont loin d'être exploitées comme elles le devraient.

● Bien que la Somalie se soit efforcée, dans les dernières années, de créer une industrie, elle est défavorisée, malgré ses efforts et une importante assistance internationale, par l'absence de ressources minières. Elle compte pourtant d'importants gisements de gypse, près de Berbera, de minerai de fer et d'uranium, mais aucun n'est encore en exploitation.

● L'activité industrielle, réduite à la transformation de produits agricoles, est surtout concentrée à Modagiscio, seul port commercial important, desservi en outre par un aéroport international. Les autres ports, médiocrement actifs, sont Berbera (exportation des animaux sur pied), Kismayu (fruits et légumes) et Merca (bananes).

● Quelques grands travaux pourraient relancer quelque peu l'activité économique : la cimenterie de Berbera, construite par la France, le port et l'aéroport de Berbera, construits par les États-Unis. Mais dans l'ensemble du pays, l'industrie est inexistante.

● Avec une dette extérieure exorbitante, la Somalie fait partie des pays très pauvres. ■

▶ *AFRIQUE*

Fête en Somalie. Unis par la religion, les coutumes, la langue, les Somalis — qui descendraient de Mahomet — constituent un peuple très homogène, héritier d'une ascendance valeureuse et guerrière. Leur silhouette élancée, la finesse de leurs traits contribuent à la noblesse de leur apparence.

SOMMEIL

● Nous ne pouvons vivre sans dormir : le besoin de sommeil est une loi de notre système nerveux. Qu'en certaines circonstances (fêtes, travail, surveillance d'un malade...), nous lui résistions, le sommeil finit toujours par s'imposer, il est un état nécessaire au maintien de l'intégrité psychique et physique. Son rôle restaurateur a, de tous temps, été souligné (« le sommeil réparateur », « la nuit porte conseil »...).

● De longues insomnies (privations de sommeil) entraînent des troubles de la personnalité, du comportement et une grave fatigue cérébrale; d'où leur utilisation dans la « torture psychologique » et les méthodes de « lavage de cerveau ».

● L'alternance veille-sommeil est un cycle biologique fondamental que les physiologistes, les anatomistes et les biochimistes, aujourd'hui, expliquent scientifiquement.

● Les plus anciennes théories attribuaient le sommeil à la production d'une « substance endormissante ». Piéron chercha, au début du siècle, à en établir l'existence, par une série d'expériences, inspirées de celles de Pavlov sur les chiens. Découvrant que l'injection, à un chien normal, du liquide céphalo-rachidien d'un chien longtemps privé de sommeil entraînait un besoin de sommeil, il conçut l'existence d'une hypnotoxine, responsable de l'endormissement.

● Ce sommeil expérimental n'était toutefois qu'un sommeil pathologique, semblable à ceux que peuvent provoquer certains troubles circulatoires (hémorragies, tumeurs), certaines asphyxies, certains dérèglements hormonaux (diabète). Il ne faut pas déduire de ces léthargies que nous dormons parce que nous sommes intoxiqués; comme le dit Claparède, le sommeil normal, précisément, permet de prévenir ces perturbations.

● Les électro-physiologistes Dement et Kleitman (1937) ont mis en évidence, chez les sujets « normaux », des modifications

Nombre d'heures de sommeil nécessaires à un individu.
0 à 3 mois : 22-23 heures
3 à 6 mois : 20-22 heures
6 à 12 mois : 15-18 heures
1 à 2 ans : 12-14 heures
2 à 6 ans : 11-13 heures
6 à 10 ans : 10-12 heures
10 à 15 ans : 10 heures
15 à 18 ans : 9 heures
chez l'adulte : 8-9 heures
chez le vieillard : 6-7 heures.

Placé sous surveillance médicale, un Américain est resté de son propre gré 11 jours et 13 heures sans dormir.

Pendant les jours de semaine, les Français dorment plus que les Américains (8 h 10 contre 7 h 35).

caractéristiques du tracé électro-encéphalographique au cours du sommeil (de l'endormissement à l'éveil). Le dormeur passe, semble-t-il, par quatre phases successives (« phases classiques du sommeil »), du sommeil le plus léger au sommeil le plus profond, les ondes étant de plus en plus lentes (type delta : 0,5 c/s à 3 c/s). Au cours de ce sommeil lent, apparaissent toutefois, à plusieurs reprises, (comme l'a démontré Jouvet en 1960), des activités de bas voltage rappelant un tracé vigile (ondes de type alpha); ce sommeil rapide ou sommeil paradoxal, caractérisé par des mouvements du globe oculaire, occuperait 20 à 30 % du sommeil chez l'homme, et serait le moment privilégié du rêve.

● Ce sont les anatomistes Magoun et Moruzzi (1946-1949) qui ont révélé le rôle de certaines structures de l'encéphale dans la régulation de la veille et du sommeil. Si, avant eux, Wernicke, Mauthner et von Economo, à la recherche d'un « centre du sommeil », réussirent à localiser, dans la région du troisième ventricule, des éléments organiques responsables de certains états de somnolence (mise en lumière, en 1927, du rôle de l'hypothalamus dans les encéphalites léthargiques), les deux savants découvrirent l'élément central du système : la formation réticulée.

● La formation réticulée. composée d'un enchevêtrement de neurones et de fibres nerveuses, s'étend sur toute la longueur du tronc cérébral. Elle est un lieu de convergence des messages sensoriels et de l'influx nerveux. « La possibilité d'éveiller un animal endormi en stimulant la réticulaire mésencéphalique, comme la nécessité de son intégrité pour le maintien des états de veille, conduit Magoun à considérer cette vaste région comme un système activateur ascendant, acheminant des influx éveillants vers l'écorce cérébrale. »

● Si l'état de veille est entretenu par l'activité d'un système réticulaire activateur (S.R.A.), lui-même renforcé par l'hypothalamus, l'expérience a montré que l'état de sommeil lent est dû à la diminution de l'activité du S.R.A. (réduction des excitations sensorielles) et à l'intervention d'un système antagoniste, le système réticulaire inhibiteur (S.R.I.), localisé dans le bulbe. Quant au sommeil paradoxal (associant des activités réticulaire et corticale intenses avec un sommeil profond et une résolution du tonus musculaire), on sait maintenant qu'il dépend du noyau réticulaire caudal (région bulbo-pontique).

● La pharmacologie connaît les substances chimiques qui agissent sur ces structures et la biochimie étudie le rôle des acides aminés (action de la sérotonine dans le sommeil lent, action de la dopamine dans le sommeil rapide); car la thérapeutique du sommeil a une grande importance en psychiatrie.

● Les barbituriques (hypnotiques) sont d'un emploi courant dans le public, trop courant; leur usage doit être soumis aux indications d'un médecin traitant. Une hygiène du sommeil s'impose à celui qui cherche équilibre et harmonie : elle suppose certaines conditions matérielles, un nombre minimum d'heures de sommeil quotidien (sept à huit heures), un rythme régulier. La vie moderne, il faut le reconnaître, hélas, ne s'y prête guère! ■

▶ *CERVEAU / NERVEUX, SYSTÈME / RÊVE*

SON

● La sensation sonore est due au mouvement du tympan de l'oreille, ce mouvement étant produit par une vibration de l'air ambiant qui s'est propagée à partir d'une source sonore. On a coutume de dire que c'est le son qui se propage dans l'air, ce qui est une façon de parler, car l'air ne fait que transmettre des vibrations mécaniques longitudinales; en fait, le son est une simple sensation physiologique.

● Serrez une lame de scie dans un étau et faites-la vibrer. Si la lame est grande, elle oscille lentement et vous n'entendez rien. Raccourcissez progressivement la

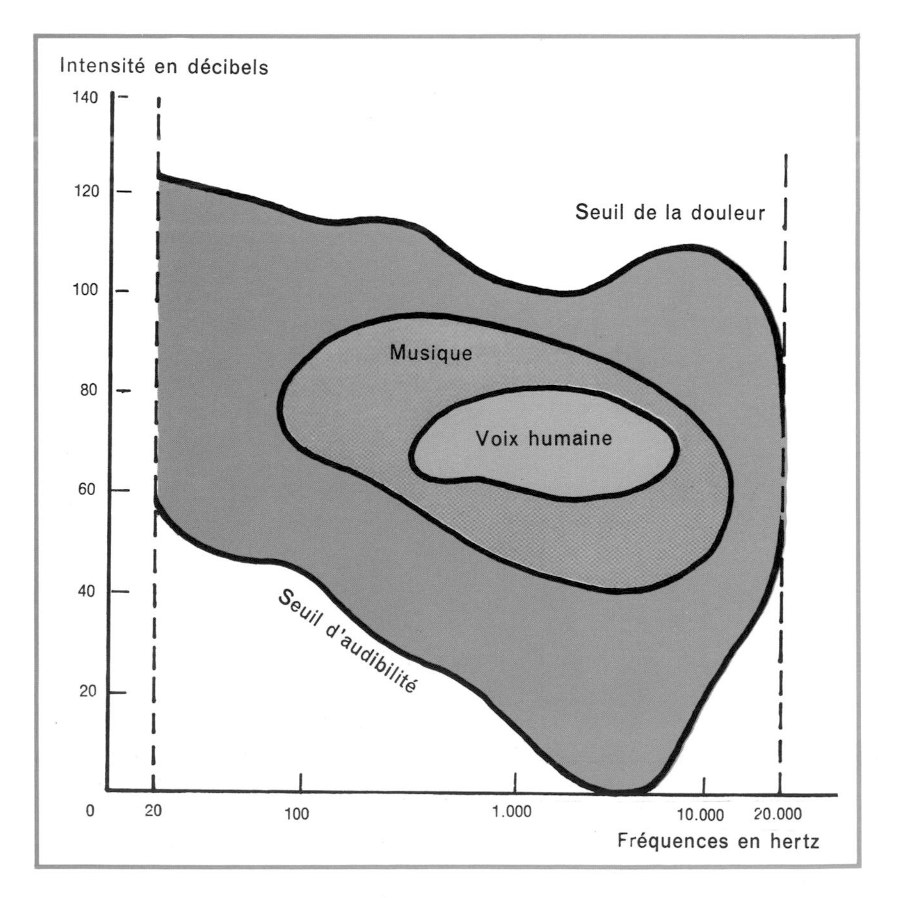

Représentation graphique des sonorités de la voix humaine et de la musique, d'après leur fréquence (en abscisse) et leur intensité (en ordonnée).

partie vibrante : les oscillations deviennent de plus en plus rapides; vous commencez par percevoir un son grave qui s'élève vers les sons aigus au fur et à mesure que la lame devient plus courte; la lame raccourcie à quelques millimètres, le son disparaît. La sensation sonore n'a lieu en effet que si la fréquence vibratoire est en moyenne comprise entre 20Hz (son très grave) et 20 000 Hz (son très aigu). Au-dessous de 20 Hz, les *infrasons* sont inaudibles; au-dessus de 20 000 Hz, les *ultrasons* sont inaudibles également.

● Le son ne peut se propager dans le vide, puisqu'il n'y existe pas de milieu transmetteur des vibrations : sur la Lune, le son n'existe pas. En revanche, les solides transmettent le son; posez votre montre à l'extrémité d'une table et votre oreille à l'autre extrémité : vous entendrez nettement le tic tac. On peut être averti de l'arrivée d'un train en collant l'oreille sur le rail. Il est facile de correspondre par signaux Morse en frappant sur des tiges de fer assez rigides enfoncées dans le sol. Les liquides, comme l'eau d'un lac ou d'un canal, convoient très bien le son. La célérité du son a été mesurée par de nombreux expérimentateurs; elle est, dans l'air, de 340 m/s à la température de 15 °C; dans l'eau, de 1 435 m/s à 8 °C. Dans les solides, elle atteint 3 500 m/s pour la fonte, 5 200 m/s pour l'acier, de 3 000 à 6 000 m/s pour le verre.

● La vitesse du son dans les gaz dépend principalement de la température et de la densité du gaz. Elle augmente quand la température s'élève, et diminue lorsque le gaz devient plus dense. Dans l'air, la vitesse passe de 331 m/s à 0 °C à 360 m/s à 50 °C. Par contre, si elle est de 340 m/s dans l'air à 15 °C, elle atteint 1 300 m/s dans l'hydrogène, beaucoup plus léger à cette même température.

● Le son se réfléchit sur les obstacles, d'où le phénomène d'écho; il peut varier en hauteur selon les déplacements relatifs de la source et de l'observateur.

● La hauteur d'un son correspond à la sensation qu'il produit d'être plus ou moins grave ou plus ou moins aigu. Lorsqu'un moteur électrique se met en marche, on perçoit un son qui s'élève en hauteur; c'est le son d'axe, correspondant à une ou deux impulsions par tour du moteur. Par convention, la hauteur d'un son est mesurée par sa fréquence. La sirène, ainsi appelée parce qu'elle devait primitivement fonctionner dans l'eau (l'allusion mythologique est évidente), comporte un disque percé de trous qui défilent rapidement devant un ajustage envoyant un jet d'air comprimé. La hauteur du son augmente avec la vitesse de rotation du disque; si cette vitesse est connue, ainsi que le nombre de trous, il est facile de calculer la fréquence du son émis. Lorsqu'une sirène d'alarme ou une sirène d'usine s'arrête, on entend très nettement le son baisser jusqu'à ne plus donner aucune sensation; on entre alors dans le domaine des infrasons. Ce domaine est proche quand on frappe la dernière touche à gauche du piano, qui est un la de fréquence 27 Hz.

Le son résultant de la vibration d'une lame maintenue par un étau est plus ou moins aigu selon la longueur de lame laissée libre.

● L'intensité d'un son correspond à la perception plus ou moins forte de ce son; le violon émet un son intense lorsque l'archet attaque fortement la corde; un son doux, ou peu intense, dans le cas contraire. On voit que l'intensité d'un son augmente avec l'amplitude de la vibration sonore. Si la vibration est de trop faible amplitude, l'énergie qu'elle transporte est insuffisante pour que le tympan enregistre un son. Lorsqu'elle augmente, on perçoit d'abord un murmure (seuil d'audibilité); puis le son croît en puissance, et il finit par « déchirer les oreilles » (seuil de douleur). On mesure l'intensité d'un son par une échelle logarithmique à partir du seuil d'audibilité. L'unité en est le *bel*; on emploie surtout le décibel, qui est la dixième partie du bel; il se trouve que le décibel correspond à peu près à la plus petite différence d'intensité appréciable par l'oreille.

● L'intensité sonore diminue quand on s'éloigne de la source, puisque l'oreille capte une fraction de la surface d'onde totale de plus en plus petite. D'où l'utilité du porte-voix qui maintient l'énergie vibratoire à l'intérieur d'un cône au lieu qu'elle se répartisse sur des surfaces d'ondes sphériques.

● Écoutons un violon et une flûte jouer la même note avec une intensité analogue. Nous distinguons cependant chacun des instruments : en effet leur timbre n'est pas le même. Cela est dû au fait que, si les deux instruments émettent par exemple le la_3 de fréquence $N = 435$ Hz, ils émettent aussi les harmoniques de cette note, qui ont pour fréquences 2N, 3N, 4N, etc., avec des intensités distinctes pour chacun d'eux. Un son clair, comme celui de la flûte,

Diapason capable d'émettre des fréquences de 435 vibrations complètes par seconde. Constitués d'une lame d'acier, les diapasons vibrent sous l'effet d'une percussion. Le type le plus courant donne le la_3.

est pauvre en harmoniques, au contraire du son étoffé du basson. On sait analyser ces sons complexes par résonance, et on peut tracer le spectre acoustique d'un instrument en portant en abcisses le numéro de l'harmonique et en ordonnées les intensités de chacun d'eux. Les tuyaux d'orgue, de factures variées, produisent des sons de timbres différents; certains jeux même, appelés mixtures, sont réservés aux seuls harmoniques; de sorte que l'organiste dispose d'une palette étendue pour donner

Diagramme de deux sons de hauteur et d'intensité identiques, mais dont le timbre n'est pas le même : les différences de forme que l'on peut constater entre les deux vibrations sont déterminées par les harmoniques accompagnant le son fondamental.

le timbre global qu'il désire.

● En musique, on utilise des sons de fréquences bien déterminées qui constituent les notes de la gamme, chaque gamme portant un numéro croissant avec la hauteur. La base est fixée par la fréquence du *la* de la gamme numéro 3, que l'on écrit $la_3 = 435$ Hz. Il fut nécessaire de fixer cette valeur, qui ne cessait d'augmenter; de 405 sous Louis XIV, elle passa à 423 sous l'Empire; on choisit enfin 435 pour donner plus d'éclat aux cuivres. En Angleterre, on utilise 457 et, en Allemagne, 440 pour l'orchestre.

● L'intervalle musical est le rapport des fréquences de deux notes. Par exemple, l'intervalle d'une quinte quelconque, telle que *ut - sol* ou *fa - ut*, vaut 1,5; celui d'une tierce quelconque, telle *ut - mi* ou *la - ut* (tierce majeure), vaut 1,25; l'intervalle d'octave est égal à 2. Voici les intervalles de la gamme, comptés à partir de la première note, ou tonique, soit *ut* :

ut	*ré*	*mi*	*fa*	*sol*	*la*	*si*	*ut.*
1	9/8	5/4	4/3	3/2	5/3	15/8	2

Pour diéser une note, on multiplie sa fréquence par 16/15. En musique le mot *ut* est remplacé par *do*, plus facile à chanter. La gamme actuellement employée, dite gamme tempérée, fut mise au point par Jean-Sébastien Bach (1685-1750), système qu'il illustra par la composition de son célèbre *Clavecin bien tempéré* (1722-1744), recueil de petits préludes et fugues pour clavecin ou piano.

● La tradition veut que les noms des notes aient été proposés par Gui, moine de l'abbaye de Pomposa, né à Arezzo, en Toscane, vers la fin du XVIIe siècle. Elles représenteraient les premières syllabes des demi-vers d'un hymne religieux à saint Jean-Baptiste, que l'on chantait précisément sur les notes de la gamme :

UT queant laxis REsonare fibris
MIra gestorum FAmuli tuorum
SOLve polluti LAbii reatum
Sancti Johannes

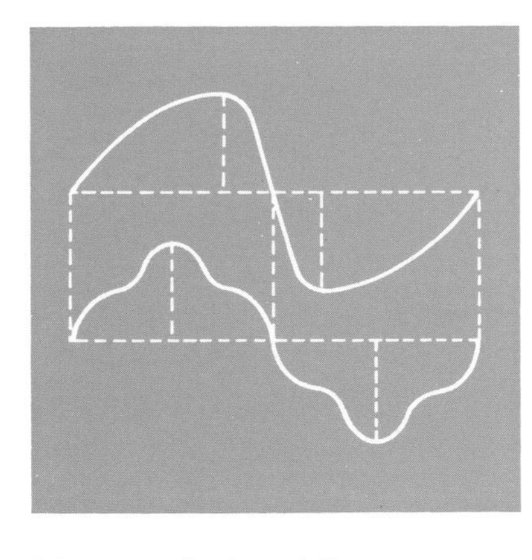

● Le mot *si* que l'on voit dans le dernier vers (SJ) est attribué au compositeur français le Maire. En Allemagne et en Angleterre, les notes de la gamme sont désignées par des lettres A,B,C,D,E,F. G; la lettre A correspondant à un *la*. La première note bémolisée, c'est-à-dire abaissée d'un demi-ton, fut le *si*; d'où le nom de B *(si)* Mol, mol signifiant adouci, amolli.

● Les divers instruments ne peuvent pas émettre toutes les notes; ils ont chacun leur registre propre. L'orgue utilise tous les sons audibles, depuis les plus graves (tuyau de 32 pieds) jusqu'aux plus aigus (tuyaux de quelques millimètres); le piano va du la_2 = 27 au la_6 = 3 480. Les voix humaines ont chacune leur registre ou tessiture; on les classe en tessitures de basse, baryton, ténor, contralto, mezzo soprano, sosoprano. ■

▶ *BRUIT / NOTATION MUSICALE / ONDES*

Graphique représentant des ondes sonores (ondes longitudinales de compression et de raréfaction).

SOPHOCLE (v. 495-406 av. J.-C.)

A la différence d'Eschyle et d'Euripide, Sophocle n'a jamais cherché à jouer les prophètes. Il s'est contenté, avec beaucoup de talent, d'exprimer de manière personnelle sa propre conception de monde et de la vie.

● Avec Eschyle et Euripide Sophocle occupe le premier rang du théâtre tragique grec. De ces trois dramaturges, c'est sans doute lui qui est resté le plus actuel, ce sont les mythes qu'il a plus particulièrement illustrés qui ont continué à hanter l'imagination de l'Occident jusqu'à l'époque contemporaine. Car son œuvre, qui coïncide chronologiquement avec l'hégémonie athénienne, partage avec celle d'Aristophane, de Platon et d'Épicure cette conception grandiose du cosmos et de l'homme dont est redevable ce miracle que représente, à l'orée de notre civilisation, l'ordre grec.

● Né environ vers 495 av. J.-C. à Colone, Sophocle semble avoir connu une jeunesse aisée. Vers vingt-sept ans il aborde la composition théâtrale et dans ce domaine l'inspiration pas moins que le succès ne l'abandonneront jusqu'à sa mort : sur quelque trente concours de tragédie auxquels il se porta candidat, le poète obtint une vingtaine de fois la première place, et la seconde en ce qui concerne les autres.

● Habitant Athènes, il y remplit plusieurs fois des charges publiques, dont par deux fois celle de stratège. D'après la tradition il aurait été, dans sa vieillesse, peu avant sa mort, victime de ses fils qui tentèrent de le faire interdire pour cause de gâtisme. Le dramaturge se serait alors défendu en faisant lecture d'un des plus beaux passages de sa dernière pièce, *Œdipe à Colone*, et, à l'audition de cet admirable morceau, les juges auraient immédiatement rejeté l'accusation mensongère.

● Sur les quelque cent quinze pièces que Sophocle aurait composées, sept seulement nous sont parvenues en entier. Ce sont : *Ajax*, *Antigone*, *Électre*, *Œdipe-Roi*, *les Trachiniennes*, *Philoctète* et *Œdipe à Colone*, représenté seulement après sa mort. Toutes ses tragédies, à l'instar de celles de son prédécesseur Eschyle, empruntent leurs thèmes à la mythologie. Les plus célèbres sont sans conteste *Antigone*, *Œdipe-Roi* et *Œdipe à Colone*, trois pièces dans lesquelles on retrouve par ailleurs le personnage d'Antigone. Dans la forme, ces œuvres se différencient de façon notable de celles d'Eschyle : Sophocle confère au chœur une importance moindre au profit de protagonistes plus nombreux qui dialoguent davantage.

● Ces changements correspondent à une désacralisation du théâtre, qui se manifeste elle-même par une psychologie plus poussée des personnages : l'humain ne fait plus, comme chez Eschyle, partie intégrante du divin, il ne se définit plus comme habitant des forces surnaturelles qui débattent du monde ; l'homme, dans son théâtre, acquiert une autonomie qui dénie la seule réalité divine.

● Le thème des drames de Sophocle, c'est cette relation d'exclusion qui se trouve instaurée entre les dieux et les hommes, respectivement situés dans l'en deçà et l'au-delà, sans qu'ils puissent pour autant se déprendre les uns des autres. Face au divin légiférant qui unit l'être au devoir, en décidant de ce qui est et de ce qui ne doit pas être, l'homme se signale comme une monstruosité (au sens étymologique) dont toute la faute consiste en ce qu'il n'aurait pas dû être, puisqu'il ressent la possibilité d'invoquer des lois justiciables de son seul domaine et qui contrarient l'ordre cosmique imposé par les dieux : ainsi Œdipe, condamné par les dieux, ne se sent-il pas responsable des crimes de parricide et d'inceste dont il s'est rendu coupable, puisqu'il n'est entre leurs mains que l'instrument servant à réaliser une prédiction ; ainsi Antigone récuse-t-elle la validité des lois sacrées qui président au statut des cités et les transgresse-t-elle en enterrant le corps de son frère Polynice, qui avait combattu Thèbes.

● En fait dans ces pièces on assiste à une auto-affirmation d'une humanité qui ne prétend se fonder sur rien d'autre qu'elle-même. On a pu ainsi comparer Sophocle à Corneille. Tout le drame humaniste européen, de Shakespeare à Pirandello, se trouve en germe ici. La foi de l'homme en l'homme, manifestée par des sentiments narcissiques, achoppe nécessairement à une réalité surhumaine ou inhumaine, dont la méconnaissance volontaire le conduit fatalement à l'obscurité (Œdipe), à la folie (Ajax) et à la mort (Antigone). ■

▶ *TRAGÉDIES*

Ces fillettes noires, élancées et nerveuses, exécutent une danse rythmée par les hommes de la tribu. Minoritaires dans le Nord, les Noirs (Bantous, Nilotiques) sont majoritaires dans le Sud où ils représentent 33 % de la population.

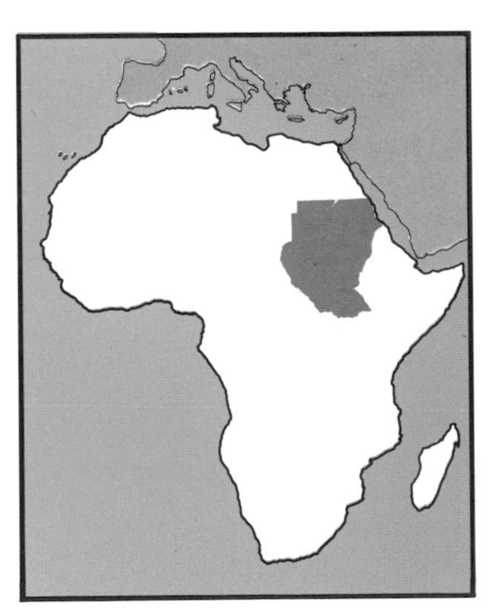

Superficie : 2 505 813 km². Population : 22 000 000 hab. Capitale : Khartoum (2 500 000 hab.). Religions : islam (70 %), christianisme (9 %), animisme (18 %). Régime politique : république. Unité monétaire : la *livre soudanaise.*

SOUDAN

● Avec un territoire de 2,5 millions de km², le Soudan est le plus vaste État d'Afrique et possède des frontières communes avec huit pays : au nord, l'Égypte et la Libye, à l'ouest, le Tchad, au sud, la république Centre-africaine, le Zaïre, l'Ouganda et le Kenya, à l'est, l'Éthiopie. Ces États voisins suivant des lignes politiques souvent divergentes et connaissant des difficultés spécifiques, le gouvernement soudanais a été contraint de déployer des trésors d'ingéniosité et de diplomatie à leur égard, ce qui n'a pas facilité le règlement du conflit intérieur qui a déchiré le pays pendant plus de quinze ans : la guerre civile entre le nord et le sud. Car les États africains ont fourni une certaine assistance à l'armée rebelle de l'Anya-Nya, tandis que les États arabes préconisaient l'écrasement du sud et le ralliement complet au monde arabe du territoire soudanais, à la fois arabe et africain de par ses composantes culturelles et ethniques.

● Traversée par le Nil, cette région rudement contrastée est, comme l'Égypte, un « don du fleuve » et a vu se succéder des civilisations encore mal connues en raison de la rareté des fouilles. Le Soudan nubien, le « Pays de Couch », est le berceau de l'ancienne Égypte, à laquelle son histoire est attachée pendant trois millénaires. Lorsqu'au Bas-Empire, l'Égypte se tourne vers le

Témoignage de la longue domination arabe, cet édifice soudanais dont l'architecture rappelle celle des constructions islamiques. Libéré de la double domination anglaise et égyptienne, le Soudan est une république indépendante depuis 1956.

monde méditerranéen. le Pays de Couch prolonge la civilisation égyptienne dans les empires de Napata et de Méroé, auxquels succèdent, au IVe siècle, trois royaumes chrétiens.

● Favorisé par son isolement, le Soudan résiste longtemps à la pénétration de l'Islam qui ne parvient à supplanter les pouvoirs chrétiens qu'au XVe siècle. Dans le sud se crée alors le royaume islamique noir de Foundji, qui a pour capitale Sennar. Affaibli par ses divisions internes (résistance des populations restées animistes, incursions éthiopiennes, alors que les sultans du Foundji favorisent l'intervention de l'Égypte au Soudan) le royaume de Foundji s'effondre et le pays est rattaché à l'Égypte, tandis que l'islamisation s'accentue, de même que l'esclavagisme.

● La suppression de la traite des Noirs par Ismaïl pacha donne lieu à une insurrection réactionnaire de fanatiques musulmans qui soustraient, pendant un temps, le Soudan à la domination égyptienne; mais la reconquête par une armée anglo-égyptienne aboutit à la signature, en 1899, d'une convention qui fait du Soudan un condominium anglo-égyptien.

● L'Angleterre favorise le développement économique (irrigation, extension de la culture du coton) et assure la formation des élites, mais à la suite de l'Égypte, elle entérine la prédominance du nord sur le sud, réunis malgré leurs différences, leurs antagonismes même, en un seul État.

● De sorte qu'à peine indépendant, le Soudan se voit plongé dans la guerre civile : les trois provinces du sud, Équatoria, Bahr-el-Ghazal et Haut-Nil, se révoltent et mettent sur pied une armée de libération; le gouvernement central de Khartoum tente d'établir l'équilibre entre les forces conservatrices et progressistes et voit se succéder les coups d'État. En 1969, le général Nemeyri prend le pouvoir et parvient à négocier habilement, trois ans plus tard, un accord à Addis-Abbeba avec les rebelles du sud. Cette guerre « oubliée » par le reste du monde aura fait plus de 600 000 victimes sudistes et largement retardé l'essor économique soudanais en créant une situation et des rapports politiques confus, tant sur le plan intérieur que sur le plan extérieur.

● Le territoire soudanais est composé d'une vaste plaine entrecoupée de plateaux et de massifs montagneux d'origine volcanique : à l'est, les prolongements du plateau éthiopien, au sud-ouest, dans le Kordofan, les monts Nuba, à l'ouest, dans le Darfour, le Djebel Marra. La région septentrionale est un désert de sable et de pierrailles qui s'ouvre à l'est sur la mer Rouge.

● Dans ce pays aride, dépourvu de végétation, la vie se réfugie le long du Nil, dont les crues permettent l'irrigation des terres avoisinantes. La région la plus fertile est constituée par les vastes plaines argileuses des provinces centrales : Darfour, Kordofan, Nil Bleu et une partie du Kessala. Au sud s'étendent des marécages insalubres, encombrés de végétation aquatique et infestés par la mouche tsé-tsé.

● Le climat est de type continental tropical, les températures entre 15 et 39 °C. Les pluies sont très rares dans le nord, variables au centre où elles tombent entre juin et octobre, et abondantes dans le sud où elles tombent pendant huit mois, causant parfois des inondations catastrophiques.

● La population se répartit inégalement, les zones les plus peuplées étant le centre, le sud et les rives du Nil, alors que les déserts du nord et les marécages nilotiques sont presque déserts. On compte au Soudan 572 ethnies différentes! Au nord on trouve essentiellement des Arabes et, dans le sud, des populations nilotiques (Shilluk, Nuer, Dinka), nilo-hamitiques (Mari, Mandari) et négroïdes (Zandé). En gros les Arabes représentent 33 % des Soudanais et les Noirs 58 %. On trouve en outre des Éthiopiens et des Européens.

● Le Soudan tire la plus grande partie de ses ressources de l'agriculture, qui occupe 72 % de la population active, alors que seulement 150 000 km² sont cultivés, soit 5 % du territoire. Les principales cultures sont le sorgho, le millet, l'arachide, dont les rendements respectifs se sont beaucoup améliorés. Le coton est la principale culture d'exportation (13e rang mondial en 1987), suivi de très loin par l'arachide et la gomme arabique. Mais l'élevage occupe une place importante; il est pratiqué d'une manière semi-nomade, et vendu sur pied dans les pays du Golfe. La pêche est pratiquée de façon artisanale.

● Bien que le Darfour recèle d'importants gisements de cuivre, le Soudan ne compte aucune production minière réelle. L'industrie soudanaise se limite donc à la transformation des produits agricoles : égrenage et filature de coton, huileries, raffineries de

Depuis 1983, la loi islamique — la Charia — est en vigueur au Soudan et n'a pas été abolie par le général Dahab, qui a renversé en 1985 le général Nemeiry.

sucre, brasseries, tanneries, etc. Le Soudan doit donc importer la totalité de ses biens d'équipement et malgré l'aide extérieure, ses dettes s'accroissent.

● Les moyens de transport sont trop peu développés : 3 000 km de routes, 4 800 km de voies ferrées; le pays ne possède qu'un seul port : Port-Soudan sur la mer Rouge et un seul aéroport à Khartoum.

● La grande faiblesse de ce pays très pauvre tient à la rivalité qui oppose la population musulmane du Nord, qui détient le pouvoir, à la population noire et non islamisée du Sud, qui n'accepte pas cette hégémonie. ■

SOUFRE

● On rencontre le soufre à l'état naturel au voisinage des volcans et, à l'état combiné, dans certains gaz naturels, comme celui de Lacq, où le soufre a formé avec l'hydrogène du sulfure d'hydrogène H_2S. A l'état natif, c'est-à-dire pur, le soufre forme de très beaux cristaux jaune d'or. Dans le commerce, il est vendu en poudre fine (soufre en fleur), ou en blocs cylindriques (soufre en canons).

● Prenons un peu de soufre dans un tube ou un ballon et faisons-le chauffer. Le solide se met à fondre vers 114 °C, en un liquide pâle d'abord, puis brun et visqueux. Quand la température atteint 444,6 °C, l'ébullition commence : le soufre se vaporise, et nous pouvons en recueillir les vapeurs en approchant une soucoupe froide sur laquelle celles-ci vont se condenser, se cristallisant en une poudre très fine : c'est du soufre en fleur, qui est employé en agriculture pour lutter contre les parasites des végétaux.

● L'aisance avec laquelle on peut faire fondre le soufre explique pourquoi cette opération est utilisée pour extraire le soufre enfoui dans le sol, en Louisiane, par exemple.

● Dans le tube où se produit la vapeur de soufre, introduisons un morceau de cuivre sous forme d'une tournure : le cuivre devient incandescent, puis il noircit, car il se transforme en sulfure de cuivre, lequel est noir. Cette expérience montre la facilité avec laquelle le soufre réagit avec un métal. Mélangeons de la limaille de fer avec du soufre en fleur (le meilleur mélange contient 36,4 % de soufre), façonnons ce mélange en forme de saucisson, que nous plaçons sur une brique, puis faisons fortement chauffer l'une de ses extrémités à l'aide d'un bec Bunsen. L'extrémité chauffée devient incandescente. Retirons le bec de gaz. L'incandescence se propage de proche en proche jusqu'à l'autre extrémité du tas. Le soufre et le fer se sont combinés en formant du sulfure ferreux.

● Avec la poudre d'aluminium employée à la place de limaille de fer, la réaction est très violente, dangereuse même, si l'on se tient trop près du mélange. On l'amorce ainsi : sur l'amalgame, on met une

En millions de tonnes, quelques chiffres faisant état de la production de soufre élémentaire (soufre directement extrait de gisements ou obtenu à partir de gaz naturel) dans le monde : États-Unis : 10,3 Canada : 5,7 U.R.S.S. : 5,2 Pologne : 4,8 France : 1,5.

Le soufre fondu arrive à la surface. Connu depuis l'Antiquité, cité dans la Bible et dans l'Odyssée, le soufre formerait 0,06 % du poids de la croûte terrestre jusqu'à une profondeur de 20 km.

Des paysans ceylanais font sécher le mil après la récolte. A Ceylan, comme dans toute l'Asie méridionale, l'agriculture a encore recours à des techniques primitives et la production est en majeure partie utilisée par les cultivateurs pour leur propre alimentation.

Aujourd'hui, on désigne par le terme de Tiers-Monde les pays hier sous-développés producteurs de matières premières importantes (pays arabes, Iran, Zaïre, Gabon, Venezuela) alors que l'appelation de Quart-Monde, est réservée aux pays tels que l'Inde, le Mali, l'Éthiopie ou le Paraguay, qui sont totalement démunis de ce moyen de pression sur les pays riches.

Chine n'échappe pas à cela. Il leur faut par conséquent posséder des devises pour les payer. Il existe trois moyens de les obtenir : le commerce international, c'est-à-dire l'exportation de matières premières ou de produits divers; l'entrée des capitaux privés attirés par la rentabilité de certains investissements; enfin l'aide proprement dite, qui provient d'organismes publics, nationaux ou internationaux.

● La nécessité de l'aide est reconnue en Occident, mais pratiquée de façon très restreinte. Alors que certains pays, dont la France, y consacrent environ 1 % de leur revenu national, ce quota modeste n'est pas atteint par beaucoup d'autres.

● En outre, beaucoup de pays du Tiers-Monde insistent sur la nécessité d'agir prioritairement sur le commerce international, notamment sur la fixation et la stabilisation des cours des matières premières. Leur slogan : *Trade, not aid*. L'égoïsme des nations y a fait constamment obstacle. Il n'est donc pas étonnant que les pays sous-développés, à la faveur d'une tension du marché, prennent d'eux-mêmes les dispositions qui leur sont favorables. ■

SOUS-MARIN

● Durant la guerre de 1914-1918, le sous-marin devait apparaître comme l'arme la plus efficace contre les convois marchands, ce que confirma la guerre de 1939-1945. Les sous-marins s'illustrèrent également en tant que « corsaires », au cours d'opérations spectaculaires, telles que l'attaque des bâtiments de guerre isolés (croiseurs, cuirassés, porte-avions, etc.). Mais au lendemain de la guerre, la stratégie nucléaire, qui s'accompagne naturellement de forces de dissuasion terrestres, aériennes et navales, devait donner aux sous-marins un rôle de tout premier plan, et particulièrement en France où les S.N.L.E. (sous-marins nucléaires lanceurs d'engins) constituent le fer de lance de notre force de frappe atomique, ou force de dissuasion.

● En 1967, le premier sous-marin à propulsion nucléaire lanceur d'engins téléguidés, le *Nautilus*, de l'U.S. Navy, 4 091 t en plongée, vitesse 20 nœuds (plongée et surface), accomplissait la spectaculaire traversée du pôle Nord sous la calotte polaire, soit quelque 2 000 milles. Le sous-marin à moteur unique surface/plongée était enfin devenu une réalité, après quelque cent années de recherches. Restaient à perfectionner la vitesse et le missile.

● Ces recherches aboutirent, pour les États-Unis, à la création de la flotte de sous-marins la plus puissante du monde, avec 41 S.S.B.N. (sous-marins stratégiques balistiques nucléaires) qui se décomposent comme suit : 1° — 31 types *Lafayette*, déplacement : 7 320 t, dimensions : 129 × 10 × 9, propulsion nucléaire, vitesse : 15/20 nœuds, effectif : 14 officiers, 126 hommes, profondeur de plongée : plus de 250 m; 2° — 5 *Ethan Allen* de 6 300 t; 3° — 5 *George Washington* de 5 400 t. Un « monstre » est actuellement à l'étude : il déplacera 16 000 t et donnera 25 nœuds en plongée. 10 sous-marins de ce type sont prévus.

● Quant aux missiles balistiques qui équipent ces sous-marins : les *Polaris* (portée 1 500 à 2 500 milles), ils ont été remplacés par des *Poséidon* et, sur les 16 000 t, par des missiles *Trident* de 9 000 milles de portée. Outre ces bâtiments de la force océanique stratégique, l'U.S. Navy possède des sous-marins d'attaque nucléaire (S.S.N.), 37 *Sturgeon*, 13 *Tresher* et 23 *Los Angeles* prévus, dont le premier entrera prochainement en service.

● La seconde flotte mondiale de sous-marins est, pour autant qu'on puisse disposer d'informations sérieuses, celle de l'U.R.S.S. Celle-ci comporte 12 sous-marins de type *Y* (dits Yankee), comparables aux S.S.B.N. de l'U.S. Navy, équipés de 16 missiles à charge nucléaire, de 4 000 milles de portée. Elle comprend également le sous-marin le plus gros du monde, long de 170 mètres et large de 24 mètres, qui déplace 29 000 t : c'est le *Typhoon* (1980).

● Enfin la flotte soviétique rassemble plusieurs dizaines de sous-marins nucléaires d'attaque (S.N.A.) type *C* (dits Charlie), pour missiles aérodynamiques, capables d'être lancés en surface et en plongée. Près de 300 sous-marins classiques à diesel complètent la flotte sous-marine de l'U.R.S.S.

● La Royal Navy a organisé sa force océanique stratégique autour de 4 S.S.B.N. type Resolution, équipés de 16 missiles Polaris A.3. Ces bâtiments sont appuyés par 7 S.N.A. (sous-marins nucléaires d'attaque).

● Quant à la France, la « Royale » s'est vue confier le principal rôle dans la politique de dissuasion avec les S.N.L.E. Sont entrés en service *Le Redoutable*, (1971), *Le Terrible* (1973), *Le Foudroyant* (1974), *L'Indomptable* (1977), *Le Tonnant* (1980) et, le dernier-né, *L'Inflexible* (1985).

● Ces bâtiments déplacent 7 500 t en surface et 9 000 t en immersion. Leurs dimensions sont: 128 × 10,6 × 10 m. Un réacteur à uranium enrichi constitue une centrale thermique qui fournit de la vapeur à deux groupes de turbines et à deux turbo-alternateurs. La vitesse des S.N.L.E. est de 20 nœuds. L'armement stratégique comprend 16 missiles S.M.B.S. (missiles balistiques stratégiques). Ce sont des engins bi-étages, propulsés à poudre, pilotés et guidés, de 10,4 m de haut et de 2 500 km de portée. Les M2, missiles de deuxième génération, portent à 3 000 km. L'armement tactique comprend 4 tubes lance-torpilles et 18 torpilles approvisionnées. Le personnel : 15 officiers, 120 hommes répartis en 2 équipages complets, alternent pour la durée des embarquements.

● Basés à l'île Longue en rade de Brest, les S.L.N.E. ont effectué des patrouilles de 90 jours en immersion pour tester autant le matériel que la résistance physique et morale des équipages. Ces tests sont essentiels pour la préparation au combat à bord des bâtiments de la Marine nationale moderne, tant sous-marins que de surface, où l'on vit en milieu clos.

● Les sous-marins d'attaque à hautes performances, *Agosta*, *Beveziers*, *La Praya*, *Ouessant*, sont désormais opérationnels. Ces bâtiments déplacent 1 700 tonnes, donnent 20 nœuds en plongée, sont armés de 4 tubes de 550 mm et de 20 torpilles, leurs dimensions sont 67,6 × 6,8 × 5,4 m pour un effectif de 7 officiers et 43 hommes. Un moteur électrique de 3 500 kw entraîne une seule ligne d'arbres. La distance franchissable est de 8 000 milles à 9 nœuds au Schnorchel. Une autonomie de 45 jours est prévue. Ces sous-marins sont particulièrement étudiés pour éviter d'être détectés au son.

● Outre les S.N.L.E. et les sous-marins d'attaque à hautes performances, la Marine française dispose des 6 sous-marins océaniques type Narval, mis en service de 1957 à 1960, qui s'avèrent excellents. Ils déplacent 1 320 t. A côté d'eux, les 9 *Daphné* (entrés en service de 1964 à 1970) sont des petits sous-marins de 700 t, très réussis. Enfin, complétant cette flotte, les 4 *Arethuse* de 400 t, mis en service de 1958 à 1960. ■

Le célèbre *Nautilus* (ainsi baptisé en souvenir du sous-marin imaginé par Jules Verne) fut construit par les Américains en 1954 ; cet ancêtre des sous-marins atomiques actuels réussit le premier à traverser le pôle Nord en passant sous la calotte glaciaire.

La proue effilée d'un sous-marin telle qu'on peut la voir du haut de la passerelle.

SOUS-MARIN, Sport

● La surface des terres émergées ne nous réserve plus aucune surprise, mais les deux tiers de notre globe, recouverts par les océans, sont encore inconnus. L'explorateur du week-end peut, sans risques, après un court entraînement, pénétrer et séjourner dans le monde mystérieux qui commence au bord des plages.

● En 1940 fut fondé à Marseille le premier club spécialisé dans la chasse sous-marine : le Groupement de pêche et d'études sous-marines. Pendant la Seconde

Ce pêcheur sous-marin récupère son harpon fiché dans un mérou. Pour se protéger du froid, ce plongeur a revêtu une combinaison de néoprène (caoutchouc synthétique laissant passer une fine pellicule d'eau, rapidement portée à la température du corps). La couche de néoprène (4 à 6 mm) fonctionne comme un isolant thermique.

Les sports sous-marins connaissent en France un succès croissant. En 1948, il existait 8 clubs auxquels étaient inscrits 718 plongeurs. Il y a en 1988, 1 280 clubs, 81 000 licenciés, 2 000 moniteurs à la Fédération française d'études et de sports sous-marins.

Guerre mondiale, dans les calanques et tout le long de la Côte d'Azur, des jeunes gens plongeaient pour aller chercher, parmi les poissons, l'indispensable complément à la nourriture alors distribuée.

● Une fois la paix revenue, la chasse sous-marine devint un sport à la mode, et une petite industrie prit naissance pour équiper ses adeptes. Son premier objectif fut la création de fusils sous-marins efficaces. Les meilleurs chasseurs sous-marins mirent au point des arbalètes à sandow et des fusils à ressort qui, bientôt, donnèrent d'excellents résultats et connurent un succès international.

● Mais la chasse n'est pas la seule discipline sportive sous-marine. L'exploration, l'étude de la faune et de la flore aquatiques, la recherche d'épaves et d'antiquités, sans parler des plongées à but industriel, sont autant de facettes de ce sport passionnant.

● Un équipement adapté est indispensable à la pratique du sport sous-marin. Des *lunettes* de plongée, répondant aux impératifs de la protection des yeux et du rétablissement d'une vision presque normale, furent mises au point au début du siècle, mais elles ne sont utilisables que par faible profondeur. Dès que l'immersion augmente, le volume d'air situé entre l'œil et le verre diminue. Au-delà de dix mètres les verres arrivent au contact des globles oculaires et les compriment. Aussi les plongeurs préfèrent-ils s'équiper d'un *masque* englobant aussi le nez : une simple insufflation rétablit le volume d'air.

● Les masques sont fabriqués en caoutchouc naturel ou en matière plastique. Le verre peut être simple ou trempé, selon les performances exigées.

● Pour la chasse sous-marine, dans les pays où le scaphandre autonome est interdit (en France, notamment), le complément du masque est le *tuba*, tube en matière plastique ou en aluminium, coudé en forme de syphon, permettant au nageur de respirer, le visage dans l'eau. En plongée, la pénétration de l'eau est empêchée par une bulle d'air qui demeure dans le coude supérieur du tube, ou par une balle de celluloïd encagée obturant l'orifice. Dans ce cas, la durée de la plongée est très courte, proportionnelle à la capacité thoracique du plongeur.

● L'eau est un très bon conducteur thermique (25 fois plus que l'air). Tout plongeur vêtu d'un simple maillot de bain se trouve donc soumis à une très forte déperdition calorique. Pour combattre cette agression, le plongeur qui désire atteindre plus de dix mètres de profondeur s'équipe d'une combinaison comportant des alvéoles fermés et remplis d'air, celui-ci demeurant le meilleur isolant thermique. Cette combinaison n'est généralement pas étanche. Sa fonction est d'isoler, entre le corps et le vêtement, une couche d'eau qui se trouve rapidement portée à une température convenable, grâce à la surproduction momentanée de calories provoquée par un réflexe d'autodéfense de l'organisme.

● Les combinaisons présentent l'inconvénient d'être fragiles (risques d'accrocs sur un rocher ou une épave, usure provoquée par l'action du soleil et du milieu salin).

● Inventées en 1920 par le commandant de Corlieu, les *palmes* permettent au plongeur de se déplacer plus facilement. On peut les classer en deux groupes : les palmes souples, très maniables, mais d'une médiocre efficacité, et les semi-rigides, choisies par les sportifs bien entraînés.

● Malgré les palmes, le rayon d'action d'un plongeur reste assez limité, notamment en plongée sous scaphandre. En effet tout effort physique implique une plus forte consommation d'air comprimé. Or la capacité des bouteilles est limitée...

● Si le séjour sous l'eau doit être prolongé, il convient alors d'utiliser un engin à propulsion électrique ou remorqué depuis la surface.

● Enfin, pour les amateurs de prises de vues, signalons qu'il existe une gamme assez large d'appareils et d'équipements d'éclairage, mais que leur prix est assez élevé. ■

Loi n° 49-956 du 16 juillet 1949 sur les publications destinées à la jeunesse
Dépôt légal avril 1989. – Deux Coqs d'Or éditeur – N° 4-9231-2-89
Imprimé en France